CHWAŁA KSIĄŻCE, KTÓREJ UFAJĄ RODZICE I LEKARZE

* * * * *

„Znakomita. Polecam ją wszystkim moim pacjentom. Sama już mam siedemnastomiesięczne dziecko – pacjenta. Książka ta jest nawet dla mnie – pediatry – biblią".

dr Claudia Somes

*

„*W oczekiwaniu na dziecko* była moją biblią w czasie ciąży".

Cynthia Cravens Allen, Kentucky

*

„Cudowna. Dobrze skomponowana, dająca się łatwo czytać".

dr Catherine C. Wiley

*

„Wasza książka to... dar niebios. Uważnie czytałam każdy rozdział przed rozpoczęciem kolejnego miesiąca ciąży i zawsze byłam dzięki waszemu wyważonemu i pełnemu życzliwości tekstowi dużo spokojniejsza".

Carol Rozner, Kalifornia

*

„Zawiera przydatne informacje, niedostępne w innych książkach".

dr Jim Wiley

*

„Wasz spokojny i budzący zaufanie styl napełnia mnie odwagą u progu rodzicielstwa".

Diane Wheeler, Kalifornia

*

„Bardzo uspokajająca dla młodej matki".

dr Ralph Minear

*

„Wasze książki przez osiemnaście miesięcy nie opuszczały mojego nocnego stolika (z wyjątkiem okresu, gdy wraz ze mną powędrowały do szpitala)! Wasze informacje są zawsze zgodne z «rozkładem jazdy», zwięzłe i obiektywne”.

Lori Slayton, New Jersey

*

„Znakomita – w czasie ciąży żony traktowaliśmy ją jako naszą biblię”.

dr Bruce Oran

*

„Przeprowadziła mnie przez moją pierwszą ciążę... dostarczając zwięzłego, życzliwego czytelnikowi źródła informacji... Dzięki waszej książce czuję, że nasza córka wystartowała w życie naprawdę z głową”.

Victoria Schei, Ontario

*

„Nadzwyczaj pomocna. Używam jej jako cennego źródła informacji dla moich pacjentów”.

Saundra Schoichet
dr filozofii, psycholog kliniczny

Arlene Eisenberg, Heidi E. Murkoff,
Sandee E. Hathaway B.S.N.

W OCZEKIWANIU NA DZIECKO

PORADNIK DLA PRZYSZŁYCH MATEK I OJCÓW

Słowo wstępne do wydania polskiego
i konsultacja naukowa
prof. zw. dr hab. n. med. Zbigniew Słomko
Kierownik Katedry Perinatologii i Ginekologii
Akademii Medycznej im. K. Marcinkowskiego
w Poznaniu

DOM WYDAWNICZY REBIS
POZNAŃ 2003

Tytuł oryginału:
WHAT TO EXPECT WHEN YOU'RE EXPECTING
(Revised Edition)

Ilustrowała Carol Donner

Tłumaczenia dokonał zespół lekarzy pod kierunkiem redaktora wydania polskiego
prof. zw. dr. hab. n. med. Zbigniewa Słomko z Akademii Medycznej w Poznaniu

Na okładce reprodukcja obrazu Danuty Muszyńskiej-Zamorskiej *Macierzyństwo*
(zdjęcie wykonał Andrzej Florkowski)

Okładkę projektował Maciej Rutkowski

Wydanie V
uzupełnione i uaktualnione
(dodruk)

ISBN 83-7120-858-8 (brosz.)
ISBN 83-7120-859-6 (tw.)

Dom Wydawniczy REBIS Sp. z o.o.
ul. Żmigrodzka 41/49, 60-171 Poznań
tel. (0-61) 867-47-08, 867-81-40; fax 867-37-74
e-mail: rebis@rebis.com.pl
www.rebis.com.pl

Fotoskład: *Z.P. Akapit*, Poznań, ul. Czernichowska 50B, tel. 879-38-88
Druk i oprawa: Zakłady Graficzne im. KEN S.A. Bydgoszcz, ul. Jagiellońska 1, tel. (0-52) 322-18-21

Emmie, która zainspirowała tę książkę, będąc jeszcze w łonie, a pojawiwszy się już na tym świecie, uczyniła wszystko, by powstrzymać nas od jej napisania, i która, wierzymy w to, pewnego dnia uczyni z niej dobry użytek.

Howardowi, Erikowi i Timowi, bez których powstanie tej książki nie byłoby możliwe z wielu powodów.

Racheli, Wyattowi i Ethanowi, którzy spóźnili się trochę do naszego pierwszego wydania, ale których przyjście na świat wniosło bardzo wiele do wydania drugiego.

MILIONY PODZIĘKOWAŃ

Książki i dzieci mają wiele wspólnego. I jedne, i drugie zabierają wiele czasu, wymagają ciężkiej pracy, poświęcenia i troski (nie wspominając o sporej dawce zmartwień), by w efekcie powstało coś najlepszego. I jedne, i drugie wymagają również zgodnej współpracy zespołu oddanych sprawie ludzi. Miałyśmy szczęście stworzyć taki świetny zespół osób, zaangażowanych bez reszty w powstanie naszej książki. Wszystkim chcemy bardzo serdecznie podziękować:

Elizie i Arnoldowi Goodmanom, naszym agentom, za ich zaufanie, dobre rady, poparcie i przyjaźń.

Suzanne Rafer, naszej niezwykłej redaktorce w wydawnictwie Workmana, za jej trafne sugestie, cierpliwość, poczucie humoru (zaiste potrzebowała go) i niespożyte siły do tego, co czasem wydawało się pracą bez końca.

Shannon Ryan za tysiące spraw, którymi się zajmowała z dużą biegłością, inteligencją i – co najbardziej niezwykłe – z uśmiechem.

Kathie Ness za jej wnikliwą redakcję drugiego wydania.

Bertowi Snyderowi, Inn Stern, Sandrze Pearson, Stevenowi Garvanowi, Janet Harris, Andrei Glikson, Cindy Frank, Jill Bennett, Nicole Dawkins, Barbarze McClain, Tomowi Starace'owi, Anne Kostick i wszystkim innym w wydawnictwie Workmana, którzy przyczynili się do sukcesu naszego pierwszego wydania i/lub wnieśli znaczący wkład w przygotowanie wydania obecnego. I jeszcze bardzo szczególne podziękowania dla Petera Workmana – naprawdę szczególnego wydawcy.

Richardowi Aubry'emu, profesorowi położnictwa i ginekologii, wiceprezesowi i dyrektorowi wydziału położniczo-ginekologicznego w Centrum Nauk Medycznych Stanowego Uniwersytetu Nowy Jork w Syrakuzach – naszemu nieocenionemu medycznemu doradcy. Jego mądra, troskliwa, trafna i pouczająca (sam Roger nie był w stanie znaleźć dość odpowiednich słów) recenzja naszego tekstu w ogromnym stopniu dowartościowała tę książkę. Czujemy się wyróżnione faktem współpracy z tak świetnym lekarzem.

Dziękujemy Amerykańskiemu Kolegium Położników i Ginekologów (szczególnie Mortowi Lebowowi, Florence Foelak i Kate Ruddon), Amerykańskiej Akademii Pediatrii (szczególnie Michelle Weber i Carolyn Kolbaba) i „Współczesnej Pediatrii" (w tym redaktorowi Jimowi Swanowi) za dostarczenie nam ogromnej ilości informacji i materiału, za gotowość odpowiadania na nasze pytania, jak również za pomoc w uaktualnianiu naszych książek.

Wielu lekarzom, którzy wyjaśniali sporne kwestie i odpowiadali na nasze pytania, w tym Johnowi Seversowi, Irvingowi Selikoffowi, Michaelowi Stanowi, Michelle Marcus, Royowi Schoenowi i setkom innych, którzy wypełnili nasze ankiety oraz umożliwili branie udziału w zebraniach Amerykańskiego Kolegium Położników i Ginekologów.

Trzem ludziom, bez których książka ta (i późniejsze) nie mogłaby w ogóle zaistnieć: Howardowi Eisenbergowi, Erikowi Murkoffowi i Timowi Hathawayowi. To właśnie tacy mężczyźni jak oni przywracają dobre imię mężom i ojcom; dziękujemy im za inspirację i poparcie.

Tym, którzy przyczynili się w dużym stopniu do sukcesu pierwszego wydania: projektantce Susan Aronson Stirling, autorce okładki Judith Cheng, ilustratorce książki Carol Donner; a także dr. Henry'emu Eisenbergowi, Ann Appelbaum i Beth Falk.

Przyjaciołom takim jak Sarah Jacobs, którzy dostarczyli nam cennych pomysłów i analiz.

Setkom czytelników, którzy pisali, telefonowali i rozmawiali z nami przez te wszystkie lata – za ich komentarze i sugestie.

SPIS TREŚCI

CZĘŚĆ 2

DZIEWIĘĆ MIESIĘCY CIĄŻY

Od poczęcia do porodu

CZĘŚĆ 3

PROBLEMY SZCZEGÓLNEJ TROSKI

CZĘŚĆ 4

ROZWAŻANIA KOŃCOWE, ALE WCALE NIE NAJMNIEJ WAŻNE

O okresie poporodowym, o ojcach i o następnym dziecku

DLACZEGO TA KSIĄŻKA NARODZIŁA SIĘ PONOWNIE?

Czternaście lat temu, parę godzin przed urodzeniem Emmy – dziecka, które zainspirowało tę książkę – moje współautorki i ja zaproponowałyśmy opublikowanie *W oczekiwaniu na dziecko*. Rozpoczynając naszą pracę, zbierając materiały i pisząc kolejne strony, miałyśmy na względzie prosty i jednoznaczny cel: dostarczyć przyszłym rodzicom informacji pewnych i rozwiewających ich wątpliwości.

Czternaście lat później nasz cel się nie zmienił. Zmieniła się jednak nasza książka, by cel ten osiągnąć w jeszcze wyższym stopniu.

Pierwsze wydanie *W oczekiwaniu na dziecko* właśnie opuszczało drukarnię, gdy zaczęłyśmy już gromadzić materiały w teczce oznaczonej słowem „Dodatkowe". I chociaż udawało się nam wprowadzać najważniejsze nowe informacje, przynajmniej w skrócie, do następnych dodruków, teczka z napisem „Dodatkowe" wkrótce stała się całą stertą tychże, a później wypełnioną po brzegi szafą. Gdy przybrała już rozmiary sporego pokoju, stwierdziłyśmy, że nadszedł czas, by zwrócić się do naszego wydawcy z propozycją drugiego, poszerzonego wydania, by wszystkie nasze „dodatki" mogły zostać w końcu dodane.

Wiele z tego, co poprawiłyśmy, odzwierciedla zmiany w ogólnej praktyce położniczej. Jednak o wiele więcej zmian jest odzwierciedleniem sygnałów pochodzących ze źródła, które cenimy sobie na równi z periodykami położniczymi i naukowymi artykułami – sugestii przyszłych rodziców. Na ostatniej stronie pierwszego wydania *W oczekiwaniu na dziecko* prosiłyśmy czytelniczki, by pisały do nas i powiadamiały o tym wszystkim, czym się martwią lub czego doświadczyły w okresie ciąży, jak też i po jej zakończeniu, a o czym my nie napisałyśmy wcale lub napisałyśmy za mało. I chociaż otrzymałyśmy wiele listów od czytelniczek, które twierdziły, że poruszyłyśmy wszystkie zagadnienia, były też i takie, w których czytelniczki wyrażały odmienne zdanie.

A więc tak jak nas proszono, dodałyśmy więcej informacji o drugiej ciąży i o następnych, napisałyśmy więcej o schorzeniach chronicznych mających wpływ na przebieg ciąży, więcej o tym, co robić, gdy występują mdłości, więcej na temat tego, jak radzić sobie ze zwykłymi (i nie tak bardzo zwykłymi) objawami ciąży, i więcej o możliwych komplikacjach. (Jednak bardzo prosimy, byście oszczędziły sobie niepotrzebnych zmartwień i nie czytały tego rozdziału, chyba że dana komplikacja naprawdę u was się pojawiła.)

Jednak ważniejsze od tego, co zmieniłyśmy, jest to, co pozostało takie samo – to, co tak bardzo cenią sobie czytający *W oczekiwaniu na dziecko*, mianowicie: praktyczne rady krok po kroku, życzliwe podejście autorek, łatwe w odbiorze wyjaśnienia dotyczące problemów medycznych, no i, oczywiście, rozpraszanie wszelkich wątpliwości.

Żadna książka poświęcona ciąży nie może przewidzieć i opisać wszystkich możliwych problemów czy sytuacji i jednocześnie zmieścić się na jednej półce. (W końcu trzeba pamiętać, że nie ma dwóch identycznych ciąż, a każdego roku w USA mamy do czynienia z ponad 3,5 milionami przypadków ciąży.) Jednakże mamy nadzieję, że w waszych odczuciach to wydanie *W oczekiwaniu na dziecko* bardzo zbliży się do tego ideału.

Należą się wam – naszym czytelniczkom i czytelnikom – wielkie podziękowania za całe poparcie i wszystkie sugestie, których nam dostarczaliście. Niech kartki i listy nadchodzą dalej. Ze swej strony dołożymy wszelkich starań, by uwagi w nich zawarte zostały uwzględnione.

Heidi E. Murkoff,
Nowy Jork

Planując ciążę

Jeżeli nie jesteś jeszcze w ciąży, ale ją planujesz, przeczytaj najpierw ostatni rozdział niniejszej książki. Znajdziesz tam wszystko, czego potrzebujesz, by dowiedzieć się, jak mądrze zapoczątkować udaną ciążę i urodzić zdrowe dziecko.

JAK NARODZIŁA SIĘ TA KSIĄŻKA?

Byłam w ciąży. I byłam zarówno najszczęśliwszą kobietą na świecie, jak i najbardziej zmartwioną.

Zmartwioną winem, które wypiłam wieczorem przy kolacji, i dżinem z tonikiem, który popijałam wieczorami w pierwszych sześciu tygodniach ciąży po tym, jak dwóch ginekologów i badanie krwi utwierdziły mnie w przekonaniu, że w ciąży nie jestem.

Zmartwioną siedmioma dawkami Provery, którą przepisała mi wcześniej lekarka, by przyspieszyć, jak sądziła, opóźniający się okres, a co w dwa tygodnie później okazało się prawie dwumiesięczną ciążą.

Zmartwioną kawą, którą często piłam, i mlekiem, którego nie piłam, cukrem, który jadłam, i białkiem, którego nie jadłam.

Zmartwioną skurczami w trzecim miesiącu i czterema dniami w piątym miesiącu, kiedy to nie czułam nawet najmniejszego ruchu płodu.

Zmartwioną omdleniem podczas zwiedzania szpitala, w którym miałam rodzić (nigdy nie zdołałam obejrzeć oddziału noworodków), upadkiem na brzuch w ósmym miesiącu i krwawą wydzieliną z pochwy w dziewiątym.

Zmartwioną nawet d o b r y m samopoczuciem („Przecież nie mam żadnych zaparć..., nie mam porannych nudności..., nie oddaję częściej moczu – coś musi być nie tak!").

Zmartwioną, że nie będę w stanie wytrzymać bólu czy też znieść widoku krwi podczas porodu. Zmartwioną faktem, że nie będę w stanie karmić piersią, ponieważ przed upływem dziewiątego miesiąca nie mogłam wycisnąć nawet kropli siary, która, jak twierdziły wszystkie poradniki, powinna była już wówczas wypełniać moje piersi.

Gdzie mogłam się zwrócić, by znaleźć potwierdzenie, że wszystko będzie w porządku? Przecież nie do ciągle rosnącej na mym nocnym stoliku sterty książek poświęconych ciąży. Nie mogłam tam znaleźć żadnej choćby wzmianki o tak zwykłej i normalnej sprawie, jaką jest kilkudniowy brak aktywności płodu w piątym miesiącu. Nie udało mi się też znaleźć żadnej wzmianki o przypadkowych upadkach – co dość często przydarza się kobietom w ciąży, prawie zawsze bez szkody dla dziecka.

Gdy omawiano podobne do moich symptomy, problemy czy obawy, zwykle przedstawiano je w alarmujący sposób, co jeszcze bardziej pogłębiało moje zatroskanie. „Nigdy nie zażywaj Provery, chyba że jesteś absolutnie zdecydowana usunąć ciążę" – ostrzegała jedna z publikacji, nie dodając, że kobieta, która stosowała ten środek, spowodowała tak minimalne ryzyko wystąpienia defektów u dziecka, że nie chciana aborcja nigdy nie powinna być brana pod uwagę. „Udowodniono, że nawet jedna popijawa w okresie ciąży może mieć wpływ na niektóre dzieci, w zależności od stopnia rozwoju, który osiągnęły" – ostrzegała złowieszczo jeszcze inna książka, nie przytaczając opracowań, które wykazały, że nawet kilka zakrapianych alkoholem zabaw we wczesnym okresie ciąży, a więc wtedy, gdy wiele kobiet nie zdaje sobie sprawy ze swego stanu, nie wpływa na rozwój płodu.

Oczywiście, nie mogłam znaleźć żadnej ulgi dla mych trosk, czytając gazety, włączając radio czy telewizor albo wertując przeróżne magazyny. Zgodnie z tym, co przedstawiały mass media, zagrożenia dla ciąży czaiły się wszędzie: w powietrzu, którym oddychaliśmy, w jedzeniu, które spożywaliśmy, wodzie, którą piliśmy, u dentysty, w drogerii, nawet w domu.

Jasne, że moja lekarka dawała mi jakąś pociechę, ale tylko wtedy, gdy potrafiłam zdobyć się na odwagę i zadzwonić (bałam się, że moje obawy mogą zabrzmieć głupio albo że usłyszę coś niepokojącego. A poza tym jak mogłam, wisząc na telefonie prawie co drugi dzień, tak ją zadręczać?).

Czy tylko ja (i mój mąż Erik, który dzielił ze mną wszystkie zmartwienia) miałam takie obawy, czy byłam w tym odosobniona? Nic bardziej błędnego. Obawa, zmartwienie jest – według pewnego opracowania – jedną z najbardziej powszechnych bolączek związanych z okresem ciąży, trapiącą kobiety bardziej niż poranne nudności i wzmożony apetyt razem wzięte. 94 na każde 100 kobiet martwi się, czy ich dzieci będą normalne, a 93% martwi się, czy one same i ich dzieci szczęśliwie przejdą poród. Więcej kobiet martwi się w czasie ciąży o swoją figurę (91%) niż o swoje zdrowie (81%). A większość martwi się, że zbyt często się martwi.

Jednak chociaż niewielkie zmartwienie jest czymś normalnym dla kobiet w ciąży i ich partnerów, to jednak zbyt duże jest niepotrzebnym marnotrawstwem tego, co powinno być okresem błogiego szczęścia i spokoju. Wbrew wszystkiemu, co słyszymy, czytamy i czym się martwimy, nigdy wcześniej w historii reprodukcji posiadanie dziecka nie było tak bezpieczne – o czym i Erik, i ja mogliśmy się przekonać jakieś 7,5 miesiąca później, gdy urodziłam moją córeczkę zdrowszą i piękniejszą niż w mych najśmielszych marzeniach.

I tak z naszego niepokoju narodziła się książka *W oczekiwaniu na dziecko*. Dedykowana jest wszystkim parom spodziewającym się dzieci (szczególnie mojej współautorce i siostrze – Sandee oraz jej mężowi Timowi, których pierwsze dziecko urodzi się mniej więcej w czasie, gdy wydanie to zostanie opublikowane) i napisana z nadzieją, że pomoże wszystkim przyszłym ojcom i matkom mniej się martwić, a bardziej cieszyć ich ciążą.

Heidi E. Murkoff

PRZEDMOWA DO WYDANIA POLSKIEGO

Poród jest niewątpliwie złożonym procesem biologicznym, którego zrozumienie wymaga dużej wiedzy medycznej, a jednocześnie narodziny stanowią głęboko przenikające wydarzenie emocjonalne dotyczące ludzkich doznań, potrzeb uczuciowych i zachowań oraz znaczący moment dla rozwoju i kształtowania psychiki dziecka. Wśród większości opracowań dotyczących tej tematyki występowała dotąd dominacja naukowych medycznych aspektów nad psychologicznymi i społecznymi, jakkolwiek w ostatnich latach powstały aktywne towarzystwa naukowe zajmujące się psychosomatyką perinatalną. Rozwiązaniem tego problemu może być jedynie wyważony kompromis pomiędzy wprowadzeniem zweryfikowanych naukowych metod medycznych, zapewniających maksymalne bezpieczeństwo matce i dziecku, a działaniem nacechowanym humanizmem, wspierającym więzy i uczucia rodzinne, którego celem jest zaspokojenie potrzeb emocjonalnych, szczególnie silnie wyrażonych w okresie okołoporodowym, oraz rozwój struktur emocjonalno-uczuciowych dziecka.

Wielki polski filozof, pisząc *Medytacje o życiu godziwym* i snując rozważania nad etyką w najszerszym jej rozumieniu, przedstawia taki wzorzec miłości matczynej: „...pośród kierunków możliwego wyboru stylu życia godnego istnienia wzorzec życia matki oddanej dzieciom należy z pewnością do wzorców najczcigodniejszych i najbardziej wypróbowanych. [...] matki oddane swoim dzieciom, pracujące dla nich, w tym upatrujące główne uzasadnienie wszystkiego, co czynią, i najważniejsze źródło radości własnej".

Miłość macierzyńska jest wielka, a nawet bezgraniczna, lecz najwspanialsze postawy i wzorce winny znaleźć racjonalne formy realizacji, nie można się opierać wyłącznie na niewątpliwie ważnym instynkcie macierzyńskim. Oznacza to, że niezbędnym warunkiem realizacji pięknej miłości rodzicielskiej jest znajomość podstawowych informacji w zakresie rozwoju płodu, przebiegu ciąży i porodu. Prościej mówiąc, dokładne poznanie tego, co jest dobre dla oczekiwanego dziecka, a zarazem korzystne dla matki oczekującej narodzin, a co dotyczy jej właściwego trybu życia, higieny i odżywiania. Wiedza w tym zakresie nie zubaża pięknych uczuć macierzyńskich i ojcowskich, lecz przeciwnie, wzbogaca je, czyni pełniejszymi i zarazem racjonalnymi.

Właśnie ta książka zawiera podstawowe informacje na temat fizjopatologii ciąży, porodu i połogu, zasad żywienia i higieny oraz wskazówki o sposobie korzystania z osiągnięć współczesnej medycyny.

W polskim piśmiennictwie popularnonaukowym odczuwa się brak użytecznych opracowań z zakresu wiedzy medycznej, a w szczególności z zakresu fizjopatologii ciąży, porodu i połogu. Odczuwam ten niedostatek bardzo dotkliwie, gdy bowiem zwracają się do mnie kobiety ciężarne, prosząc o wskazanie właściwej lektury, mogę wskazać jedynie problemowe opracowania. Brak jest natomiast nowoczesnego i pełnego opracowania, obejmującego całą problematykę okołoporodową.

Z tych względów wiele kobiet zaopatruje się w podręczniki przeznaczone dla fachowych pracowników służby zdrowia, posiadających ogólne przygotowanie biologiczne bądź wykształcenie medyczne. Korzystanie z tych książek, z uwagi na liczne określenia i definicje medyczne, pisanych wręcz hermetycznym językiem, nie tylko jest utrudnione, ale wprowadza niepokój u czytelniczek oraz rodzi dużo wątpliwości i pytań, na które nie potrafią znaleźć odpowiedzi. Była to zasadnicza motywacja przed przystąpieniem do tłumaczenia tego dzieła, które – jak wierzę – znajdzie akceptację wśród polskich przyszłych matek oraz wśród tych, które obecnie przeżywają macierzyństwo.

Do realizacji tej idei udało mi się pozyskać grupę współpracowników, wspaniałych lekarzy i znawców problematyki okołoporodowej, którym składam serdeczne podziękowanie za przyjęcie propozycji oraz ich trud. Zarówno koordynacja ich pracy, jak i nadanie ostatecznego redakcyjnego kształtu tekstowi tej książki stanowiły dla mnie wielką przyjemność i satysfakcję, lecz zarazem wymagały nie mniej trudu i przezwyciężania wątpliwości.

Dwukrotne wydanie tej książki w języku angielskim w krótkim czasie jest wyrazem akceptacji przez czytelników. Wysoką ocenę zarówno rodziców, jak i lekarzy wyrażają wypowiedzi, w których uznają tę książkę za biblię medyczną dla kobiet ciężarnych i rodzących.

W tłumaczeniu staraliśmy się utrzymać możliwie jednolity styl, wierność treści oryginału oraz, co jest zarazem najtrudniejsze, zgodność z duchem języka.

Objawy ciąży, jej przebieg oraz powikłania są opisane bardzo jasno i zrozumiale, w sposób bardzo ogólny, bez prób wyjaśniania ich w sposób naukowy, co dla nie przygotowanego czytelnika byłoby trudne lub niezrozumiałe. Przy czym te uogólnienia, jakkolwiek czasem naiwne, są tak trafnie skonstruowane, że nie pozostają w sprzeczności ze współczesną wiedzą. Z pewnością jest to najbardziej istotna wartość tego typu opracowań, a zarazem niewątpliwy wykładnik talentu autorek. Drobne nieścisłości z zakresu wiedzy medycznej nie wpływają w sposób istotny na praktyczną wartość dzieła. Znaczne uproszczenia niektórych zjawisk biologicznych czynią je bardziej zrozumiałymi, szczególnie dla czytelników, którzy z tymi problemami stykają się po raz pierwszy.

Autorki utrzymują bardzo swobodny i bezpośredni sposób zwracania się do czytelników, pisząc np.: ty i twoje dziecko, co możesz odczuwać, co możesz robić, odpręż się itp. Osobiście, kierując dużą jednostką kliniczną, byłem i jestem przeciwny zwracaniu się w drugiej osobie do chorych lub rodzących, zarówno przez położne, jak i lekarzy, jeśli nie wynika to z pokrewieństwa lub bliskiej zażyłości. Moje stanowisko wypływa z głębokiego przekonania, że w bezpośrednim obcowaniu z chorymi lub rodzącymi obowiązuje nas w równym stopniu życzliwość i szacunek. Forma zwracania się do objętych naszą opieką osób, wypowiadane zalecenia lub polecenia nie mogą nasuwać podejrzenia o okazywaniu wyższości, sytuacyjnej zależności lub lekceważenia.

Głównym adresatem (odbiorcą) książki są rodzice oczekujący potomstwa i uczestniczący w jego narodzinach, lecz zapewniam o jej użyteczności również dla fachowych pracowników służby zdrowia w dziedzinie medycyny perinatalnej.

Układ treści książki to naturalna chronologia wydarzeń biologicznych. Rozpoczyna się rozdziałem zatytułowanym *Czy jesteś w ciąży?*, po którym następują rozdziały obejmujące kolejne miesiące ciąży, poród, okres poporodowy, karmienie naturalne, problematykę planowania rodziny.

Książka powstała na innym kontynencie, w odmiennych od naszych warunkach – zatem czy może być użyteczna w praktycznym aspekcie dla polskich czytelników? Osobiście nie wyrażałem tych obaw nawet przed szczegółowym zapoznaniem się z treścią książki, wizytując bowiem kilkakrotnie oddziały położnicze w różnych miastach USA i Kanady, najbardziej istotne różnice spostrzegałem w standardzie wyposażenia oraz organizacji ochrony zdrowia. Nauki przyrodnicze w swej istocie, zwłaszcza medycyna, są ponadkontynentalne, a ich zdobycze stają się udziałem całej ludzkości. Technicyzacja medycyny wcale nie musi i nie powinna oznaczać odrzucenia i pomniejszenia wartości humanitarnych, a szczególnie etycznych. Na drugiej półkuli lekarz domowy, rodzinny lub położnik, o którym ciężarne mówią „mój", nawiązuje bliższe więzi natury psychicznej, buduje zaufanie i tworzy warunki partnerskie z objętymi jego opieką matkami. Tego nie można określić niedoskonałością książki, lecz niedostatkami naszej ochrony zdrowia. Wyrażam przekonanie, że również w naszym kraju, w reformowanej organizacji ochrony zdrowia, lekarz rodzinny stanie się podstawową instytucją, a perinatolog z pewnością przestanie być anonimowy i przywróci społeczną rangę i zaufanie do osób kultywujących tę specjalność i ten piękny zawód.

Książka adresowana jest głównie do przyszłych matek, lecz ojcowie również znajdą interesujące informacje, zarówno dotyczące biologicznych i psychologicznych aspektów rozrodu, jak i praktycznych rozwiązań współuczestnictwa w przeżywaniu ciąży i porodu oraz organizacji życia domowego. Problematyka uczestnictwa ojców w porodzie jest ujęta niesłychanie rzeczowo i obiektywnie, mimo prezentowania stanowiska promocyjnego, co ilustruje poniżej obszerny cytat.

„Fakt, iż we współczesnym położnictwie modne jest, aby ojcowie uczestniczyli w porodzie, nie znaczy, że jest to obowiązkowe. Badania wykazały, że ojcowie, którzy nie uczestniczą w porodach, nie mają istotnie słabszego kontaktu ze swoim potomstwem, w porównaniu z tymi, którzy w porodzie uczestniczą. Podobnie też ojcowie, którzy nie wiążą się ze swoimi dziećmi natychmiast po porodzie, nie wydają się automatycznie mniej kochającymi rodzicami. Istotne jest, że robisz to, co jest dobre dla ciebie i dla żony. Jeśli uważasz, że nie czułbyś się dobrze przy porodzie, to z jakiego powodu miałbyś wszystkim zainteresowanym sprawić więcej szkody niż pożytku poprzez swoją obecność tam. Zignoruj tych, którzy starają się nakłonić cię do podjęcia decyzji, która byłaby dla ciebie zła. Pamiętaj, że większość pokoleń ojców nie widziała porodów swoich dzieci i wcale nie odczuwa z tego powodu zażenowania. Jednakże nie należy mówić, że obecność przy porodzie twojego dziecka nie jest wartym zachodu doświadczeniem czy też czymś, obok czego mógłbyś przejść bez szczególnego zastanowienia".

Autorki omawiają również cięcie cesarskie jako sytuację kliniczną, w której większość zakładów położniczych odmawia uczestnictwa ojców na sali operacyjnej. Obawy ojców, że w tej sytuacji nie wytwarza się naturalna więź z nowo narodzonym dzieckiem, zostały podważone następującą argumentacją autorek: „Do lat sześćdziesiątych niewielu ojców było świadkami porodu swoich dzieci i kiedy pojawiło się pojęcie «powstanie więzi», wywodzące się z lat siedemdziesiątych, nikt nie zdawał sobie nawet sprawy, że istnieje możliwość powstania więzi z potomkiem. Jednak taki brak oświecenia nie powstrzymał pokoleń od rozwoju miłości w relacji ojciec–syn i ojciec–córka. I odwrotnie, każdy ojciec, który uczestniczy w porodzie swego dziecka i może trzymać jego lub ją zaraz po porodzie, nie ma automatycznie zagwarantowanej na całe życie bliskości ze swym potomkiem.

Przebywanie ze swoją żoną podczas porodu to ideał, a gdy jest się pozbawionym takiej możliwości, jest to powód do rozczarowania – szczególnie jeśli spędziliście miesiące, przygotowując się wspólnie do porodu. Jednakże nie ma powodu, aby spodziewać się powstania słabszych więzi z twoim dzieckiem. Tym, co cię naprawdę wiąże z twoim dzieckiem, są codzienne, pełne miłości kontakty – zmienianie pieluch, kąpiele, karmienie, przytulanie i kołysanie. Twoje dziecko nigdy nie będzie wiedziało, że nie dzieliłeś z nim chwili porodu, ale będzie wiedziało, jeśli zabraknie cię w chwilach, w których będzie ciebie potrzebowało".

Olbrzymi zasób użytecznych dla rodziców informacji jest istotnym, lecz nie jedynym walorem książki. Wiedza położnicza jest prezentowana tak, jak odbierają ją matki i ojcowie, w sposób naturalny i powszechnie zrozumiały, nawet przy omawianiu trudnych problemów. Jednocześnie w tym przekazie wiedzy wyczuwa się ciepło kobiece, wyraz głębokich uczuć rodzicielskich osadzonych w realiach życia, wśród pieluszek i kąpieli dziecka, smoczków i karmienia piersią, wśród radości i uśmiechów, jak również zmęczenia i nie przespanych nocy. Kobiety potrafią wzbudzać i pielęgnować najwyższe uniesienia i uczucia, a zarazem nadawać im bardzo realne kształty w życiu rodzinnym.

Autorki, oprócz ogromnej wiedzy praktycznej i potencjału intelektualnego, wykazują głęboki humanizm, który wyraża się tolerancją odmiennych poglądów, a nawet przedstawieniem również dodatnich cech w przeciwstawnych kierunkach działania lub metodach. I tak np., promując naturalne karmienie noworodka piersią, nie potępiają tych matek, które zdecydowały podjąć karmienie sztuczne; a nawet wskazują, w jaki sposób część ułomności tej metody można wyeliminować lub zminimalizować. Prezentując właściwy kierunek działania, nie uznają go za jedyny możliwy do akceptacji. Starają się ułatwić racjonalny wybór, zarazem przedstawiając różne opcje.

Żywe zainteresowanie kobiet wzbudzają współczesne trendy w położnictwie, a szczególnie psychologiczne aspekty porodu, monitorowanie elektroniczne płodu itp. Ograniczenie ramami przedmowy pozwala mi jedynie na bardzo syntetyczne przedstawienie wybranych tematów stanowiących przedmiot częstych pytań i dyskusji, jak np., czy poród w warunkach domowych jest bezpieczny, czy monitorowanie jest użyteczne itp.

Odpowiedzi, których udzielam na niektóre pytania, są wynikiem mojej wiedzy, praktycznych doświadczeń, przeżyć zawodowych i refleksji.

W działalności położniczej zasadniczym celem jest zapewnienie bezpieczeństwa matce i dziecku w okresie okołoporodowym. Warunek ten spełnia dobrze zorganizowany szpital, mimo że nie zawsze zapewnia pożądany komfort psychiczny. Poród domowy, jako alternatywa porodu odbywanego w warunkach szpitalnych, nie znajduje racjonalnego uzasadnienia. Posłużę się przykładem Szwecji, w tym kraju bowiem osiągnięto najlepsze wyniki w zakresie obniżania umieralności okołoporodowej.

Szwedzkie Towarzystwo Medyczne w 1979 r. podjęło temat: „Poród w domu czy poród w szpitalu?" Ekspertyza medyczna Szwedzkiego Towarzystwa Medycznego została sformułowana następująco: „Medyczne ryzyko prowadzenia porodu w warunkach domowych jest tak duże, że pozostaje w sprzeczności z podstawami naukowymi i klinicznym doświadczeniem". Ankietowe badanie opinii kobiet ciężarnych wykazało, że tylko 0,6% kobiet ciężarnych planowało poród w domu; w rezultacie bardzo mała liczba kobiet decydowała się w ostateczności na poród w domu.

Zachowując podstawowy warunek: bezpieczeństwo matki i dziecka, należy w miarę możliwości rozwijać i doskonalić niektóre elementy porodu prowadzonego w szpitalu – zgodnie z życzeniami rodziców; szczególnie dotyczy to:

1. opieki psychologicznej;
2. indywidualnego łagodzenia bólu;
3. indywidualnego czasu pielęgnacji;
4. pożądanych kontaktów matka–dziecko;
5. indywidualnej pielęgnacji dziecka.

Problematyka porodu domowego znalazła oddźwięk w świecie lekarskim w Europie oraz w innych częściach świata. Zarząd Amerykańskiego Kolegium Położników i Ginekologów wyraził opinię w tej kwestii w 1975 r. i w 1976 r. złożył znamienne oświadczenie, z którego urywek cytuję: „...poród, jakkolwiek jest procesem fizjologicznym, przedstawia potencjalne niebezpieczeństwo dla matki w czasie jego trwania oraz po zakończeniu. Ryzyko to wymaga zapewnienia podstawowych warunków bezpieczeństwa, którego nie można osiągnąć w sytuacji domowej". Z powyższych względów alternatywą nie jest poród w domu, lecz modyfikacja warunków w szpitalach, w których odbywają się porody.

Amerykańskie Kolegium Położników i Ginekologów, Towarzystwo Pediatryczne i Związek Pielęgniarek wydały dokument: *Rozwój rodzinnych ośrodków opieki nad matką i dzieckiem w szpitalach.* Zawarte są w nim szczegółowe zalecenia dotyczące warunków, które należy stworzyć, organizując szpitalne oddziały porodowe, a mianowicie:

1. Sale porodowe umożliwiające pobyt męża lub innych osób wspierających podczas porodu prawidłowego.
2. Wystrój wnętrz przypominający warunki domowe.
3. Sprzęt medyczny niezbędny w naglących potrzebach matki i dziecka, umieszczony w ściennych szafach lub za parawanem, lecz stale dostępny.
4. Łatwy dostęp do sprzętu radiowo-telewizyjnego.
5. Nowoczesne łóżko porodowe z możliwością:
   a) obniżania i podwyższania poziomu ułożenia rodzącej,
   b) zmiany pozycji rodzącej na półsiedzącą,
   c) transportu do innych pomieszczeń.
6. Łóżeczko noworodkowe ogrzewane ułatwiające stosowanie resuscytacji noworodka.
7. Wyposażenie oddziału przystosowane do porodu prawidłowego i bezpośredniej pielęgnacji noworodka.
8. Pokój, w którym odbywa się karmienie i pielęgnacja noworodka bezpośrednio po porodzie – o stałej temperaturze.

Organizacja sali porodowej rzadko odpowiada wymienionym uprzednio warunkom, a wyposażenie służące monitorowaniu płodu, takie jak: czujniki, kable czy aparatura rejestrująca, a także zjawiska akustyczne i świetlne związane z monitorowaniem, zmieniają środowisko szpitalne, już i tak bardzo odmienne od domowego. Obecność urządzeń do intensywnego nadzoru może mieć negatywny wpływ na psychikę ciężarnej, co utrudnia opiekę perinatalną. Dużo zależy więc od postawy lekarzy i położnych.

Postęp technologiczny i rutynowe monitorowanie nie muszą oznaczać jednoczesnej dehumanizacji współczesnych szpitali. Potencjalna możliwość wywołania niepokoju lub nawet strachu u pacjentki istnieje, lecz doświadczony lekarz może uspokoić ciężarną i wytłumaczyć celowość stosowania różnych urządzeń. Rozpatrując reakcje związane z bioelektrycznym monitorowaniem płodu, można stwierdzić, że występuje również wiele dodatnich cech. Monitor, gdy jego zasadnicza funkcja jest znana pacjentce, może ją podnieść na duchu. Ciężarne, którym właściwie przedstawiono cel monitorowania, oceniają funkcję monitora jako przedłużenie działania lekarza i czują się bezpieczniej, przypisując czasem tej aparaturze wręcz magiczną siłę. Wiele kobiet uważa, że monitor pozwala na łatwiejsze nawiązanie werbalnego kontaktu z lekarzem, dostarcza pretekstu do rzeczowej konwersacji i ułatwia początek dyskusji.

Dla kobiet rodzących, których uprzednie porody zakończyły się niepowodzeniem, śledzenie czynności serca płodu na podstawie sygnałów akustycznych lub świetlnych jest źródłem uspokojenia. Monitor dostarcza informacji o życiu wewnątrzmacicznym płodu. Często nawet krótkotrwałe wyłączenie aparatury stanowi źródło niepokoju i obaw. W krajach, w których podczas porodu rodzącej asystuje mąż, monitor ułatwia partnerom udział w przeżywaniu porodu. Kobiety zaznaczały, że ich partnerzy przeżywali poród razem z nimi, śledząc monitorowanie płodu i zawiadamiając je, że nadchodzi skurcz lub że osiągnął on swój szczyt. Rodzące mile przyjmowały zwiększone zaangażowanie swoich partnerów i ich udział w tym przeżyciu.

Kobiety, które były przygotowane do porodu w szkole rodzenia, często podkreślały użyteczność informacji z monitora o nadchodzeniu skurczów – mogły na nie oczekiwać i przygotować się do ich wystąpienia. Szczególnie pomocna była informacja, że szczyt skurczu minął. Kobiety te uważały, że mogły lepiej tolerować ból.

Jako negatywny skutek monitorowania ciężarne najczęściej wymieniają dyskomfort związany z ograniczeniem zmiany pozycji i ułożenia, uciskiem wywieranym przez czujniki itp. Wraz z doskonalszymi rozwiązaniami technicznymi te niekorzystne skutki monitorowania są eliminowane, a nowoczesne aparaty telemetryczne umożliwiają kobietom chodzenie, nawet poza obrębem oddziału porodowego.

Należy podkreślić, że przed podjęciem monitorowania trzeba rodzącej udzielić informacji o celu i wynikach nadzoru, aby przyjęła je jako działanie zwiększające poczucie bezpieczeństwa oraz wzmacniające psychiczną i fizyczną więź z dzieckiem.

Niezwykle istotny jest poporodowy kontakt matki i noworodka. W okresie, gdy przeważająca liczba porodów odbywała się w domu, a skierowanie do kliniki następowało tylko w przypadku poważnych powikłań, czasem konieczne było z przyczyn psychologicznych, jak i medycznych oddzielenie matki od dziecka. Obecnie ponad 98% ciężarnych rodzi na oddziałach położniczych, przeważają porody fizjologiczne, a tylko w szczególnych sytuacjach uzasadniona jest konieczność oddzielenia matki od dziecka.

System *rooming-in* nie jest pomysłem zupełnie nowym, został jedynie przypomniany przez Edith Jackson w 1948 r., ze wskazaniem na korzystny wpływ kontaktu matki z dzieckiem oraz wiele innych zalet medycznych. System ten upowszechnił się w licznych krajach w połowie lat siedemdziesiątych.

Noworodek ludzki, ze względu na swą nieporadność, od pierwszych chwil życia zdany jest na ścisły kontakt ze swą matką. Prowadzi to do obopólnego oddziaływania i uzależnienia dwóch, chociaż nierównych, to jednak autonomicznych, aktywnych partnerów. W tej symbiozie: matka–dziecko bardzo ważny jest możliwie wczesny i długi kontakt ich obojga. W istocie kontakt ten nie rozpoczyna się w okresie porodu, lecz już w ciąży. W trakcie porodu nie powinno się dopuścić do zbyt szybkiego przerwania bezpośredniego połączenia matki z dzieckiem; przy przejściu od życia wewnątrzmacicznego do pozamacicznego należy zachować ciągłość tego kontaktu. Ochrona matki i troska o dziecko wkraczają w inną fazę, przy czym odpępnienie, w najprawdziwszym sensie tego słowa, oznacza pierwszy rozstrzygający krok do samodzielności dla nowo narodzonego.

Oprócz kontaktu „matka–dziecko" istotną rolę odgrywa również więź „ojciec–dziecko". Ojciec jest od początku uprawnionym partnerem w opiece nad noworodkiem. Dlatego musi odnaleźć się w swej roli w układzie „matka–dziecko–ojciec", przy czym im szybciej się to stanie, tym lepiej. Matka, korzystając z pobytu w szpitalu, odciążona od prac domowych, powinna poświęcić cały czas noworodkowi.

Najlepsze warunki *rooming-in* stwarzają pokoje z jednym, dwoma, a najwyżej trzema łóżkami, w których możliwe jest postawienie ruchomego łóżeczka dziecięcego obok łóżka matki. Niezbędny jest też stół do przewijania noworodków i własna strefa sanitarna z toaletą i natryskiem. Warunki idealne można stworzyć jedynie w nowo budowanych oddziałach. W większości starych zmuszeni jesteśmy do improwizowania – wyłaniają się przy tym organizacyjne problemy przestrzenne oraz personalne. Powstały różne odmiany tego systemu (np. lokuje się noworodki bezpośrednio obok pokoju położnic w oddzielnym pomieszczeniu itp.).

Rooming-in nie powinien dla kobiety oznaczać żadnego przymusu, powinna ona sama określić czas, w którym chce mieć dziecko przy sobie. Są matki (około 20%), które chcą mieć swoje dziecko przy sobie dzień i noc, oraz takie, które wolą, by ich dziecko nocą przebywało w pokoju dziecięcym (70%).

Nie rozstrzygnięty jest problem odwiedzania matki i noworodka przez rodzinę. Ważne jest przestrzeganie zasad higieny i wyłączenie z odwiedzin osób chorych. Chore osoby odwiedzające mogą bowiem przenieść choroby, które są szczególnie niebezpieczne dla wszystkich noworodków przebywających na oddziale. Z punktu widzenia psychologa sensowne jest umożliwienie kontaktu między rodzeństwem a noworodkiem, sprzyjające eliminacji źródeł świadomej i nieświadomej agresji oraz zazdrości.

Postęp w życiu współczesnym, a w medycynie w szczególności, objawia się w różnych formach i tworzy dużą liczbę nowych, często zaskakujących problemów, również dla kobiet ciężarnych i rodzących. Treść tej książki być może ułatwi zrozumienie części z nich lub stworzy właściwą płaszczyznę dla prowadzenia dyskusji z lekarzem i położną.

Życzę czytelnikom, aby narodziny były źródłem nieustannej radości i wspaniałych uczuć rodzicielskich.

Jeśli ta edycja ułatwi zrozumienie i rozwiązanie wyłaniających się w tym okresie również trudnych problemów, będzie to najpiękniejszą nagrodą dla tych, którzy przyczynili się do wydania tej książki.

Prof. zw. dr hab. n. med. Zbigniew Słomko
Kierownik Katedry Perinatologii i Ginekologii
Akademii Medycznej w Poznaniu

PRZEDMOWA
DO PIĄTEGO WYDANIA POLSKIEGO

Kolejne, piąte już polskie wydanie książki *W oczekiwaniu na dziecko* w tak krótkim czasie stanowi ogromną satysfakcję zarówno dla wydawnictwa, jak i dla wszystkich, którzy przyczynili się do jej wydania w przeszłości i dziś. Źródłem satysfakcji jest zainteresowanie, jakie książka wzbudziła wśród czytelników, oraz pozytywna rola, jaką spełnia w szeroko rozumianej oświacie medycznej. Tajemnice powodzenia na rynku księgarskim książka zawdzięcza temu, że wspaniale przenikają się w niej treści biologiczne i humanistyczne, zawiera mnóstwo użytecznych informacji naukowych, a jednocześnie podkreśla piękno i ciepło macierzyństwa. W otaczającym nas świecie dokonują się nieustanne przemiany, zmienia się stosunek do porodu programowanego bądź naturalnego, lecz pozostają wartości trwałe, a należą do nich miłość matki, mądrość i opiekuńczość położnej, głęboka wiedza i rzetelność lekarza.

Ostatnio coraz częściej porusza się problem cięcia cesarskiego jako alternatywy porodu naturalnego. Jako redaktor naukowy tej książki czuję się w obowiązku włączyć się do tej dyskusji. Miejmy nadzieję, że poniższe uwagi okażą się istotne dla czytelniczek, a szczególnie tych, których ten problem osobiście dotyczy. Wzrost bezpieczeństwa operacji położniczych spowodował jednoczesny wzrost odsetka cięć cesarskich. Od wielu lat mówi się o wzroście odsetka cięć cesarskich. Liczne czynniki medyczne, prawne, psychologiczne, społeczne i finansowe mają w tym swój udział. Próby ograniczenia stosowania tej metody zawodzą, szczególnie jeśli chodzi o kolejny poród po przebytym cięciu cesarskim. Przez wiele lat uznawano wręcz zwyczajowo zasadę: raz cięcie cesarskie, zawsze cięcie cesarskie. Zasada ta spotyka się z krytyką i wymaga zweryfikowania, w ciągu kilkudziesięciu ostatnich lat dokonały się bowiem olbrzymie zmiany w położnictwie. Po pierwsze, gdy w minionych dziesięcioleciach prawie 100% cięć cesarskich wykonywano w obrębie trzonu macicy, obecnie niemal zawsze wykonuje się je w dolnym odcinku, dlatego zagrożenie pęknięcia starej blizny zmalało. Po drugie liczba cięć cesarskich niepomiernie wzrosła i są szpitale, w których ponad 35% porodów kończy się porodem operacyjnym u młodych kobiet, które nie rezygnują z rozrodczości. Po trzecie znaczna część wskazań, z powodu których wykonuje się cięcie cesarskie, nie zawsze powtarza się w następnej ciąży, jak np. zaburzenia czynności skurczowej macicy, objawy zagrożenia płodu, przedłużony poród, łożysko przodujące, wypadnięcie pępowiny itp. Za podjęciem próby porodu drogami naturalnymi po uprzednim cięciu cesarskim przemawiają następujące czynniki:

– zmniejszenie zachorowalności pooperacyjnej i poporodowej, powikłań anestezjologicznych, zakażeń ran i dyskomfortu pooperacyjnego,

– szybszy powrót do zdrowia i wcześniejsze uczestniczenie w pielęgnacji noworodka,

– krótszy pobyt w szpitalu i mniejsze koszty,

– korzystniejsze uwarunkowania dla psychologicznych aspektów rodzicielstwa, jak ściślejszy związek uczuciowy, zaangażowanie itp.

– wzrost częstości karmienia naturalnego związany z lepszym samopoczuciem,

– po porodzie występuje podniosły stan psychologiczny, którego nie przeżywają kobiety po operacji w związku z dolegliwościami pooperacyjnymi.

Prowadzenie porodu po uprzednio wykonanej operacji na macicy wymaga ciągłego intensywnego nadzoru. Wstępną decyzję o prowadzeniu porodu drogami naturalnymi należy traktować wyłącznie jako próbę, a zmiana decyzji winna nastąpić, gdy z różnych przyczyn uznamy próbę za nieudaną. W podejmowaniu decyzji o próbie porodu drogami naturalnymi po uprzednim cięciu cesarskim najistotniejszym czynnikiem są wskazania do poprzedniego cięcia cesarskiego. Powtarzające się wskazania stanowią niekorzystny czynnik. Można natomiast wymienić następujące pozytywne czynniki, które skłaniają do prowadzenia następnego porodu drogami naturalnymi:

– wskazania do poprzedniego cięcia cesarskiego nie powtarzają się,

– cięcie cesarskie zostało wykonane w dolnym odcinku macicy,

– podczas badania palpacyjnego nie stwierdza się zniekształceń i bolesności w obrębie dolnego odcinka macicy,

– korzystna długość, położenie i elastyczność szyjki macicy,

– prawidłowe położenie płodu i mechanizm porodowy,

– masa płodu nie przekracza 3,5 kg,

– prawidłowe rozwieranie się ujścia,

– adekwatny postęp porodu,

– brak zagrożenia płodu.

Próbę porodu drogami naturalnymi, po rozpatrzeniu wszelkich istotnych dla rokowania czynników, można podjąć wtedy, gdy zapewni się wszechstronny intensywny nadzór nad rodzącą i płodem oraz pełną gotowość operacyjną. Z licznych opracowań statystycznych wynika, że prawidłowo prowadzony i normalnie przebiegający poród samoistny po cięciu cesarskim jest bezpieczniejszy dla matki aniżeli powtórne cięcie cesarskie. Zatem próba porodu drogami naturalnymi po przebytym cięciu cesarskim, przy akceptacji rodzącej, jest postępowaniem etycznym. Cięcie cesarskie winno być wykonane wówczas, gdy matce i płodowi zagraża niebezpieczeństwo. Gdy wybór metody jest trudny, radzę rodzącym, aby starały się uczestniczyć w podejmowaniu decyzji i zapewniły sobie opiekę doświadczonego położnika, którego będą darzyły zaufaniem.

Prof. zw. dr hab. n. med. Zbigniew Słomko
Kierownik Katedry Perinatologii i Ginekologii
Akademii Medycznej w Poznaniu

Część 1

NA POCZĄTKU

1

Czy jesteś w ciąży?

Czy naprawdę jestem w ciąży? Jest to pierwsze pytanie przyszłej matki, które zadaje ona sobie zwykle wtedy, gdy tylko pojawi się ten czy inny objaw ciąży. Na szczęście jest to pytanie, na które można bardzo szybko odpowiedzieć, łącząc wyniki uzyskane w testach ciążowych z badaniem lekarskim.

Co może cię niepokoić

OBJAWY CIĄŻY

Występuje u mnie tylko kilka objawów ciąży – czy jest możliwe, bym była w ciąży?

Mogą występować u ciebie wszystkie objawy i symptomy ciąży i mimo to możesz nie być w ciąży. Albo też może wystąpić u ciebie tylko parę z nich, a jesteś jak najbardziej w ciąży. Różne objawy i symptomy ciąży są tylko wskazówkami, na które należy zwracać uwagę, ale nie oczekiwać uzyskania dzięki nim całkowicie pewnego potwierdzenia.

Niektóre z objawów ciąży, które zauważysz, mogą sugerować możliwość ciąży, inne – prawdopodobieństwo. Żadne z wczesnych oznak ciąży nie są jednak całkowicie pewnym potwierdzeniem zaistnienia ciąży. De facto, pierwszym całkowicie pewnym dowodem ciąży jest bicie serca twojego dziecka, które około 10, a częściej 12 tygodnia można usłyszeć przy zastosowaniu bardzo czułego aparatu Dopplera, a w przypadku użycia zwykłych słuchawek lekarskich – około 18-20 tygodnia[1]. Wcześniejsze oznaki zakładają tylko możliwość lub prawdopodobieństwo, że nosisz w sobie dziecko. Sprawdzone testy ciążowe w połączeniu z badaniem lekarskim mogą pomóc w postawieniu prawidłowej diagnozy.

TESTY CIĄŻOWE

Mój lekarz powiedział, że badanie i test ciążowy wykazały, że nie jestem w ciąży, ale ja naprawdę czuję, że jestem.

Nawet doskonała współczesna nauka medyczna, gdy dochodzi do diagnozowania ciąży, musi czasami przegrać z intuicją kobiety. Dokładność różnych testów ciążowych nie jest identyczna, a żaden nie może być doskonały w okresie tak wczesnym, kie-

[1] Potwierdzenia istnienia ciąży można dokonać wcześniej za pomocą USG lub testów krwi, jednak nie są to badania rutynowe.

dy niektóre kobiety jedynie „czują", że są w ciąży – czasem nawet w parę dni po zapłodnieniu. Zasadniczo istnieją trzy rodzaje osiągalnych obecnie testów ciążowych – do których opracowania nie trzeba było poświęcić życia nawet jednego królika doświadczalnego.

Domowy test ciążowy. Test ten jest dokładniejszy niż dawniej i o wiele prostszy w użyciu. Tak jak badanie moczu przeprowadzane w laboratorium lub w gabinecie lekarskim, diagnozuje on ciążę, wykrywając obecność hormonu hCG (ludzka gonadotropina kosmówkowa) w moczu. Niektóre testy są w stanie wykazać, czy jesteś w ciąży, już pierwszego dnia po terminie spodziewanej miesiączki (około 14 dni po zapłodnieniu), i to w czasie zaledwie 5 minut, z wykorzystaniem próbki moczu pobranej w dowolnej porze dnia.

Jeżeli badanie wykonywane jest prawidłowo – a jest to coraz częściej możliwe, jako że testy są coraz mniej skomplikowane w użyciu i ocenie wyników – domowy test jest obecnie tak samo dokładny jak test moczu przeprowadzany w gabinecie lekarskim lub laboratorium (według informacji producenta

MOŻLIWE OZNAKI CIĄŻY

OZNAKA	KIEDY SIĘ POJAWIA	INNE MOŻLIWE PRZYCZYNY
Amenorrhea (brak miesiączki)	Zwykle okres całej ciąży	Podróż, zmęczenie, stres, strach przed ciążą, problemy hormonalne lub choroba, ekstremalna tusza lub schudnięcie, zaprzestanie zażywania pigułek, karmienie piersią
Poranne nudności (o każdej porze dnia również)	2-8 tygodni po zapłodnieniu	Zatrucie pokarmowe, infekcja i wiele innych schorzeń
Częste oddawanie moczu	Zwykle 6-8 tygodni po zapłodnieniu	Zakażenie dróg moczowych, środki moczopędne, cukrzyca
Opuchnięcie piersi, mrowienie w piersiach, przeczulica	Już parę dni po zapłodnieniu	Pigułki antykoncepcyjne, nadchodząca miesiączka
Zmiany zabarwienia błony śluzowej pochwy*	Pierwszy trymestr	Nadchodząca miesiączka
Zaciemnienie aureoli (obszar wokół sutka), uniesienie niewielkich gruczołów wokół sutka	Pierwszy trymestr	Brak równowagi hormonalnej lub efekt wcześniejszej ciąży
Niebieskie i różowe linie na piersiach, a później na brzuchu	Pierwszy trymestr	Brak równowagi hormonalnej lub efekt wcześniejszej ciąży
Wzmożony apetyt	Pierwszy trymestr	Nieodpowiednia dieta, stres, wyobraźnia lub nadchodząca miesiączka
Zaciemnienie linii od pępka do wzgórka łonowego	4 lub 5 miesiąc	Brak równowagi hormonalnej lub efekt wcześniejszej ciąży

* Oznaki ciąży widoczne w czasie badania lekarskiego.

PRAWDOPODOBNE OZNAKI CIĄŻY

OZNAKA	KIEDY SIĘ POJAWIA	INNE MOŻLIWE PRZYCZYNY
Rozpulchnienie macicy i szyjki*	2-8 tygodni po zapłodnieniu	Opóźniona miesiączka
Powiększona macica* i brzuch	8-12 tydzień	Guz, mięśniaki
Występujące z przerwami bezbolesne skurcze	Wczesna ciąża, zwiększona częstotliwość skurczów wraz z rozwojem ciąży	Skurcze jelit
Ruchy płodu	Pierwsze zauważalne w 16-22 tygodniu ciąży	Gazy, skurcze jelit

* Oznaki ciąży widoczne podczas badania lekarskiego.

dokładność jest bliska 100%), z o wiele wyższym prawdopodobieństwem uzyskania wyniku pozytywnego niż negatywnego. Domowe testy mają zaletę prywatności i dają możliwość uzyskania niemal natychmiastowego wyniku. Dokładna diagnoza w bardzo wczesnym okresie ciąży – zapewne wcześniej niż pojawia się w ogóle myśl o konsultacji z lekarzem – umożliwia zapoczątkowanie optymalnej opieki nad organizmem przyszłej matki w parę dni po zapłodnieniu, właściwie w tym mniej więcej czasie, gdy ciąża dopiero implantuje się w macicy. Jednakże testy te mogą być relatywnie drogie, a ponieważ najprawdopodobniej nie zaufasz pierwszemu wynikowi, skłonna będziesz przeprowadzić ponowny test, co wpłynie niewątpliwie na wysokość ponoszonych kosztów. (Niektóre firmy załączają drugi test w opakowaniu.) Poinformuj swojego lekarza, jakiego typu i jakiej firmy test użyłaś, by lekarz mógł zadecydować o ewentualnym powtórzeniu testu.

Główną wadą domowych testów ciążowych jest to, że mogą one dać wynik negatywny pomimo to, że faktycznie jesteś w ciąży. Może cię to skłonić do odłożenia na później wizyty u lekarza, a także przykładania mniejszej wagi do dbałości o swoje zdrowie. Nawet w przypadku uzyskania wyniku pozytywnego możesz również nie mieć ochoty na wizytę u lekarza, uważając, że na tym etapie jedynym jej logicznym celem może być tylko postawienie diagnozy stwierdzającej

POZYTYWNE OZNAKI CIĄŻY

OZNAKA	KIEDY SIĘ POJAWIA	INNE MOŻLIWE PRZYCZYNY
Wizualizacja embrionu lub pęcherzyka poprzez USG*	4-6 tygodni po zapłodnieniu	Nie ma
Czynność serca płodu	w 10-20 tygodniu**	Nie ma
Ruchy płodu wyczuwalne poprzez powłoki brzuszne	po 16 tygodniach	Nie ma

* Oznaki ciąży widoczne podczas badania lekarskiego.
** W zależności od zastosowanego urządzenia.

ciążę. A więc jeśli będziesz stosować taki test, pamiętaj, że nie zastępuje on konsultacji i badania lekarskiego wykonywanego przez specjalistę. Badania medyczne następujące po teście są konieczne. Jeżeli wynik testu jest pozytywny, należy to potwierdzić przez badanie lekarskie i przeprowadzić wszystkie badania prenatalne. Jeżeli wynik jest negatywny, a jeszcze nie pojawiła się miesiączka, powinnaś wraz z lekarzem znaleźć przyczynę.

Laboratoryjny test moczu. Podobnie jak test domowy, test ten wykrywa hormon hCG w moczu z dokładnością bliską 100% – i to już w okresie 7-10 dni po zapłodnieniu. W odróżnieniu od testu domowego wykonywany jest przez specjalistę, który przynajmniej teoretycznie może wykonać go prawidłowo. Jeżeli planujesz przeprowadzenie testu moczowego, skontaktuj się z gabinetem lekarskim lub laboratorium dzień wcześniej i poproś o instrukcje. Test przeprowadzony w gabinecie lekarskim (zwykle daje wynik po kilku minutach) najprawdopodobniej nie będzie wymagał stosowania pierwszego rannego moczu; jego wersja laboratoryjna (na wynik trzeba będzie poczekać aż do chwili, gdy zostanie przekazany do gabinetu) – tak. Testy moczu są zwykle mniej kosztowne niż testy krwi, nie są jednak tak często stosowane, ponieważ nie dostarczają tak dużo informacji.

Laboratoryjny test krwi. Przy zastosowaniu surowicy krwi test ciążowy może wykryć ciążę właściwie ze 100% dokładnością już w tydzień po zapłodnieniu (wykluczając błąd laboratoryjny). Może również pomóc w ustaleniu wieku ciąży poprzez pomiar dokładnej zawartości hCG we krwi, która zmienia się wraz z rozwojem ciąży. W pojedynczych przypadkach lekarz może zalecić przeprowadzenie zarówno testu moczu, jak i krwi, by być podwójnie pewnym diagnozy. Bez względu na to, jaki test zastosujesz, szanse uzyskania prawidłowej diagnozy znacznie wzrosną, jeżeli po teście zostanie przeprowadzone badanie lekarskie. Fizyczne oznaki ciąży – powiększenie i rozpulchnienie oraz zmiana konsystencji szyjki mogą być dostrzeżone przez lekarza lub położną przed upływem 6 tygodnia ciąży. Ale podobnie jak to bywa z testami, prawdopodobieństwo prawidłowej lekarskiej diagnozy: „w ciąży" jest większe niż „nie w ciąży", chociaż takie błędne, negatywne wyniki są bardzo rzadkie. Najczęściej zdarzają się we wczesnym stadium ciąży, gdy organizm kobiety nie wytwarza wystarczającej ilości hCG potrzebnej do uzyskania wyniku pozytywnego.

Jeżeli występują u ciebie objawy wczesnej ciąży (brak jednej lub dwu miesiączek, nabrzmienie i bolesność piersi, poranne nudności, częste oddawanie moczu, zmęczenie) i wahasz się – wykonać test czy nie, poddać się badaniu czy nie, zachowuj się tak, jakbyś była w ciąży, wypełniając wszystkie prenatalne zalecenia aż do czasu, gdy będziesz całkowicie pewna, że jest inaczej. Ani testy, ani lekarze nie są nieomylni. Ty znasz swoje ciało – przynajmniej zewnętrznie – lepiej niż twój lekarz. Po upływie tygodnia poproś o przeprowadzenie ponownego testu (najlepiej krwi) i badania lekarskiego, być może teraz jest zbyt wcześnie na prawidłową diagnozę. Wiele dzieci przyszło na świat w 7,5 lub 8 miesięcy po tym, jak test lub badanie lekarskie wykluczyły ciążę.

Jeżeli wyniki testów będą w dalszym ciągu negatywne, a nie pojawi się miesiączka, powinnaś jak najszybciej skonsultować się ze swoim lekarzem w celu sprawdzenia, czy nie występuje u ciebie ciąża ektopowa, to znaczy taka, która rozwija się poza macicą (patrz s. 131 – ostrzegawcze oznaki dla tego rodzaju ciąży).

Oczywiście możesz odczuwać wszystkie oznaki i symptomy wczesnej ciąży i nie być w ciąży w ogóle. Żaden z nich nie jest, czy to oddzielnie, czy w połączeniu, pozytywnym dowodem zaistnienia ciąży. Po drugim teście i badaniu lekarskim wykazującym, że nie jesteś w ciąży, musisz wziąć pod uwagę i taką możliwość, że twoja „ciąża" może mieć uwarunkowania psychologiczne – prawdopodobnie dlatego, że bardzo pragniesz mieć (lub nie) dziecko. W takim wypadku specjalistyczna pomoc jest chyba najlepszym rozwiąza-

Prawidłowe wykonanie testu

Aby zwiększyć szansę uzyskania dokładnego wyniku testu domowego, pamiętaj, by:

- Przeczytać dokładnie i uważnie wskazówki dotyczące testu domowego przed jego użyciem, precyzyjnie je wykonać. Bez względu na to, jak bardzo chcesz poznać wynik – jeżeli wymagane jest stosowanie pierwszego moczu porannego – poczekaj do rana i dopiero wtedy przeprowadź test.
- Mieć pod ręką czytelny zegarek lub budzik w celu precyzyjnego spełnienia wymogów czasowych testu.
- Upewnić się, że pojemniki, szpatułki i inne elementy testu są czyste i nieskażone w chwili rozpoczęcia testu. Nie używać ponownie tych wszystkich elementów.
- Jeżeli wymagany jest pewien okres oczekiwania, umieścić probówkę z dala od źródeł ciepła, aby nie uległa zniszczeniu.
- Jeżeli zestaw, który kupiłaś, zawiera drugi test lub jeśli kupiłaś drugi zestaw, poczekać parę dni przed przeprowadzeniem powtórnego testu.

niem. Może się również tak zdarzyć, że wszystkie te symptomy mają jakieś inne przyczyny biologiczne i wymagają dokładnego zbadania przez lekarza.

WŁAŚCIWY TERMIN

Próbuję zaplanować mój urlop na okres ciąży. Skąd mam wiedzieć, czy mój właściwy termin rozwiązania jest rzeczywiście prawidłowy?

Życie byłoby o wiele prostsze, gdybyś mogła być pewna, że właściwy termin będzie faktycznym dniem, w którym urodzisz. Lecz życie nie bywa tak proste zbyt często. Według niektórych opracowań tylko 4 kobiety na 100 rodzą we właściwym terminie. Większość, ponieważ normalna pełna ciąża może trwać od 38 do 42 tygodni, rodzi w granicach dwóch tygodni od terminu właściwego.

Dlatego też medycznym określeniem „właściwego terminu" jest PTP, czyli przewidywany termin porodu. Data, którą podaje ci twój lekarz, jest określona tylko w przybliżeniu. Zwykle oblicza się ją w ten sposób: weź datę pierwszego dnia twojej ostatniej, normalnej miesiączki i dodaj do niej 7. Do tej daty dodaj dziewięć miesięcy, a otrzymasz termin rozwiązania. Na przykład, powiedzmy, że twoja ostatnia miesiączka zaczęła się 11 kwietnia. Dodaj 7 do 11, co daje 18, teraz dodaj jeszcze dziewięć miesięcy. Termin twojego porodu wypadnie 18 stycznia. Albo inaczej, data może zostać wyliczona na 40 tydzień ciąży, licząc 40 tygodni od twojej ostatniej miesiączki. W tym przypadku za datę porodu uznamy 16 stycznia.

Jeżeli miesiączka pojawia się u ciebie regularnie co 28 dni, prawdopodobne jest, że urodzisz w czasie zbliżonym do twojego przewidywanego terminu porodu. Jeżeli twoje cykle są dłuższe niż 28 dni, urodzisz najprawdopodobniej później niż w twoim przewidywanym terminie porodu, a jeśli są krótsze – wcześniej. Lecz jeśli twój cykl miesiączkowy jest nieregularny, ten system określania daty porodu może okazać się w ogóle nieprzydatny. Powiedzmy, że nie miałaś miesiączki przez 3 miesiące i nagle jesteś w ciąży. Kiedy zostało poczęte dziecko? Jako że przewidywany termin porodu jest dość ważny, będziesz musiała wraz ze swoim lekarzem spróbować go określić. Nawet jeśli nie potrafisz dokładnie podać momentu poczęcia albo nie wiesz, kiedy wystąpiła u ciebie ostatnia owulacja (niektóre kobiety potrafią określić czas uwolnienia jajeczka na podstawie trwającego parę godzin bólu w boku i skurczu, przejrzystego śluzu w pochwie, a jeśli dokładnie śledzą zmiany temperatury ciała, również jej charakterystycznego obniżenia się przed i wzrostu po owulacji), są pewne wskazówki, które mogą pomóc.

Pierwsza wskazówka – wielkość twojej macicy – pojawi się podczas wstępnego badania lekarskiego. Powinna ona potwierdzić twój przypuszczalny stan. Dalej pojawią się inne przypuszczalne oznaki, które w połączeniu mogą dokładniej wskazać, jak zaawansowana jest twoja ciąża: pierwszy raz słyszalna jest czynność serca płodu (od około 10 do 12 tygodnia przy zastosowaniu aparatu Dopplera lub około 18 do 22 tygodnia przy pomocy stetoskopu lekarskiego); pierwszy raz wyczuwa się drgnienie życia (od około 20 do 22 tygodnia przy pierwszym dziecku lub od 16 do 18 przy następnych); wysokość dna macicy przy każdym badaniu (np. około 24 tygodnia osiągnie wysokość pępka). Jeżeli wszystkie te wskazówki wydają się odpowiadać terminowi, który wraz z lekarzem ustaliłaś, możesz być prawie pewna, że jest on bardzo bliski dokładnego, a co za tym idzie, jest wysoce prawdopodobne, że urodzisz w granicach dwóch tygodni od tej daty. Jeśli wskazówki te nie odpowiadają terminowi, lekarz może zdecydować się na wykonanie sonogramu pomiędzy 12 a 20 tygodniem ciąży (niektórzy sądzą, że najlepsze informacje można uzyskać między 16 a 20 tygodniem), co może bardziej precyzyjnie określić wiek ciążowy płodu. Niektórzy lekarze wykonują sonogramy rutynowo w celu jak najdokładniejszego określenia terminu porodu.

Gdy poród będzie się zbliżał, pojawiać się będą inne wskazówki mogące określić datę tego wielkiego wydarzenia: bezbolesne skurcze mogą pojawiać się coraz częściej (możliwe, że nieprzyjemne), płód zsunie się do miednicy, szyjka macicy zacznie się zwężać i skracać (zgładzenie szyjki macicy), a na samym końcu szyjka zacznie się rozwierać. Wskazówki te będą pomocne, jednak nie definitywnie pewne – tylko twoje dziecko wie na pewno, kiedy będą jego lub jej urodziny. (Więcej informacji na s. 265.)

CO WARTO WIEDZIEĆ
Wybór (i współpraca) twojego lekarza

Tak jak potrzeba dwojga, aby począć dziecko, potrzeba przynajmniej trójki – matki, ojca i chociaż jednego specjalisty w zakresie ochrony zdrowia – by przejście od zapłodnionego jaja do nowo narodzonego dziecka było bezpieczne i udane. Zakładając, że ty wraz ze swoim mężem zajęliście się już sprawą poczęcia, następnym wyzwaniem, które przed wami stanie, będzie wybór trzeciego członka tej drużyny, tak byście mogli z nim dobrze na co dzień współpracować[1].

SPOJRZENIE WSTECZ

Wybór głównego opiekuna w czasie ciąży nie był istotną sprawą dla przyszłych matek 30 lat temu. Były to czasy, gdy nie zadawano pytań dotyczących opieki położniczej, a wszelkie decyzje w tym zakresie pozostawiano lekarzowi. Sprawa wyboru położnika nie była tak ważna, zwłaszcza gdy weźmiemy pod uwagę fakt, że podczas porodu kobiety były najczęściej pod narkozą, a tym samym nie miało znaczenia bliższe porozumienie z lekarzem. Zamiast być w pełni uczestniczącym członkiem zespołu, przyszła matka była mniej więcej czymś w rodzaju widza posłusznie siedzącego na widowni, podczas gdy to jej położnik-reżyser obsadzał wszystkie role.

Dzisiaj jest prawie tak samo wiele możliwości przeprowadzenia porodu (do ciebie należy wybór), jak nazwisk lekarzy w książce telefonicznej. Cała sprawa polega na odpowiednim dopasowaniu pacjentki i jej lekarza.

JAKĄ JESTEŚ PACJENTKĄ?

Twoim pierwszym krokiem przed wybraniem odpowiadającego ci lekarza powinna być refleksja odnosząca się do ciebie samej i tego, jaką jesteś pacjentką.

[1] Oczywiście możesz i nawet powinnaś dokonać tego wyboru jeszcze przed poczęciem.

Czy wierzysz, że „lekarz wie najlepiej" (to w końcu on lub ona jest tą osobą, która studiowała medycynę)? Czy wolałabyś, żeby twój lekarz podejmował wszystkie decyzje bez uprzedniego konsultowania ich z tobą, czy najbezpieczniej czujesz się, wiedząc, że cały najnowocześniejszy sprzęt medyczny używany jest dla opieki nad tobą? Czy w twoich wyobrażeniach badający twój puls mężczyzna w białym kitlu pasuje do twojej wizji dr. Kildare'a? A może najlepiej czujesz się w obecności położnika stosującego bardziej tradycyjne metody, otoczonego aurą boskości i całkowicie oddanego swej własnej filozofii położnictwa?

A może sądzisz, że twoje ciało i twoje zdrowie są tylko twoją sprawą i nikogo innego? Czy masz już określone wyobrażenia dotyczące ciąży i porodu i czy masz ochotę wziąć udział w tym przedstawieniu – od samego poczęcia aż do chwili narodzin, z jak najmniejszą ingerencją kogoś z zewnątrz? A więc zapomnij o dr. Kildare'ach i zacznij szukać lekarza albo położnej, którzy chętnie zrezygnują z głównej roli i ograniczą się tylko do doradztwa dla dobra twojego dziecka. Poszukaj kogoś, kto pozwoli ci podejmować wiele decyzji osobiście, ale jednocześnie będzie dogmatyczny w najbardziej istotnych kwestiach i sobie pozostawi głos decydujący. Nie myśl jednak, że lekarz skłaniający się ku położnictwu „nowej fali" będzie mniej doktrynerski w swych poglądach niż lekarz starej daty.

Być może twoje nastawienie należałoby umiejscowić gdzieś pośrodku, a ty sama preferujesz lekarza, który traktując ciebie ciągle jak partnera, podejmuje jednak decyzje oparte na własnym doświadczeniu i wiedzy. Jeśli tak, lekarzem dla ciebie jest ktoś, kto widzi swą rolę gdzieś pomiędzy byciem głównodowodzącym a konsultantem; ktoś, kto nie jest niewolnikiem medycznych reguł ani marionetką w twoich rękach; ktoś, kto przeprowadzi „naturalny" poród, jakiego pragniesz, ale nie będzie się wahał wykonać cięcia cesarskiego, gdy bezpieczeństwo dziecka lub twoje będzie tego wymagało; ktoś, kto nie aplikuje leków rutynowo i nie widzi nic nieodpowiedniego w monitorowaniu płodu; ktoś, dla kogo zdrowa matka i zdrowe dziecko są ważniejsze niż jej lub jego osobiste preferencje. Lekarzem dla ciebie jest ktoś, kto postrzega stosunki na linii lekarz–pacjent jako współpracę partnerów, z których każdy stara się dać z siebie to, co najlepsze.

Bez względu na to, jaką jesteś pacjentką, jeśli uważasz, że przyszły ojciec powinien w równym stopniu dzielić wszystkie dole i niedole związane z ciążą i narodzinami, musisz również zadecydować, czy oczekujesz tego samego od swego opiekuna medycznego. Podejście lekarza można zwykle zauważyć już podczas pierwszej wizyty (rozmowy). Czy przyszły ojciec zapraszany jest na badania i rozmowy? Czy jego pytania są brane pod uwagę? Czy lekarz informuje o wszystkim zarówno pacjentkę, jak i jej męża? Czy wyjaśniono kwestię, że gdy nadejdzie czas, ojciec będzie mógł uczestniczyć w akcji porodowej i samych narodzinach?

POŁOŻNIK? LEKARZ RODZINNY? POŁOŻNA?

Zawężenie twojego ideału lekarza do trzech głównych typów osobowości na pewno ułatwi ci dokonanie wyboru, jednakże jego metody pracy lub filozofia to nie wszystko. Będziesz również musiała pomyśleć, jakiego rodzaju kwalifikacje medyczne najlepiej będą mogły spełnić twoje oczekiwania.

Położnik. Jeżeli twoja ciąża jest ciążą wysokiego ryzyka[1], będziesz najprawdopodobniej

[1] Tradycyjnie uważa się, że ciąża wysokiego ryzyka to taka ciąża, która występuje u kobiet już wcześniej mających problemy związane z okresem ciąży; mających inne schorzenia – takie jak: cukrzyca, nadciśnienie lub choroby serca; mających problemy związane z czynnikiem Rh i innymi powikłaniami genetycznymi. Mówimy o takiej ciąży w przypadku kobiet poniżej 17 lub powyżej 35 roku życia (chociaż podaje się w wątpliwość, czy faktycznie ciąże u kobiet po 35 roku życia należy zaliczyć do grupy wysokiego ryzyka).

potrzebować specjalisty zdolnego poradzić sobie ze wszystkimi możliwymi komplikacjami przebiegu ciąży, akcji porodowej i samego porodu, to znaczy położnika. Możesz nawet poszukać położnika, który specjalizuje się w ciążach wysokiego ryzyka, albo specjalisty w zakresie medycyny matczyno-płodowej.

Jeżeli twoja ciąża przebiega raczej normalnie z położniczego punktu widzenia, możesz dalej preferować opiekę ze strony położnika (czyni tak więcej niż 8 kobiet na 10), wybrać lekarza zajmującego się twoją rodziną (około 10 do 12% kobiet) lub zdecydować się na dyplomowaną położną (wybór 1 do 2% kobiet).

Lekarz rodzinny. Ta stosunkowo nowa specjalność jest właściwie uaktualnioną wersją tradycyjnego lekarza ogólnego, który kiedyś zajmował się całokształtem opieki zdrowotnej danej rodziny. Główna różnica pomiędzy lekarzem ogólnym a lekarzem rodzinnym polega na trybie szkolenia, które przechodzą. Lekarz rodzinny w odróżnieniu od lekarza ogólnego bierze udział w kilkuletnim cyklu szkolenia specjalistycznego w zakresie opieki podstawowej (również położnictwo) po ukończeniu studiów. Jeżeli zdecydujesz się na lekarza rodzinnego, może on wykonywać pracę zarówno internisty, jak i ginekologa-położnika, a gdy nadejdzie czas – także pediatry. W idealny sposób lekarz rodzinny będzie mógł śledzić rozwój twojej rodziny, interesować się wszystkimi, nie tylko związanymi z ciążą, aspektami twego zdrowia. Ciąża będzie dla niego normalną częścią całego cyklu życiowego, a nie chorobą. W przypadku gdy wystąpią jakieś komplikacje, będzie mógł wezwać w celu konsultacji specjalistę, ale w dalszym ciągu to on pozostanie odpowiedzialny za twój przypadek.

Położna dyplomowana. Jeżeli szukasz opiekuna, który główny nacisk położy na traktowanie ciebie jako człowieka, a nie tylko jako pacjentki, jeżeli szukasz kogoś, kto poświęci swój dodatkowy czas, by porozmawiać z tobą o twych odczuciach i problemach, kto będzie nastawiony na „naturalność" w kwestiach związanych z urodzeniem dziecka, możesz spróbować wybrać dyplomowaną położną (chociaż oczywiście wielu lekarzy również spełnia te warunki). Aczkolwiek dyplomowana położna jest także specjalistą medycznym, jest starannie kształcona w zakresie opieki nad kobietami w ciąży o niskim ryzyku, jak również przyjmowaniu nieskomplikowanych porodów (po przejściu specjalnego szkolenia, praktyki i uzyskaniu dyplomu), to właśnie ona jest szczególnie predestynowana do tego, by traktować twoją ciążę jako coś ludzkiego, a nie wyłącznie medycznego. Jeżeli zdecydujesz się na położną, upewnij się, że jest położną dyplomowaną, zwykła akuszerka nie jest w stanie zapewnić tobie i twemu dziecku optymalnej opieki. W ostatnich latach znacznie wzrosła liczba porodów odbieranych przez dyplomowane położne.

RODZAJ PRAKTYKI

Już zdecydowałaś się na położnika, lekarza rodzinnego albo położną. Teraz musisz zdecydować, jaki rodzaj praktyki medycznej będzie tobie najbardziej odpowiadał. Najpowszechniejsze rodzaje praktyk oraz ich potencjalne zalety i wady to:

Indywidualna praktyka medyczna. W tego rodzaju praktyce lekarz pracuje sam, korzystając z zastępstwa innego lekarza w przypadku swego wyjazdu lub innej sytuacji uniemożliwiającej mu wykonywanie pracy. Położnik lub lekarz rodzinny może prowadzić praktykę indywidualnie, położna niemal zawsze musi współpracować z lekarzem. Podstawową zaletą praktyki indywidualnej jest to, że za każdym razem w czasie wizyty mamy do czynienia z tym samym specjalistą, możemy go lepiej poznać, a tym samym mieć lepsze samopoczucie przed porodem. Główną wadą takiej praktyki jest to, iż może się zdarzyć, że w przypadku nieobecności twojego lekarza poród odbierać będzie zupełnie nie znany ci specjalista (można takiej sytuacji zapobiec, umawiając się po prostu wcześniej z ewentualnym zastępcą twojego lekarza prowadzącego). Pewne problemy mogą pojawić się również w połowie twojej ciąży, gdy stwierdzisz, że nie jesteś specjalnie zachwycona swoim lekarzem. Wtedy, no cóż – nie masz wyjścia, chyba że stać cię na zmianę bez specjalnego przejmowania się inwestycją, którą już wcześniej poczyniłaś.

Medyczna praktyka partnerska lub grupowa. Dwóch lub więcej lekarzy tej samej specjalności opiekuje się wspólnie pacjentkami zgodnie z rozpisanym wcześniej planem rotacyjnym. Tutaj też możesz znaleźć zarówno lekarzy położników, jak i lekarzy rodzinnych – czasami nawet w jednym zespole. Zaletą tego układu jest możliwość zapoznania się ze wszystkimi z nich, a kiedy pojawią się już bóle porodowe, przy tobie będzie wtedy znajoma twarz. Wadą jest to, że możesz po prostu nie darzyć sympatią wszystkich lekarzy z zespołu i później nie będziesz miała wpływu na to, który będzie asystował przy twoim porodzie. Również, w zależności od tego, czy będzie to dla ciebie uspokajające czy raczej niepokojące, różne opinie słyszane od różnych lekarzy mogą być zaletą, ale też wadą.

Praktyka kombinowana. Jest to grupowa praktyka, obejmująca jednego lub więcej położników i jedną lub więcej położnych. Zalety i wady są podobne do tych, jakie można zaobserwować w każdej z praktyk grupowych. Dodatkową zaletą tej praktyki jest to, że łączy dodatkowy czas i uwagę poświęcaną pacjentce przez położną w trakcie jednej wizyty z fachowością i doświadczeniem lekarza przy okazji innej. W przypadku tego rodzaju praktyki pacjentka może wybrać na przykład opcję przeprowadzenia porodu przez położną z zastrzeżeniem, że gdy tylko pojawią się jakieś komplikacje, natychmiast u wezgłowia znajdzie się czuwający nad wszystkim lekarz.

Praktyka oparta na ośrodkach położniczych lub porodowych. Są to instytucje, w których dyplomowane położne zajmują się całokształtem opieki medycznej nad przyszłą matką, a lekarze wzywani są w razie potrzeby. Niektóre z takich ośrodków umiejscowione są w szpitalach wyposażonych w specjalne sale porodowe, inne stanowią oddzielne zespoły budynków. Wszystkie ośrodki położnicze zapewniają opiekę tylko pacjentkom z niskim ryzykiem.

Tego rodzaju praktyka ma oczywiste zalety dla tych kobiet, które preferują jako swych głównych opiekunów medycznych dyplomowane położne. Główną wadą jest to, że gdy w czasie ciąży pojawiają się komplikacje (w 20 do 30% przypadków), pacjentka może być zmuszona do poszukania sobie specjalisty i rozpoczęcia całej współpracy od nowa, oraz to, że gdy w czasie samego porodu pojawiają się takie komplikacje (10 do 15% przypadków), konieczne staje się wezwanie do porodu lekarza całkowicie pacjentce nie znanego. Jeżeli ośrodek położniczy usytuowany jest w wolno stojącym budynku, może w takich przypadkach zaistnieć konieczność przetransportowania pacjentki do najbliższego szpitala w celu udzielenia jej nagłej pomocy.

Niezależna praktyka dyplomowanej położnej. W tych niewielu stanach w USA, w których wolno im praktykować niezależnie, położne dyplomowane mogą zaoferować kobietom z niskim ryzykiem ciążowym zindywidualizowaną opiekę w czasie ciąży, a także naturalny poród bez nadmiaru techniki (czasami w domu, ale częściej w izbie porodowej lub szpitalu). Niezależna dyplomowana położna powinna współpracować z lekarzem w celu konsultacji i pomocy medycznej w czasie ciąży, porodu lub po nim. Lekarz powinien być dostępny na telefon.

ALTERNATYWY PORODOWE

Nigdy wcześniej kobiety nie miały tak wielkiej kontroli nad całym procesem posiadania dziecka. Przez tysiąclecia o losie ciężarnej kobiety decydowały kaprysy natury, dopiero na początku tego stulecia lekarz stał się tym, który miał decydować o tym, jak kobieta będzie rodzić. Teraz nareszcie, aczkolwiek natura ciągle trzyma parę kart w zanadrzu, a lekarz wciąż ma wiele do powiedzenia, coraz więcej decyzji podejmowanych może być przez kobiety i ich małżonków. Obecnie kobieta może wybrać najodpowiedniejszy moment do poczęcia dziecka (dzięki lepszym metodom kontroli płodności oraz specjalnym zestawom umożliwiającym dokładne określenie czasu owulacji), a często też sposób, w jaki chce rodzić, przy uwzględnieniu wszelkich przeciwwskazań. Wielość możliwości odbycia porodu nawet w warunkach szpitalnych może przyprawić o zawrót głowy. Poza szpitalem wybór jest jeszcze większy.

Chociaż twoje wstępne preferencje dotyczące porodu nie powinny być jedynymi kryteriami określającymi wybór lekarza, to warto jednak brać je pod uwagę (pamiętaj jednak, że wiążące decyzje podjąć można dopiero w trochę późniejszym okresie ciąży, a wiele z nich sfinalizować przy samym porodzie). Obecnie przyszłe matki przed podjęciem ostatecznej decyzji co do lekarza i szpitala rozważyć mogą następujące możliwości odbycia porodu:

Całościowa opieka nad rodziną. Wielu uważa ten rodzaj opieki za ideał, jeśli chodzi o szpitalną opiekę położniczą. Jednakże całościowa opieka nad rodziną nie jest jeszcze realna w większości szpitali, chociaż daje się zauważyć wyraźny trend w tym właśnie kierunku. Amerykańskie Towarzystwo Profilaktyki Położniczej (ASPO) wyznaczyło kryteria tego idealnego rozwiązania, które określają oficjalną politykę szpitala w zakresie całościowej opieki położniczej nad rodziną oraz programy edukacyjne dotyczące rodzenia i odzwierciedlające tę politykę, to jest: przeprowadzanie porodu bez zbędnej ingerencji techniki i ze zwróceniem szczególnej uwagi na potrzeby psychospołeczne; atmosferę, w której ważne są wszystkie pytania, a także samopomoc i samokształcenie; atmosferę, w której zwraca się uwagę na różnice kulturowe i propaguje się karmienie piersią już w godzinę po narodzinach dziecka, jeżeli nie ma żadnych przeciwwskazań, oraz program zakładający, że każda matka posiada podstawowe umiejętności z zakresu opieki nad noworodkiem, i ułatwiający prawidłowe rozpoczęcie przygotowań do karmienia piersią, jeśli możliwe, jeszcze przed rozwiązaniem. Pokoje pacjentek powinny być wyposażone w drzwi (dla zachowania prywatności), wygodne umeblowanie, osobną toaletę i urządzenia do kąpieli, jak również powinny być wystarczająco duże, by móc pomieścić rodzinę (w tym dzieci) i inne osoby towarzyszące, personel i sprzęt medyczny, rzeczy osobiste, łóżeczko dziecka oraz kanapę dla członków rodziny pozostających na noc. Niedaleko powinno również znajdować się specjalne pomieszczenie dla osób towarzyszących, gdzie mogłyby znaleźć parę chwil wytchnienia w czasie trwania akcji porodowej.

Pokoje porodowe. Dawniej każda oczekująca dziecka kobieta przebywała najpierw na sali obserwacyjnej, rodziła na sali porodowej i odpoczywała na oddziale poporodowym. Natychmiast po urodzeniu odbierano jej dziecko i umieszczano za szybami oddziału noworodków. Dzisiaj możliwość korzystania w wielu szpitalach z pokojów porodowych sprawia, że kobieta może pozostawać w tym samym łóżku od czasu wystąpienia pierwszych skurczów aż do fazy poporodowej. Czasami pobyt taki możliwy jest przez cały okres hospitalizacji, wówczas też noworodki mogą przebywać u boku matki przez cały ten czas. Pokoje porodowe są w pełni wyposażone w sprzęt potrzebny przy nieskomplikowanych porodach, jak również ten używany w cięższych przypadkach (w większości szpitali cięcia cesarskie i inne skomplikowane zabiegi przeprowadzane są w salach porodowych lub operacyjnych), niemniej jednak wyglądają jak przytulne sypialnie lub pokoje hotelowe (z delikatnym oświetleniem, obrazami na ścianach, firankami w oknach, fotelem i wygodnym łóżkiem, które zwykle spełnia później funkcję łóżka porodowego).

W większości szpitali po porodzie matka (i jej dziecko) przeniesiona zostaje z pokoju porodowego na salę poporodową. Wcześniej przez mniej więcej godzinę ma możliwość niczym nie zakłóconego wspólnego przebywania wraz z całą swą rodziną. W kilku bardziej postępowych szpitalach kobieta może zaplanować pozostanie w pokoju porodowym aż do wypisania ze szpitala, czasem nawet z ojcem i rodzeństwem noworodka.

Pokoje porodowe przeznaczone są głównie dla kobiet z niskim ryzykiem wystąpienia komplikacji porodowych. Jako że zapotrzebowanie na tego rodzaju pokoje przekracza znacznie możliwości lokalowe wielu szpitali, a przydział dokonuje się na zasadzie: kto pierwszy, ten lepszy, możliwe, że nie uda ci się takiego pokoju zdobyć. Na szczęście będziesz mogła skorzystać z udogodnień oferowanych przez bardziej tradycyjne ośrodki szpitalne – takich choćby jak spokojne, nastawione na rodzinę, bez zbędnej interwencji lekarskiej przygotowanie do porodu i sam poród.

Łóżko porodowe. Twardy i płaski stół porodowy, na którym najprawdopodobniej urodziła ciebie twoja matka, przegrywa z miękkim, obszernym łóżkiem, które wygodne w fazie przygotowania, dzięki przesunięciu dźwigni staje się idealnym łóżkiem porodowym. Zwykle można w nim podnieść oparcie i podeprzeć kobietę w pozycji siedzącej lub półsiedzącej, można również odłączyć podnóżek, umożliwiając tym samym dojście lekarzowi. A po porodzie – zmiana pościeli, wciśnięcie paru przełączników – i oto na powrót jesteś w zwykłym łóżku.

Krzesło porodowe. Zwolennicy pozycji siedzącej w czasie porodu przedkładają krzesło porodowe nad łóżko porodowe. Krzesło takie ma za zadanie podtrzymywać kobietę w pozycji siedzącej podczas porodu. Jako że pozycja ta pozwala wykorzystać siłę ciążenia, teoretycznie przyspieszając poród, niektóre matki i ich lekarze uważają ją za lepszą. Jednakże od czasu do czasu zdarza się, że zwiększone parcie główki dziecka na miednicę może doprowadzić do dużego rozerwania krocza. I chociaż takie pęknięcia można zszyć, prowadzi to do wydłużenia się czasu połogu, a także zwiększonej bolesności w okresie poporodowym.

Porody Leboyera. Gdy francuski położnik Fryderyk Leboyer po raz pierwszy ogłosił swoją teorię narodzin bez gwałtu, społeczność lekarska ją wyśmiała. Dzisiaj wiele z zaproponowanych przez niego rozwiązań, mających na celu ułatwienie dziecku przyjście na świat i spowodowanie, by odbywało się ono spokojnie, powszechnie się stosuje. Wiele dzieci rodzi się w pokojach porodowych bez użycia ostrego światła (o którym kiedyś mówiono, że jest konieczne), a to wszystko na podstawie teorii, która głosi, że łagodne oświetlenie pomaga stopniowo i mniej wstrząsowo przejść z ciemnej macicy do jasnego świata zewnętrznego. Podnoszenie noworodka i parę klapsów przestały już być stosowaną rutynowo czynnością, a w celu pobudzenia funkcji oddychania w przypadkach, gdy nie następuje to samoistnie, stosuje się mniej gwałtowne metody. W niektórych szpitalach nie odcina się od razu pępowiny. To jedyne fizyczne ogniwo łączące matkę i dziecko pozostaje nietknięte w czasie, gdy mogą po raz pierwszy się poznać. I chociaż ciepła kąpiel, którą Leboyer zalecał w celu uspokojenia (i ułatwienia przejścia ze środowiska wodnego do suchego) noworodka, nie jest powszechna, to oddanie go natychmiast po porodzie w ramiona matce – jest.

Mimo rosnącego uznania dla wielu teorii Leboyera, całościowy poród Leboyera z delikatną muzyką, miękkim światłem i ciepłą kąpielą dla noworodka nie jest jeszcze powszechnie dostępny. Jeżeli jesteś zainteresowana czymś takim, zapytaj o te zagadnienia w czasie rozmów z lekarzami.

Porody podwodne. Pomysł odbierania porodu pod wodą w celu upodobnienia środowiska do warunków panujących w macicy nie jest powszechnie akceptowany w kręgach medycznych. I chociaż wiele kobiet, które doświadczyły tego rodzaju porodu, twierdzi, że było to wydarzenie bardzo radosne, większość lekarzy ma odczucie, że ryzyko utopienia się płodu, zapewne dość odległe, jest jednak zbyt duże, by można było tę metodę w pełni zaakceptować.

Porody w domu. Dla niektórych kobiet sam pomysł przebywania w szpitalu wtedy, gdy nie są chore, nie jest zbyt atrakcyjny. Atrakcyjne wydaje im się natomiast rodzenie w domu, które czasami okazuje się również udane. Noworodek przybywa na łono rodziny i przyjaciół w ciepłej, pełnej miłości atmosferze. Oczywiście, istnieje ryzyko, że jeżeli coś pójdzie źle, to wszelkie urządzenia potrzebne w nagłych wypadkach, takich jak choćby cięcie cesarskie lub resuscytacja noworodka, nie będą pod ręką. Dla wielu kobiet ośrodek położniczy lub szpitalny pokój porodowy jest idealnym kompromisem łączącym w sobie domową atmosferę i bezpieczeństwo gwarantowane przez wysoce zaawansowaną technikę. Te kobiety z niskim ryzykiem, które nalegają na przeprowadzenie porodu w domu, muszą być pewne, że w razie nagłej potrzeby będzie można skorzystać z opieki wykwalifikowanego lekarza lub dyplomowanej położnej oraz że w takiej sytuacji zapewniony zostanie transport do najbliższego szpitala. W Wielkiej Brytanii porody domowe nie są czymś niezwykłym; jednak zawsze w pobliżu czeka kompletnie wyposażony ambulans, gotowy w każdej chwili do przewiezienia matki i (jeśli poród już się rozpoczął) jej dziecka do szpitala.

TWÓJ WYBÓR

Gdy już upewniłaś się, kto będzie twoim lekarzem, zadzwoń i umów się na pierwszą wizytę. Idąc tam, przygotuj sobie pytania, które pozwolą ci stwierdzić, czy twojej filozofii i twojej osobowości odpowiadają poglądy drugiej strony. Jednak nie spodziewaj się, że spotkasz się z całkowitym zrozumieniem – nie zdarza się to nawet w najszczęśliwszych małżeństwach. Jeżeli ważne jest dla ciebie, by twój lekarz uważnie ciebie słuchał i dokładnie wyjaśniał wszystko, sprawdź, czy twój kandydat spełnia te warunki. Jeżeli interesujesz się emocjonalnymi aspektami ciąży, sprawdź, czy lekarz poważnie bierze twoje obawy. Zapytaj, jakie są jego poglądy w takich kwestiach, jak naturalne rodzenie a rodzenie w narkozie, karmienie piersią, prowokacja porodu, monitorowanie płodu, stosowanie lewatywy, operacja kleszczowa, cesarskie cięcie lub cokolwiek innego, co może ciebie interesować. W ten sposób możesz ustrzec się przed nieprzyjemnymi niespodziankami, pojawiającymi się w ostatniej chwili.

Najważniejszą rzeczą, jaką możesz zrobić podczas pierwszego spotkania, jest umożliwienie lekarzowi poznania ciebie jako pacjentki. Po reakcji będziesz mogła poznać, czy on lub ona będzie mógł z tobą zgodnie współpracować.

Prawdopodobnie będziesz też chciała się dowiedzieć, w jakim szpitalu zatrudniony jest twój lekarz. Czy szpital ten wyposażony jest w ważne dla ciebie udogodnienia, takie jak: pokoje porodowe, krzesła porodowe, urządzenia do porodów Leboyera, pokoje pobytu stałego, zestaw do intensywnej opieki nad noworodkiem i najnowszy sprzęt do monitorowania płodu? Czy personel szpitalny jest elastyczny, jeżeli idzie o takie rutynowe czynności, jak golenie i lewatywy? Czy możliwa jest obecność ojca w trakcie akcji porodowej, samego porodu oraz na sali operacyjnej nawet w trakcie przeprowadzania cięcia cesarskiego? Czy konieczne będzie przytrzymywanie nóg w strzemionach podczas porodu?

Zanim podejmiesz ostateczną decyzję, pomyśl, czy lekarz, którego wybrałaś, budzi w tobie zaufanie. Ciąża jest jedną z najważniejszych podróży, jaką masz zamiar podjąć – będziesz więc potrzebować kapitana, któremu będziesz mogła całkowicie zawierzyć.

WSPÓŁPRACA PACJENTKA-LEKARZ

Wybór odpowiedniego lekarza jest dopiero pierwszym krokiem. Dla ogromnej większości kobiet – takich, które nie mają zamiaru przenosić całej odpowiedzialności na lekarza ani decydować o wszystkim osobiście, następnym krokiem jest wypracowanie udanej współpracy ze specjalistą. Oto, jak można to osiągnąć:

- Gdy pojawi się jakiś problem lub kwestia, która według ciebie jest warta przedys-

Jak ustrzec się błędów?

Uznając, że nowoczesnym stosunkiem pomiędzy lekarzem położnikiem a pacjentką jest partnerstwo i że gdy wyniki nie są idealne, to wina nie zawsze leży po stronie lekarza, lekarze nie pozwalają już dłużej przenosić całej odpowiedzialności na siebie. Przeciwstawiają się temu, a nawet w rzadkich przypadkach odwracają role i zarzucają błędne postępowanie samym pacjentkom, próbującym przenieść całą winę na lekarza. I chociaż parę spraw znalazło swój finał w sądzie, nie musisz obawiać się, że będziesz zmuszona zapłacić swojemu lekarzowi milion dolarów, jeżeli nie będziesz zażywać witamin, które ci przepisał. To, czym faktycznie powinnaś się martwić, gdy zdarzy ci się popełnić jakiś błąd, to to, czy ty i twoje dziecko będziecie musieli zapłacić w sposób bardziej dotkliwy swym zdrowiem lub nawet życiem.

Jeżeli chcesz być pacjentką, której nie można zarzucić popełnienia jakiegokolwiek błędu, podejmij następujące środki ostrożności:

- Mów prawdę i tylko prawdę. Nie przedstawiaj lekarzowi fałszywej lub niekompletnej historii swojego zdrowia. Zadbaj o to, by wiedział o wszystkich obecnie zażywanych przez ciebie lekach – przepisanych i nie przepisanych, legalnych lub nielegalnych, farmakologicznych lub regenerujących, zawierających alkohol lub tytoń. Powiedz mu również o wszystkich minionych, jak i obecnych twoich chorobach i operacjach, które przeszłaś.

- Nie przeciwstawiaj się konieczności wykonania zdjęć rentgenowskich, testów lub zabiegów leczniczych, chyba że dysponujesz autorytatywną opinią innego lekarza, która jest zgodna z twoją decyzją.

- Wypełniaj dokładnie instrukcje podczas zabiegów. Nie możesz obwiniać radiologa za zamazane zdjęcie, skoro poruszyłaś się wtedy, gdy prosił cię, byś się nie ruszała.

- Wypełniaj zalecenia twojego lekarza dotyczące regularności wizyt, kontrolowanego przybierania na wadze, odpoczynku w łóżku, ćwiczeń, leków, witamin itd. – chyba że tym razem również możesz kierować się opinią medyczną innego uznanego specjalisty.

- Nie pozwalaj nikomu, kto wyraźnie pozostaje pod wpływem narkotyków lub alkoholu, by cię leczył. Takie postępowanie czyni ciebie współwinną przestępstwa.

- Zawsze alarmuj lekarza, gdy zaobserwujesz oczywisty, odwrotny do zamierzonego efekt działania jakiegoś leku lub skutek przeprowadzonego zabiegu – dotyczy to również innych niepokojących symptomów, które pojawiają się w czasie ciąży. Wypowiedz się też, jeśli sądzisz, że wskazówki twojego lekarza mogą być błędne (patrz s. 44).

- Nigdy nie strasz lub w inny sposób nie alarmuj lekarza, by nie kolidowało to z leczeniem, któremu jesteś poddawana.

- Dbaj o siebie, przestrzegaj diety, poświęcaj odpowiednią ilość czasu odpoczynkowi i ćwiczeniom, absolutnie unikaj alkoholu, tytoniu, jak również nie przepisanych leków. Postępuj tak, gdy tylko stwierdzisz, że jesteś w ciąży, choć jeszcze lepiej, gdy tylko postanowiłaś począć dziecko.

Jeżeli czujesz, że nie jesteś w stanie wypełnić instrukcji lekarza lub postępować zgodnie z wyznaczonym trybem leczenia, lub też masz małe zaufanie do osoby, którą wybrałaś do sprawowania opieki nad tobą i twoim dzieckiem w czasie ciąży i samego porodu – w takim przypadku dla obu stron będzie lepiej, jeśli poszukasz kogoś innego.

kutowania – zapisz ją i weź kartkę ze sobą na następną wizytę. Przydatne jest mieć parę notatników w różnych wygodnych miejscach – przy lodówce, w torebce, na biurku w pracy, na twoim stoliku nocnym – tak, byś zawsze miała jeden z nich w zasięgu ręki. Warto też przejrzeć tę listę przed każdą wizytą u lekarza. Jest to jedyny sposób, by nie zapomnieć o wszystkich nurtujących cię pytaniach i opowiedzieć o wszystkich symptomach. Unikniesz w ten sposób marnowania czasu swojego i lekarza.

- Wraz z listą pytań zabierz również coś do pisania i notatnik, byś mogła zanotować wszystkie zalecenia twojego lekarza. Wielu ludzi zachowuje się bardzo nerwowo w trakcie kontaktów z lekarzem i ma później kłopoty z precyzyjnym zapamiętaniem tych wskazówek. Jeżeli lekarz nie da ci poszczególnych wskazówek z własnej woli, sama przed wyjściem zadaj nurtujące cię pytania, by po powrocie do domu niczego nie pomylić. Pytaj na przykład o takie rzeczy, jak: uboczne efekty leczenia, kiedy przestać brać przepisane lekarstwo i kiedy informować o pojawiających się problemach.

- Mimo że nie chcesz wzywać lekarza za każdym razem, gdy poczujesz ukłucie w brzuchu, nie powinnaś jednak wahać się, by zadzwonić do niego i umówić się na wizytę, gdy tylko pojawią się problemy, których nie potrafisz sobie wytłumaczyć za pomocą choćby takiej książki jak ta. Nie bój się, że twoje obawy mogą zabrzmieć głupio. Twój lekarz na pewno już się z podobnymi objawami zetknął. Musisz być jednak bardzo dokładna w opisie wszystkich symptomów. Jeżeli miewasz bóle, musisz precyzyjnie określić umiejscowienie, czas trwania oraz rodzaj bólu (ostry, tępy, skurczowy). Jeżeli to możliwe, powinnaś wyjaśnić, co sprawia ci ulgę lub zwiększa ból – np. zmiana pozycji. Jeżeli zauważyłaś wydzielinę z pochwy – opisz jej kolor (jasnoczerwony, ciemnoczerwony, brązowawy, różowawy, żółtawy), spróbuj określić, kiedy zauważyłaś ją po raz pierwszy oraz jak jest obfita. Powiedz również o objawach towarzyszących, takich jak: gorączka, nudności, wymioty, dreszcze, biegunka. (Patrz: *W jakich sytuacjach powiadamiać lekarza?* s. 137.)
- Gdy przeczytasz coś nowego na temat położnictwa, podczas następnej wizyty nie żądaj natychmiast zastosowania tej nowinki w stylu – „ja to muszę mieć". Zamiast tego spróbuj się dowiedzieć, co na ten temat sądzi twój lekarz, czy uważa to za coś wartościowego. Bardzo często środki masowego przekazu donoszą przedwcześnie o nowych sukcesach medycyny, zanim zostaną one sprawdzone co do ich bezpieczeństwa i efektywności poprzez cykl badań kontrolnych. Jeżeli naprawdę jest to już uznane osiągnięcie, twój lekarz zapewne już o tym wie i może spróbować dowiedzieć się jeszcze więcej. Tak czy inaczej poprzez taką wymianę informacji możesz się czegoś nauczyć.
- Gdy usłyszysz coś, co nie odpowiada temu, co powiedział twój lekarz, poproś go o wyrażenie opinii na ten temat, ale nie w prowokujący sposób, tylko po prostu w celu uzyskania dodatkowej informacji.
- Jeżeli podejrzewasz, że lekarz może się w czymś mylić, np. uznając za dopuszczalne stosunki płciowe, mimo że w przeszłości przeszłaś poronienie – powiedz mu o tym. Nie możesz zakładać, że nawet z twoją kartą choroby w ręce będzie on zawsze pamiętał każdy aspekt twojej historii medycznej i osobistej – a ty ponosisz też odpowiedzialność za to, by takie błędy się nie zdarzały. Najlepszym podejściem w tego rodzaju sytuacjach jest wykazanie zrozumienia i przedstawienie swoich obaw w nieagresywny sposób. Zobaczysz, że twój opiekun naprawdę przejmuje się twoim zdrowiem i zadowolony jest z twojej szczerości.
- Jeżeli masz obiekcje co do czegokolwiek (poczynając od długiego oczekiwania na badanie, a kończąc na zbywaniu twoich pytań milczeniem), przedstaw je otwarcie. Wszelkie niedomówienia w tych kwestiach narażają na szwank dobre stosunki pomiędzy lekarzem a pacjentką.

Żebyś nie zapomniała

Ponieważ wkrótce czytaniu będzie towarzyszyć chęć i potrzeba zapisywania objawów, abyś mogła opowiedzieć o nich lekarzowi, odnotowywania wagi co tydzień, by móc porównywać zmiany, utrwalania wszystkiego, co wymaga zapamiętania, dodajemy na końcu książki strony przygotowane do sporządzania takich notatek.

Jeżeli nie jesteś jeszcze w ciąży

Jeśli tym razem test ciążowy dał wynik negatywny, ale bardzo chciałabyś wkrótce zajść w ciążę, zacznij postępować według wskazań rozdziału 21 mówiących o przygotowaniu się do poczęcia. Zastosowanie się do tych wskazań da pewność, że podjęłaś wszystkie możliwe i najlepsze działania, aby doprowadzić do poczęcia.

- Jeżeli twoje stosunki z lekarzem ulegną zdecydowanemu pogorszeniu, zmień lekarza. Zła współpraca nie jest przyjemna dla żadnej ze stron, czasem nawet bardziej dla lekarza niż dla pacjentki. Nie spodziewaj się jednak, że zostaniesz otoczona dobrą opieką położniczą, jeżeli bez przerwy zmieniasz lekarzy, próbując znaleźć takiego, który będzie wykonywać twoje polecenia. Pomyśl raczej o tym, że to ty jesteś źródłem tych wszystkich kłopotów i nieporozumień związanych z opieką medyczną nad tobą.

2

Teraz, gdy jesteś w ciąży

Co może cię niepokoić

Teraz, gdy nie musisz się już dłużej martwić o wyniki testu ciążowego, na pewno staną przed tobą nowe pytania: Jaki wpływ będzie miał mój wiek i wiek mojego męża na przebieg ciąży i na nasze dziecko? Jak mogą wpłynąć na nie obciążenia chorobowe rodziców i genetyczne uwarunkowania rodziny? Czy nasz uprzedni tryb życia będzie miał jakieś znaczenie? Czy mogą się powtórzyć problemy, które zaistniały w poprzednich ciążach? Co mogę uczynić, aby zminimalizować ryzyko, jakie niesie ze sobą ciąża?

TWÓJ WYWIAD GINEKOLOGICZNY

Nie wspomniałam mojemu lekarzowi położnikowi o poprzedniej ciąży, ponieważ zdarzyło się to, zanim wyszłam za mąż. Czy są jakieś powody, dla których powinnam o tym powiedzieć?

Twoja wcześniejsza historia ginekologiczna może być dla lekarza tak samo ważna jak informacja, którą może uzyskać w czasie każdego badania przeprowadzonego w trakcie trwania obecnej ciąży. Wcześniejsze ciąże i poronienia, aborcje, zabiegi chirurgiczne lub infekcje mogą, ale nie muszą mieć wpływu na to, co dzieje się w przebiegu obecnej ciąży. Jednakże wszystkie te informacje powinnaś przekazać twemu lekarzowi. Na pewno zachowa dyskrecję, a ty nie musisz się martwić tym, co pomyśli lekarz. Praca lekarza polega na niesieniu pomocy matkom i dzieciom, a nie ich ocenianiu.

WCZEŚNIEJSZE PRZERWANIA CIĄŻY (ABORCJE)

Miałam dwie aborcje. Czy w jakikolwiek sposób mogą wpłynąć na obecną ciążę?

Prawdopodobnie nie, jeżeli zostały wykonane w ostatnich latach i w czasie pierwszego trymestru ciąży. Aczkolwiek aborcje wykonywane przed 1973 rokiem powodowały zwiększone ryzyko poronienia w środkowym trymestrze (z powodu uszkodzenia w trakcie zabiegu szyjki macicy prowadzącego do niewydolności cieśniowo-szyjkowej), wydaje się, że udoskonalone od tego czasu sposoby przeprowadzania aborcji w pierwszym trymestrze wyeliminowały ryzyko spowodowania tego rodzaju uszkodzenia szyjki macicy.

Jednakże wielokrotne aborcje w drugim trymestrze (od 12 do 26 tygodnia) zdają się zwiększać ryzyko przedwczesnego porodu.

Jeżeli twoje aborcje wykonane były po upływie trzeciego miesiąca, przeczytaj informację na s. 225, co może ci pomóc zmniejszyć ryzyko przedwczesnego porodu.

W obu jednak przypadkach poinformuj swojego lekarza o wykonanych wcześniej aborcjach. Im lepiej będzie on znał twoją historię ginekologiczną, tym lepszą zapewni ci opiekę.

MIĘŚNIAKI

Od kilku lat mam mięśniaki i nigdy nie sprawiały mi żadnych kłopotów. Ale teraz, gdy jestem w ciąży, martwię się, że mogą je spowodować.

Mięśniaki występują u kobiet po 35 roku życia, a ponieważ w tej grupie wiekowej coraz więcej kobiet ma dzieci, mięśniaki stają się czymś stosunkowo powszechnym w ciąży (szacunki wahają się od 1 do 2 kobiet na 100). Ogromna większość ciężarnych kobiet mających mięśniaki może spodziewać się normalnego (bez spowodowanych tym schorzeniem komplikacji) porodu. Jednakże od czasu do czasu te niewielkie, niezłośliwe guzy na wewnętrznych ścianach macicy mogą powodować pewne problemy, zwiększając nieznacznie ryzyko wystąpienia ciąży ektopowej, poronienia, łożyska przodującego, przedwczesnego oddzielenia się łożyska, przedwczesnego porodu, przedwczesnego pęknięcia błon, przedłużającego się porodu, wady rozwojowej płodu, miednicowego i innych trudnych do odebrania położeń płodu. Aby zminimalizować ryzyko wystąpienia tych komplikacji, powinnaś: być pod opieką lekarza, omówić problem mięśniaków z twoim lekarzem, by zdawać sobie sprawę ze swojego ogólnego stanu zdrowia i zagrożeń powstałych w związku z występowaniem mięśniaków, zredukować inne zagrożenia dla ciąży (patrz s. 80), być szczególnie wyczulona na symptomy mogące zasygnalizować pojawienie się tych problemów (patrz s. 137).

Czasami kobieta mająca mięśniaki może odczuwać parcie lub ból w okolicy brzucha. Zwykle nie jest to nic, czym należałoby się martwić, jednak trzeba o tym powiadomić lekarza. Wypoczynek w łóżku i bezpieczne środki przeciwbólowe (patrz s. 323) zwykle po 4-5 dniach przynoszą ulgę. Czasami mięśniaki ulegają martwicy lub skręcają się, powodując ból w brzuchu, któremu często towarzyszy gorączka. Rzadko konieczna jest interwencja chirurgiczna w celu usunięcia mięśniaka, który powoduje te lub inne problemy. W przypadku, gdy lekarze podejrzewają, że mięśniaki mogą przeszkodzić w bezpiecznym porodzie drogami natury, mogą zdecydować się na wykonanie cięcia cesarskiego.

Kilka lat temu usunięto mi parę mięśniaków. Czy spowoduje to jakieś problemy teraz, gdy jestem w ciąży?

W większości wypadków chirurgiczne usunięcie niewielkich mięśniaków macicy nie ma wpływu na następne ciąże. Jednakże rozległy zabieg chirurgiczny mający na celu usunięcie dużych guzów może osłabić macicę do tego stopnia, że nie wytrzyma ona porodu. Jeżeli po przejrzeniu twojej historii choroby zawierającej dane o zabiegach chirurgicznych, którym byłaś poddana, twój lekarz zdecyduje, że w twoim przypadku występują duże zmiany pooperacyjne, to konieczne będzie wykonanie cięcia cesarskiego. Powinnaś zaznajomić się z pierwszymi oznakami nadchodzącego porodu, w przypadku gdy skurcze zaczynają się przed planowanym zabiegiem (patrz s. 227). Powinnaś też mieć przygotowany plan na wypadek zaistnienia natychmiastowej potrzeby przetransportowania do szpitala po rozpoczęciu się akcji porodowej.

NIEWYDOLNOŚĆ CIEŚNIOWO-SZYJKOWA

W czasie pierwszej ciąży miałam w piątym miesiącu poronienie. Lekarz powiedział, że powodem była niewydolność cieśniowo-szyjkowa. Właśnie uzyskałam pozytywny wynik domowego testu ciążowego i jestem przerażona, że znów powtórzy się ten sam problem.

Teraz, gdy już zdiagnozowano u ciebie niewydolność cieśniowo-szyjkową, twój lekarz powinien wiedzieć, jakie podjąć działania, aby zapobiec ponownemu poronieniu. Niewydolna szyjka to taka, która rozwiera się przedwcześnie pod wpływem parcia wzrastającej macicy i płodu (występuje w 1 lub 2 ciążach na każde 100). Sądzi się, że jest przyczyną 20-25% wszystkich poronień w drugim trymestrze. Niewydolna szyjka może być efektem genetycznie uwarunkowanej słabości szyjki, wystawienia matki na działanie DES (patrz s. 69), gdy była jeszcze w łonie matki, nadmiernego rozciągnięcia lub poważnych pęknięć szyjki zaistniałych w czasie poprzednich porodów, chirurgii szyjkowej lub leczenia laserem, urazowego porodu i cięcia cesarskiego lub aborcji (szczególnie tych wykonywanych przed 1973 rokiem). Noszenie więcej niż jednego płodu może również doprowadzić do powstania niewydolnej szyjki, w takim wypadku jednak problem ten zwykle nie daje o sobie znać przy następnych pojedynczych ciążach.

Niewydolność cieśniowo-szyjkową zwykle wykrywa się u kobiet mających poronienie w drugim trymestrze po wystąpieniu progresywnego bezbolesnego skrócenia szyjki i jej rozwierania bez uchwytnych skurczów macicy i krwawienia z pochwy. Lekarze bardzo chcieliby móc diagnozować to schorzenie przed poronieniem, aby możliwe było uratowanie ciąży. Ostatnie próby wcześniejszego diagnozowania rozwartej szyjki za pomocą USG wyglądają zachęcająco.

Jeżeli straciłaś wcześniejszą ciążę z powodu niewydolnej szyjki, powiadom o tym natychmiast swojego położnika, w razie gdyby jeszcze o tym nie wiedział. Możliwe, że założenie szwu okrężnego na część pochwową szyjki macicy (wcześnie, w drugim trymestrze, od 12 do 16 tygodnia) zapobiegnie powtórzeniu się tej tragedii. Ten prosty zabieg wykonywany jest po potwierdzeniu za pomocą USG, że ciąża rozwija się normalnie. Po zabiegu i 12 godzinach odpoczynku w łóżku pacjentce zwykle pozwala się wstać i pójść do łazienki, a 12 godzin później podjąć normalne codzienne zajęcia. Utrzymywanie stosunków seksualnych może być zabronione w okresie trwania ciąży, a częste badania lekarskie staną się koniecznością. Raczej rzadko zamiast tego zabiegu stosuje się wyłączne przebywanie w łóżku i specjalne urządzenie, zwane pesarium, mające na celu podtrzymanie macicy. Leczenie można także rozpocząć, gdy badanie USG lub badanie lekarskie potwierdzą rozwarcie szyjki, nawet jeśli wcześniej nie było poronienia.

Kiedy i czy szwy zostaną zdjęte, zależy częściowo od lekarza, a częściowo od rodzaju użytych nici. Zwykle usuwane są na parę tygodni przed przewidywanym terminem porodu, w niektórych przypadkach nie zdejmuje się ich aż do czasu rozpoczęcia akcji porodowej, chyba że wcześniej pojawi się infekcja, krwawienie lub przedwczesne pęknięcie błon.

Bez względu na to, jaki tryb leczenia zostanie zastosowany, twoje szanse donoszenia płodu są raczej dość duże. Niemniej jednak będziesz musiała być bardzo wyczulona na wszelkie oznaki zbliżających się powikłań w drugim lub wczesnym trzecim trymestrze: parcie w dolnej części brzucha, wydzielinę z pochwy z/lub bez zawartości krwi, zwiększoną częstotliwość oddawania moczu. Jeżeli stwierdzisz występowanie któregoś z tych objawów, niezwłocznie udaj się do gabinetu lekarskiego lub punktu pomocy doraźnej.

TWÓJ POWTARZAJĄCY SIĘ WYWIAD POŁOŻNICZY

Moja pierwsza ciąża była bardzo nieprzyjemna – musiałam chyba mieć wszystkie symptomy opisywane w książkach. Czy znowu będę mieć takiego pecha?

Generalnie rzecz biorąc, twoja pierwsza ciąża może dostarczyć trafnych wskazówek w odniesieniu do wszystkich następnych, ponieważ pewne rzeczy są niezmienne. Tak więc na pewno będziesz miała trochę więcej kłopotów z oddychaniem niż ktoś, kto jeszcze nie rodził. Jednakże zawsze jest nadzieja, że tym razem twój pech będzie trochę mniejszy. Każda ciąża, tak jak każde dziecko, jest inna. A więc na przykład, jeśli w czasie pierwszej ciąży męczyły cię poranne nudności albo nadmierny apetyt, w czasie drugiej możesz prawie w ogóle nie mieć z tym kłopotów (albo wręcz przeciwnie, rzecz jasna). Tak jak łut szczęścia, predyspozycje genetyczne oraz sam fakt, że już wcześniej występowały u ciebie pewne objawy, mogą mieć wpływ na pomyślny przebieg ciąży, tak samo inne czynniki – w tym i te, które sama możesz kształtować – mogą do pewnego stopnia zmienić tę prognozę. Czynnikami tymi są:

Zdrowie ogólne. Dobra ogólna kondycja fizyczna już na samym początku stwarza lepsze warunki dla pomyślnej ciąży. Najlepiej jeszcze przed poczęciem dziecka zająć się schorzeniami chronicznymi (alergie, astma, problemy z kręgosłupem) oraz wyleczyć wszelkie infekcje przewlekłe (takie, na przykład, jak zapalenie dróg moczowych lub zapalenie pochwy – patrz rozdział 15). Z chwilą, gdy zajdziesz w ciążę, w dalszym ciągu bardzo dbaj zarówno o siebie, jak i o swoją ciążę.

Dieta. Przestrzeganie „Diety najlepszej szansy" może – bez stuprocentowej gwarancji – pomóc każdej ciężarnej kobiecie przejść okres ciąży z dobrym samopoczuciem. Dieta może nie tylko zwiększyć twoje szanse uniknięcia albo zminimalizowania cierpień spowodowanych porannymi nudnościami i niestrawnością, ale również pomóc w zwalczaniu nadmiernego zmęczenia, zapobiegać zaparciom i powstawaniu hemoroidów, a także chronić przed infekcjami dróg moczowych i anemią wywołaną niedoborem żelaza, może też skutecznie ograniczać częstotliwość występowania skurczów nóg. (I jeśli nawet twoja ciąża w rezultacie nie będzie zbyt komfortowa, to możesz być pewna, że stworzyłaś swemu dziecku najlepsze warunki dla jego rozwoju i zdrowia.)

Wzrost wagi. Równomierne przybieranie na wadze oraz utrzymanie jej w zalecanych granicach (między 11-15 kg) może znacznie zwiększyć twoje szanse uniknięcia lub zminimalizowania takich utrapień towarzyszących ciąży, jak: hemoroidy, żylaki, rozstępy, bóle pleców, zmęczenie, niestrawność i zadyszka.

Sprawność fizyczna. Odpowiednia liczba dobrze dobranych ćwiczeń (wskazówki – patrz s. 197) może polepszyć twoje ogólne samopoczucie. Ćwiczenia są szczególnie ważne w drugiej i w następnych ciążach, wówczas to bowiem mięśnie brzucha zaczynają być bardziej wiotkie, czyniąc cię w większym stopniu podatną na wszelkiego rodzaju bóle, w szczególności pleców.

Tryb życia. Zabiegane, wypełnione codziennymi udrękami życie, będące obecnie udziałem wielu kobiet, może wzmóc, a czasami nawet wywołać jedną z najbardziej nieprzyjemnych dolegliwości okresu ciąży – poranne nudności, może też pogłębić inne – takie jak zmęczenie, bóle pleców i niestrawność. Trochę pomocy w domu, parę chwil wytchnienia od spraw szarpiących ci nerwy (na przykład starsze dzieci), odłożenie na bok obowiązków zawodowych oraz mniej pośpiechu w przypadku spraw mogących trochę poczekać na pewno przyniesie ci jakąś ulgę (więcej informacji – patrz s. 125).

Inne dzieci. Niektóre ciężarne kobiety mające już starsze dzieci są tak zajęte ich wychowywaniem, że nie mają nawet czasu, by zwracać uwagę na większe czy mniejsze dolegliwości związane z ciążą. Lecz dla wielu innych posiadanie jednego lub więcej dzieci staje się czynnikiem wzmagającym owe dolegliwości. Dla przykładu, poranne nudności mogą się nasilać w czasie stresu (np. poranny pośpiech przy wyprawianiu dzieci do szkoły albo czas podawania obiadu); zmęczenie może narastać, ponieważ nie ma ani chwili odpoczynku; bóle pleców mogą się zaostrzać ze względu na prace fizyczne, które wykonujesz przy dzieciach; nawet zaparcia stają się częstsze, jeśli nigdy nie masz szansy skorzystać z łazienki wtedy, gdy tego najbardziej potrzebujesz. Zmniejszenie ciężaru wychowania dzieci, który wzięłaś na swoje barki, nie jest łatwe, jest jednak dla ciężarnej kobiety bardzo ważne. Sposób osiągnięcia tego nie jest zbyt jasno określony, niemniej jednak warto go szukać: przede wszystkim więcej czasu dla ciebie samej. Możesz spróbować ulżyć sobie i wygospodarować więcej czasu wolnego, korzystając z czyjejś pomocy (płatnej lub ochotniczej).

Moja pierwsza ciąża była trudna, z kilkoma poważnymi komplikacjami. Jestem teraz bardzo nerwowa, ponieważ znowu jestem w ciąży.

Jedna ciąża z powikłaniami nie musi koniecznie zapowiadać tego samego w przypadku następnej. Często bywa tak, że kobieta, która za pierwszym razem płynęła przez wzburzony ocean, za drugim razem może cieszyć się żeglugą po spokojnych wodach. Pojawienie się komplikacji było jednorazowym wydarzeniem, takim samym jak infekcja czy wypadek, i mało prawdopodobne jest, by miało się powtórzyć. Komplikacje nie powtórzą się też, jeżeli zdołałaś zmienić swe wcześniejsze przyzwyczajenia i nawyki (takie jak palenie, picie alkoholu, zażywanie narkotyków), wyeliminować zagrożenia spowodowane skażeniem środowiska (ołów) lub też odpowiednio wcześnie zapewnić sobie fachową opiekę medyczną (zakładamy, że tym razem tak właśnie postąpiłaś).

Jeżeli przyczyną były chroniczne problemy zdrowotne, takie jak np. cukrzyca lub wysokie ciśnienie krwi, to odpowiednie zbadanie i leczenie jeszcze przed poczęciem lub we wczesnym stadium ciąży może w wielkim stopniu zredukować ryzyko ponownego wystąpienia komplikacji.

Jeżeli w czasie pierwszej ciąży pojawiły się szczególne komplikacje i chciałabyś ich uniknąć za drugim razem, dobrze jest przedyskutować te zagadnienia z twoim lekarzem, by można było przedsięwziąć wszelkie środki mogące zapobiec owym komplikacjom. Nieważne, jakie były problemy i ich przyczyny (nawet jeśli określono je mianem „przyczyny nieznane"), wszelkie wskazówki dotyczące wcześniej omówionych kwestii mogą przyczynić się do tego, by twoja ciąża była bardziej znośna i bezpieczna zarówno dla ciebie, jak i twojego dziecka.

Przy pierwszym dziecku moja ciąża była bardzo przyjemna i spokojna. Dlatego też mój 42-godzinny poród z 5 godzinami parcia przeżyłam jako wielki szok. Cieszę się, że ponownie jestem w ciąży, jednak przeraża mnie następny poród taki sam jak pierwszy.

Zrelaksuj się, ciesz się swoją ciążą, odrzuć wszelkie myśli o następnym trudnym porodzie. Drugi i następne porody są, wykluczając nietypowe ułożenie płodu lub inne nieprzewidziane komplikacje, prawie zawsze łatwiejsze od pierwszych, a to dzięki bardziej wyrobionej macicy i luźniejszemu kanałowi rodnemu. Wszystkie fazy porodu ulegają skróceniu, a czas parcia potrzebnego do urodzenia dziecka skraca się w ogromnym stopniu.

WIELOKROTNE CIĘCIA CESARSKIE

Gdy urodziłam pierwsze dziecko przez cięcie cesarskie, powiedziano mi, że nigdy nie będę mogła urodzić drogami naturalnymi ze względu na nieprawidłową budowę miednicy. Chcę mieć sześcioro dzieci tak jak moja matka, jednakże zdaję sobie sprawę, że trzy cięcia cesarskie stanowią limit.

Powiedz to Ethel Kennedy, nieugiętej żonie Roberta F. Kennedy'ego, o której wiadomo, że przeszła jedenaście cięć cesarskich w czasach, gdy zabieg ten nie był ani tak bezpieczny, ani tak łatwy jak dzisiaj. Oczywiście czasami nie jest możliwe przeprowadzenie wielokrotnych cięć cesarskich. Wiele zależy od rodzaju cięcia, które wykonano, i charakteru blizny, która powstała. Porozmawiaj o swoim problemie z położnikiem, ponieważ ktoś w pełni zaznajomiony z twoją historią kliniczną jest w stanie przewidzieć, czy będziesz mogła sprostać Ethel Kennedy (chociaż w połowie), czy nie. Po tej rozmowie możesz być mile zaskoczona.[1]

[1] Cięcie cesarskie współcześnie jest bezpieczną operacją, jednakże co najmniej dwukrotnie bardziej niebezpieczną od porodu drogą naturalną. Ryzyko operacyjne rośnie jednak wraz z liczbą uprzednio wykonanych cięć cesarskich i jakkol-

Jeżeli przeszłaś liczne cięcia cesarskie, możesz – ze względu na dużą liczbę blizn – być wystawiona na większe ryzyko pęknięcia macicy w czasie skurczów porodowych. Z tego powodu powinnaś być szczególnie wyczulona na wszelkie oznaki zapowiadające rozpoczęcie się porodu (skurcze, pojawienie się krwi, pęknięcie błon płodowych – patrz s. 273) w końcowych miesiącach ciąży. Jeżeli takowe się pojawią, zawiadom swojego lekarza i natychmiast udaj się do szpitala. Powinnaś go również zawiadomić za każdym razem, gdy wystąpi u ciebie krwawienie lub ostry, nie dający się niczym wytłumaczyć ból brzucha.

Ostatnie dziecko urodziłam drogą cięcia cesarskiego. Ponownie jestem w ciąży i zastanawiam się, jakie są moje szanse na odbycie porodu naturalnego.

Gdy choć raz cięcie cesarskie – zawsze cięcie cesarskie" – to obowiązujący do niedawna położniczy dekret wyryty w kamieniu, a raczej w macicach kobiet, które przeszły jeden lub więcej porodów z interwencją chirurgiczną. Obecnie Amerykańskie Kolegium Położników i Ginekologów całkowicie odwróciło tę teorię. Nowe podejście: wielokrotne cięcia cesarskie nie powinny być traktowane rutynowo, normą powinien być poród drogami natury po porodzie cesarskim. Praktyka wykazuje, że 50-80% kobiet, które przeszły zabieg cięcia cesarskiego, może przy następnych ciążach urodzić normalnie drogami natury. Nawet kobiety z więcej niż jednym porodem przez cięcie cesarskie i takie, które spodziewają się bliźniaków, mają duże szanse na odbycie udanego porodu drogami naturalnymi.

To, czy będziesz mogła spróbować urodzić drogami naturalnymi po uprzednim porodzie poprzez cięcie cesarskie, zależeć będzie od rodzaju cięcia macicy (może się różnić od rodzaju cięcia twojego brzucha) wykonywanego przy porodzie, jak również od tego, jakie przyczyny spowodowały interwencję chirurgiczną w czasie porodu. Jeżeli miałaś wykonane cięcie w dolnym odcinku macicy (w poprzek dolnej jej części) tak jak około 95% kobiet – twoje szanse są duże; jeżeli jednak wykonano u ciebie cięcie klasyczne (wzdłuż środka macicy), popularne w przeszłości, a dziś stosowane w szczególnych przypadkach, ze względu na pęknięcia macicy – nie będziesz mogła próbować rodzić pochwowo. Jeżeli prawdopodobieństwo zaistnienia tych samych przyczyn, dla których przeprowadzono u ciebie cięcie cesarskie, jest niewielkie (stan zagrożenia płodu, przedwczesne oddzielenie się łożyska, nieprawidłowe usadowienie łożyska, infekcja, położenie miednicowe, toksemia), jest bardzo możliwe, że tym razem będziesz mogła mieć poród drogami naturalnymi. Jeżeli przyczyną były schorzenia chroniczne (cukrzyca, wysokie ciśnienie krwi, choroby serca) albo nieuleczalne (na przykład bardzo zwężona miednica), najprawdopodobniej konieczne będzie ponowne wykonanie cięcia cesarskiego. Nie polegaj całkowicie na swojej pamięci, jeśli idzie o rodzaj cięcia, jakie u ciebie wykonano, lub przyczynę przeprowadzenia zabiegu sprawdź lub każ sprawdzić swojemu lekarzowi przebieg poprzedniego porodu.

Jeżeli tym razem bardzo pragniesz porodu drogami naturalnymi, omów możliwość jego ewentualnego odbycia ze swoim lekarzem już teraz. Niektórzy lekarze trzymają się starych zasad i nie są skłonni pozwolić kobiecie z macicą naznaczoną pooperacyjnymi bliznami próbować rodzić drogami naturalnymi. Jeżeli chcesz szczęśliwie przejść przez taki poród, będziesz musiała poszukać odpowiedzialnego lekarza, który zechce ci towarzyszyć od początku aż do samego końca porodu. A dla swego bezpieczeństwa poród ten musisz zaplanować w szpitalu kompletnie wyposażonym do przeprowadzania cięć cesarskich, na wypadek gdyby zaistniała konieczność wykonania takiego zabiegu. Twoja rola w zapewnieniu bezpiecznego przebiegu porodu drogami naturalnymi jest równie ważna jak twojego lekarza. Dlatego powinnaś:

---

wiek z pełnym powodzeniem wykonałem siedem cięć cesarskich u tej samej kobiety, to nie zachęcam do wielokrotnego powtarzania tej operacji (uwaga redaktora wydania polskiego).

- Uczęszczać na zajęcia szkoły rodzenia i traktować je poważnie, by być przygotowana do efektywnego porodu, a tym samym móc zminimalizować stres dla twojego dziecka.
- Zawiadomić swojego lekarza, gdy tylko pojawią się pierwsze oznaki zbliżającego się porodu (patrz s. 273).
- Możesz zostać również poproszona o ograniczenie przyjmowania leków, które mogą wpływać na czynność skurczową macicy i przyspieszyć lub opóźnić w ten sposób termin fizjologicznego porodu. Niektórzy lekarze wierzą, że dzięki ciągłemu monitorowaniu będą wiedzieć, w którym momencie grozi pęknięcie macicy, i zastosują znieczulenie podpajęczynówkowe.
- Natychmiast powiedzieć lekarzowi o nietypowych bólach w brzuchu i poczuciu miękkości, pojawiających się w przerwach między skurczami.

Aczkolwiek twoje szanse odbycia porodu fizjologicznego są dość duże, musisz pamiętać, że nawet kobieta, która nigdy nie była poddana zabiegowi cięcia cesarskiego, ma 20% szans, że takiego zabiegu będzie potrzebować. Tak więc nie czuj się rozczarowana, jeśli w twoim przypadku historia się powtórzy. W końcu najważniejsze jest możliwie najbezpieczniejsze urodzenie twego ukochanego dziecka – i o to właśnie chodzi.

Moje pierwsze cięcie cesarskie miałam po bardzo długiej, męczącej czynności porodowej. Lekarz powiedział, że tym razem powinnam spróbować porodu drogami naturalnymi, ale ja wolę mieć cięcie i uniknąć jeszcze jednej tak ciężkiej próby.

Po przeczytaniu tego, co zagorzali przeciwnicy stosowania cięcia cesarskiego mają do powiedzenia, można by dojść do wniosku, że to wyłącznie świat medyczny jest odpowiedzialny za tak wysoką liczbę cięć cesarskich przeprowadzonych w USA. Ale istnieje też inny aspekt całej tej sprawy, o którym nie mówi się często, mianowicie to, że wielokrotne cięcia cesarskie (a takie stanowią przynajmniej 1/3 wszystkich wykonywanych każdego roku) wykonywane są na wyraźne życzenie przyszłej matki. A najczęstszą przyczyną, dla której te matki optują za zaplanowanym porodem z interwencją chirurgiczną, jest pragnienie uniknięcia długotrwałej i bolesnej czynności porodowej.

To normalne, że człowiek nie chce cierpieć – jest to automatyczny odruch, mający chronić nas przed zranieniem. Twoja powieka momentalnie zamyka się, gdy tylko zbliży się do niej jakiś ostry przedmiot, błyskawicznie cofasz rękę od ognia. Działania te mają sens. I chociaż mogłoby się wydawać, że wybór cięcia cesarskiego w celu uniknięcia bólu ma sens również, tak jednak nie jest. To prawda, że akcja porodowa może wywołać większy ból niż cięcie, jednak o wiele rzadziej powoduje powstawanie ran. Ryzyko faktycznie zwiększa się przy okazji porodu chirurgicznego i chociaż jest ono naprawdę znikome (prawdopodobieństwo zgonu podczas porodu fizjologicznego wynosi 1 na 10 000, a podczas porodu z interwencją chirurgiczną 4 na 10 000), powiększanie go bez powodu naprawdę nie ma sensu.

Pamiętaj też, że tym razem twój poród będzie zapewne dużo łatwiejszy i krótszy. A jeśli poród drogami natury pójdzie dobrze, unikniesz dzięki temu dwóch albo trzech dni bólów brzucha, które zwykle występują po przeprowadzonym cięciu cesarskim. Zastanów się i spróbuj.

WYWIAD RODZINNY

Niedawno odkryłam, że i moja matka, i jedna z jej sióstr straciły dzieci wkrótce po ich urodzeniu. Nikt nie wie dlaczego. Czy mogłoby to przydarzyć się mnie?

Zwykle ukrywało się rodzinne historie związane z chorobą lub śmiercią niemowląt, tak jakby strata dziecka była grzesznym czynem, którego należało się wstydzić. Obecnie zdajemy już sobie sprawę, że dokładne zbadanie historii wcześniejszych pokoleń może przyczynić się do poprawienia stanu zdrowia obecnych. Chociaż śmierć dwójki dzieci w podobnych okolicznościach może być wyłącznie przypadkowa, to rozsądny wydaje się jednak pomysł spotkania z doradcą genetycznym lub specjalistą z zakresu medycyny matczyno-płodowej w celu uzyskania porady. Twój lekarz będzie zapewne mógł polecić ci takich specjalistów.

Każda para, nie dysponująca informacjami na temat możliwych wad dziedzicznych w ich rodzinach, uczyniłaby mądrze, starając się jak najwięcej dowiedzieć odnośnie do tych zagadnień, przepytując na przykład starszych członków swych rodzin. Ponieważ w przypadkach wielu wad dziedzicznych możliwa jest diagnostyka prenatalna, posiadanie takich dodatkowych informacji odpowiednio wcześniej pozwala zapobiegać pewnym problemom, zanim się jeszcze pojawią, bądź w przypadku, gdy już istnieją – podejmować właściwe leczenie.

W naszej rodzinie było kilka przypadków dotyczących dzieci, które po porodzie wydawały się zdrowe, a później zaczęły coraz częściej chorować i w końcu umierały we wczesnym dzieciństwie. Czy powinnam się tym martwić?

Wśród głównych przyczyn chorób i śmierci niemowląt w pierwszych paru dniach lub tygodniach życia wymienić można wrodzone wady metaboliczne. U dzieci urodzonych z tego rodzaju defektem genetycznym występuje brak jakiegoś enzymu lub innej substancji chemicznej, uniemożliwiający metabolizm określonego składnika pokarmowego (którego – zależy od tego, jakiego hormonu brakuje). Jak na ironię – życie dziecka staje się zagrożone z chwilą, gdy tylko rozpocznie się karmienie.

Na szczęście większość tego rodzaju zaburzeń można zdiagnozować prenatalnie i z powodzeniem leczyć. Jeżeli więc dysponujesz taką informacją już wcześniej, możesz uważać, że masz dużo szczęścia, i zrób w tym kierunku jak najwięcej. Omów całe zagadnienie ze swoim lekarzem, a jeśli okaże się to potrzebne – skonsultuj z doradcą genetycznym.

CIĄŻE ZBYT BLISKIE W CZASIE

W ciążę zaszłam już w 10 tygodni po urodzeniu pierwszego dziecka. Niepokoję się, jaki może to mieć wpływ na stan mojego zdrowia i dziecka, które teraz noszę w sobie.

Ponowne poczęcie przed całkowitym wyzdrowieniem po wcześniejszej ciąży i porodzie narzuca dość znaczny wysiłek twemu ciału, a dodatkowym czynnikiem powodującym osłabienie mogą być wszelkie zmartwienia i niepokoje. Przede wszystkim więc zrelaksuj się. Chociaż poczęcie w pierwszych trzech miesiącach poporodowych należy do rzadkości (graniczy prawie z cudem, jeżeli dziecko karmione jest wyłącznie piersią), to zaskoczyło ono również i inne kobiety. Większość z nich urodziła normalne, zdrowe dzieci, przypłacając to tylko trochę większym wyczerpaniem.

Jednakże ważne jest, by uświadamiać sobie, jaką cenę trzeba zapłacić przy dwóch następujących po sobie porodach, i zrobić wszystko, by była jak najmniejsza. Poczęcie dziecka w okresie krótszym niż trzy miesiące od poprzedniego porodu kwalifikuje ciążę do zaliczenia jej do kategorii wysokiego ryzyka, co w tym przypadku nie jest aż tak złowieszcze, jak może się wydawać, tym bardziej że pomóc tu może odpowiednia opieka i podjęte środki ostrożności, w tym:

- Najlepsza opieka prenatalna zapoczątkowana z chwilą, gdy tylko dowiesz się, że jesteś ciężarna. Jak w przypadku wszystkich ciąż wysokiego ryzyka zrobisz najlepiej, decydując się na współpracę z położnikiem lub położną praktykującą wspólnie z lekarzem. Powinnaś być bardzo skrupulatna w wypełnianiu poleceń lekarza i starać się nie opuszczać zaplanowanych wizyt w gabinecie.

- Przestrzeganie „Diety najlepszej szansy" (patrz s. 103), jeżeli nie z przekonania, to przynajmniej konsekwentnie. Możliwe, że twój organizm nie miał jeszcze szans odbudowania swych zasobów i ciągle (nawet w jakiś czas po porodzie, a szczególnie wtedy, gdy karmisz piersią) może występować stan wycieńczenia. Oznacza to, że będziesz musiała skompensować te niedobory składników odżywczych zarówno dla twego własnego dobra, jak i dla dobra dziecka. Zwróć szczególną uwagę na białko (codziennie przynajmniej 100 gramów lub cztery porcje z „Diety najlepszej szansy") i żelazo (powinnaś przyjmować zwiększone dawki).

- Właściwy wzrost wagi. Twego nowego płodu nie interesuje to, czy zdołałaś zrzucić z siebie zbędne kilogramy z poprzedniej ciąży. Oboje potrzebujecie takiego samego (ok. 11-15 kg) wzrostu wagi i w czasie obecnej ciąży. Dlatego nie próbuj nawet się odchudzać. Dokładnie nadzorowany stopniowy wzrost wagi będzie stosunkowo łatwy do zredukowania w okresie późniejszym, szczególnie wtedy, gdy uzyskano go poprzez stosowanie diety najwyższej jakości. Zajmowanie się już dwójką dzieci też może w tym pomóc.

  Nie pozwól również, by brak czasu lub energii uniemożliwiał ci spożywanie odpowiedniej ilości pokarmu. Karmienie i opieka nad pierwszym dzieckiem nie powinny być przeszkodą dla odpowiedniej opieki nad twym przyszłym potomkiem. Uważnie obserwuj wzrost swojej wagi i jeżeli nie przebiega on tak jak powinien (patrz s. 162), bacznie przyjrzyj się swemu zapotrzebowaniu na kalorie i wypełnij wszystkie zawarte na s. 104 zalecenia dotyczące zwiększenia wagi.

- Natychmiastowe przerwanie karmienia piersią starszego dziecka. Zdołało ono już zebrać wiele korzyści z karmienia piersią i odstawienie go na tym etapie nie powinno być dla niego ani trudne, ani bolesne, chociaż może być dość nieprzyjemne dla ciebie. Niektóre kobiety kontynuują karmienie piersią w czasie ciąży. Jednak wykorzystywanie sił witalnych, potrzebnych w trakcie ciąży, do karmienia piersią może okazać się fatalne w skutkach dla wszystkich zainteresowanych. Wskazówek dotyczących przerwania karmienia piersią szukaj w książce *Pierwszy rok życia dziecka*.

- Odpoczynek – w ilościach większych niż jest to zwykle przyjęte. Wymagać będzie nie tylko twojej własnej determinacji, ale również pomocy twego męża i, jeśli to możliwe, wszystkich pozostałych osób. Ustal pewne priorytety: mniej ważne sprawy poczekają do jutra, a gdy poczujesz, że twoje dziecko śpi, zmuś się i sama też się połóż. Niech ojciec przejmie obowiązki związane z nocnym karmieniem, gotowaniem, sprzątaniem i całą opieką nad waszym starszym dzieckiem (szczególnie w przypadku czynności wymagających częstego podnoszenia i przenoszenia).

- Ćwiczenia – w ilości w sam raz odpowiedniej, by utrzymać cię w formie i zrelaksować, ale nie przeforsować. Jeżeli trudno ci znaleźć czas na regularne ćwiczenia, spróbuj połączyć aktywność ruchową z normalnymi codziennymi zajęciami poświęcanymi twemu dziecku. Na przykład – zabierz je w wózku na długi, energiczny spacer. Możesz również zapisać się na specjalne zajęcia z odpowiednimi dla okresu ciąży ćwiczeniami (wskazówki dotyczące wyboru zajęć – patrz s. 199) albo pływać w basenie. Unikaj jednak biegania i innych forsownych ćwiczeń.

- Wyeliminowanie lub zminimalizowanie wszystkich innych czynników ryzyka mogących wpłynąć na twoją ciążę, takich jak np. palenie i picie (patrz s. 80). Twoje ciało i twoje dziecko nie powinny być wystawione na działanie jakichkolwiek dodatkowych stresów.

KUSZENIE LOSU DRUGI RAZ Z RZĘDU

Moje pierwsze dziecko jest bardzo udane. Teraz, gdy znowu jestem w ciąży, nie mogę pozbyć się obaw, że tym razem nie będę miała już tyle szczęścia.

Mało prawdopodobne jest, by ktoś, kto raz wygrał na loterii milion, ponownie miał zgarnąć całą pulę, niemniej jednak jego szanse są tak samo duże jak wszystkich pozostałych graczy. Jednakże matka, która miała „bardzo udane" dziecko, ma nie tylko szanse wygrać ponownie, szanse te są nawet większe teraz niż przed jej pierwszą zakończoną sukcesem ciążą. Co więcej, przy każdej następnej ciąży jej szanse będą wzrastały dzięki wyeliminowaniu istniejących czynników negatywnych (palenie, picie alkoholu, używanie narkotyków) i wzmocnieniu wszystkich czynników pozytywnych (odpowiednia dieta, ćwiczenia i opieka medyczna).

DUŻA RODZINA

Po raz szósty jestem w ciąży. Czy stwarza to jakieś dodatkowe ryzyko dla mojego dziecka lub dla mnie?

Uznawana od długiego czasu teoria medyczna głosi, że praktyka w rodzeniu dzieci może nie tylko pomagać w osiągnięciu doskonałości, ale również przyczyniać się do występowania pewnych komplikacji. W kręgach medycznych przez długi czas wierzono, że kobiety posiadające pięcioro lub więcej dzieci wystawiają siebie i swoje potomstwo na zwiększone ryzyko z każdą następną ciążą. Twierdzenie to mogło być prawdziwe w czasach poprzedzających ogromny postęp, jaki dokonał się w zakresie nowoczesnej opieki położniczej, jest zapewne też prawdziwe w odniesieniu do kobiet, które nie są otoczone należytą opieką medyczną dzisiaj. Jednak fakt pozostaje faktem, że kobiety objęte dobrą opieką prenatalną mają wielkie szanse urodzenia zdrowych, normalnych dzieci nawet w piątej lub kolejnej ciąży. W ostatnich opracowaniach dotyczących piątej lub następnej ciąży jedynym stwierdzonym ryzykiem były: niewielki wzrost częstotliwości występowania ciąż mnogich (bliźnięta, trojaczki itd.) oraz narodzin dzieci z trisomią 21 – zaburzeniem chromosomalnym.[1] A więc możesz cieszyć się swoją ciążą i swoją dużą rodziną, jednakże musisz przedsięwziąć kilka środków ostrożności:

- Rozważ możliwość przeprowadzenia testu prenatalnego, jeżeli masz 30 lub więcej lat (nie czekaj, gdy będziesz mieć 35), jako że występowanie problemów chromosomalnych u potomstwa zdaje się w znaczący sposób wzrastać wcześniej u kobiet, które rodziły wielokrotnie.
- Postaraj się uzyskać jak największą pomoc, jeżeli nie ma innej możliwości – płatną. Odłóż na jakiś czas wszystkie zbędne prace z twego domowego kieratu. Naucz starsze dzieci, by były bardziej samodzielne (nawet mały berbeć potrafi sam się ubrać i rozebrać albo posprzątać zabawki itd.). Wyczerpanie nie jest dobre dla żadnej ciężarnej kobiety, a szczególnie dla tej, która musi troszczyć się o takie duże rodzinne stadko.
- Pilnuj swojej wagi. Dość powszechne jest wśród kobiet, które wielokrotnie rodziły, że przy okazji każdej następnej ciąży przybywa im parę zbędnych kilogramów. Jeżeli tak jest i w twoim przypadku, musisz szczególnie uważać, by jedząc odpowiednio dużo, nie przybierać jednak nadmiernie na wadze (patrz s. 162). Nadwaga zwiększa niektóre zagrożenia, głównie te związane z trudną akcją porodową, może również skomplikować przeprowadzenie zabiegu cięcia cesarskiego, a także wydłużyć czas powrotu do pełni sił. Z drugiej strony musisz zwrócić też uwagę na to, czy czasem nie jesteś zbyt zabiegana i dlatego nie jesz wystarczająco dużo dla osiągnięcia właściwej wagi.
- Staraj się zredukować do minimum wszystkie zagrożenia dla ciąży (patrz s. 80).
- Bądź szczególnie wyczulona na oznaki wskazujące, że coś może być nie w porządku z twoją ciążą, porodem lub okresem poporodowym (patrz s. 137 i 381). Jedno z opracowań pokazało, że chociaż nie zachodzi zwiększone ryzyko zgonu w czasie trwania ciąży lub porodu u wieloródek i ich

---

[1] Aczkolwiek zgodnie z tym opracowaniem duża rodzina nie wydaje się stwarzać dużych zagrożeń dla dzieci, inne opracowania dowiodły, że wraz z urodzeniem każdego następnego dziecka zwiększa się ryzyko zachorowania przez matkę w późniejszym wieku na cukrzycę insulinoniezależną.

dzieci, to jednak daje się zauważyć w tych przypadkach wzrost częstotliwości występowania takich komplikacji, jak ułożenie pośladkowe lub inne nietypowe, przedwczesne oddzielenie łożysk, pęknięcie macicy, krwawienie poporodowe, a także potrzeba użycia kleszczy lub wykonania cięcia cesarskiego.

SAMOTNA MATKA

Jestem samotna, jestem w ciąży i jestem z tego powodu bardzo szczęśliwa, jednak niepokoi mnie fakt, że będę musiała przejść przez to sama.

To, że nie masz męża, nie oznacza, że będziesz musiała przebyć ciążę samotnie. Wsparcie, którego będziesz potrzebować, może pochodzić nie tylko od współmałżonka. Dobry przyjaciel lub krewny, który jest ci bliski i w którego obecności dobrze się czujesz (matka, ciocia, rodzeństwo albo kuzynka), może w czasie ciąży bardzo ci pomóc zarówno emocjonalnie, jak i fizycznie. Osoba ta na wiele sposobów może odgrywać rolę ojca w okresie dziewięciu miesięcy i później – towarzyszyć ci w czasie badań prenatalnych bądź zajęć w szkole rodzenia; cierpliwie wysłuchiwać, co masz do powiedzenia na temat nurtujących cię pytań i obaw; wspólnie z tobą wybiegać myślami naprzód, radośnie oczekując tego, co nadejdzie; pomagać w przygotowaniu twego domu na przybycie nowego mieszkańca i w końcu być twoim trenerem, pomocnikiem i obrońcą w czasie porodu.

A teraz coś, o czym zapewne czasem myślisz, czytając niniejszą książkę: częste odwoływanie się do takich pojęć, jak „mąż" albo „przyszły ojciec" nie miało na celu wykluczenia cię lub postawienia poza nawias. Po prostu ponieważ większość naszych czytelników wywodzi się z rodzin o tradycyjnym modelu, łatwiej nam było stale używać tych samych określeń, niż próbować wymieniać za każdym razem wszelkie inne istniejące możliwości. Mamy nadzieję, że to zrozumiesz i po przeczytaniu tej książki stwierdzisz, że w takim samym stopniu jest ona przeznaczona dla ciebie, jak i dla zamężnych przyszłych matek.

DZIECKO PO 35 ROKU ŻYCIA

Mam 38 lat, jestem w ciąży po raz pierwszy i prawdopodobnie ostatni. Bardzo ważne jest, by to dziecko było zdrowe, ale przeczytałam tak wiele na temat zagrożeń, jakie niesie ze sobą ciąża po 35 roku życia.

Zajście w ciążę po 35 roku życia stawia cię w dobrym i coraz liczniejszym towarzystwie. I tak jak liczba ciąż u kobiet po 20 roku życia ostatnio ciągle ulega zmniejszeniu, wzrasta u tych, które przekroczyły 35 rok życia. Obecnie nie jest czymś niesłychanym, gdy kobieta ma pierwsze dziecko lub zakłada drugą rodzinę po 40 lub nawet 45 roku życia.

Skoro żyjesz już jednak dłużej niż 35 lat, to wiesz, że nic w życiu nie jest całkowicie wolne od ryzyka. Tak samo jest z ciążą w każdym wieku. I chociaż ryzyko to nie jest na początku zbyt duże, to jednak z wiekiem wzrasta. Większość starszych wiekiem matek uważa, że korzyści płynące dla nich z faktu założenia rodziny w czasie im odpowiadającym, zdecydowanie przeważają nad ryzykiem, jakie takie postępowanie może ze sobą nieść. Również podtrzymuje je w tym przekonaniu fakt, że wszystkie najnowsze odkrycia na polu medycyny zagrożenia takie zdecydowanie redukują.

Największym zagrożeniem dla rozrodu u kobiety z twojej grupy wiekowej jest możliwość niezajścia w ciążę w ogóle z powodu zmniejszonej płodności. Gdy już zostanie pokonana ta przeszkoda i dojdzie do zapłodnienia, kobieta staje przed większym niebezpieczeństwem urodzenia dziecka z zespołem Downa. Prawdopodobieństwo wzrasta wraz z wiekiem: w przypadku matki 20-letniej 1 na 10 000, 35-letniej 3 na 1000 i w końcu 1 na 100 u matek 40-letnich. Spekuluje się, że ta i inne nieprawidłowości chromosomalne, aczkolwiek dalej stosunkowo rzadkie, występują częściej u kobiet starszych, ponieważ ich komórki jajowe są również starsze (każda kobieta rodzi się z pewnym życiowym ich zapasem), kobiety te były dłużej wystawione na działanie promieniowania, różnych leków, infekcji itd. (Wiadomo jednak, że to nie zawsze komórka jajowa odpowiedzialna jest za takie nieprawidłowości chromosomalne. Przyjmuje się, że minimum 25% wszystkich przypadków zespołu Downa łączy się z defektem w nasieniu ojca – patrz s. 60.)

Choć zespołowi Downa (charakteryzującemu się różnym stopniem niedorozwoju umysłowego, pewnymi cechami zewnętrznymi twarzy, niskim napięciem mięśni i innymi problemami zdrowotnymi) na tym etapie nie potrafimy zapobiec, można jednak, jak w przypadku innych wad genetycznych, zdiagnozować go w macicy w czasie badań prenatalnych (patrz s. 73). Takie testy diagnostyczne są rutynowo stosowane u matek powyżej 35 roku życia, a także u innych kobiet, zaliczających się do kategorii wysokiego ryzyka, w tym takich, u których poziom alfafetoproteiny w surowicy krwi jest bardzo niski (patrz s. 77). Jeżeli wykryty zostanie zespół Downa lub inna nieprawidłowość, to rodzice będą musieli zdecydować, oczywiście z pomocą genetyków, pediatrów, specjalistów medycyny matczyno-płodowej oraz innych fachowców, czy zakończyć, czy kontynuować ciążę. Przy podejmowaniu decyzji ważne jest, aby oczekujący rodzice byli świadomi, że tylko 10% dzieci z zespołem Downa jest poważnie niedorozwiniętych, a u wielu istnieje duża szansa korzystania z życia w pełni. Dzieci takie są wyjątkowo kochające i dają się kochać, większość może, przy wczesnym odpowiednim działaniu[1], nauczyć się pisać i czytać (czasami nawet studiować) i polegać na samym sobie.

U matek powyżej 35 roku życia pojawia się nieznaczne zagrożenie wysokim ciśnieniem krwi (szczególnie u tych z nadwagą), cukrzycą, a także chorobą wieńcową – które to schorzenia są dość powszechne w starszych grupach wiekowych i łatwo je kontrolować. Starsze matki są też bardziej narażone na poronienie (często wywołane obumierającym płodem), poród przedwczesny i poporodowe krwotoki. Ponieważ różne opracowania dostarczają sprzecznych informacji, nie jest jasne, czy akcja porodowa i sam poród są dłuższe, trudniejsze i bardziej skomplikowane u starszych matek niż u tych młodszych.

Nawet jeśli tak jest w istocie, różnice prawdopodobnie są bardzo małe. U niektórych starszych kobiet zmniejszenie napięcia mięśni i większa elastyczność stawów mogą mieć wpływ na wystąpienie pewnych trudności w czasie porodu, ale u wielu innych dzięki świetnej kondycji fizycznej, mającej swe źródło w zdrowym trybie życia, nie stanowi to żadnego problemu.

Mimo wzrastających zagrożeń, które, jak widzisz, są o wiele bardziej niebezpieczne niż większości kobiet się wydaje – współczesne starsze matki mają wiele do swojej dyspozycji, na przykład całą naukę medyczną. Badanie wad rozwojowych płodu można wykonać jeszcze w macicy poprzez zastosowanie amniopunkcji, biopsji kosmówki, USG oraz innych nowszych technik (patrz *Diagnostyka prenatalna*, s. 72) i potencjalnie zmniejszyć ryzyko urodzenia dziecka z poważnymi wadami rozwojowymi do stopnia porównywalnego z tym, jaki odnosi się do kobiet młodych. Leki i ścisły nadzór medyczny mogą czasami powstrzymać przedwczesny poród. Elektroniczne monitorowanie płodu w czasie porodu może ostrzec o stanie zagrożenia, umożliwiając podjęcie szybkich działań, mających ochronić płód przed dalszymi urazami.

Te wszystkie osiągnięcia, pozwalające zredukować zagrożenia stwarzane przez ciążę po 35 roku życia, bledną jednak przy tym, czego już dokonały i czego jeszcze mogą dokonać matki w starszym wieku, by zwiększyć szanse dla siebie i swych dzieci – a mianowicie wykonywanie ćwiczeń, przestrzeganie odpowiedniej diety oraz poddanie się wysokiej jakości opiece prenatalnej, Sam zaawansowany wiek rozrodczy nie musi od razu kwalifi-

[1] Działania takie, które zawierają szkolenie rodziców, jak również codzienne zajęcia z dzieckiem, według specjalnie zaprojektowanego programu, mogą przynieść duże efekty dla rozwoju dzieci z zespołem Downa.

kować matki do kategorii wysokiego ryzyka. Może to spowodować połączenie wielu indywidualnych zagrożeń. Gdy starsza matka podejmuje mozolny trud wyeliminowania lub zminimalizowania jak największej liczby czynników ryzyka, ujmuje sobie jakby lat i stwarza tym samym szansę urodzenia zdrowego dziecka równą tej, jaką ma o wiele od niej młodsza matka (patrz *Zmniejszenie zagrożeń dla każdej ciąży*, s. 80).

Jest też parę innych plusów. Uważa się, że ten nowy rodzaj kobiety – lepiej wykształconej (więcej niż połowa starszych wiekiem matek ukończyła studia), zorientowanej na karierę zawodową, bardziej ustatkowanej może, dzięki swej dojrzałości i zrównoważeniu, lepiej wypełniać rolę matki. Ponieważ są starsze i prawdopodobnie zdążyły się już wyszumieć, możliwe jest, że nie będą tak bardzo obrażone na los przywiązujący je do dziecka. Jedno z opracowań wykazało, że te matki w większym stopniu akceptowały swoje rodzicielstwo i przejawiały więcej cierpliwości i wytrwałości tak bardzo korzystnej dla rozwoju ich dzieci. I chociaż może mają mniej sił fizycznych niż wtedy, gdy były młodsze, choć między nimi i ich dziećmi jest duża różnica wieku, a zmiana trybu życia przy ich ustalonych już starych nawykach jest bardziej stresująca, to jednak tylko niewiele z nich żałuje, że zostało matkami. Prawdę mówiąc, większość jest tym bardzo poruszona i przejęta.

WIEK I BADANIA GENETYCZNE W CELU WYKRYCIA ZESPOŁU DOWNA

Mam 34 lata, urodzić mam na dwa miesiące przed moimi 35 urodzinami. Czy powinnam rozważyć przeprowadzenie testów na zespół Downa?

Prawdopodobieństwo urodzenia dziecka z zespołem Downa nie wzrasta nagle po 35 urodzinach. Ryzyko to zwiększa się stopniowo od wczesnych lat po dwudziestce, by osiągnąć największy wzrost u kobiet po 40 roku życia. Tak więc nie ma jasnej naukowej odpowiedzi, czy ma sens uciekanie się do diagnozy prenatalnej, gdy przekroczy się wstydliwy wiek 35 lat. 35 rok życia jest arbitralnie narzuconą granicą, wybraną przez lekarzy, próbujących wykryć jak największą liczbę płodów z zespołem Downa, bez niepotrzebnego narażania większej liczby matek i ich dzieci na niewielkie ryzyko powstające w trakcie wykonywania niektórych rodzajów badań prenatalnych. Niektórzy lekarze doradzają kobietom, które ukończą 35 rok życia, w czasie trwania ich ciąży przeprowadzenie takich badań, inni – nie.

W wielu przypadkach lekarz może w pierwszej kolejności zaproponować przeprowadzenie testu na obecność alfafetoproteiny w surowicy krwi matki (patrz s. 77), zanim kobieta powyżej 35 roku życia poddana zostanie amniopunkcji. Niski wynik w tym prostym teście krwi wskazuje na możliwość, ale nie na prawdopodobieństwo wystąpienia zespołu Downa u płodu, dlatego też w dalszej kolejności dobrze jest przeprowadzić amniopunkcję. I chociaż test ten nie wykrywa wszystkich przypadków występowania zespołu Downa, jest to przydatne narzędzie badawcze. Z drugiej strony w przypadku, gdy wynik badania zawartości alfafetoproteiny jest normalny, amniopunkcja staje się zbędna – zakładając, że nie istnieją inne wskazania do jej przeprowadzenia poza starszym wiekiem. Omów wszystkie swoje obawy i różne opcje ze swym lekarzem oraz doradcą genetycznym.

WIEK OJCA

Mam tylko 31 lat, ale mój mąż ponad 50. Czy zaawansowany wiek ojca stwarza jakieś ryzyko dla dziecka?

Na przestrzeni dziejów wierzono, że rola ojca w procesie reprodukcji ogranicza się tylko do zapłodnienia. Dopiero w tym stuleciu (już zbyt późno, by pomóc tym wszystkim królowym, które postradały życie, nie mogąc wydać na świat męskich potomków) odkryto, że nasienie ojca odgrywa decydującą rolę genetyczną w określeniu przyszłej płci dziecka. Również w ostatnich paru latach zaczęto formułować twierdzenie głoszące, że starsze nasienie może mieć także wpływ na powstawanie takich wad wrodzonych, jak zespół Downa. Podobnie jak komórka jajowa starszej wiekiem matki, tak samo i pierwotne spermatocyty ojca dłużej wystawione były na działanie wszelkich niebezpiecznych czynników środowiskowych i przypuszczalnie zawierają zmienione lub zniszczone geny bądź chromosomy. Na podstawie wyników odrębnych badań udowodniono, że w około 25% lub 30% wszystkich przypadków zespołu Downa – wadliwy chromosom pochodził od ojca. Wydaje się również, że ryzyko wystąpienia zespołu Downa wzrasta, gdy wiek ojca przekracza 50 lat (lub 55 – w zależności od opracowań), aczkolwiek związek ten nie jest tak oczywisty jak w przypadku wieku matki.

Jednakże mimo istnienia tych opracowań, sformułowanie wiążących wniosków pozostaje w dalszym ciągu niewykonalne – głównie ze względu na nieodpowiednie zorganizowanie systemu badań naukowych. Do tej pory zainicjowanie takich, koniecznych dla uzyskania konkretnych rezultatów, badań na szeroką skalę, było utrudnione z dwóch powodów. Przede wszystkim zespół Downa jest stosunkowo rzadki (około 1 lub 2 przypadki na 1000 urodzin). Po drugie, w większości przypadków starsi ojcowie są partnerami starszych matek, co bardzo komplikuje możliwość wyjaśnienia niezależnej roli wieku ojca.

Tak więc pytanie, czy zespół Downa i inne wady wrodzone można łączyć z zaawansowanym wiekiem ojca, ciągle w dużym stopniu pozostaje bez odpowiedzi. Eksperci uważają, że zachodzi tu jakiś związek (chociaż nie jest jasne, w jakim wieku on się zaczyna), jednakże ryzyko jest prawie na pewno bardzo małe. Aktualnie doradcy genetyczni nie zalecają przeprowadzania amniopunkcji tylko ze względu na wiek ojca. Jeżeli jednak miałabyś spędzić resztę swej ciąży, martwiąc się ciągle o możliwe – chociaż mało prawdopodobne – skutki wpływu wieku twego męża na zdrowie dziecka, możesz omówić swoje obawy z lekarzem i dowiedzieć się, czy w ogóle zalecane jest przeprowadzenie amniopunkcji.

ZAPŁODNIENIE IN VITRO (ZIV)

Poczęłam moje dziecko poprzez zapłodnienie in vitro. Czy moje szanse, by urodzić je zdrowe, są tak samo duże jak u wszystkich innych?

Fakt, że zaszłaś w ciążę w laboratorium, a nie w łóżku, nie wpływa w żaden widoczny sposób na twoje szanse posiadania zdrowego dziecka.[1] Ostatnie badania wykazały, że jeżeli wszystkie inne czynniki są identyczne (wiek, szkodliwe otoczenie, stan macicy, liczba płodów itd.), to nie daje się zauważyć znaczącego wzrostu występowania takich komplikacji, jak przedwczesność, nadciśnienie ciążowe, wydłużona akcja porodowa lub potrzeba wykonywania u matek po ZIV zabiegów cięcia cesarskiego. Nie wydaje się również, by wzrastało ryzyko urodzenia dziecka z wadami wrodzonymi. Nieznacznie wyższa jest częstotliwość występowania poronień, ale spowodowane jest to prawdopodobnie faktem dokładniejszego niż zwykle monitorowania kobiet, u których dokonano ZIV, a co za tym idzie diagnozowania i rejestrowania każdej ciąży i każdego poronienia. Sytuacja ta nie dotyczy oczywiście większości populacji, u której wiele poronień występuje przed zdiagnozowaniem ciąży i dlatego są nie zauważone lub nie odnotowane.

Jednak pewne różnice między twoją ciążą i pozostałymi wystąpią – przynajmniej na początku. Jako że pozytywny wynik testu nie musi koniecznie oznaczać ciąży i ponieważ co rusz ponawiane próby jej wywołania mogą być bardzo wyczerpujące emocjonalnie i finansowo, a także ponieważ nigdy od razu nie wiadomo, z ilu embrionów probówkowych rozwiną się płody – te pierwsze 6 tygodni ciąży po ZIV jest zwykle o wiele bardziej wyczerpujące nerwowo niż we wszystkich po-

[1] Chociaż dysponujemy mniejszą ilością informacji na temat transferu wewnątrzjajowodowego gamet i zapłodnienia wewnątrzjajowodowego, to zakłada się, że szanse urodzenia zdrowych dzieci poczętych przy użyciu tych nowszych metod są takie same.

zostałych przypadkach. Co więcej, jeżeli matka po ZIV poroniła po pierwszych próbach zapłodnienia, może okazać się konieczne ograniczenie stosunków seksualnych i innych form aktywności fizycznej, zalecany też może być całkowity wypoczynek w łóżku. Aby pomóc w podtrzymaniu rozwijającej się ciąży w czasie pierwszych dwóch miesięcy, może być również potrzebna kuracja hormonalna (progesteronem). Ale gdy tylko minie ten okres, możesz oczekiwać, że twoja ciąża będzie przebiegać mniej więcej tak samo jak u wszystkich – chyba, że nosisz w sobie więcej niż jeden płód, jak to się zdarza w przypadku 5-25% matek po ZIV. Jeżeli dotyczy to ciebie – patrz s. 160.

Tak jak w każdym innym przypadku, twoje szanse posiadania zdrowego dziecka można znacznie zwiększyć poprzez dobrą opiekę medyczną, doskonałą dietę, umiarkowany wzrost wagi, zachowanie zdrowej równowagi między odpoczynkiem i ćwiczeniami, unikanie alkoholu, tytoniu i nie przepisanych leków. (Wskazówki dotyczące zmniejszenia zagrożeń w czasie ciąży patrz s. 80.)

ŻYCIE NA DUŻYCH WYSOKOŚCIACH

Niepokoję się, ponieważ żyjemy na dużej wysokości, a słyszałam, że może to stwarzać problemy w czasie ciąży.

Ponieważ jesteś przyzwyczajona do oddychania rzadszym powietrzem tam, gdzie żyjesz, jest mniej prawdopodobne, byś mogła mieć jakieś kłopoty spowodowane wysokością, niż w przypadku gdybyś dopiero co tam się przeprowadziła po, powiedzmy, trzydziestu latach przebywania na poziomie morza. I chociaż u kobiet żyjących na dużych wysokościach w bardzo niewielkim stopniu zwiększa się możliwość rozwinięcia takich komplikacji okresu ciąży, jak; nadciśnienie i zatrzymanie wody oraz cokolwiek mniejszy od przeciętnego noworodek, to poprzez dobrą opiekę prenatalną skojarzoną z własnym rozsądnym postępowaniem (przestrzeganie wysokopunktowej diety, utrzymywanie odpowiedniej wagi, abstynencja, jeśli idzie o alkohol i narkotyki) można zagrożenia te znacznie zminimalizować. Podobnie ma się rzecz z unikaniem przez ciebie palenia tytoniu, jak również samego przebywania w towarzystwie osób palących. Palenie, które odbiera dziecku tlen i uniemożliwia optymalny rozwój na każdej wysokości, zdaje się powodować jeszcze większe szkody w przypadku dużych wysokości, zmniejszając więcej niż dwukrotnie średnią wagę nowo narodzonego dziecka. Forsowne ćwiczenia mogą również pozbawić twoje dziecko tlenu, dlatego też warto zdecydować się na energiczny spacer zamiast męczącego biegu i (dotyczy to oczywiście wszystkich ciężarnych kobiet) przerwać go przed pojawieniem się objawów wyczerpania.

I chociaż ty powinnaś poradzić sobie z dużą wysokością bez większych kłopotów, to jednak u kobiet przyzwyczajonych do życia na niższych wysokościach mogą wystąpić w czasie ciąży trudności z przystosowaniem się do warunków panujących na wysokościach o wiele wyższych od poziomu morza. Niektórzy lekarze sugerują wręcz odłożenie wyjazdu w tereny wysokogórskie aż do okresu po porodzie (patrz s. 190). Oczywiście wykluczone są też wszelkie próby wspinaczki i zdobywanie szczytów.

RELIGIJNE OGRANICZENIA OPIEKI MEDYCZNEJ

Ze względu na moje poglądy religijne jestem przeciwna pomocy medycznej. Dotyczy to w szczególności ciąży, która jest procesem naturalnym. Jednak moje wewnętrzne przeświadczenie mówi mi, że to może być niebezpieczne.

I tak jest w rzeczywistości. Według jednego z opracowań, kobiety, które odrzucają opiekę prenatalną ze względów religijnych, narażone są na zgon w czasie porodu sto razy częściej niż kobiety opieką taką otoczone, a ryzyko śmierci ich dziecka jest trzykrotnie wyższe. Sama musisz zdecydować, czy chcesz wystawić siebie i swoje przyszłe dziecko na takie zagrożenie. Czy chcesz poza swym ryzykiem osobistym podejmować również ryzyko prawne, jeżeli twemu dziecku przytrafi się coś, czemu mogłaś zapobiec? Niektóre sądy obarczają matki odpowiedzialnością za ich postępowanie mogące przyczynić się do uszkodzenia płodu.

Nie sądzę, by twoje wewnętrzne przeświadczenie negowało ważność zasad religijnych, gdy podpowiada ci, że to raczej ludzkie życie, a nie dogmat religijny, jest tym, o co toczy się gra. I to nie tylko twoje życie, ale również twego najdroższego dziecka.

Na koniec może warto jeszcze dodać, że prawie żadne przekonania religijne nie są sprzeczne z dobrą i bezpieczną opieką położniczą. Porozmawiaj o swych przekonaniach z dwoma lub trzema rozsądnymi lekarzami. Bardzo możliwe, że znajdziesz lekarza lub położną, którzy będą w stanie bezpiecznie połączyć twoje zasady religijne z dobrą opieką medyczną.

KONFLIKT RH

Lekarz powiedział, iż moje testy krwi wykazały, że mam grupę Rh–, a mój mąż Rh+. Powiedział też, żebym się tym nie martwiła, jednak pamiętam, że moja matka straciła swe drugie dziecko właśnie z powodu niezgodności grupy Rh.

Każdy człowiek dziedziczy grupę krwi albo Rh+ (z dominującym czynnikiem Rh) albo Rh– (z brakiem tego czynnika). Wszystkie ciężarne kobiety poddawane są testowi na zgodność Rh na początku ciąży. Jeżeli w wyniku testu okazuje się, że kobieta ma czynnik Rh+ (85% ogółu), lub że zarówno ona, jak i jej mąż posiadają grupę krwi Rh–, to nie ma powodów do obaw. Jeżeli natomiast u niej występuje czynnik Rh–, a u jej męża Rh+, jest ona narażona na pojawienie się problemów związanych z konfliktem Rh i ciąża jej musi zostać poddana bardzo dokładnemu nadzorowi położniczemu.

W czasach, gdy twoja matka miała dzieci, zaistnienie konfliktu Rh było naprawdę groźne. Jednakże dzięki postępom medycyny twoje obawy, związane z możliwością utraty dziecka z tego powodu, są obecnie w dużym stopniu niepotrzebne.

Przede wszystkim, jeżeli jest to twoja pierwsza ciąża, to zagrożenie dla dziecka jest bardzo małe. Kłopoty zaczynają się dopiero wtedy, gdy czynnik Rh dostanie się do krwiobiegu matki z grupą Rh– podczas narodzin (albo aborcji, albo poronienia) dziecka, które odziedziczyło swoją grupę Rh po ojcu. Organizm matki w naturalnym obronnym odruchu immunologicznym skierowanym wobec „obcej" substancji wytworzy w stosunku do niej przeciwciała. Same przeciwciała są nieszkodliwe aż do czasu, gdy kobieta ponownie zajdzie w ciążę z następnym dzieckiem o grupie krwi Rh+. Wówczas to antyciała przenikają przez łożysko i atakują czerwone krwinki płodu, powodując bardzo łagodną (jeżeli liczba matczynych przeciwciał jest niewielka) lub bardzo poważną (duża liczba przeciwciał) anemię płodu. Bardzo rzadko owe przeciwciała formują się w czasie trwania pierwszej ciąży w reakcji na cofającą się poprzez łożysko krew płodu do układu krwionośnego matki.

Obecnie zapobieganie powstaniu przeciwciał Rh jest głównym sposobem ochrony płodu w przypadku wystąpienia konfliktu Rh. Większość lekarzy stosuje podwójną terapię. W 28 tygodniu ciąży ciężarnej z grupą Rh– i bez śladów występowania w jej krwi przeciwciał podaje się pewną dawkę immunoglobuliny Rh. Powtórna dawka podawana jest w przypadku, gdy u nowo narodzonego dziecka występuje grupa Rh+ w 72 godziny po porodzie. (Szczepionka podawana jest również po poronieniu, aborcji, amniopunkcji lub po wystąpieniu krwawienia w czasie ciąży.) Zgodnie z wymogami podanie immunoglobuliny teraz może wyeliminować poważne problemy w przyszłych ciążach.

Jeżeli testy wykażą, że u kobiety wykształciły się przeciwciała Rh już wcześniej, można w celu sprawdzenia grupy krwi płodu wykonać amniopunkcję (patrz s. 73). Jeżeli jest to grupa Rh+, a więc niezgodna z grupą krwi matki, regularnie sprawdza się liczbę matczynych antyciał. Jeżeli liczba ta jest niebezpiecznie wysoka, przeprowadza się badania pozwalające ocenić stan płodu. Jeżeli w jakimkolwiek momencie zagrożone jest bezpieczeństwo płodu spowodowane erytroblastozą płodową (znaną również pod nazwą choroby hemolitycznej noworodków lub konfliktu Rh), konieczna może się okazać transfuzja krwi z grupy Rh–. W przypadku poważnej niezgodności, co zdarza się raczej rzadko, transfuzję można przeprowadzić, gdy płód znajduje się jeszcze w macicy. Częściej jednak można z tym zaczekać aż do porodu i przeprowadzić ją natychmiast po rozwiązaniu. W łagodnych przypadkach, gdy poziomy przeciwciał są niskie, transfuzja może być zbędna. Niemniej jednak w razie konieczności lekarze będą przygotowani do jej przeprowadzenia tuż po porodzie.

Stosowanie szczepionek Rh zmniejszyło potrzebę wykonywania transfuzji w ciążach z konfliktem Rh do mniej niż 1%, a w przyszłości może sprawić, że transfuzja pozostanie już tylko ratującym życie medycznym cudem z przeszłości.

OTYŁOŚĆ

Mam około 25 kg nadwagi. Czy wystawia to mnie i moje dziecko na większe ryzyko w czasie ciąży?

Większość otyłych matek i ich dzieci przechodzi okres ciąży i poród bezpiecznie i zdrowo. Jednakże zagrożenia dla zdrowia zwielokrotniają się tak samo jak zbędne kilogramy, i to zarówno w czasie samej ciąży, jak też później. Dla przykładu, ryzyko pojawienia się nadciśnienia i cukrzycy znacznie wzrasta u kobiet z nadwagą, przy czym obydwa te schorzenia mogą skomplikować przebieg ciąży (w formie stanu przedrzucawkowego i cukrzycy ciążowej). W dodatku pojawia się zwiększone ryzyko rozszczepu kręgosłupa i innych typowych wad kręgosłupa. Również trudne może być dokładne określenie wieku ciąży, ponieważ u otyłych kobiet owulacja często przebiega nieregularnie, a metody, których lekarze tradycyjnie używają w celu ustalenia terminu (badanie wysokości dna i wielkości macicy), mogą być nieskuteczne ze względu na warstwy tłuszczu. Nadmiernie obłożony tkanką tłuszczową brzuch może również uniemożliwić lekarzowi manualne określenie wielkości płodu i jego pozycji, tak że konieczne może się okazać zastosowanie sprzętu diagnostycznego w celu uniknięcia jakichkolwiek niespodzianek w czasie porodu. W czasie porodu mogą się także pojawić kłopoty, jeżeli płód jest dużo większy niż zazwyczaj, co często zdarza się w przypadku otyłych matek (nawet tych, które nie objadają się nadmiernie w czasie ciąży). W końcu, gdy konieczne jest cięcie cesarskie, duży brzuch może skomplikować zarówno sam zabieg, jak i rekonwalescencję po nim.

Jak w przypadku innych ciąż wysokiego ryzyka, doskonała opieka medyczna może znacznie zwiększyć szanse matki i jej dziecka. Już od samego początku poddana zostaniesz prawdopodobnie większej liczbie badań niż kobieta z typową ciążą niskiego ryzyka: wcześniejszemu USG, by dokładniej określić wiek twojej ciąży, a później – by określić wielkość dziecka i jego pozycję; przynajmniej jednemu testowi na tolerancję glukozy lub badaniu na cukrzycę ciążową najprawdopodobniej pod koniec drugiego trymestru, by sprawdzić, czy wykazujesz jakieś oznaki rozwijającej się cukrzycy; a przed końcem ciąży – innym testom diagnostycznym w celu określenia stanu zdrowia dziecka.

Bardzo ważna jest duża dbałość o siebie. Lekarz najprawdopodobniej każe ci rzucić palenie i zredukować wszystkie te zagrożenia dla ciąży, które możesz sama kontrolować (patrz s. 80). Nie będzie ci wolno się odchudzać, ale też nie będziesz mogła za dużo przytyć. W większości przypadków otyłe kobiety mogą utrzymywać niższą od zalecanej (11-15 kg) wagę w czasie ciąży i nie ma to wpływu na wagę i zdrowie ich płodu.[1] Jednakże ich

[1] Definicje się różnią, jednak zazwyczaj kobietę uważa się za otyłą, jeżeli jej waga stanowi 120% jej wagi idealnej, za bardzo otyłą – gdy stanowi 150%. Tak więc kobieta, która powinna ważyć 100 kg, jest otyła, gdy waży 120, a bardzo otyła, gdy waży 150 kg.

niskokaloryczne diety muszą zawierać przynajmniej 1800 kalorii i składać się z pożywienia bogatego w witaminy, minerały i proteiny (patrz *Dieta najlepszej szansy*, s. 103). Liczenie każdego kęsa jest dla ciebie szczególnie ważne, podobnie jak zażywanie właściwych dla okresu ciąży witamin i minerałów. Regularne wykonywanie ćwiczeń zgodnie z danymi ci przez lekarza wskazówkami również pomoże utrzymać wagę w normie, bez potrzeby drastycznego ograniczenia spożycia.

Przed następną ciążą, jeśli taką planujesz, spróbuj maksymalnie zbliżyć się do twojej idealnej wagi z okresu przed poczęciem. Znacznie ułatwi to przebieg ciąży.

OPRYSZCZKA

Bardzo niecierpliwie oczekiwałam na pozytywny wynik testu ciążowego, lecz teraz, gdy już na pewno jestem w ciąży, ogarnia mnie przerażenie, ponieważ mam opryszczkę narządów płciowych.

Poza słynnym AIDS (nabyty zespół braku odporności), opryszczka zyskała sobie w ostatnich latach wątpliwą sławę choroby wywołującej więcej przerażających doniesień niż jakakolwiek inna choroba przenoszona drogą płciową. Wiele z publikowanych opisów podkreślało fakt, że nie tylko dorośli mogą zarazić się tą chorobą poprzez stosunek seksualny, ale również dzieci, przechodząc przez zainfekowany kanał rodny.

I chociaż u dorosłych choroba ta może być co najwyżej dokuczliwa, w przypadku noworodków może być bardzo poważna, ze względu na ich jeszcze nie rozwinięte systemy immunologiczne.

Oczywiście pewne obawy są uzasadnione, ale histeria, mimo tych wszystkich alarmujących doniesień – nie. Przede wszystkim infekcja neonatalna jest dość rzadka i występuje w 1 na 3000 do 1 na 20 000 porodów. Po drugie, chociaż dalej bardzo poważna, choroba wydaje się mieć łagodniejszy przebieg u noworodków, niż bywało to w przeszłości. Po trzecie, dziecko ma tylko 2-3% szansy złapania infekcji, jeśli jego matka ma w czasie ciąży infekcję nawrotową – a infekcje nawrotowe występują o wiele powszechniej niż infekcje pierwotne. Nawet wśród dzieci narażonych na największe ryzyko – to znaczy tych, których matki przechodzą pierwszy atak opryszczki w okresie przed zbliżającym się porodem – infekcji uniknie 60-75%. I chociaż pierwotna infekcja we wcześniejszym okresie ciąży zwiększa ryzyko poronienia lub przedwczesnego porodu, to należy pamiętać o tym, że jest ona stosunkowo rzadka.

Tak więc, jeżeli zaraziłaś się opryszczką przed ciążą, co jest najbardziej prawdopodobne, zagrożenie dla twojego dziecka jest niewielkie. A przy dobrej opiece medycznej może zostać zmniejszone w jeszcze większym stopniu. Matkom, u których test dał wynik negatywny, zaleca się podjęcie kroków zapobiegających pierwszej infekcji, zwłaszcza w trzecim trymestrze ciąży.

W przypadku, gdy u kobiety wystąpi tuż przed porodem aktywna forma opryszczki (nowa lub nawrotowa), zastosowanie cięcia cesarskiego znacznie zmniejsza ryzyko przeniesienia infekcji na dziecko. Kobiety, u których występowała wcześniej opryszczka lub te, które są na nią narażone, powinny być przed porodem poddane badaniom na występowanie aktywnej formy opryszczki, a jeśli test da wynik pozytywny, lekarz powinien zastosować u nich cięcie cesarskie.

Obecnie cięcie cesarskie u kobiet z opryszczką jest wykonywane tylko wtedy, gdy badanie daje wynik pozytywny tuż przed porodem. Niektórzy lekarze zalecają cotygodniowe testy, jeśli u kobiety nasilają się objawy choroby, a dzień porodu jest bliski.[1] Badania kontynuują aż do porodu. Inni sprawdzają jedynie, czy posiew da wyniki pozytywne (albo czy możliwy jest nawrót choroby w każdej chwili), kiedy zaczyna się poród. Oba podejścia redukują liczbę cesarskich cięć. Ponieważ istnieje niewielka możliwość rozprzestrzenienia się infekcji do organizmu płodu, gdy tylko usunięty

[1] Ponieważ leki antywirusowe nie zostały dopuszczone do stosowania w czasie ciąży, można ich używać tylko w sytuacjach zagrażających życiu.

Oznaki i symptomy opryszczki narządów płciowych

Najbardziej prawdopodobne jest, że opryszczka narządów płciowych może zostać przeniesiona na płód właśnie podczas pierwotnej lub pierwszej infekcji. Powinnaś więc poinformować lekarza, czy występują u ciebie następujące symptomy tej choroby: gorączka, bóle głowy, złe samopoczucie, bolesność przez dwa lub więcej dni, której towarzyszy ból w okolicy narządów płciowych, swędzenie, ból w czasie oddawania moczu, wydzieliny z pochwy i z cewki moczowej, miękkość w pachwinie (adenopatia pachwinowa), jak również zmiany skórne – najpierw w formie pęcherzyków, a później strupów. Leczenie zwykle trwa od dwóch do trzech tygodni, w którym to czasie dalej istnieje możliwość przeniesienia choroby.

Jeżeli masz opryszczkę narządów płciowych, uważaj, by nie zarazić nią swego partnera (on też powinien uważać, jeżeli jest zarażony). Unikajcie stosunków płciowych, gdy u któregoś z was pojawią się zmiany skórne. Po korzystaniu z toalety lub po odbytym stosunku myj dokładnie ręce łagodnym mydłem, bierz codziennie prysznic lub kąpiel, utrzymuj zmiany skórne w czystości, staraj się, by były suche i posypuj je skrobią zbożową, noś bawełniane majtki i unikaj noszenia strojów zbyt obcisłych w okolicy krocza.

zostanie stanowiący ochronę worek owodniowy, cięcie przeprowadza się zazwyczaj od 4 do 6 godzin po pęknięciu błon, chyba że płód nie jest wystarczająco wykształcony do porodu natychmiastowego.

Noworodki narażone na infekcję opryszczką są zwykle po narodzinach izolowane od pozostałych noworodków, by zapobiec możliwości rozprzestrzenienia się infekcji. W mało prawdopodobnym wypadku, gdyby taka infekcja zaistniała, leczenie przy użyciu leków antywirusowych zmniejszy ryzyko wystąpienia trwałych uszkodzeń. W przypadku gdy u matki występuje infekcja aktywna, może ona mimo to w dalszym ciągu opiekować się swym dzieckiem i nawet karmić piersią, pod warunkiem, że zachowa szczególne środki ostrożności, aby uniknąć przeniesienia wirusa na dziecko.

INNE CHOROBY PRZENOSZONE DROGĄ PŁCIOWĄ

Słyszałam, że opryszczka może uszkodzić płód. Czy jest to również prawdziwe w odniesieniu do innych przenoszonych drogą płciową chorób?

Zła wiadomość to ta, że inne choroby przenoszone drogą płciową istotnie stanowią zagrożenie dla płodu. Dobra to ta, że większość z nich jest łatwa do zdiagnozowania i wyleczenia.

Rzeżączka. Od dawna wiadomo, że rzeżączka wywołuje u dziecka urodzonego zakażonym kanałem rodnym zapalenie spojówek, ślepotę oraz inne poważne infekcje, z tego powodu kobiety w ciąży są rutynowo badane pod kątem występowania tej choroby, zwykle już podczas pierwszej wizyty prenatalnej (patrz s. 123). Zatem szczególnie u kobiet z wysokim ryzykiem występowania chorób przenoszonych drogą płciową test powtarzany jest w późniejszym okresie ciąży. Jeżeli infekcja rzeżączką zostanie stwierdzona, natychmiast poddawana jest leczeniu antybiotykami. Po leczeniu pobiera się jeszcze jeden posiew, by upewnić się, czy dana kobieta jest już wolna od infekcji. Jako dodatkowy środek ostrożności, po porodzie wkrapla się w oczy każdego noworodka azotan srebra lub maść antybiotykową. Zabieg ten można odłożyć na godzinę – ale nie dłużej – jeżeli zależy ci najpierw na bliskim kontakcie z dzieckiem.

Kiła. Deformacje kości i zębów płodu, postępujące uszkodzenie systemu nerwowego, martwy płód i możliwe uszkodzenie mózgu spowodowane przez kiłę znano od dawna. Testy na tę chorobę są również rutynowo przeprowadzane podczas pierwszej wizyty prenatalnej. Leczenie antybiotykami zarażonej ciężarnej kobiety przed upływem czwartego miesiąca ciąży, kiedy to zwykle infekcja zaczyna przekraczać granicę, którą stanowi łożysko, może prawie zawsze ochronić płód przed powstaniem uszkodzeń.

Chlamydia. Niedawno uznana za stwarzającą potencjalne zagrożenie dla płodu. Obecnie coraz częściej zgłaszana do Centrum Kontroli Chorób, częściej niż rzeżączka. Jest to najpowszechniejsza infekcja przekazywana płodowi przez matkę – oto dlaczego badanie na obecność chlamydii w czasie ciąży jest dobrym pomysłem, szczególnie w przypadku, jeżeli w przeszłości miałaś wielu partnerów seksualnych (co znacznie zwiększyło prawdopodobieństwo zarażenia się przez ciebie tą chorobą). Jako że ponad połowa wszystkich kobiet zarażonych chlamydią nie odczuwa żadnych symptomów, często pozostaje ona nie zauważona bez przeprowadzenia odpowiednich testów.

Bezzwłoczne leczenie chlamydii przed lub w czasie ciąży może zapobiec przeniesieniu choroby chlamydialnej (zapalenie płuc najczęściej na szczęście łagodne – oraz infekcje oczu, które czasem przybierają poważną postać) z matki na jej dziecko w czasie porodu. Aczkolwiek najlepszym czasem na kurację jest okres jeszcze przed poczęciem, to również zastosowanie antybiotyków u zarażonej ciężarnej kobiety może skutecznie zapobiec infekcji u dziecka. Maść antybiotykowa stosowana tuż po urodzeniu chroni noworodka przed chlamydialną infekcją oczu.

Nieswoiste zapalenie pochwy. Znane również jako bakteryjne kolpitis lub zapalenie pochwy Gardnerella może spowodować takie komplikacje w czasie ciąży, jak: przedwczesne pęknięcie błon i zakażenie wewnątrzowodniowe, które może prowadzić do przedwczesnego porodu. Niektórzy eksperci sądzą, że kobiety w ciąży powinny być badane także pod tym względem, więc może się zdarzyć, że podczas pierwszej wizyty poddana zostaniesz również i temu badaniu.

Kłykciny kończyste. Te przenoszone drogą płciową kłykciny mogą pojawiać się gdziekolwiek w obrębie narządów płciowych, a wywoływane są przez ludzki wirus papilloma. Ich wygląd może zmieniać się od ledwie widocznych zmian skórnych aż po miękkie, aksamitne, płaskie guzy lub przypominające kalafior narośla. Ich zabarwienie rozciąga się od blado- do ciemnoróżowego. Bardzo zaraźliwe kłykciny kończyste szczególnie wymagają leczenia, nie tylko bowiem mogą zostać przeniesione na dziecko lub nawet uniemożliwić poród, ale dlatego, że w 5-15% wszystkich przypadków wywołują zapalenie szyjki macicy, mogące przekształcić się później w raka szyjki. Leczenie może obejmować środki przepisane na receptę stosowane miejscowo, bezpieczne dla kobiet w ciąży – nie wolno używać lekarstw dostępnych w aptekach bez recepty. Jeżeli to konieczne, duże kłykciny można usunąć w późniejszym okresie ciąży poprzez zamrażanie, wypalanie elektryczne lub terapię laserem.

Zespół nabytego braku odporności (AIDS). Pojawienie się w czasie ciąży infekcji wirusem HIV, powodującym AIDS, stanowi zagrożenie nie tylko dla przyszłej matki, ale również dla jej dziecka. Duży procent (szacunki mówią o 20-65%) dzieci urodzonych przez matki-nosicielki wirusa HIV wykazuje w okresie do 6 miesięcy po narodzinach oznaki rozwijającej się infekcji. Podejrzewa się także, że sama ciąża może przyspieszyć proces chorobowy w organizmie matki. Z tych względów niektóre zarażone kobiety decydują się na przerwanie ciąży. Przed podjęciem jakichkolwiek działań każdy, u kogo test na obecność HIV da wynik pozytywny, powinien rozważyć możliwość przeprowadzenia testu powtórnego (nie zawsze testy są dokładne i czasami mogą dać wynik pozytywny u kogoś, kto nie jest tym wirusem zarażony).[1] Jeżeli drugi test da wynik pozytywny, bezwarunkowo konieczna staje się konsultacja w poradni AIDS odnośnie do możliwych sposobów leczenia. Leczenie matki nosicielki

---

[7] Czasami u kobiet mających kilkoro dzieci test na obecność wirusa HIV może dać fałszywy wynik dodatni. Jeżeli posiadasz liczną rodzinę i wynik twojego testu jest pozytywny, skonsultuj się w tej kwestii z twoim lekarzem.

wirusa HIV przez podawanie AZT może znacznie obniżyć ryzyko zakażenia przez nią dziecka. W połączeniu z planowanym cięciem cesarskim, leczenie AZT może prawie do zera zmniejszyć ryzyko zakażenia dziecka, i to bez pojawienia się szkodliwych efektów ubocznych.

Jeżeli podejrzewasz, że możesz być zarażona którąś z chorób przenoszonych drogą płciową, upewnij się u lekarza, czy poddana zostałaś odpowiednim testom, a jeśli nie – poproś o ich przeprowadzenie. Jeżeli test da wynik pozytywny, pamiętaj, by rozpocząć leczenie, a jeśli okaże się to konieczne – także leczenie twego partnera. Ochroni to nie tylko twoje zdrowie, ale też zdrowie twego dziecka.

STRACH PRZED AIDS

Zarówno mój mąż, jak i ja mieliśmy wielu partnerów, zanim się poznaliśmy. Ponieważ słyszałam, że czasami AIDS nie ujawnia się nawet przez lata, teraz nie mogę pozbyć się obaw, że jestem zarażona i że mogę zarazić moje dziecko.

Prawdopodobieństwo, że ty i twój mąż zaraziliście się wirusem HIV (ludzki wirus upośledzenia odporności) wywołującym AIDS przed waszym poznaniem, jest niewielkie, jeżeli żadne z was nie należy do grupy wysokiego ryzyka (hemofilicy, narkomani stosujący narkotyki dożylnie, biseksualiści i homoseksualiści), nawet jeżeli w przeszłości mieliście wielu partnerów seksualnych. Możesz się jednak uspokoić, poddając się testom. Jeżeli wyniki testów będą pozytywne, należy poddać się natychmiastowemu leczeniu, które może pomóc zarówno matce, jak i dziecku (patrz s. 66).

Byłam zaskoczona, gdy lekarz spytał mnie, czy chcę się poddać testowi na obecność HIV– nie sądzę, bym należała do kategorii wysokiego ryzyka.

Przeprowadzanie testu na HIV kobietom ciężarnym staje się coraz powszechniejsze, bez względu na to, czy w ich wcześniejszych losach można doszukać się zachowań kwalifikujących je do grup wysokiego ryzyka. Tak więc nie czuj się obrażona, powinnaś raczej cieszyć się, że twój lekarz ma na względzie twoje dobro i zaleca wykonanie testów.

ŻÓŁTACZKA TYPU B

Jestem nosicielką żółtaczki typu B i właśnie dowiedziałam się, że jestem w ciąży. Czy moje nosicielstwo może mieć szkodliwy wpływ na dziecko?

Fakt, że jesteś nosicielką żółtaczki typu B jest pierwszym sygnałem wskazującym, że twemu dziecku nie stanie się krzywda. Aczkolwiek dzieci urodzone przez niektóre nosicielki (u których występuje pewien antygen) narażone są na zwiększone ryzyko zarażenia, to jednak podanie im w czasie do 12 godzin po urodzeniu szczepionki przeciw żółtaczce typu B oraz immunoglobuliny może prawie zawsze infekcję taką uniemożliwić. Tak więc upewnij się, że twój lekarz jest poinformowany o twoim nosicielstwie, i zadbaj o wykonanie próby mogącej określić stopień twojej zaraźliwości, a także o to, by twoje dziecko zostało poddane właściwemu leczeniu. W celu uzyskania większej ilości informacji na temat zakażenia żółtaczką – patrz s. 320.

ZAŁOŻONA WKŁADKA DOMACICZNA

Od dwóch lat mam założoną wkładkę domaciczną i właśnie odkryłam, że jestem w ciąży. Chcemy mieć to dziecko – czy jest to możliwe?

Zajście w ciążę przy stosowaniu antykoncepcji zawsze jest trochę niepokojące, ale to się zdarza. Prawdopodobieństwo zajścia w ciążę z założoną wkładką domaciczną ma się jak 1 do 5 na 100 przypadków, w zależności od rodzaju użytej wkładki i tego, czy została prawidłowo założona. Kobieta, która zachodzi w ciążę, mając założoną wkładkę i nie chce ciąży przerwać, ma dwa wyjścia, które powinna jak najszybciej przedyskutować z lekarzem: pozostawienie wkładki na miejscu lub jej usunięcie.

To, które z rozwiązań jest lepsze, zwykle zależy od tego, czy w czasie badania można dostrzec wyraźnie wychodzącą z szyjki macicy nitkę połączoną z wkładką. Jeżeli jej nie widać, szanse, by ciąża przebiegała w sposób niezakłócony mimo obecności wkładki, są bardzo duże. Po prostu wkładka zostaje przyciśnięta do ściany macicy przez powiększający się worek owodniowy otaczający dziecko, a podczas porodu wypchnięta zazwyczaj razem z łożyskiem. Jeżeli jednak w okresie wczesnej ciąży nitka połączona z wkładką jest dalej widoczna, to szanse na bezpieczny i udany przebieg ciąży znacznie wzrastają, gdy po potwierdzeniu zapłodnienia zostanie ona jak najszybciej usunięta. Jeżeli tak się nie stanie, istnieje duże prawdopodobieństwo samoistnego poronienia płodu, natomiast w przypadku usunięcia wkładki ryzyko wynosi tylko 20%. Jeżeli nie brzmi to zbyt uspokajająco, to pamiętaj, że średnia poronień we wszystkich ciążach szacowana jest na około 15-20%.

Jeżeli będziesz kontynuować ciążę z pozostawioną wkładką, powinnaś być wyczulona – szczególnie w okresie pierwszego trymestru – na wszelkie krwawienia, skurcze lub wysoką gorączkę, a to ze względu na fakt, że wkładka domaciczna może stwarzać u ciebie wyższe ryzyko pojawienia się komplikacji we wcześniejszym okresie ciąży (patrz *Ciąża ektopowa*, s. 131 oraz *Poronienie*, s. 132). W przypadku pojawienia się tych objawów, niezwłocznie powiadom swojego lekarza.

PIGUŁKI ANTYKONCEPCYJNE W CZASIE CIĄŻY

Zaszłam w ciążę, używając pigułek antykoncepcyjnych. Zażywałam je jeszcze przez ponad miesiąc, ponieważ nie miałam pojęcia, że jestem w ciąży. Teraz martwię się skutkami, jakie może to mieć dla mojego dziecka.

Najlepiej gdybyś przestała używać doustnych środków antykoncepcyjnych na 3 miesiące lub przynajmniej 2 normalne cykle miesiączkowe przed podjęciem decyzji, że chcesz zajść w ciążę. Jednakże poczęcie nie zawsze czeka na idealne warunki i od czasu do czasu zdarza się, że kobieta zachodzi w ciążę, gdy zażywa pigułki. Mimo wszystkich ostrzeżeń, które przypuszczalnie przeczytałaś w ulotce dołączonej do pigułek, nie ma powodu do obaw. Statystycznie nie istnieje żaden niezbity dowód mogący świadczyć o zwiększonym ryzyku występowania wad rozwojowych płodu w przypadkach, gdy poczęcie nastąpiło w okresie zażywania przez matkę doustnych środków antykoncepcyjnych. Omówienie tych zagadnień z lekarzem powinno w jeszcze większym stopniu rozwiać twoje obawy.

ŚRODKI PLEMNIKOBÓJCZE

W ciążę zaszłam w czasie, gdy używałam środków plemnikobójczych wraz z krążkiem dopochwowym. Stosowałam tę metodę jeszcze parę razy, zanim dowiedziałam się, że jestem w ciąży. Czy środki chemiczne mogły uszkodzić nasienie przed samym poczęciem lub płód już po nim?

Ocenia się, że spośród kobiet, które zachodzą w ciążę każdego roku, od 300 000 do 600 000 używa środków plemnikobójczych w okresie poczęcia i w pierwszych tygodniach ciąży, zanim dowiedzą się, że poczęły dziecko. Tak więc pytanie dotyczące skutków działania środków plemnikobójczych w okresie poczęcia i samej ciąży jest bardzo istotne dla wielu oczekujących dziecka par – jak również tych stojących przed koniecznością wyboru metody kontroli urodzin.

Na szczęście jak dotychczas odpowiedzi są uspokajające. Do tej pory nie sugerowano niczego ponad luźny związek między stosowaniem środków plemnikobójczych a występowaniem pewnych wad wrodzonych (szczególnie zespół Downa i wady rozwojowe kończyn). Najnowsze i najbardziej przekonujące opracowania nie stwierdziły wzrostu częstotliwości występowania takich wad nawet w przypadku nieprzerwanego używania środków plemnikobójczych w okresie wczesnej ciąży. A więc zgodnie z najlepszymi dostępnymi informacjami na ten temat, zarówno ty, jak i pozostałe od 299 999 do 599 999 przyszłych matek możecie odetchnąć – wydaje się, że naprawdę nie ma się czym martwić.

Jednakże w przyszłości możesz poczuć się lepiej, jeśli będziesz stosować inną i chyba pewniejszą metodę antykoncepcji. A ponieważ każde wystawienie płodu na działanie chemii rodzi podejrzenia, powinnaś – jeżeli dalej używasz środków plemnikobójczych – odpowiednio wcześnie zaplanować przerwę w ich stosowaniu w przypadku, jeśli ponownie zamierzasz zajść w ciążę.

ŚRODKI ZAWIERAJĄCE PROGESTERON

W zeszłym miesiącu lekarz przepisał mi Proverę w celu wywołania opóźniającego się okresu. Okazuje się, że byłam w ciąży. Ulotka ostrzega, aby ciężarne kobiety nigdy nie zażywały tego leku. Czy u mojego dziecka mogą wystąpić wady wrodzone? Czy powinnam brać pod uwagę możliwość przeprowadzenia aborcji?

Używanie zawierającego progesteron leku o nazwie Provera, aczkolwiek nie jest zalecane, nie może stanowić przyczyny dla rozważania aborcji – to samo powie zapewne twój lekarz. Nie stanowi to również powodu do zmartwień. Ostrzeżenia firm farmaceutycznych mają na celu ochronę nie tylko ciebie, ale też ich samych: na wypadek możliwych procesów sądowych. Prawdą jest, że niektóre opracowania mówią o ryzyku (jak 1 na 1000) występowania pewnych wad wrodzonych w przypadkach, gdy płód wystawiony był na działanie Provery, jednakże ryzyko to jest tylko nieznacznie większe od ryzyka wystąpienia tych samych wad w każdej innej ciąży.

To, czy Provera faktycznie wywołuje powstawanie pewnych wad wrodzonych, nie jest do końca pewne. Niektórzy lekarze przepisujący ten lek, aby zapobiec poronieniu, uważają, że tylko pozornie powoduje owe wady – umożliwiając czasem utrzymywanie obumarłej ciąży kobiecie, która w innym wypadku by poroniła. Prawdopodobnie potrzeba będzie wielu lat dokładnych badań nad setkami tysięcy ciężarnych kobiet, aby móc definitywnie określić skutki działania (jeśli w ogóle istnieją) leków zawierających progesteron na rozwój płodu. Lecz zgodnie z tym, co obecnie wiadomo, uważa się, że jeśli nawet Provera jest faktycznie teratogenem (substancją mogącą uszkodzić jajo płodowe lub płód), to jest to środek o bardzo słabym działaniu (patrz *Grając w ruletkę dziecięcą*, s. 100). Tak więc to zagadnienie możesz wykreślić ze swej listy obaw.

ŚRODKI ZAWIERAJĄCE ESTROGENY

Moja matka zażywała DES, gdy była ze mną w ciąży. Czy może mieć to jakiś wpływ na moją ciążę i moje dziecko?

Zanim poznano zagrożenia, jakie niosło ze sobą stosowanie leku przeciwdziałającego poronieniom, a zawierającego syntetyczny estrogen – diethylstilbestrolu (DES), ponad milion kobiet zdążyło go użyć. Teraz ich córki, spośród których wiele urodziło się ze strukturalnymi wadami dróg rodnych (u większości tak małymi, że nie mają żadnego znaczenia z ginekologicznego i położniczego punktu widzenia), będące w wieku rozrodczym niepokoją się wpływem, jaki działanie DES może wywrzeć na przebieg ich własnych ciąż. Na szczęście u większości kobiet skutki te wydają się minimalne – ocenia się, że przynajmniej 80% spośród wystawionych na działanie DES kobiet mogło mieć dzieci.

Jednakże u kobiet z najpoważniejszymi wadami zdaje się występować zwiększone ryzyko zaistnienia pewnych problemów w okresie ciąży: ciąża ektopowa (prawdopodobnie ze względu na wadliwie uformowane jajowody), poronienie w środkowym trymestrze oraz przedwczesny poród (zwykle z powodu osłabionej lub niewydolnej szyjki macicy, która pod naporem rosnącego płodu może rozewrzeć się przedwcześnie). Ze względu na zagrożenia występujące w tego rodzaju komplikacjach nieodzowne jest powiadomienie lekarza o twoim wystawieniu na działanie DES.[1] Musisz również pamiętać o objawach towarzyszących tego rodzaju niefortunnym okolicznościom. W przypadku, gdy się pojawią, musisz natychmiast powiadomić o tym swego lekarza.

Jeżeli zaistnieje podejrzenie występowania niewydolności cieśniowo-szyjkowej, podjęte zostanie najprawdopodobniej jedno z następujących dwóch rozwiązań: albo między 12 a 16 tygodniem ciąży założony zostanie wokół szyjki macicy szew okrężny, albo będzie się przeprowadzać regularne badania szyjki w celu wykrycia oznak przedwczesnego rozwarcia. Kiedy tylko te oznaki się pojawią, podjęte zostaną dalsze działania mające na celu powstrzymanie przedwczesnego porodu.

PROBLEMY GENETYCZNE

Ciągle się martwię, że mogę mieć jakieś problemy genetyczne i o nich nie wiem. Czy powinnam zwrócić się po poradę w zakresie genetyki?

Prawdopodobnie wszyscy mamy jeden (lub więcej) szkodliwy gen powodujący łagodne lub poważniejsze choroby o podłożu genetycznym. Na szczęście jednak większość takich chorób (na przykład zespół Tay-Sachsa lub zwłóknienie torbielowate) wymaga dla swego zaistnienia dopasowania pary genów: jednego od mamy i jednego od taty, a co za tym idzie – rzadko występuje u naszych dzieci. Jedno z rodziców lub oboje mogą zostać poddani testom na niektóre z tych chorób przed lub w czasie ciąży.

Jednakże testowanie ma sens tylko wówczas, gdy zachodzi bardziej niż przeciętne prawdopodobieństwo, że oboje rodzice są nosicielami określonej choroby. Wskazówką jest często pochodzenie etniczne lub geograficzne. Dla przykładu, żydowskie pary, których przodkowie przybyli kiedyś z Europy Wschodniej, powinny być testowane na możliwość występowania zespołu Tay-Sachsa (w większości przypadków lekarz zaleci przeprowadzenie testu tylko u jednego z rodziców, testowanie drugiego będzie konieczne tylko wówczas, gdy u pierwszego test da wynik pozytywny). Podobnie czarne pary powinny być poddawane testowi na występowanie niedokrwistości sierpowatej.

Choroby, które mogą być przenoszone poprzez pojedynczy gen pochodzący od jednego z rodziców, który jest nosicielem (na przykład hemofilia) lub jest dotknięty daną chorobą (na przykład pląsawica Huntingtona), zwykle już wcześniej zamanifestowały swą obecność w rodzinie, chociaż nie musi to być powszechnie znany fakt. Dlatego też tak ważne jest przechowywanie wszelkich informacji dotyczących historii zdrowotnej danej rodziny.

Na szczęście większość przyszłych rodziców stoi przed niewielkim ryzykiem przekazania jakichś wad genetycznych i nigdy nie musi korzystać z pomocy doradcy genetycznego. W wielu przypadkach położnik w rozmowie z daną parą poruszy podstawowe zagadnienia genetyczne, a w razie zaistnienia potrzeby dokładniejszej konsultacji odeśle do specjalistów z zakresu genetyki lub medycyny matczyno-płodowej. Dotyczy to:

- Par, których testy krwi wykazują, że oboje są nosicielami chorób genetycznych.
- Rodziców, którzy spłodzili już jedno lub więcej dzieci z wrodzonymi wadami genetycznymi.
- Par, które wiedzą o występowaniu chorób dziedzicznych w którymkolwiek z odgałęzień ich drzewa rodowego. W niektórych przypadkach, jak choćby w pewnych talasemiach (niedokrwistości dziedziczne, częste wśród ludów basenu Morza Śródziemnego), przeprowadzenie testów DNA rodziców przed poczęciem może ułatwić odczytanie wyników późniejszego testu płodu.

[1] Ze względu na nieznacznie zwiększone ryzyko wystąpienia komplikacji, kobiety, które wystawione były na działanie DES, najlepiej uczyniłyby, oddając się na czas ciąży pod opiekę lekarza położnika.

- Par, w których jeden z partnerów posiada wady wrodzone (takie, jak na przykład wrodzona wada serca).
- Kobiet ciężarnych, u których badania testowe wykazały istnienie wad płodu.
- Blisko spokrewnionych par, ponieważ ryzyko wystąpienia u potomka choroby dziedzicznej jest największe wówczas, gdy rodzice są spokrewnieni (na przykład 1 na 8 przypadków u kuzynów w pierwszej linii).
- Kobiet w wieku ponad 35 lat.

Doradca genetyczny jest kimś w rodzaju bukmachera dziedziczności tak przeszkolonym, by stwarzać takim parom szansę na posiadanie zdrowego dziecka i prowadzić je poprzez proces podejmowania decyzji, czy mieć dzieci, czy nie. Jeżeli kobieta jest już w ciąży, doradca taki może zaproponować przeprowadzenie odpowiednich testów prenatalnych.

Poradnictwo genetyczne zaoszczędziło setkom tysięcy par wysokiego ryzyka utrapień związanych z urodzeniem dzieci dotkniętych poważnymi wadami rozwojowymi. Najlepszym okresem, by spotykać się z doradcą genetycznym, jest czas jeszcze przed zajściem w ciążę lub – w przypadku bliskich krewnych – przed zawarciem małżeństwa. Jednakże nie jest zbyt późno nawet po potwierdzeniu ciąży.

Jeżeli badanie ujawnia istnienie poważnej wady płodu, przyszli rodzice stają przed koniecznością podjęcia decyzji, czy kontynuować ciążę, czy nie. I choć decyzja ta należy wyłącznie do nich, opinia doradcy genetycznego może wywrzeć istotny wpływ.

TWÓJ SPRZECIW WOBEC ABORCJI

Mój mąż i ja nie uznajemy aborcji. Dlaczego więc miałabym być poddana zabiegowi amniopunkcji?

Amniopunkcja jest odpowiednia nie tylko dla par, które mogłyby rozważać możliwość przeprowadzenia aborcji w razie ujawnienia w czasie tego badania poważnej wady płodu. Dla ogromnej większości przyszłych rodziców prawdziwym powodem poddania się diagnozie prenatalnej jest uzyskanie potwierdzenia, które prawie zawsze otrzymują.

I chociaż wiele par optuje za przerwaniem ciąży, gdy wieści są złe, to badanie to może być również cenne i wtedy, gdy aborcja nie jest brana pod uwagę. W przypadku, gdy wykryta wada jest śmiertelna, rodzice mają dość czasu, by przeboleć to jeszcze przed narodzinami, co później eliminuje u nich poczucie szoku. Gdy ujawniane są innego rodzaju defekty, rodzice mają możność już na samym początku przygotować się na życie z dzieckiem specjalnej troski. Mogą także zacząć zwalczać w sobie reakcje (odrzucenie, uraza czy poczucie winy), które pojawią się wraz z odkryciem, że ich dziecko ma wadę, a nie będą czekać, aż po porodzie te właśnie odczucia narażą na szwank związki między rodzicami a dzieckiem. Z góry mogą dowiedzieć się o pewnych problemach i przygotować do zapewnienia dziecku możliwie najlepszego życia. Być może nawet odkryją, iż wada jest uleczalna jeszcze w okresie życia płodowego lub że specjalne zabiegi w czasie porodu albo tuż po nim pozwolą dziecku rozwijać się normalnie. Dla rodziców, którzy nie czują się na siłach unieść taką decyzję, wiedząc z góry o możliwych zagrożeniach, mogą wziąć pod uwagę adopcję.

Tak więc, jeśli zalecana jest diagnostyka prenatalna, to nie odrzucaj jej z góry. Porozmawiaj ze swoim lekarzem, doradcą genetycznym lub specjalistą z zakresu medycyny matczyno-płodowej, by pomogli ci zrozumieć różne możliwe sytuacje, zanim podejmiesz decyzję. Co więcej, nie pozwól, aby twój sprzeciw wobec aborcji pozbawił ciebie i twych lekarzy wielu potencjalnie cennych informacji.

CO WARTO WIEDZIEĆ
Diagnostyka prenatalna

Czy to chłopiec, czy dziewczynka? Czy będzie miała blond włosy jak babcia i zielone oczy dziadka? Głos taty i plastyczną smykałkę mamy, a może – niech Bóg broni! – odwrotnie? Liczba pytań stawianych w czasie ciąży daleko przewyższa liczbę odpowiedzi, dając tym samym frapujący materiał do debat toczonych przez dziewięć miesięcy podczas obiadów, do sąsiedzkich spekulacji i biurowych zakładów.

Jednakże jest jedna kwestia, która nie stanowi tematu różnych śmiesznych zakładów. Większość rodziców waha się, czy w ogóle ją poruszać: „Czy z moim dzieckiem wszystko jest w porządku?"

Do niedawna odpowiedzi na to pytanie można było udzielić dopiero przy porodzie. Obecnie można na nie (do pewnego stopnia) odpowiedzieć już w szóstym tygodniu po zapłodnieniu, dzięki diagnostyce prenatalnej.

Ze względu na nieodłączne zagrożenia, jakkolwiek małe by one były, diagnostyka prenatalna nie jest dla każdego. Większość rodziców dalej będzie grać w oczekiwanie ze szczęśliwym przeświadczeniem co do ogromnych szans na to, że ich dzieci są naprawdę „w porządku". Ale dla tych, dla których obawy są czymś więcej niż normalnym zdenerwowaniem przyszłych rodziców, korzyści wynikające z diagnostyki prenatalnej daleko bardziej mogą przeważyć wszelkie zagrożenia. Do kobiet będących potencjalnymi kandydatkami do przeprowadzenia diagnostyki prenatalnej należą te, które:

- Mają ponad 35 lat.
- Należą do rodziny, w której występowały choroby genetyczne i/lub nosiciele takich chorób.
- Miały infekcje (takie jak różyczka lub toksoplazmoza), mogące spowodować uszkodzenie okołoporodowe.
- Od czasu poczęcia wystawione były na działanie substancji, odnośnie do których obawiają się, że mogły być szkodliwe dla ich rozwijającego się dziecka (konsultacja z lekarzem może pomóc w ustaleniu, czy w danym przypadku diagnoza prenatalna jest uzasadniona).
- Uprzednio miały nieudane ciąże i dzieci z urazami okołoporodowymi.

W ponad 95% przypadków diagnostyka prenatalna nie wykazuje żadnych widocznych nieprawidłowości. W pozostałych odkrycie przez oczekującą dziecka parę, że coś jest nie w porządku, nie stanowi pociechy. Jednakże w połączeniu z ekspertyzą genetyczną informacja taka może zostać wykorzystana do podjęcia istotnych decyzji, dotyczących zarówno tej, jak i przyszłych ciąż. Do możliwych opcji można zaliczyć następujące:

Kontynuowanie ciąży. Ta opcja jest często wybierana, gdy rodzina czuje, że zarówno ona, jak i oczekiwane dziecko, będą mogły żyć z ujawnioną wadą, lub wtedy, gdy rodzice przeciwni są aborcji w każdych okolicznościach. Wyrobienie sobie poglądu na temat tego, czego mniej więcej można się spodziewać, pozwala rodzicom poczynić właściwe przygotowania (i emocjonalne, i praktyczne) do przyjęcia dziecka specjalnej troski przekazania dziecka innej rodzinie, zainteresowanej zaadoptowaniem dziecka specjalnej troski lub oswojenia się z myślą o narodzinach dziecka nie mającego wielkich szans na przeżycie.

Przerwanie ciąży. Jeżeli badanie ujawnia wadę, która może być śmiertelna lub w wysokim stopniu upośledzająca, a ponowny test i/lub konsultacja doradcy genetycznego potwierdzają wcześniejszą diagnozę, wielu rodziców decyduje się na przerwanie ciąży. W takim przypadku konieczne jest dokładne przebadanie wytworów ciąży pod kątem prawidłowości ich budowy, co może być pomocne w określeniu ryzyka powtórzenia się takich komplikacji w przyszłych ciążach. Większość par, mając już tę wiedzę, a w pamięci dobre rady lekarza lub doradcy genetycznego, próbuje znowu z nadzieją, że wyniki testów prenatalnych – a tym samym rezultat ciąży – okażą się następnym razem pomyślniejsze. Najczęściej tak się właśnie dzieje.

Prenatalne leczenie płodu. Takie rozwiązanie możliwe jest tylko w kilku wypadkach, chociaż można oczekiwać, że w przyszłości stawać się będzie coraz powszechniejsze. W skład takiego leczenia wchodzić mogą: transfuzja krwi (konflikt serologiczny), chirurgia (na przykład, aby przedrenować niedrożny pęcherz); podawanie enzymów lub leków (takich, jak sterydy, mające przyspieszyć rozwój płuc u płodu, który będzie musiał urodzić się przed terminem). Wraz z rozwojem techniki coraz więcej rodzajów chirurgii prenatalnej, manipulacji genetycznej oraz innych zabiegów medycznych na płodzie stawać się będzie również czymś codziennym.

Trzeba pamiętać, że nic nie jest doskonałe, nawet wysoko technicznie zaawansowana diagnoza prenatalna. Z tego powodu wszystkie wyniki wskazujące, że coś jest nie w porządku z płodem, powinny być potwierdzone dalszymi badaniami lub skonsultowane z innymi specjalistami. Zbyt szybkie dążenie do przerwania ciąży czasem prowadzi do aborcji normalnego, zdrowego płodu.

Poniżej podajemy najpowszechniej stosowane metody diagnostyki prenatalnej.

AMNIOPUNKCJA

Komórki płodowe, związki chemiczne i mikroorganizmy w płynie owodniowym otaczającym płód dostarczają szerokiego zakresu informacji dotyczących nowej istoty ludzkiej – jej struktury genetycznej, stanu zdrowia, a także stopnia rozwoju. W ten sposób możliwość pobrania i przebadania tego płynu poprzez amniopunkcję sprawiły, że stała się ona jednym z najważniejszych osiągnięć diagnozy prenatalnej. Jej przeprowadzenie zalecane jest, gdy:

- Matka ma ponad 35 lat. Od 80 do 90% wszystkich amniopunkcji wykonywane jest wyłącznie z powodu zaawansowanego wieku matki, przede wszystkim w celu ustalenia, czy u płodu występuje zespół Downa, który przeważa wśród dzieci matek starszych.
- Para ma już dziecko z nieprawidłowością chromosomalną, taką jak zespół Downa, lub zaburzeniem metabolicznym, takim jak zespół Huntera.
- Para ma już dziecko lub bliskiego krewnego z uszkodzeniem układu nerwowego (prawdopodobnie wcześniej zostanie wykonany test na określenie poziomu alfafetoproteiny w surowicy krwi matki).
- Matka jest nosicielką związanej z chromosomem wady genetycznej, takiej jak hemofilia (w przypadku której ryzyko przekazania jej przez matkę każdemu z mających narodzić się synów wynosi 50%). Za pomocą amniopunkcji można rozpoznać płeć dziecka, ale nie to, czy odziedziczyło ono wadliwy gen.
- Oboje rodzice są nosicielami autosomalnej recesywnej choroby dziedzicznej, takiej jak choroba Tay-Sachsa lub niedokrwistość sierpowata, i w związku z tym narażeni są na ryzyko (jak 1 do 4) posiadania dotkniętego tą chorobą dziecka.
- Konieczne jest określenie stopnia rozwoju płuc płodu (które jako jeden z ostatnich organów zaczynają funkcjonować samodzielnie).
- Wiadomo, że u jednego z rodziców występuje pląsawica Huntingtona, która przenoszona jest poprzez autosomalne dziedziczenie cechy dominującej, stwarzając tym samym ryzyko odziedziczenia tej choroby przez dziecko w stosunku jak 1 do 2.
- Wyniki testów badawczych (zwykle badanie alfafetoproteiny w krwi matki, sonogram estriol i/lub badanie ludzkiej gonadotropiny kosmówkowej) okazują się nieprawidłowe i przebadanie płynu owodniowego jest konieczne w celu określenia, czy faktycznie stan płodu wykazuje jakieś nieprawidłowości.

Kiedy jest wykonywana? Diagnostyczna amniopunkcja drugiego trymestru wykonywana jest zwykle między 16 a 18 tygodniem ciąży, czasem nawet już w 14, a czasem dopiero w 20 tygodniu. Obecnie badane są możliwości przeprowadzenia amniopunkcji w okresie wcześniejszym – między 10 a 14 tygodniem. Ze względu na konieczność wykonania posiewu w laboratorium większość testów przed uzyskaniem wyników wymaga czasu oczekiwania od 24 do 35 dni, chociaż w paru przypadkach, takich jak: zespół Tay-Sachsa, zespół Huntera lub uszkodzenia układu nerwowego, możliwe jest natychmiastowe odczytanie wyników.

Amniopunkcję można również wykonywać w ostatnim trymestrze w celu ustalenia stopnia rozwoju płuc płodu.

Jak jest wykonywana? Po przebraniu się i opróżnieniu pęcherza ciężarna zostaje ułożona na stole badawczym w pozycji na plecach, a jej ciało przykryte tak, by uwidoczniony pozostał tylko brzuch. Płód i łożysko zostają następnie zlokalizowane za pomocą USG tak, by lekarz w trakcie zabiegu mógł je bezpiecznie ominąć. (Wcześniej wykonano już dokładniejsze USG, mające wykryć wszelkie bardziej widoczne wady płodu.) Brzuch smarowany jest roztworem antyseptycznym, a w niektórych przypadkach znieczulany miejscowo środkiem podobnym do używanej przez stomatologów nowokainy. Ponieważ zastrzyk znieczulający jest równie bolesny jak samo przejście igły amniopunkcyjnej, niektórzy lekarze go pomijają. Następnie długa igła zostaje wprowadzona poprzez ściany brzucha do macicy, po czym pobiera się niewielką ilość płynu owodniowego.

Ograniczone ryzyko uszkodzenia płodu w tej fazie zabiegu później jest jeszcze bardziej zmniejszone poprzez stosowanie jednoczesnej obserwacji USG. Przed zabiegiem, trwającym od początku do końca nie dłużej niż pół godziny, sprawdza się u matki i płodu tętno, ciśnienie i inne parametry. Kobietom z grupą krwi Rh– zwykle po zakończeniu amniopunkcji wstrzykuje się immunoglobulinę Rh, by wykluczyć możliwość wywołania konfliktu Rh.

Jeżeli nie jest to konieczną składową całej diagnozy, rodzice mogą sobie zażyczyć, by nie mówiono im o płci dziecka w trakcie omawiania wyników, i dowiedzieć się o niej w tradycyjny sposób na sali porodowej (należy jednak pamiętać, że obojnactwo, aczkolwiek rzadko, również się zdarza).

Czy jest bezpieczna? Większość kobiet po zabiegu nie odczuwa niczego poza łagodnym skurczem; rzadko występuje niewielkie krwawienie z pochwy lub wyciek płynu owodniowego. I chociaż tylko u mniej niż 1 kobiety na 200 rozwija się infekcja lub inne komplikacje, mogące doprowadzić do poronienia, amniopunkcja, tak jak większość badań przeprowadzanych w ramach diagnozy prenatalnej, powinna być stosowana wyłącznie wtedy, gdy korzyści przeważają nad zagrożeniami.

ULTRADŹWIĘKI

Wprowadzenie ultrasonografii sprawiło, że położnictwo jest bardziej precyzyjną dziedziną wiedzy, a ciąża wydarzeniem dużo mniej stresującym dla wielu przyszłych rodziców. Poprzez wykorzystanie fal dźwiękowych odbijających się od struktur wewnętrznych, możliwa jest wizualizacja płodu bez zagrożeń, jakie stwarza promieniowanie rentgenowskie. Jeżeli używane urządzenie wyposażone jest w podobny do telewizyjnego ekran,

Powikłania związane z amniopunkcją

Chociaż powikłania takie są rzadkie, ocenia się, że w przypadku 1 zabiegu na 100 po jego zakończeniu może wystąpić odpływanie płynu owodniowego. Jeżeli zauważysz wodnistą wydzielinę z pochwy, natychmiast zgłoś się do swojego lekarza. Istnieją duże szanse, że wyciek po paru dniach ustanie, jednakże odpoczynek w łóżku oraz dokładna obserwacja są zalecane do czasu, gdy to nie nastąpi.

pojawia się wówczas wyjątkowa okazja, by zobaczyć swoje dziecko – i może nawet otrzymać zdjęcie sonogramu, by móc pokazać przyjaciołom i rodzinie – jednak do rozpoznania na zamazanym obrazie główki albo pośladków potrzeba raczej fachowca.

USG I stopnia jest zwykle wykonywane w celu określenia wieku ciąży, natomiast dokładniejsze USG – II stopnia – w celu przeprowadzenia bardziej specjalistycznej diagnostyki płodu. Wykorzystanie ultrasonografii zalecane jest w przypadkach, gdy w historii zdrowotnej matki pojawiały się różnego rodzaju komplikacje położnicze, na przykład ciąża ektopowa, zaśniad groniasty (łożysko rozwija się w formie wiązki przypominających winogrona cyst, które nie są w stanie podtrzymać rozrastającego się płodu), cięcie cesarskie, dziecko z uszkodzeniem okołoporodowym lub chorobą dziedziczną. Może być ona również stosowana do:

- Potwierdzenia terminu porodu poprzez sprawdzenie, czy odpowiada on wielkości dziecka.[1]
- Określenia stanu płodu w przypadkach zwiększonego ryzyka wystąpienia wad lub pojawienia się większych niż normalnie obaw co do jego kondycji fizycznej. Badanie to można przeprowadzić wcześniej, a często i dokładniej przy zastosowaniu ultrasonografii transwaginalnej.
- Wykluczenie ciąży przed upływem 7 tygodnia, jeżeli zachodzi podejrzenie, że test ciążowy dał fałszywy wynik pozytywny.
- Określenia przyczyn krwawienia lub plamienia we wczesnej ciąży, takich jak ciąża ektopowa lub puste jajo płodowe (embrion, który przestał się rozwijać i nie jest już dalej zdolny do życia).
- Zlokalizowania wkładki śródmacicznej, która była założona w czasie zapłodnienia.
- Zlokalizowania płodu przed amniopunkcją i podczas biopsji kosmówki.
- Określenia stanu płodu, jeżeli przed upływem 14 tygodnia nie wykryto za pomocą aparatu Dopplera czynności serca lub jeżeli przed 22 tygodniem ciąży nie dały się zauważyć żadne ruchy płodu.
- Zdiagnozowania mnogich płodów zwykle w przypadkach, gdy matka zażywała środki poprawiające płodność i/lub wtedy, gdy macica jest większa w stosunku do spodziewanej w danej fazie ciąży wielkości.
- Określenia, czy nienormalnie gwałtowny wzrost macicy spowodowany jest nadmiarem płynu owodniowego.
- Określenia stanu łożyska w przypadkach, gdy zaburzenie jego funkcji może być odpowiedzialne za opóźniony lub wadliwy rozwój płodu.
- Wykrycia zmian szyjki, które mogą zwiastować przedwczesny poród.
- Zwizualizowania łożyska w celu określenia, czy krwawienie w późniejszym okresie ciąży spowodowane jest niskim usadowieniem łożyska w macicy (łożysko przodujące) lub jego przedwczesnym oddzieleniem (łożysko przedwcześnie oddzielone). Skrzepy krwi znajdujące się za łożyskiem mogą również zostać pokazane na ekranie.
- Określenia wielkości płodu, gdy brany jest pod uwagę wcześniejszy poród lub gdy poród się opóźnia.
- Oceny stanu płodu na podstawie obserwacji aktywności płodu, jego ruchów oddechowych oraz objętości płynu owodniowego (patrz s. 268).
- Potwierdzenia położenia miednicowego lub innych nietypowych położeń płodu i pępowiny przed mającym nastąpić porodem.

[1] Niektórzy lekarze uważają, że badanie to powinno być wykonywane rutynowo, ponieważ wcześniejsze potwierdzenie terminu zmniejsza możliwość niepotrzebnego sprowokowania czynności porodowej; w przypadkach, gdy błędnie się sądzi, że poród jest opóźniony, to z kolei ogranicza potrzebę przeprowadzenia cięcia cesarskiego, gdy porodu nie można sprowokować.

Kiedy jest wykonywana? W zależności od potrzeby badanie USG może być wykonywane w każdym czasie, począwszy od 5 tygodnia ciąży, na samym porodzie kończąc. Ultrasonografię transwaginalną (poprzez pochwę) można wykonywać wcześniej niż przezbrzuszną w celu potwierdzenia ciąży mnogiej lub nieprawidłowości w rozwoju płodu.

Jak jest wykonywana? Badanie można wykonać przez brzuch lub przez pochwę, czasami, gdy zajdzie taka potrzeba, lekarz może przeprowadzić ultrasonografię na oba sposoby. Zabiegi są krótkie (od 5 do 10 minut) i bezbolesne, z wyjątkiem badania przezbrzusznego, do którego wykonania konieczny jest pełen pęcherz, co powoduje pewien dyskomfort u badanej (prawdopodobnie właśnie dlatego większość kobiet wydaje się preferować badanie przez pochwę). Podczas badania przyszła matka leży na plecach. W badaniu przezbrzusznym nagi brzuch zostaje pokryty warstwą olejku lub żelu, mającą poprawić przewodzenie dźwięku, następnie wolno przesuwany jest po powierzchni brzucha przetwornik. W przypadku badania transwaginalnego próbnik wprowadzany jest do pochwy. Urządzenie rejestruje echo fal dźwiękowych w momencie, gdy odbijają się od części ciała dziecka. Z pomocą technika lub lekarza możesz rozróżnić bijące serce, kręgosłup, głowę, ramiona i nogi. Może nawet uda ci się ujrzeć swe dziecko w chwili, gdy ssie palec. Czasami również daje się rozróżnić narządy płciowe i można domyślić się płci dziecka, chociaż bez 100% pewności (jeżeli nie chcesz poznać płci swojego dziecka, powiedz o tym wcześniej lekarzowi).

Czy jest bezpieczna? W ciągu 25 lat stosowania klinicznego i w celach badawczych nie stwierdzono żadnych znanych zagrożeń, wręcz przeciwnie – całe mnóstwo korzyści płynących z używania USG. Jednakże ponieważ istnieje niewielka możliwość, że efekty uboczne dadzą o sobie znać w przyszłości, powszechnie zalecane jest przez ekspertów amerykańskich wykorzystywanie ultradźwięków w czasie ciąży tylko w przypadkach, dla których istnieją uzasadnione wskazania. Chociaż badania w Wielkiej Brytanii popierają wykorzystywanie ultrasonografii rutynowo, amerykańskie zakładają, że nic lepszego się nie dzieje, gdy ultrasonografię stosuje się w prawidłowych ciążach.

FETOSKOPIA

Fetoskopia ma w sobie coś z fantastyki naukowej bardzo szybko zmieniającej się w medyczną codzienność. W podróży tak samo fantastycznej, jak te opisywane przez Isaaca Asimova, zminiaturyzowane urządzenie przypominające teleskop wyposażone w lampy i obiektywy wprowadzane jest poprzez niewielkie nacięcie w brzuchu i macicy do worka owodniowego, gdzie może ono obserwować i fotografować płód. Co więcej, fetoskopia umożliwia zdiagnozowanie poprzez pobranie próbek krwi i tkanek kilkunastu chorób krwi i skóry, których nie można wykryć za pomocą amniopunkcji. Ponieważ jest to jednak stosunkowo ryzykowny zabieg, a inne bezpieczniejsze techniki mogą wykrywać te same schorzenia, fetoskopia nie jest powszechnie stosowana.

Kiedy jest wykonywana? Zwykle po upływie 16 tygodnia ciąży.

Jak jest wykonywana? Po nasmarowaniu brzucha środkiem antyseptycznym i zastosowaniu znieczulenia miejscowego w brzuchu i macicy wykonuje się niewielkie nacięcie. Następnie, wykorzystując USG do precyzyjnego kierowania, poprzez owo nacięcie wprowadza się do macicy endoskop. Można wtedy za pomocą miniaturowego teleskopu oglądać płód, łożysko i płyn owodniowy, a także pobierać próbki krwi z połączenia pępowiny z łożyskiem i/lub małe fragmenty tkanki płodu bądź łożyska do późniejszych badań.

Czy jest bezpieczna? Fetoskopia jest przynajmniej w tej chwili stosunkowo ryzykownym zabiegiem, powodującym utratę płodu w 3 do 5% przypadków. Aczkolwiek ryzyko jest tutaj większe niż przy innych badaniach diagnostycznych, to jednak dla niektórych kobiet możliwość wykrycia, a czasem także leczenia lub korygowania wady płodu ma większe znaczenie.

BADANIE ALFAFETOPROTEINY W SUROWICY KRWI MATKI

Zwiększone ilości alfafetoproteiny (substancji wytwarzanej przez płód) w surowicy krwi matki mogą wskazywać na istnienie uszkodzenia układu nerwowego, takiego jak rozszczep kręgosłupa albo bezmózgowie (brak całego mózgu lub jego części). Nienormalnie niskie ilości tej substancji mogą wskazywać na występowanie zespołu Downa lub innej wady chromosomalnej. Jest to tylko badanie diagnostyczne i każdy nienormalny wynik wymaga przeprowadzenia dodatkowych badań w celu potwierdzenia wcześniejszej diagnozy. Wyniki mogą być uzależnione od przynależności do poszczególnych grup rasowych.

Kiedy jest wykonywane? Między 16 a 18 tygodniem ciąży.

Jak jest wykonywane? Ten prosty test wymaga tylko użycia próbki krwi matki. Jeżeli poziom alfafetoproteiny we krwi jest nienormalnie wysoki, przeprowadza się drugi test. Jeżeli potwierdzi on wstępne wyniki, podejmuje się wiele innych działań mających potwierdzić lub wykluczyć wadę układu nerwowego, w tym: konsultację genetyczną, USG w celu określenia wieku ciąży, wykrycia ciąży mnogiej lub nieprawidłowości w rozwoju płodu, i/lub amniopunkcję, aby ustalić ilości alfafetoproteiny i acetylocholinoesterazy w płynie owodniowym. Tylko u 1 lub 2 kobiet spośród 50 z wysokim wynikiem wstępnym przyczyną okazuje się w końcu wada płodu. U pozostałych 48 dalsze badania wykazują, że przyczyną podwyższonego poziomu alfafetoproteiny jest więcej niż jeden płód lub to, że ciąża jest bardziej zaawansowana, niż początkowo sądzono, a także fakt, że właściwe odczyty były niedokładne. Mimo faktu, że zwiększone poziomy alfafetoproteiny nie są zwykle powodem do alarmu, lekarze mogą zalecić dodatkowy odpoczynek i zachowanie czujności wszystkim kobietom z wysokimi odczytami, ponieważ mogą one być wystawione na większe ryzyko urodzenia noworodka z niedowagą lub urodzenia go przedwcześnie.

W przypadku, gdy poziom alfafetoproteiny jest nienormalnie niski, ultrasonografia, konsultacja genetyczna i/lub amniopunkcja mogą zostać przeprowadzone w celu określenia, czy płód faktycznie dotknięty jest zespołem Downa lub jakąś inną wadą chromosomalną.

Czy jest bezpieczne? Samo badanie wstępne nie stwarza większego zagrożenia dla matki lub jej dziecka niż każdy inny standardowy test krwi. Główne ryzyko, jakie ten test ze sobą niesie, polega na tym, że fałszywy wynik dodatni może pociągnąć za sobą przeprowadzenie zabiegów, które stanowią już większe zagrożenie, a w rzadkich przypadkach – leczniczą lub przypadkową aborcję.

Przed podjęciem jakichkolwiek działań w następstwie badań prenatalnych należy upewnić się, czy ich wyniki zostały ocenione przez doświadczonego lekarza lub specjalistę genetyka. Jeżeli będziesz mieć jakiekolwiek wątpliwości – spróbuj uzyskać dodatkową konsultację. Szczególnie pomocny może okazać się specjalista z zakresu medycyny matczyno-płodowej.

BIOPSJA KOSMÓWKI

Biopsja kosmówki może być wykonana o wiele wcześniej niż amniopunkcja. Wczesne diagnozowanie jest także pomocne dla tych, którzy biorą pod uwagę aborcję, gdy dzieje się coś złego. Biopsja kosmówki może być także zastosowana, jeśli amniopunkcja nie jest możliwa, na przykład ze względu na zbyt małą ilość płynu owodniowego (małowodzie).

Sądzi się, że dzięki biopsji kosmówki będzie można w końcu faktycznie wykrywać wszystkie 3800 zaburzeń powodowanych przez wadliwe geny lub chromosomy. W przyszłości umożliwi ona prawdopodobnie leczenie i korekcję wielu z tych schorzeń jeszcze w macicy. Obecnie biopsja kosmówki przydatna jest do wykrywania tylko takich zaburzeń, dla których istnieje już technologia badawcza, takich jak na przykład zespół Tay-Sachsa, niedokrwistość sierpowata, większość rodzajów zwłóknień torbielowatych, talasemie i zespół Downa. Badanie testowe dla poszczególnych chorób (oprócz zespołu Downa) wykonywane jest zwykle tylko wówczas, gdy dana choroba wystąpiła już wcześniej w rodzinie lub gdy wiadomo, że rodzice są nosicielami. Wskazania do przeprowadzenia badania są takie same, jak w przypadku amniopunkcji, aczkolwiek biopsja kosmówki nie jest stosowana do oceny dojrzałości płuc płodu. W niektórych przypadkach konieczne może być przeprowadzenie zarówno biopsji kosmówki, jak i amniopunkcji.

Kiedy jest wykonywana? W celu wykrycia genetycznych obciążeń, najczęściej między 10 a 13 tygodniem ciąży (w Polsce nawet między 8 a 10 tygodniem). Procedura może zostać uruchomiona później (jeżeli zanikają kosmki), aby wykonać biopsję łożyska.

Jak jest wykonywana? Być może kiedyś biopsja kosmówki stanie się powszechnie stosowanym zabiegiem, jednakże obecnie wykonywana jest tylko w centralnych ośrodkach medycznych. Aczkolwiek początkowo pobieranie próbek wykonywane było zawsze przez pochwę i szyjkę (biopsja przezszyjkowa) obecnie często jest wykonywana za pomocą igły wprowadzonej przez powłoki brzuszne (biopsja przezbrzuszna). Żaden z zabiegów nie jest całkowicie bezbolesny, dolegliwości wahają się od bardzo łagodnych do poważnych.

W zabiegu przezszyjkowym ciężarna leży na stole zabiegowym, podczas gdy długa cienka rurka wprowadzana jest przez pochwę do macicy. Korzystając z pomocy USG, lekarz umieszcza rurkę pomiędzy wyściółką a kosmówką macicy – błoną płodową, która ostatecznie uformuje łożysko od strony płodu. Próbki kosmków (przypominających palce wypustek kosmówki) są wtedy odcinane lub odsysane dla dalszych badań diagnostycznych.

W przypadku biopsji przezbrzusznej pacjentka również leży na plecach na stole zabiegowym. USG zostaje użyta do określenia położenia łożyska i obejrzenia ścian macicy.[1] Pomaga to również lekarzowi w znalezieniu bezpiecznego miejsca, gdzie można wprowadzić igłę. Okolica ta zostaje umyta i zdezynfekowana, a następnie miejscowo znieczulona. Ciągle pod kontrolą USG igła prowadząca zostaje przez brzuch i ścianę macicy wprowadzona w brzeg łożyska, po czym węższa igła, służąca do pobierania próbek, zostaje wsunięta w igłę prowadzącą. Następnie obraca się nią i przesuwa w przód i w tył około 15-20 razy i wyciąga z próbką komórek przeznaczonych do dalszego badania.

Jako że kosmki kosmówki są pochodzenia płodowego, badanie ich może dostarczyć kompletny obraz struktury genetycznej rozwijającego się płodu. Chociaż można otrzymać wyniki na podstawie badania szybko pobranych komórek zewnętrznej warstwy (cytotrofoblast) w terminie do trzech dni, pewniejsze wyniki mogą zostać osiągnięte przez wyhodowanie kultur komórek z wewnętrznej warstwy fibroblastów w czasie od siedmiu do dziesięciu dni. Z tego powodu przy wykonywaniu biopsji kosmówki obecnie rutynowo wykorzystuje się wewnętrzną warstwę komórek.

Czy jest bezpieczna? Zabieg ten jest stosunkowo nowy, jednakże dotychczasowe badania dowiodły, że jest wystarczająco bezpieczny i pewny. Kosmki, z których pobierane są komórki przeznaczone do badań, wraz z rozwojem płodu zanikają, dlatego też sądzi się, że ich usunięcie nie stwarza żadnego niebezpieczeństwa. Zabieg ten zwiększa ryzyko wystąpienia poronienia o około 1% (dwukrot-

[1] Kobiety mające łożysko umiejscowione głęboko w tyle macicy lub takie, które mają mięśniaki w ścianach macicy, nie są odpowiednimi kandydatkami do przeprowadzenia tego rodzaju USG.

nie więcej niż w przypadku amniopunkcji), jednakże wiele osób skłonnych jest podjąć to ryzyko za cenę uzyskania wcześniejszej informacji diagnostycznej dotyczącej płodu. Istnieje również niewielkie ryzyko, że ciąża może zostać przerwana na podstawie błędnej informacji, jak w przypadku zaburzenia zwanego mozaicyzmem, które, nie występując w płodzie, może zostać wykryte w kosmkach. Ryzyko takie można zawsze wyeliminować, przeprowadzając drugie badanie diagnostyczne za pomocą amniopunkcji.

Po przeprowadzonej biopsji kosmówki może czasami wystąpić krwawienie z pochwy, co nie powinno jednak stanowić powodu do zmartwień, chociaż zawsze należy o tym poinformować lekarza. Twój lekarz powinien również wiedzieć, czy krwawienie trwa przez trzy dni, czy dłużej. Ponieważ występuje także niewielkie zagrożenie infekcją, pamiętaj, by powiadomić o każdej gorączce, która pojawi się w pierwszych paru dniach po zabiegu.[1]

Ze względu na fakt, że wiele kobiet po tym zabiegu jest fizycznie i emocjonalnie bardzo wyczerpanych (nie jest tu czymś niezwykłym pójście do łóżka i sen na okrągło) zazwyczaj zaleca się, by mające poddać się zabiegowi kobiety już wcześniej zapewniły sobie transport po jego wykonaniu i nie planowały żadnych innych zajęć na resztę dnia.

INNE RODZAJE DIAGNOSTYKI PRENATALNEJ

Dziedzina diagnostyki prenatalnej poszerza się bardzo szybko i coraz to nowe metody badań poddawane są fachowej ocenie. Oprócz standardowych metod wymienionych powyżej są jeszcze inne stosowane eksperymentalnie lub tylko w wyjątkowych przypadkach. Należą do nich:

- **Badanie krwi matki na zawartość hCG** (ludzka gonadotropina kosmówkowa), które może w końcu okazać się przydatniejsze niż sam wiek pacjentki, będący dotychczas najważniejszym kryterium określającym, kto powinien zostać poddany amniopunkcji w celu wykrycia zespołu Downa. Naukowcy odkryli, że wysoki poziom hCG w krwi ciężarnej kobiety oznacza, iż wystawiona ona jest na większe niż zwykle ryzyko urodzenia dziecka z zespołem Downa. Wówczas wiadomo, że jest ona odpowiednią osobą do przeprowadzenia amniopunkcji.
- **Znacznik surowicy krwi matki.** Połączenie testów MSAFP i hCG z testem na niski poziom estriolu we krwi może być wykorzystane do przeprowadzenia rutynowych badań matek w różnym wieku pod kątem wykrycia u płodu zespołu Downa. Jeżeli testy dają wynik nieprawidłowy, przeprowadza się punkcję owodni. Testy te mogą wyeliminować konieczność przeprowadzenia rutynowej punkcji owodni u kobiet powyżej 35 roku życia, umożliwiając też diagnostykę prenatalną u młodszych kobiet (które nie są poddawane rutynowym punkcjom owodni).
- **Przezskórne pobieranie próbek krwi z pępowiny (PUBS),** w którym krew do badania pobiera się z pępowiny. Jest to bezpieczniejsza metoda niż fetoskopia, jeżeli wykonuje się ją z kontrolą USG, a może wykryć te same schorzenia. Krew można również pobierać z żyły wątrobowej płodu.
- **Pobieranie skóry płodu** – w zabiegu tym pobiera się niewielką próbkę skóry płodu, po czym poddaje badaniom. Metoda ta jest szczególnie użyteczna przy wykrywaniu niektórych schorzeń skóry.
- **Obrazowanie za pomocą rezonansu magnetycznego** – metoda ta jest ciągle w fazie badań i opracowań, jednakże wydaje się obiecująca, jeśli idzie o wytwarzanie wyraźniejszego niż w USG obrazu dziecka – wewnątrz i na zewnątrz.

[1] Ponieważ istnieje potencjalna możliwość przedostania się czerwonych ciałek krwi płodu do układu krążenia matki, niektórzy lekarze uważają, że kobietom z grupą krwi Rh– powinno się przed wykonaniem biopsji kosmówki podawać immunoglobulinę, zwaną globuliną anty-D.

Zmniejszenie zagrożeń dla każdej ciąży

Dobra opieka medyczna. Nawet ciąża niskiego ryzyka może być zagrożona, jeżeli opieka prenatalna jest nieodpowiednia lub nie ma jej wcale. Regularne wizyty u lekarza, poczynając od momentu, gdy tylko zaistnieje podejrzenie ciąży, są niezbędne dla wszystkich przyszłych matek. (Jeśli należysz do kategorii wysokiego ryzyka, wybierz położnika z dużym doświadczeniem, szczególnie w schorzeniach, które i ciebie dotyczą.) Lecz równie ważne jak dobry lekarz jest to, byś była dobrą pacjentką. Bądź aktywna i współpracuj z lekarzem – zadawaj pytania, opisuj objawy – ale nie próbuj być lekarzem na własną rękę (patrz s. 42).

Dobra dieta. „Dieta najlepszej szansy" (patrz s. 103) daje każdej ciężarnej kobiecie najwięcej szans na udaną i przyjemną ciążę oraz na urodzenie zdrowego dziecka.

Kondycja fizyczna. Dobrze jest rozpoczynać ciążę, mając odpowiednio uformowane, sprawne ciało, jednak nigdy nie jest za późno, by zacząć czerpać korzyści płynące z ćwiczeń fizycznych. Regularne ćwiczenia mogą zapobiec zaparciom i polepszyć oddychanie, krążenie, napięcie mięśni i elastyczność skóry, a przez to przyczynić się do mniej dokuczliwego przebiegu ciąży i łatwiejszego, bezpieczniejszego porodu (patrz s. 197).

Rozsądny wzrost wagi ciała. Stopniowy, równomierny i umiarkowany przybór na wadze może pomóc uniknąć wielu komplikacji, w tym cukrzycy, nadciśnienia, żylaków, hemoroidów, niskiej wagi noworodka i trudnego porodu spowodowanego nadmiernie dużym płodem (patrz s. 162).

Niepalenie lub rzucenie palenia możliwie jak najwcześniej w czasie ciąży może zmniejszyć wiele zagrożeń dla matki i dziecka, w tym przedwczesny poród lub niską wagę noworodka (patrz s. 83).

Abstynencja. Picie bardzo rzadko lub wcale zmniejszy ryzyko wystąpienia wad wrodzonych, w szczególności alkoholowego zespołu płodu (wynik bardzo intensywnego picia) lub efektu alkoholowego płodu (wynik bardziej umiarkowanego picia – patrz s. 81).

Unikanie narkotyków. Wszystkie zabronione środki są niebezpieczne dla płodu i powinno się ich w czasie ciąży unikać. Jako leki powinny być stosowane tylko wtedy, gdy korzyści przeważają nad zagrożeniami, i tylko wówczas, gdy zostały zaaprobowane lub przepisane przez lekarza wiedzącego o tym, że jesteś w ciąży (patrz s. 86).

Unikanie toksyn w środowisku naturalnym i zawodowym. Chociaż wszystko, czego dotykamy, czym oddychamy, co jemy i pijemy nie jest tak niebezpieczne, jak usiłują to przedstawiać gazety, unikanie ogólnie znanych zagrożeń (takich jak nadmierne napromieniowanie, ołów itd. patrz osobne omówienie) jest bardzo rozsądne.

Zapobieganie i szybkie leczenie infekcji. Wszystkich infekcji – począwszy od zwykłego przeziębienia, poprzez infekcje dróg moczowych i pochwy, a kończąc na coraz powszechniejszych schorzeniach przenoszonych drogą płciową – należy, gdy tylko to możliwe, unikać. W przypadku pojawienia się infekcji należy starać się jak najszybciej ją wyleczyć przy pomocy lekarza, który wie, że jesteś w ciąży.

Uświadomienie sobie syndromu superkobiety. Często współczesne matki ze swymi udanymi karierami zawodowymi i wysoką motywacją do wszystkiego, co robią, bywają ponad miarę ambitne i pracowite. Odpowiednia ilość odpoczynku w czasie ciąży jest dużo ważniejsza niż przeprowadzenie do końca wszystkich zaplanowanych spraw, szczególnie w przypadkach ciąż wysokiego ryzyka. Zwolnij trochę tempo – nie czekaj, aż twoje ciało zacznie upominać się o trochę wytchnienia. Jeżeli twój lekarz zaleci ci wcześniejsze, niż planowałaś, rozpoczęcie urlopu macierzyńskiego – skorzystaj z tej rady. Niektóre opracowania wykazały częstsze występowanie przedwczesnych porodów u kobiet, które pracowały aż do przewidywanego terminu porodu, a ich praca wymagała wysiłku fizycznego lub długich okresów stania.

- **Radiografia (rentgen)** – kiedyś dominująca metoda wizualizacji dziecka prenatalnie – została prawie całkowicie zastąpiona przez USG.
- **Echokardiografia** – za jej pomocą można wykryć wady serca płodu.
- **Badanie krwi matki dla określenia płci płodu,** aczkolwiek ciągle jeszcze eksperymentalna, metoda ta może być cenna w przypadkach diagnozowania pewnych chorób dziedzicznych, przekazywanych wyłącznie męskim potomkom.

3

W czasie ciąży

CO MOŻE CIĘ NIEPOKOIĆ

Kobiety ciężarne zawsze się niepokoiły. Natomiast niepokojące je problemy zmieniały się przez pokolenia, gdyż ginekologia oraz przyszli rodzice odkrywali coraz więcej na temat tego, co ma, a co nie ma wpływu na dobry stan nie narodzonego dziecka. Nasze babcie, skłonne wierzyć w najróżniejsze opowieści, wierzyły, że ujrzenie małpy przez kobietę ciężarną spowoduje, że urodzi ona dziecko podobne do małpy, albo że uderzenie się w brzuch ze strachu pozostawi na dziecku znamię w kształcie ręki. My natomiast skłonni jesteśmy uwierzyć w codzienną porcję opowieści prasowych i telewizyjnych (zazwyczaj równie przerażających i bezpodstawnych) i w rezultacie mamy inne zmartwienia: czy powietrze, którym oddycham, jest zanieczyszczone? Czy woda, którą piję, jest bezpieczna? Czy moja praca lub palenie papierosów przez męża, lub filiżanka porannej kawy, są szkodliwe dla zdrowia mojego dziecka? A co ze zdjęciem rentgenowskim zęba? Problemy te stają się źródłem zmartwień, co z kolei przyczynia się do nerwowego przebiegu ciąży. Mogą one jednak stać się podstawą działania, które przyniesie efekty w postaci zdrowego dziecka.

ALKOHOL

Zanim dowiedziałam się, że jestem w ciąży, przy kilku okazjach piłam alkohol. Obawiam się, że mogło to negatywnie wpłynąć na zdrowie mojego dziecka.

Oto poczniesz i porodzisz syna; Wystrzegaj się przeto odtąd i nie pij wina ani innego napoju upajającego" – powiedział anioł do matki Samsona w *Księdze Sędziów.* Szczęśliwa kobieta. Mogła zacząć zamawiać wodę mineralną, gdy jej syn był tylko iskierką w oku swojego ojca. Niewiele z nas otrzymuje takie uprzedzenie o nadchodzącej ciąży. I dlatego też robimy wiele rzeczy, których później żałujemy, gdy w drugim miesiącu dowiadujemy się, że jesteśmy ciężarne. Na przykład wypicie kilku kieliszków jest najczęstszym problemem, z którym zwracają się ciężarne pacjentki w czasie pierwszej wizyty.

Na szczęście jest to jeden z problemów, o których można szybko zapomnieć. Nie udowodniono bowiem, że kilka kieliszków alkoholu we wczesnym okresie ciąży może okazać się szkodliwymi dla zarodka. Niedawne badania wykazały, że kobiety, które we wczesnym stadium ciąży wypiły trochę alkoholu, urodziły tak samo zdrowe dzieci jak te, które w ogóle nie piły.

Jednakże nadużywanie alkoholu w czasie ciąży jest związane z występowaniem zaburzeń u potomstwa. Nie jest to zaskakujące, gdy weźmiemy pod uwagę fakt, że alkohol przenika do krwi płodu w takim samym stężeniu, jak do krwi matki; każdy kieliszek wypity przez ciężarną kobietę jest dzielony z jej dzieckiem. Ponieważ wyeliminowanie alkoholu z krwi płodu trwa dwukrotnie dłużej niż z krwi matki, dziecko może być na etapie tracenia przytomności, gdy jego matka zaczyna się dobrze czuć.

Nadużywanie alkoholu (ogólnie uważane za wypicie 5 lub 6 kieliszków wina, piwa lub czystego spirytusu dziennie) w czasie ciąży może wywołać nie tylko poważne komplikacje ginekologiczne, ale także tzw. alkoholowy zespół płodu. Stan ten opisany jest jako kac trwający przez całe życie; niemowlęta rodzą się mniejsze, z upośledzeniami psychicznymi i fizycznymi (zwłaszcza głowy, twarzy, serca, kończyn i centralnego układu nerwowego), zwiększa się śmiertelność płodów. Później dzieci z tym zespołem mają kłopoty z nauką, właściwym zachowaniem, cierpią na problemy natury społecznej, nie potrafią postępować rozsądnie.

Ryzyko ciągłego picia jest również związane z ilością spożywanego alkoholu; im więcej pijesz, tym większe niebezpieczeństwo grozi twojemu dziecku. Ale nawet umiarkowane spożywanie alkoholu (1-2 kieliszki dziennie lub sporadycznie 5-6 kieliszków) w czasie całej ciąży może mieć przykre konsekwencje, jak np. zwiększone ryzyko poronień, przedwczesna akcja porodowa, niska masa urodzeniowa czy komplikacje w czasie porodu. Ma to również związek z bardziej subtelnym efektem alkoholowym płodu (EAP), który charakteryzuje się licznymi problemami rozwojowymi i zachowawczymi. Nawet 1-2 kieliszki alkoholu dziennie zwiększają ryzyko poronień, narodzin martwego płodu, nienormalnego rozwoju i problemów rozwojowych. Picie w ciągu ostatnich sześciu miesięcy ciąży może spowodować wzrost zagrożenia leukemią u dziecka. Mimo że są kobiety, które w czasie ciąży piją niewielką ilość alkoholu (kieliszek wina na noc) i udaje im się urodzić zdrowe dziecko, to jednak nie ma żadnej gwarancji, że jest to rzecz rozsądna. Jeśli istnieje jakakolwiek bezpieczna ilość alkoholu spożywanego w czasie ciąży, to na razie nie jest ona znana.

Jedyną rzeczą wiadomą na temat alkoholu i ciąży jest to, że nie powinnaś się martwić kilkoma kieliszkami wypitymi, zanim się dowiedziałaś, że jesteś w ciąży. Jednakże rozsądnie byłoby zaprzestać picia podczas ciąży – z wyjątkiem może symbolicznej lampki wina z okazji urodzin lub innej rocznicy (alkohol powinien być spożywany wraz z posiłkiem, gdyż jedzenie zmniejsza jego wchłanialność).

Dla niektórych kobiet jest to sprawa bardzo łatwa – szczególnie dla tych, które wyrabiają w sobie niechęć do alkoholu we wczesnym okresie ciąży. Dla innych, szczególnie dla tych, które przyzwyczajone są do wieczornego relaksu przy koktajlu lub do picia wina do kolacji, całkowita abstynencja może okazać się kłopotliwa i wymagająca zmiany stylu życia.

Jeśli pijesz, aby się zrelaksować, poszukaj innych metod relaksu, jak muzyka, ciepłe kąpiele, masaże, ćwiczenia, czytanie. Jeśli picie alkoholu jest codziennym rytuałem, którego nie chcesz się pozbyć, to wypij sobie „dziewiczą Mary" (jest to „krwawa Mary" bez wódki), sok jabłkowy, winogronowy lub piwo bezalkoholowe do obiadu lub kolacji, wypij „dziewiczą Sangrię" (przepis na s. 119) w godzinie koktajlu, podane o zwyczajowej porze, w zwyczajowych szklankach, zgodnie z rytuałem. Jeżeli mąż dotrzyma ci towarzystwa i będzie pił to co ty (przynajmniej w twojej obecności), będzie ci łatwiej osiągnąć wytyczony cel.

W Stanach Zjednoczonych główną przyczyną opóźnień w rozwoju umysłowym jest właśnie spożywanie alkoholu, mimo że wadom tym można zapobiec. Im szybciej kobieta nadużywająca alkoholu przestanie go spożywać w ciąży, tym mniejsze ryzyko dla dziecka. Nadużywająca alkoholu kobieta, która nie chce zasięgnąć porady i pomocy w poradni odwykowej lub u lekarza, powinna przerwać ciążę[1] i odczekać z ponownym zajściem w ciążę, aż poradzi sobie ze swoim problemem.

---

[1] Jest to stanowisko Autorek, wyrażające być może poglądy uznawane w USA. Redaktor wydania polskiego nie prezentuje poglądu o konieczności podejmowania tak drastycznych rozwiązań.

PALENIE PAPIEROSÓW

Palę od dziesięciu lat. Czy to wpłynie ujemnie na zdrowie mojego dziecka?

Na szczęście nie ma żadnych podstaw, żeby stwierdzić, iż palenie – nawet rozpoczęte 10 lub 20 lat przed ciążą – będzie miało negatywny wpływ na płód. Jednak udowodnione jest, że palenie papierosów w czasie ciąży – szczególnie po czwartym miesiącu – jest niebezpieczne. Palenie uznaje się za przyczynę około 115 tys. poronień i 5600 zgonów dzieci przed ukończeniem pierwszego roku życia. Może także zwiększyć ryzyko szeroko rozumianych komplikacji w tym okresie ciąży. Do najgroźniejszych należą: krwawienie z pochwy, wadliwe ułożenie łożyska, przedwczesne oddzielenie łożyska, przedwczesne pęknięcie błon, wcześniejszy poród. Sądzi się, że aż 14% przedwczesnych porodów spowodowanych jest paleniem tytoniu przez matki.

Są również niepodważalne dowody na to, że palenie papierosów przez przyszłą matkę wpływa bezpośrednio na rozwój dziecka w jej łonie. Największym zagrożeniem jest niska masa urodzeniowa. W krajach wysoko rozwiniętych, jak USA czy Wielka Brytania, jedna trzecia noworodków z niską masą urodzeniową jest efektem palenia papierosów przez ich matki. Ta niska masa jest główną przyczyną chorób dziecięcych i śmierci dziecka krótko przed, w trakcie lub zaraz po porodzie.

Istnieje również inne potencjalne ryzyko. Dzieci matek palących są bardziej podatne na zakłócenia w oddychaniu i dwukrotnie bardziej narażone na śmierć (SIDS – zespół nagłej śmierci niemowlęcia, tzw. śmierć w kołysce) niż dzieci niepalących. Ogólnie rzecz biorąc, dzieci matek niepalących są znacznie zdrowsze niż palących. Udowodniono również, że dzieci matek palących mogą nigdy nie dorównać innym dzieciom, mogą przechodzić długotrwałe zahamowania fizyczne i intelektualne, a także mogą być dziećmi nadpobudliwymi. Badania wykazały, że czternastolatki, których matki paliły w czasie ciąży, były bardziej podatne na choroby układu oddechowego, niższe i mniej zdolne w szkole.

Dawniej uważano, że przyczyną tych zjawisk było nieprawidłowe odżywianie się kobiet palących w czasie ciąży; kobiety te więcej paliły, aniżeli jadły. Jednak obecne doświadczenia obalają tę teorię: kobiety palące, które jedzą i przybierają na wadze tyle samo, ile niepalące, mimo wszystko rodzą dzieci mniejsze. Wydaje się, że jest to wynikiem zatrucia tlenkiem węgla oraz zmniejszonej ilości tlenu dostarczanego przez łożysko do płodu. Przyrost ciężaru ciała o ok. 20 kg w czasie ciąży może w pewien sposób zwiększyć szansę urodzenia dziecka o normalnym wzroście, lecz taka nadmierna masa wiąże się z innymi problemami dla matki i dla dziecka.

Ogólnie rzecz biorąc, gdy kobieta pali papierosa, jej dziecko jest zamknięte w wypełnionym dymem łonie. Jego serce bije szybciej, kaszle i krztusi się, a najgorsze jest, że w związku z brakiem dostatecznej ilości tlenu dziecko nie jest w stanie rosnąć i rozwijać się tak, jak powinno.

Badania wykazały, że liczba wypalonych papierosów jest również bardzo ważna; kobieta wypalająca paczkę papierosów dziennie zwiększa ryzyko urodzenia dziecka o niskiej masie urodzeniowej o 130%. Ograniczenie liczby wypalanych papierosów, z jednej strony konieczne, z drugiej strony może być zdradliwe, gdyż osoba paląca często nadrabia stracone papierosy poprzez częstsze i głębsze wdychanie dymu oraz wypalanie papierosa do samego końca. Takie niebezpieczeństwo istnieje również, gdy kobieta sięga po niskosmołowe lub niskonikotynowe papierosy.

Nie należy się jednak załamywać. Badania wykazały, że kobiety, które przestały palić we wczesnych miesiącach ciąży – nie później niż w czwartym miesiącu – zmniejszyły ryzyko urodzenia chorego dziecka do minimum. Im wcześniej, tym lepiej, ale rzucenie palenia nawet w ostatnim miesiącu może pomóc w dostarczeniu dziecku dostatecznej ilości tlenu. Niektórym palącym kobietom najłatwiej będzie rzucić palenie właśnie we wczesnym stadium ciąży, gdy wyrabia się niesmak do papierosów – prawdopodobnie ostrzeżenie zmieniającego się organizmu. Jeśli nie będziesz miała tyle szczęścia i nie wyrobi się w tobie taki niesmak, postaraj się rzucić palenie przy

Metody rzucenia palenia papierosów

Najpierw określ, dlaczego palisz. Czy palisz dla przyjemności, stymulacji czy relaksu? Aby zredukować frustrację, mieć coś w ręku czy żeby zaspokoić łaknienie? A może palisz z przyzwyczajenia, zapalając papierosa bez zastanowienia? Jeśli określisz przyczynę palenia, łatwiej będzie ci znaleźć coś w zamian.

Znajdź powód, aby rzucić palenie. Jesteś w ciąży, więc sprawa jest łatwa.

Znajdź swoją własną metodę na rzucenie palenia. Chcesz przerwać od razu czy stopniowo? Tak czy owak, wybierz sobie „ostatni dzień" w niedalekiej przyszłości. Zaplanuj go sobie tak, aby był on wypełniony zajęciami – takimi, które nie kojarzą ci się z paleniem.

Postaraj się wyizolować swoją chęć palenia. Wybierz sobie jedną lub wszystkie z następujących metod:

- Jeśli palisz po to, aby mieć coś w ręku, spróbuj bawić się długopisem, ołówkiem; zrób coś na drutach, wypoleruj srebro, napisz list, pograj na pianinie, naucz się malować, zrób parę szmacianych lalek, rozwiąż kilka krzyżówek lub układankę, zagraj w grę planszową – rób wszystko, aby zapomnieć o papierosach.
- Jeśli palisz papierosy dla smaku, to zastąp je czymś – gumą nikotynową, surowymi jarzynami, prażoną kukurydzą, razowym chlebem. Unikaj słodyczy, gdyż są to jedynie puste kalorie.
- Jeśli palisz dla stymulacji, staraj się uzyskać tę energię z szybkiego spaceru, ciekawej książki lub konwersacji. Dopilnuj, aby twoja dieta zawierała wszystkie niezbędne witaminy i minerały. Jedz często, aby uniknąć uczucia zmęczenia i zniechęcenia, które jest wywołane niską ilością cukru we krwi.
- Jeśli palisz dla relaksu lub zredukowania napięcia, spróbuj zastąpić palenie ćwiczeniami fizycznymi lub relaksującymi. Albo posłuchaj muzyki. Albo idź na długi spacer. Albo niech ktoś zrobi ci masaż. Albo pokochaj się z mężem.
- Jeśli palisz dla przyjemności, poszukaj sobie przyjemności w innych rozrywkach, najlepiej takich, które wykluczają możliwość zapalenia papierosa. Idź do kina, odwiedź sklepy dziecięce, idź do ulubionego muzeum, na koncert lub do teatru. Idź na kolację z przyjaciółką uczuloną na dym papierosowy. Albo zagraj w coś, np. w tenisa.
- Jeśli palisz z przyzwyczajenia, unikaj otoczenia, w którym zwykle paliłaś, i palących przyjaciół. Odwiedzaj natomiast miejsca, w których obowiązuje zakaz palenia.
- Jeśli palenie kojarzy ci się z jakimś konkretnym napojem lub daniem, unikaj tych rzeczy albo jedz w innym miejscu (powiedzmy, że paliłaś przy śniadaniu, ale nigdy w łóżku – jedz zatem śniadanie w łóżku!).
- Kiedy czujesz, że masz ochotę zapalić, weź kilka głębokich wdechów, wstrzymując oddech między nimi. Ostatni oddech wstrzymaj, zapalając jednocześnie zapałkę. Wypuść powoli powietrze i zdmuchnij zapałkę. Udawaj, że był to papieros, i zgnieć ją w popielniczce.

Jeśli przytrafi ci się zapalić papierosa, nie załamuj się. Po prostu wróć do swego planu z przekonaniem, że każdy nie wypalony papieros przynosi korzyść twojemu dziecku.

Podchodź do rzucenia palenia jako do czegoś nieodwołalnego. Nie wolno palić w metrze, w kinach, w niektórych restauracjach. Teraz musisz sobie powiedzieć, że zakaz ten przez pewien okres będzie dotyczył ciebie i nie wolno ci palić papierosów.

pomocy poradni lub grupy odwykowej. Poproś swego lekarza, aby wskazał ci inne metody walki z nałogiem. Może będziesz nawet skłonna zastosować hipnozę.

Większość ludzi zamyka się w sobie po rzuceniu palenia, chociaż stopień niechęci to sprawa indywidualna. Niektórzy ludzie czują łaknienie tytoniu, niekiedy są podenerwowani, zatroskani, niespokojni, inni czują zmęczenie, pustkę w głowie oraz zaburzenia układu trawiennego. Większość ludzi kaszle więcej na początku, gdyż nagle ich organizmy są w stanie wydzielić zanieczyszczenia, które nagromadziły się w płucach.

Aby ograniczyć ilość wydzielanej nikotyny oraz zmniejszyć podenerwowanie, należy spożywać owoce, soki owocowe, mleko i warzywa, a tymczasowo ograniczyć ilość spożywanego mięsa, drobiu, ryb i sera; należy unikać kofeiny, która może jedynie zwiększyć stan podenerwowania. Należy dużo wypoczywać i dużo się ruszać, aby otrzymać energię, którą czerpano z nikotyny. Niech twój umysł odpocznie przez kilka dni. Wykonuj lekkie prace domowe, wychodź też do kina czy do teatru.

Najgorsze efekty rzucenia palenia będą cię męczyć tylko przez kilka tygodni, natomiast zyski będą widoczne – na przykładzie twoim i twojego dziecka – przez całe życie.

Moja szwagierka wypalała dwie paczki papierosów dziennie przez trzy ciąże, nie miała żadnych komplikacji i urodziła duże, zdrowe dzieci. Dlaczego ja mam przestać palić?

Każdy z nas słyszał różne opowieści o ludziach, którym się coś udało – o pacjencie chorym na raka, któremu dawano 10% szansy na przeżycie, a który dożył sędziwego wieku, lub też o ofierze trzęsienia ziemi, która przeżyła kilka dni pod gruzami, bez jedzenia i picia. Ale jest coś o wiele mniej inspirującego w kobiecie, której – pomimo iż pali papierosy, ryzykując zdrowie swojego dziecka – udaje się urodzić zdrowe i nie uszkodzone potomstwo.

Nie można tak ryzykować, gdy chodzi o zdrowie dziecka. A rzucenie palenia jest jednym z najbezpieczniejszych sposobów na urodzenie zdrowego dziecka i zapewnienie sobie lekkiego i bezproblemowego porodu. Oczywiście, istnieje szansa, że pomimo palenia urodzisz zdrowe dziecko, ale nie ma gwarancji, że nie będzie ono cierpiało na którąś z opisanych wyżej chorób. Twoja szwagierka miała szczęście (do pewnego stopnia mogło ono być wynikiem warunków genetycznych, których ty być może nie posiadasz). Ale czy warto ryzykować?

Z drugiej strony, wady fizyczne i psychiczne mogą ujawnić się dopiero po latach. To pozornie zdrowe niemowlę może wyrosnąć na dziecko podatne na choroby, nadpobudliwe i mające kłopoty z nauką.

Należy jeszcze wziąć pod uwagę wpływ, jaki może mieć palenie papierosów na twoje dziecko, gdy zostanie ono przeniesione z twojego wypełnionego dymem łona do twoich równie wypełnionych dymem pokoi. Dzieci palących rodziców są częściej chore i częściej przebywają w szpitalach w dzieciństwie.

Tak więc, rzucenie palenia jest twoim jedynym wyjściem.

GDY INNI PALĄ W TWOJEJ OBECNOŚCI

Przestałam palić papierosy, ale mój mąż wciąż wypala dwie paczki dziennie. Kilku moich współpracowników również pali po kilka paczek dziennie. Martwię się, że może to w jakiś sposób negatywnie wpłynąć na moje dziecko.

Okazuje się, że palenie negatywnie wpływa nie tylko na osobę palącą, ale również na osoby wdychające dym. Oddziałuje także na płód, gdy matka jest w pobliżu osoby palącej – wniosek z tego, że jeżeli w pobliżu ciebie ktoś pali, to twoje dziecko otrzymuje prawie tyle zanieczyszczeń, jakbyś ty sama wypalała papierosa.

Jeśli nawet twój mąż nie jest w stanie rzucić palenia, to poproś go, żeby chociaż robił to w innym pokoju, z daleka od ciebie i twojego dziecka. Rzucenie palenia byłoby oczywiście najlepsze nie tylko dla twojego męża, ale także dziecka. Badania wykazały, że dzieci rodziców palących są bardziej podatne na choroby układu oddechowego, które mogą ciągnąć się przez długie lata. Większe jest również prawdopodobieństwo, że dzieci te będą w przyszłości palaczami, podobnie jak ich rodzice.

Prawdopodobnie nie będziesz w stanie przekonać swoich współpracowników i znajomych, aby rzucili palenie dla ciebie, ale może uda ci się przekonać ich do ograniczenia palenia. Jeżeli tam, gdzie mieszkasz, są prawa chroniące niepalących, będzie to rzecz łatwa. Jeżeli ich nie ma, to zrób to w sposób bardzo delikatny – pokaż im tę książkę, aby mogli przeczytać o wpływie papierosów na płód. Jeśli to ci się nie uda, postaraj się przekonać dyrekcję swojego zakładu, aby wydała rozporządzenie ograniczające palenie do specjalnie wyznaczonych miejsc, które zabraniałoby palenia wśród niepalących. Gdyby to nie przyniosło rezultatów, postaraj się o przeniesienie do innego biura na czas ciąży.

ZAŻYWANIE MARIHUANY

Zażywam marihuanę od około dziesięciu lat. Robię to tylko na przyjęciach. Czy to mogło wpłynąć negatywnie na dziecko, które obecnie noszę? I czy palenie trawki w czasie ciąży jest szkodliwe?

Tak jak dwadzieścia lat temu nie były znane skutki palenia papierosów, tak w obecnych czasach nie są znane efekty zażywania marihuany. Ludzie palący marihuanę są królikami doświadczalnymi. A ponieważ marihuana przechodzi do płodu, matki, zażywając ją, robią ze swoich nie narodzonych dzieci króliki doświadczalne.

Zazwyczaj odradza się palenie marihuany parom planującym poczęcie potomstwa, gdyż może to utrudniać zapłodnienie. Natomiast jeśli jesteś już w ciąży, nie masz powodu zamartwiać się o swoje palenie w przeszłości, gdyż brak jakichkolwiek dowodów, że ma to ujemny wpływ na płód.

Jednakże kontynuowanie palenia marihuany podczas ciąży może mieć mniej szczęśliwe zakończenie. Niektóre badania wykazują, że dla kobiet ciężarnych, które zażywają marihuanę choćby raz w miesiącu, bardziej prawdopodobne jest, że: nieproporcjonalnie zwiększą masę ciała, będą cierpieć na chroniczne wymioty, które nie leczone, mogą poważnie zakłócić odżywianie płodu; będą miały gwałtowny, przedłużony lub zahamowany poród albo cesarskie cięcie; ich dzieci urodzą się z niedowagą (choć tu zwiększone ryzyko jest niewielkie); doświadczą w czasie porodu smółkowego wycieku płynu owodniowego (komplikacja, która może wskazywać na niebezpieczeństwo życia płodu) oraz że urodzą dzieci, które będą musiały być poddane procesowi przywrócenia do życia zaraz po porodzie. Choć brak jasnych dowodów na większe prawdopodobieństwo występowania zaburzeń u dzieci matek zażywających marihuanę, zanotowano przypadki występowania zaburzeń podobnych, jak przy alkoholowym zespole płodu (patrz s. 82): guzy, zakłócenia wzroku, symptomy odwykowe w okresie niemowlęctwa. Marihuana ma również zgubny wpływ na funkcje łożyska i systemu wydzielania wewnętrznego, co może przeszkodzić w szczęśliwym donoszeniu ciąży. Bazując na dostępnych dowodach, stwierdzono, że zażywanie marihuany przez ciężarną może być niebezpieczne dla płodu, który nosi.

Dlatego traktuj marihuanę jak każdy inny narkotyk w czasie ciąży: nie używaj jej bez zalecenia lekarza. Nie przejmuj się, jeśli paliłaś we wczesnym okresie ciąży. Jest bardzo mało prawdopodobne, że to mogło ci zaszkodzić, gdyż negatywne efekty marihuany ujawniają się w miarę rozwoju ciąży. Ciężarne kobiety, którym ciężko rozstać się z tym nałogiem, powinny poradzić się swojego lekarza, gdy tylko upewnią się, że są w ciąży.

KOKAINA I INNE NARKOTYKI

Zażywałam kokainę tydzień wcześniej, zanim dowiedziałam się, że jestem w ciąży. Teraz martwię się, że mogło to mieć zły wpływ na stan mojego dziecka.

Nie martw się, że zrobiłaś to w przeszłości; po prostu postanów sobie, że nigdy więcej. Chociaż bowiem wcześniejsze zażywanie narkotyku nie powinno mieć niepożądanych efektów, kontynuowanie nałogu podczas ciąży może okazać się katastrofą. Kokaina, przenikając przez łożysko, może je zniszczyć, ograniczając dopływ krwi do płodu i hamując jego rozwój. Może to spowodować wiele komplikacji ciążowych, jak poronienie, przedwczesny poród, urodzenie martwego dziecka. Dziecko, które przeżyje,

Przyszłe niebezpieczeństwa

Otwórz gazetę lub włącz telewizor bądź radio, a będziesz miała ogromną szansę usłyszeć kolejne doniesienia na temat ryzyka bycia w ciąży w naszych czasach. Gdyby wierzyć mass mediom, spodziewająca się dziecka matka nie powinna jeść, pić, oddychać lub pracować bez narażenia płodu na potencjalne niebezpieczeństwa. Ale wiedz, iż ciąża nigdy dotąd nie była tak bezpieczna, nigdy przedtem w historii rozrodu dzieci nie miały większej szansy urodzić się żywe i w lepszym stanie. Większość zagrożeń ze strony środowiska jest teoretyczna i są one tylko marginalną częścią wszystkich komplikacji związanych z ciążą i porodem.

Cóż powinna zrobić przyszła matka?

Przeczytać o wszystkich zagrożeniach środowiska wyszczególnionych w tym rozdziale, wyeliminować niektóre z nich, nauczyć się z nimi żyć, a co najważniejsze, patrzeć na nie z rozsądnej perspektywy. Takie czynniki środowiskowe, które nie są pod twoją kontrolą, jak: praca, w czasie której siedzisz naprzeciwko monitora komputera, rodzinne miasto skażone tlenkiem węgla, narażenie na trujące wyziewy, insektycydy – mają o wiele mniejszy wpływ na twoją ciążę niż czynniki pozostające pod twoim wpływem, jak: utrzymywanie dobrej formy, bycie pod regularną kontrolą lekarską, stosowanie diety, niepicie alkoholu, niepalenie papierosów, niebranie leków nie zalecanych od momentu, gdy odkryłaś, iż jesteś w ciąży. Kobieta, która obawia się o to, co było do tej pory, lecz ciągle pali paczkę papierosów dziennie, postępuje nierozsądnie. Byłoby znacznie mądrzej, gdyby skoncentrowała się na tych czynnikach, które z pewnością mają wpływ na dobrostan jej dziecka, niż na obawianiu się rzeczy, które z pewnością nie będą ważne.

może cierpieć z powodu wielu długotrwałych zaburzeń, jak biegunka, drażliwość, płaczliwość, zaburzenia w oddychaniu, fale mózgowe. Podejrzewa się też, choć tego nie potwierdzono, że dzieci te są narażone na wystąpienie zespołu nagłej śmierci niemowlęcia.

Oczywiście, im częściej przyszła matka zażywa kokainę, tym większe ryzyko dla dziecka. Lecz nawet okazjonalne zażywanie w późniejszym etapie ciąży może być niebezpieczne. Na przykład, jedno zażycie narkotyku od 6 do 9 miesiąca ciąży może spowodować skurcze, zaburzenia pracy serca płodu. Powiedz swojemu lekarzowi o każdym przypadku zażycia narkotyku od chwili poczęcia, im więcej bowiem lekarz wie, tym lepiej dla ciebie i dla dziecka. Jeśli masz problemy z całkowitym porzuceniem kokainy, zwróć się o profesjonalną poradę.

Kobiety ciężarne, które zażywają jakiekolwiek narkotyki – nie zalecane przez lekarza, który wie o ich ciąży – również narażają swoje dzieci na niebezpieczeństwo. Każdy nielegalny narkotyk (jak heroina, LSD, PCP) oraz każdy przepisany uzależniający lek (narkotyki, środki uspokajające i uśmierzające, tabletki odchudzające) może spowodować zaburzenia w rozwoju płodu, jeśli nie zostanie w porę odstawiony. Stąd, jeśli wciąż zażywasz narkotyki, potrzeba ci pomocy specjalisty, aby zwalczyć nałóg.

KOFEINA

Z trudem rozpoczynam swój dzień, jeżeli nie wypiję dwóch filiżanek kawy. Czy kofeina stwarza jakieś ryzyko w czasie ciąży?

Prawdopodobnie tak. Kofeina zawarta w kawie, herbacie, coli i niektórych napojach rzeczywiście przedostaje się przez łożysko do krwiobiegu płodu. Choć badania na płodach zwierzęcych wykazały szkodliwy wpływ kofeiny na ich rozwój. Wykryto, że nawet tak niewielka ilość jak półtorej do dwóch filiżanek kawy dziennie może podwoić ryzyko poronienia. Odnotowano również przypadki, w których picie czterech lub więcej filiżanek kawy dziennie doprowadziło do zaburzeń u noworodka, obejmujących zaburzenia pracy serca, drgawki i przyspieszony oddech. Chociaż w innych wypadkach nie wystąpiły problemy, zanim będziemy wiedzieć więcej na ten temat, sensowniej jest unikać kofeiny.

Oto dodatkowe powody, dla których warto zrezygnować z kofeinowej kawy (herbaty, coli) w czasie ciąży. Przede wszystkim, kofeina jest moczopędna, odwadnia i odwapnia organizm – ze szkodą dla zdrowia matki i dziecka. Jeżeli i bez tego masz problemy ze zbyt częstym oddawaniem moczu, spożycie kofeiny jeszcze je powiększy. Po drugie, kawa i herbata, zwłaszcza ze śmietanką i cukrem, będąc sycąca, lecz niepożywna, może zepsuć twój apetyt na potrzebne ci pożywne jedzenie. Cola jest sycąca, a ponadto zawiera składniki chemiczne o wątpliwej wartości i niepotrzebny cukier. Po trzecie, kofeina może pogłębić naturalne w czasie ciąży wahania nastroju i zakłócić wypoczynek. Po czwarte, przeszkadza w przyswajaniu żelaza, którego ty i twoje dziecko potrzebujecie. Po piąte, stwierdzono niedawno, że spożywanie kofeiny przez kobietę ciężarną może wywołać cukrzycę u jej dziecka. Wreszcie fakt, iż wiele kobiet traci apetyt na kawę na początku ciąży, wskazuje, że sama natura wybiera, co jest odpowiednie dla ciężarnych kobiet.

Jak zerwać z nałogiem kofeinowym? Pierwszy krok, motywacja, jest łatwy dla ciężarnych: zapewnić dziecku możliwie najzdrowsze wkroczenie w życie. Następnie musisz stwierdzić, dlaczego spożywasz kofeinę i które napoje musisz wykreślić ze swojego jadłospisu. Jeżeli pociąga cię smak kawy lub herbaty albo przyjemność picia ciepłego napoju, przerzuć się na ich bezkofeinowe odpowiedniki (ale nigdy nie zastępuj nimi mleka, soku pomarańczowego czy innych pożywnych napojów). Jeżeli pijesz colę dla jej smaku, zastąp ją bezkofeinowymi napojami; najlepiej 100% sokami owocowymi (z owocu papai, mango, z wiśni, jagód) w różnych kombinacjach oraz smakową wodą sodową. Jeśli chcesz ugasić pragnienie, to soki i woda, czysta lub gazowana, lepiej się do tego nadają. Jeśli chcesz podnieść ciśnienie, istnieją inne, lepsze środki, jak dobre jedzenie (zwłaszcza zawierające węglowodany i białko) albo ćwiczenia (taniec, jogging, uprawianie miłości). Po kilku dniach niewątpliwej niedyspozycji po odstawieniu kofeiny poczujesz się lepiej niż kiedykolwiek przedtem (oczywiście złe samopoczucie charakterystyczne dla okresu wczesnej ciąży nie ustąpi).

Jeżeli pijesz kawę lub colę, żeby coś robić – rób coś innego, z pożytkiem dla twojego dziecka. Zrób mu sweter na drutach, idź do sklepu po łóżeczko albo obierz warzywa na obiad. Jeżeli picie kofeinowych napojów jest dla ciebie codziennym rytuałem (przerwa na kawę, czytanie gazety, oglądanie telewizji), zmień miejsce rytuału i rodzaj towarzyszącego napoju.

Minimalizacja symptomów towarzyszących odzwyczajaniu się od kofeiny. Każdy, kto jest uzależniony od kawy, herbaty czy coli, wie, że co innego chcieć z tym zerwać, a co innego zrobić to. Najlepiej odzwyczajać się od kofeiny stopniowo – zaczynać od ograniczeń do niemal bezpiecznej liczby dwóch filiżanek (spożywanych z jedzeniem, dla złagodzenia skutków tego ograniczania) przez parę dni. Kiedy już przyzwyczaisz się do tej ilości, stopniowo zmniejszaj dzienne racje o ćwierć filiżanki, aż do jednej filiżanki dziennie, a gdy potrzeba spożywania kofeiny znacznie się zmniejszy, odstaw ją zupełnie. Albo czasowo przerzuć się na półkofeinową kawę w okresie odwykowym, stopniowo zmniejszając w niej zawartość kofeiny.

Odzwyczajanie się będzie przyjemniejsze i łatwiejsze, jeśli skorzystasz z następujących sugestii:

- Utrzymaj poziom cukru we krwi, a więc poziom energii. Jedz często małe posiłki bogate w białko i węglowodany. Spożywaj również ciążowy dodatek witaminowo-mineralny.
- Codziennie ćwicz na wolnym powietrzu.
- Wysypiaj się – co z pewnością będzie trudne przy zażywaniu kofeiny.

Jeśli zdecydujesz, że życie bez kofeiny jest nie dla ciebie, nie rozpaczaj. Zgodnie z wynikiem badań wypicie filiżanki lub dwóch kofeinowego napoju nie stwarza niebezpieczeństwa.

ŚRODKI ZASTĘPUJĄCE CUKIER

Nie chciałabym przybrać zbyt dużo na wadze. Czy mogę stosować środki zastępujące cukier?

Nieprzyjemna to wiadomość dla ufnych dietetyków, ale stosowanie środków zastępujących cukier rzadko pomaga w utrzymaniu odpowiedniego ciężaru ciała. Może przyczyna tkwi w tym, że osoba słodząca herbatę takim substytutem „odbiera" sobie zaoszczędzone kalorie, zjadając dodatkowo parę ciastek. Nawet gdyby preparaty zastępujące cukier gwarantowały utrzymanie masy ciała i tak nie polecalibyśmy ich oczekującym matkom.

Niestety, nie dokonano wielu badań stwierdzających rezultaty używania sacharyny w ciąży. Jednakże badania na zwierzętach wykazały podatność na raka u potomstwa matek przyjmujących chemikalia w czasie ciąży. Biorąc pod uwagę fakt, że słodzik przenika przez ludzkie łożysko i bardzo powoli wydalany jest z tkanek płodu, rozsądniej jest nie używać sacharyny, gdy przygotowujesz się do ciąży, w czasie zapłodnienia i przez całą ciążę. Nie martw się jednak, jeśli używałaś sacharyny, zanim dowiedziałaś się o swojej ciąży, gdyż jeśli nawet istnieje jakieś ryzyko, jest ono z pewnością bardzo małe. Z drugiej strony badania nie wykazały szkodliwych efektów spożycia słodzika Equal (Nutra Sweet) przez kobiety ciężarne. Słodzik ten składa się z dwóch popularnych aminokwasów i metanolu. Większość lekarzy pozwoli na umiarkowane stosowanie tego środka. Ponieważ jednak większość produktów słodzonych słodzikiem Equal zawiera zwykle zbyt dużo sztucznych składników, a zbyt mało środków odżywczych, kobiety ciężarne powinny uważnie wybierać spośród nich. Słodzenie tym środkiem lodów domowej roboty czy jogurtu jest całkiem do przyjęcia.

Podczas ciąży najlepszymi środkami zastępującymi cukier są naturalne, pożywne owoce i soki owocowe. W ostatnich latach pojawiło się w sklepach wiele produktów słodzonych wyłącznie owocami i koncentratami owocowymi. Inaczej niż większość produktów słodzonych cukrem i jego substytutami, te produkty są pożywne i zawierają pełnoziarnistą mąkę oraz inne zdrowe składniki. Unikaj tych, które jak większość produktów słodzonych cukrem zawierają rafinowaną mąkę, niezdrowe tłuszcze lub długą listę chemikaliów.

KOT W DOMU

Mam w domu dwa koty. Słyszałam, że koty przenoszą chorobę szkodliwą dla płodu. Czy muszę pozbyć się moich zwierząt.

Prawdopodobnie nie. Skoro mieszkasz z kotami przez dłuższy czas, istnieje duże prawdopodobieństwo, że już zaraziłabyś się toksoplazmozą i wykształciła w sobie odporność na tę chorobę. Szacuje się, że połowa społeczeństwa amerykańskiego (w innych krajach, np. we Francji – 90%) jest zarażona, a stopień zarażenia jest większy wśród ludzi, którzy hodują koty, często jedzą surowe mięso lub piją nie pasteryzowane mleko. Jeśli nie badano cię, zanim zaszłaś w ciążę, aby sprawdzić, czy jesteś odporna, najprawdopodobniej nie będziesz badana teraz, jeżeli nie będziesz wykazywała symptomów choroby (choć niektórzy lekarze przeprowadzają regularne badania na ciężarnych kobietach, które mają kontakt z kotami).

Jeśli byłaś badana przed zajściem w ciążę i wykazano twój brak odporności lub jeśli nie jesteś pewna co do swojej odporności, powinnaś podjąć następujące środki ostrożności w celu uniknięcia infekcji:

- Daj koty do przebadania weterynarzowi, by stwierdził, czy mają aktywną infekcję. Jeżeli choć jeden z nich ma, oddaj je do schroniska lub poproś przyjaciela o opiekę nad nimi przez przynajmniej sześć miesięcy – okres, w ciągu którego infekcja może się rozprzestrzenić. Jeśli nie mają infekcji, zatrzymaj je, nie dając im surowego mięsa, nie pozwalając myszkować poza domem ani polować na myszy lub ptaki (które mogą zarazić je toksoplazmozą) i bratać się

Twój styl życia podczas ciąży

Chociaż większość twoich przyzwyczajeń ma wpływ tylko na twoje ciało, wiele z nich potencjalnie może wpłynąć też na twoje dziecko. Dawne przyzwyczajenia mogą okazać się teraz złymi przyzwyczajeniami, z którymi chcesz jak najszybciej skończyć.

Na szczęście, istnieją strategie, które mogą ci pomóc.

Pozbądź się pokusy. To oznacza usunięcie z pola widzenia wszystkiego, co szkodliwe. Żadnego wina w lodówce, żadnego alkoholu w barku. Żadnego białego chlebka ani ciastek w szafce.

Przyzwyczaj się do środków zastępczych. Sok jabłkowy w kieliszku do wina w czasie obiadu, inne zastępcze napoje (chyba że imitacja wzmaga twoją tęsknotę za prawdziwym alkoholem). Ciastka osłodzone tylko owocami i kawałek placka w szafce, smaczne ciemne pieczywo w lodówce.

Korzystaj z przypominających wskazówek. Jedną z głównych przeszkód w procesie zmiany nawyków jest zapominanie o celach, uciekają one z twojej pamięci w obliczu pokusy. Tak więc, przypnij zdjęcia niemowląt (ślicznych, zdrowo wyglądających dzieci) na lodówce, wewnątrz szafek kuchennych, na barku, w miejscu pracy. Jeśli twoją wadą jest unikanie śniadania, przypnij na drzwiach karteczkę z napisem: „Czy podałaś już dzisiaj swojemu dziecku śniadanie?"

Wybaczaj sobie. Jeśli ulegniesz i zjesz coś niezbyt zdrowego dla twojego dziecka lub nawet, gdy wypijesz lampkę wina bądź piwo, nie poddawaj się i nie wracaj do starych przyzwyczajeń. Natychmiast wróć do zdrowego trybu życia. Spróbuj dociec, co skłoniło cię do tej uległości i w przyszłości staraj się unikać takich sytuacji.

Zidentyfikuj, a następnie stłum uczucia, które osłabiają twoje postanowienia. Wielu ludziom trudno jest pozostać na diecie, unikać alkoholu, tytoniu czy narkotyków z obawy przed głodem, irytacją, zmęczeniem lub samotnością. Walcz więc z tymi „sabotażystami". Jedz często, małe posiłki odsuną głód. Rozprosz uczucia złości i urazy, zanim tobą owładną. Zażywaj odpoczynku, gdy twój organizm mówi „zwolnij", usłuchaj go. Jeżeli przez większość czasu czujesz się odrzucona i znudzona, dołącz do przedporodowej grupy, zgłoś się na ochotnika do jakiejś pracy lub zaangażuj się w zajęcia stymulacyjne. Spraw, żeby twój mąż dowiedział się, że potrzebujesz więcej uwagi – i żeby poznał tego powody.

Pamiętaj o rozluźnieniu. Napięcie często powoduje, że zapominamy o dobrych intencjach, staraj się więc wolne chwile poświęcać ćwiczeniom odprężającym.

Naucz się mówić: nie... będę piła drugiej filiżanki kawy, nie wypalę papierosa dla towarzystwa, nie wypiję podsuniętej mi lampki szampana, nie zjem zbyt dużo czekoladek z orzechami. Bądź grzeczna, ale stanowcza: „Wiesz, że uwielbiam twoje czekoladki, babciu, ale moje dziecko jest na nie za małe", „Dziękuję, ale wypiję za twoje zdrowie sok pomarańczowy – mojemu dziecku jeszcze nie wolno pić alkoholu".

Znajdź sprzymierzeńca. Najlogiczniej, jeśli będzie nim twój mąż, ale równie dobrze może to być koleżanka z pracy, siostra lub ktoś inny, z kim spędzasz dużo czasu. Twój sprzymierzeniec powinien przyjąć twoje zasady, kiedy jesteście razem, umocni cię to w przekonaniach i znacznie osłabi pokusy.

Jeśli nie możesz dokonać tego sama, zwróć się o pomoc. Z niektórymi nawykami trudniej zerwać niż z innymi. Jeśli masz problemy z odrzuceniem niebezpiecznego nawyku, jak palenie, picie czy narkotyki, poproś o pomoc fachowca-lekarza.

z innymi kotami. Nie czyść sama legowiska zwierząt, a skoro już musisz, używaj rękawiczek i myj ręce po skończeniu. Legowisko powinno być czyszczone codziennie, gdyż zarazki przenoszące chorobę z czasem stają się bardziej zakaźne.

- Zakładaj rękawiczki do prac ogrodowych. Nie kop w ziemi oraz nie pozwól dzieciom bawić się w piasku, który może być zanieczyszczony kocimi odchodami. Myj owoce i warzywa, zwłaszcza te hodowane w domowych ogrodach, płynem do naczyń (dokładnie je opłukując) i/lub obieraj lub gotuj je.
- Nie spożywaj surowego bądź nie dogotowanego mięsa i nie pasteryzowanego mle-

ka; termometr umieszczony w środku mięsa wyjętego z pieca powinien wskazywać co najmniej 140°F (60°C). W restauracjach zamawiaj dobrze wypieczone mięso.

Niektórzy lekarze zalecają rutynowe badania przed lub zaraz po zapłodnieniu dla wszystkich kobiet, aby te z wynikiem pozytywnym mogły odprężyć się, wiedząc, że są odporne, a te z negatywnym – przedsięwziąć środki ostrożności w celu uniknięcia infekcji. Inni lekarze uważają, że koszty takich badań byłyby większe niż ich rezultaty.

GORĄCE KĄPIELE I SAUNA

Mamy w domu wannę. Czy mogę zażywać gorących kąpieli podczas ciąży?

Nie będziesz musiała przerzucać się na zimny prysznic, ale chyba dobrze byłoby się powstrzymać od długich, gorących kąpieli. Wszystko, co podnosi temperaturę twojego ciała do ponad 102°F (38,9°C) – niezależnie, czy długa kąpiel, czy zbyt długi pobyt w saunie, czy wyczerpująca praca w upale, czy infekcja wirusowa – jest potencjalnie niebezpieczne dla rozwoju płodu, zwłaszcza w początkowych miesiącach ciąży. Studia wykazały, że gorąca kąpiel nie podnosi temperatury ciała kobiety do niebezpiecznego poziomu natychmiast – trwa to przynajmniej 10 minut (dłużej, gdy ramiona nie są zanurzone bądź gdy temperatura wody ma 38,9°C lub mniej) – lecz ponieważ różna jest indywidualna odporność, raczej nie rozgrzewaj brzucha w wannie. Wolno ci jednak moczyć stopy.

Jeżeli już zażyłaś krótkich kąpieli w gorącej wodzie, nie ma powodu do niepokoju. Studia wykazały, że kobiety odruchowo wychodzą z wanny, zanim ich ciała osiągną temperaturę 38,9°C, gdyż zaczynają się źle czuć. Jeżeli jednak masz wątpliwości, porozmawiaj z lekarzem o możliwości przeprowadzenia badań ultradźwiękowych lub innych w celu uspokojenia cię.

Długie pobyty w saunie również mogą być nierozsądne, choć brak na to dowodów. Cotygodniowa sauna jest zwyczajem w Finlandii, nawet dla ciężarnych kobiet, a mimo to przypadki uszkodzenia centralnego układu nerwowego spowodowanego przez hipertermię (tj. niebezpieczny wzrost temperatury ciała) nie są często spotykane u tamtejszych dzieci. Pomimo to jednak, amerykańscy specjaliści zalecają unikanie sauny.

DZIAŁANIE MIKROFAL

Czytałam, że kontakt z kuchnią mikrofalową jest niebezpieczny dla rozwijającego się płodu. Czy powinnam wyłączyć mają kuchenkę z kontaktu do czasu, aż dziecko się urodzi?

Kuchnia mikrofalowa może być najlepszym przyjacielem przyszłej matki, pomagając jej przygotować pożywne dania w szybkim tempie. Ale, jak to bywa z wieloma nowoczesnymi cudami techniki, mówi się też o nowoczesnej groźbie. Czy kontakt z kuchnią mikrofalową jest niebezpieczny, czy nie, jest wciąż sprawą kontrowersyjną. Wiele badań trzeba wykonać, aby znaleźć na to odpowiedź. Wierzy się jednak, że dwa rodzaje tkanki ludzkiej: rozwijający się zarodek i oko, są szczególnie narażone na działanie mikrofal, ponieważ mają zbyt małą pojemność, aby rozproszyć ciepło wytworzone przez te fale. Jednakże, zamiast wyłączyć swoją kuchenkę z kontaktu, powinnaś podjąć pewne środki ostrożności.

Przede wszystkim upewnij się, że twoja kuchenka nie przecieka. Nie używaj jej, jeśli uszczelki okalające drzwiczki są uszkodzone, jeśli kuchenka nieszczelnie się zamyka lub coś jest przytrzaśnięte w drzwiczkach. Nie próbuj badać przecieków sama, gdyż niedrogie domowe przyrządy do pomiaru napromieniowania nie są dokładne. Skonsultuj się z punktem usługowym lub ośrodkiem zdrowia. Być może te placówki przeprowadzą odpowiednie badania lub polecą ci kogoś kompetentnego. Po drugie – nie stój naprzeciw kuchenki podczas jej pracy.

ELEKTRYCZNE KOCE I PODUSZKI

Używamy koca elektrycznego przez całą zimę. Czy jest to bezpieczne dla dziecka, którego oczekujemy?

Lepiej przytul się do męża, a jeśli wasze nogi są zimne, używajcie ciepłej kołdry, termostatu lub nagrzejcie łóżko kocem elektrycznym, zanim pójdziecie spać. Elektryczne koce mogą znacznie podnieść temperaturę ciała i choć ich użycie nie ma oczywistego związku z uszkodzeniem płodu, potencjalne niebezpieczeństwo istnieje. Co więcej, choć badania się wzajemnie wykluczają, niektórzy naukowcy sugerują, że potencjalne ryzyko pochodzi z elektromagnetycznego pola wytwarzanego przez koce elektryczne. Dlatego mądrze byłoby spróbować innych sposobów ogrzewania. Nie martw się jednak, gdy już spędziłaś kilka nocy pod kocem elektrycznym – prawdopodobieństwo, że zaszkodziło to twojemu dziecku, jest bardzo małe, nawet w teorii.

Bądź równie ostrożna z użyciem poduszki elektrycznej. Jeżeli lekarz zaleci ci jej stosowanie, owiń ją w ręcznik w celu zmniejszenia ciepła, które przewodzi, oraz ogranicz jej stosowanie do 15 minut. Nie śpij z nią.

Elektrycznie ogrzewane łóżka wodne również wiążą się z problemami ciąży. Kobiety, które śpią w nich, narażone są na poronienia. Naukowcy sugerują, że może to mieć związek z polem elektromagnetycznym, które emitują grzejniki. Nowe modele o wyjątkowo niskiej emisji pola są prawdopodobnie bezpieczne. Jeśli jednak masz starszy model, zamień go na nowszy, jeżeli możesz, a jeżeli nie, zastosuj ekran ochronny w celu zatrzymania emisji lub w ostateczności rozgrzej najpierw łóżko, następnie wyłącz grzejnik i dopiero wówczas udaj się na spoczynek.

PROMIENIE ROENTGENA

Miałam serię prześwietleń dentystycznych, zanim dowiedziałam się, że jestem w ciąży. Czy mogło to zaszkodzić mojemu dziecku?

Nie martw się. Przede wszystkim prześwietlenie dentystyczne kierowane jest z dala od macicy. Po drugie – ołowiany fartuch skutecznie chroni macicę i dziecko przed napromieniowaniem.

Stwierdzenie bezpieczeństwa innych typów napromieniowania jest procesem bardzo skomplikowanym, ale pewne jest, że prześwietlenie diagnostyczne rzadko stanowi groźbę dla zarodka lub płodu. Trzy czynniki mają wpływ na szkodliwość promieniowania rentgenowskiego:

- **Wielkość promieniowania.** Poważne uszkodzenie zarodka lub płodu następuje przy bardzo wysokich dawkach (50 do 250 radów). Przy dawkach niższych niż 10 radów nie następuje żadne uszkodzenie. Ponieważ nowoczesny sprzęt do prześwietleń nie wytwarza więcej niż 5 radów podczas normalnego badania diagnostycznego, takie badania nie przedstawiają problemu dla kobiet ciężarnych.
- **Kiedy następuje napromieniowanie?** Nawet przy wysokich dawkach nie istnieje zagrożenie dla zarodka przed zagnieżdżeniem się (do szóstego lub ósmego dnia po zapłodnieniu). Ryzyko uszkodzenia zwiększa się w okresie wczesnego rozwoju płodu (trzeci i czwarty tydzień po zapłodnieniu) oraz istnieje ciągłe ryzyko uszkodzenia centralnego układu nerwowego podczas całej ciąży, ale tylko przy wysokich dawkach.
- **Czy dochodzi do napromieniowania macicy?** Dzisiejszy sprzęt do prześwietleń pomaga dokładnie wyodrębnić prześwietlane miejsce, co chroni inne części ciała przed napromieniowaniem. Przy większości prześwietleń brzuch i miednica matki, a więc macica, chronione są ołowianym fartuchem. Ale nawet prześwietlenie brzucha nie powinno stwarzać niebezpieczeństwa, gdyż praktycznie nigdy nie ma stężenia większego niż 10 radów.

Oczywiście, mimo wszystko niemądrze jest narażać się na jakiekolwiek, choćby najmniejsze, ryzyko, stąd zaleca się przesunięcie prześwietleń na okres poporodowy. Co innego, jeśli ryzyko jest nieuniknione. Ponieważ prawdopodobieństwo uszkodzenia zarodka przez prześwietlenie jest nieznaczne, również zdrowie matki nie ucierpi przez wykonanie koniecznego prześwietlenia. I tak minimalne ryzyko może być jeszcze zmniejszone przez stosowanie się do następujących wskazówek:

- Zawsze poinformuj lekarza, który zaleca prześwietlenie, oraz osobę, która je wykonuje, o swojej ciąży.
- Nie poddawaj się prześwietleniu, nawet dentystycznemu, jeżeli ryzyko jest większe niż potencjalna korzyść.
- Nie poddawaj się prześwietleniu, jeśli możesz je zastąpić inną metodą diagnostyczną.
- Jeśli prześwietlenie jest konieczne, niech odbędzie się w odpowiednich warunkach. Sprzęt powinien być nowoczesny i w dobrym stanie, a osoba posługująca się nim – wykwalifikowana. Proces powinien odbyć się pod nadzorem radiologa. W miarę możliwości promienie powinny być tak skierowane, aby objęły tylko część ciała przeznaczoną do prześwietlenia; macica powinna być chroniona fartuchem ołowianym.
- Dokładnie spełniaj polecenia technika obsługującego sprzęt, zwłaszcza nie ruszaj się podczas zdjęcia, aby nie musiało być ono powtórzone.
- Przede wszystkim, jeśli zostałaś lub masz zostać prześwietlona, nie marnuj czasu na zamartwianie się o możliwe konsekwencje. Twoje dziecko jest w większym niebezpieczeństwie, gdy zapominasz zapiąć pasy bezpieczeństwa.

NIEBEZPIECZEŃSTWA CZYHAJĄCE W GOSPODARSTWIE DOMOWYM

Im więcej czytam, tym bardziej przekonuję się, że najlepszym sposobem ochronienia mojego dziecka w dzisiejszych czasach byłoby zamknięcie się na następne dziewięć miesięcy w izolatce. Nawet mój dom nie jest bezpieczny.

Niepokoje, przed którymi stajesz ty i twoje dziecko w dobie zanieczyszczeń środowiska, nawet twojego własnego podwórka, bledną w porównaniu z problemami kobiet w czasach twojej prababci, gdy nowoczesne położnictwo było jeszcze w powijakach. Wszystkie dzisiejsze niebezpieczeństwa razem wzięte (alkohol, tytoń, narkotyki) są mniejszą groźbą dla ciebie i twojego dziecka niż dla twoich przodków była jedna niewykwalifikowana akuszerka o brudnych rękach. Tak więc, na przekór powszechnemu trąbieniu o niebezpieczeństwach nas otaczających, powtarzamy: ciąża i poród nigdy nie były tak bezpieczne.

Nie będziesz musiała rozglądać się za izolatką, ale przydałoby się trochę ostrożności w obcowaniu z niebezpieczeństwami czyhającymi w domu.

Środki utrzymania czystości. Wiele środków utrzymania czystości jest powszechnie stosowanych przez większą część naszego stulecia, a jak dotąd nie zauważono zależności między czystymi domami i defektami porodowymi. Dezynfekując miskę klozetu czy polerując stół, nie narażasz zdrowia swojego dziecka. Usuwając bakterie i inne zarazki czynnikami czyszczącymi, ochraniasz swoje dziecko, zapobiegając infekcji.

Żadne studia nie dowiodły, że okazjonalne wdychanie środków utrzymania czystości ma szkodliwy wpływ na rozwijający się płód; z drugiej strony nie wykazały, że częste wdychanie jest całkowicie bezpieczne. Jeżeli miałaś już kontakt z takimi środkami, nie ma powodu do obaw. Jednak przez dalszy czas ciąży sprzątaj z ostrożnością i wyczuciem w stosunku do potencjalnie niebezpiecznych chemikaliów. Mogą ci się przydać następujące rady:

- Jeśli produkt wydziela ostry zapach, nie wdychaj go bezpośrednio. Używaj go w pomieszczeniu o dobrej wentylacji lub nie używaj wcale.
- Używaj rozpylaczy ręcznych zamiast aerozolu.
- Nigdy (nawet gdy nie jesteś w ciąży) nie mieszaj produktów opartych na bazie amoniaku i chloru; taka mieszanka wytwarza śmiertelne opary.

- Staraj się unikać produktów takich, jak środki do czyszczenia chemicznego, których etykietki ostrzegają o toksyczności.
- Nakładaj gumowe rękawiczki do sprzątania. Ochronią one twoje ręce przed zniszczeniem oraz zapobiegną przenikaniu potencjalnie toksycznych chemikaliów przez skórę.

Ołów. W ostatnich latach wykryto, że ołów – o którym od dawna wiadomo, że obniża iloraz inteligencji dzieci, które przyjmują go poprzez kruszejącą farbę – może oddziaływać również na ciężarne kobiety i płody. Zwiększony kontakt z tym metalem może zwiększyć ryzyko rozwinięcia się spowodowanego ciążą nadciśnienia, a nawet utraty ciąży. Naraża on dzieci na wiele problemów, od poważnych zaburzeń neurologicznych do stosunkowo niewielkich defektów porodowych. Ryzyko zwiększa się, gdy dziecko ma kontakt z ołowiem jeszcze w macicy i po urodzeniu.

Na szczęście całkiem łatwo uniknąć kontaktu z ołowiem i problemów, które może on spowodować. Oto przykłady. Ponieważ woda jest źródłem ołowiu, pij wodę bezołowiową (zob. niżej). Jeżeli twój dom był wybudowany przed 1955 i trzeba z jakiegoś powodu usunąć warstwę farby, wyprowadź się z domu na czas trwania robót. Innym popularnym źródłem ołowiu jest jedzenie i picie zanieczyszczone ołowiem z glinianych, fajansowych lub porcelanowych naczyń. Jeżeli posiadasz naczynia domowego wyrobu, importowane, bardzo stare lub z innych powodów o wątpliwym bezpieczeństwie użycia, nie używaj ich ani do jedzenia, ani do przechowywania produktów, zwłaszcza kwaśnych potraw i napojów (ocet, pomidory, wino, napoje bezalkoholowe).

Woda z kranu. Woda, zaraz po tlenie, jest substancją najważniejszą dla życia. Ludzie mogą wytrzymać przynajmniej tydzień bez jedzenia (choć głodówka nie jest medycznie zalecana), ale tylko parę dni bez wody. Inaczej mówiąc, bardziej należy się martwić, jeśli nie pijecie wody, niż jeśli ją pijecie.

Kiedyś woda stanowiła zagrożenie dla istot, których życie podtrzymywała, przenosząc dur brzuszny i inne choroby. Obecna technologia jednak wyeliminowała takie groźby, przynajmniej w rozwiniętych częściach świata. Choć podejrzewa się, że chemikalia oczyszczające wodę stanowią nową groźbę dla nie narodzonych, nie ma na to dowodów. Wszelkie możliwe ryzyko jest wyeliminowane w systemach, które używają filtrów zamiast chemikaliów w procesie oczyszczania wody.

Woda kranowa w USA jest w większości pitna i bezpieczna. Są jednak wyjątki. Czasem woda jest zanieczyszczona ołowiem pochodzącym ze starych rur ołowianych, przez które przechodzi, lub z nowych rur lutowanych ołowiem. Na innych obszarach chemikalia wyciekające z fabryk, toksyczne śmietniska, odpady z farm również doprowadziły do potencjalnie niebezpiecznych zanieczyszczeń. Woda pochodząca z podziemnej studni może być równie zanieczyszczona, jak woda z rzek, jezior i strumieni. Aby upewnić się, że szklanka wypitej wody wyjdzie tobie – i twojemu dziecku – na zdrowie, rób, co ci radzimy:

- Skonsultuj się z lokalną placówką ochrony środowiska lub ośrodkiem zdrowia w kwestii czystości pitnej wody. Jeśli jakość twojej wody (z powodu zepsucia rury, lokalizacji twojego domu w pobliżu śmietniska lub dziwnego smaku czy koloru) różni się od wody reszty społeczności, poproś o jej przebadanie.
- Jeśli twoja woda kranowa wygląda lub smakuje podejrzanie, zamontuj w kranie kuchennym filtr węglowy. (Będzie on służył dłużej, gdy oczyszczać będziesz wodę do picia i gotowania, a nie do zmywania naczyń itp.) Możesz też używać butelkowej wody do picia i gotowania.

Bądź jednak świadoma, że nie każda butelkowa woda, reklamowana jako „czysta", wolna jest od zanieczyszczeń. Niektóre z nich są równie zanieczyszczone jak woda z kranu oraz nie zawierają fluorków, tak potrzebnych dla utrzymania prawidłowego stanu kości i zębów zarówno twoich, jak i twojego dziecka.

- Jeśli podejrzewasz obecność ołowiu w wodzie lub badania wykazują wysoki jego poziom, idealnym wyjściem byłaby zmiana kanalizacji, ale to nie zawsze jest możliwe. Aby zmniejszyć poziom ołowiu w pitnej wodzie, używaj zimnej wody do celów spożywczych (gorąca zawiera więcej ołowiu z rur) i odpuszczaj wodę z kurka przez około 5 minut rano (i każdorazowo, gdy woda jest wyłączona przez co najmniej 6 godzin) przed użyciem.
- Jeśli twoja woda pachnie lub smakuje chlorem, przegotuj ją lub odstaw na 24 godziny przed spożyciem.

Środki owadobójcze. Chociaż niektóre owady, jak brudnica mniszka, stwarzają groźbę dla drzew i roślin, a inne, jak karaluchy i mrówki, dla twojej wrażliwości, raczej nie zagrażają one ludziom – nawet ciężarnym. Bezpieczniej żyć z nimi, niż tępić je chemicznymi środkami, gdyż niektóre z nich mogą mieć wpływ na defekty porodowe.

Oczywiście twoi sąsiedzi (jeśli nie są w ciąży i nie mają małych dzieci) mogą się nie zgodzić. Jeśli twoje sąsiedztwo zostało akurat spryskane, unikaj przebywania na powietrzu przez ok. 2-3 dni. W domu miej zamknięte okna. Jeśli ktoś spryskuje twoje mieszkanie, pozamykaj szafki kuchenne, zabezpieczając ich zawartość, oraz przykryj powierzchnie, na których przyrządzasz jedzenie. Jeśli to możliwe, wyjdź z mieszkania na dzień lub dwa i wietrz je tak długo, jak to możliwe. Chemikalia są potencjalnie szkodliwe tylko tak długo, jak unosi się ich zapach. Kiedy rozpylony płyn osiądzie, poproś kogoś o przetarcie powierzchni do przygotowywania potraw.

Jeżeli to możliwe, stosuj naturalne sposoby zwalczania szkodników. Wyrywaj chwasty, zamiast je spryskiwać. Poproś kogoś o ręczne usunięcie larw brudnicy i innych owadów z roślin, potem włóż je do naczynia z naftą. Niektóre szkodniki mogą być usunięte z ogrodu poprzez spryskiwanie silnym strumieniem wody lub specjalnym mydłem owadobójczym, ale takie procedury zwykle muszą być kilkakrotnie powtórzone, zanim przyniosą efekty. Innym sposobem byłoby sprowadzenie biedronek lub innych pożytecznych zwierzątek (dostępnych w sklepach ogrodniczych).

W domu zainstaluj pułapki w celu pozbycia się karaluchów i mrówek; używaj gałązek cedru zamiast naftaliny w szafach z odzieżą, a także innych nietoksycznych środków. Jeżeli masz dzieci lub zwierzęta, unikaj kwasu bornego, który może być toksyczny.

Nie wpadaj w panikę, jeśli przypadkowo miałaś kontakt z owado- i chwastobójczymi środkami. Krótkie, pośrednie zetknięcie najprawdopodobniej nie zagrozi twojemu dziecku. Niebezpieczny byłby długotrwały kontakt, np. codzienna praca przy takich chemikaliach (w fabryce lub na spryskiwanym polu).

Opary z farb. W całym królestwie zwierzęcym przyjście na świat nowego potomka poprzedzone jest gorączkowymi przygotowaniami. Ptaki ścielą gniazda piórami, wiewiórki moszczą dziuple liśćmi i gałązkami, a przyszli rodzice przerzucają w sklepach próbki tapet.

Prawie we wszystkich przypadkach następuje malowanie dziecinnych pokoi – co w czasach farb na bazie arsenu lub ołowiu mogło stwarzać zagrożenie zdrowia dziecka. Przez długi czas wierzono, że nowoczesne farby lateksowe są bezpieczniejsze, ale stwierdzono w nich niebezpieczną ilość rtęci. Władze domagają się obecnie zmiany składu chemicznego farb. Ponieważ nie wiadomo, co zawierać mogą inne farby, dobrze byłoby uznać malowanie za niewłaściwą rozrywkę dla oczekujących matek – nawet tych, które koniecznie starają się czymś zająć w ostatnich dniach oczekiwania. Na dodatek wspinanie się po najwyższych stopniach drabiny jest niebezpieczne, a opary farby mogą spowodować mdłości. Niech więc raczej oczekujący ojciec zajmie się tą stroną przygotowań.

Staraj się przebywać poza domem, gdy jest on malowany. Niezależnie od tego, czy jesteś w nim, czy nie, niech okna będą szeroko

Niech twój dom oddycha

Szczelne zamykanie domu z pewnością obniży rachunki za ogrzewanie, ale może też podnieść ryzyko zanieczyszczenia powietrza w pomieszczeniu. Nie uszczelniaj więc każdej szczeliny i drzwi. Niech wpłynie trochę świeżego powietrza, a wypłynie trochę tego z wewnątrz. Jeśli pogoda na to pozwala, otwieraj okna.

otwarte (dlatego najlepiej przeprowadzać renowację ludzkich gniazd ciepłą wiosną, tak jak robią to zwierzęta). Unikaj bliskiego kontaktu ze środkami do usuwania farby, które są wysoce toksyczne, oraz trzymaj się z dala od procesu jej usuwania, zwłaszcza jeśli pozbywacie się farby sporządzonej na bazie rtęci lub ołowiu.

ZANIECZYSZCZENIE POWIETRZA

Zdaje się, że w czasie ciąży nawet oddychanie nie jest bezpieczne. Czy zanieczyszczenie powietrza w mieście może mieć zły wpływ na moje dziecko?

Mieszkanie na przystanku autobusowym lub spanie w budce telefonicznej przy zatłoczonej autostradzie mogłoby, oczywiście, narazić twój płód na bliski kontakt z zanieczyszczeniami i pozbawić go tlenu. Jednak normalne oddychanie w dużym mieście nie jest tak ryzykowne, jak myślisz. Miliony kobiet żyją i oddychają w dużych miastach, rodząc miliony zdrowych dzieci. Nawet w latach sześćdziesiątych, kiedy zanieczyszczenie osiągnęło zenit w miejscach takich, jak Los Angeles i Nowy Jork, nie udokumentowano zaburzeń w rozwoju płodów.

Tak więc, oddychanie nie ma szkodliwego wpływu na twoje dziecko. Nawet dawka tlenku węgla, która może wywołać chorobę w organizmie matki, nie ma złego wpływu na zarodek we wczesnym stadium ciąży (chociaż tlenek węgla w późniejszym okresie ciąży mógłby go mieć). Oczywiście, rozsądnie jest unikać wyjątkowo zanieczyszczonego powietrza. Oto, jak to robić:

- Unikaj pomieszczeń ciągle napełnionych dymem. Pamiętaj, że cygaro i fajka, których dym nie jest wdychany, wydzielają więcej dymu do powietrza niż papierosy. Poproś rodzinę, gości i współpracowników o niepalenie w twojej obecności.
- Sprawdź system spalinowy w swoim samochodzie, żeby nie wyciekały spaliny i nie rdzewiała rura wydechowa. Nigdy nie zapalaj silnika w garażu przy zamkniętych drzwiach, unikaj czekania na stacji benzynowej, gdy inne samochody rozsiewają tlenek węgla, zamykaj wentylację samochodową, poruszając się wśród dużego ruchu samochodowego.
- Jeśli w twoim mieście ogłoszony jest stan groźnego zanieczyszczenia, pozostań wewnątrz budynku tak długo, jak możesz; pozamykaj okna i wyłącz wentylację. Ściśle trzymaj się instrukcji adresowanych do najbardziej zagrożonych mieszkańców.
- Nie biegaj, nie spaceruj i nie jeźdź na rowerze wzdłuż zatłoczonych autostrad. Nie

Zieleń w domu

Nie da się całkowicie wyeliminować zanieczyszczeń powietrza w pomieszczeniu. Meble, obrazy, dywany, boazeria wydzielają niewidzialne opary, zanieczyszczając powietrze, którym oddychasz. Chociaż brak dowodów, że taki poziom zanieczyszczenia jest szkodliwy dla ciebie czy dla dziecka, może warto byłoby go zmniejszyć. Można tego dokonać bardzo łatwo, wprowadzając rośliny do domu. Rośliny wchłaniają niezdrowe opary z powietrza, dodając tlen i oczywiście piękno do środowiska domowego.

ćwicz na powietrzu, podczas gdy jest ogłoszony stan groźnego zanieczyszczenia. Wdychasz więcej zanieczyszczonego powietrza, gdy jesteś aktywna.

- Upewnij się, że piece w twoim domu są dobrze przepchane. Jeśli nie są, mogą napełnić powietrze tlenkiem węgla i innymi szkodliwymi gazami.
- Hoduj zieleń. Żyjące rośliny podnoszą jakość powietrza w domu i jego otoczeniu.
- Jeżeli pracujesz na dworcu autobusowym lub w innym niekorzystnym dla zdrowia miejscu, poproś o przeniesienie na bezpieczne stanowisko na czas ciąży w celu wyeliminowania nawet hipotetycznego ryzyka, że zanieczyszczone powietrze może zaszkodzić twojemu dziecku.

NIEBEZPIECZEŃSTWA W MIEJSCU PRACY

Tyle się słyszy o niebezpieczeństwach w pracy, ale skąd wiadomo, które miejsce pracy jest bezpieczne?

Niebezpieczne miejsca pracy i to, w jakim stopniu mogą stanowić zagrożenie dla reproduktywnych pracowników obojga płci oraz dla zdrowia ich potomstwa, zostały zidentyfikowane dopiero niedawno. Rozstrzygające odpowiedzi są wykrętne, jak to zwykle bywa w przypadku szukania związku przyczynowo-skutkowego między czynnikami środowiskowymi i niezadowalającymi wynikami ciąży. Przede wszystkim, trudno oddzielić wszystkie możliwe czynniki w życiu kobiety, które mogą się składać na niepomyślny wynik ciąży, a także udowodnić, że nie jest on wynikiem zaburzeń genetycznych. Po drugie, chociaż badania na zwierzętach często doprowadzają do ciekawych wyników, nie sposób upewnić się, czy te same wyniki dotyczą również ludzi, gdyż, jak wiadomo, eksperymenty na ludziach nie są możliwe.

Stąd wyniki oddziaływania na ludzi mogą być stwierdzone tylko poprzez badanie epidemiologiczne. Takie badania mogą być przeprowadzone dwojako: można obserwować duże grupy kobiet, mających styczność z pewnymi substancjami, w celu stwierdzenia, czy wykazują wzrost tendencji do niepożądanych wyników ciąży (poronienia, defekty porodowe). Można również obserwować małe grupy kobiet, których ciąże kończą się niepomyślnie, aby stwierdzić, czy istnieje wspólny dla nich czynnik ryzyka. Tak czy inaczej, badania takie przynoszą tylko wskazówki, a nie gotowe odpowiedzi. Na podstawie tego, co wiemy, oczywiste jest, że niektóre miejsca pracy są niebezpieczne dla kobiet ciężarnych (np. zakłady chemiczne, gabinety radiologiczne). O innych miejscach niewiele wiadomo, ponieważ jak dotąd nie przeprowadzono wielu badań, by ustalić ich bezpieczeństwo – lub jego brak. W większości miejsc pracy nie ma podstaw do obaw o potencjalne ryzyko.

Oto krótki przegląd tego, co wiemy (i czego nie wiemy) na temat bezpieczeństwa pracy w czasie ciąży:

Praca biurowa. Najbardziej kontrowersyjnym niebezpieczeństwem dla ponad 10 milionów Amerykanek w wieku rozrodczym jest monitor komputera. Od początku lat osiemdziesiątych, kiedy to komputer stał się najdokładniej badanym środkiem przekazu, pojawiają się raporty stwierdzające jego związek z problemami ciąży. Jednak mimo wielu badań jak dotąd nie przedstawiono konkretnych dowodów. Nie wykazano konkretnego związku między niskim poziomem promieniowania (niższym niż promieniowanie słoneczne) emitowanym przez monitor a poronieniami, chociaż taki związek sugerowano. Niedawne badania przeprowadzone przez rząd USA nie wykazały większego wskaźnika poronień wśród kobiet, które pracują przy komputerze, w stosunku do tych, które tego nie robią. Jedno badanie wykazało wzrost poronień wśród urzędniczek, które pracują 20 godzin przed ekranem monitora (nie były to kierowniczki), ale eksperci winią inne czynniki. Zgłoszenia o defektach u niemowląt, których matki obsługują komputer, nie pokrywają się z defektami, które mogły-

Reasumując

Masz prawo wiedzieć, na jakie substancje chemiczne jesteś narażona. Twój pracodawca jest zobligowany, aby ci to powiedzieć. Jeśli twoja praca wystawia cię na ryzyko, to albo poproś o czasowe przeniesienie na bezpieczniejsze stanowisko, albo – jeśli finanse pozwolą – rozpocznij twoje macierzyństwo wcześniejszym odejściem.

by być spowodowane kontaktem z promieniowaniem; stąd eksperci skłonni są podejrzewać inne czynniki o ich wywołanie.

Oczywiście, należy przeprowadzić badania na szerszą skalę – możliwe, że oczyścimy wtedy komputer ze wszystkich zarzutów. Na razie nie panikujcie i nie zmieniajcie pracy, nawet jeśli wiąże się ona z siedzeniem przed monitorem przez większą część czasu. Jeśli jednak żadne zapewnienia cię nie uspokoją i chcesz podjąć kroki w celu zminimalizowania możliwego ryzyka, rozważ, co następuje:

- Nie zaobserwowano żadnych powikłań u kobiet, które podczas ciąży pracują na komputerze 20 godz. tygodniowo lub mniej. Ograniczenie nawet tego czasu zlikwiduje wszelkie, nawet teoretyczne ryzyko.
- Istnieje teoria, że skoro promieniowanie ma szkodliwy wpływ, niebezpieczniej jest siedzieć za komputerem (więcej promieniowania wydziela się z tyłu urządzenia). Jeśli twoje biurko stoi za czyimś, przesuń je lub przenieś się w inne miejsce bądź wstaw ściankę odgradzającą.
- Niektórzy eksperci sugerują nakładanie fartucha ochronnego lub osłanianie ekranu filtrem przewodzącym elektryczność, inni uważają to za nieefektywne. Przedyskutuj tę kwestię ze swoim lekarzem.

Chociaż brak ostatecznego dowodu, że praca z komputerem może spowodować poronienie, są dowody, że może ona być przyczyną wielu dolegliwości o podłożu psychicznym, jak nadwerężenie szyi, oka, nadgarstka, ramienia czy pleców, zawroty głowy – a wszystkie one mogą spotęgować dolegliwości normalne dla ciąży. Posłuchaj następujących rad, jeśli chcesz zredukować te objawy:

- Podczas dnia nie przebywaj zbyt długo w pozycji siedzącej – nawet szybkie przejście do łazienki okaże się pomocne.
- Siedząc przed ekranem, wykonuj od czasu do czasu ćwiczenia rozciągające i/lub relaksujące.
- Używaj krzesła z regulowaną wysokością i z oparciem, które podtrzymuje dolną część pleców, i dopilnuj, żeby klawiatura i monitor znajdowały się na odpowiedniej wysokości. Upewnij się, że twoje okulary są dopasowane do pracy z urządzeniem.

Praca w służbie zdrowia. Odkąd pierwszy lekarz przebadał pierwszego pacjenta, pracownicy służby zdrowia (lekarze, dentyści, pielęgniarze, pracownicy laboratoriów i pracowni) podjęli ryzyko. Ryzykują własne życie za cenę ratowania i podnoszenia jakości życia innych. I chociaż takie ryzyko jest nieodłączną częścią ich pracy, kobiety ciężarne pracujące w służbie zdrowia powinny ochraniać swoje zdrowie, tak jak to tylko możliwe. Do potencjalnych niebezpieczeństw należy kontakt z gazami anestezyjnymi (przez przecieki z sali operacyjnej lub kontakt z chorymi), z chemikaliami (np. tlenek etylenowy, formaldehyd) używanymi do sterylizacji narzędzi, z promieniowaniem jonizującym (używanym w diagnostyce i leczeniu), z lekami przeciwrakowymi i z infekcyjnymi, np. wirusowe zapalenie wątroby czy AIDS. Jeśli pracujesz w ryzykownych warunkach, podejmij odpowiednie środki ostrożności lub czasowo zmień pracę.

Praca w fabryce. Bezpieczeństwo warunków pracy w fabryce uzależnione jest od rodzaju wytwarzanego produktu oraz, do pewnego stopnia, od zasad stosowanych przez jej wła-

Proszę o ciszę

Hałas jest najczęstszym niebezpieczeństwem związanym z wykonywaniem pracy. Może on spowodować utratę słuchu u ludzi najbardziej na niego narażonych. Najnowsze badania sugerują, że hałas może spowodować u płodu niedosłyszenie dźwięków o wysokiej częstotliwości oraz może przyczynić się do przedwczesnego porodu i opóźnienia rozwoju płodu wewnątrz macicy. Konieczne jest przeprowadzenie kolejnych badań, lecz zanim znane będą ich wyniki, przyszłe matki, pracujące w bardzo głośnym otoczeniu, gdzie wymagana jest ochrona słuchu, lub narażone na silne wibracje towarzyszące hałasowi, chcąc uniknąć ryzyka, powinny prosić o czasowe przeniesienie. Wszystkie przyszłe matki powinny unikać słuchania głośnej muzyki (szczególnie w zamkniętym pomieszczeniu, np. samochodzie) oraz chodzenia na koncerty rockowe.

ścicieli. Do substancji, których kobieta ciężarna powinna podczas ciąży unikać, należą: arsen, benzen, tlenek węgla, chlorkowane węglowodany, organiczne związki miedzi, ołów, lit, aluminium, tlenek etylenowy. Kontakt z tymi trującymi środkami nie zachodzi w miejscach, gdzie są wprowadzone w życie odpowiednie przepisy. Twój związek zawodowy lub inna organizacja pracownicza pomoże ci stwierdzić, czy twoje zdrowie jest należycie chronione.

Praca w komunikacji powietrznej. Sugeruje się, że personel obsługujący loty oraz piloci (a także pasażerowie, którzy często korzystają z komunikacji powietrznej) mogą być narażeni na niebezpieczny kontakt z promieniowaniem słonecznym, jeśli często podróżują na dużych wysokościach. Promieniowanie jest najintensywniejsze w pobliżu biegunów, a najmniejsze nad równikiem. Chociaż w obecnych czasach ryzyko takie jest nieznaczne, kobiety ciężarne, które często podróżują na dużych wysokościach, zwłaszcza w pobliżu biegunów, mogłyby rozważyć możliwość zmiany trasy lotów i wybrać loty krótsze, na mniejszej wysokości. Jeśli martwią cię loty, które odbyłaś, zanim dowiedziałaś się o swojej ciąży, porozmawiaj z lekarzem – z pewnością on cię uspokoi.

Ciężka praca fizyczna. Praca, która wymaga dźwigania ciężkich przedmiotów, wielogodzinnego wysiłku fizycznego, pracy zmianowej lub ciągłej pozycji stojącej, może podnieść ryzyko poronienia, przedwczesnego porodu lub urodzenia martwego dziecka. Jeśli pracujesz w takich warunkach, poproś o przeniesienie na inne stanowisko do czasu odzyskania sił po porodzie.

Inne zawody. Nauczycielki i pracownice socjalne, które mają styczność z małymi dziećmi, narażone są na potencjalnie niebezpieczne infekcje, jak np. różyczka. Osoby zajmujące się zwierzętami i pracujące w rzeźni mogą zarazić się toksoplazmozą (z drugiej strony, mogą być na nią uodpornione, wtedy ich dzieciom nic nie zagraża), a pracownice pralni – innymi infekcjami. Jeśli pracujesz w warunkach grożących infekcją, dopilnuj, abyś była szczepiona, i podejmij środki ostrożności, np. nakładaj rękawice, maskę itp.

Artystki, fotograficy, kosmetyczki, osoby pracujące w pralni chemicznej, rolnictwie czy ogrodnictwie mogą być narażone na działanie różnych szkodliwych chemikaliów. Jeśli używasz takich środków, zabezpiecz się przed ich szkodliwym działaniem, może nawet zrezygnuj z części pracy, która wymaga ich użycia. Nie zamartwiaj się tym, że miałaś kontakt z chemikaliami przed stwierdzeniem, że jesteś w ciąży, gdyż zwykle występują one w zbyt małym stężeniu, żeby zaszkodzić matce lub nie narodzonemu dziecku.

Co warto wiedzieć
Grając w ruletkę dziecięcą

Gdy hazardzista grający w ruletkę stawia na swój szczęśliwy numer, prawdopodobieństwo, że koło zatrzyma się właśnie na tej cyfrze, jest bardzo małe. Taka sama sytuacja zachodzi, gdy ciężarna kobieta gra w ruletkę dziecięcą (świadomie lub nieświadomie), tzn. gdy naraża swoje dziecko na kontakt z teratogenami, substancjami potencjalnie szkodliwymi dla zarodka. Prawie zawsze koło ruletki dziecięcej ustawi się w nieszkodliwej pozycji i dziecko pozostanie nietknięte.

Hazardzista nazwie to szczęściem, ale ustawienie koła zależy od jego masy, tarcia, jakie napotka, oraz siły, z jaką zostaje wprawione w ruch. I choć ruletka dziecięca również może okazać się grą przypadku, jej wynik jest także uzależniony od wielu czynników.

Jak silny jest teratogen? Bardzo nieliczne leki są silnymi teratogenami. Na przykład thalidomide – lek używany na początku lat sześćdziesiątych – był przyczyną zniekształceń zarodków w pewnym okresie ich rozwoju (1 na 5 zarodków narażonych na kontakt przez cały okres ciąży) lub lek przeciw trądzikowi Accutane, niedawno odkryty teratogen, wywołujący zaburzenia u 1 na 5 zarodków. Z drugiej strony mamy leki, jak np. hormon Provera – progesteron, które wywołują zaburzenia niezmiernie rzadko (Provera: 1 na 1000 zarodków). Większość leków klasyfikuje się pomiędzy tymi dwoma ekstremami; na szczęście niewiele jest tak silnych jak thalidomide czy Accutane (lub jego pochodne).

Często trudno stwierdzić, czy lek w ogóle jest teratogenny, czy nie, nawet gdy wpływa na powikłanie ciążowe. Na przykład, jeśli zaburzenie występuje u dzieci, których matki brały antybiotyk przeciw infekcji z gorączką, kiedy były ciężarne, przyczyna zaburzeń może leżeć w infekcji lub gorączce, nie zaś w lekarstwie. Albo weźmy przypuszczalny przypadek z Proverą, która bywa używana jako środek przeciw poronieniom. Zniekształcenia powstałe w związku z jej użyciem mogą nie mieć nic wspólnego z samym lekiem, ale mogą ujawnić się dopiero, gdy lek uratuje od poronienia płód uszkodzony od samego początku.

Czy zarodek jest genetycznie podatny na działanie teratogenu? Tak jak nie każdy zaraża się zarazkami kataru, tak nie każdy zarodek jest zaatakowany przez teratogen.

Kiedy zarodek był narażony na kontakt z teratogenem? Okres ciąży, podczas którego teratogeny mogą wyrządzić krzywdę zarodkowi, jest bardzo krótki. Na przykład thalidomide był bezsilny po 52 dniu. Podobnie wirus różyczki wpływa na tylko 1% zarodków po trzecim miesiącu ciąży.

Od szóstego do ósmego dnia po zapłodnieniu (zanim jeszcze kobieta zauważy brak miesiączki) zapłodnione jajo podróżuje jajowodem do macicy i jest wtedy wyjątkowo mało wrażliwe na wpływ wszystkiego, co napotka na swojej drodze, a co za tym idzie raczej nie podlega zniekształceniu. Jeśli nawet ulegnie nieznacznemu uszkodzeniu, potrafi samo je zwalczyć. Wtedy jedyną śmiertelną groźbą dla jaja jest błąd genetyczny lub zewnętrzny czynnik, np. duża dawka promieniowania.

Okres, w którym formowane są organy od zagnieżdżenia się jaja w macicy około 6-8 dnia do końca trzeciego miesiąca – to czas największego zagrożenia. Po trzecim miesiącu niebezpieczeństwo zniekształcenia jest znacznie mniejsze; najczęstsze urazy spowodowane w tym okresie to zahamowania wzrostu zarodka i uszkodzenie centralnego układu nerwowego.

Jak duży był kontakt z teratogenem? Wpływ teratogenu zależy zwykle od jego dawki. Jedno krótkie diagnostyczne prześwietlenie promieniami Roentgena nie spowoduje problemu, ale kilka cięższych prześwietleń mogłoby. Palenie papierosów od czasu do czasu w pierwszych paru miesiącach najprawdopodobniej nie zaszkodzi zarodkowi, ale intensywne palenie przez całą ciążę znacznie zwiększa ryzyko.

Jak duże znaczenie ma właściwe odżywianie się przez matkę? Badania na zwierzętach wykazały, że defekty pozornie spowodowane użyciem leku były naprawdę spowodowane niewłaściwym odżywianiem; lek obniżył tylko apetyt, a co za tym idzie – ilość przyjmowanego pokarmu i wody. Tak jak ty jesteś bardziej odporna na wirus kataru, gdy jesteś dobrze odżywiona, tak twój płód łatwiej zwalczy wpływ teratogenów, gdy jest dobrze odżywiony – oczywiście, za twoim pośrednictwem.

Czy kontakt z teratogenem ma też wpływ na matkę? Uspokajająca jest wiadomość, że kontakt ze środkiem chemicznym, który nie jest na tyle toksyczny, żeby mieć wpływ na matkę, nie zaszkodzi też zarodkowi.

Czy kilka czynników naraz zwiększa ryzyko? Trio: niewłaściwa dieta, palenie papierosów i nadużycie alkoholu, duet: palenie i użycie środków uspokajających oraz inne „zgubne kombinacje" mogą znacznie zwiększyć ryzyko.

Czy istnieje jakiś nieznany czynnik ochronny? Nawet jeśli wszystkie czynniki są identyczne, nie wszystkie zarodki reagują jednakowo. Podczas eksperymentów na zarodkach myszy o identycznych uwarunkowaniach genetycznych, poddanych działaniu identycznych teratogenów na tym samym stopniu rozwoju, tylko jedno zwierzę z dziewięciu urodziło się z defektem. Nikt dokładnie nie wie, dlaczego, ale prawdopodobnie kiedyś medycyna znajdzie rozwiązanie tego sekretu.

MIERZĄC RYZYKO I KORZYŚCI

Czy dzisiejsza kobieta ciężarna powinna obwiniać się o życie i zdrowie swojego dziecka dlatego, że rozwija się ono w świecie pełnym zagrożeń środowiskowych? Absolutnie nie – z wielu powodów. Przede wszystkim, leki i inne czynniki środowiskowe wpływają na mniej niż 1% defektów porodowych, a te z kolei dotyczą 3-4% noworodków. Ogólne zagrożenie jest bardzo małe, nawet jeśli miałaś kontakt ze szczególnym teratogenem. Po drugie, jeśli takiego kontaktu nie miałaś, świadomość niebezpieczeństwa pomoże ci go uniknąć, co znacznie zwiększy szanse twojego dziecka. Po trzecie, wbrew codziennym ostrzeżeniom, podawanym w środkach masowego przekazu, nigdy jeszcze szanse na urodzenie zdrowego dziecka nie były większe.

Oczywiście, nie ma decyzji bez ryzyka. Ale w czasie dokonywania wyboru musimy się nauczyć mierzyć ryzyko i korzyści. Jest to ważne zwłaszcza podczas ciąży, kiedy każda decyzja potencjalnie wpływa na bezpieczeństwo nie jednego, ale dwóch istnień. Kiedy stajesz przed decyzją, czy zapalić papierosa, czy też nie; czy wypić koktajl przed obiadem; czy w czasie oglądania telewizji jeść czekoladę, czy jabłko, powinnaś wyważyć ryzyko i korzyści. Jakie korzyści wynikają z palenia, picia i bezwartościowego jedzenia, dla których warto ryzykować zdrowie twojego dziecka?

No cóż, w większości przypadków z pewnością odpowiesz, że żadne. Ale czasem możesz zadecydować, że warto podjąć ryzyko. Na przykład lampka wina, żeby uczcić rocznicę: ryzyko dla dziecka praktycznie nie istnieje, a korzyść (uroczysta celebracja) jest naprawdę ważna. Albo duży kawałek tortu z okazji urodzin – prawda, że dużo pustych kalorii, ale właściwie nie pozbawią one dziecka składników odżywczych, no a poza wszystkim to przecież twoje urodziny.

Niektóre decyzje dotyczące ryzyka i korzyści nie są trudne. Na przykład regularne spożywanie alkoholu w dużych ilościach przez całą ciążę może okaleczyć twoje dziecko na całe życie. Pozbawienie się przyjemności picia może być niełatwe, ale ryzyko jest tu oczywiste.

Wyobraź sobie, że przechodzisz grypę z gorączką, która może zagrozić dziecku. Lekarz bez wahania zapisze lek na zbicie gorączki. W tym przypadku korzyść z użycia leku znacznie przewyższa ewentualne ryzyko. Z drugiej strony, jeśli temperatura jest tylko nieznacznie podniesiona, nie zagraża ona dziecku i pomoże twojemu organizmowi zwalczyć wirus. Dlatego lekarz da twojemu organizmowi szansę samoobrony, gdyż potencjalne ryzyko przyjęcia leku jest większe niż korzyść.

Inne decyzje mogą nie być tak oczywiste. A jeśli masz okropny katar z zatokowym bólem głowy, przez który nie możesz spać w nocy? Czy powinnaś wziąć tabletkę, która pomoże ci odpocząć? A może powinnaś męczyć się w bezsenne noce, co nie przyniesie pożytku ani tobie, ani twojemu dziecku? Oto najlepszy sposób podejścia do takich decyzji:

- Poszukaj alternatywnych sposobów o niższym poziomie ryzyka. Może jakiś sposób bez użycia leku? Wypróbuj go. Jeśli nie przynosi on pożądanych rezultatów, powróć do pierwotnego sposobu – w tym przypadku do tabletek.
- Zapytaj lekarza o ryzyko i korzyści. Pamiętaj, że nie wszystkie leki powodują defekty porodowe, wiele może być bezpiecznie stosowanych w czasie ciąży. Badania codziennie przynoszą nowe informacje na ten temat, a twój lekarz będzie z nimi zaznajomiony.
- Zdecyduj, czy można zwiększyć korzyść przy zmniejszeniu ryzyka (wzięcia najbardziej efektywnego środka przeciwbólowego przy najmniejszej dawce), i upewnij się, że gdy podejmujesz ryzyko, osiągniesz też korzyść (weź tabletkę przed pójściem spać, przed wypoczynkiem).
- Po konsultacji z lekarzem zrób przegląd zebranych informacji – porównaj korzyści i ryzyko – podejmij decyzję.

Podczas ciąży często będziesz musiała podejmować inteligentne decyzje. Niemal każda z decyzji będzie miała wpływ na zdrowie twojego dziecka. Ale niewłaściwy wybór od czasu do czasu nie jest katastrofą – zmieni on szanse w nieznaczny sposób. Jeśli już popełniłaś parę niewielkich błędów, których nie możesz naprawić, zapomnij o nich. Po prostu dokonuj lepszych wyborów do końca trwania ciąży. I pamiętaj, przewaga jest po stronie twojego dziecka!

4

Dieta najlepszej szansy

Rozwija się w tobie nowa mała istota ludzka. Szanse są dość duże, że on lub ona będzie zdrowe. Ale masz okazję dopilnować, aby twoje dziecko urodziło się nie tylko zdrowe, ale wręcz bardzo zdrowe, biorąc pod uwagę każdy kęs, który zjadasz.

Nie jest to tylko teoria. Badania przeprowadzone w Harwardzkiej Szkole Zdrowia Publicznego wykazały, jak ściśle związany jest stan zdrowia dziecka po urodzeniu z dietą, jaką stosowała matka w czasie ciąży. Zdecydowana większość kobiet (95%), które stosowały odpowiednią dietę w czasie ciąży, urodziła zdrowe dzieci. Natomiast tylko 8% kobiet, które nieodpowiednio odżywiały się w czasie ciąży, urodziło zdrowe dzieci, a 65% z nich urodziło dzieci przedwcześnie, funkcjonujące nieprawidłowo, z wadami wrodzonymi lub martwe!

Oczywiście, dieta większości kobiet, które brały udział w badaniach, nie była ani znakomita, ani fatalna. Ich dieta była po prostu średnia, tak samo jak zdrowie ich dzieci. Ale tylko 6% z tych kobiet urodziło bardzo zdrowe dzieci – czego i my pragniemy dla naszego dziecka.

Inne badania także pokazują, że to, co kobieta w ciąży je lub czego nie je, może wpływać na rozwój płodu. Na przykład brak kwasu foliowego tuż przed poczęciem albo we wczesnym okresie ciąży może zwiększyć ryzyko wad kręgosłupa oraz być może deformację wargi i podniebienia; niedobór białka i kalorii w ostatnim trymestrze może zakłócić prawidłowy rozwój mózgu. Niewłaściwe pożywienie lub niedpowiednie jego spożywanie mogą opóźniać wzrost płodu.

Badania wykazały, że odpowiednia dieta ma również wpływ na prawidłowy przebieg ciąży (niektóre komplikacje, takie jak: niedokrwistość, drgawki, są bardziej prawdopodobne u kobiet źle odżywiających się); na samopoczucie (zmęczenie, nudności poranne, zaparcia, skurcze mięśni łydek i wiele innych dolegliwości związanych z ciążą, można ich uniknąć, stosując odpowiednią dietę); (kobietom stosującym odpowiednią dietę w mniejszym stopniu zagraża urodzenie przed terminem aniżeli kobietom odżywiającym się nieprawidłowo. Stwierdzono, że brak cynku w czasie ciąży powoduje przedwczesny poród); na stan emocjonalny (dobre odżywianie minimalizuje zachowania emocjonalne); oraz na połóg (dobrze dobrana dieta powoduje, że kobieta szybciej powraca do pełni sił po porodzie oraz łatwiej traci masę ciała). Zacznijmy od tego, że jeśli twój sposób odżywiania się nie jest tak zdyscyplinowany i prawidłowy, to stosowanie „Diety najlepszej szansy" będzie dla ciebie prawdopodobnie dużym wyzwaniem. Ale kiedy rozważysz rezultaty dodatkowych wysiłków – większe szanse, że twoje dziecko urodzi się w doskonałym zdrowiu, i większe szanse, że szybciej sama powrócisz do zdrowia po ciąży i porodzie – sądzimy, że zgodzisz się, iż jest to wyzwanie godne podjęcia.

DZIEWIĘĆ PODSTAWOWYCH ZASAD NA DZIEWIĘĆ MIESIĘCY ZDROWEGO JEDZENIA

Każdy kęs się liczy. Masz tylko 9 miesięcy na posiłki i przekąski, aby dać swojemu dziecku najlepszy z możliwych start w życiu. Spraw, aby każdy z nich się liczył. Zanim zamkniesz usta na widelcu pełnym jedzenia, rozważ: „Czy to jest najlepszy kęs, jaki mogę dać mojemu dziecku?" Jeśli przyniesie to korzyści twojemu dziecku – przełknij; jeśli natomiast zaspokoi to tylko twoją „chętkę na słodkie" albo twój apetyt – odłóż widelec.

Nie wszystkie kalorie zostały stworzone jako równe. Na przykład 150 kalorii w pączku nie jest równe 150 kaloriom w bułeczce pełnoziarnistej zasładzanej sokiem. Tak samo 100 kalorii w 10 chipsach ziemniaczanych nie jest równe 100 kaloriom w ziemniaku pieczonym w łupinie (lub porcji frytek najlepszej szansy – patrz przepisy dalej). Tak więc wybieraj swoje kalorie uważnie, oddzielając jedną jakość od drugiej. Twoje dziecko skorzysta więcej na 2000 pożywnych, bogatych kalorii dziennie, niż na 4000 w większości pustych.

Głodząc siebie, głodzisz swoje dziecko. Tak jak nie przejdzie ci nawet przez myśl, aby głodzić swoje dziecko po urodzeniu, nie powinnaś myśleć o głodzeniu go w swojej macicy. Masa twojego ciała jest bez znaczenia dla płodu czerpiącego z niego życie. Potrzebuje on regularnego odżywiania w regularnych odstępach. Nigdy, przenigdy nie opuszczaj posiłku – nigdy także nie pość w czasie ciąży; izraelskie badania wykazały duży wzrost liczby przedwczesnych urodzeń po Jom Kippur, sugerując, że poszczenie w późnym okresie ciąży może powodować przyspieszenie porodu – nawet kiedy ty nie jesteś głodna, twoje dziecko jest. Jeśli uporczywa zgaga lub ciągłe uczucie wzdęcia psują twój apetyt, rozłóż dzienne zapotrzebowanie na 6 małych posiłków zamiast 3 dużych.

Skuteczność jest efektywna. Wypełnij swoje dzienne zapotrzebowanie na pożywienie w najbardziej efektywny sposób w ramach twojego zapotrzebowania na kalorie. Spożycie 6 łyżek masła orzechowego (jeśli możesz, zmniejsz ilość) z jego 600 kaloriami, czyli ok. 25% twojego dziennego przydziału, jest mniej efektywną drogą zdobycia 25 gramów białka niż spożycie 100 gramów tuńczyka w sosie własnym – 125 kalorii. Zjedzenie 1,5 pucharka lodów (ok. 450 kalorii) jest mniej efektywną drogą na zdobycie 300 miligramów wapnia aniżeli wypicie szklanki chudego mleka (90 kalorii) lub zjedzenie kubeczka jogurtu bez tłuszczu (100 kalorii). Tłuszcz, ponieważ ma 2 razy więcej kalorii na gram niż białko lub węglowodany, jest szczególnie nieefektywnym rodzajem kalorii. Wybieraj chude mięso zamiast tłustego, chude mleko i produkty mleczne zamiast pełnotłustych, potrawy pieczone na ruszcie zamiast smażonych; smaruj masłem cienko; przyrządzaj sauté na łyżeczce tłuszczu, a nie na ćwiartce kubka.

Skuteczność jest także ważna, jeśli masz kłopoty z przyrostem masy ciała. Aby rozpocząć przesuwanie skali poprzez zdrowy przyrost masy ciała, wybieraj pożywienie, które jest w pełni odżywcze i kaloryczne – na przykład awokado, orzechy i suszone owoce, które mogą zaspokoić ciebie i twoje dziecko bez nadmiernego wypełniania twojego żołądka. Unikaj takich kalorii, jak w prażonej kukurydzy i sałatkach, które przynoszą zupełnie odwrotny efekt.

Wszystko jedno, czy tylko starasz się zwiększać mniej czy bardziej masę ciała albo próbujesz powstrzymać mdłości, rozstrój albo uczucie przepełnionego żołądka, kiedy tylko jest to możliwe – wybierz rodzaj posiłku, który zaspokaja dwie lub więcej potrzeb za jednym razem – na przykład brokuły (witamina C, składniki znajdujące się w zieleninie, wapń); jogurt lub łosoś z puszki (białko, wapń); suszone morele (składniki znajdujące się w żółtych owocach, żelazo).

Węglowodany są złożonym zagadnieniem. Niektóre kobiety przejęte zbyt dużym przyrostem masy ciała podczas ciąży błędnie odrzucają węglowodany ze swojej diety. Prawda, że rafinowane i/lub proste węglowodany (jak np. w białym pieczywie, białym ryżu, rafinowanych zbożach, ciastach, ciasteczkach, precelkach, cukrach, syropach) są odżywczo ubogie – zaspokajają mało, ale kalorycznie. Ale nierafinowane i/lub złożone węglowodany (chleby pełnoziarniste i razowe, brązowy ryż, warzywa, suszona fasola i groszek oraz oczywiście gorące ziemniaki – szczególnie w łupinach), a także świeże owoce dostarczają niezbędnych ilości witaminy B, minerałów, białka i błonnika. Są one dobre dla twojego dziecka i dla ciebie. Zmniejszają nudności i zaparcia, ponieważ są wypełniające i bogatoresztkowe, ale nie tuczące (jak długo nie toną w maślanych sosach, bogato nimi zalane), także pomogą ci utrzymać przyrost masy pod kontrolą. Ostatnie badania sugerują też inną korzyść dla jedzących złożone węglowodany – jedzenie dużej ilości błonnika może zmniejszyć ryzyko rozwoju cukrzycy w ciąży.

Słodkie nic: nic prócz kłopotów. Żadna kaloria nie jest tak pusta i zarazem bezwartościowa jak kalorie pochodzące z cukru. Badania wykazują, że cukier może być nie tylko pustą wartością, ale jest także szkodliwy. Sugeruje się, że niszczy zęby, może być przyczynkiem do cukrzycy, chorób serca, depresji i w niektórych przypadkach nadpobudliwości. Być może najgorszą rzeczą związaną z cukrem jest to, że jest składnikiem najczęściej znajdowanym w pokarmach, które w całości są zupełnie nieodżywcze: słodycze, pieczone przysmaki z wybielanej lub białej mąki z nadmiarem niezdrowych tłuszczów. Substytuty cukru (nawet słodziki – sacharydy, $C_1H_{18}N_20_5$ – które uważane są za bezpieczne w czasie ciąży) są wątpliwym ekwiwalentem cukru, który spożywa przeciętna kobieta w ciąży, częściowo dlatego, że te słodziki także uważane są za nie najlepsze odżywczo.

Do smacznego i pożywnego zastąpienia substancji słodzących używaj: owoców i koncentratów soków owocowych (nie rozcieńczonych mrożonych soków) zamiast cukru. Są one mniej więcej tak słodkie jak cukier, a zawierają więcej witamin i składników mineralnych. Produkty słodzone w ten sposób są również prawie zawsze pełnoziarniste, przyrządzane ze zdrowymi tłuszczami i bez wątpliwej jakości chemicznych dodatków. Możesz przyrządzać potrawy sama w domu, używając przepisów, które możesz znaleźć w tym rozdziale, lub wybierać ze wzrastającej oferty produktów osiągalnych w sklepach ze zdrową żywnością lub supermarketach. Zawsze czytaj nalepki na produktach, aby upewnić się, że słodziki owocowe zastąpiły cukier. W przeciwnym razie będzie to wybór ubogiego produktu.

„Dieta najlepszej szansy" poleca ograniczenie ilości cukrów rafinowanych (brązowego, białego, miodu, syropu klonowego itd.) podczas ciąży do bardzo sporadycznych dawek. Każda kaloria cukru może pochodzić z lepszego źródła – z produktów, które dają pożywny składnik twojemu dziecku.

Dobre jedzenie pamięta, skąd pochodzi. Jeśli twoja zielona fasolka „nie widziała" swojego macierzystego pola przez miesiące (a nie została przegotowana, przetworzona, zakonserwowana i zapuszkowana od razu po zebraniu), prawdopodobnie nie ma już do zaoferowania twojemu dziecku zbyt wiele ze swoich naturalnych walorów. Wybieraj świeże warzywa i owoce, kiedy jest na nie sezon, lub świeże mrożonki, kiedy tamte są już nieosiągalne lub nie masz czasu, aby je przygotować (są tak pożywne jak świeże, ponieważ są mrożone natychmiast po zebraniu). Próbuj jeść trochę surowych warzyw i/lub owoców każdego dnia. Jeśli gotujesz warzywa – to na parze lub lekko je podsmażaj, aby zachowały swoje witaminy i minerały. Rozgotowuj owoce do soku bez dodatku cukru. Unikaj gotowych produktów, które „złapały" wiele związków chemicznych, cukru, soli w czasie zbierania. Najczęściej są one mało odżywcze. Wybieraj świeże kurze piersi zamiast przetworzonych; potrawkę przyrządzoną ze świeżych składników, a nie z mieszanki odwodnionych, przetworzonych; świeżą owsiankę (owies można przyprawić cynamonem i pokrojonymi w kawałki suszonymi owocami) zamiast wysoko słodzonych mieszanek.

Zdrowe żywienie powinno być sprawą rodzinną. Jeśli w domu znajdują się jednostki „wywrotowe", zmuszające cię do pieczenia ciasteczek czekoladowych lub do dodania chipsów ziemniaczanych do listy twoich zakupów – „Dieta najlepszej szansy" nie ma szans. Spraw, aby pozostali członkowie rodziny byli twoimi sprzymierzeńcami, i włącz ich wszystkich do udziału w twojej diecie. Upiecz naturalnie słodzone owocowe ciasteczka owsiane zamiast czekoladowych; przynieś do domu pełnoziarniste precle lub przypieczone nasiona słonecznika zamiast chipsów ziemniaczanych. Dzięki temu będziesz miała zdrowe dziecko i lepszą sylwetkę, a domownicy – mąż i pozostałe dzieci (jeśli je masz) – zachowają dobrą formę i kondycję, a także nawyki zdrowszego jedzenia.

Kontynuuj „Dietę najlepszej szansy" z całą rodziną po porodzie, a dasz w ten sposób każdemu domownikowi – szczególnie temu ważnemu, najnowszemu członkowi rodziny – najlepsze szanse na długie i zdrowe życie.

Złe nawyki mogą sabotować dobrą dietę. Najlepsza dieta prenatalna na świecie jest zagrożona, jeśli oczekująca matka odrzuca uwagi, aby wyeliminować alkohol, tytoń i inne niebezpieczne leki czy narkotyki ze swojego życia (poczytaj o tym w rozdziale 3). Jeśli jeszcze tego nie zrobiłaś, zmień odpowiednio swoje nawyki.

DZIENNA DAWKA „DIETY NAJLEPSZEJ SZANSY"

Kalorie. Stara maksyma, że kobieta w ciąży je za dwóch, jest prawdziwa. Ale ważne jest, aby pamiętać, że jeden z tych dwóch jest maleńkim, rozwijającym się zarodkiem, którego zapotrzebowanie na kalorie jest odpowiednio niższe od twojego – zwykle mniej więcej 300 kalorii dziennie. Tak więc, jeśli twoja waga jest przeciętna, potrzebujesz tylko około 300 kalorii więcej niż zwykle, aby utrzymać swoją prawidłową masę ciała w ciąży. (Aby określić w przybliżeniu, jak wielu kalorii potrzebujesz, pomnóż swoją masę przez 24 – jeśli przez większość czasu siedzisz; przez 30 – jeśli jesteś umiarkowanie aktywna; przez (do) 44, jeśli jesteś bardzo aktywna). Ponieważ część z każdej dawki kalorii w zależności od indywidualnych właściwości – nawet w czasie ciąży jest spalana, a zapotrzebowanie na kalorie też jest zmienne, liczba, którą otrzymujesz, też jest przybliżona (miarą masy jest kilogram).

Podczas pierwszych trzech miesięcy ciąży możesz potrzebować mniej niż 300 dodatkowych kalorii, chyba że próbujesz nadrobić deficyt masy. Kiedy twój metabolizm będzie przyspieszony w późniejszym okresie ciąży, możesz potrzebować więcej niż 300 dodatkowych kalorii dziennie. Pomimo istnienia rozmaitych diet na okres ciąży możesz zauważyć, że wiele z nich poleca ci jeść tyle, ile wystarczyłoby dla 4-osobowej rodziny. Liczba przyswajanych kalorii znacznie przekracza potrzeby twojego rosnącego dziecka i twoje. Jest to więc nie tylko niekonieczne, ale też niemądre. Z drugiej strony, spożywanie mniejszej liczby kalorii jest nie tylko niemądre, ale potencjalnie niebezpieczne; kobiety, które nie pobierają dodatkowych kalorii w czasie ciąży – szczególnie w II i III trymestrze – mogą poważnie zakłócić rozwój swojego dziecka.

Są cztery wyjątki od głównej zasady: W każdym z tych przypadków przyszła matka powinna poradzić się swojego lekarza odnośnie do jej zapotrzebowania na kalorie:

1) kobiety z nadwagą, które stosując prawidłowe porady dotyczące żywienia, mogą prawdopodobnie zmniejszyć liczbę kalorii;
2) kobiety z poważną niedowagą, które najwyraźniej potrzebują większej liczby kalorii;
3) młode dziewczyny, które jeszcze same rosną i mają szczególne odżywcze potrzeby;
4) kobiety noszące więcej niż jeden płód – muszą one dodać po 300 kalorii na każdy z nich.

Zjedzenie 300 dodatkowych kalorii dziennie – to brzmi jak sen „żarłoka". Przykro to mówić – ale tak nie jest. W czasie, kiedy popijałaś swoje 4 szklanki mleka (ogółem 380 kalorii dla chudego mleka) lub pobierałaś równowartość, jedząc produkty bogate w wapń i dodatkową potrzebną dawkę białka – przebrałaś dozwoloną miarkę. Oznacza to, że zamiast lamentować, powinnaś prawdopodobnie rzucić swoje zwyczaje, podporządkowując je odpowiedniemu żywieniu swojego dziecka i utrzymaniu rozsądnej masy ciała. Aby upewnić się, że otrzymujesz maksymalnie odżywcze dawki kalorii, stań się ekspertem skutecznej diety.

Ale odkąd każda kaloria w czasie ciąży liczy się, nie musi już być liczona. Zamiast przejmować się skomplikowanymi obliczeniami podczas każdego posiłku, stań raz w tygodniu na dokładnej wadze, aby sprawdzić swoje postępy, Waż się o tej samej porze dnia, naga lub wkładając te same rzeczy (lub które mniej więcej tyle samo ważą), aby twoje obliczenia nie poszły na marne z powodu dużego posiłku w jednym tygodniu, a ciężkiego swetra w następnym. Jeśli przyrost twojej masy przebiega zgodnie ze schematem (przeciętnie około 500 g tygodniowo) znaczy to, że spożywasz odpowiednią liczbę kalorii. Jeśli jest mniejszy – przyjmujesz zbyt mało; jeśli jest większy, spożywasz zbyt dużo. Pomnóż lub zmniejsz dopływ energii pochodzącej z pożywienia, jeśli tak trzeba, ale upewnij się, że nigdy nie odrzucasz wymaganych składników odżywczych razem z tymi zbędnymi kaloriami. W dalszym ciągu waż się, aby się upewnić, że jesteś na dobrej drodze.

Białka: 4 dawki dziennie. Białka zbudowane są z substancji zwanych aminokwasami, które są kompleksami budującymi ludzkie komórki: są one szczególnie ważne, ponieważ tworzą komórki nowego dziecka. Badania pokazują, że pobieranie nieodpowiednich białek, tak jak pobieranie nieodpowiednich kalorii, może spowodować, że dziecko będzie mniejsze niż normalnie. Tak więc ciężarne kobiety powinny próbować spożywać co najmniej 60-75 gramów białka dziennie. Możliwe, że 100 gramów, porcja często zalecana w ciążach o zwiększonym ryzyku, jest lepszą liczbą, odkąd większe dawki mogą pomóc zabezpieczyć ciążę przed ryzykiem. (Kobiety, które nie otrzymują odpowiedniej liczby kalorii – może z powodu nudności i wymiotów – potrzebują dużej ilości białka, aby zapewnić wystarczającą ilość na potrzeby energetyczne i budowę dziecka. Muszą one pobierać przynajmniej 4 dawki dziennie.)

Dawka 100 gramów białka dziennie może wydawać się duża, ale większość Amerykanów zjada tyle albo więcej w ciągu dnia. Aby uzyskać owe 100 gramów, musisz jeść łącznie 4 pozycje z grupy pokarmów białkowych, wyszczególnione w „Diecie najlepszej szansy" (patrz s. 113). Kiedy obliczasz dawki białka, nie zapomnij zliczyć tych, które znajdują się w produktach zawierających wapń: szklanka mleka i ok. 30 g sera dostarczają 1/3 dawki białka; kubeczek jogurtu = 1/2 dawki; ok. 110 g łososia z puszki = 1 dawka.

Jeśli na końcu dnia zauważysz, że zabrakło 1/2 lub nawet całej dawki, możesz to szybko nadrobić, zjadając wieczorem wysokobiałkową przekąskę, np. sałatkę z jaja (1/2 dawki białka – z jednego jaja i dwóch białek); pełnoziarniste krakersy; podwójny koktajl mleczny (2/3 dawki białka) lub 3/4 miarki małotłustego domowego twarogu (1 dawka białka) przybranego świeżymi owocami, rodzynkami, cynamonem lub pokrojonym pomidorem i bazylią.

Nigdy nie używaj płynnych lub sypkich wysokobiałkowych dodatków, aby dopomóc w dopełnieniu twojego zapotrzebowania – mogą być szkodliwe.

Pokarmy z witaminą C: 2 dawki dziennie. Ty i twoje dziecko – oboje potrzebujecie witaminy C do odbudowy tkanek, leczenia ran i wielu innych procesów metabolicznych. Twoje dziecko potrzebuje jej także do prawidłowego wzrostu i rozwoju silnego kośćca i zębów. Witamina C jest substancją odżywczą, której ciało nie może przechowywać, tak więc nowa porcja jest potrzebna każdego dnia. Pokarmy bogate w witaminę C najlepiej jeść świeże i nie gotowane, bo wystawienie na światło, ciepło i powietrze z czasem niszczy witaminę. Jak wynika z listy pokarmów z witaminą C (patrz dalej, s. 112) daleki „w kolejce" sok pomarańczowy nie jest jedynym lub najlepszym źródłem tej podstawowej witaminy.

Pokarmy zawierające wapń: 4 dawki dziennie. Kiedyś w szkole podstawowej uczyłaś się prawdopodobnie, że rosnące dzieci potrzebują dużo wapnia, aby mieć silne kości i zęby. Takie same potrzeby mają rosnące płody. Wapń jest także niezbędny mięśniom, sercu i rozwijającym się nerwom, krzepliwości krwi, aktywności enzymów. Nie tylko twoje dziecko utraci coś, jeśli nie przyswoisz dość wapnia. Jeśli pobierane ilości są nieodpowiednie, twoja „fabryka" tworząca dziecko będzie wyciągać wapń z twoich kości, aby uzupełnić potrzebną sumę, zostawiając ci choroby układu kostnego na starość. Kolejnym powodem, abyś piła mleko (albo przyjmowała wapń w innej formie) jest to, że – jak sugerują obecne badania – duże pobieranie wapnia może pomóc w zapobieganiu skłonnościom do nadciśnienia w czasie ciąży.

Bądź więc pilna i skrzętnie pobieraj 4 dawki pokarmów bogatych w wapń. I nie martw się, jeśli pomysł wypicia 4 szklanek mleka dziennie nie przemawia do ciebie. Wapń wcale nie musi być podawany w szklankach. Może być serwowany w kubeczku jogurtu, kawałku sera lub dużej porcji domowego twarogu. Może być ukryty w zupie, potrawce, chlebach, deserach; jest to szczególnie proste, kiedy jest w formie nietłustego mleka w proszku lub odtłuszczonego mleka (1/3 miarki i 1/2 miarki przypada średnio na szklankę płynnego mleka lub dawkę wapnia). Jeśli wybierasz szklankę, możesz podwoić siłę wapnia w każdej z nich, rozpuszczając 1/3 miarki nietłustego mleka w proszku (patrz: podwójny koktajl mleczny s. 117). Dla tych, którzy wcale nie tolerują lub nie jedzą produktów mlecznych, wapń może także występować w innej formie niż mleczna (patrz: lista pokarmów bogatych w wapń, s. 112 – znajdziesz tu różnorodność niemlecznych ekwiwalentów).

Tym kobietom, które nie są pewne, czy spożywają dość wapnia w swojej diecie (wegetarianek lub bezglutenowców), możemy polecić uzupełnienia wapniowe.

Zielenina, żółte warzywa, żółte owoce: 3 dawki dziennie lub więcej. Ten ulubiony „króliczy zestaw" dostarcza witaminy A w formie karotenu, który jest niezbędny rosnącym komórkom (komórki twojego dziecka rozmnażają się w niewiarygodnym tempie), zdrowej skórze, kościom, oczom i może nawet zmniejszyć ryzyko powstania niektórych postaci raka. Zielenina oraz żółte warzywa i owoce dostarczają także dawek innych niezbędnych witamin (witamina E, ryboflawina, kwas foliowy, witamina B_6); wielu minerałów (wiele zielonych liści zapewnia dużą ilość wapnia, a równocześnie związków mineralnych); błonnika.

Bogaty wybór najbardziej skutecznych naturalnych źródeł witaminy A można znaleźć w zieleninie, żółtych warzywach i żółtych owocach. Te kobiety, które mają „antywarzywne" skłonności, mogą być zaskoczone, gdy odkryją, że marchew i szpinak nie są jedynymi źródłami witaminy A oraz że witamina ta występuje także w suszonych morelach, żółtych brzoskwiniach, kantalupach, mango. Te natomiast, które lubią pić swoje warzywa, mogą być szczęśliwe, wiedząc, że mogą czasami zastąpić zieleninę i żółte warzywa szklanką soku warzywnego.

Inne owoce i warzywa: 2 dawki dziennie lub więcej. Oprócz produktów bogatych w karoten, witaminy A i C, potrzebujesz także co najmniej dwóch rodzajów innych warzyw lub owoców dziennie, aby uzyskać dodatkowo włóknik, witaminy i minerały. Wiele z nich jest bogatych w potas lub/i magnez, a obydwa te składniki są ważne dla dobrego zdrowia w czasie ciąży – ich znaczenie zaczyna być dopiero rozumiane. Różnorodny zestaw tych owoców i warzyw jest przedstawiony dalej.

Produkty pełnoziarniste i papki skrobiowe: od 6-11 dawek dziennie. Pełne ziarna. Produkty ziarniste (nie oczyszczana pszenica, owies, żyto, jęczmień, kukurydza, ryż, proso, soja itd.) i papki skrobiowe (suszony groszek i fasola) są pełne substancji odżywczych, szczególnie witamin B, które są potrzebne prawie każdej cząstce rozwijającego się ciała twojego dziecka. Te skoncentrowane, złożone węglowodany są też bogate w pierwiastki śladowe, tj. cynk, selen, magnez, które są bardzo ważne w czasie ciąży. Produkty skrobiowe mogą też pomóc w zmniejszeniu porannych dolegliwości.

Choć te życiodajne produkty mają wiele substancji odżywczych, każdy z nich ma własną moc. Aby uzyskać maksimum korzyści, uwzględnij różnorodność złożonych węglowodanów w twojej diecie. Bądź odkrywcza: np. posyp rybę otrębami owsianymi z przyprawami i serem parmezanem. Użyj jęczmienia w swoim ulubionym przepisie na owsiane ciasteczka itp.

Nie zaliczaj oczyszczonych ziaren (np: chlebów czy kaszek zrobionych z białej mąki) do tych źródeł, w których znajdziesz żądane składniki. Nawet jeśli są one wzbogacone, ciągle brakuje w nich włóknika i więcej niż tuzina witamin i składników mineralnych, które można znaleźć w tych oryginalnych.

Pokarmy bogate w żelazo: kilka dziennie. Duża ilość żelaza jest podstawą zapewnienia prawidłowego rozwoju krwi płodu i twojej i będziesz potrzebować go więcej w ciągu tych 9 miesięcy niż w jakimkolwiek innym okresie życia. Wydobądź tak wiele żelaza ze swojej diety, jak tylko możesz (patrz s. 114). Spożywanie pokarmów bogatych w witaminę C w zestawie z pokarmami bogatymi w żelazo zapewni absorpcję.

Ponieważ często trudno jest wypełnić zapotrzebowanie na żelazo w czasie ciąży, mimo stosowania diety poleca się, aby około 12 tygodnia ciężarna kobieta przyjmowała dziennie 30 mg związków żelaza. Aby wzmocnić przyswajanie dodatkowego żelaza, powinno ono być spożywane między posiłkami, popijane sokami owocowymi bogatymi w witaminę C lub wodą (nigdy mlekiem, herbatą czy kawą). Jeśli poziom żelaza u ciężarnej jest niski, lekarz może jej zalecić dzienną dawkę 60-120 mg.

Pokarmy bardzo tłuste: codziennie 4 pełne lub 8 połówek dawek, lub równowartość kombinacji. Zgodnie z ogólnie akceptowanymi zasadami nie więcej niż 30% kalorii u dorosłego powinno pochodzić z tłuszczu (w przeciętnej amerykańskiej diecie 40% kalorii pochodzi z tłuszczu). Te same porady odnoszą się do ciężarnych dorosłych. To znaczy, że jeśli ważysz ok. 60-65 kg i potrzebujesz ok. 2100 kalorii dziennie (patrz s. 106 i *Dodatek*, s. 437, jeśli ważysz mniej lub więcej), nie więcej niż 630 z nich powinno pochodzić z tłuszczu. Odkąd tylko 70 g tłuszczu to 630 kalorii, oznacza to, że zapotrzebowanie na tłuszcz jest z pewnością najłatwiejsze do wypełnienia – i najłatwiejsze do przekroczenia. I chociaż nic się nie stanie, kiedy zjemy trochę więcej zielonych produktów czy produktów z witaminą C, lub nawet tych pełnoziarnistych lub bogatych w wapń, to nadmiar tłuszczu może spowodować nadmierną masę. Utrzymanie pobierania tłuszczów na średnim poziomie jest dobrym pomysłem, ale całkowite jego wyeliminowanie z diety jest potencjalnie groźne. Tłuszcz jest niezbędny twojemu rozwijającemu się dziecku; podstawowy kwas tłuszczowy jest po prostu podstawą. W dziewiątym miesiącu ciąży niezbędne są kwasy tłuszszczowe omega-3, znajdujące się w łososiu, lnie, sardynkach.

Uważnie śledź spożycie tłuszczów. Pokrywaj zapotrzebowanie organizmu, ale nie przekraczaj go. Nie zapominaj, że tłuszcze, których używasz, gotując i przygotowując posiłki, też się liczą. Jeśli smażysz jajka na 1/2 łyżki margaryny (1/2 dawki) i mieszasz tuńczyka z łyżką majonezu (1 dawka), uwzględnij to w swoich dziennych obliczeniach.

Jeśli przyrost masy ciała nie jest wystarczający, a zwiększenie ilości innych produktów odżywczych nie przynosi efektów, spróbuj dziennie dodać 1 dawkę więcej tłuszczu niż zwykle (ale nie więcej); skoncentrowane kalorie, których dostarczasz, mogą pomóc osiągnąć optymalną masę.

Pokarmy słone: umiarkowanie. Swojego czasu medycyna wprowadziła nakaz ograniczenia soli w czasie ciąży, ponieważ przyczyniała się ona do zatrzymywania wody w organizmie i uczucia wzdęcia. Teraz wierzy się, że pewien wzrost ilości płynów ciała w czasie ciąży jest konieczny i normalny oraz że umiarkowana ilość sodu jest konieczna do utrzymania odpowiedniego poziomu płynów. W dalszym ciągu jednak uważa się, że bardzo duża ilość sodu i pokarmów solonych (takich jak ogórki z octu, sos sojowy i chipsy ziemniaczane) nie jest zdrowa dla nikogo. Wysokie spożycie sodu jest ściśle związane z wysokim ciśnieniem krwi – stanem, który może powodować wiele potencjalnie groźnych komplikacji w czasie ciąży, porodu i połogu. Choć w USA nie istnieje problem braku jodu, możesz używać soli jodowanej, aby być pewna, że pobierasz odpowiednią dawkę jodu w czasie ciąży. Jako zasadę generalną wprowadź: zamiast dodawać sól podczas gotowania, sól swoje potrawy przy stole.

Płyny: co najmniej osiem (200-250 ml) szklanek dziennie. Nie tylko jesz za dwóch, ale też pijesz za dwóch. Jeśli zawsze byłaś jedną z tych, które przeżywają dzień prawie bez łyka czegokolwiek, teraz jest czas, aby to zmienić. Tak jak objętość płynów ciała wzrasta w czasie ciąży, tak też wzrasta twoja potrzeba spożycia płynów. Twój płód też potrzebuje płynów. Większość jego ciała – tak jak twojego – stanowi woda. Dodatkowe płyny pomagają w utrzymaniu miękkości skóry, zmniejszają prawdopodobieństwo zaparć, oczyszczają twoje ciało z toksyn i zbędnych produktów oraz redukują nadmierne obrzęki i ryzyko infekcji dróg moczowych. Upewnij się, że pijesz co najmniej 8 kubków (2 kwarty) dziennie. Liczbę tę można zwiększyć, zwłaszcza jeśli jest gorąco. Musisz pamiętać, że odwodnienie lub niedobór płynów są czynnikami zwiększającymi ryzyko wcześniejszego porodu.

Oczywiście cała twoja porcja wody nie musi pochodzić z kranu. Możesz liczyć mleko (które zawiera 2/3 wody), soki owocowe i warzywne, nie słodzone, bezkofeinowe napoje, zupy i butelkowaną wodę mineralną i gazowaną. Ograniczaj jednak kalorie uzyskiwane z płynów albo zakończysz dzień z nadmiarem przyswojonych kalorii.

Rozłóż spożycie płynów na cały dzień i nie próbuj pić więcej jak dwie szklanki na raz – mogłoby to nadmiernie rozrzedzić twoją krew, powodując zaburzenie równowagi chemicznej.

Odżywcze uzupełnienia: codzienna ciążowa zasada. Uzupełnianie witamin zawsze powodowało kontrowersje w środowiskach naukowych. Kontrowersje te, dotyczące okresu prenatalnego, zintensyfikowały się obecnie w związku z oświadczeniem Narodowej Akademii Nauk (amerykańskiej), która stwierdza, że nie ma obecnie dostatecznych dowodów, aby popierać zasadę uzupełniania (wyjątek stanowi 30 mg żelaza) w stosunku do kobiet w ciąży. Akademia podejmuje wyczerpujące badania, aby stwierdzić, czy uzupełnienie określonych witamin i minerałów mogłoby rzeczywiście być wartościowe dla kogokolwiek. Przedstawiciele Akademii obecnie polecają jednak, aby lekarze uważnie określali diety dla każdej pacjentki i przepisywali uzupełnienia tylko wtedy, kiedy są przekonani, że sposób odżywiania nie jest wystarczający – rutynowe ograniczenie uzupełnień do tych wypadków, które stanowią zagrożenie odżywcze, włączając w to wegetarianki, kobiety noszące więcej niż jeden płód, nałogowe palaczki, alkoholiczki i narkomanki.

Popularna jest teoria, że zdrowa ciężarna kobieta rzeczywiście może uzyskać wszystkie potrzebne jej odżywczo produkty z własnej kuchni. I rzeczywiście mogłaby – jeśli mieszkałaby w laboratorium, gdzie jej pożywienie byłoby przygotowywane z produktów posiadających na pewno wszystkie witaminy, minerały, a ich dawki byłyby adekwatne do dziennego spożycia; jeśli nigdy nie jadłaby „w biegu" lub nie czuła się zbyt źle, aby jeść; jeśli zawsze wiedziałaby na pewno, że nosi tylko jedno dziecko i że jej ciąża nie okaże się dużym ryzykiem. Ale w prawdziwym świecie odżywcze uzupełnienia dostarczają dodatkowego zabezpieczenia zdrowia – i kobieta, która chce być bezpieczna, może się lepiej czuć z takim właśnie zabezpieczeniem.

Uzupełnienie jest jednak tylko dodatkiem. Żadna tabletka, bez względu na to, jak jest kompletna, nie może zastąpić dobrej diety. To bardzo ważne, aby większość witamin i minerałów pochodziła z pożywienia, ponieważ to jest sposób, w jaki substancje odżywcze mogą być najbardziej efektywnie przyswajane. Świeże pokarmy (te nie przetwo-

Co jest w tabletce?

Nie ma standardu określonego przez FDA lub Amerykańską Szkołę Gastrologów i Ginekologów mówiącego dokładnie, co musi zawierać tabletka, aby mogła być nazwana uzupełniającą w okresie prenatalnym. Tak więc wyodrębnienie właściwej recepty może być skomplikowane. Często lekarz przepisuje uzupełnienie i najczęściej robi to „na wyrost" w stosunku do tego, co możesz kupić.

Jeśli sama wyodrębniasz uzupełniające witaminy/minerały, szukaj recept, które zawierają:

- Nie więcej niż 4000 do 5000 jednostek witaminy A; powyżej 10 000 jednostek daje dawkę toksyczną. Bezpieczniejszy jest beta karoten.
- 800-1000 mcg (1 mg) kwasu foliowego.
- DDP (dawka dzienna polecana) w czasie ciąży witaminy D i C. Niektóre recepty zawierają trochę mniej lub więcej niż DDP, ale to jest nieszkodliwe. Unikaj jednak tych, które zawierają dużo więcej – chyba że są przepisane przez twojego lekarza.
- DDP lub trochę więcej czy mniej kwasu nikotynowego (lub amidu nikotynowego) lub B3; kwasu oleinowego (B5 – nieobecny w wielu uzupełnieniach); żelazo, jod, cynk, miedź (miedź jest konieczna w uzupełnieniach zawierających cynk, ponieważ może on kolidować z przyswajaniem przez ustrój miedzi z diety, podwyższając zapotrzebowanie na ten minerał. Cynk i miedź są konieczne w uzupełnieniach zawierających żelazo, bo żelazo może kolidować z ich wchłanianiem).
- DDP witaminy E.
- 200 do 300 mg wapnia. Jeżeli nie przyjmujesz pożywienia bogatego w wapń, będziesz potrzebować uzupełnienia dla osiągnięcia 1200 mg DDP. Nie zażywaj więcej niż 250 mg wapnia (albo więcej niż 25 mg magnezu) równocześnie z żelazem w dawkach uzupełniających, gdyż minerały te utrudniają przyswajanie żelaza. Wszystkie większe dawki zażywaj dwie godziny przed lub po przyjęciu żelaza.
- W przybliżeniu DDP dla witaminy C – 70 mg, tianiny (B_1) – 1,5 mg, ryboflawiny (B_2) 1,6 mg, pirydoksyny (B_6) – 2,6 mg, amidu kwasu nikotynowego – 17 mg, witaminy (B_{12}) – 2,2 mg, witaminy E – 10 mg. Większość preparatów zawiera od 2 do 3 DDP wymienionych składników, ale jak dotąd nie stwierdzono szkodliwego wpływu takich dawek.
- W przybliżeniu DDP dla cynku 15 mg i żelaza podstawowego 30 mg. Więcej żelaza może zostać przepisane, jeśli cierpisz na anemię.
- Niektóre preparaty mogą także zawierać magnez, miedź, biotynę (witaminę H) i/lub kwas pantotenowy. Zestaw takich minerałów jak: chrom, mangan, molibden rzadko występuje w preparatach uzupełniających dla ciężarnych.

rzone) zawierają nie tylko te substancje, o których wiemy i które mogą być zsyntetyzowane w pigułce, ale prawdopodobnie wiele innych, które jeszcze nie zostały odkryte. Prenatalne uzupełnienia 30 lat temu nie zawierały cynku i innych minerałów, o których obecnie wiemy, że są konieczne, aby zapewnić dobre zdrowie. Ale chleb pełnopszenny zawsze je zawierał. Podobnie z pokarmami dostarczającymi włóknik i wodę (owoce i warzywa zawierają oba składniki) oraz ważnymi kaloriami z białkiem – z których żadne nie jest zaspokajane w tabletce. (Uważaj na pastylki, których opis podaje, że są równowartością dziennego zapotrzebowania na warzywa – te zapewnienia są całkowitym oszustwem.)

I nie myśl, że ponieważ mało jest dobrze, to dużo jest lepiej. Witaminy i minerały w dużych dawkach działają jak narkotyki w ciele i tak powinny być traktowane, szczególnie przez przyszłe matki. Niektóre z nich – takie jak witamina A i witamina D – działają toksycznie nawet w poziomie miernie podwyższonym niż DDP (dawka dzienna polecana). Pobieranie więcej niż DDP takich witamin w twojej dziennej diecie nie jest jednak uważane za niebezpieczne. Jednakże uzupełnienie ponad DDP powinno być brane pod uwagę tylko pod kontrolą lekarza – jeśli przynosi korzyści.

WYSELEKCJONOWANE GRUPY „DIETY NAJLEPSZEJ SZANSY"

Wiele pokarmów spełnia więcej niż jeden wymóg, tak więc wyselekcjonowane grupy pokarmów mogą się pokrywać. Na przykład te same 3 szklanki mleka dostarczają ci 3 dawek wapnia i jedną białka.

POKARMY BIAŁKOWE

Każdego dnia zjedz 4 z niżej podanych produktów albo kombinację stanowiącą ekwiwalent 4 dawek. Dawka zawiera od 18--25 gramów białka, a powinnaś zjeść 75-100 gramów dziennie.

3 szklanki o objętości 200-250 ml chudego lub małotłustego mleka, lub małotłustej maślanki,
3/4 miarki[1] (0, 41 litra) małotłustego domowego twarogu,
1 i 3/4 miarki małotłustego jogurtu,
50 g sera parmezan,
70 g sera edamskiego,
85 g sera szwajcarskiego lub cheddar, lub innego małotłustego sera,
5 dużych białek z jaj,
2 duże jaja lub 2 białka,
100 g tuńczyka,
70 g kurzego lub indyczego mięsa bez skóry,
100 g ryby lub krewetek,
140 g małży, krabów lub mięsa z homara,
85 g chudej wołowiny, jagniny, wieprzowiny lub ciemnego kurzego mięsa,
85 g cielęciny,
115 g lekko tłustej wołowiny lub jagniny,
85 g wątróbki (jedz niezbyt często),
140-170 g tofu,
strukturalne białko warzyw,
1 dawka całkowitej kombinacji białek (patrz dalej).

PRZEKĄSKI WYSOKOBIAŁKOWE

Orzechy i nasiona,
przysmaki pełnoziarniste, pieczone,
przysmaki sojowe,
jogurt,
twardy ser,
jaja na twardo,
kiełki pszeniczne.

[1] 1 miarka (amerykańska), czyli inaczej kubek = 0,5506 litra (przyp. tłum.).

POKARMY Z WITAMINĄ C

Zjedz codziennie co najmniej dwa z niżej podanych produktów albo kombinację równą dwom. Twoje ciało nie może przechowywać tej witaminy, przyjmuj ją więc każdego dnia.

1/2 grapefruita,
1/2 kubka soku grapefruitowego,
2 małe pomarańcze,
1/2 kubka soku pomarańczowego,
2 łyżki koncentratu pomarańczowego,
1/2 mango średniej wielkości,
1/2 kubka papai w kostkach,
1/4 małej kantalupy,
1/2 kubka truskawek,
1 i 1/3 kubka jagód lub malin,
1 i 1/2 dużego pomidora,
1 kubek soku pomidorowego,
3/4 kubka soku z jarzyn,
1 i 1/2 kubka krojonej surowej kapusty (lub w sałatce),
1/2 małej czerwonej lub zielonej papryki,
2/3 kubka gotowanych brokułów,
3/4 kubka gotowanego kalafiora,
3/4 kubka gotowanej kapusty włoskiej,
1 kubek mrożonej kapusty odmiany południowej (USA),
3/4 kubka gotowanej kalarepy, 3 kubki surowego szpinaku.

POKARMY BOGATE W WAPŃ

Zjedz cztery pokarmy dziennie z przedstawionych poniżej lub jakąkolwiek kombinację, która jest ich równowartością. Potrzebujesz 1280-1300 mg wapnia dziennie. Każda pozycja zawiera około 300 mg wapnia.

200-250 ml odtłuszczonego lub małotłustego mleka lub maślanki,
1/2 kubka odtłuszczonego lub małotłustego mleka,
1 i 1/3 kubka małotłustego domowego twarogu,
około 42 g sera cheddar lub amerykańskiego,
35 g sera szwajcarskiego,
1 kubeczek odtłuszczonego, pełnego jogurtu,
1/3 kubka mleka w proszku bez tłuszczu,
170 ml mleka z dodatkiem wapnia (takie mleko można także kupić jako produkt ze zredukowaną laktozą, która jest często tolerowana przez tych, którzy nie tolerują innych form produktów mlecznych),
170 ml soku pomarańczowego z dodatkiem wapnia,
110 g łososia z puszki z ościami,
85 g sardynek z puszki z ościami,
100 g makreli z puszki z ościami,
2 do 3 łyżeczek mielonych ziaren sezamkowych,
mleko sojowe i białka sojowe (dla urozmaicenia formuły sojowej; czytaj nalepki na produktach, aby określić zawartość wapnia, pamiętając, że jednostka wapnia jest równa ok. 300 mg),
1 kubek kapusty (odmiana z południa USA),
1 i 1/2 kubka gotowanej włoskiej kapusty,
1 i 1/2 kubka gotowanej gorczycy lub rzepy,
1 i 3/4 kubka brokułów
2 i 1/2 łyżki melasy,
2 kukurydziane tortille (naleśnik meksykański),
10 suszonych fig,
3 kubki gotowanej suszonej fasoli.

PRZEKĄSKI BOGATE W WAPŃ

Migdały, orzechy laskowe i orzeszki ziemne,
suszone owoce,
gotowe przysmaki z nasion sezamkowych,
mąki sojowej lub chleb świętojański.

ZIELENINA, ŻÓŁTE WARZYWA I ŻÓŁTE OWOCE

Potrzebujesz dziennie trzech lub więcej produktów podanych poniżej, z których jeden powinien być surowy. Próbuj wybrać i żółte, i zielone.

1/8 kantalupy (ok. 10-12 cm długości),
2 duże świeże lub suszone morele,
1/2 średniego mango,
1 duża nektarynka lub żółta brzoskwinia,
1 miarka papai w kostkach,
1/2 średniej śliwy daktylowej,
1 łyżka nie słodzonej dyni z puszki,
1/3 miarki gotowanej botwiny,
3/4 miarki gotowanych brokułów lub liści rzepy,
1/2 surowej marchwi lub 1/3 miarki gotowanej marchwi,
1/2 miarki gotowanej kapusty (odmiana z południa USA),
1 i 1/2 miarki cykorii,
1/3 miarki gotowanej kapusty włoskiej lub liści gorczycy,
8-10 dużych liści ciemnozielonej sałaty,
1/2 miarki surowego szpinaku lub 1/4 miarki gotowanego,
1/4 małego sweet potato („słodki ziemniak” – roślina tropikalna, przyrządza się jej korzenie),
1/3 miarki gotowanej botwiny szwajcarskiej.

INNE OWOCE I WARZYWA

Zjedz codziennie co najmniej 2 z produktów wypisanych poniżej.
1 jabłko lub 1/2 miarki nie słodzonego przecieru jabłkowego,
6-7 sztuk szparagów,
1 mały banan,
1 miarka kiełków ziarna,
3/4 miarki zielonej fasoli,
2/3 miarki jagód,
2/3 miarki brukselki,
2/3 miarki świeżych drylowanych wiśni,
2/3 miarki winogron,
1 miarka świeżych grzybów,
9 płatków okry (tropikalna roślina z zielonymi nasionami zamkniętymi w płatkach),
1/2 miarki pietruszki,
1 średnia gruszka,
1 średni kawałek świeżego lub z puszki nie słodzonego ananasa,
1 średni ziemniak,
2/3 miarki cukinii.

)DUKTY PEŁNOZIARNISTE I PAPKI SKROBIOWE

Jedz codziennie od sześciu do jedenastu porcji z wymienionych niżej potraw. Jeśli przyswajasz szybko – raczej sześć, jeśli powoli – raczej bliżej jedenastu.

1 kawałek pełnoziarnistego, pszennego, ryżowego, z innego gatunku zboża lub sojowego chleba,
1/2 miarki gotowanego brązowego ryżu,
1/2 miarki gotowanego dzikiego ryżu,
1/2 miarki gotowanych pełnoziarnistych produktów zbożowych (np. owsianka), 1 uncja (28,35 g) pełnoziarnistych, przyrządzonych do jedzenia produktów zbożowych (mączek) bez dodatku cukru (kruszona pszenica, pożywne zboża, inne gatunki zdrowej żywności),
2 łyżki pszenicznych kiełków,
1/2 miarki gotowanego prosa, kaszy (np. gryczanej),
1/2 miarki gotowanej pełnoziarnistej, sojowej lub innej bogatej w białko pasty,
2 x 2 x 1-calowy chleb kukurydziany (zrobiony z nie wyrośniętego ciasta),
1/2 miarki gotowanej fasoli lub groszku,
1 kukurydza lub pełnoziarnista tortilla (patrz wyżej).

POKARMY BOGATE W ŻELAZO

Małe ilości żelaza można znaleźć w większości owoców i warzyw, zbożach i mięsach, które jesz codziennie. Ale próbuj jeść codziennie niektóre z podanych niżej produktów zawierających dużo żelaza, odpowiednio do twojego zapotrzebowania.

Kaczka,
wołowina,
wątroba i inne podroby (wybieraj je rzadko),
ostrygi (gotowane; nie jedz nigdy surowych),
sardynki,
kapusta biała, włoska, rzepa,
karczochy,
dynie,
ziemniaki w łupinach,
szpinak,
wodorosty,
papki skrobiowe (groszek zielony, soczewica, fasole itp.),
fasola sojowa i inne produkty sojowe,
mąka świętojańska i puder świętojański,
melasa,
suszone owoce.

POKARMY BOGATE W TŁUSZCZE

Jedz codziennie 4 pełne lub 8 dawek w połowie, lub ich kombinacje, jeśli ważysz 60--65 kg (patrz *Dodatek*, s. 441, jeśli ważysz więcej lub mniej). Nie podwyższaj tej ilości, chyba że przybierasz na wadze zbyt wolno. Nie redukuj ilości, chyba że przybierasz zbyt szybko. Wybieraj zdrowe tłuszcze zamiast niezdrowych. Przez większość dni nie więcej niż 2 dawki powinny płynąć z czystych tłuszczów, takich jak: masło, margaryna lub olej.

Połowy dawek

28,5 g sera (szwajcarski, cheddar; provolone, mozzarella, blue, camembert),
ok. 42 g odtłuszczonego sera mozzarella,
2 łyżki tartego sera parmezan,
1 i 1/2 łyżki lekkiej śmietany,
1 łyżka gęstej śmietany lub kremówki,
2 łyżki bitej śmietany,
2 czubate łyżki kwaśnej śmietany,
1 łyżka sera kremowego,
1 szklanka pełnego mleka,
1 i 1/2 szklanki 2% mleka,
2/3 szklanki odtłuszczonego mleka,
1/2 pucharka lodów,
1 kubeczek pełnotłustego jogurtu,
1 łyżka lekkiej margaryny,
1 łyżka masła orzechowego,
1/2 kubka białego sosu,
1 jajko lub 1 żółtko,
114 małego awokado,
2 porcje ciastka „najlepszej szansy", innych ciasteczek lub bułeczek,
ok. 170 g tofu,
200 g jasnego mięsa indyczego lub kurzego bez skóry,
ok. 110 g łososia świeżego lub z puszki,
85 g tuńczyka w oleju.

Pełne dawki

Jest wiele innych rodzajów dań tłuszczowych w diecie, których większość przyswaja się bardzo szybko i które nie pasują do modelu „najlepszej szansy". Na przykład możesz otrzymać jedną dawkę tłuszczu i bardzo mało substancji odżywczych z:

jednego rogala, pączka, kawałka murzynka lub duńskich ciasteczek;

jednego kawałka jabłecznika lub połowy kawałka tortu orzechowego, połowy hamburgera lub małego kawałka pieczonego w bułce kurczaka;

1/4 pucharka lodów – 16% tłuszczu; 4 małych biszkoptów. Bądź ostrożna!!!

1 łyżka oleju roślinnego,

1 łyżka margaryny lub masła,

1 łyżka majonezu,

2 łyżki sosu do sałatek (odkąd zawartość tłuszczu w sosach do sałatek zmienia się – czytaj nalepki na produktach; każde 14 gramów tłuszczu to 1 pełna dawka. W sosach domowej roboty każda łyżka oleju = jednej dawce tłuszczu),

85-170 g chudego mięsa,

3/4 miarki sałatki z tuńczyka.

PRZEPISY NAJLEPSZEJ SZANSY

Oto kilka przepisów, aby zaspokoić twój apetyt na słodycze i przekąski oraz aby dać ci kilka pomysłów na koktajle i śniadania. Po dalsze zajrzyj do książki *Co jeść, kiedy oczekujesz dziecka.*

KREM POMIDOROWY

Na trzy porcje:

1 łyżka margaryny lub masła,
2 łyżki pełnoziarnistej mąki,
1 i 1/3 szklanki odtłuszczonego, chudego mleka,
3 miarki pomidorowego lub warzywnego soku,
1/4 miarki pasty pomidorowej,
sól i pieprz do smaku,
świeże lub suche oregano i bazylia do smaku.

Możliwe dodatki:

6 łyżek twarogu domowego (1/2 dawki białka) lub
2 łyżki tartego sera parmezan (1/4 dawki białka; 1/2 dawki wapnia) lub
1 łyżka kiełków pszenicznych (1/2 dawki produktów pełnoziarnistych).

1. W rondelku rozpuścić margarynę na małym ogniu. Dodać mąkę i mieszać na bardzo małym ogniu przez 2 minuty. Powoli dodawać do mleka i gotować dalej na małym ogniu, mieszając od czasu do czasu, aż zgęstnieje.
2. Dodawać sok, pastę pomidorową i przyprawy i mieszać aż do gładkości. Gotować w dalszym ciągu na małym ogniu przez 5 minut, mieszając od czasu do czasu.
3. Podawać zupę ciepłą, posypaną twarogiem, serem parmezanem lub kiełkami pszenicznymi – jeśli chcesz.

Jedna porcja = 1 dawka wapnia, 1 dawka witaminy C, 1 dawka zieleniny – jeśli używałaś soku warzywnego.

FRYTKI NAJLEPSZEJ SZANSY

Na dwie porcje:

1 i 1/2 łyżki oleju roślinnego,
2 duże ziemniaki,
2 białka,
koszerna, gruba sól i pieprz do smaku.

1. Nagrzej piec do 200°C. Wysmaruj nieprzypalającą płytkę do pieczenia olejem roślinnym.
2. Oczyść ziemniaki dokładnie pod bieżącą wodą, osusz. Pokrój ziemniaki wzdłuż na pla-

sterki grubości 8 milimetrów, następnie potnij na frytki pożądanego rozmiaru. Osusz.
3. W naczyniu średniej wielkości roztrzep białko aż do piany. Dodaj ziemniaki i przewracaj, aż pokryją się białkiem.
4. Ułóż frytki pojedynczą warstwą na przygotowanej płytce do pieczenia. Układaj w odstępach, aby się nie zlepiały. Piecz do kruchości, koloru jasnobrązowego i miękkości 30-35 minut. Przypraw solą, pieprzem i podawaj natychmiast.

1 porcja = 1 dawka warzyw.

ENERGETYCZNY OMLET

Na jedną porcję:

1 i 1/4 miarki wody,
1/2 miarki ziaren owsa,
2 łyżki kiełków pszenicznych (jeśli masz obstrukcje, zamiast całości lub części kiełków użyj innych nie przetworzonych ziaren),
sól do smaku (dowolnie),
1/3 miarki nietłustego mleka w proszku.

1. Doprowadź wodę do wrzenia w małym rondelku. Dodaj owies, kiełki pszeniczne i sól, jeśli trzeba, wymieszaj dokładnie. Zmniejsz płomień i gotuj przez 5 minut lub dłużej, w zależności od pożądanej konsystencji, dodając więcej wody, jeśli potrzeba.
2. Zdejmij rondel z kuchenki i mieszając, wsypuj mleko w proszku. Podawaj natychmiast.

Odmiana słodka: Dodaj dwie łyżki rodzynek i łyżkę koncentratu jabłkowego, w chwili kiedy dodasz owies, w ostatniej minucie gotowania – jeśli lubisz nie rozgotowane rodzynki; dodaj zmielony cynamon i/lub sól do smaku (dowolna ilość), w czasie kiedy dodajesz mleko.

Odmiana ostra: Dodaj pieprz, tarty ser parmezan lub cheddar (ok. 14 g = 1/2 dawki wapnia), kiedy dodajesz mleko.

1 porcja = dawka białka; 1 dawka produktów pełnoziarnistych; 1 dawka wapnia; dużo włóknika.

BUŁECZKI OTRĘBOWE

Wystarczy na 12-16 bułeczek:

olej roślinny,
2/3 miarki rodzynek,
1 miarka koncentratu soku jabłkowego,
1/4 miarki koncentratu soku pomarańczowego,
1 i 1/2 miarki mąki pełnopszennej,
1/2 miarki kiełków pszenicznych,
1 i 1/2 miarki nie przetworzonych otrębów,
1 i 1/4 łyżeczki sody oczyszczonej,
1/2 miarki kruszonych orzechów,
1 łyżeczka mielonego cynamonu (dowolnie),
1 i 1/2 miarki małotłustej maślanki,
2 białka lekko ubite,
1/3 miarki nietłustego mleka w proszku,
2 łyżki margaryny lub masła roztopionego i ochłodzonego.

1. Rozgrzej piec do ok. 175°C. Lekko natłuść foremki olejem roślinnym.
2. W małym rondelku wymieszaj rodzynki, 1/4 miarki koncentratu soku jabłkowego i pomarańczowego. Podgrzej, mieszając od czasu do czasu, przez 5 minut.
3. Wymieszaj w misce mąkę, kiełki pszeniczne, otręby, sodę oczyszczoną, kruszone orzechy i cynamon.
4. W innej misce ubij razem maślankę, białka, mleko w proszku, margarynę i pozostały koncentrat soku jabłkowego.
5. Połącz suche i płynne składniki, mieszając uważnie. Dodaj rodzynki w podgrzanym soku. Napełnij uprzednio przygotowane foremki lub papierowe pojemniczki do 3/4 objętości i umieść je w zwyczajnej blasze.
6. Piecz do czasu, aż patyczek, którym sprawdzasz ciasto, będzie czysty – około 20 minut.

Odmiana: Dodaj 2 średnie jabłka lub gruszki i wmieszaj je w tym samym czasie co orzechy. Jeśli nie masz kłopotów z obstrukcjami, dodaj jedną miarkę owsa, owsianych otrębów lub innych płatków nie przetworzonych gatunków.

1 duża bułeczka = 1 i 1/2 produktów pełnoziarnistych; 1/2 dawki białka; bardzo dużo włóknika. Dodatki owocowe dają 1 dawkę z grupy innych owoców.

PEŁNOPSZENNE NALEŚNIKI MAŚLANE

Wystarczy na 3 porcje (ok. 12 naleśników).

1 miarka małotłustej maślanki,
1 łyżeczka koncentratu soku jabłkowego,
3/4 miarki mąki pełnopszennej,
5 łyżek kiełków pszenicznych,
1/3 miarki nietłustego mleka w proszku,
szczypta soli do smaku,
zmielony cynamon do smaku,
2 łyżeczki proszku do pieczenia,
2 duże białka,
margaryna lub masło.

Dowolne dodatki:

nie słodzony przecier jabłkowy (1 dawka z grupy innych owoców),
nie słodzone (lub tylko owocowo) powidła jabłkowe,
1/2 miarki małotłustego jogurtu (1/2 dawki wapnia).

1. Roztrzep w garnku wszystkie składniki oprócz białek, margaryny i dodatków.
2. W misce ubij białka aż do sztywności. Szybko ubijaj mieszankę mąki i maślanki razem z białkami. Odstaw na godzinę.
3. Rozgrzej nieprzypalającą patelnię i gdy będzie gorąca, cienko posmaruj margaryną lub masłem. Zamieszaj ciasto i nałóż na patelnię tak, aby powstał 7, 8-centymetrowy naleśnik. Kiedy powierzchnia naleśnika zaczyna bulgotać, a spód jest lekko brązowy, odwróć go na drugą stronę. Następne naleśniki rób w ten sam sposób, smarując patelnię każdorazowo margaryną, aż do zużycia ciasta. Podawaj naleśniki z jednym lub wszystkimi dodatkami.

Odmiany: Dodaj do ciasta któryś z następujących składników: 1/4 miarki rodzynek (1/2 dawki innych owoców); 6 całych suszonych moreli (trochę żelaza); 1 dawkę żółtych owoców; pół banana, gruszki lub jabłka pokrojonych w kawałki (pół dawki innych owoców); 1/4 miarki kruszonych orzechów (1/4 dawki tłuszczu; trochę białek).

1/3 przepisu = 1 dawka produktów pełnoziarnistych, 1 dawka białka; 1/2 dawki wapnia; dużo włóknika.

PODWÓJNY KOKTAJL MLECZNY

Wystarczy na 1 porcję.

Uwaga: zamroź obranego, owiniętego banana 12-24 godzin przed przyrządzaniem koktajlu.

1 miarka odtłuszczonego lub małotłustego mleka,
1/3 miarki nietłustego mleka w proszku,
1 mrożony banan pokrojony na plasterki,
1 łyżeczka waniliowego wyciągu,
szczypta mielonego cynamonu do smaku.

Roztrzep dokładnie wszystkie składniki w garnku, podawaj natychmiast.

Odmiany jagodowe: Dodaj 1/2 miarki jagód – świeżych lub mrożonych, nie słodzonych i jedną łyżkę mrożonego koncentratu jabłkowego; dodaj cynamon, jeśli trzeba.

1 koktajl = 2 dawki wapnia; 2/3 dawki białka; 1 dawka innych owoców jagodowych – 1 dawka innych owoców; 1 dawka witaminy C, jeśli używałaś truskawek.

BATONY FIGOWE

Wystarczy na około 36 batonów

olej roślinny,
1 łyżka fruktozy,

4 łyżki margaryny lub masła,
1 miarka + 2 łyżki podgrzanego koncentratu soku jabłkowego,
1 i 1/2 miarki pełnopszennej mąki,
1 miarka kiełków pszenicznych,
1 i 1/2 łyżeczki esencji waniliowej,
1/2 kg suchych, pokrojonych fig,
2 łyżki zmielonych migdałów lub orzechów.

1. Rozgrzej piec do 175°C, lekko natłuść płytkę do pieczenia olejem.
2. Utrzyj fruktozę i margarynę razem w misce. Dodaj 1/2 miarki + 2 łyżki koncentratu soku jabłkowego i ucieraj w dalszym ciągu.
3. Dodaj mąkę, kiełki pszeniczne i wanilię, wymieszaj do konsystencji ciasta. Podziel ciasto na połowę, formując z każdej z nich wałek. Zapakuj je osobno w woskowany papier i ochładzaj przez jedną godzinę.
4. Zmieszaj figi i pozostały koncentrat jabłkowy i gotuj w rondelku na małym gazie aż do miękkości. Odstaw z kuchenki, dodaj zmielone orzechy i mieszaj aż do gładkiej konsystencji.
5. Rozwiń jeden z wałków, na przygotowanej uprzednio płytce do pieczenia rozwałkuj, aż będzie bardzo cienki. Wyrównaj końce tak bardzo, jak to jest możliwe. Rozlej mieszankę figową równomiernie na cieście, rozwałkuj drugą część ciasta do tych samych rozmiarów co pierwsza i rozłóż je na wierzchu tak równo, jak tylko jest to możliwe. Uciśnij lekko z góry powierzchnię, wyrównaj końcówki za pomocą ostrego noża.
6. Piecz aż do koloru jasnobrązowego, 15-30 minut. Potnij na kwadraty lub inne figury, kiedy ciasto jest jeszcze gorące.

3 ciastka = 1 dawka produktów pełnoziarnistych; 1 dawka innych owoców; trochę żelaza; dużo włóknika.

OWOCOWE CIASTECZKA OWSIANE

Wystarczy na 24 ciasteczka.

olej roślinny,
10 prażonych daktyli,
6 łyżek koncentratu soku jabłkowego,
2 łyżki oleju warzywnego,
1 i 1/2 miarki owsa (lub mieszanka owsa i surowych płatków pszennych),
1 miarka rodzynek,
1/4 do 1/2 miarki kruszonych orzechów,
mielony cynamon do smaku,
1 białko.

1. Podgrzej piec do 175°C, lekko natłuść płytkę do pieczenia olejem.
2. Wymieszaj daktyle i koncentrat jabłkowy w rondelku i podgrzewaj, dopóki owoce nie zmiękną. Roztrzep mieszankę w garnku lub w mikserze, później przelej do miseczki. Dolej 2 łyżki oleju, dodaj owies, rodzynki, orzechy i cynamon.
3. W osobnej misce ubij lekko białko. Wlej ostrożnie do reszty. Wrzuć łyżkę masła na uprzednio przygotowaną rozgrzaną płytkę.
4. Piecz do koloru jasnobrązowego 10-15 minut.

3 ciasteczka = 1 dawka innych owoców; 1/2 dawki produktów pełnoziarnistych; trochę żelaza; dużo włóknika.

JOGURT OWOCOWY

Wydajność ok. 1 miarki.

3/4 miarki zwykłego małotłustego jogurtu,
1/2 łyżeczki świeżego miąższu pomarańczowego,
1/2 miarki świeżych lub mrożonych nie słodzonych truskawek,
1 łyżka koncentratu soku pomarańczowego,
5 łyżeczek koncentratu soku jabłkowego,
1/2 łyżeczki mielonego cynamonu do smaku.

Roztrzep wszystkie składniki w garnku lub mikserze. Podawaj w takiej postaci lub jako sos do owoców, ciast lub naleśników.

1 miarka = 1 dawka witaminy C; 3/4 dawki wapnia.

WEGETARIAŃSKIE KOMBINACJE UZUPEŁNIENIA BIAŁEK

Następujące propozycje zapewniają wszystkim kobietom ciężarnym pożywny pokarm, jednakże niewegetarianie powinni liczyć tylko jedną porcję na dzień jako część przydziału białkowego. Wegetarianie powinni spożywać pięć porcji białka dziennie. Wybierz jedną porcję (10 do 13 gramów białka) z roślin strączkowych oraz jedną porcję (10 do 13 gramów białka) z roślin ziarnistych dla całkowitej kombinacji białkowej.

ROŚLINY STRĄCZKOWE

1 miarka fasoli lub groszku
3/4 miarki ziaren soi lub kaszy sojowej
2/3 miarki soczewicy

ROŚLINY ZIARNISTE

1 i 1/2 miarki brązowego ryżu, kaszy, jęczmienia
2 uncje pasty sojowej
2 do 4 uncji (przed ugotowaniem) pasty pszenicznej
2 uncje (przed ugotowaniem) Superoni lub pasty sojowej
2/3 miarki (przed ugotowaniem) owsa
3/4 miarki ziaren sezamkowych, słonecznika, dyni
1/2 miarki orzeszków brazylijskich lub orzeszków ziemnych
2 uncje orzechów włoskich
2 i 1/2 do 3 łyżek stołowych masła orzechowego

MLECZNA KOMBINACJA UZUPEŁNIENIA BIAŁEK

Wybierz jedną porcję (około 10 gramów białka) z roślin strączkowych i ziarnistych oraz jedną porcję (około 12 gramów białka) z listy produktów mlecznych jako uzupełnienie białek.

ROŚLINY STRĄCZKOWE I ZIARNISTE

1 porcja groszku, fasoli, soczewicy, makaronu
4 kromki pełnoziarnistego chleba
1/3 miarki ugotowanej owsianki
1 i 1/2 uncji pełnoziarnistej kaszy

PRODUKTY MLECZNE

1 i 1/4 miarki śmietankowego mleka
1 i 1/2 uncji sera cheddar i innych małotłustych serów
1/2 miarki twarożku
1/4 miarki sera parmezan
1/3 miarki małotłustego mleka wraz z dwiema łyżkami stołowymi kiełków pszenicy
1 i 1/4 miarki jogurtu
1 jajko oraz 2 białka jajek

DESER TRUSKAWKOWY

Wydajność 4 dawki.

2 miarki umytych i osuszonych, świeżych lub mrożonych nie słodzonych truskawek (lub 2 banany pocięte w plasterki),
1 miarka rozdrobnionych kostek lodu (1/2 miarki, jeśli używasz mrożonych owoców),
1/4 miarki koncentratu soku jabłkowego do smaku,
1 łyżka świeżego soku cytrynowego,
1 łyżeczka esencji rumowej.

Roztrzep wszystkie składniki w garnku. Podawaj zimne w wysokich szklankach.

1 porcja = 1 dawka innych owoców; 1 porcja witaminy C lub 2 dawki innych owoców, jeśli używasz banana.

DZIEWICZA SANGRIA

Wystarczy na 5-6 porcji

3 miarki nie słodzonego soku winogronowego,
3/4 kubka koncentratu soku jabłkowego,

1 łyżka świeżego soku cytrynowego,
1 mała cytryna, obrana, pokrojona w plasterki i bez pestek,
1 małe jabłko McIntosh, nie obrane, pokrojone na cząstki, oczyszczone,
3/4 miarki wody sodowej.

Połącz wszystkie składniki oprócz wody sodowej w dużym garnku. Dobrze wymieszaj i ochłodź. Dodaj wodę sodową tuż przed podaniem. Podawaj z lodem w kieliszkach do wina.

Część 2

DZIEWIĘĆ MIESIĘCY CIĄŻY

Od poczęcia do porodu

5

Pierwszy miesiąc

Czego możesz oczekiwać w czasie pierwszej prenatalnej wizyty

Pierwsza wizyta jest najbardziej wyczerpująca ze wszystkich wizyt w okresie ciąży[1]. Zostaje wtedy zebrany dokładny wywiad medyczny, wykonywane są pewne testy oraz określone zostaje dalsze postępowanie. Praktyka jednego lekarza może różnić się nieznacznie od praktyki innego. Ogólnie biorąc, badanie powinno zawierać:

Potwierdzenie twojej ciąży. Twój lekarz zechce skontrolować:

- odczuwane przez ciebie objawy ciążowe i datę ostatniej miesiączki, po to by określić termin porodu;
- ocenić twoją szyjkę i macicę dla rozpoznania i określenia przybliżonego wieku ciążowego.

Jeżeli istnieje jakakolwiek wątpliwość, to lekarz może zalecić wykonanie testu ciążowego, jeżeli nie miałaś go wykonanego.

Pełną historię. Żeby zapewnić ci możliwie jak najlepszą opiekę, twój lekarz zechce jak najwięcej dowiedzieć się o tobie. Przygotuj się do tej wizyty, przeglądając domowe notatki i odświeżając swoją pamięć, aby umieć odpowiedzieć na następujące pytania:

- medyczne dane personalne (choroby przewlekłe, przebyte poważne choroby i operacje, leki, które zażywasz obecnie lub zażywałaś przed zajściem w ciążę, choroby alergiczne, leki, na które jesteś uczulona);
- wywiad rodzinny (schorzenia genetyczne, choroby przewlekłe);
- wywiad socjalny (wiek, zawód, nawyki, takie jak: palenie papierosów, picie alkoholu; uprawianie gimnastyki, dieta);
- wywiad ginekologiczny i położniczy (wiek, w którym wystąpiła pierwsza miesiączka, długość cyklu miesiączkowego, czas trwania i regularność cykli, przeszłe poronienia sztuczne i samoistne, urodzenia żywe, przebieg przebytych ciąż i porodów);
- czynniki występujące w twoim życiu, które mogłyby mieć wpływ na przebieg ciąży.

Pełne badanie lekarskie: badanie serca, płuc, piersi, brzucha; pomiar ciśnienia tętniczego krwi, który jest podstawowym pomiarem kontrolowanym w czasie następnych wizyt; zanotowanie twojego wzrostu i masy ciała zwykłej i obecnej; kontrola kończyn dol-

[1] Badania i testy opisane są w oddzielnym rozdziale *Dodatek*.

JAK MOŻESZ WYGLĄDAĆ

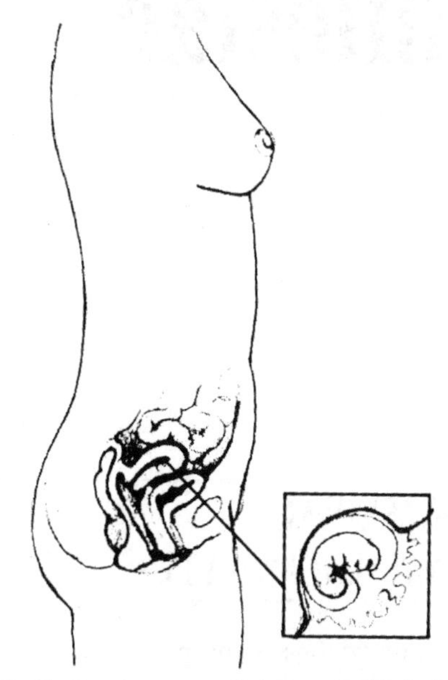

Pod koniec pierwszego miesiąca twoje dziecko jest bardzo małe, podobne do embriona kijanki, mniejsze niż ziarno ryżu. W czasie następnych 2 tygodni zaczynają się formować: cewa nerwowa (którą tworzy mózg i rdzeń kręgowy), serce, przewód pokarmowy, narządy zmysłów, zawiązki ramion i nóg.

nych pod względem występowania żylaków i obrzęków (obrzmienie z nadmiaru płynu w tkankach), która służy do porównania w następnych wizytach; kontrola i badanie palpacyjne zewnętrznych narządów płciowych; badanie wewnętrzne pochwy i szyjki (przy użyciu wzierników); badanie narządów miednicy mniejszej oburącz (jedna ręka w pochwie, druga na brzuchu) oraz przez odbytnicę i pochwę; ocena wymiarów twojej miednicy kostnej.

Grupę testów. Niektóre testy są wykonywane rutynowo u każdej kobiety ciężarnej; niektóre są rutynowo wykonywane tylko w niektórych regionach kraju lub zalecane przez jednych lekarzy, a innych nie; niektóre są przeprowadzane tylko wtedy, gdy wymagają tego okoliczności. Najzwyklejsze testy ciążowe zawierają:

- badanie krwi – aby oznaczyć grupę i skontrolować niedokrwistość;
- badanie ogólne moczu na zawartość cukru, białka, białych ciałek krwi, krwinek czerwonych i bakterii;
- badanie krwi, określające odporność na taką chorobę, jak różyczka;
- testy wykrywające obecność infekcji, takich jak: kiła, rzeżączka, wirusowe zapalenie wątroby, chlamydioza i przypadki AIDS;
- testy genetyczne w kierunku anemii sierpowatej i choroby Tay-Sachsa;
- rozmazy cytologiczne PAPA dla wykrycia raka szyjki macicy;
- test skriningowy w kierunku cukrzycy ciężarnych dla wykrycia skłonności do cukrzycy, zwłaszcza u kobiet, które w przeszłości urodziły dzieci z nadmierną masą ciała.

Możliwość dyskusji. Przyjdź z przygotowaną listą pytań, problemów, symptomów, o których chciałabyś porozmawiać. To jest również odpowiedni moment, aby zająć się sprawami wcześniej nie poruszanymi.

CO MOŻESZ ODCZUWAĆ

Możesz doświadczyć wszystkich z poniższych objawów w jednym czasie albo jednego lub dwóch z wymienionych:

OBJAWY FIZYCZNE:

- brak miesiączki, chociaż możesz mieć nieznaczne krwawienie (plamienie) w okresie spodziewanej miesiączki lub kiedy jajo płodowe implantuje w macicy;
- zmęczenie i senność;
- częste oddawanie moczu;
- nudności z lub bez wymiotów i/lub nadmierne wydzielanie śliny;

- zgaga, niestrawność, wzdęcia;
- awersja do jedzenia, różne zachcianki;
- zmiany piersi (najwyraźniej zauważane u kobiet, u których piersi zmieniają się przed miesiączką); pełność, ciężkość, napięcie, przyciemnienie obwódki brodawkowej (zabarwienie wokół brodawki). Gruczoły potowe wokół brodawki stają się wystające, wyglądają jak duże gęsie guzki; pojawia się sieć niebieskich linii występujących pod skórą, które dostarczają krew do rosnących piersi (chociaż te linie nie muszą się pojawić).

ODCZUCIA PSYCHICZNE:

- niestałość porównywalna do objawów przedmiesiączkowych, na którą może się składać drażliwość, zmiany nastroju, nieracjonalność, płaczliwość;
- niepokój, strach, radość, podniecenie – jedno lub wszystkie z powyższych.

CO MOŻE CIĘ NIEPOKOIĆ

ZMĘCZENIE

Jestem zmęczona cały czas. Martwię się, że nie będę mogła pracować.

To byłoby zadziwiające, gdybyś nie była zmęczona. W ciąży twój organizm pracuje intensywniej nawet wtedy, gdy odpoczywasz, i bardziej niż u nieciężarnej w czasie górskiej wspinaczki (nie widzisz jego wysiłku). Po pierwsze, jest to tworzenie systemu podtrzymującego życie twego dziecka – łożyska, które nie będzie kompletnie rozwinięte do końca pierwszego trymestru ciąży. Po drugie, twoje samopoczucie wynika z przystosowywania się organizmu pod względem fizycznym i psychicznym do wymagań ciąży. Dlatego powinnaś oszczędzać swoją energię, aż twoje ciało się dostosuje, a łożysko będzie kompletnie wykształcone (około 4 miesiąca ciąży). Do tego czasu nie możesz pracować godzinami albo przez kilka dni, jeśli rzeczywiście nie masz siły; ale jeśli twoja ciąża przebiega normalnie, to absolutnie nie ma powodu, dla którego miałabyś przerywać swoje zajęcia (przyjmując, że twój lekarz nie sprzeciwia się twojej aktywności i/lub pracy, która nie jest męcząca i wyczerpująca – patrz s. 97).

Większość kobiet ciężarnych jest szczęśliwa i mniej niespokojna, jeśli się czymś zajmuje. Chodzi o to, by nie walczyć ze zmęczeniem. Uznaj je za sygnał z twojego ciała mówiący, że potrzebujesz odpoczynku. Spostrzeżenie jest jednak łatwiejsze niż wykonanie, ale warto spróbować.

Traktuj siebie jak dziecko. Jeśli jesteś pierwszy raz oczekującą matką, ciesz się, że nadeszła szansa zadbania o siebie, bez poczucia winy. Jeśli już masz jedno lub więcej dzieci, będziesz musiała jakoś wszystko pogodzić. Pamiętaj, że ciąża to nie czas, by starać się o status „supermamy".

Zapewnienie odpowiedniego odpoczynku jest ważniejsze niż utrzymanie czystości w domu czy gotowanie obiadów pochłaniających dużo czasu. Miej wieczory wolne od nieistotnych czynności. Spędzaj je nie na stojąco, ale czytając, oglądając telewizję i przeglądając książkę z imionami. Jeśli masz już dzieci, to czytaj im bajki, graj z nimi w gry, oglądaj razem z nimi dziecięce filmy albo chodź z nimi na place zabaw. (Gdy w domu są dzieci, to zmęczenie jest bardziej dokuczliwe, ponieważ jesteś obarczona większą liczbą zajęć i masz mniej czasu na odpoczynek. Z drugiej strony każdy myśli, że matka zajmująca się dziećmi jest zazwyczaj przyzwyczajona do wyczerpania i nadmiaru zajęć.)

Nie czekaj więc aż do zmroku, jeśli stać cię na luksus popołudniowej drzemki, i nie przejmuj się, że to może wyglądać na zbytnie pobłażanie sobie. Jeśli nie możesz spać, to chociaż poleż z dobrą książką. Drzemka w pracy nie jest rozsądnym postępowaniem, ale gdy nie masz napiętego planu pracy, to gdy tylko możesz, kładź stopy na biurko i relaksuj się. Drzemka w domu, gdy są dzieci, może być trudna, ale może i tobie uda się odpocząć w czasie ich popołudniowego snu (przyjmując, że potrafisz tolerować nie umyte naczynia i kurz na meblach).

Pozwól innym traktować cię jak dziecko. Zaakceptuj ofertę twojej teściowej i pozwól jej sprzątnąć mieszkanie, kiedy przyjdzie z wizytą. Pozwól swojemu ojcu zabrać starsze dzieci do zoo w niedzielę, zwerbuj swego męża do takich prac domowych, jak: pranie, gotowanie i robienie zakupów.

Śpij dłużej o jedną lub dwie godziny każdej nocy. Nie oglądaj już wiadomości telewizyjnych o 23^{00} i połóż się wcześniej spać. Poproś swego męża, by zrobił ci śniadanie, i rano wstań później.

Upewnij się, że twoja dieta jest dobra. Zmęczenie w pierwszym trymestrze ciąży jest często wzmożone przez niedobór żelaza, białka i kalorii. Nie zaszkodzi podwójna kontrola dla upewnienia się, czy jesz wszystko, co jest wymagane dla twego organizmu w ciąży. Gdy czujesz się zmęczona i słaba, to nie próbuj rozruszać swego ciała kawą, mocną herbatą, cukierkami czy innymi słodyczami. To byłoby tylko wygłupianie się z twojej strony, bo po czasowym pobudzeniu cukier we krwi stanie się ciężarem wyczerpującym cię bardziej niż kiedykolwiek.

Kontroluj swoje otoczenie. Nieodpowiednie oświetlenie, zanieczyszczone powietrze (zespół tworzący choroby) lub nadmierny hałas w twoim domu czy pracy mogą przyczynić się do wywołania zmęczenia. Bądź czujna na powyższe problemy i próbuj je korygować.

Chodź na wycieczki lub uprawiaj wolne biegi, spacer, chodź po zakupy i wykonuj rutynowe zajęcia ciężarnej. Zmęczenie może się wzmóc dzięki nadmiernemu odpoczywaniu i małej aktywności. Ale nie przesadzaj z zajęciami. Zastanów się, nim coś zrobisz, i najpierw prześledź środki ostrożności ze s. 201.

Chociaż zmęczenie prawdopodobnie ustąpi w czwartym miesiącu ciąży, to możesz się go znowu spodziewać w ostatnim trymestrze – prawdopodobnie jest to naturalny sposób przygotowania cię do długich, bezsennych nocy, kiedy już będziesz miała dziecko w domu. Kiedy zmęczenie jest poważne, zwłaszcza jeśli towarzyszą mu: omdlenie, bladość, duszność i/lub niemiarowość serca, jest to powód do zawiadomienia o tym twojego lekarza (patrz *Anemia* s. 168).

DEPRESJA

Wiem, że powinnam czuć się szczęśliwa z powodu ciąży, ale już z góry obawiam się, że owładnie mną depresja po porodzie.

Przede wszystkim możesz błędnie uważać za depresję normalne zmiany nastroju w ciąży. Te zmiany są bardziej zaznaczone w pierwszym trymestrze ciąży i generalnie występują u kobiet, które zwykle cierpią na przedmiesiączkową niestałość emocjonalną. Uczucia dwoistości w ciąży zostały potwierdzone, występują nawet wtedy, gdy ciąża jest planowana, i mogą być jeszcze wyolbrzymione. Chociaż nie ma leku na zmienne nastroje, to unikanie cukru, czekolady, kofeiny, postępowanie zgodnie z zaleceniami „Diety najlepszej szansy", zachowanie równowagi między pracą a odpoczynkiem może pomóc. Dobrze robi także rozmowa o twoich złych nastrojach. Jeśli twoje niże zdarzają się często, to jesteś jedną z 10% ciężarnych walczących z depresją.

Oto kilka czynników predysponujących do wystąpienia depresji:

- depresje występujące w rodzinie;
- stres socjoekonomiczny;
- brak emocjonalnej podpory ze strony ojca dziecka;
- hospitalizacja lub konieczność leżenia w łóżku z powodu komplikacji w czasie ciąży;

- lęki o własne zdrowie, zwłaszcza jeśli u ciężarnej występują komplikacje lub choroby podczas ciąży;
- lęk o zdrowie dziecka.

Najbardziej ogólne objawy depresji obejmują złe samopoczucie, pustkę, zaburzenia snu, zmienne nawyki jedzeniowe (niejedzenie w ogóle lub bezustanne jedzenie), brak powodzenia w pracy i w innych czynnościach czy przyjemnościach, wyolbrzymione zmienne nastroje. Jeśli spotykają cię podobne objawy, spróbuj nie zawracać sobie nimi głowy, a zajmij się stresem po porodzie (patrz s. 399).

Jeśli objawy utrzymują się dłużej niż dwa tygodnie, pomów o swym stresie z lekarzem lub terapeutą. W ekstremalnych przypadkach wyłącz leczenie antydepresyjne, które w ciąży nie jest pewne, i poddaj się terapii bezlekowej, która jest efektywna. Udzielenie pomocy jest ważne, ponieważ twoja depresja może prowadzić do niewystarczającego dbania o siebie i o dziecko.

RANNE NUDNOŚCI

Nigdy nie miałam porannych nudności. Czy w ogóle jestem w ciąży?

„Choroba poranna" w postaci zachcianek na marynaty i lody jest jedną z prawd o ciąży, ale niekoniecznie musi wystąpić. Badania pokazują, że tylko około połowy kobiet w ciąży doświadcza nudności i wymiotuje rano. Jeśli należysz do tych, które nie cierpią w ogóle lub rzadko na te dolegliwości, możesz uznać, że masz szczęście.

Jeżeli w ogóle nie występują u ciebie objawy charakterystyczne dla ciąży lub nagle zniknęły te, które odczuwałaś, skontaktuj się z lekarzem.

Moje ranne nudności trwają cały dzień. Obawiam się, że nie będę mogła wyżywić mego dziecka.

Na szczęście „poranne" dolegliwości (błędnie nazywane chorobą), występujące rano, w południe czy nocą, a nawet przez cały dzień, rzadko kolidują z prawidłowym odżywianiem tak, by szkodziły rozwijającemu się płodowi. U większości kobiet objawy te po trzecim miesiącu ciąży już nie występują – chociaż niektóre ciężarne odczuwają je aż do drugiego trymestru ciąży. Są też kobiety, w szczególności oczekujące bliźniąt, które mogą cieszyć się z tej „przyjemności" przez całe 9 miesięcy. Zasadnicza zaleta: te symptomy, podobnie jak inne objawy ciąży, są znakiem, że twoje hormony dobrze wykonują swoją pracę.

Jakie są przyczyny porannych dolegliwości? Nikt tego nie jest pewien, ale nie z braku wiedzy. Wiadomo, że ośrodek wymiotny zlokalizowany jest w pniu mózgu. Można sądzić, że istnieją dziesiątki czynników fizycznych stymulowanych przez ten ośrodek podczas ciąży, między innymi wysoki poziom hormonu ciążowego hCG we krwi w pierwszym trymestrze ciąży, rozciąganie mięśniówki macicy, relatywne rozluźnienie mięśniówki przewodu pokarmowego (co powoduje mniejszą skuteczność trawienia), nadmiar kwasu żołądkowego oraz wyostrzony zmysł powonienia.

Nie wszystkie kobiety w ciąży cierpią na poranne nudności. U tych, które je mają, nie zawsze dolegliwości występują z tym samym natężeniem. Niektóre przeżywają kilka chwil słabości, inne czują się źle na okrągło i zdarza się, że parę razy dziennie wymiotują. Prawdopodobnie jest kilka przyczyn takiego zróżnicowania:

Poziom hormonów. Ich nadmiar (gdy kobieta nosi ciążę mnogą) wzmaga poranne nudności, niższy poziom może je wyeliminować.

Reakcja ośrodka w mózgu odpowiedzialnego za nudności i wymioty na hormony wydzielane w czasie ciąży i inne czynniki. Ta reakcja może pojawić się u kobiety, która cierpi lub nie na typowe w czasie ciąży poranne nudności i to bez względu na ich poziom. Kobieta, u której ośrodek wymiotny jest szczególnie wrażliwy (na przykład cierpi na chorobę morską) z wielkim prawdopodobieństwem będzie odczuwała silniejsze nudności i wystąpią wymioty.

Stres. Doskonale wiadomo, że stresy różnego pochodzenia mogą powodować rozstrój żołądka, więc nie ma niczego zaskakującego w tym, że stres może wywoływać objawy żołądkowo jelitowe lub spowodować wzrost dolegliwości tego rodzaju w czasie ciąży.

Zmęczenie. Fizyczne i psychiczne zmęczenie także może nasilać poranne nudności (i odwrotnie – poranne nudności mogą wzmóc zmęczenie).

Fakt, że ranne dolegliwości są charakterystyczne i bardziej poważne w pierwszych ciążach, podtrzymuje koncepcję, że zarówno czynniki fizyczne, jak i psychiczne mają w tym swój udział. Pod względem fizycznym na początku ciąży organizm nie jest przygotowany na napór hormonów i innych czynników, z którymi przedtem nie miał do czynienia. Pod względem emocjonalnym ciąża w pierwszych dniach jest prawdopodobnie przedmiotem niepokoju i obaw ze względu na zmiany położenia żołądka, chyba że kobiety oderwane są od swych obaw dzięki zajmowaniu się starszymi dziećmi. Bez względu na przyczynę poranne nudności nie są przyjemne dla kobiety, która je odczuwa. Potrzebuje ona wszelkiego wsparcia, jakie mogą jej zaoferować bliscy, rodzina i lekarz.

Doświadczenia kliniczne niestety nie dają pewności co do skuteczności leczenia rannych dolegliwości ze względu na ich przyczynę. Istnieje jednak zgodność co do różnych sposobów złagodzenia objawów i minimalizowania ich efektów. Prześledź, co najlepiej robić w tym przypadku:

- Stosuj dietę bogatą w białko i węglowodany (patrz s. 112) – zwalczają one nudności, powodują lepsze trawienie w warunkach występujących w ciąży.

- Pij dużo płynów – zwłaszcza jeśli tracisz je z powodu wymiotów. Jeśli łatwiej tracisz płyny niż stały pokarm na skutek zmiany położenia żołądka, po prostu pij więcej. Skoncentruj się na następujących pokarmach (patrz *Podwójny koktajl mleczny*, s. 117): soki owocowe lub warzywa, zupy, rosół. Jeśli płyny przyprawiają cię o mdłości, jedz stałe pokarmy, zawierające dużą ilość wody, jak: świeże owoce i warzywa – szczególnie sałatę, melony i owoce cytrusowe. Niektóre kobiety twierdzą, że picie i jedzenie naraz powoduje obciążenie przewodu pokarmowego. Jeśli i ty jesteś tego samego zdania, spróbuj pić między posiłkami.

- Pobieraj witaminy (patrz s. 111) jako wyrównanie środków odżywczych, których możesz mieć niedobór. Weź je o tej porze dnia, kiedy prawdopodobnie nie zwrócisz ich – najlepiej przed spaniem. Twój lekarz może zalecić ci 50 mg witaminy B_6, która podobno pomaga w leczeniu mdłości u niektórych kobiet.

  Nie bierz żadnych leków na dolegliwości poranne, chyba że zaleci je lekarz. Lekarz przepisuje je w przypadku, gdy dolegliwości poranne są dość poważne, osłabiają organizm i zagrażają twemu układowi trawienia oraz twemu dziecku.

- Unikaj widoku, zapachu i smaku jedzenia, które wywołuje u ciebie mdłości lub wymioty. Nie bądź męczennicą i nie przyrządzaj mężowi smażonej kiełbasy z cebulą, jeżeli w trakcie tego musisz pędzić do ubikacji. Nie zmuszaj się do jedzenia potraw, których widok nie sprawia ci przyjemności, a co gorsze przyprawia cię o mdłości. Pozwól twoim oczom, nosowi i językowi, aby były twoim przewodnikiem w planowaniu posiłków. Wybierz tylko te słodkie rzeczy, które tolerujesz (witaminę A i białko otrzymasz np. z brzoskwini i naleśników, zamiast z kurczaka). Albo jadaj cząber, jeśli jest on receptą na zmniejszenie objawów brzusznych. Na śniadanie zjedz np. przypieczoną na ruszcie kanapkę z serem i pomidorem zamiast kaszy i soku pomarańczowego. Unikaj dymu tytoniowego, który wzmaga poranne nudności.

- Jedz często – zanim poczujesz głód. Kiedy twój żołądek jest pusty, kwas żołądkowy nie ma co trawić oprócz wyściółki żołądka. To również może powodować mdłości. Niski poziom cukru we krwi spowodowany jest długimi przerwami między posiłkami. Lepiej jest spożywać sześć małych posiłków aniżeli trzy duże. Dostarczaj odżywczych przekąsek twemu organizmowi (suszone owoce, krakersy zbożowe).

- Jedz przed wystąpieniem mdłości. Posiłek powinien im zapobiec.
- Jedz w łóżku – dla tych samych powodów powinnaś jeść często: żeby uniknąć pustego żołądka i aby utrzymać prawidłowy poziom cukru we krwi. Przed snem zjedz przekąskę bogatą w białko i węglowodany, np. szklankę mleka i otręby pszenne. Rano, 20 minut przed planowanym wstaniem z łóżka, zjedz przekąskę zawierającą węglowodany: kilka krakersów, herbatników ryżowych lub garść rodzynek. Trzymaj je w pobliżu łóżka, bo gdy obudzisz się głodna w środku nocy, będą ci potrzebne.
- Dobrze sypiaj i odprężaj się. Zarówno emocjonalne, jak i fizyczne wyczerpanie może zaostrzyć poranne dolegliwości.
- Ranek witaj w wolnym tempie – pośpiech zwiększa nudności. Nie wyskakuj z łóżka. Poleż, jedząc krakersy przez 20 minut, potem wstań wolno do śniadania. To może wydawać się niemożliwe, jeśli masz jeszcze inne dzieci, ale spróbuj obudzić się przed nimi, by mieć dla siebie tę spokojną chwilę, zanim będzie cię potrzebować twój mąż lub dzieci.
- Szoruj zęby pastą, która nie powoduje mdłości, lub płucz jamę ustną (poproś swojego dentystę, aby zalecił ci dobry preparat do przepłukiwania, i przedyskutuj ze swoim lekarzem, czy można go używać) po każdych wymiotach, tak jak po każdym posiłku. Nie tylko pomaga to w utrzymaniu świeżości w jamie ustnej i redukuje mdłości, ale zmniejsza ryzyko uszkodzenia zębów i dziąseł, które zdarza się wtedy, gdy na resztkach pokarmowych pozostałych w jamie ustnej po wymiotach zaczynają się rozwijać bakterie.
- Zredukuj do minimum stres. Nudności poranne występują u kobiet, które są pod wpływem dużego stresu, zarówno w pracy, jak i w domu (patrz s. 134 – o walce ze stresem).
- Spróbuj zakładać „morskie bransolety". Pierwszy ich cal założony na obu nadgarstkach podnosi ciśnienie wewnątrz nadgarstka i często likwiduje mdłości. Nie powodują one ubocznych skutków i są osiągalne w aptekach.
- Spróbuj zastosować akupunkturę, często zmniejsza ona mdłości.

U siedmiu na dwa tysiące ciężarnych nudności i wymioty stają się tak poważne, że wymagają leczenia. Jeśli jest tak i w twoim wypadku, to zapoznaj się z materiałem na s. 341.

NADMIERNE WYDZIELANIE ŚLINY

Moja jama ustna przez cały czas jest przepełniona śliną. Połykanie jej przyprawia mnie o mdłości. Co się dzieje?

Nadmiar śliny, nazywany ptializmem, jest jeszcze jednym charakterystycznym objawem w ciąży. Jest to nieprzyjemny objaw, ale nieszkodliwy. Na szczęście zanika on zwykle po pierwszych kilku miesiącach. Jest on charakterystyczny u kobiet, które cierpią na poranne mdłości, i wygląda na to, że stanowi ich przyczynę. Nie ma żadnego pewnego leku, ale częste szorowanie zębów miętową pastą do zębów, płukanie miętową wodą lub żucie gumy mogą pomóc w uzyskaniu choćby odrobiny suchości w jamie ustnej.

CZĘSTE ODDAWANIE MOCZU

Przebywam w łazience co pół godziny. Czy to normalne, żeby oddawać mocz tak często?

Z największą częstotliwością – chociaż nie oznacza to reguły – kobiety ciężarne odwiedzają toaletę w pierwszym i ostatnim trymestrze ciąży. Jednym z czynników powodujących wzrost częstotliwości oddawania moczu jest zwiększona objętość płynu w organizmie oraz doskonalsza sprawność nerek, które szybciej pozbywają się szkodliwych produktów przemiany materii. Innym z nich jest ucisk powiększającej się macicy, która znajduje się w miednicy w sąsiedztwie pęcherza moczowego. Ucisk na pęcherz zmniejsza się około czwartego miesiąca ciąży, gdy macica rośnie do środka jamy brzusznej. Stan ten prawdopodobnie utrzymuje się do czasu, aż dziecko „zejdzie" z powrotem w dół do miednicy w dziewiątym miesiącu ciąży. Ponieważ ułożenie narządów wewnętrznych u każdej kobiety zmienia się nieznacznie, to stopień częstości oddawania moczu w ciąży również może się zmieniać. Pochylenie się do przodu, kiedy oddajesz mocz, pomoże ci zapewne opróżnić całkowicie pęcherz moczowy oraz zredukować „wycieczki" do łazienki. Jeśli często wstajesz w nocy, spróbuj ograniczyć płyny po godzinie 16^{00}. Jednak nie ograniczaj płynów w innym czasie. Wzrost częstotliwości oddawania moczu nie będzie miał większego znaczenia, jeśli zazwyczaj oddajesz go często. Powinnaś jednak być pewna, że prawidłowo pijesz (przynajmniej 8 szklanek dziennie). Przyjmowanie niedostatecznej ilości płynów jest przyczyną rzadkiego oddawania moczu i może prowadzić do infekcji układu moczowego.

ZMIANY W OBRĘBIE GRUCZOŁÓW PIERSIOWYCH

Rozpoznaję coś w moich piersiach – są ogromne. Są również wrażliwe. Czy po urodzeniu dziecka takie pozostaną, czy wrócą do dawnego kształtu?

Przywyknij teraz do niespodzianek ze strony piersi. Chociaż ich kształt i wygląd mogą nie być zgodne z modą, to są one jednak jednym ze znamion ciąży. Twoje piersi są obrzmiałe, miękkie i wrażliwe z powodu wzrostu ilości estrogenu i progesteronu produkowanych przez twój organizm (ten sam mechanizm działa przed miesiączką, kiedy kobiety doświadczają zmiany gruczołów piersiowych – ale zmiany są bardziej uwydatnione w ciąży). Zmiany te nie występują przypadkowo, na ślepo: są one wymierzone w kierunku twojego przygotowania do nadchodzącego macierzyństwa,

Jeśli jednak są mniej zaznaczone w drugiej połowie ciąży (jak się często zdarza), nie oznacza to wcale mniejszej zdolności karmienia.

Dodając do powyższych zmian powiększenie się piersi, zauważyłaś sama jeszcze inne zmiany w gruczołach piersiowych. Obwódka (barwnikowa powierzchnia wokół brodawki) staje się ciemniejsza, większa i może mieć cętki na ciemnej powierzchni. To ściemnienie trochę zblednie, ale nie zniknie całkowicie po porodzie. Możesz też zauważyć małe grudki na obwódce, czyli gruczoły łojowe (potowe), które są bardziej widoczne podczas ciąży, a wracają później do normy. Cała siatka żylna, która przecina gruczoł sutkowy – widoczna całkiem jak żywa na jaśniejszej skórze – obrazuje drogę dostarczania pokarmu w systemie matka-dziecko. To zjawisko nie trwa długo, po porodzie wygląd skóry wraca do normy. Nie będziesz się musiała nawet przyzwyczajać, bo na szczęście jest to tymczasowa zmiana twoich piersi. Jeśli twoje piersi powiększają się wcześnie w ciąży i jeśli nagle się zmniejszają (jak również bez wyjaśnienia zanikają inne objawy ciąży), skontaktuj się ze swoim lekarzem.

W pierwszej ciąży moje piersi bardzo się powiększyły, ale nie zmieniły się teraz w drugiej ciąży. Czy to coś złego?

Kobiety o małym biuście, oczekujące za okrąglonych kształtów w ciąży, są niekiedy rozczarowane, przynajmniej przez jakiś czas. Niektóre doznania, takie jak znaczne powiększenie piersi, występujące w pierwszej ciąży, nie ujawniają się silnie w czasie następnych ciąż, być może dlatego, że gruczoły piersiowe dzięki poprzedniemu doświadczeniu nie potrzebują już dużego przygotowania i reagują mniej dramatycznie na hormony ciążowe. U tych kobiet piersi mogą stopniowo się powiększać w czasie ciąży lub mogą utrzymać swoją wielkość do czasu porodu, kiedy zacznie się produkcja mleka.

DODATKI WITAMINOWE

Czy muszę brać witaminy?

W istocie rzeczy żadna kobieta nie otrzymuje perfekcyjnie odżywczej diety codziennie, zwłaszcza we wczesnej ciąży, kiedy zdarzają się dolegliwości poranne i brak apetytu. Niektóre kobiety próbują wprowadzić prawidłowe żywienie i jest to dobry zwrot. Dzienne uzupełnienie witamin w ciąży, gdy nie są przestrzegane zasady prawidłowego żywienia, może być zabezpieczeniem gwarantującym, że twoje dziecko nie zostanie oszukane w przypadku braku współpracy z twojej strony lub okresowych zaniedbań. W dodatku niektóre badania pokazały, że spożywanie witamin przez kobiety przed ciążą i w pierwszym miesiącu ciąży znacznie zmniejsza ryzyko wystąpienia wad układu nerwowego (takich, jak *spina bifida* – rozszczep kręgosłupa) u ich dzieci. Prawidłowe dawkowania, specjalnie dla kobiet oczekujących dziecka, są dostępne w postaci recept lub dzięki obliczeniom (patrz s. 111 – co powinno zawierać uzupełnienie). Nie stosuj żadnych uzupełnień, innych niż przepisane na recepcie, bez wiedzy twojego lekarza. Niektóre kobiety twierdzą, że stosowanie witamin zwiększa nudności we wczesnej ciąży i czasami później. Odpowiednio włączone dawki mogą zapobiegać wymiotom, np. przyjmowanie leków po jedzeniu (chyba że zazwyczaj wtedy zwracasz). Jeśli połykanie pigułek standardowej wielkości jest trudne dla ciebie, weź pod uwagę zamianę na postać dziecięcą leku, tabletki do ssania lub kapsułkę, którą można otworzyć i zawartość rozpuścić w jedzeniu lub piciu. Upewnij się, że dawka, którą wybierasz, pokrywa zapotrzebowanie na witaminy w ciąży (s. 110). Jeśli leki zostały przepisane przez twojego lekarza, sprawdź je z nim przed ich włączeniem. U niektórych kobiet żelazo zawarte w lekach może powodować zaparcie lub biegunkę, ale włączenie odpowiednich dawek może przynieść ulgę. Spożywanie preparatów nie zawierających żelaza (lekarz zapisze takie, które rozkładają się w jelicie, a nie we wrażliwym żołądku) może również zredukować dolegliwości i zmniejszyć objawy. Zapytaj swego lekarza o radę.

CIĄŻA EKTOPOWA

Od czasu do czasu odczuwam ściskanie. Czy to mogłaby być ciąża ektopowa?

Strach przed ciążą ektopową, jajowodową czyha gdzieś w umyśle każdej „świeżo upieczonej" kobiety ciężarnej, która słyszała o nieprawidłowym zagnieżdżeniu. Na szczęście u większości kobiet ten strach nie zostaje potwierdzony – i całkowicie opuszcza kobietę w ósmym tygodniu ciąży. W tym czasie zostaje zdiagnozowana i ukończona ciąża jajowodowa. Tylko około 2% ciąż jest ektopowych, to znaczy zagnieżdżenie następuje poza macicą, zazwyczaj w jajowodzie. Większość z nich zostaje zdiagnozowana przed uświadomieniem sobie przez kobietę, że jest w ciąży. Tak więc wyzbądź się wszelkich obaw, gdy lekarz potwierdzi twoją ciążę na podstawie testów krwi i badania i nie stwierdzi u ciebie żadnych oznak ciąży ektopowej.

Oto kilka czynników mogących wytłumaczyć wystąpienie ciąży ektopowej:

- poprzednia ciąża ektopowa;
- przebyte stany zapalne w miednicy mniejszej;
- przebyte operacje brzuszne lub jajowodowe z pooperacyjnym bliznowaceniem;
- podwiązanie jajowodów (sterylizacja chirurgiczna), niepomyślne podwiązanie jajowodów lub zabieg ponownego udrożnienia podwiązanych jajowodów;
- IUD – kształtka wewnątrzmaciczna (IUD zapobiega implantacji zapłodnionego ja-

jeczka w macicy, a nie poza nią, stąd wzrost ryzyka ciąży ektopowej w przypadku stosowania kształtki)[1];

- wielokrotne usuwanie ciąży;
- narażenie macicy na działanie dietylostilbestrolu (DES), które w rezultacie kończy się znacznymi zaburzeniami w układzie rozrodczym.

Choć ciąża ektopowa występuje rzadko, to każda ciężarna kobieta – szczególnie z grupy wysokiego ryzyka – powinna być zorientowana w objawach. Okresowy skurcz, prawdopodobnie rezultat napinania włókien mięśniowych rosnącej macicy, nie jest jedynym symptomem. Wszystkie z następujących objawów wymagałyby natychmiastowej interwencji lekarza. Jeśli nie możesz skontaktować się ze swoim lekarzem, to natychmiast zgłoś się do szpitala, gdy zaczniesz odczuwać:

- kolkowy, skurczowy ból z nadwrażliwością zazwyczaj w podbrzuszu — początkowo po jednej stronie lub promieniujący do całego brzucha. Ból może się nasilać w czasie napinania się jelita grubego, kaszlu, ruchu. Jeśli dojdzie do pęknięcia jajowodu, ból staje się bardzo ostry i silny przez krótki czas, zanim rozprzestrzeni się do miednicy. Brązowe nakropienie pochwy lub lekkie krwawienie (sporadyczne lub ciągłe) może poprzedzać ból kilka dni lub tygodni, chociaż czasami nie ma krwawienia, chyba że nastąpi pęknięcie jajowodu;
- obfite krwawienie na skutek pęknięcia jajowodu;
- nudności i wymioty – u około 25-50% kobiet – mogą sprawić trudności w odróżnieniu od rannych dolegliwości;
- zawroty głowy lub uczucie słabości u niektórych kobiet.

[1] Jednakże stosowanie kształtki wewnątrzmacicznej w przeszłości najprawdopodobniej nie zwiększa ryzyka ciąży ektopowej.

W przypadku pęknięcia jajowodu wystąpią:

- zwolnienie tętna, bladość skóry i omdlenie;
- bóle ramion u niektórych kobiet;
- uczucie parcia na stolec u niektórych.

Jeśli wystąpi ciąża ektopowa, szybka medyczna interwencja może uratować jajowód i płodność kobiety (patrz s. 343 – leczenie ciąży ektopowej).

STAN TWOJEGO DZIECKA

Jestem bardzo nerwowa, ponieważ nie czuję naprawdę mego dziecka. Mogłabym nie wiedzieć, że nie żyje?

W tym stadium nie można zauważyć powiększenia się brzucha lub wyraźnej aktywności płodu. Trudno jest wyobrazić sobie, że rzeczywiście żyje i wzrasta w tobie dziecko. Ale śmierć płodu czy zarodka bez jego wydalenia z macicy w czasie poronienia występuje bardzo rzadko. Kiedy tak się zdarza, kobieta w końcu traci wszystkie oznaki ciąży: miękkość i powiększanie się gruczołów piersiowych, wydala brązowawe upławy, chociaż nie krwawi. Na podstawie badania lekarz stwierdzi, że macica zmniejszyła się.

Jeżeli w pewnym momencie znikną u ciebie wszystkie objawy ciąży lub gdy będziesz miała odczucie, że twoja macica nie rośnie, powiadom swojego lekarza. Będzie to pozytywniejsze podejście do sprawy niż siedzenie i zamartwianie się.

PORONIENIE

Na podstawie tego, co czytam i co mówi mi moja mama, obawiam się, że mogłam, mogę i będę mogła przyczynić się do wystąpienia poronienia.

Dla wielu oczekujących matek obawa przed poronieniem hamuje ich radość w pierwszym trymestrze ciąży. Niektóre kobiety wstrzymują się nawet z rozgłaszaniem

Prawdopodobne oznaki poronienia

Kiedy natychmiast dzwonić do lekarza?

- Kiedy stwierdzisz krwawienie ze skurczami lub bólem w podbrzuszu (ból po jednej stronie we wczesnej ciąży może nasuwać podejrzenie ciąży ektopowej i uzasadnia skontaktowanie się z lekarzem).
- Kiedy ból jest intensywny i utrzymuje się ponad jeden dzień, nawet jeśli nie towarzyszy mu plamienie czy krwawienie.
- Kiedy krwawienie jest obfite tak jak miesiączka lub lekkie plamienie utrzymuje się przez więcej niż 3 dni.

Kiedy natychmiast kontaktować się z oddziałem opieki medycznej?

- Kiedy w twoim wywiadzie jest poronienie, a masz krwawienie lub plamienie ze skurczami.
- Kiedy krwawienie jest tak obfite, że zużywasz kilka podpasek w ciągu godziny, lub gdy ból jest nie do zniesienia.
- Kiedy zauważysz skrzepy krwi lub zaróżowione wydzieliny — co może oznaczać już rozpoczęte poronienie. Kiedy nie możesz skontaktować się ze swoim lekarzem, idź natychmiast do najbliższego punktu medycznego.

Lekarz być może zechce, byś zabezpieczyła materiał, który wydaliłaś (w słoiku, plastykowej torebce lub innym opakowaniu), aby móc stwierdzić, czy to poronienie zagrażające, czy zupełne, czy niezupełne, i nakazać wyłyżeczkowanie w razie wątpliwości.

szczęśliwych wiadomości, że będą miały dziecko, aż do czwartego miesiąca ciąży, kiedy już istnieje duże prawdopodobieństwo utrzymania jej (około 90%). 10% zdiagnozowanych ciąż kończy się widocznym poronieniem. 20-40% ciąż kończy się jeszcze przed potwierdzeniem ciąży – są to poronienia zazwyczaj nie zauważone.

Nie są jeszcze znane wszystkie przyczyny poronienia, ale poniżej wymienione czynniki mają z nim jakiś związek (choć nie zaliczają się do przyczyn):

- Kłopoty po kształtce. Uszkodzenie endometrium lub infekcja spowodowane założoną kształtką (IUD) – mogą uniemożliwić zagnieżdżenie w macicy, ale nie powinny powodować poronienia, gdy już dokonała się prawidłowa implantacja.
- Poronienia sztuczne. Okaleczenie endometrium w wyniku wielokrotnych aborcji może nie dopuścić do implantacji, ale nie powinno być poza tym odpowiedzialne za wczesne poronienie.
- Niepokój emocjonalny – wynikający z dyskusji, stresu przy pracy czy problemów rodzinnych.
- Upadek lub inne mniejsze przypadkowe uszkodzenie ciała. Ale poważne obrażenie może w konsekwencji spowodować poronienie. Tak więc nie wspinaj się na chwiejne drabiny, krzesła itp. Przestrzegaj środków ostrożności.
- Zwykła i zazwyczaj wykonywana praca fizyczna: praca domowa, dźwiganie dzieci, zakupów czy innych ciężkich przedmiotów (patrz s. 212), wieszanie firanek, przesuwanie mebli i umiarkowane, bezpieczne ćwiczenia (patrz s. 197).
- Stosunek płciowy – gdy kobieta w swej historii ma przebyte poronienia lub istnieje duże ryzyko utraty ciąży.

Te poszczególne czynniki jednak mają jakiś wpływ na zwiększenie ryzyka wystąpienia poronienia samoistnego. Niektóre z nich nie mają tendencji do powtarzania się i oddziaływania w następnych ciążach, na przykład ekspozycja różyczki lub innej teratogennej choroby, napromieniowanie, czy leki szkodliwe dla płodu, wysoka gorączka, czy IUD w czasie poczęcia. Inne czynniki ryzyka, już raz zidentyfikowane, mogą być skontrolowane i wyeliminowane w następnych ciążach (ubogie odżywianie, palenie papierosów, niedobór hormonów i inne problemy ze strony matki). Niektóre poronne czynniki ryzyka nie są łatwe do pokonania, a mianowicie: nieprawidłowa budowa macicy (chociaż niekiedy możliwa do chirurgicznego skorygowania) i choroby przewlekłe ze strony matki.

Rzadko przyczyna powtarzających się poronień leży w odpornych na zakażenia komórkach matki, atakujących komórki zarodka (reakcja autoimmunologiczna). Czasami mogą to również być komórki ojca. Immunoterapia może być pomocna w takich przypadkach.

Kiedy nie należy się denerwować. Ważne jest, aby rozpoznawać każdorazowy skurcz, ból, bo nie muszą one być ostrzeżeniem przed zagrażającym niebezpieczeństwem. Przynajmniej jeden lub wszystkie z podanych niżej objawów świadczą o prawidłowej ciąży:

- Delikatne skurcze, bolesność lub uczucie ciągnięcia jednej strony lub całego brzucha. Jest to spowodowane rozciąganiem więzadeł powiększającej się macicy. Gdy skurcze są dokuczliwe, ale niezmienne, lub towarzyszy im krwawienie, to nie ma powodu do zmartwienia.
- Możesz się spodziewać plamienia w czasie przypadającej miesiączki, 7 do 10 dni po poczęciu, kiedy maleńka grupa komórek przytwierdzona do ściany macicy zacznie rozwijać się w twoje dziecko. Lekkie krwawienie w tym czasie jest charakterystyczne i nie oznacza problemów z twoją ciążą – tak długo, jak nie towarzyszy mu ból podbrzusza.

Jeśli podejrzewasz poronienie. Jeśli odczuwasz któreś z objawów podanych w tabeli (powyżej), skontaktuj się ze swoim lekarzem, a jeśli jest on nieosiągalny, zgłoś się natychmiast do oddziału opieki medycznej. Podczas oczekiwania na pomoc, połóż się, jeśli są na to warunki, lub odpoczywaj w fotelu z nogami uniesionymi do góry. To nie zapobiega poronieniu, jeśli ma się ono dokonać, ale powinno pomóc tobie odprężyć się. To również pozwoli ci zrozumieć, że większość kobiet, która miała krwawienia we wczesnej ciąży, donosiła ciążę i urodziła w terminie zdrowe dziecko.

Jeśli poronienie jest spodziewane lub zdiagnozowane, to patrz s. 345.

Nie czuję tak naprawdę, że jestem w ciąży. Czy mogłabym poronić, nie wiedząc o tym?

Strach przed poronieniem bez jego wyraźnych oznak jest nieusprawiedliwiony. Jeśli została stwierdzona ciąża, to niełatwo te oznaki przeoczyć. W dodatku bardzo rzadko zdarza się, by martwy zarodek ludzki nie był wydalony z macicy. Proste stwierdzenie „nie czuję, że jestem w ciąży", zazwyczaj nie stanowi powodu do niepokoju – wiele kobiet będących w ciąży nie czuje tego, przynajmniej do czasu, gdy zacznie odczuwać ruchy płodu. Prawdopodobnie lekarz uspokoi cię w czasie najbliższej wizyty. Czasami płód umiera, ale nie zostaje samoistnie wydalony. W przypadku takiego „nie zauważonego poronienia" oznaki ciąży zwykle zanikają lub nagle ustają i mogą pojawić się brązowawe upławy. W takich okolicznościach ważne jest jak najszybsze zawiadomienie lekarza.

STRES W TWOIM ŻYCIU

Moja praca jest bardzo stresowa. Jestem w ciąży, choć tego nie planowałam. Czy powinnam przestać pracować?

Stres, przez parę ostatnich dziesięcioleci stał się ważną płaszczyzną badań naukowych z powodu jego oddziaływania na nasze życie. W zależności od tego, jak się z nim potrafimy uporać i jak na niego reagujemy, stres może być dla nas dobry (pobudza nas do lepszego działania i efektywniejszego funkcjonowania) lub zły (kiedy wydostanie się spod kontroli, zalewa nas i osłabia nasze siły). Jeśli stres zwiększa twoją wydajność w pracy, pobudza cię, mobilizuje, wtedy nie powinien zagrażać twojej ciąży. Ale jeśli stres powoduje niepokój, bezsenność lub depresję albo jeśli powoduje objawy, takie jak bóle głowy, bóle pleców, utratę apetytu, to może być szkodliwy. Może być również szkodliwy, jeśli prowadzi do twego wyczerpania psychicznego (patrz s. 125).

Negatywne reakcje na stres mogą wynikać ze zmiennych nastrojów w ciąży. I takie reak-

Ćwiczenie relaksujące

Istnieje wiele sposobów relaksowania się (również joga). Niżej podano sposób odprężenia się łatwy do nauczenia i wykonania w każdym miejscu i o każdej porze dnia. Jeśli uznasz to ćwiczenie za użyteczne, możesz je wykonywać, kiedy tylko odczujesz zaniepokojenie i napięcie. Ćwiczenie powtarzaj kilka razy dziennie.

1. Usiądź z zamkniętymi oczami. Rozluźnij swoje mięśnie, zaczynając od stóp, przechodząc powoli do góry przez nogi, tułów, szyję i twarz. Oddychaj tylko przez nos (chyba że jest za duszno, oczywiście). Kiedy wydychasz, wypowiedz głośno słowo „raz" (lub inny prosty wyraz). Kontynuuj to ćwiczenie przez 10-20 minut.
2. Wciągnij powietrze powoli i głęboko przez nos, wypychaj brzuch. Policz do czterech. Potem, pozwalając rozluźnić się własnym ramionom, mięśniom szyjnym, wydychaj powoli, licząc do sześciu. Powtórz tę sekwencję 4-5 razy.

cje, jak utrata apetytu, nieprawidłowe żywienie, bezsenność, mogą przynieść ci wiele szkody – jeśli pozwolisz na ich kontynuację przez drugi i trzeci trymestr ciąży. Dla twego dziecka teraz bezwzględnie ważne jest, byś nauczyła się walczyć ze stresem.

W zwalczaniu stresu powinny ci pomóc poniższe wskazówki.

Mów o stresie. Pozwól, by niepokój wypłynął na wierzch – jest to najlepszy sposób wyzbycia się go. Prowadź otwarte dyskusje ze swoim mężem, spędzając trochę czasu pod koniec każdego dnia na wypędzaniu swych niepokojów i frustracji (oczywiście on również potrzebuje przyjaznego słuchacza). Razem z mężem możesz doznać trochę ulgi, trochę humoru w szczególnych sytuacjach. Jeśli będziesz nadal nerwowa, porozmawiaj z innymi członkami twojej rodziny, z lekarzem, przyjaciółką czy osobą duchowną. Jeśli nic nie pomoże, weź pod uwagę wizytę u specjalisty.

Rób coś z nim. Wykryj, rozpoznaj źródła stresu w twojej pracy i w innych dziedzinach twego życia i zdecyduj, co możesz zmienić, by zlikwidować stres. Jeśli próbujesz robić za dużo, wycofaj się z niektórych dziedzin. Jeśli wymagana jest od ciebie zbyt duża odpowiedzialność w domu czy w pracy, ustal pierwszeństwo i następnie zdecyduj, co można odłożyć lub przekazać komuś innemu. Czasem siedzenie z notesem i robienie listy setek rzeczy, które trzeba zrobić (w domu i pracy), oraz planowanie, jak je zrobić, może pomóc ci kontrolować cały ten chaos w życiu. Dzięki tej liście masz nadzór nad realizacją zamierzonych planów.

Przesypiaj go. Sen to recepta na odnowienie umysłu i ciała. Częste odczuwanie napięcia i niepokoju jest spowodowane nieczęstym „zamykaniem oczu". Jeśli masz problemy z zasypianiem, patrz s. 157.

Przejedz swój stres. „Niszczący" styl życia prowadzi do „niszczącego" stylu jedzenia. Nieodpowiednie odżywianie podczas ciąży oddziałuje dwojako: może krępować twoje zdolności i rozwój twego dziecka. Stosuj „Dietę najlepszej szansy" (patrz s. 103), a zapomnisz o stresie.

Wymyj go. Ciepła kąpiel (ale nie za gorąca) jest doskonałym sposobem, aby się rozluźnić. Staraj się kąpać po każdym wyczerpującym dniu; pomoże ci to również łatwiej zasypiać.

Wyrwij się z niego na jakiś czas. Walcz ze stresem poprzez: aktywność, która cię zrelaksuje (np. sport, rozważ to ze swoim lekarzem, prześledź s. 204); czytanie; przechadzanie się; słuchanie muzyki (również słuchanie muzyki z kaset przy użyciu słuchawek, co możesz robić podczas pracy, w czasie obiadu, kawy itp.); długie spacery (lub krótkie) podczas śniadania lub obiadu – ale nie zapomnij o jedzeniu w odpowiednich porach; medytacje (zamknij oczy i stwórz w myślach sielankowy obraz lub miej je otwarte i wpatruj się w uspokajający obraz lub zdjęcie, które znajduje się w twoim pokoju). Praktykuj ćwiczenia relaksujące (patrz tabela powyżej), ale nie po to, by pomogły ci w porodzie, ale by likwidowały stan napięcia.

Uciekaj od stresu. Może twoje problemy nie są warte stresu czy niepokoju i niepotrzebnie wyczerpujesz się psychicznie. Licz się wtedy z porodem przedwczesnym albo weź pod uwagę inne postępowanie likwidujące stres. Pamiętaj, że twój stres może wzrosnąć jeszcze po narodzinach dziecka. Dlatego sens ma nauczenie się walki z nim już na początku ciąży.

WIELKI STRACH O ZDROWIE DZIECKA

Wiem, że to prawdopodobnie irracjonalne, ale nie mogę spać, jeść i skoncentrować się w pracy, ponieważ obawiam się, że moje dziecko nie będzie normalne.

Każda oczekująca matka denerwuje się, czy jej dziecko będzie normalne. To zdenerwowanie i strach, który nie reaguje na żadne perswazje (zawarte i w tej książce), jest jednym z nieuniknionych efektów ciąży, bardzo wyczerpującym oraz często wymagającym interwencji. Porozmawiaj w takiej sytuacji ze swoim lekarzem. Może ocena ultrasonograficzna twojej ciąży pomoże ci zwalczyć strach. Wielu lekarzy woli zalecić to badanie, gdy pacjentka jest szczególnie zaniepokojona i twierdzi, że ma ku temu powody (np. spędzała dużo czasu w gorącej kąpieli, zanim stwierdziła, że jest w ciąży), nawet, jeśli jej obawy są wyolbrzymione. Trzeba jednak zdawać sobie sprawę, że ryzyko samego badania (nie znane skutki oddziaływania ultradźwięków na organizm ludzki) przeważa nad ryzykiem niepokoju (chociaż towarzyszy od rana do wieczora).

Badanie USG nie wykryje każdego potencjalnego defektu, ale da dużo informacji dotyczących rozwoju płodu. Jeśli nawet kontury są zamazane, ale widoczne prawidłowo wykształcone kończyny i organy, to można mówić o normalności budowy ciała. Zgodność przekonań lekarza i specjalisty wykonującego badanie USG pomoże oczekującej matce utrzymać wewnętrzny spokój. W przeciwnym razie konieczna będzie konsultacja psychologiczna.

Inne badania diagnostyczne, takie jak amniopunkcja i biopsja kosmówki, mogą być przekonywające, ale są zazwyczaj wykonywane w uzasadnionych sytuacjach klinicznych (patrz s. 73 i 77), gdyż niosą ze sobą pewne ryzyko.

DŹWIGANIE INNYCH DZIECI

Boję się podnieść swoją dwuletnią córkę, która jest dość ciężka, gdyż wiem, że duży wysiłek fizyczny może spowodować poronienie.

Musisz wytłumaczyć córce, że nie możesz jej nosić i że pójdzie na spacer na własnych nóżkach. Noszenie umiarkowanie ciężkich przedmiotów nie jest przeciwwskazane, ale powinnaś unikać wysiłku prowadzącego do wyczerpania twoich sił fizycznych (patrz s. 185 – wysiłek przy podnoszeniu ciężarów). Zrzucanie winy na nie narodzone dziecko może wzbudzać w tym drugim uczucie zazdrości i rywalizacji.

Tak jak twoja ciąża, tak i twoje plecy mogą nie podołać wysiłkowi dźwigania obydwóch: i płodu, i dziecka. Powinnaś więc ograniczyć dźwiganie tego drugiego do minimum. Ale bądź pewna, że winienie za to pleców, a nie dziecka zmniejszy reakcję zazdrości, a rekompensatą niech będzie wspólne siedzenie.

CO WARTO WIEDZIEĆ

Regularna opieka medyczna

W ostatnim dziesięcioleciu ruch propagujący troskę o własne zdrowie nauczył Amerykanów wszystkiego, począwszy od pomiaru ciśnienia krwi i tętna, do domowego leczenia nadwerężonych mięśni i oceniania chorego gardła oraz bolącego ucha. Efektywny wpływ tego jest niekwestionowanie pozytywny – zmniejszenie liczby przypadków zgłaszających się do lekarzy oraz pozyskanie lepszych potencjalnych pacjentów. Najlepsze z tego wszystkiego jest uświadomienie sobie odpowiedzialności za własne zdrowie i ten potencjał uczyni nas chyba zdrowymi w latach, które nadejdą.

Nawet w ciąży, jak zauważyłaś w tej książce, jest niezliczenie wiele sposobów, które sprawią, że twój dziewięciomiesięczny okres będzie bezpieczny i wygodny, poród łatwiejszy, a oczekiwane dziecko zdrowsze. Nie próbuj tego okresu przechodzić samotnie, nawet przez kilka miesięcy, byłoby to nadużycie pojęcia samoopieka – które jest budowane na podstawie wzajemnego partnerstwa między pacjentem a lekarzem. Regularny, fachowy nadzór w ciąży ma decydujące znaczenie. Badania dowiodły, że kobiety, które miały wiele wizyt, urodziły większe dzieci, z lepszym rokowaniem co do przeżycia aniżeli te, które miały tylko kilka wizyt w czasie ciąży.

WYKAZ WIZYT W CIĄŻY

Idealnie, jeśli twoja pierwsza wizyta u lekarza lub położnej wypada wtedy, gdy twoje dziecko jest jeszcze w planach. Jest to marzenie wielu z nas, szczególnie tych, u których ciąże są nie planowane – marzenie, na którego realizację tak trudno się zdobyć.

Druga wizyta w czasie ciąży powinna nastąpić wtedy, gdy podejrzewasz, że jesteś w ciąży. Badanie wewnętrzne pomoże potwierdzić ciążę i wykryć potencjalne problemy wymagające intensywnego nadzoru. Wykaz wizyt będzie zależał od lekarza, od twego stanu zdrowia podczas ciąży i od stopnia ryzyka występującego w twojej ciąży. W przypadku ciąży małego ryzyka prawdopodobnie będziesz musiała zjawiać się u lekarza raz w miesiącu lub rzadziej, aż do ukończenia 32 tygodnia ciąży. Następnie co dwa tygodnie, aż do ostatniego miesiąca i w ostatnim miesiącu ciąży co tydzień.

Abyś wiedziała, czego możesz się spodziewać podczas każdej wizyty prenatalnej, przejrzyj rozdziały dotyczącego danego miesiąca ciąży.

DBAJ O ODPOCZYNEK

Jesteś oczywiście pochłonięta sprawami związanymi z ciążą. Ale chociaż twoje dbanie o zdrowie zaczyna się od brzucha, to nie powinno się tylko tam kończyć. Nie czekaj na kłopoty, ale je ubiegaj. Zamów wizytę u dentysty – uzupełnienie ubytków, profilaktyka dają bezpieczeństwo w ciąży (s. 189). Jeśli to konieczne, odwiedź swego lekarza-alergologa. Nie będziesz miała teraz wykonywanych testów uczuleniowych, ale jeśli chorujesz na poważne choroby alergiczne, trzeba baczniej obserwować twój stan. Twój lekarz domowy lub specjalista powinien również prześledzić choroby przewlekłe lub inne dolegliwości, aby nie umknęły z pola widzenia położnika; jeśli w czasie ciąży kontaktowałaś się tylko z położną, powinnaś wszystkie problemy przedyskutować z położnikiem lub lekarzem rodzinnym. Jeżeli w czasie ciąży wynikną nowe choroby, nie zignoruj ich. Nawet jeśli zauważyłaś objawy, które wydały ci się nieszkodliwe, ważne jest, by skonsultować to z lekarzem jak najszybciej. Twoje dziecko potrzebuje całkowicie zdrowej matki.

W jakich sytuacjach powiadomić lekarza?

Jeśli nie przeanalizowałaś ze swoim lekarzem różnych nagłych sytuacji, które mogą się zdarzyć w ciąży, i jeżeli czujesz, że możesz nagle potrzebować fachowej opieki, to swoim postępowaniem pokieruj według niżej podanych wskazówek.

(Przede wszystkim dzwoń do lekarza, zawiadamiając go o swojej sytuacji. Jeśli lekarz jest nieosiągalny, to zgłoś się do najbliższego szpitala i przedstaw swoje objawy, uwzględniając ich charakter, początek, czas trwania, częstość pojawiania się i zanikania.)

- Ból podbrzusza po jednej lub obu stronach – przekaż to swojemu lekarzowi tego samego dnia; jeśli towarzyszy mu krwawienie, nudności, wymioty to zadzwoń natychmiast.
- Lekkie plamienie z pochwy – powiadom lekarza tego samego dnia.
- Obfite krwawienie z pochwy (zwłaszcza występujące razem z bólem brzucha lub pleców) – dzwoń natychmiast.
- Krwawienie z brodawek sutkowych, odbytnicy, pęcherza moczowego – dzwoń natychmiast.
- Odkrztuszanie plwociny z krwią – dzwoń natychmiast.
- Odpływanie płynu z pochwy – dzwoń natychmiast.
- Nagłe uczucie pragnienia i towarzyszący mu bezmocz – zadzwoń natychmiast.
- Obrzęk rąk, twarzy, powiek – dzwoń tego samego dnia, a jeśli towarzyszy mu ból głowy lub zaburzenia widzenia – dzwoń natychmiast.
- Dokuczliwy ból głowy, trwający dłużej niż 2-3 godziny – dzwoń tego samego dnia; jeśli towarzyszy mu niepokój, nagłe opuchnięcie oczu, twarzy, rąk – dzwoń natychmiast.
- Ból lub pieczenie podczas oddawania moczu – zadzwoń natychmiast, jeśli towarzyszą mu dreszcze, gorączka, ból pleców.
- Niepokój, podwójne widzenie trwające przez 2-3 godziny – dzwoń natychmiast.
- Osłabienie lub zawroty głowy – zawiadom lekarza tego samego dnia.
- Dreszcze i gorączka (bez uczucia zimna i objawów grypowych) – zadzwoń tego samego dnia; gorączka powyżej 39°C – zadzwoń natychmiast.
- Nudności i wyczerpujące wymioty, częstsze niż 3 razy dziennie w pierwszym trymestrze ciąży; wymioty w ciąży zaawansowanej – zawiadom lekarza tego samego dnia; jeśli wymiotom towarzyszy ból i gorączka – zadzwoń natychmiast.
- Nagły przyrost masy ciała, więcej niż 1 kg na tydzień, nieadekwatny do ilości spożywanych pokarmów – zawiadom lekarza tego samego dnia; jeśli towarzyszy mu obrzęk rąk i twarzy i/lub ból głowy, zaburzenia widzenia – zadzwoń natychmiast.
- Brak odczuwania ruchów płodu dłużej niż 24 godziny po 20 tygodniu ciąży, lub mniej niż 10 ruchów na godzinę po 28 tygodniu ciąży – zadzwoń natychmiast.
- Uogólniony świąd skóry, z lub bez wydalania ciemnego moczu, jasny stolec, żółtaczka – zadzwoń do lekarza tego samego dnia.

Jeśli masz wątpliwości

Czasami sygnały z organizmu, przepowiadające coś złego, nie są całkiem jasne. Czujesz się słabo i niezbyt dobrze. Ale gdy nie odczuwasz objawów wyszczególnionych w powyższej tabeli oraz dobrze przesypiasz noce, chociaż nie masz okazji odpoczywać w dzień, nie wpadaj w panikę i nie dzwoń do lekarza. Złe samopoczucie w ciąży jest normalnym objawem i jest sygnałem, że potrzebujesz więcej odpoczynku niż normalnie. Anemia, uczucie przemęczenia i łatwość zapadania na różnego rodzaju infekcje to sygnały, że twój organizm domaga się większej ilości odpoczynku.

6

Drugi miesiąc

CZEGO MOŻESZ OCZEKIWAĆ W CZASIE BADANIA OKRESOWEGO

Jeśli jest to twoja pierwsza wizyta, cofnij się do s. 123 – *Czego możesz oczekiwać w czasie pierwszej prenatalnej wizyty.* Jeśli jest to drugie badanie, możesz oczekiwać, że obejmie ono następujące sprawy (chociaż mogą wystąpić odchylenia w sposobie prowadzenia praktyki przez twojego lekarza)[1]:

- masa ciała i ciśnienie krwi;
- mocz na zawartość cukru i białka;
- badanie rąk i stóp pod względem występowania obrzęków (opuchnięcie), podudzi pod względem żylaków;
- objawy, które odczuwasz, szczególnie te nadzwyczajne;
- pytania lub problemy, o które chcesz zapytać – sporządź listę.

CO MOŻESZ ODCZUWAĆ

Możesz odczuwać jeden, dwa lub wszystkie z poniższych objawów, jednocześnie lub nie. Niektóre mogą przeciągnąć się do ostatnich miesięcy ciąży, inne mogą być zupełnie nowe. Nie zdziw się, że nie masz objawów, jeśli nie czujesz jeszcze, że jesteś w ciąży.

OBJAWY FIZYCZNE:

- zmęczenie i senność;
- częste oddawanie moczu;
- nudności z/lub bez wymiotów i/lub nadmierne ślinienie;
- zaparcia;
- zgaga, niestrawność, wzdęcia;
- niechęć do jedzenia i zachcianki;
- zmiany gruczołów piersiowych: pełność, ciężkość, napięcie, ściemnienie obwódki brodawkowej (ciemniejsza otoczka wokół brodawki). Gruczoły potowe wokół brodawki stają się wystające, wyglądają jak gęsie guzki, siatka niebieskich linii ukazująca się pod skórą jako droga transportująca krew do piersi;

[1] Badania i testy opisane są w oddzielnym rozdziale *Dodatek.*

- okresowe bóle głowy (podobne do bólów występujących u kobiet przyjmujących pigułki antykoncepcyjne);
- okresowe omdlenia i zawroty głowy;
- „obcisłość" bielizny wokół talii i biustu; brzuch może stać się większy, spowodowane jest to raczej kostnym rozciągnięciem miednicy niż wzrostem macicy.

ODCZUCIA PSYCHICZNE:

- niestałość porównywalna do przedmiesiączkowych objawów, na którą składa się drażliwość, zmienny nastrój, nieracjonalność, płaczliwość;
- niepokój, strach, radość, podniecenie – któreś lub wszystkie z tych objawów.

CO MOŻE CIĘ NIEPOKOIĆ

ZMIANY DOTYCZĄCE ŻYŁ

Mam niebieskie linie podskórne na piersiach i brzuchu. Czy to normalne?

Bardzo normalne. To, co widzisz, to siatka żylna, która obrazuje zwiększony transport krwi w ciąży. Te widoczne żyły nie powinny być powodem do zmartwień (twój organizm czyni to, co powinien). Ukazują się one najwcześniej u bardzo szczupłych i delikatnie zbudowanych kobiet. U niektórych kobiet siatka żylna może być mniej widoczna lub niezauważalna w ogóle aż do końca ciąży.

JAK MOŻESZ WYGLĄDAĆ

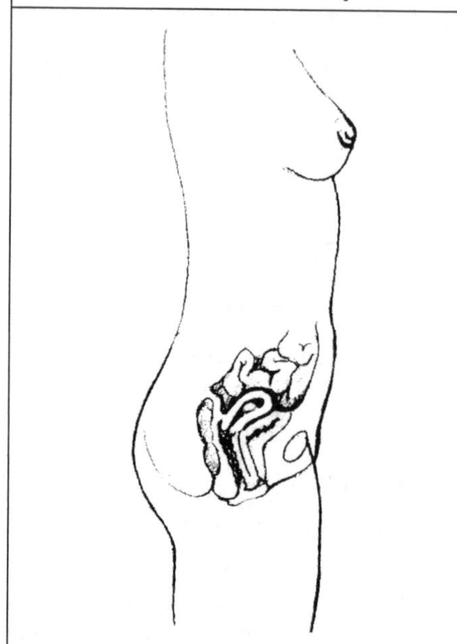

W końcu drugiego miesiąca zarodek bardziej przypomina istotę ludzką, ma długość około 33 mm od głowy do pośladków (1/3 z tego to głowa) i masę około 9 gramów. Posiada bijące serce, ramiona i nogi z zaczątkami palców i paluchów. Kości zaczynają zastępować chrząstkę.

Od czasu, gdy jestem w ciąży, mam brzydko wyglądające czerwone linie na udach. Czy to żylaki?

Nie jest to przyjemne, ale to nie są żylaki. To prawdopodobnie pajączki czy teleangiektazje, które są rezultatem zmian hormonalnych w ciąży. Zbledną i znikną one po porodzie, a jeśli nie, to będą musiały być usunięte operacyjnie.

Moja matka i babcia miały żylaki podczas ciąży i miały z nimi problemy również potem. Czy mogłabym jakoś zapobiec temu w czasie mojej ciąży?

Ponieważ występowanie żylaków często jest rodzinne, powinnaś jak najszybciej świadomie pomyśleć o zapobieganiu, zwłaszcza że żylaki mają tendencję do pogarszania się w następnych ciążach.

Normalnie zdrowe żyły transportują krew z obwodu w kierunku serca. Ponieważ muszą one pracować przeciwko sile grawitacji, to robią to za pomocą serii zastawek, które zapobiegają cofaniu się krwi. Jeśli zastawki są uszkodzone lub nieprawidłowe, tak jak zdarza się u niektórych ludzi, krew spływa do splotów żylnych, gdzie jest wysokie ciśnienie grawitacyjne (zazwyczaj nogi, odbytnica czy srom), i tworzy tam rozdęte żylaki (żyły z powodu swej budowy ulegają rozciągnięciu i rozszerzeniu). Problem jest bardziej powszechny u ludzi otyłych i cztery razy częstszy u kobiet niż mężczyzn.

U kobiet z predyspozycjami do żylaków problem pojawia się już w pierwszym okresie ciąży. Przemawia za tym kilka czynników: zwiększające się ciśnienie z żył macicy w kierunku żył miednicy, wzrastające ciśnienie w żyłach kończyn dolnych, zwiększenie objętości krwi; rozluźnienie włókien mięśniowych w ścianie żył, uwarunkowane hormonalnie. Objawy żylakowe nie są trudne do rozpoznania, ale dają u większości kobiet bolesne dolegliwości. Można stwierdzić silny ból, bolesność, pieczenie, uczucie ciężkości (ale może nie być żadnego z objawów). Może się uwidocznić zarys niebieskich żył lub serpentyna żylna, biegnąca od kolana do uda lub sromu. W poważnych przypadkach skóra poprzecinana żyłami staje się obrzmiała, sucha i wrażliwa. Sporadycznie może rozwinąć się zakrzepowe zapalenie żył.

Na szczęście możliwe jest jak najwcześniejsze zapobieganie żylakom podczas ciąży lub zredukowanie do minimum ich objawów poprzez sposoby eliminujące niepotrzebne ciśnienie w żyłach kończyn dolnych. Oto wskazówki:

- Unikaj nadmiernego przyrostu masy ciała.
- Unikaj długiego stania lub siedzenia. Jeśli siedzisz, trzymaj nogi na poziomie przynajmniej bioder. Kiedy leżysz, unieś swoje nogi, podkładając pod stopy poduszkę.
- Unikaj dźwigania ciężarów.
- Unikaj wysiłku podczas wypróżniania.
- Wkładaj rajstopy ściągające lub elastyczne pończochy, zakładając je przed wstaniem z łóżka rano (zanim krew spłynie do stóp) i zdejmuj je wieczorem przed położeniem się do łóżka.
- Nie noś ograniczającej ruchy odzieży; unikaj pasków, majtek opasujących uda, pończoch, skarpet z elastyczną górą, podwiązek i ciasnych butów.
- Nie pal papierosów. Stwierdzono związek pomiędzy paleniem papierosów a występowaniem żylaków (i innymi komplikacjami w ciąży – patrz s. 83).
- Wykonuj ćwiczenia, chodź na orzeźwiające, 20-30-minutowe spacery każdego dnia.
- Spożywaj witaminę C, o której część lekarzy mówi, iż utrzymuje elastyczność żył.

Chirurgiczne usunięcie żylaków nie jest zalecane podczas ciąży, chociaż może być przeprowadzone kilka miesięcy po porodzie. W najlepszym przypadku jednak problem wyjaśni się lub poprawi samoistnie po porodzie, zazwyczaj w czasie powrotu do masy ciała sprzed ciąży.

PROBLEMY Z CERĄ

Moja skóra wygląda tak jak wtedy, gdy byłam nastolatką!

Aura ciąży, która powoduje, że szczęśliwe kobiety aż promienieją, jest spowodowana nie tylko radością wynikającą z macierzyństwa, ale także wzrostem substancji endogennych w związku ze zmianami hormonalnymi. Są jednak kobiety – szczególnie te, u których występują zmiany skórne podobne do przedmiesiączkowych – które nie doświadczają takiej radości i czują się wyłączone z tej aury.

Chociaż zmiany skórne są bardzo trudne do zlikwidowania, następujące sugestie mogą pomóc w ich minimalizacji:

- Uwierz w „Dietę najlepszej szansy", która jest dobra zarówno dla twojej skóry, jak i dla dziecka.
- Nie przechodź obok kranu, nie nalewając sobie pełnej szklanki; woda jest jedną z najefektywniejszych substancji oczyszczających.
- Myj twarz 2-3 razy dziennie łagodnym tonikiem; unikaj gęstych kremów i makijażu.
- Jeśli lekarz zaleci, bierz dodatkowo witaminę B_6 (nie więcej niż 25-50 mg); jest ona stosowana w leczeniu chorób skóry in-

dukowanych hormonalnie, chociaż działanie jej nie jest jasne.

- Jeśli masz bardzo poważne kłopoty ze skórą, skontaktuj się z internistą i/lub skonsultuj z dermatologiem, dając im znać, że spodziewasz się dziecka. Niektóre leki stosowane w trądziku, szczególnie Accutane i prawdopodobnie Retin-A, nie powinny być stosowane przez kobiety ciężarne, ponieważ są szkodliwe dla płodu.

Dla niektórych kobiet w ciąży sucha, często swędząca skóra stanowi duży problem. Bardzo pomocne mogą być: preparaty nawilżające (dla optymalnej absorpcji powinno się je stosować, gdy skóra jest jeszcze wilgotna – po kąpieli lub prysznicu); picie dużej ilości płynów; nawilżanie powietrza w domu, zwłaszcza w sezonie letnim. Zbyt częste kąpiele, szczególnie w mydle, powodują wysuszenie skóry. Ogranicz więc kąpiele mydlane i staraj się używać do mycia delikatnych zmywaczy, toników.

POSZERZENIE TALII

Dlaczego moja talia już się poszerzyła? Myślałam, że przynajmniej do trzeciego miesiąca nie będzie nic widać.

Poszerzenie talii może być widocznym efektem ciąży, zwłaszcza jeśli jesteś szczupła i nie masz nadmiaru ciała, którym byś mogła ukryć powiększającą się macicę. Może to być również rezultat poszerzenia się miednicy we wczesnej ciąży. Z drugiej strony – jest to oznaka szybkiego wzrostu masy ciała. Jeśli przytyłaś więcej niż 1,5 kg do tego czasu, przeanalizuj swoją dietę – może spożywasz za dużo niepotrzebnych kalorii. Przeglądnij dietę (s. 103) i przeczytaj o przyroście ciała na s. 162.

UTRATA DAWNEJ SYLWETKI

Jestem zdenerwowana, że moja figura nie będzie taka sama po urodzeniu dziecka.

W ciąży każda kobieta uzyskuje trwale 1-2 kg masy, ale nie są one nieuniknionymi rezultatami bycia w ciąży. Są one efektem nadmiernego przyrostu masy ciała, jedzenia nieodpowiednich pokarmów i/lub niestosowania ćwiczeń gimnastycznych podczas całych dziewięciu miesięcy.

Przyrost masy w ciąży ma dwa cele: odżywiać rozwijający się płód i zmagazynować rezerwy dla okresu karmienia dziecka piersią. Jeśli masa jest utrzymana przez kobietę dla spełnienia powyższych celów, to jej figura powróci do przedciążowego wyglądu w ciągu kilku miesięcy po narodzinach dziecka, szczególnie gdy zużyje swą tkankę tłuszczową w czasie karmienia piersią. (Niektóre matki karmiące piersią twierdzą, że podczas karmienia piersią można zrzucić bardzo mało kilogramów; zazwyczaj powracają one do przedciążowej masy ciała wtedy, gdy odstawią dziecko od piersi. Jeśli nie wracają do tej masy, to dlatego, że przyjmują zbyt dużą liczbę kalorii. Będą musiały wtedy stracić na wadze przez dietę i ćwiczenia.)

Przestań się więc martwić i zacznij działać! Zastosuj dietę (s. 106) i prześledź zalecenia ze s. 162 i 197. Z uwagą stosuj się do nich, a po ciąży będziesz wyglądać lepiej niż kiedykolwiek, ponieważ dowiesz się, jak najlepiej dbać o własne dziecko. Jeśli twój mąż połączy się z tobą w twoim zdrowym stylu życia, będzie również lepiej wyglądać po twojej ciąży.

ZGAGA I NIESTRAWNOŚĆ

Cały czas mam niestrawność i zgagę. Czy to z powodu mojego dziecka?

Podczas gdy ty zdajesz sobie sprawę z dyskomfortu jelitowo-żołądkowego, twoje dziecko w swojej błogości nie odczuwa tego i jest na to odporne – tak długo, jak długo nie koliduje to z twoim prawidłowym odżywianiem. Chociaż niestrawność jest spowodowana tą samą przyczyną (zazwyczaj pobłażaniem sobie) zarówno w czasie ciąży, jak i nie, to istnieją dodatkowe czynniki, które powodują, że w ciąży jest ona utrapieniem. Na początku ciąży twój organizm produkuje dużą ilość progesteronu i estrogenu, które powodują rozluźnienie mięśni gładkich budujących również przewód pokarmowy. W rezultacie pokarm przesuwa się wolniej w przewodzie pokarmowym, zalegając w nim i powodując niestrawność. To jest niedogodne dla ciebie, ale korzystne dla dziecka, ponieważ zwolnienie perystaltyki pozwala na lepszą absorpcję substancji odżywczych i przedostanie się ich do krwi, a z nią poprzez łożysko do układu płodu.

Zgaga występuje wtedy, gdy mięśniówka oddzielająca przełyk od żołądka kurczy się, pozwalając pokarmowi i ostrym sokom żołądkowym cofać się z żołądka do przełyku. Kwas żołądkowy podrażnia wrażliwą śluzówkę przełyku, powodując jej martwicę w miejscu uszkodzenia. Podczas ostatnich dwóch trymestrów ciąży problem może być złożony, gdyż powiększająca się macica zacznie uciskać żołądek.

Nie ma mowy w czasie ciąży o uwolnieniu się od niestrawności – jest to właśnie jeden z najmniej przyjemnych faktów w ciąży. Jednak dysponujemy kilkoma efektywnymi sposobami uniknięcia zgagi i niestrawności lub zminimalizowania dyskomfortu. Przestrzegaj następujących zaleceń:

- Unikaj nadmiernego jedzenia, ponieważ obciąża ono żołądek.
- Nie zakładaj ciasnych rzeczy na brzuch i wokół talii.
- Jadaj dużo małych posiłków, a nie trzy obfite.
- Jedz wolno, biorąc mało do ust i dobrze przeżuwając.
- Wyłącz z diety pokarmy, które powodują dyskomfort żołądkowo-jelitowy. Najbardziej szkodliwe są potrawy gorące i bardzo pikantne, smażone lub tłuste, mięsa konserwowe (kiełbasa, hot-dogi, bekon), czekolada, kawa, alkohol, mięta (nawet w gumie do żucia).
- Nie pal papierosów.
- Unikaj zginania się w pasie przy pochylaniu; zginaj raczej kolana.
- Śpij z głową podniesioną na ok. 20 cm.
- Odprężaj się.
- Jeśli przestrzeganie tych zasad zmniejszy objawy, zapytaj swego lekarza, czy poleca jeszcze leki przeciw nadkwasocie lub inne leki zabezpieczające w ciąży. Unikaj substancji zawierających sód lub dwuwęglan sodu.

NIECHĘĆ DO JEDZENIA ORAZ ZACHCIANKI

Pewne pokarmy – szczególnie zielone warzywa – zawsze lubiłam jeść. Natomiast teraz mam zachcianki na potrawy o małej wartości odżywczej.

Ciążowy „obrazek" męża biegającego pospiesznie w środku nocy w płaszczu nieprzemakalnym zarzuconym na piżamę w poszukiwaniu lodów i słoika pikli, aby zadośćuczynić zachciankom swej żony, jest bardziej wytworem karykaturzystów aniżeli rzeczywistości. Jak dotychczas niewiele zachcianek ciężarnych żon jest spełnianych przez mężów. Ale wiemy z własnego doświadczenia, że nasze nawyki smakowe ulegają w ciąży jakimś zmianom.

Badania wykazują, że 66-90% oczekujących matek odczuwa zachciankę przynajmniej na jeden pokarm (najczęściej lody albo owoce), a 50-85% – awersję do przynajmniej jednego pokarmu. Do pewnego stopnia za nagłe żołądkowe dziwactwa ponosi winę „dewastacja" hormonalna – która prawdopodobnie wyjaśnia, dlaczego awersja do pokarmów i zachcianki są charakterystyczne dla pierwszego trymestru pierwszej ciąży, kiedy ta „dewastacja" osiąga szczyt.

Jednak hormony nie są jedynym usprawiedliwieniem dla ciążowej awersji pokarmowej i zachcianek. Dawna teoria, że są one czułymi sygnałami z naszego organizmu – w przypadku rozwijania się apetytu na różne substancje – nie zadowala nas, ale zgadzamy się z tym, iż zachcianki oznaczają zwykle, że czegoś potrzebujemy (i to ich zasługa). Podobny sygnał pojawia się np. po wypiciu kawy, która ma działać podtrzymująco w pracowitym dniu, aby nie był męczący. Jeśli słaby napój alkoholowy przed obiadem wydaje się za silny lub nagle nie możesz znieść owoców cytrusowych, jeśli z drugiej strony nie możesz patrzeć na ryby, a masz ochotę na lody z owocami i śmietankę, to też ufaj swemu organizmowi w wysyłane przez niego sygnały.

Fakt, że sygnały dotyczące pokarmów są niepewne, wynika z tego, że prawdopodobnie odstąpiliśmy znacznie od naturalnego łańcucha pokarmowego i stąd nie potrafimy interpretować poprawnie tych sygnałów. Doszliśmy do wniosku, że jeśli pokarmy pochodzą z natury, to zachcianki na węglowodany i wapń powinny iść w kierunku owoców, jagód, mleka, sera. Nic dziwnego, że różnorodność nęcących pokarmów, dostępna w obecnych czasach, może nas wprawić w zakłopotanie.

Nie możesz zupełnie zignorować zachcianek i niechęci do jedzenia. Jeśli masz ochotę na coś, co uważasz za dobre dla ciebie i twego dziecka, ciesz się z tego powodu. Jeśli masz ochotę na coś, czego naprawdę nie powinnaś jeść, poszukaj czegoś zastępczego, co spełni twoją zachciankę, a nie zaszkodzi dziecku: rodzynki, morele lub soki owocowe, paluszki, batonik czekoladowy zamiast cukierków, lekko solone precelki zamiast przesolonych bez wartości odżywczych. Jeśli te środki zastępcze ciebie nie usatysfakcjonują, pomocą będzie całkowita zmiana – spróbuj ćwiczyć, robić na drutach, czytać, brać kąpiele lub inne rozrywki, kiedy owładną tobą niezdrowe zachcianki. Oczywiście czasami możesz ulec swoim zachciankom (patrz s. 148).

Jeśli doświadczysz nagłej awersji do kawy lub alkoholu, lodów czekoladowych, kremów, to bardzo dobrze. Rezygnacja z tego wszystkiego będzie o wiele łatwiejsza. Jeśli jest to ryba, mleko, których nie możesz już tolerować, nie wysilaj się dłużej, bo możesz znaleźć wiele innych rekompensujących źródeł (patrz „Dieta najlepszej szansy").

Zachcianki i awersje do pokarmów zanikają lub słabną w czwartym miesiącu ciąży. Potrzeby emocjonalne mogą być przyczyną przedłużania się czasu trwania zachcianek smakowych. Jeśli zarówno ty, jak i twój małżonek zdajecie sobie sprawę z własnych potrzeb, to łatwiej je zaspokoić. Zamiast wyrażać życzenia w środku nocy, znajdź czas na spokojne pieszczoty lub romantyczną kąpiel we dwoje.

Niektóre kobiety mają ochotę konsumować specyficzne substancje takie, jak glina, popiół i krochmal. Te nawyki mogą być oznaką niedoborów różnych substancji, zwłaszcza żelaza, i powinnaś je zgłosić swojemu lekarzowi.

WSTRĘT DO MLEKA LUB JEGO NIETOLERANCJA

Nie toleruję mleka, a picie czterech filiżanek dziennie wywołuje u mnie dolegliwości. Czy moje dziecko cierpi z tego powodu?

Przede wszystkim, nie mleko jest potrzebne twemu dziecku, ale wapń. Chociaż mleko jest najbardziej odpowiednim źródłem wapnia w amerykańskiej diecie i najczęściej zalecanym podczas ciąży, to są jeszcze inne substytuty, które mają tak samo dużo wartości odżywczych. Wiele osób nie tolerujących laktozy (nie mogą spożywać mlecznego cukru, laktozy) toleruje inne rodzaje produktów mlecznych, takie jak: sery, pełnotłuste jogurty i mleko ze zmniejszoną ilością laktozy, która w 70% jest konwerterowana do łatwo przyswajalnej formy. Jeśli nie tolerujesz i tych produktów, powinnaś zapotrzebowanie dziecka na wapń pokrywać przez przyjmowanie substancji wyszczególnionych w punkcie *Pokarmy bogate w wapń* na s. 113.

Chociaż przez lata nie tolerowałaś laktozy, to w czasie drugiego i trzeciego trymestru ciąży może się zdarzyć, że będziesz musiała spożywać produkty mleczne, bo tylko nimi pokryjesz zapotrzebowanie twego dziecka na wapń. Ale zbytnio nie przesadzaj; spróbuj najpierw skosztować tych produktów, aby nie spowodowały reakcji negatywnej.

Jeżeli twój problem dotyczący mleka nie ma podłoża psychologicznego, a jest wynikiem niesmaku, to substancje z dużą zawartością wapnia nie powinny podrażniać twoich kubków smakowych. Te substancje znajdziesz wyszczególnione w tabeli „Pokarmy bogate w wapń". Spróbuj też oszukać swoje kubki smakowe, nie pijąc mleka bezpośrednio, lecz podając je w owsiance, bułkach, sosach, mrożonych deserach, budyniach.

Jeśli pomimo najlepszych chęci nie pokryjesz całkowicie zapotrzebowania na wapń stosowaniem odpowiedniej diety, poproś swojego lekarza, aby przepisał ci preparaty wapnia.

CHOLESTEROL

Mój mąż i ja przestrzegamy diety małocholesterolowej i małotłuszczowej. Czy powinnam to kontynuować podczas ciąży?

Kobietom w ciąży i nieciężarnym kobietom okresu rozrodczego można pozazdrościć tego, że nie muszą one ograniczać cholesterolu tak drastycznie jak mężczyźni i starsze kobiety.

Fakt, że cholesterol jest potrzebny do rozwoju płodu, powoduje, że organizm matki automatycznie zwiększa jego produkcję i podnosi poziom cholesterolu we krwi od 25 do 40%. Chociaż nie możesz stosować diety bogatej w cholesterol, nie czuj się zbyt ograniczona w swoim działaniu. Jeśli lubisz, to jedz codziennie jajko i ser, aby pokryć niedobory wapnia, a mięso spożywaj okazjonalnie (ale bez poczucia winy). Nie pobłażaj sobie, ponieważ pokarmy bogate w cholesterol są również bogate w tłuszcz i kalorie, a ich nadmiar zwiększy twoją masę ciała. Zbyt duża ilość tłuszczu mogłaby spowodować, że przekroczysz swoją normę (patrz s. 109). Pamiętaj, że żywność bogata w cholesterol zawiera również dużą ilość tłuszczów zwierzęcych, zanieczyszczonych niepożądanymi chemikaliami (patrz s. 149).

Gdy nie musisz koniecznie jadać masła, żółtek jaj, baraniny, to czym prędzej z nich zrezygnuj (nie dotyczy to dzieci do lat 2). Diety bezcholesterolowej powinni szczególnie przestrzegać mężczyźni (starsi) z wysokim poziomem cholesterolu we krwi oraz ci, którzy pragną go uniknąć. Serwowanie dwurodzajowego śniadania, obiadu i kolacji – bez cholesterolu i zawierających cholesterol – jest nie tylko sprawą wysiłku w czasie gotowania, ale rozważnym działaniem w celu upowszechnienia zdrowej diety w kręgu rodzinnym. Skłaniaj się do mięsa drobiowego bez skóry, do niskotłuszczowych produktów mlecznych, olejów roślinnych i białka kurzego. Wyśmiewaj wszystkich, którzy propagują cholesterol.

DIETA UBOGA W MIĘSO WIEPRZOWE I WOŁOWE

Z mięsa jem tylko kurczaki. Ponadto jem ryby. Czy dostarczam memu dziecku wszystkiego, czego mu potrzeba?

Twoje dziecko będzie zdrowe i szczęśliwe. Ryby i mięso drobiowe zawierają więcej białka i mało tłuszczu w porównaniu z tzw. mięsem czerwonym (wołowina, wieprzowina). Dieta uboga w mięso wołowe i wieprzowe zawiera mniej cholesterolu, który dla ciebie nie odgrywa tak wielkiej roli, gdy jesteś w ciąży, ale stanowi korzyść dla męża i pozostałych członków rodziny.

DIETA WEGETARIAŃSKA

Jestem wegetarianką i cieszę się doskonałym zdrowiem. Ale każdy – łącznie z moim lekarzem – mówi, że powinnam jeść mięso, ryby, jaja i produkty mleczne, żeby urodzić zdrowe dziecko. Czy to prawda?

Kobiety wegetarianki rodzą zazwyczaj zdrowe dzieci, dzięki swym zasadom dietetycznym. Muszą jednak bardziej uważać w czasie ciąży niż kobiety jedzące mięso i w swojej diecie zwrócić uwagę na poniższe punkty:

Dostarczanie białka. U wegetarianina, który jada jaja i produkty mleczne, norma białka zostaje całkowicie pokryta. Wegetarianin, który ani nie jada jajek, ani nie pije mleka, musi uzupełniać dietę białkami roślinnymi (patrz *Wegetariańskie kombinacje uzupełnienia białek*, s. 119). Większość pokarmów mięsnych jest dobrym źródłem białka; niektóre są ubogie w białko, a bogate w tłuszcz i kalorie. Czytając etykiety na opakowaniach, możesz zawsze sprawdzić zawartość białka w danym produkcie.

Dostarczanie wapnia. To nie problem dla wegetarianina, który jada produkty mleczne, ale kłopot dla tego, który ich nie je. Wiele produktów zawierających soję jest bogatych w wapń. Wystrzegaj się jednak mleka obciążonego cukrami (cukier biały, syrop kukurydziany, miód); szukaj produktów zawierających soję.

Jeśli produkt ma być zaliczony do pożywienia bogatego w wapń, to powinien go zawierać w formie przyswajalnej dla organizmu; w przeciwnym razie będzie zupełnie bezwartościowy. Płatki kukurydziane są znakomitym, bezmlecznym źródłem wapni, dostarczającym go w ilości pokrywającej zapotrzebowanie na ten pierwiastek. Kolejnym źródłem wapnia jest sok pomarańczowy z jego dodatkiem. Inne pokarmy bogate w wapń wyszczególniono na s. 113.

Dla asekuracji wegetarianom poleca się preparaty Calcium.

Witamina B_{12}. Wegetarianie, szczególnie ci skrajni, nie otrzymują dość witamin, które są zawarte głównie w pokarmach zwierzęcych. Z tego powodu powinni brać dodatkowo witaminy zawierające witaminę B_{12} i kwas foliowy oraz żelazo.

Witamina D. Jest to ważna witamina, znajdująca się naturalnie w tranie. Jest ona także syntetyzowana w skórze pod wpływem promieni słonecznych, ale z powodu kapryśnej pogody i zachmurzonego nieba oraz niebezpieczeństw wynikających ze spędzania zbyt długiego czasu w słońcu dla większości kobiet jest mało dostępnym źródłem tej witaminy. Chodzi o to, by zabezpieczyć odpowiednią ilość witaminy D, zwłaszcza dla dzieci i kobiet ciężarnych. Ustawa amerykańska zaleca, by szklanka mleka zawierała 400 mg witaminy D (jeśli nie pijesz mleka, to na s. 111 znajdziesz inne źródła tej witaminy). Uważaj jednak i nie stosuj witaminy D w dawce większej, niż zalecana dla kobiety w ciąży, bo nadmierna dawka może być szkodliwa.

„ŚMIETNIKOWE JEDZENIE"

Jestem ofiarą „śmietnikowej diety" – pączki na śniadanie, szybkościowe kanapki, hamburgery i ciasto na obiad. Obawiam się, że jeśli nie skończę z tymi złymi nawykami, moje dziecko będzie niedożywione.

Masz powód do zmartwienia. Zanim zaszłaś w ciążę, twoje nieprawidłowości dietetyczne mogły zaszkodzić tylko tobie, a teraz mogą zaszkodzić też twemu dziecku.

Jeśli utrzymasz dawną dietę — pączki, hamburgery, frytki — to tym samym odmówisz swemu dziecku odpowiedniego żywienia podczas najważniejszych dla niego dziewięciu miesięcy. Jedząc marne pokarmy, sprawisz, że twoje dziecko nie urośnie. Na szczęście można zerwać z nałogami – narkotykami, paleniem papierosów i oczywiście „powierzchownym" odżywianiem się. Oto kilka sposobów wycofania się z błędnego stylu jedzenia (warte zachodu):

Zmień miejsce spożywania posiłków. Jeśli śniadanie zazwyczaj składa się z posiłku przy biurku, to lepiej zjedz posiłek przed wyjściem do pracy. Jeśli nie możesz oprzeć się kanapkom na obiad, idź do restauracji, żeby nie zadowalać się kanapkami, nie zamawiać bułki z wędliną i nie przynosić jej z domu.

Przestań sądzić, że jedzenie to wrzucanie czego się da. Zamiast ustalić, co jest łatwiejsze, trzeba raczej wyselekcjonować, co jest najlepsze dla dziecka. Zaplanuj posiłki. Jedz je regularnie i długo, żeby mieć pewność, że to pełna dzienna dawka.

Nie ulegaj pokusom. Nie trzymaj w domu cukierków, chrupek, słodkich ciastek robionych z rafinowanej mąki i słodzonych napojów (inni członkowie rodziny przetrwają bez nich i faktycznie będą mieć z tego korzyść). Gdy przypomnisz sobie w pracy o kawie, nie odpowiadaj na ten sygnał. W domu i pracy miej przygotowane zdrowe przekąski – świeże owoce, orzechy, soki owocowe, kawałki chleba, krakersy, soki, jajka ugotowane na twardo i ser (ostatnie dwa dobrze przechowywać w lodówce w miejscu pracy).

Nie usprawiedliwiaj swego zaniedbania w odżywianiu się brakiem czasu. Prawda jest taka, że np. wkrojenie świeżej brzoskwini do jogurtu lub zrobienie kanapki z tuńczykiem nie zabiera więcej czasu od wystania w kolejce hamburgera. Jeśli perspektywa przygotowania porządnego obiadu każdego wieczoru wydaje się przytłaczająca, gotuj naraz dwa lub trzy obiady. Trzymaj się zasady: fantazyjne sosy nie są odżywcze, ale zawierają tłuszcz i kalorie. Pamiętaj o dokładnym płukaniu mrożonych lub świeżych warzyw, a najlepiej, gdy nie masz czasu, kupuj gotowe sałatki warzywne w supersamach (surowe jarzyny można szybko sparzyć w domu).

Nie usprawiedliwiaj małym budżetem swego stylu odżywiania. Szklanka soku pomarańczowego lub mleka jest tańsza niż puszka coca coli. Usmażony na rożnie w domu kurczak z pieczonymi ziemniakami jest tańszy od innych smażonych potraw.

Odrzuć pewne zachcianki. Nie wmawiaj sobie, że możesz codziennie wypić jedną colę i zjeść pączka. To nie jest wyjście z sytuacji, jeśli starasz się walczyć ze swoimi nawykami. Powiedz sobie, że do porodu odrzucisz „śmietnikowe jedzenie". Będziesz zdziwiona, stwierdzając jeszcze raz po narodzeniu dziecka, że twoje nowe, dobre nawyki są trudne do zwalczenia, tak jak to było poprzednio ze złymi nawykami. Przestudiuj „Dietę najlepszej szansy". Uznaj ją za część swojego życia.

SZYBKIE JEDZENIE (*FAST FOOD*)

Wychodzę z przyjaciółmi na szybkie jedzenie średnio raz w miesiącu. Czy powinnam tego nie robić dla dobra mojej ciąży?

Szybkiego jedzenia (*fast food*) nie można nazwać zdrowym, a zakazy dotyczące go przeszły długą drogę, żeby podnieść wartość odżywczą zalecanego menu. Wybieraj zawsze najlepszą z ofert. Z niektórymi zasadami żywienia dasz sobie radę dzięki informacjom wywieszonym w lokalu lub otrzymanym na życzenie. Jedz pieczonego kurczaka, pizzę, hamburgery, sałatki bez dodatku oliwy (niektóre świeże warzywa możesz posypać serem). Unikaj smażonych potraw (są one bogate w tłuszcz i kalorie), podwójnych hamburgerów, ziemniaków posypanych smażonym serem (używaj świeżego sera), owoców w puszkach, puddingów, sody. Jeśli mrożone desery zostały przyrządzone z mleka, możesz je wyjątkowo zjeść, ale unikaj cukru, nasyconych tłuszczów i chemikaliów. Pij sok, mleko, wodę sodową lub zwyczajną wodę i spożywaj swój własny deser (ciasteczka słodzone sokiem owocowym lub jakiś owoc), aby zaspokoić pragnienie i głód. Jeśli do pracy nie zabrałaś ani jednego zielonego listka lub żółtego warzywa, to kiedy wrócisz do domu, chrup marchewkę albo kawałek melona.

SUBSTANCJE CHEMICZNE W POŻYWIENIU

Czy wśród substancji chemicznych stosowanych do konserwacji żywności (siarkowe związki konserwujące w warzywach, związki rtęci w rybach, nitrozoaminy w mięsie i kiełbasach) jest coś, co można jeść w czasie ciąży?

Dozwolone oszustwa

Jeśli jesteś uczulona lub nadwrażliwa na niektóre pokarmy, to nawet podczas ciąży nie możesz wyeliminować wszystkich potraw. „Dieta najlepszej szansy" rzeczywiście pokrywa nasze potrzeby w tym czasie. Uwzględnia też „oszukiwanie", więc zrezygnuj z wina. Raz na tydzień możesz zjeść coś nieprawidłowego, ale niezbyt groźnego: bagietkę, chleb, ciastka z wytwornym podkładem, mrożony jogurt, lody mleczne z cukrem, smażone lub pieczone kurczaki, hamburgery, bułeczki z otrębami lub całymi ziarnami zbożowymi, z cukrem lub miodem. Raz w miesiącu rozkoszuj się czymś strasznie „złym": kawałkiem ciasta lub pieczywa, porcją lodów, batonikiem. Zawsze staraj się oszukiwać selektywnie – przedkładaj ciasto marchwiowe lub serowe nad masłowo-kremowe; lody – nad mrożone mleczne desery (chyba że nie tolerujesz mleka); potrawy z owsa, kukurydzy czy orzechów nad wiórki czekoladowe. Oszukuj tylko tym, co naprawdę uwielbiasz. Nie oszukuj tym, od czego wiesz, że będziesz mogła się powstrzymać!

Sprawozdania dotyczące stosowania środków konserwujących do żywności straszą apetyty – zwłaszcza kobiet ciężarnych, które obawiają się nie tylko o swoje zdrowie, ale i o zdrowie swojego nie narodzonego dziecka. Za sprawą środków przekazu określenie „chemiczny" staje się synonimem „niebezpieczny", a „naturalny" – „bezpieczny". Ale żadne uogólnienie nie jest prawdziwe.

Wszystko, co jemy, zawiera związki chemiczne. Niektóre z nich są szkodliwe, inne nie, a jeszcze inne nawet korzystne. „Naturalny" środek często bywa lepszy niż sztuczny, chociaż może się niekiedy okazać śmiertelny (grzyby). Jajka, masło i tłuszcze zwierzęce są przyczyną wielu chorób serca, a „naturalny" cukier i miód powodują ubytki w zębach. Ale nie można ci nakazać, byś zrezygnowała z jedzenia tych pokarmów, możemy tylko powiedzieć o ich szkodliwym niekiedy wpływie na zdrowie twojego dziecka.

Pomimo to, co słyszałaś, żadne pożywienie i dodatki obecnie stosowane w produktach nie powodują uszkodzenia płodu. Większość amerykańskich kobiet, które nie przestrzegają zasad bezpiecznego odżywiania się, rodzi zdrowe dzieci. Niebezpieczeństwo wynikające ze stosowania związków chemicznych jest coraz bardziej odległe.

Jeśli chcesz również wyeliminować to odległe ryzyko, prześledź poniższe punkty, które pomogą ci w decyzji, co kupować, a co nie.

- Stosuj „Dietę najlepszej szansy" jako podstawę do selekcji pokarmów; to spowoduje, że unikniesz potencjalnego niebezpieczeństwa spożycia szkodliwego związku. Dieta ta zaleca zielone i żółte warzywa bogate w ochronny beta-karoten, który likwiduje ujemne skutki toksyn zawartych w pożywieniu.
- Rozsądnie spożywaj słodkie produkty. Unikaj pokarmów słodzonych sacharyną; sacharyna przenika przez łożysko, a efekt jej długotrwałego wpływu na płód jest nieznany. W przypadku utrudnionej podaży aminokwasu fenyloalaniny stosuj preparaty z kwasem asparaginowym. Składniki słodkich substancji nie przenikają przez łożysko i, jak wykazały badania, nie wpływają szkodliwie na płód. Substancja osładzająca, jak sorbitol, jest bezpieczna, ale bogata w kalorie i może być też przyczyną biegunki.
- Gdy to możliwe, gotuj ze świeżych składników. Unikniesz wtedy substancji konserwujących, które zazwyczaj występują w daniach gotowych. Twoje potrawy będą miały większą wartość odżywczą.
- Skontaktuj się z Agencją Ochrony Środowiska i departamentem zdrowia[1] w celu otrzymania listy dostępnych na rynku ryb, które nie zawierają środków chemicznych. Bądź szczególnie ostrożna przy spożywaniu ryb złowionych w czasie wędkarskiej wyprawy twoich bliskich. Takie ryby są zazwyczaj bardziej niebezpieczne niż większość sprze-

[1] W Polsce informacji tych udzielają Oddziały Epidemiologii przy Stacjach Sanitarno-Epidemiologicznych (przyp. tłum.).

dawanych owoców morza. Ponieważ środki chemiczne z organizmu matki mogą przenikać do płodu i uszkodzić go (PCBs na przykład może obniżyć IQ) kobieta w ciąży powinna zachować szczególną ostrożność.

Ogólnie rzecz biorąc, należy unikać ryb słodkowodnych, złowionych w jeziorach z okolic skażonych zanieczyszczeniami. Zachęcają do ograniczonego spożycia miecznika i świeżego tuńczyka (potrafią kumulować rtęć), tzn. nie częściej niż raz w miesiącu (chociaż w tuńczyku konserwowym poziom skażenia jest znacznie niższy i nawet kilka puszek na tydzień nie powinno zaszkodzić). Unikaj także ryb, które złowiono w wodach zanieczyszczonych ściekami. Niektóre z nich mogą powodować zatrucia.

Wobec faktu, że skażenia chemiczne w największym natężeniu występują w tłuszczu, staraj się jeść chude ryby, na przykład sole, flądry, łupacze, halibuty, morskie okonie, dorsze. Dobry jest również łosoś (szczególnie z hodowli) albo skorupiaki. Każde pożywienie pochodzące z morza powinno być dobrze ugotowane.

- Unikaj pokarmów zawierających azotany i azotyny: frankfurterki, salami, mięso konserwowe, wędzone ryby i mięso.
- Jeśli możesz wybrać pomiędzy produktami sztucznie barwionymi, aromatyzowanymi lub inaczej sztucznie wzbogaconymi a produktami naturalnymi, to oczywiście wybierz te drugie.
- Gotuj, nie używając sztucznych zapachów np. glutaminianu sodowego itp. Tego przestrzega się np. w chińskich restauracjach.
- Do gotowania wybieraj chude mięso bez tłuszczu i skóry, w których najczęściej gromadzą się substancje chemiczne. Z tych samych powodów nie jedz często podrobów (jak wątroba, nerki itp.). Gdy to możliwe, kupuj mięso drobiowe, które hodowane było bez hormonów i antybiotyków. Takie kurczaki są nie tylko pozbawione szkodliwych związków chemicznych, ale i nie są nosicielami salmonelli.
- Dla ostrożności myj dokładnie owoce i warzywa przed ich spożyciem. Szoruj skórkę w wodzie lub w płynie do naczyń i dokładnie spłukuj. Praktyczniej jest zedrzeć skórkę, gdyż w ten sposób związki chemiczne zostaną usunięte (tak rób w przypadku: pomidorów, jabłek, ogórków, papryki).
- Strzeż się produktów wyglądających jak „malowane". To zabalsamowanie i tę nieskazitelność owoców i warzyw uzyskano dzięki pestycydom. Produkty, które nie są tak ładne, mogą być zdrowsze.
- Kupuj atestowane produkty, gdy jest to możliwe, ponieważ w większości są one wolne od związków chemicznych. Towary bez atestu mogą być zanieczyszczone. Od ciebie więc tylko zależy, czy weźmiesz atestowane i droższe, czy nie.
- Faworyzuj rodzime produkty. Importowane produkty (jak i żywność z nich produkowana) mogą zawierać wyższe ilości pestycydów. Stosowanie pestycydów w innych krajach – w porównaniu z USA – jest bardziej swobodne. (Importowane banany nie są zanieczyszczone, gdyż rząd nadzoruje źródła ich pochodzenia.)
- Urozmaicaj swoją dietę. Różnorodność zapewnia prawidłowe odżywianie i pozwala uniknąć nadmiernego narażania się na potencjalnie toksyczne substancje. Wybieraj spośród takich elementów pożywienia, jak: brokuły, kapusta i marchew, melon, brzoskwinia i truskawki, łosoś, tuńczyk i sola (ryba), płatki owsiane, pszenne i ryż.
- Nie bądź fanatyczką. Chociaż unikasz ryzyka w odżywianiu, co jest godne polecenia, wypełniasz stresem swoje życie.

CZYTAJĄC ETYKIETY

Mam ochotę jeść dobrze, ale trudno jest ocenić, co zawierają produkty, które kupiłam.

Etykietki są tak oznaczone, aby za dużo ci nie pomóc i nie zdradzić. Patrz na nie jednak podczas kupowania żywności, staraj się

Bezpieczne jedzenie

Większą groźbą od związków chemicznych są w pożywieniu mikroorganizmy – bakterie i pasożyty – które mogą je zanieczyszczać. Te „łobuziaki" mogą powodować rozstrój żołądka i inne poważne choroby, a w rzadkich przypadkach nawet śmierć. Strzeż się więc dań (zwłaszcza tych zawierających mięso, jaja, ryby, drób lub nabiał) przygotowanych w nieodpowiednich warunkach sanitarnych; z żywności, która leżała pozostawiona na kilka godzin bez zamrożenia; żywności pochodzącej z nieszczelnych i wzdętych puszek; nie wyparzonych i surowych jajek i innych surowych i nie dogotowanych produktów: mięsa, ryb i drobiu. Dla pewności, że sama nie zanieczyścisz jedzenia w trakcie jego spożywania lub przygotowania, przed przystąpieniem do tych czynności myj dokładnie ręce wodą i mydłem.

odczytać drobny druk dotyczący głównie składników i wartości odżywczej. Z tej listy dowiesz się, co przeważa w danym produkcie (począwszy od składnika najobfitszego do ostatniego najmniej licznego).

Uważne przeczytanie pozwoli ci stwierdzić, czy dominującym składnikiem danego wyrobu mącznego jest cukier, czy zawiera dużo soli, tłuszczu i środków konserwujących. Na podstawie etykiety zapoznajemy się z wartością odżywczą produktu, co jest ważne dla kobiety ciężarnej, która może policzyć zawartość białka i kalorie, i według tego zdecydować się na kupno. Lista zawierająca skład procentowy urzędowo zalecanych dawek dziennych jest mniej użyteczna, bo nie uwzględniono na niej dawek zalecanych dla kobiet w ciąży. Nadal wysokim popytem cieszą się produkty urozmaicone, o wysokiej wartości odżywczej.

Tak jak należy zwracać uwagę na mały druk, tak też należy ignorować duży. Gdy pudło z angielskimi bułkami śmiało głosi: „wyprodukowane z pszenicy, otrębów i miodu", to po przeczytaniu małego druku dowiadujemy się, że przeważającym składnikiem nie jest pszenica ani otręby czy miód.

Trzeba też uważać na oznaczenia „wzbogacony" i „wzmocniony". Dodanie kilku witamin do jedzenia nie uczyni go dobrym pożywieniem. Powinnaś bardziej zwrócić uwagę na mąkę owsianą, która naprawdę jest źródłem witamin, niż na mąkę, która zawiera 50% cukru (na etykiecie jest podana procentowa zawartość cukru) i wiele dodanych bezwartościowych witamin i związków mineralnych.

TYŁOPOCHYLENIE MACICY

Mój lekarz powiedział, że mam tyłopochylenie macicy. Czy jest to poważny problem?

Prawdopodobnie nie. Zdarza się to u jednej na pięć kobiet. Stan ten polega na tym, że dno macicy jest pochylone do tyłu zamiast do przodu. W większości przypadków macica samoistnie „układa się" we właściwym miejscu przed końcem pierwszego trymestru. W rzadkich przypadkach, gdy to nie nastąpi i gdy usadowi się ona w miednicy, uciskając pęcherz moczowy, wprowadza się cewnik, aby usunąć mocz i delikatnie przesunąć macicę w odpowiednie miejsce.

CO WARTO WIEDZIEĆ
Troska o własne bezpieczeństwo

Dom. Szosa. Dziedziniec z tyłu domu. Największe zagrożenia pojawiające się przed kobietą są wynikiem komplikacji w ciąży, a nie sprawą wypadku. Wypadki wyglądają często jak zdarzenia losowe, przypadkowe. Często są rezultatem zaniedbania, nierozwagi – w części jesteś jej ofiarą – łatwo im jednak zapobiec przy odrobinie ostrożności i rozsądku. Oto uwagi, które zabezpieczą cię przed wypadkiem:

- Przyznaj, że w czasie ciąży nie jesteś pełna gracji. Jeśli twój brzuch rośnie, to zmienia się także twój środek ciężkości, i łatwiej tracisz równowagę. Z trudem też widzisz swoje stopy. Te zmiany właśnie powodują, że łatwo możesz ulec wypadkowi.
- Zawsze zapinaj pas bezpieczeństwa (w samochodzie i samolocie).
- Jeśli zajmujesz przednie siedzenie pasażera wyposażone w poduszkę powietrzną, odsuń fotel maksymalnie do tyłu. Jeśli prowadzisz samochód z poduszką powietrzną w kierownicy, odchyl kierownicę w stronę klatki piersiowej, z dala od brzucha i usiądź co najmniej 25 cm od kierownicy. Usuń wszystkie przedmioty leżące na udach i desce rozdzielczej, gdyż mogą one uderzyć w ciebie jak pociski. Jeśli to możliwe, zajmuj w samochodzie tylne siedzenie.
- Nigdy nie zeskakuj z krzesła, stołu, najlepiej w ogóle nie skacz.
- Nie chodź na wysokich obcasach, w nie dopasowanych pantoflach, sandałach z rzemyków i wszystkich innych, które spadają i „ułatwiają" skręcenie kostki. Nie chodź po śliskiej podłodze w skarpetach i butach o gładkich zelówkach.
- Uważaj w czasie wchodzenia i wychodzenia z wanny; upewnij się, czy wanna i prysznic wyposażone są w antypoślizgowe chodniczki i mocne uchwyty.
- Przyjrzyj się „niebezpieczeństwom" czyhającym na ciebie w domu i na dziedzińcu za domem: dywany bez antypoślizgowego spodu, zwłaszcza na schodach; zabawki i śmieci na klatce schodowej; słabe oświetlenie schodów i holu; napięte kable przeciągnięte po podłodze; wypastowana podłoga; oblodzone chodniki.
- Prześledź przepisy bezpieczeństwa dotyczące dyscyplin sportowych przez ciebie uprawianych, kieruj się wskazówkami ze s. 202.
- Nie przesadzaj z aktywnością. Przyczyną wypadku może być także zmęczenie.

3

Trzeci miesiąc

CZEGO MOŻESZ OCZEKIWAĆ W CZASIE BADANIA OKRESOWEGO

W tym miesiącu możesz oczekiwać, że twój lekarz, w zależności od swego stylu pracy i twoich potrzeb, przeprowadzi następujące badania[1]:

- waga i ciśnienie krwi:
- badanie moczu, zawartość cukru i białka w moczu;
- czynność serca płodu;
- wielkość macicy na podstawie zewnętrznego badania i porównania jej wielkości charakterystycznej dla danego wieku ciążowego;
- wysokość dna macicy;
- obrzęki rąk i stóp, żylaki podudzi;
- pytania i problemy, o których chcesz porozmawiać – przygotuj wcześniej listę.

CO MOŻESZ ODCZUWAĆ

Możesz odczuwać poniższe symptomy jednocześnie lub nie. Jedne są kontynuacją objawów z poprzedniego miesiąca, inne są zupełnie nowe. Niektóre objawy mogą występować u ciebie mniej wyraziście.

OBJAWY FIZYCZNE:

- zmęczenie i senność;
- częste oddawanie moczu;
- nudności z lub bez wymiotów i/lub ślinotok;
- zaparcia;
- zgaga, niestrawność, wzdęcia;
- niechęć do jedzenia i zachcianki;
- zmiany gruczołów piersiowych: pełność, ciężkość, twardość, ściemnienie obwódki (ciemniejsza otoczka brodawki); gruczoły potowe na obwódce stają się wystające jak gęsie guzki; siatka niebieskich linii rozszerza się pod skórą;

[1] Badania i testy opisane są w oddzielnym rozdziale *Dodatek*.

- zwiększenie liczby widocznych żyłek na brzuchu i nogach;
- okresowe bóle głowy;
- na talii i biodrach ubranie staje się ciasne. Brzuch może się uwidocznić pod koniec miesiąca;
- zwiększenie apetytu.

ODCZUCIA PSYCHICZNE:

- nadpobudliwość podobna do przedmiesiączkowej (rozdrażnienie, zmienne nastroje, nerwowość, płaczliwość);
- obawy, strach, radość, podniecenie;
- nowy spokój wewnętrzny.

CO MOŻE CIĘ NIEPOKOIĆ

ZAPARCIA

Mam straszne zaparcia w ostatnich tygodniach. Czy to typowe?

Bardzo typowe. Oto przyczyny. Po pierwsze – zwiększone rozluźnienie mięśniówki jelit, spowodowane wysokim poziomem krążących w ciąży hormonów, powoduje leniwą perystaltykę. Po wtóre – ucisk rosnącej macicy na jelita hamuje ich normalną aktywność.

JAK MOŻESZ WYGLĄDAĆ

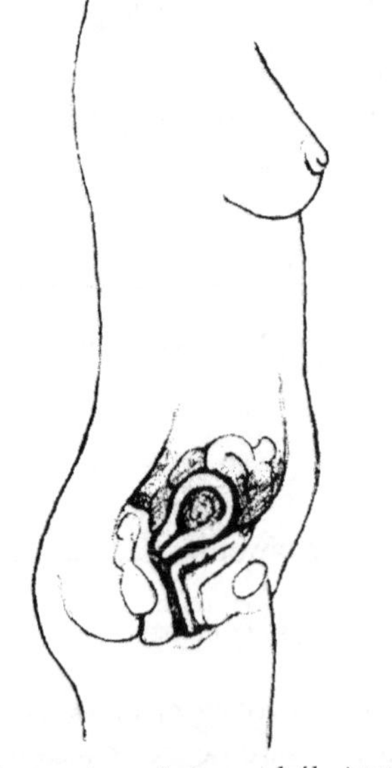

Pod koniec trzeciego miesiąca maleńka istota, płód mierzy 6,2 do 7,5 cm i waży ok. 16 g; rozwijają się narządy; funkcjonuje układ krążenia i moczowy; wątroba produkuje żółć; narządy płciowe są już rozwinięte, ale płeć trudno rozpoznać.

Ale nie jest to czynnik nie do uniknięcia w ciąży. Stosowanie niżej podanych wskazówek zapobiega zaparciom i uniemożliwia powstawanie hemoroidów (żylaków odbytu) (patrz s. 210):

Walcz za pomocą włóknika. Unikaj żywności zapierającej, pozbawionej włóknika, a jadaj świeże owoce i warzywa (surowe lub lekko podgotowane bez skórki); kasze, pieczywo, strączki (suszoną fasolę i groch), suszone owoce (rodzynki, suszone śliwki, morele, figi). Jeśli dotychczas jadałaś mało włóknika, wprowadzaj go teraz stopniowo do swojej diety (ubocznym efektem stosowania diety bogatowłóknikowej są częste wzdęcia podobne do dolegliwości ciążowych). Rozłóż dzienną żywność na sześć małych posiłków, a nie próbuj ścisnąć wszystkiego w trzech przeładowanych posiłkach, bo to dla ciebie niewskazane.

Gdy twój przypadek jest beznadziejny, tzn. nie reagujesz na zalecane zmiany dietetyczne, to dodaj do swej diety trochę otrębów pszennych, zaczynając od szczypty, a kończąc na łyżce stołowej. Unikaj większych ilości otrębów, gdyż przemieszczają się przez przewód pokarmowy tak szybko, że wydalają ze sobą wiele potrzebnych substancji, które nie zdążyły się wchłonąć.

Płyny. Zaparcie nie mija od nadmiernej ilości płynów wprowadzonych do organizmu. Jedynie soki owocowe i warzywne efektywnie rozmiękczają stolec i przesuwają naprzód pokarm w przewodzie pokarmowym. Niektórym ludziom pomaga filiżanka gorącej wody z cytryną (bez cukru). W poważnych zaparciach pomagają suszone owoce.

Zacznij kampanię ćwiczeń. Chodź codziennie na przynajmniej półgodzinny rześki spacer, uzupełniaj go ćwiczeniami, które lubisz wykonywać i które są bezpieczne w czasie ciąży (patrz *Ćwiczenia fizyczne w czasie ciąży*, s. 197). Jeśli twoje wysiłki są bezowocne, skonsultuj się ze swoim lekarzem. Przepisze ci preparaty przeciw zaparciu.

Wszystkie moje ciężarne koleżanki mają problemy z zaparciem. Ja nie; faktycznie oddaję stolec bardziej regularnie niż kiedykolwiek. Czy mój układ dobrze funkcjonuje?

Kobiety ciężarne są wciąż pouczane przez matki, przyjaciółki, książki, lekarzy i albo akceptują zaparcia, uważając je za normalne i nieuniknione, albo się w ogóle nimi nie przejmują. Ale te pouczenia nie powodują lepszego funkcjonowania układu pokarmowego.

Poprawa funkcjonowania układu pokarmowego jest bodźcem do wprowadzenia zmian diety. Spożywanie owoców, warzyw, całych ziaren zbożowych, innych kompleksów węglowodanowych, płynów, tak zalecane przez „Dietę najlepszej szansy", przeciwdziała zwolnionej w ciąży perystaltyce w przewodzie pokarmowym. Te nie obrabiane pokarmy nieznacznie obniżają produktywność przewodu (wzdęcia, które często towarzyszą takiej diecie, zmniejszają się), ale nie zaburzają regularności wypróżnień.

Jeśli często oddajesz stolec (więcej niż dwa razy dziennie) lub jest on konsystencji luźnej, wodnisty, z krwią czy śluzem, skonsultuj to ze swoim lekarzem. Biegunka podczas ciąży wymaga szybkiej interwencji.

WZDĘCIA (GAZY)

Jestem bardzo wzdęta i martwię się, że to dokuczliwe dla mnie ciśnienie może również zranić moje dziecko.

Przytulny i bezpieczny „kokon", czyli macica, ochrania ze wszystkich stron twoje dziecko, a płyn owodniowy nie przepuszcza żadnych niebezpiecznych bodźców jelitowych. Dziecko uspokaja się też dzięki bulgotaniom i szemraniom pochodzącym z twojego żołądka.

Większą szkodą dla twojego dziecka niż wzdęcia – często nasilające się późnym popołudniem – jest nieregularne i niewłaściwe odżywianie się. Dzięki poniższym środkom możesz uniknąć tego ryzyka (zminimalizować dyskomfort).

Jedz regularnie. Zaparcie jest typową przyczyną gazów i wzdęcia.

Nie objadaj się. Obfite posiłki zwiększają uczucie wzdymania. Przeciążają także przewód pokarmowy i tak już pracujący wydajniej podczas ciąży. Zamiast trzech dużych posiłków jadaj sześć małych.

Nie połykaj. Kiedy będziesz jeść pospiesznie lub w biegu, możesz się zachłysnąć zarówno powietrzem, jak i jedzeniem. To złapane powietrze tworzy bolesną „kieszeń powietrzną" w twoim jelicie.

Panuj nad sobą. Zwłaszcza podczas posiłków: napięcie i niepokój są przyczyną zachłyśnięć powietrzem.

Unikaj wzdymających produktów. Twój żołądek wie, co to cebula, kapusta, brukselka, potrawy smażone i cukier – powinnaś ich unikać.

WAGA I NADWAGA

Zaniepokojona jestem tym, że w pierwszym trymestrze nie przybrałam na wadze.

Niektóre kobiety mają problem, by przybrać choć 30 gramów w pierwszych tygodniach, niektóre nawet kilogram schudną, zwykle te cierpiące na poranne dolegliwości. Na szczęście natura zabezpiecza dzieci takich matek w czasie ciąży: zapotrzebowanie płodu na kalorie i substancje odżywcze w pierwszych tygodniach nie jest duże w porównaniu z okresem późniejszym, tak więc wczesne dostarczanie dużej ilości pokarmów jest bezcelowe.

Kontroluj dokładnie wagę ciała, abyś do końca ciąży mogła się z łatwością poruszać (przyrost prawidłowy – około 0,5 kg na tydzień przez 8 miesięcy). A jeśli masz niedowagę, to spróbuj przyjmować „dawki uderzeniowe" bogate w kalorie albo spróbuj zwiększać stopniowo częstotliwość spożywania przekąsek. Ale nie próbuj rekompensować swoich kilogramów „śmietnikowym jedzeniem" – ten rodzaj diety zaokrągli twoje biodra i uda, a nie dziecko.

Jestem zaskoczona tym, że w pierwszym trymestrze ciąży przytyłam aż 6 kg. Co powinnam teraz zrobić?

Nie odwrócisz już tego – a jeśli chcesz utrzymać prawidłowy przyrost masy ciała do czasu porodu, twoja waga powinna teraz stanąć. Czyli nie możesz sobie pozwolić na dodatkowe kilogramy aż do następnego trymestru. Twoje dziecko potrzebuje kalorii i środków odżywczych, głównie w miesiącach najbliższych porodowi. Mylisz się, sądząc, iż szybko stracisz dodatkowe kalorie, które nagromadziłaś dzięki niemu. Utrata i utrzymywanie wagi nie jest wskazane podczas ciąży, a szczególnie groźne w czasie drugiego i trzeciego trymestru, w których następuje najznaczniejszy wzrost płodu.

Jeśli nie wiesz, co zrobić ze swoją nadwagą, to pozostaje ci jedynie wierzyć, że nie będziesz dalej przybierać na wadze z taką szybkością. Niektóre kobiety błyskawicznie przybierają na wadze, gdyż pobłażają sobie w jedzeniu słodyczy, traktując to jako rekompensatę za ich ranne dolegliwości. Jeśli ten błyskawiczny przyrost masy ciała jest i twoim problemem, to zastosuj urozmaiconą dietę. Inne kobiety za dużo tyją w pierwszym trymestrze ciąży, bo ulegają złej propagandzie mówiącej, że kobieta w ciąży musi dużo jeść. Przejrzyj „Dietę najlepszej szansy" (s. 103), a znajdziesz w niej odpowiedź na pytanie, jak najlepiej się odżywiać dla dobra dziecka, aby nie przytyć 30 kg. Nadmierne jedzenie nie tylko szpeci twój wygląd, ale utrudnia zrzucenie wagi po porodzie.

BÓLE GŁOWY

Cierpię na bóle głowy częściej niż kiedykolwiek. Czy muszę tak cierpieć?

Musisz jakoś przeżyć ból głowy występujący w ciąży, chociaż możesz temu w pewnym stopniu zaradzić. Możesz pójść do gabinetu lekarskiego z prośbą o szybką pomoc lub zapobiegać i leczyć twoje bóle głowy domowymi środkami. Najlepszym sposobem zapobiegania i leczenia bólu głowy jest usunięcie jego przyczyny. Ciążowe bóle głowy są rezultatem zmian hormonalnych (które odpowiedzialne są za wzrost, częstotliwość i natężenie bólu głowy), rezultatem zmęczenia, napięcia, uczucia głodu, stresu psychicznego i emocjonalnego. Poniższe wskazówki pomogą ci przetrzymać bóle głowy lub zapobiec im.

Rozluźnij się. Ciąża to okres wielkiego niepokoju, stąd i dokuczliwych bólów głowy. Niektórym kobietom ulży w tym przypadku medytacja i joga. Powinnaś zapoznać się z kursem i przeczytać książkę na temat ćwiczeń relaksujących (również s. 135).

Oczywiście ćwiczenia relaksacyjne nie są przeznaczone dla każdego – niektóre kobiety odczuwają wzmożone napięcie zamiast ulgi. Dla nich najlepszym sposobem zlikwidowania napięcia i bólów głowy jest położenie się na 10-15 minut w ciemnym, cichym pokoju, wygodnie na sofie albo ze stopami położonymi na stole. Przeczytaj też wskazówki dotyczące opanowania stresu (s. 134).

Dużo odpoczywaj. Ciąża jest okresem, gdy odczuwa się duże zmęczenie, zwłaszcza w pierwszym i ostatnim trymestrze, a w przypadku kobiet ciężko pracujących – przez całe dziewięć miesięcy. Sen może być zaburzony, gdy zaczniesz odczuwać ruchy dziecka. Jesteś zmęczona, obciążasz myśli pytaniem – jak ja sobie poradzę ze wszystkim w domu po porodzie, i to zwiększa stres. Świadomie staraj się bardzo często odpoczywać zarówno w dzień, jak i w nocy. Ale nie śpij za dużo, gdyż nadmiar snu powoduje ból głowy.

Regularnie spożywaj posiłki. Dbaj o to, by regularnie jeść. Głód może również być przyczyną bólu głowy.

Staraj się o spokój i ciszę. Jeśli jesteś uczulona na hałas, pozostawaj jak najdalej od niego. Unikaj głośnej muzyki, hałaśliwych restauracji, huku i tłumu. W domu zmniejsz głośność sygnału telefonicznego, ścisz TV i radio.

Wietrz. Pokój przegrzany, pełen dymu papierosowego, nie wietrzony powoduje ból głowy, dlatego otwieraj okna – najlepiej unikaj małej, dusznej przestrzeni. Wstawiaj wentylator w miejsca szczególnie duszne.

Stosuj zimne i gorące okłady. Aby ulżyć zatokowym bólom głowy, zastosuj 4 razy dziennie zimne i gorące okłady na bolące miejsca przez 30 sekund do 10 minut. Na bóle ściskające spróbuj zastosować lód na kark przez 20 minut oraz zamknąć oczy i zrelaksować się.

Wyprostuj się. Przyczyną bólów głowy jest też długie, męczące czytanie z głową stale pochyloną nad książką i ślęczenie nad maszyną do szycia. Zwróć na to uwagę.

Jeśli cierpisz na przewlekłe i powracające bóle głowy, które są rezultatem gorączki z towarzyszącymi jej zaburzeniami widzenia, i obrzęki rąk oraz twarzy, to natychmiast zgłoś się do lekarza.

Cierpię na migreny. Słyszałam, że to typowe w ciąży. Czy to prawda?

Wiele kobiet w czasie ciąży cierpi na częste migreny, inne natomiast twierdzą, że są one rzadsze niż normalnie. Nie jest znana przyczyna, dlaczego migreny nawracają u jednych, a u innych występują bardzo rzadko.

Migrena to szczególna postać bólu głowy. Jej powstanie wiąże się ze skurczem i zwężeniem naczyń krwionośnych głowy następujących po nagłym ich rozszerzeniu. To wpływa na przepływ krwi i powoduje ból oraz inne objawy. Objawy są różne u każdego, ale zazwyczaj do migreny predysponuje zmęczenie. Po zmęczeniu występują nudności, wymioty, biegunka, nadwrażliwość na światło, widzenie jak przez mgłę. Po minucie do godziny od pierwszego ostrzeżenia migreny pojawia się intensywny i tętniący ból zlokalizowany po jednej stronie i rozprzestrzeniający się na drugą stronę. Niektórzy odczuwają ból w ramieniu lub całej połowie ciała, zawroty głowy, dzwonienie w uszach, katar, mają oczy podbiegłe krwią i są rozdrażnieni.

Jeśli w przeszłości miewałaś migreny, to zapobiegaj im podczas ciąży, a jeżeli czujesz, iż nadchodzi atak, to staraj się unikać: stresu, czekolady, serów, kawy, czerwonego wina (i innych zachwalanych napojów). Zawsze staraj się określić znaki ostrzegawcze, a zdążysz zastosować środki ostrożności, zanim pojawi się w pełni rozwinięty atak. Niektórym pomaga np. spryskanie twarzy zimną wodą. Inni wolą leżeć w ciemnym pokoju przez 2-3 godziny z zamkniętymi oczami, medytując, słuchając muzyki, nie czytając i nie oglądając TV.

Przedyskutowanie tematu migreny z lekarzem może okazać się bardzo pomocne. Jeśli odczuwasz objawy podobne do migrenowych, zadzwoń natychmiast do lekarza. Mogą one oznaczać nie migrenę, ale poważne komplikacje w ciąży. Skontaktuj się z lekarzem, gdy migreny będą uporczywe, trwające kilka godzin, powracające często lub będą rezultatem gorączki, zaburzeń widzenia, obrzęków twarzy i rąk.

KŁOPOTY ZE SNEM

Nigdy nie miałam problemu ze spaniem – aż do teraz. Nie potrafię znaleźć sobie miejsca w nocy.

Twoje myśli mają większe tempo, twój brzuszek powiększa się – nic dziwnego, że nie możesz sobie znaleźć miejsca w nocy.

Cierpiąc na bezsenność, ale myśląc o swoim dziecku, spróbuj skorzystać z poniższych rad:

- Dużo ćwicz. Przepracowane w dzień ciało będzie śpiącym ciałem w nocy. Ale nie ćwicz tuż przed snem, bo po położeniu się poczujesz nieprzyjemne łomotanie w głowie.
- Obiady spożywaj powoli. Nie jedz łapczywie podczas oglądania TV; jedz przy stole ze wszystkimi członkami rodziny i prowadź przy tym luźną rozmowę.
- Rozwijaj regułę spania i trzymaj się jej. Po obiedzie skup się nad czynnością, która cię relaksuje. Czytaj lekkie lektury i oglądaj telewizję (ale nie gwałtowne sceny i szarpiące uczucia dramaty), napełniaj się muzyką, odprężaj ćwiczeniami, bierz kąpiel i prysznic.
- Przekąszaj, by utrzymać odpowiedni poziom cukru we krwi. Przed spaniem nie jedz za dużo, bo to źle wpływa na sen. Jako środek nasenny możesz zastosować przekąskę typu: ciasteczka pszenno-owocowe z mlekiem, owoce i ser, wiejski ser i nie słodzony przecier jabłkowy.
- Dbaj o wygodę. Upewnij się, czy twój pokój nie jest za zimny bądź za gorący, czy twój materac jest mocny, a poduszka prawidłowo ułożona (patrz *Pozycja do spania*, s. 183). Im wcześniej nauczysz się sypiać wygodnie, tym łatwiej będzie ci przetrwać tę ciążę.
- Umieść zegar w miejscu niewidocznym z łóżka. Patrzenie, jak mijają godziny, sprawi, że jeszcze trudniej ci będzie zasnąć.
- Wietrz pokój. Zaduch w pokoju utrudnia spanie, więc otwieraj okno bez względu na pogodę. Nie śpij z przykrytą głową. To zmniejsza ilość tlenu, a zwiększa ilość dwutlenku węgla w powietrzu, którym oddychasz, i powoduje ból głowy oraz zaburzenia rytmu serca.
- Nie przebywaj w łóżku, jeśli nie śpisz.
- Jeśli często w nocy wstajesz, by oddać mocz, to ogranicz płyny od godziny 16^{00} i pij niezbyt dużo w dzień, by zmniejszyć nocne chodzenie do ubikacji.
- Oczyszczaj swoje myśli. Jeśli twoja bezsenność jest spowodowana problemami w pracy, w domu, na uczelni, uwolnij się od nich, opowiadając o swych kłopotach członkom rodziny jeszcze tego samego dnia. Przed spaniem wyrzuć swe kłopoty i zmartwienia z myśli (patrz s. 135).
- Nie używaj leków i alkoholu na złe spanie. To jest szkodliwe w ciąży i nie pomaga. Unikaj kofeiny (herbata, kawa, cola) i większości rodzajów czekolady w nocy. Wpływają one na czas trwania snu, skracając go.
- Jeżeli odczuwasz mniejszą potrzebę snu, późniejsze chodzenie spać lub wcześniejsze wstawanie może polepszyć jego jakość. Unikaj również częstych drzemek w ciągu dnia.
- Osądź treściwość snu według tego, jak się czujesz, a nie ile godzin przebywasz w łóżku. Pamiętaj, że problemy ze spaniem głównie mają ludzie, którzy śpią za długo.
- Nie martw się swoją bezsennością – to nie szkodzi ani tobie, ani dziecku. Jeśli nie możesz spać, wstań, czytaj, rób na drutach, oglądaj TV, aż będziesz senna. Zamartwianie się może być bardziej stresujące niż brak snu.

ROZSTĘPY SKÓRNE

Obawiam się, że będę miała rozstępy. Czy można im zapobiec?

Wiele kobiet – zwłaszcza te, które prefe rują bikini – rozstępy skórne drażnią bardziej niż zwiotczałe uda. Przynajmniej u 90% kobiet powstają różowe lub czerwone, lekko wcięte (czasami swędzące) pasemka na piersiach, udach i/lub brzuchu. Są one wywołane rozciągnięciem skóry z powodu szybkiego i dużego przyrostu masy ciała.

Oczekujące matki o dobrej, elastycznej skórze (czynnik dziedziczny lub wieloletnia zasługa prawidłowego żywienia i ćwiczeń) przechodzą kilka ciąż bez rozstępów. Prawidłowe żywienie („Dieta najlepszej szansy”, s. 103), a nie olejki czy kremy, może znacznie poprawić elastyczność skóry; kosmetyki zabezpieczają jedynie przed suchością. Jeśli masz rozstępy skórne, to możesz się pocieszyć, że stopniowo zbledną w ciągu kilku miesięcy po porodzie. Możesz je uważać nie za zeszpecenie, ale medal macierzyństwa.

BICIE SERCA DZIECKA

Moja przyjaciółka słyszała bicie serca swego dziecka w połowie trzeciego miesiąca. Ja jestem w ciąży o tysdzień starszej, a mój lekarz nie słyszał jeszcze mego dziecka.

Bicie serca płodu najwcześniej można usłyszeć około 10-12 tygodnia ciąży dzięki wysokiej jakości aparatowi Dopplera (urządzenie ultrasonograficzne). Za pomocą stetoskopu można usłyszeć bicie serca płodu najwcześniej między 17 a 18 tygodniem. Nawet bardziej wyszukany przyrząd nie jest w stanie wcześniej zarejestrować czynności serca, z powodu pozycji dziecka, jak i innych nakładających się czynników, np. otyłość matki. Poczekaj jeden miesiąc; słyszalny w 18 tygodniu wspaniały dźwięk serca twojego dziecka stanie się wielką radością. Jeśli jesteś niespokojna o swe dziecko, lekarz może zalecić ci badanie ultrasonograficzne, które zarejestruje czynność serca płodu.

SEKS

Wszystkie moje koleżanki, które były w ciąży, mówią, że w tym czasie miały zwiększony pociąg seksualny – niektóre przeżywały wielokrotne orgazmy. Dlaczego ja czuję się tak nieseksownie?

Ciąża to okres zmian wielu aspektów twojego życia, również seksualnego. Wiele kobiet wcześniej nie przeżywało orgazmów, jak również nie odczuwało pociągu seksualnego, a teraz w ciąży nagle odczuwają obie rzeczy. Inne kobiety, przyzwyczajone do miewania „żarłocznego” apetytu na seks i łatwego przeżywania orgazmów, nagle w ciąży nie odczuwają tej potrzeby i trudno się podniecają. Te zmiany w seksie są niepokojące, irytujące, dziwne albo stanowią kombinację tych trzech cech. I to jest jak najbardziej normalne. Kiedy przeczytasz rozdział *Współżycie płciowe podczas ciąży* (s. 175), uzyskasz wiele wyjaśnień na ten temat.

We wczesnej ciąży objawy takie, jak nudności i zmęczenie, czynią kobietę „nieseksualną” i ograniczają jej przeżycia. Gdy objawy miną, kobieta staje się seksowniejsza i zdolna do uprawiania miłości. Fizyczna odmiana w ciąży powoduje łatwiejsze osiąganie orgazmu lub silniejszy orgazm.

Najważniejszą sprawą jest dostrzeżenie, że seksualne uczucia zarówno twoje, jak i twojego męża, są podczas ciąży bardziej dziwaczne niż erotyczne; jednego dnia czujesz się seksownie, drugiego już nie. Wzajemne zrozumienie i otwarta rozmowa przezwyciężają to.

SEKS ORALNY

Słyszałam, że seks oralny jest niebezpieczny w czasie ciąży. Czy to prawda?

Stosunek oralnogenitalny jest bezpieczny w ciąży tak długo, dopóki twój partner będzie uważał, by nie wprowadzić powietrza do twojej pochwy.

Stosunek oralny (fellacja) jest zawsze bezpieczny, bo nie naraża narządów płciowych kobiety, a daje pełną satysfakcję.

SKURCZ PO ORGAZMIE

Dostałam skurczu brzucha po orgazmie. Czy to oznacza, że seks rani moje dziecko? Czy to może być przyczyną poronienia?

Skurcz – podczas orgazmu i po nim oraz towarzyszący mu czasami ból w krzyżu jest charakterystyczny i mało szkodliwy w normalnej i obarczonej niskim ryzykiem ciąży. Jego powody są fizykalne: obciążenie naczyń miednicy podczas ciąży i obciążenie narządów płciowych podczas pobudzania i orgazmu; oraz psychiczne: strach zranienia dziecka podczas stosunku.

Skurcz nie jest oznaką szkodliwego działania seksu. Wielu naukowców zgadza się, że seksualne rozluźnienie i orgazm w ciąży małego ryzyka jest bezpieczny i nie jest przyczyną poronień.

BLIŹNIĘTA I WIĘCEJ

Jestem już bardzo gruba. Czyżbym miała mieć bliźnięta?

Przypuszczalnie masz nadwagę, ponieważ przytyłaś za dużo w pierwszym trymestrze. Jeśli jesteś drobnej budowy, to rosnąca macica staje się bardziej widoczna, niż gdybyś była solidniejszej budowy. Duży brzuch nie musi oznaczać bliźniąt czy trojaczków. By prawidłowo to rozpoznać, lekarz weźmie pod uwagę inne szczegóły:

- Wielkość brzucha w stosunku do wieku ciążowego. Jeżeli macica rośnie bardziej, niż odpowiada to wiekowi ciążowemu, może to oznaczać więcej niż jedno dziecko. Innym wytłumaczeniem dużego brzucha jest złe obliczenie daty porodu lub nadmierna ilość płynu owodniowego.

- Przesadne objawy ciąży. Objawy takie, jak: wymioty, niestrawność, obrzęki mogą błędnie sugerować dwojaczki, bo te same objawy występują w przypadku ciąży jednopłodowej.

- Więcej niż jedno bicie serca. W zależności od położenia płodów lekarz może słyszeć dwa osobne bicia serca. Ale ponieważ bicie jednego serca może być słyszalne w różnych miejscach, to o bliźniętach będzie świadczył tylko fakt, że słyszane są rytmy o różnych częstotliwościach. Tym objawem lekarz się nie kieruje, by postawić diagnozę o ciąży bliźniaczej.

- Predyspozycja. Nie można zwiększyć możliwości urodzenia bliźniąt. Szansa urodzenia bliźniąt jest dziedziczna lub predestynują do niej różne czynniki, np. wiek powyżej 35 lat (w tym wieku kobieta uwalnia więcej niż jedną komórkę jajową); używanie leków stymulujących owulację; zapłodnienie pozaustrojowe. Bliźnięta częściej spotyka się u czarnych kobiet niż u białych, a rzadziej u Azjatek.

W przypadku podejrzenia ciąży bliźniaczej lekarz zaleca badanie ultrasonograficzne. Ta metoda jest rozstrzygająca z wyjątkiem przypadku, gdy jeden płód zasłania drugi.

Zaskoczył mnie fakt, że zamiast jednego, będę miała dwoje dzieci. Obawiam się ryzyka w takiej ciąży – dla mnie i dla dzieci.

Ciąż wielopłodowych jest teraz coraz więcej. W obecnych latach dwie rodziny na sto spodziewają się bliźniąt, w porównaniu z jedną na sto w poprzedniej generacji. Mimo naturalnej drogi zapłodnienia i czynników dziedzicznych naukowcy próbują wyjaśnić występowanie mnogich ciąż. Dużą rolę odgrywa tu zapłodnienie pozaustrojowe, które może być powodem ciąży wielopłodowej, gdyż w tej metodzie używa się więcej niż jednej komórki jajowej do implantacji.

Podobnie jak wzrastają szanse urodzenia bliźniąt, tak wzrastają szanse urodzenia ich zdrowych. Więcej niż 90% mnogich ciąż kończy się szczęśliwie. Jednym z powodów tego sukcesu jest badanie USG. Bardzo rzadkim przypadkiem jest rozpoznanie bliźniąt po porodzie. Rozpoznanie uzyskane dzięki USG zmniejsza liczbę komplikacji w czasie ciąży i porodu oraz po urodzeniu. Matka wiedząca o tym, że ma więcej dzieci niż jedno, może przedsięwziąć kroki redukujące komplikacje i ma szansę donosić ciążę do końca i ukończyć ją w dobrych warunkach.

Specjalna opieka lekarska. Ryzyko związane z ciążą wielopłodową może zostać zredukowane przez odpowiednie nadzorowanie przez lekarza (nie przez położną). W przypadku ciąży mnogiej będziesz musiała odbyć więcej wizyt u lekarza niż kobieta spodziewająca się jednego dziecka (po 20 tygodniach ciąży co drugi tydzień, a po 30 tygodniach ciąży – co tydzień). Lekarz będzie bardziej szczegółowo cię badał i obserwował, szukając oznak komplikacji.

Dodatkowe odżywianie. Jedzenie dla trojga względnie więcej podwaja odpowiedzialność. Na masę urodzeniową dziecka wpływa odpowiednia dieta w ciąży (s. 103), ale do dziś w ciąży wielopłodowej problem stanowi niska masa urodzeniowa dziecka. Zamiast urodzić dziecko z wagą 2,5 kg lub mniej (co kiedyś było uważane za standard), dzięki stosowaniu prawidłowej diety, bliźniaki mogą osiągnąć masę około 3-4 kg każde.

W przypadku bliźniąt musisz zalecane w „Diecie najlepszej szansy" dawki pomnożyć razy dwa. Na każde dodatkowe dziecko przeznacza się: 300 kcal; jedną dawkę proteiny; 1 dawkę wapnia. W przypadku ciąży wielopłodowej, na skutek zmniejszenia objętości żołądka przez uciskającą macicę, ważne jest, by jeść mało, ale bardziej wartościowo. Racjonalne jedzenie we właściwym czasie, rozłożone na co najmniej 6 małych posiłków, jest najbardziej prawidłowe.

Nabieranie dodatkowej masy. Dziecko w łonie matki oznacza dodatek do masy ciała, ale nie z powodu jego samego, lecz przez dodatkowe elementy: łożysko, płyn owodniowy. Lekarz zaleci ostrożne nadzorowanie wzrostu masy ciała, który powinien wynieść 11-22 kg przez całą ciążę, chyba że masz dużą nadwagę, względnie 50% więcej niż wynosi norma dla ciąży jednopłodowej (tzn. przyrost 0,7 kg tygodniowo do 12 tygodnia ciąży). Masa ciała uzyskana przez stosowanie prawidłowej diety ma duży wpływ na urodzenie zdrowego dziecka.

Dodatkowe witaminy i minerały. W przypadku ciąży wielopłodowej wskazane jest dostarczanie dodatkowo preparatów – żelaza, kwasu foliowego (przeciw anemii), cynku, miedzi, witamin B, C, D. Z powodu dodatkowych potrzeb Amerykańska Akademia Żywności i Żywienia poleca kobietom spodziewającym się bliźniąt specjalny dodatek witaminowo-mineralny.

Dodatkowy odpoczynek. Twój organizm w przypadku bliźniąt pracuje ze zwielokrotnioną siłą, czyli będzie też potrzebował więcej odpoczynku. Upewnij się, czy rzeczywiście więcej odpoczywasz. Postaraj się o drzemkę z nogami uniesionymi do góry, zaangażuj do prac domowych swego męża, gotuj z mrożonych jarzyn, które są tak samo wartościowe jak świeże, lub kupuj w sklepie gotowe posiłki, a jeżeli pracujesz zawodowo, to pracuj mniej lub przestań pracować, gdy czujesz dokuczliwe zmęczenie.

Dodatkowe środki ostrożności. W zależności od rozwoju twojej ciąży lekarz może ci poradzić, byś zwolniła się z pracy nawet w 24 tygodniu ciąży. Postaraj się o pomoc w domu i odpoczywaj w domu, ponieważ szpitale są zarezerwowane głównie dla ciąż patologicznych. Badania wykazują, że gdy ciąża bliźniacza przebiega prawidłowo, to szpitalny pobyt wcale nie zapobiega wcześniejszemu rozwiązaniu. Jeśli będziesz postępować według zaleceń lekarza, to szczęśliwie dotrwasz do końca.

Dodatkowa pomoc dla dodatkowych objawów ciąży bliźniaczej. W przypadku ciąży bliźniaczej objawy typowe dla ciąży, jak: ranne dolegliwości, niestrawność, ból krzyża, zaparcia, hemoroidy, obrzęki, żylaki, przyspieszony oddech i zmęczenie, mogą być bardziej nasilone. Matka powinna zawsze szukać ulgi, chociaż w przypadku bliźniąt uzyskanie jej jest trudne. Ale poradź się swego lekarza, jeśli objawy są wyjątkowo dokuczliwe. Bardzo rzadko się zdarza u kobiet (a czasem komplikuje ciążę bliźniaczą) wąska miednica lub obniżone połączenie kości miednicy. To powoduje ograniczenie ruchliwości i lokalne bóle w miednicy.

Wszyscy przypuszczają, że to bardzo podniecające, że będziemy mieć dwojaczki. Z wyjątkiem nas samych. Czy z nami jest coś nie w porządku?

Małżeństwo oczekujące dziecka rzadko bierze pod uwagę, by kupić dwa łóżeczka, dwa krzesełka, dwa wózki itp. Przygotowujemy się psychicznie i fizycznie na przyjęcie jednego dziecka, a wiadomość, że będziemy mieć dwoje, wywołuje zaniepokojenie. Nadchodząca odpowiedzialność za wychowanie jednego dziecka jest już wystarczająca.

Zaakceptuj więc fakt, że to jest nieodwołalne i nie wiń siebie za to uczucie. Zamiast czuć się winna, przygotuj się do faktu posiadania dwojga dzieci. Porozmawiaj ze swoim mężem i kimś, kto ma bliźnięta. Twój lekarz może ci podać nazwiska rodziców bliźniąt, względnie może skierować cię do lokalnej organizacji zrzeszającej takich rodziców. Dzielenie się uczuciami i fakt, że nie będziecie jedynymi rodzicami bliźniąt, pomoże ci pogodzić się z tą myślą i cieszyć z tej ciąży.

CIAŁKO ŻÓŁTE

Mój lekarz powiedział, że mam ciałko żółte na jajniku. Twierdzi, że to nie jest problem, a ja się tym martwię.

Każdego miesiąca, po owulacji, formuje się ciałko żółte. Zajmuje ono miejsce w pęcherzyku Graafa uprzednio zajętym przez komórkę jajową. Ciałko żółte produkuje progesteron i estrogen i następnie, gdy nie dochodzi do zapłodnienia, zanika po 14 dniach. W wyniku tego zmniejszający się poziom hormonów powoduje menstruację. Gdy dochodzi do zapłodnienia, to ciałko żółte podtrzymywane hormonem hCG (produkowanym przez trofoblast – komórki rozwijające się w kierunku łożyska) rośnie i produkuje progesteron i estrogen do odżywiania i utrzymania ciąży, dopóki łożysko nie przejmie tej funkcji. W najlepszym przypadku ciałko żółte zaczyna zmniejszać się ok. 6-7 tygodnia ciąży i przestaje funkcjonować ok. 10 tygodnia, gdy jego praca dla płodu jest już ukończona.

Raz na 10 ciąż ciałko żółte nie przestaje funkcjonować lub nie cofa się i zamienia się w ciałko luteinowe. Tak jak twój lekarz cię zapewnił, to ciałko luteinowe nie jest problemem, ale dla uspokojenia lekarz za pomocą USG nadzoruje jego rozmiar i zachowanie. Jeśli będzie duże lub będzie grozić skrętem bądź pęknięciem, może zalecić usunięcie chirurgiczne. Taka sytuacja jest konieczna w przypadku 1% ciałek żółtych, a po 12 tygodniu ciąży taki zabieg wykonuje się rzadko.

NIEMOŻNOŚĆ ODDANIA MOCZU

Podczas kilku ostatnich nocy nie mogłam oddać moczu, chociaż miałam wrażenie, że pęcherz jest pełen.

U około 15 do 20% kobiet, macica znajduje się w tzw. „tyłozgięciu". U większości z nich położenie macicy ulega zmianie pod koniec pierwszego trymestru i nie występują problemy. Zdarza się jednak, że macica pozostaje pochylona do tyłu i uciska cewkę moczową, przewód połączony z pęcherzem moczowym. Sporadycznie występuje nawet wyciek moczu, kiedy pęcherz jest przepełniony. Lekarz może próbować przemieścić macicę i odsunąć ją od cewki moczowej na jej właściwą pozycję. W innych przypadkach konieczne jest cewnikowanie (usunięcie moczu cewnikiem). Zapytaj lekarza o najwłaściwsze rozwiązanie w twoim przypadku.

CO WARTO WIEDZIEĆ
Przyrost masy ciała podczas ciąży

Ulubionym pytaniem spotykających się kobiet ciężarnych – czy to u lekarza, czy w autobusie, czy na przyjęciu – jest: ile przybrałaś na wadze?; jak długo trwa ciąża?; czy czujesz ruchy dziecka?

Porównywanie odpowiedzi może niepokoić

Zestawienie elementów składających się na przyrost masy ciała w ciąży

(wartości przybliżone)

Dziecko	3,5 kg
Łożysko	0,7 kg
Płyn owodniowy	0,9 kg
Powiększenie macicy	1,0 kg
Gruczoły piersiowe	0,5 kg
Objętość krwi matki	2,0 kg
Płyny komórkowe	2,0 kg
Tkanka tłuszczowa	3,5 kg
Ogółem przyrost:	13,5 kg

niektóre kobiety. Panie, które zaczęły z entuzjazmem jeść, zyskując 5 kg podczas pierwszego trymestru, zaczynają się zastanawiać, o ile to jest za dużo. Inne, których apetyt zmniejszył się z powodu porannych dolegliwości, zyskują mało na wadze lub waga ich się zmniejsza i zastanawiają się, czy i tak może być.

Całkowity przyrost. Obecnie uważa się, że przyrost masy ciała w ciąży wynoszący 7 kg jest niedostateczny. Matki, które przytyły mniej niż 10 kg, częściej rodzą przedwcześnie i małe dzieci oraz zbyt wcześnie odczuwają skurcze macicy. Podobnie nie zaleca się, by kobiety jadły, ile chcą, i nadmiernie przytyły. Nadwaga matki utrudnia bowiem ocenę wielkości dziecka; nadmierna waga przesila mięśnie i powoduje ból krzyża, nóg, zwiększa zmęczenie i występowanie żylaków; a dziecko może urosnąć do takich rozmiarów, że jego urodzenie drogami naturalnymi będzie utrudnione lub niemożliwe; częściej występują komplikacje pooperacyjne po cięciu cesarskim; zrzucenie masy ciała po porodzie może być trudne. Masa ciała matki i masa urodzeniowa dziecka niekoniecznie korelują ze sobą. Można uzyskać 20 kg wagi, a urodzić dziecko o masie 3 kg, albo uzyskać 10 kg wagi, a urodzić dziecko 4-kilogramowe.

Ważniejsza od ilości jedzenia jest jego wartość. Normą jest przyrost masy ciała w ciąży wynoszący 12-17 kg. Dla kobiety o drobnej budowie przyrost masy będzie zbliżony do 12 kg, a dla dobrze zbudowanej 17 kg. Na przyrost masy ciała w ciąży składa się: 3-4 kg dla dziecka, 7-12 kg łożysko, piersi, płyny i inne elementy (patrz tab. na końcu rozdziału).

Kobiety z niedowagą, które zaszły w ciążę, powinny podczas pierwszego trymestru tyle przybrać na wadze, by drugi trymestr rozpocząć od normy, aby osiągnąć wymagany w ciąży przyrost masy ciała 12-17 kg. Kobiety, które miały nadwagę 10-20%, muszą uważniej postępować i jeść mniej, ale lepiej jakościowo, i być pod kontrolą lekarza. Ciąża nie jest okresem do odchudzania się lub utrzymywania stałej masy ciała, bo płód nie potrafi utrzymać się z samego tłuszczu matki, który nie daje mu wartości odżywczych.

Kobiety spodziewające się więcej niż jednego dziecka muszą ustalić dietę razem z lekarzem. Pomimo bliźniąt lub trojaczków powinny przytyć nie więcej niż 14 do 22 kg.

Częstość wzrostu. Przeciętna waga w pierwszym trymestrze ciąży powinna wzrosnąć o 1,5-2 kg i około 0,5 kg na tydzień, tj. 6-7 kg razem w drugim trymestrze ciąży. Przyrost masy powinien być kontynuowany w tempie ok. 0,5 kg na tydzień podczas 7 i 8 miesiąca ciąży, a w 9 miesiącu ciąży o 0,5 kg na tydzień spaść w stosunku do 8 miesiąca, aby przyrost całkowity w trzecim trymestrze wynosił 4-5 kg.

Kobiety rzadko trzymają się powyższej reguły. Nie jest też źle, gdy w jednym tygodniu przyrost masy wynosi 250 g, a w następnym 750 g. Najlepiej, gdy waga jest utrzymana według zasady i nie występują nagłe skoki

Zapewnienie odpowiedniej masy ciała

Ostatnie badania wykazały, że kobiety z niedowagą mogą zapewnić odpowiednią masę swemu dziecku przez zażywanie preparatów uzupełniających przeznaczonych dla kobiet w ciąży, które zawierają 25 miligramów cynku. Szczególnie jeśli masz 160 cm wzrostu lub mniej i ważysz mniej niż 50 kg, upewnij się, że preparat, który stosujesz, zawiera wskazane ilości cynku.

i spadki. Jeśli nie przytyłaś w ciągu dwóch tygodni ciąży albo od 4 do 8 tygodnia ciąży; albo przybrałaś więcej niż 1,5 kg w drugim trymestrze lub więcej niż 1 kg tygodniowo w trzecim trymestrze, zwłaszcza gdy nie wiążesz tego z nadmierną podażą sodu, omów to ze swoim lekarzem.

Zgłoś się do lekarza także, jeśli nie przybierasz na wadze dłużej niż dwa tygodnie. Jeśli twój rzeczywisty przyrost wagi znacznie różni się od planowanego (7 kg w pierwszym trymestrze zamiast 1,5-2 kg, lub 10 kg zamiast 6 kg w drugim trymestrze), nie próbuj go zatrzymywać; zobaczysz, że się unormuje. Ze swoim lekarzem ponownie ustal dietę odpowiednią do potrzeb twojego dziecka. Pamiętaj, że twoje dziecko potrzebuje silnego dziennego ładunku żywności przez całą ciążę. Kontroluj swoją wagę od samego początku ciąży, a nie będziesz musiała narzucać swojemu dziecku diety po to, żeby uchronić siebie od nadmiernej ilości tłuszczu.

8

Czwarty miesiąc

Czego możesz oczekiwać w czasie badania okresowego

W tym miesiącu kontrolna wizyta u lekarza może obejmować następujące badania, dobrane pod kątem stanu pacjentki i wg stylu pracy lekarza[1]:

- masa ciała i ciśnienie krwi;
- badanie moczu z oznaczeniem poziomu cukru i białka;
- określenie czynności serca płodu;
- wymiary macicy w badaniu palpacyjnym;
- wysokość dna macicy;
- kontrola rąk i stóp ze względu na niebezpieczeństwo powstawania obrzęków i żylaków;
- weryfikacja obserwowanych objawów szczególnie budzących niepokój pacjentki;
- wyjaśnienie innych wątpliwości.

Co możesz odczuwać

Wymienione niżej objawy mogą występować razem lub w odstępach czasowych, mogły rozpocząć się w ubiegłym miesiącu lub pojawić się jako nowe. Ewentualnie mogą występować inne, rzadkie objawy.

OBJAWY FIZYCZNE:

- zmęczenie;
- rzadsze oddawanie moczu;
- ustanie lub coraz rzadsze wymioty i nudności (u niektórych kobiet dolegliwości te będą się nadal utrzymywać, a u małej grupy mogą się dopiero rozpocząć);
- zaparcia;
- zgaga, niestrawność, wzdęcia;
- dalsze powiększenie piersi, jednak zazwyczaj ze zmniejszeniem bolesności i obrzęku;
- sporadyczne bóle głowy;
- ewentualne omdlenia, zawroty głowy, szczególnie przy nagłej zmianie pozycji ciała;
- nieżyt nosa i krwawienie z nosa;

[1] Badania i testy opisane są w oddzielnym rozdziale *Dodatek*.

JAK MOŻESZ WYGLĄDAĆ

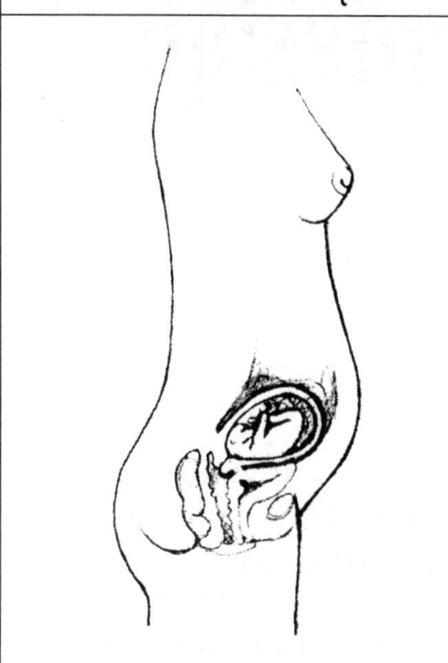

Pod koniec czwartego miesiąca płód o długości około 10 cm, odżywiany przez łożysko, rozwija takie odruchy, jak ssanie i połykanie. Dominuje wzrost głowy, pojawiają się zawiązki zębów, palce rąk i nóg są dobrze wykształcone. Jakkolwiek płód wygląda już jak dziecko – nie mógłby przeżyć poza macicą.

- nieżyt ucha;
- krwawienie z dziąseł;
- wzrost apetytu;
- lekkie obrzmienie kostek i stóp, rzadziej rąk i twarzy;
- żylaki podudzi i/lub odbytu;
- skąpa biaława wydzielina z pochwy;
- pod koniec czwartego miesiąca pierwsze ruchy płodu (głównie u kobiet bardzo szczupłych lub gdy nie jest to pierwsza ciąża).

ODCZUCIA PSYCHICZNE:

- zmienność nastroju podobna do zespołu napięcia przedmiesiączkowego, tj. drażliwość, płaczliwość;
- radość i pełniejsze zrozumienie, jeśli ma się poczucie „bycia w ciąży"
- frustracja, jeśli brak pełni poczucia „bycia w ciąży", normalne ubrania stają się za ciasne, a jeszcze za wcześnie na stroje ciążowe;
- poczucie rozbicia, chaosu myślowego, zapominanie, upuszczanie przedmiotów, kłopoty z koncentracją.

CO MOŻE CIĘ NIEPOKOIĆ

PODWYŻSZONE CIŚNIENIE TĘTNICZE KRWI

Jestem zaniepokojona, ponieważ w czasie ostatniej wizyty okazało się, że mam nieznacznie podwyższone ciśnienie krwi.

Niepokojenie się ciśnieniem krwi może tylko spowodować jego wzrost, a podwyższone wyniki z pojedynczego badania mogą nie mieć żadnego znaczenia. Mogły być one skutkiem podenerwowania z błahego powodu, szybkiego marszu, niepokoju o przebieg ciąży. Godzinę później ciśnienie może całkowicie wrócić do normy. Ale ponieważ trudno jest ustalić przyczynę jednorazowo podwyższonego wyniku – lekarz może zalecić spokojniejszy tryb życia, zmniejszenie spożycia sodu i tłuszczy oraz spożywanie 8-10 dawek owoców i warzyw dziennie, by próbować obniżyć ciśnienie krwi.

Jednak jeśli podwyższone ciśnienie krwi utrzymuje się, może się okazać, że jesteś w grupie 1-2% kobiet ciężarnych, u których występuje tzw. podwyższone ciśnienie w przebiegu ciąży. Ten typ nadciśnienia jest niegroźny; ustępuje po porodzie.

Tak zwane normalne ciśnienie tętnicze krwi podczas ciąży ulega pewnym wahaniom. Wynik podstawowy (charakterystyczny dla pacjentki) uzyskuje się podczas pierwszej wizyty kontrolnej. Zazwyczaj ciśnienie lekko spada podczas pierwszych miesięcy, jednak od około siódmego miesiąca zaczyna wzrastać.

Jeśli podczas pierwszego lub drugiego trymestru ciśnienie skurczowe (liczba pierwsza) wzrasta o około 30 mm Hg lub ciśnienie rozkurczowe (liczba druga) o 15 mm Hg i stan ten utrzymuje się przez 2 badania w odstępie co najmniej 6 godzin, należy rozpocząć obserwację i ewentualne leczenie. W trzecim trymestrze leczenie rozpoczyna się tylko, gdy wzrost ciśnienia tętniczego jest znaczniejszy.

Jeśli taki stan jest związany z nagłym wzrostem ciężaru (więcej niż 1,5 kg w ciągu tygodnia w drugim i więcej niż 1 kg w trzecim trymestrze), znacznym obrzękiem rąk, stóp i dłoni (w wyniku zatrzymania wody w organizmie) i/lub pojawieniem się białka w moczu[1], możemy mieć do czynienia ze stanem przedrzucawkowym (tzw. PiH – nadciśnienie indukowane przez ciążę). U kobiet otoczonych regularną opieką medyczną stan ten jest ujawniony, zanim wystąpią poważne objawy, jak: nieostre widzenie, bóle głowy, drażliwość, bóle brzucha. Jeżeli zaobserwujesz takie objawy, natychmiast skontaktuj się z lekarzem.

POJAWIENIE SIĘ CUKRU W MOCZU

Podczas ostatniej kontroli okazało się, że w moczu pojawił się cukier. Mój lekarz powiedział, że nie ma powodu do obaw, ja jednak jestem przekonana, że mam cukrzycę.

Proszę zaufać lekarzowi i nie niepokoić się. Mała ilość cukru w moczu w pojedynczym badaniu podczas ciąży nie jest jeszcze objawem cukrzycy. Najwyraźniej twój organizm spełnia dobrze swe zadania: dba o to, by płód otrzymywał odpowiednią ilość glukozy (cukru).

Ponieważ insulina jest odpowiedzialna za poziom glukozy we krwi, jak i jej wchłanianie przez komórki – ciąża wyzwala mechanizm antyinsulinowy, który powoduje, że odpowiednia ilość glukozy znajduje się we krwi odżywiającej płód. Jest to doskonała machina, nie zawsze jednak pracująca idealnie. Czasem mechanizm działa tak silnie, że we krwi znajduje się więcej glukozy, niż wynoszą potrzeby matki i dziecka – więcej, niż mogą tolerować nerki. Nadmiar jest wydalany z moczem. I stąd nierzadki w ciąży wynik badania, szczególnie w trzecim trymestrze, gdy efekt antyinsulinowy nasila się.

Właściwie połowa kobiet ciężarnych w pewnym okresie ciąży ma pozytywny wynik badania moczu na cukier. Najczęściej na podwyższony poziom cukru we krwi organizm reaguje zwiększeniem produkcji insuliny, która tę nadwyżkę eliminuje, dając prawidłowe wyniki podczas następnej wizyty. Jednak u niektórych kobiet, szczególnie u tych, które chorują na cukrzycę lub mają do niej skłonności, ta nadprodukcja insuliny może się okazać niewystarczająca. Utrzymuje się podwyższony poziom cukru w moczu i we krwi. U pacjentek, u których dotychczas nie stwierdzono cukrzycy, jest to tzw. cukrzyca ciążowa. W razie powtórnego wykrycia cukru w moczu lekarz może zlecić oznaczenie poziomu cukru we krwi i przeprowadzenie testu na tolerancję glukozy. Jest to postępowanie pozwalające na precyzyjne określenie reakcji organizmu na pojawienie się cukru we krwi i pozwala na rozpoznanie cukrzycy.

Objawy, które mogą sugerować cukrzycę ciążową, to wzmożony apetyt i pragnienie, częste oddawanie moczu, nawet w trzecim trymestrze, nawracające drożdżycowe infekcje pochwy i wzrost ciśnienia krwi. Stan ten występuje u około 1-2% pacjentek (wg niektórych źródeł do 10%) i słuszniej można by go określić jako „nietolerancję węglowodanów w ciąży" niż „cukrzycę ciążową". Ze względu na częstość występowania lekarze rutynowo zlecają test na poziom cukru między 24 a 28 tygodniem ciąży. Przyszłe matki z grupy zwiększonego ryzyka bada się częściej, a należą do nich osoby po 30 roku życia (skłonność do cukrzycy rośnie z wiekiem); kobiety z cukrzycą w wywiadzie rodzinnym; kobiety, u których stwierdzono cukier w moczu lub nietolerancję glukozy przed ciążą; kobiety otyłe; matki dzieci o masie urodzeniowej powyżej 4,5 kg; kobiety, u których poprzednie ciąże przebiegały nieprawidłowo

[1] Porównaj wyjaśnienie wyrażenia „białko w moczu" *w Dodatku.*

(częste poronienia, nie wyjaśnione obumarcie płodu, wady wrodzone u dzieci, cukrzyca ciążowa, zapalenie dróg moczowych, gestoza, wieloródki – nadmiar płynu owodniowego).

Obecnie zagrożenie zdrowia przyszłej matki z cukrzycą i płodu zostało właściwie zlikwidowane[1]. Jeśli kontroluje się poziom cukru we krwi za pomocą diety i gdy trzeba – lekarstw, to ciąża przebiega prawidłowo i dziecko rodzi się zdrowe (patrz s. 327 i 349).

Zaburzenia poziomu cukru we krwi znikają po porodzie u 97-98% pacjentek z cukrzycą ciążową, lecz u niektórych (szczególnie otyłych) cukrzyca może się później ujawnić. By zmniejszyć ryzyko, należy podczas ciąży poddawać się regularnej kontroli, utrzymywać idealną wagę, przestrzegać diety i wykonywać ćwiczenia gimnastyczne, a także poznać objawy choroby, by odpowiednio wcześnie zgłosić je lekarzowi.

ANEMIA

U mojej przyjaciółki podczas ciąży stwierdzono anemię. Jak mogę stwierdzić, czy ja mam anemię? Jak temu zapobiegać?

W czasie ciąży rośnie objętość krwi, zwiększa się także zapotrzebowanie na żelazo służące do budowy krwinek czerwonych. Ponieważ nie wszystkie kobiety uzyskują odpowiednią ilość żelaza z pożywienia, u około 20% występuje niedobór żelaza. Jednak jest to stan łatwy do skorygowania przez stosowanie urozmaiconej, bogatej w żelazo diety i przyjmowanie preparatów żelaza.

Uwaga: Spożywanie kofeiny z pokarmami bogatymi w żelazo lub preparatami żelaza, zmniejsza jego absorbcję.

Badanie krwi wykonuje się podczas pierwszej wizyty kontrolnej i u niektórych kobiet niedobór żelaza wykrywa się już wtedy. Czasem stan taki pochodzi jeszcze sprzed ciąży i jest on częstszy ze względu na utratę żelaza podczas miesiączki. Jeśli od momentu zapłodnienia i ustania miesiączki podaż żelaza w diecie jest wystarczająca, to jego zapasy są uzupełniane. Z reguły niedobór żelaza nie pojawia się aż do 20 tygodnia ciąży, gdy rozpoczyna się wzrost objętości krwi i wzrasta zapotrzebowanie płodu na żelazo.

W przypadku nieznacznego niedoboru żelaza może nie być żadnych objawów, lecz gdy liczba krwinek czerwonych przenoszących tlen wyraźnie spada, można obserwować następujące objawy: bladość, znaczne zmęczenie, osłabienie, kołatanie serca, duszność, a nawet omdlenia. Możemy mieć wtedy do czynienia z sytuacją, gdy potrzeby dziecka zaspokajane są w pierwszej kolejności, gdyż rzadko u dzieci matek z anemią obserwujemy niedobór żelaza przy urodzeniu. Jednak są dane wskazujące na to, iż niektóre dzieci matek z anemią mogą się urodzić przedwcześnie lub z niską masą ciała.

Choć wszystkie ciężarne kobiety narażone są na anemię z niedoborem żelaza, niektóre znajdują się w grupie zwiększonego ryzyka. Należą tu kobiety, które rodziły kilkoro dzieci w krótkich odstępach czasu; kobiety, które często wymiotują lub jedzą mniej ze względu na nudności; kobiety z ciążą mnogą; kobiety, które zaszły w ciążę w stanie niedożywienia i/lub od momentu zapłodnienia odżywiają się zbyt ubogo. Najczęściej są to osoby o niskich dochodach.

By zapobiegać niedoborowi żelaza, zaleca się stosowanie diety bogatej w żelazo (patrz tabela produktów spożywczych bogatych w żelazo). Jednak ponieważ jest to trudne, a często niemożliwe, by za pomocą samej diety zapewnić odpowiednią podaż żelaza często dodatkowo przepisuje się odpowiednie, specjalne preparaty, podając około 30 mg żelaza na dobę (patrz s. 109 i 114). W przypadku rozpoznania anemii zalecane jest podawanie dodatkowo 30 mg żelaza.

Gdy okaże się, że anemia występuje mimo prawidłowego poziomu żelaza, wykonuje się badania w celu ustalenia innej przyczyny takiego stanu, jak np. niedobór kwasu foliowego, talasemia, niedokrwistość sierpowata.

[1] Kobiety z nieprawidłowym poziomem glukozy we krwi, ale z prawidłowym testem tolerancji glukozy, mogą być narażone na urodzenie chorego dziecka i mogą wymagać dokładnej kontroli ich diety. W przypadku nieprawidłowego poziomu cukru we krwi proszę zasięgnąć porady lekarza.

DUSZNOŚĆ

Czasem mam kłopoty z oddychaniem. Czy to z powodu ciąży?

Prawdopodobnie tak. U wielu kobiet lekkie duszności występują od początku drugiego trymestru ciąży. Jest to wynik zmian hormonalnych. Dochodzi do obrzmienia ścian naczyń krwionośnych układu oddechowego tak jak i w reszcie organizmu oraz do spadku napięcia mięśniówki płuc, oskrzeli i innych mięśni. Wraz z rozwojem ciąży dołączają się inne czynniki i zaczerpnięcie głębokiego oddechu staje się coraz trudniejsze ze względu na ucisk powiększonej macicy na przeponę. Płucom coraz trudniej jest się rozprężać. Jest to stan prawidłowy.

Jednakże znaczna duszność powiązana z przyspieszeniem oddechu, zasinieniem warg i koniuszków palców, ewentualnie z bólem w klatce piersiowej i przyspieszonym tętnem może być sygnałem poważniejszych dolegliwości i wymaga natychmiastowego kontaktu z lekarzem lub stacją pogotowia.

ZABURZENIA PAMIĘCI

W ubiegłym tygodniu wyszłam z domu bez portfela, dziś rano zupełnie zapomniałam o ważnym spotkaniu. Nie mogę się na niczym skupić i mam wrażenie, że tracę głowę.

Nie jesteś odosobniona. Wiele kobiet ma poczucie, jakby „przybierały na wadze, a traciły szare komórki". Nawet kobiety dumne ze swego zorganizowania i zdolności do stawiania czoła skomplikowanym zadaniom nagle zauważają, że zapominają o ważnych spotkaniach, nie mogą się skoncentrować i tracą równowagę. Na szczęście to „roztrzepanie" podobne do stanu, którego doświadcza wiele kobiet przed miesiączką, jest przejściowe. Jak wiele innych objawów jest ono spowodowane zmianami hormonalnymi w ciąży.

Zaniepokojenie tym stanem może go tylko pogorszyć. Uznanie go za normalny, a nawet przyjęcie z pewną dozą humoru, pomoże w jego złagodzeniu. Pomocne jest także jak największe ograniczenie stresu. Być może nie będziesz mogła pracować tak dużo i tak wydajnie jak przed ciążą. Zapisywanie obowiązków w pracy i w domu może pomóc walczyć z umysłowym chaosem i ustrzec nas od potencjalnych kłopotów (jak np. zostawianie otwartych drzwi lub czajnika na włączonej kuchence). Ale powinnaś się przyzwyczaić do trochę mniejszej wydajności w pracy, gdyż stan ten może trwać także przez parę tygodni po urodzeniu dziecka (jako skutek zmęczenia, a nie zaburzeń hormonalnych) albo może minąć dopiero, gdy dziecko będzie przesypiać całe noce.

FARBOWANIE WŁOSÓW I TRWAŁA ONDULACJA

Na razie przybieranie na wadze nie dokucza mi bardzo, ale moje włosy straciły całkowicie elastyczność. Czy ondulacja jest bezpieczna?

Choć coraz większy brzuch jest głównym widocznym objawem ciąży, to nie jest to objaw jedyny. Wszędzie zmiany są wyraźne: od dłoni, które mogą okresowo przyjąć różowo-czerwone zabarwienie, po wnętrze jamy ustnej (dziąsła mogą być obrzmiałe i krwawić). Włosy nie są wyjątkiem i mogą wyglądać lepiej (np. nabrać więcej połysku) lub gorzej (gdy tracą sprężystość i stają się bardzo miękkie).

W normalnej sytuacji trwała ondulacja byłaby najprostszym sposobem na poprawę fryzury, ale nie jest tak podczas ciąży. Po pierwsze, pod wpływem hormonów włosy zachowują się w sposób nie do przewidzenia: ondulacja może się wcale nie udać lub dać odwrotny skutek. Po drugie, stosowane roztwory chemiczne wchłaniają się przez skórę głowy do naczyń krwionośnych, co może stwarzać niebezpieczeństwo dla rozwoju płodu. Jak dotąd badania nie potwierdzają związku między stosowaniem tych środków a wadami rozwojowymi płodu. Jednak zanim uzna się trwałą ondulację za całkiem bezpieczną – należy przedsięwziąć wszystkie środki ostrożności i poczekać na urodziny dziecka. Nie należy się jednak niepokoić, jeśli ma się już wcześniej wykonaną trwałą ondulację. Niebezpieczeństwo jest właściwie tylko teoretyczne. (To samo odnosi się do środków przeciwłupieżowych. Nie należy ich teraz stosować, ale nie ma powodu do denerwowania się wcześniejszym ich używaniem.)

Stan włosów można poprawić przez bardzo dobre odżywianie i stosowanie wysokiej jakości szamponów i odżywek. Można także używać lokówki, jednak zazwyczaj włosy coraz bardziej tracą sprężystość i są coraz bardziej miękkie. Wobec tego można zdecydować się na zmianę stylu – wybrać krótką fryzurę.

Farbuję włosy co trzy miesiące. Ostatnio usłyszałam od przyjaciółki, że może to być przyczyną wad wrodzonych płodu. Co mam teraz robić?

Po pierwsze, nie denerwować się, podobnie jak w przypadku trwałej ondulacji – nie ma dowodów, że farby do włosów powodują zaburzenia rozwoju płodu. Ponieważ ryzyko jest właściwie tylko teoretyczne – nie ma powodów do obaw. Ale ponieważ podczas ciąży wskazana jest zwiększona ostrożność, gdy to tylko możliwe – należy zrezygnować z następnych farbowań do czasu porodu. Jeśli mimo to zdecydujesz się na to, by ukryć tę „odrobinę siwizny", zadbaj, by użyto farbę pochodzenia roślinnego.

KRWAWIENIE Z NOSA I NIEŻYTY NOSA

Prawie cały czas dokucza mi nieżyt nosa i często obserwuję krwawienia bez specjalnej przyczyny. Denerwuję się, bo wiem, że może to być objawem choroby.

Nieżyt nosa oraz krwawienie są bardzo częstymi dolegliwościami, prawdopodobnie dlatego, że podniesiony poziom estrogenów i progesteronu powoduje zwiększenie przepływu krwi przez błonę śluzową nosa. Ulega ona obrzmieniu i staje się delikatniejsza; podobnie jak szyjka macicy, gdy dojrzewa do porodu. Stan ten może się stopniowo pogarszać, a poprawa nastąpi dopiero po porodzie. Może dojść także do zbierania wydzieliny w okolicy nozdrzy tylnych, co jest przyczyną nocnego kaszlu i dławienia się. Nie należy stosować kropli do nosa, z wyjątkiem sytuacji, gdy jest to zalecenie lekarza.

Katar i krwawienia z nosa są częstsze zimą, gdy ciepłe, suche powietrze w ogrzewanych pomieszczeniach wysusza delikatne błony śluzowe dróg oddechowych. Stosowanie nawilżacza powietrza może w znacznym stopniu zapobiegać takiej sytuacji. Można także spróbować nawilżać powietrze przez nacieranie nosa wazeliną.

Spożywanie 250 mg witaminy C (po uzgodnieniu z lekarzem), jako dodatek do bogatej w witaminę C diety, powoduje wzmocnienie ścian naczyń włosowatych i obniża ryzyko krwawienia. (Uwaga! Nie należy przedawkować witaminy C!)

Czasem krwawienie jest wynikiem zbyt mocnego wydmuchiwania nosa, wobec tego przypominamy, jak należy poprawnie je wykonywać: delikatnie zatkać kciukiem jedną dziurkę, a następnie delikatnie wydmuchiwać śluz z drugiej dziurki. Powtórzyć tak samo po stronie przeciwnej i powtarzać do całkowitego udrożnienia nosa.

By zatrzymać krwawienie, należy usiąść lub stanąć i lekko pochylić się do przodu, a nie kłaść się czy odchylać do tyłu. Dalej należy uciskać oba nozdrza palcami przez 5 minut. Jeżeli krwawienie nie ustanie po trzech próbach lub powtarza się często i w znacznym nasileniu, należy skontaktować się z lekarzem.

ALERGIA

Alergia dokucza mi teraz bardziej. Wciąż mam katar i oczy łzawią mi prawie przez cały czas.

Może mylisz uczulenie ze zwykłym nieżytem nosa, który w ciąży występuje częściej. Chociaż u niektórych kobiet podczas ciąży objawy uczulenia słabną – najczęściej ulegają one nasileniu i wtedy należy porozumieć się z lekarzem, jakie leki można bezpiecznie stosować. Niektóre leki (także przeciwhistaminowe) są stosunkowo bezpieczne, lecz należy sprawdzić, czy jest to właśnie ten lek, który zwykle stosujesz. Ale ponieważ żadne badania nie dają absolutnej pewności, leki należy stosować tylko wtedy, gdy wszystkie inne sposoby zawiodą. Jeśli przy dużej ilości wydzieliny z nosa jest ona bardzo gęsta, należy zwiększyć przyjmowanie płynów, aby zrównoważyć ich wydalanie i rozrzedzić wydzielinę.

Jednak najlepszym sposobem na walkę z alergiami podczas ciąży jest zapobieganie – unikanie substancji uczulających, jeśli je znasz.

- Jeśli są to pyłki albo inne alergeny znajdujące się w świeżym powietrzu, należy przebywać w pomieszczeniach zamkniętych z dobrym układem wentylacji i oczyszczania powietrza. Po pobycie na świeżym powietrzu należy myć ręce i twarz, a także zaopatrzyć się w okulary słoneczne zapobiegające bezpośredniemu wnikaniu pyłków do oczu.
- Jeśli alergenem jest kurz, postarajmy się, by kto inny odkurzał i zamiatał mieszkanie. Odkurzacz, mokra ścierka lub okryta nią miotła wzbijają w powietrze mniej kurzu niż tradycyjna miotła. Należy też stosować wilgotne ściereczki do kurzu w miejsce szczotek z piórami. Należy unikać miejsc takich, jak strychy lub pełne książek biblioteki. Można też czasowo zlikwidować takie „zbiorniki" kurzu, jak zasłony, draperie czy dywany.
- Przy uczuleniu na niektóre produkty spożywcze nie należy ich spożywać, nawet jeśli są w ciąży zalecane (patrz s. 103 dla wybrania produktów zastępczych).
- Jeśli zwierzęta powodują atak alergii, należy poinformować o tym znajomych, by przed naszą wizytą mogli usunąć z pokoju zwierzęta i ich posłania. I oczywiście, jeśli nasze własne zwierzę staje się przyczyną reakcji alergicznej, należy starać się, by nie miało ono wstępu do części mieszkania (szczególnie sypialni).
- Uczulenie na dym papierosowy można kontrolować przez unikanie miejsc publicznych, gdzie dozwolone jest palenie papierosów, fajek czy cygar. Należy też poprosić bliskie nam osoby, by nie paliły papierosów w naszym mieszkaniu.

UPŁAWY (WYDZIELINA Z POCHWY)

Zauważyłam skąpe białawe upławy. Obawiam się, że jest to objaw zakażenia.

Wodniste mleczne upławy o łagodnym zapachu (leukorrhea) nie są objawem patologicznym i przypominają upławy, które występują u niektórych kobiet przed miesiączką. Ponieważ ich ilość może się zwiększyć w trakcie ciąży, w niektórych przypadkach zaleca się stosowanie podpasek higienicznych w ostatnich miesiącach ciąży. Nie należy stosować tamponów, gdyż zwiększają one ryzyko zasiedlenia pochwy przez bakterie.

Poza urażeniem zmysłu estetyki twojego i męża (może on zrezygnować z seksu oralnego ze względu na dziwny zapach i smak upławów) nie ma powodów do obaw. Należy utrzymywać okolice krocza w czystości i suchości (ułatwia to stosowanie głównie bawełnianej bielizny). Unikać trzeba obcisłych spodni, dżinsów, rajstop i strojów gimnastycznych. Należy myć okolice sromu mydłem, a następnie dobrze płukać, unikając jednak takich substancji drażniących, jak: mydła zapachowe, płyny do kąpieli, perfumy.

Nie należy stosować irygacji, poza sytuacjami, gdy jest to zalecenie lekarza. Lecz nawet wtedy niewskazane jest stosowanie jednorazowej strzykawki do irygacji, lecz specjalnego worka lub dzbanka i trzymanie ich nie wyżej niż 70 cm nad ujściem, by ciśnienie wody było niskie. Ujście przewodu powinno być wprowadzone nie głębiej niż 2,5 cm od ujścia pochwy. Należy rozchylić wargi sromowe, by płyn swobodnie wypływał. Te czynności mają za zadanie ograniczyć wprowadzenie powietrza i związane z tym ryzyko zatoru.

W razie gdy upławy mają zabarwienie żółtawe lub zielonkawe, są gęste i serowate, mają nieprzyjemny zapach i towarzyszy im uczucie pieczenia, swędzenia, zaczerwienienie i bolesność – prawdopodobnie nastąpiło zakażenie. Należy poinformować o tym lekarza lub położną, aby można było rozpocząć leczenie. (Najczęściej stosowane są wtedy czopki dopochwowe, żele, maści lub kremy.) Niestety, choć za pomocą leków daje się okresowo usunąć zakażenie, to istnieje tendencja do częstych nawrotów, nawet po porodzie. Choć zakażenie takie wymaga leczenia, nie jest powodem do niepokoju i nie stanowi zagrożenia dla dziecka.

Jeśli zakażenie jest wywołane przez drożdżaka z grupy Monilia, lekarz zastosuje postępowanie mające na celu zapobieżenie przeniesieniu infekcji na dziecko podczas porodu (może dojść do zakażenia jamy ustnej dziecka w postaci pleśniawek) – jednakże takie zakażenie nie jest groźne i łatwo poddaje się leczeniu.

Można przyspieszyć leczenie i zapobiegać nawrotom zakażenia przez rygorystyczne przestrzeganie higieny (zawsze spłukuj od przodu do tyłu), a także stosowanie odpowiedniej diety, która pozwala unikać spożywania cukrów prostych, stanowiących pożywkę dla ustrojów chorobotwórczych. Ostatnie badania wskazują, że zjadanie codziennie 1 kubka jogurtu zawierającego żywe szczepy *lactobacillus acidophilus* (pałeczki kwasu mlekowego) znacznie obniża ryzyko zakażenia pochwy.

Jeśli zakażenie należy do grupy przekazywanych drogą płciową – należy unikać kontaktów seksualnych do chwili, gdy i ty, i twój partner będziecie całkowicie zdrowi. Zaleca się także stosowanie prezerwatyw przez 6 miesięcy od wyleczenia. Dla zapobieżenia powtórnemu zakażeniu należy także unikać przenoszenia zarazków z okolicy odbytu do pochwy (na palcach, prąciu, języku).

RUCHY PŁODU

Nie czuję jeszcze ruchów dziecka; czy jest to zły znak? Czy tylko nie potrafię rozpoznać kopania?

Ruchy płodu są zazwyczaj powodem największej radości w ciąży, a ich brak największego niepokoju. Rosnący brzuch, dźwięk bijącego serca płodu i jego ruchy o wiele bardziej przekonują o rozwijającym się życiu niż pozytywny wynik testu ciążowego. Brak tych objawów wywołuje przerażenie, że dziecko nie rozwija się prawidłowo.

Choć zarodek zaczyna się poruszać od około siódmego tygodnia ciąży, matka zaczyna to odczuwać znacznie później. Ten pierwszy ważny objaw życia pojawia się między 14 a 26 tygodniem ciąży (zazwyczaj między 18 a 22). Odchylenia od tego terminu są częste. Kobieta, która już wcześniej rodziła dziecko, może rozpoznać te ruchy wcześniej, ponieważ wie, czego się spodziewać. Także mięśniówka jej macicy jest bardziej rozciągnięta, co sprawia, że kopanie jest łatwiej wyczuwalne. Kobieta bardzo szczupła może wcześnie odczuwać bardzo delikatne ruchy, natomiast kobieta otyła może je rozpoznawać dopiero, gdy staną się mocniejsze.

Czasem termin pierwszego odczuwania ruchów płodu jest opóźniony ze względu na źle obliczony wiek ciążowy lub dlatego, że matka nie rozpoznała ruchów, mimo że je już poczuła. Nikt nie jest w stanie powiedzieć osobie spodziewającej się dziecka po raz pierwszy, czego może się spodziewać. Sto matek może opisać to wrażenie na sto sposobów. Najczęściej porównuje się je do trzepotania lub „drżenia" w brzuchu, ale także do uderzania, trącania łokciem, pękania bańki, szarpania, burczenia czy uczucia podobnego do tego, gdy w wesołym miasteczku znajdziemy się do góry nogami. Często pierwsze odczuwalne ruchy uznajemy za bóle głodowe lub wiatry. Jedna z kobiet wspomina, iż miała wrażenie, że pod koszulą ma jakiegoś owada i dopiero gdy niczego nie znalazła, stwierdziła, że to z pewnością ruchy dziecka.

Choć nie należy do rzadkości brak odczuwania ruchów płodu aż do 20 tygodnia ciąży, a nawet dłużej, lekarz może zlecić badania ultrasonograficzne dla oceny stanu dziecka, gdy matka nie czuje ruchów płodu lub gdy lekarz nie może wywołać jego reakcji przez odpowiednią stymulację do 22 tygodnia. Jednak w sytuacji, gdy czynność serca płodu jest wyraźna i wszystko zdaje się rozwijać prawidłowo, lekarz może jeszcze odłożyć termin tego badania.

Przez cały ubiegły tydzień codziennie czułam delikatne ruchy, a dziś nie czuję niczego. Czy coś jest nie w porządku?

Niepokój oczekiwania, kiedy wreszcie pojawią się pierwsze ruchy, często ustępuje miejsca obawom, czy pojawiają się one wystarczająco często lub że nie odczuwa się ich przez pewien czas. Jednak na tym etapie ciąży te obawy – choć zrozumiałe – są zazwyczaj zbyteczne. Częstość odczuwania ruchów może podlegać znacznym wahaniom. Chociaż płód rusza się prawie bez przerwy, tylko niektóre ruchy są na tyle silne, by można je było uchwycić. Niektóre mogą być niezauważalne ze względu na położenie płodu i kierunek ruchu (do wewnątrz zamiast na zewnątrz) lub ze względu na aktywność matki (chodzenie, spacerowanie często działają jak kołysanie do snu). Możliwe jest także, że śpisz podczas najaktywniejszych ruchów dziecka, które często wypadają właśnie w środku nocy.

Najlepszym sposobem na wykrycie ruchów, jeśli się ich nie zauważyło przez cały dzień, jest położenie się na godzinę lub dwie wieczorem po wypiciu szklanki mleka lub drobnej przekąsce. Połączenie bezruchu matki i świeża porcja energii może uaktywnić płód. Jeśli to nie poskutkuje, należy spróbować jeszcze raz po paru godzinach, ale nie ma powodu do obaw. Wiele matek nie odczuwa ruchów przez 2, 3, a nawet 4 dni przed 20 tygodniem ciąży. Później, choć nie ma jeszcze powodów do paniki, zaleca się kontakt z lekarzem, jeśli ruchy nie są odczuwane dłużej niż 24 godziny (oczywiście, jeśli już się rozpoczęły).

Po 28 tygodniu ruchy pojawiają się stale i wskazane jest, by matki nabrały nawyku codziennego kontrolowania aktywności dziecka.

WYGLĄD ZEWNĘTRZNY

Popadam w depresję, gdy spojrzę w lustro lub wejdę na wagę. Jestem bardzo gruba.

W społeczeństwie, w którym modna jest szczupła sylwetka, przyrost ciężaru w ciąży może być źródłem depresji. Jest jednak różnica między kilogramami przybieranymi bez powodu (gdy silna wola odmawia posłuszeństwa), a tymi, które uzyskujemy z najwspanialszej przyczyny, a mianowicie na rozwój dziecka i tego, co mu do tego rozwoju jest niezbędne. Poza tym dla wielu osób ciężarna kobieta jest piękna. Dla wielu żon i ich mężów zaokrąglający się zarys brzucha jest najpiękniejszym i najbardziej zmysłowym kształtem kobiety.

Jeśli tylko odżywiasz się prawidłowo i nie przekraczasz norm spożycia charakterystycznych dla danego okresu ciąży – nie powinnaś się czuć „gruba", lecz po prostu „ciężarna". Dodatkowe centymetry w talii są uzasadnionym objawem ciąży i znikną prędko po urodzeniu dziecka. Jeśli przekraczasz limity, to samousprawiedliwiające narzekania nie pomogą, a wręcz mogą pobudzić apetyt. Należy po prostu zmienić swoje przyzwyczajenia kulinarne. Jednak należy pamiętać, że odchudzanie w celu utraty zbędnych kilogramów lub utrzymania wagi może być bardzo niebezpieczne w ciąży. Nie wolno eliminować produktów zalecanych w ciąży z obawy przed przyrostem masy ciała.

Kontrola masy ciała nie jest jedynym sposobem na dbanie o wygląd. Można dobierać rzeczy, które odpowiadają zmianom figury, i zamiast wciskać się w „normalne" rzeczy, trzeba korzystać z szerokiego wachlarza propozycji strojów ciążowych. Dobrze jest też zmienić uczesanie na wymagające mniej starań (unikać trwałej ondulacji), zadbać o cerę i pamiętać o codziennym makijażu.

STRÓJ CIĄŻOWY

Nie mogę się wcisnąć nawet w najobszerniejsze dżinsy, lecz obawiam się kupna ubrań ciążowych.

Nigdy nie było lepszego okresu, by być modną w ciąży. Dawno minęły czasy, gdy noszono tylko obszerne suknie i bluzy. Wiele nowych fasonów prezentuje się ciekawie i wygodnie, poza tym często można je nosić także po porodzie.

Dobrze jest zdać sobie sprawę z następujących faktów, by łatwiej zaplanować swoją ciążową garderobę:

- Jest to dopiero początek przybierania na wadze. Nie ma sensu wydawanie mnóstwa pieniędzy na nowe stroje ciążowe w chwili, gdy po raz pierwszy nie zmieścimy się w stare spodnie. Może to się okazać wielkim wydatkiem, szczególnie na krótki okres, przez jaki będziemy je nosić. Tak więc najlepiej dokonywać zakupów w miarę rozwoju ciąży, a po dokładnym przeglądnięciu szafy może się okazać, że potrzebujemy mniej rzeczy, niż nam się wydawało.
- Nie należy się ograniczać tylko do ubrań typowo ciążowych. Jeśli coś nam odpowiada i pasuje, to można to nosić nawet, jeśli nie ma takiego przeznaczenia. W ten sposób można również wiele zaoszczędzić. Mimo to nie trzeba kupować zbyt wiele, bo nawet jeśli to nie są ubrania ciążowe, to często po połogu nie chce się ich więcej nosić i wędrują na dno szafy.
- Własne poczucie stylu ma znaczenie także podczas ciąży. Jeśli ma się zwyczaj noszenia bardzo eleganckich lub sportowych ubrań, nie trzeba z nich rezygnować ani spieszyć się ze zmianą na fason ciążowy. Chociaż poczucie odmiany może sprawić przyjemność, jest na to jeszcze sporo czasu.
- Dodatki mają w ogóle wielkie znaczenie, a rośnie ono właśnie w czasie ciąży. Kompromisy, na jakie muszą iść przyszłe matki, mogą im zrekompensować oryginalne kolczyki, nowa apaszka, kolorowe pantofle lub eleganckie rajstopy.
- Wielkie znaczenie ma także bielizna. Dobrze dopasowany, wzmocniony biustonosz jest bardzo ważny, szczególnie przy stale powiększającym się biuście. Dobrze jest skorzystać z porad sprzedawczyni. Nie należy robić zapasów, lecz kupić najwyżej dwie sztuki i na następne zakupy wybrać się, gdy biust znów urośnie. Także majtki należy kupować w większym rozmiarze i najlepiej takie, które nosi się właściwie pod brzuchem, tj. bikini.
- Często z dużą satysfakcją można sięgnąć do szafy męża. Duże podkoszulki, bluzy i koszule świetnie pasują do spodni i pod kombinezon. Spodnie od dresu i szorty sprostają twoim nowym wymiarom jeszcze przez parę miesięcy.
- Dobrze jest także pożyczać stroje od koleżanek, a po połogu oddać swoje rzeczy znajomym, które właśnie zaszły w ciążę.
- Ze względu na podwyższony metabolizm, częściej ma się uczucie ciepła i stąd dobrze jest zadbać, aby ubrania były wykonane z włókien naturalnych. Jasne kolory i luźne obszerne stroje także zapobiegają przegrzaniu. Można zmienić rajstopy na kolanówki, lecz trzeba wybierać te bez ciasnej gumki. Ubiór złożony z kilku warstw w zimne dni ma tę dobrą stronę, że gdy robi się cieplej, można rzeczy stopniowo zdejmować.

ŚWIADOMOŚĆ „BYCIA W CIĄŻY"

Teraz, gdy mój brzuch rośnie, zaczynam wierzyć, że naprawdę jestem w ciąży. Choć planowaliśmy to dziecko, nagle poczułam się wystraszona, jak w pułapce, nawet przeciwna tej ciąży.

Nawet najbardziej pragnący dziecka rodzice mogą być zaskoczeni, gdy ciąża stanie się faktem. Niewidoczny mały intruz, który się nagle między nimi pojawia, zmienia całkowicie ich życie, pozbawiając ich wielu swobód, do których byli przyzwyczajeni, stawiając przed nimi nowe wymagania fizyczne i emocjonalne, jakich do tego czasu nie mieli. Każda sfera życia – od wydatków, przez życie towarzyskie, styl gotowania, po współżycie płciowe – ulega zmianie nawet przed jego urodzeniem. A świadomość, że zmiany te będą się nasilać, gdy przyjdzie na świat ich dziecko, wywołać może mieszane uczucia w zależności od stanu świadomości rodziców.

Badania dowodzą, że stan pewnego lęku, niepewności jest nie tylko normalny, ale wręcz zdrowy – tak długo, jak zdajemy sobie z niego sprawę i nad tymi uczuciami panujemy. A jest to niewątpliwie najlepszy czas na przemyślenia (nad planowaniem wydatków, spędzaniem wieczorów w domu, ograniczeniem swobody). W ten sposób będziemy gotowi na pojawienie się dziecka w naszym życiu. Szczere dzielenie się uczuciem z partnerem jest na to najlepszym sposobem.

Choć zmiana stylu życia może być większa lub mniejsza, to nigdy wasze życie nie będzie takie samo od chwili, gdy zamiast dwojga będzie was troje. Ale choć wiele się skończy – otworzy się przed wami wiele nowych sfer życia. Często okazuje się, że teraz dopiero macie poczucie pełni życia.

NIE CHCIANE PORADY

Teraz, gdy moja ciąża stała się widoczna, wszyscy – począwszy od mojej teściowej po obcych w windzie – mają dla mnie dobre rady. Nie mogę tego znieść.

Trudno byłoby szukać schronienia na bezludnej wyspie, tak więc nie ma sposobu na to, by ciężarna kobieta uniknęła spontanicznych porad znajomych. Już sam widok brzucha przyszłej matki wyzwala w każdym doradcę. Gdy niesie siatkę, zaraz ktoś zauważy, że to grozi poronieniem; wiele razy usłyszy spekulacje co do płci dziecka.

I cóż począć? Po pierwsze należy pamiętać, że większość tych uwag nie ma żadnego znaczenia. Część rad, która ma uzasadnienie, znajduje zastosowanie w praktyce medycznej, lecz istnieje też wiele innych, które rodzą wątpliwości i te należy rozwiewać przy pomocy lekarza lub położnej.

Bez względu na to, czy uwagi te brzmią wiarygodnie, czy wręcz przeciwnie, nie wolno dać się ponieść nerwom. Nie będzie to z korzyścią ani dla ciebie, ani dla dziecka. Najlepiej, korzystając z poczucia humoru, grzecznie dać do zrozumienia rozmówcy, że ufasz swojemu lekarzowi i to on pokieruje twoim postępowaniem. Możesz też grzecznie wysłuchać uwag, ale po prostu nie przejmować się nimi.

W każdym jednak przypadku musisz być na to przygotowana i próbować do tego przywyknąć. Jeśli ktokolwiek może usłyszeć więcej dobrych rad niż kobieta w ciąży, to jest to tylko matka z maleńkim dzieckiem.

CO WARTO WIEDZIEĆ
Współżycie płciowe podczas ciąży

Pomijając cuda nauki i religii, każdemu życiu początek daje akt płciowy. Dlaczego więc teraz miałby się on stać problemem? Bez względu na to, czy seks przestanie istnieć, stanie się niewygodny lub da więcej przyjemności niż kiedykolwiek – w przypadku każdej pary oczekującej dziecka ulegnie on w czasie dziewięciu miesięcy ciąży zmianom.

Już przed zapłodnieniem duża jest różnorodność potrzeb i reakcji seksualnych. To, co może dać satysfakcję jednej parze (np. „obowiązkowe współżycie" raz w tygodniu), dla innych może być absolutnie niewystarczające, albowiem współżyją przynajmniej raz dziennie. Po zapłodnieniu te różnice mogą się jeszcze zwiększyć, by bardziej jeszcze skomplikować sprawy płci i uczuć: ta druga para może np. od teraz współżyć nawet rzadziej niż raz w tygodniu i na odwrót.

Chociaż istnieją znaczne różnice pomiędzy poszczególnymi parami, to dla wszystkich trymestrów charakterystyczna jest sinusoidalna zmienność współżycia. Częsty jest spadek zainteresowania seksem na początku ciąży (wg jednego z badań u 54% kobiet podczas pierwszego trymestru stwierdzono, że libido wyraźnie się obniża). Ostatecznie zmęczenie, nudności, wymioty i bolesność piersi nie sprzyjają nocom pełnym pieszczot. U kobiet nie uskarżających się na te dolegliwości popęd płciowy utrzymuje się zazwyczaj na tym samym poziomie.

Istnieje także znaczna mniejszość kobiet, która spostrzega wzmożenie potrzeb seksualnych z tego powodu, że zmiany hormonalne powodują przekrwienie i nadwrażliwość sromu lub dlatego, że zwiększona wrażliwość piersi bolesna dla niektórych – dla innych jest źródłem przyjemnych doznań. Te osoby mogą doświadczyć orgazmu lub wielokrotnego orgazmu po raz pierwszy.

Zainteresowanie współżyciem rośnie zazwyczaj – choć nie zawsze – w drugim trymestrze, gdy oboje przyzwyczajają się już fizycznie i psychicznie do nowej sytuacji. W trzecim trymestrze znów występuje pewne oziębienie stosunków (nawet większe niż w pierwszym) z oczywistych powodów: po pierwsze większą niewygodę sprawia rosnący brzuch, po drugie bóle i niewygody rozwijającej się ciąży ostudzić mogą najgorętsze pożądanie, a po trzecie trudno jest się teraz skoncentrować na czymkolwiek innym niż oczekiwane z niepokojem i pożądaniem wydarzenie.

Nie tylko pociąg fizyczny, ale także przyjemność, jaką sprawia współżycie, słabnie podczas ciąży. Przed zapłodnieniem 21% badanych kobiet stwierdziło, że seks nie sprawia im przyjemności w ogóle lub bardzo nieznacznie. W ciągu pierwszych dwunastu tygodni ciąży liczba ta rośnie do 41%, by osiągnąć 59% w dziewiątym miesiącu. Te same badania wykazują, że w dwunastym tygodniu jedna para na dziesięć w ogóle nie współżyje, a w dziewiątym miesiącu dotyczy to już jednej trzeciej wszystkich par. Ale z drugiej strony więcej niż 4 na 10 kobiet czerpało przyjemność z seksu w tym okresie – więcej niż połowa z nich „bez problemu".

Tak więc może się okazać, że seks w czasie ciąży daje największą przyjemność i żal, że trzeba go ograniczać. Może się też stać niewygodnym zobowiązaniem. Czasem całkiem się z niego rezygnuje, ale mimo to powinno się podchodzić do tego problemu w sposób jak najbardziej naturalny.

ŚWIADOMOŚĆ PŁCI I WSPÓŁŻYCIA PODCZAS CIĄŻY

Niestety, wielu lekarzy traktuje sprawy współżycia w sposób bardzo zachowawczy, podobnie jak i my wszyscy. Często nie informują przyszłych rodziców, jakich zmian mogą oczekiwać lub nie w intymnej sferze pożycia. A to pozostawia wiele wątpliwości co do dalszego postępowania. Zrozumienie, w jaki sposób kontakty seksualne w okresie ciąży ulegają zmianie, pozwala na pozbycie się obaw i niepokojów, a często sprawia, że współżycie staje się łatwiejsze do zaakceptowania i bardziej satysfakcjonujące.

Po pierwsze wiele zmian psychicznych może wpływać na wzajemne pożądanie i samą przyjemność współżycia tak w sposób pozytywny, jak i negatywny. Świadomość takiego stanu rzeczy pozwala na to, by znacznie zmniejszyć wpływ niektórych czynników negatywnych na wzajemne stosunki. Z innymi musimy nauczyć się żyć... i kochać.

Nudności i wymioty. Jeżeli objawy te utrzymują się w ciągu całej doby, po prostu trzeba ten okres przeczekać. (Najczęściej mdłości zaczynają ustępować pod koniec pierwszego trymestru.) Jeżeli występują tylko o określonej porze, należy dostosować do nich swój rozkład dnia i wykorzystać ten czas, gdy dolegliwości te ustępują. Nie należy zmuszać się do podnoszenia swej atrakcyjności, gdy czujemy się okropnie. A stres może wręcz wzmóc te dolegliwości (patrz s. 127 – porady, jak zmniejszyć poranne wymioty).

Zmęczenie. Również ono powinno ustępować do czwartego miesiąca ciąży. Do tego czasu należy częściej korzystać z okazji do współżycia podczas dnia, a nie zmuszać się do długich, bezsennych nocy. Jeśli masz wolne popołudnie w weekend, jest to doskonały czas na to, by urządzić sobie miłosną sesję w ramach popołudniowego relaksu.

Zmiana figury. Współżycie może się stać niezręczne i niewygodne w momencie, gdy rosnący brzuch stanie się duży i przerażający jak himalajski szczyt. W miarę postępu ciąży wiele par może zdecydować, że ze względu na to utrudnienie osiągnięcie przyjemności staje się niewarte zachodu (choć są sposoby na pokonanie pewnych niedogodności, patrz dalej). Poza tym nowe kształty kobiety mogą również osłabiać zainteresowanie partnera, podczas gdy należy pogodzić się z tą nową sytuacją zgodnie ze stwierdzeniem, że w ciąży „duże jest piękne".

Przekrwienie i obrzęk narządów płciowych... wywołane przez hormonalne przekrwienie narządów miednicy może u części kobiet podnieść siłę doznań seksualnych. Ale może też sprawić, że pożycie będzie mniej zadowalające (szczególnie w późniejszym okresie) ze względu na utrzymujące się po orgazmie uczucie pełności. Powoduje ono brak poczucia kompletnego przeżycia orgazmu. Także mężczyźni mogą odczuwać zwiększenie przyjemności (gdy są mile i wygodnie pieszczeni) lub zmniejszenie (gdy „dopasowanie" narządów jest tak ścisłe, że nie dochodzi do erekcji).

Wyciek siary (colostrum). W późniejszym okresie ciąży niektóre kobiety zaczynają produkować siarę, czyli substancję zbliżoną składem do mleka. Może ona wyciekać z piersi podczas stymulacji płciowej, co może powodować dekoncentrację w czasie gry wstępnej. Oczywiście nie ma powodów do niepokoju, a jeśli przeszkadza to partnerom, można tego uniknąć, rezygnując z drażnienia piersi.

Bolesność piersi. Niektóre szczęśliwe pary znajdują dodatkową przyjemność w tym, że piersi podczas ciąży stają się jędrniejsze i pełniejsze, jednak często (głównie w początkowym okresie) bolesność piersi eliminuje tę część ciała z gry miłosnej. (Należy poinformować partnera o takiej sytuacji, a nie cierpieć i znosić ból w milczeniu.) Jednak od momentu, gdy bolesność piersi ustępuje (koniec pierwszego trymestru), utrzymujący się stan zwiększonej wrażliwości wzbogaca doznania obojga partnerów.

Zmiany wydzieliny z pochwy. Wydzielina zmienia się pod względem objętości, konsystencji, zapachu i smaku. Zwiększenie wydzielania może spowodować, że stosunek płciowy będzie przyjemniejszy, gdy dotychczas pochwa była wyjątkowo wąska i/lub występowała znaczna jej suchość. Może jednak dojść do sytuacji, że pochwa jest tak wilgotna i śliska, że partner ma kłopoty z utrzymaniem erekcji. Także intensywny zapach i smak wydzieliny może sprawić, że dla wielu partnerów seks oralny będzie nieprzyjemny. Wcieranie olejków zapachowych w okolicy łonowej i po wewnętrznej stronie ud może tę uciążliwość zmniejszyć.

Krwawienia wywołane wzrostem wrażliwości szyjki macicy. W ciąży także ujście macicy staje się przekrwione w wyniku zwiększenia przepływu krwi przez wiele dodatkowych naczyń uzupełniających odżywienie macicy. Staje się ono także o wiele delikatniejsze. W tej sytuacji głębokie wprowadzenie prącia może spowodować krwawienie, szczególnie w okresie późniejszym, gdy szyjka przygotowuje się do porodu. Gdy do tego dojdzie (a jednocześnie lekarz zaleca wstrzemięźliwość we współżyciu ze względu na niebezpieczeństwo poronienia lub innych komplikacji), po prostu należy unikać głębokiego wprowadzania prącia do pochwy. Jest to także częsta przyczyna psychicznego niepokoju rzutującego na przyjemność współżycia i dlatego należy tego stanu unikać.

Obawa przed urażeniem płodu lub spowodowaniem poronienia. W prawidłowej ciąży współżycie nie niesie takiego zagrożenia. Płód jest dobrze chroniony wewnątrz worka owodniowego i macicy, a macica jest szczelnie oddzielona od środowiska zewnętrznego przez warstwę śluzu znajdującą się w ujściu szyjki macicy.

Niepokój, że orgazm może być przyczyną poronienia lub porodu przedwczesnego. Chociaż podczas orgazmu dochodzi do skurczów macicy – a skurcze te u pewnej grupy kobiet mogą być silniej zaznaczone i trwać do pół godziny po stosunku – nie są one sygnałem przedwczesnego porodu, nie niosą ze sobą niebezpieczeństwa w przypadku ciąży prawidłowej. Jednakże orgazm, szczególnie o większym nasileniu (spowodowany przez masturbację), może być zakazany w ciąży wysokiego ryzyka z powodu zagrażającego poronienia lub porodu przedwczesnego.

Strach, że płód „ma świadomość" lub „widzi, co się dzieje". Choć płód może odczuwać z przyjemnością delikatne, kołyszące skurcze macicy podczas orgazmu – z pewnością niczego „nie widzi" i „nie wie", co się dzieje podczas stosunku. Reakcja płodu (uspokojenie w czasie stosunku, a po orgazmie silne ruchy i przyspieszona czynność serca), to tylko wynik procesów hormonalnych i zmian napięcia ścian macicy.

Obawa, że wprowadzenie prącia do pochwy może być przyczyną infekcji. Przez pierwszych 7-8 miesięcy ciąży, jeśli tylko mężczyzna nie jest zarażony chorobą przenoszoną drogą płciową, nie ma niebezpieczeństwa zakażenia ani matki, ani płodu. W worku owodniowym dziecko jest całkowicie zabezpieczone przed wniknięciem nasienia i drobnoustrojów chorobotwórczych. Wielu lekarzy uważa także, że stan ten występuje również w 9 miesiącu ciąży, gdy worek owodniowy jest nienaruszony (nie doszło do pęknięcia błon płodowych). Jednak z powodu niebezpieczeństwa pęknięcia błon płodowych w każdej chwili zalecane jest stosowanie prezerwatywy w ciągu ostatnich 4-8 tygodni ciąży, co daje dodatkowe zabezpieczenie przed zakażeniem.

Niepokój i podniecenie wywołane nadchodzącym porodem. Oboje: przyszła matka i ojciec mają często mieszane uczucia co do zbliżającego się wydarzenia. Myśli o nowych obowiązkach i zmianach trybu życia, finansowych i emocjonalnych kosztach wychowania potomstwa, mogą zmniejszać potrzebę współżycia. To rozdwojenie uczuć, którego doznaje wiele par oczekujących dziecka, powinno być jednak tematem rozmowy partnerów, a nie znajdować ujście w sytuacjach intymnych.

Zmiana stosunków między żoną i mężem. Małżeństwo może mieć kłopot z pogodzeniem się z myślą, że czas, gdy byli tylko kochankami czy też mężem i żoną, mija bezpowrotnie. Mimo wszystko większość z nas ciągle unika kojarzenia własnych rodziców z seksem, choć sami jesteśmy dowodem, że taki związek istnieje. Z drugiej jednak strony wiele par może odkryć, że ten nowy wymiar ich współżycia może dodać pełni ich kontaktom seksualnym i uczynić je bardziej pasjonującymi.

Podświadoma niechęć. Uczucie to ze strony przyszłego ojca pojawia się, gdy jest on zazdrosny, że teraz przyszła matka znajdzie się w centrum uwagi. Ze strony matki podświadoma niechęć narasta, gdy uważa, że to ona znosi wszystkie cierpienia dla dziecka (szczególnie, jeśli ciąża przebiega z uciążliwościami), którego oboje oczekują i z którego oboje się cieszą. Te problemy koniecznie muszą być wyjaśnione w trakcie rozmowy, lecz nie w łóżku.

Przekonanie, że stosunek płciowy w ciągu ostatnich sześciu tygodni ciąży stanie się przyczyną rozpoczęcia czynności porodowej. To prawda, że skurcze macicy wyzwalane przez orgazm stają się z rozwojem ciąży coraz mocniejsze. Ale jeśli tylko szyjka macicy nie jest odpowiednio przygotowana (dojrzała do porodu), to te skurcze nie mają charakteru wczesnej czynności porodowej. Może to potwierdzić także wiele niecierpliwych par, dla których przewidywany termin rozwiązania już minął. Jednakże ze względu na to, że nieznany jest bezpośredni mechanizm rozpoczynający poród, a także ze względu na obserwowany wzrost częstości porodów przedwczesnych w przypadkach kontynuacji współżycia, także przez ostatnie tygodnie ciąży lekarz może zalecić wstrzemięźliwość płciową w przypadku tendencji do porodu przedwczesnego.

Obawa przed urażeniem dziecka w okresie, gdy jego główka wstawia się do miednicy. Nawet te pary, które nie miały dotąd problemów ze współżyciem, mogą narzucić sobie pewien rygor. Wielu lekarzy uważa, że choć nie można w ten sposób zrobić dziecku krzywdy, to w tym okresie głębokie wprowadzenie prącia do pochwy nie jest wygodne i należy tego unikać.

Warto pamiętać, że także czynniki psychiczne mogą mieć wpływ na polepszenie kontaktów seksualnych między partnerami.

Zmiana charakteru współżycia z prokreacyjnego na rekreacyjny. Niektóre pary, które musiały dokładać wielu starań, by doszło do zapłodnienia, mogą wreszcie rozkoszować się życiem płciowym samym w sobie, a ich kontakty nie są obciążone stresem i niecierpliwością. Koniec z kalendarzami, wykresami, pomiarami temperatury i wiecznym oczekiwaniem. Mogą się cieszyć sobą w pełni po raz pierwszy od miesięcy lub lat.

Choć współżycie w okresie ciąży może nieść inne doznania niż przed nią, to zazwyczaj nie niesie ze sobą żadnego niebezpieczeństwa. Jest ono wręcz pożądane tak pod względem fizycznym, jak i psychicznym. Pomaga w utrzymaniu bliskiej więzi między partnerami, a jednocześnie przygotowuje mięśnie miednicy do porodu. Jest ono także czynnikiem relaksującym, co jest korzystne dla zainteresowanych, włączając w to dziecko.

KIEDY NALEŻY OGRANICZYĆ WSPÓŁŻYCIE PŁCIOWE?

Ponieważ kontakty intymne dają przyszłym rodzicom bardzo wiele – idealny byłby stan, gdyby wszystkie pary mogły z tych przyjemności korzystać przez całą ciążę. Niestety, nie jest to dane wszystkim. W ciąży wysokiego ryzyka współżycie może być ograniczone na pewien czas lub nawet na całe 9 miesięcy. Niekiedy współżycie może być dozwolone pod warunkiem, że żona będzie unikała orgazmu lub też pożycie płciowe będzie ograniczone do pettingu. Najważniejsze jest, by wiedzieć, co i kiedy jest bezpieczne. Jeżeli lekarz zaleca wstrzemięźliwość, należy go zapytać, czy dotyczy to pełnego stosunku płciowego, czy orgazmu i czy to ograniczenie dotyczy określonego okresu, czy całej ciąży. Najczęstsze przyczyny, dla których należy unikać współżycia płciowego:

- pojawianie się krwawienia z nie wyjaśnionych przyczyn;
- podczas pierwszego trymestru u kobiet, których wcześniejsze ciąże zakończyły się poronieniem lub wystąpiło poronienie zagrażające bądź są objawy poronienia zagrażającego w obecnej ciąży;
- podczas ostatnich 8-12 tygodni ciąży w przypadku kobiet, których poprzednie ciąże zakończyły się porodem przedwczesnym, wystąpiło zagrożenie porodem przedwczesnym lub obserwowane są objawy zagrożenia;
- w wypadku pękniętych błon płodowych;
- gdy rozpoznano łożysko przodujące (łożysko położone jest w pobliżu lub nad szyjką macicy) i stosunek płciowy mógłby spowodować jego przedwczesne oddzielenie, powodując krwawienie zagrażające matce i dziecku;
- w ciągu ostatniego trymestru w przypadku ciąży wielopłodowej.

JAK W KONTAKTACH INTYMNYCH OSIĄGNĄĆ WIĘKSZĄ PRZYJEMNOŚĆ PRZY OGRANICZENIU AKTYWNOŚCI SEKSUALNEJ?

Trwałe związki seksualne, tak jak i trwałe małżeństwa, rzadko są tworzone w ciągu jednego dnia (albo nawet jednej wspaniałej nocy). Są wynikiem współpracy, cierpliwości, zrozumienia i miłości. Dotyczy to także już ustalonego rytuału pożycia płciowego, który w danej chwili doświadcza psychicznych i fizycznych niewygód ciąży. Oto parę sposobów, by utrzymać kontakty intymne na „najwyższym poziomie”:

Niepokojący obraz ultrasonograficzny

U około 1 do 4% płodów w czasie drugiego trymestru badanie ultrasonograficzne stwierdza istnienie w mózgu torbieli splotu naczyniówki. Chociaż diagnoza ta bardzo niepokoi, zdecydowana większość torbieli zanika przed porodem i nie powoduje późniejszych wad rozwojowych. Jeśli torbieli nie towarzyszą inne oznaki nieprawidłowego rozwoju płodu, prognoza jest bardzo dobra.

- Nie wolno pozwolić, by częstość zbliżeń fizycznych wpływała na inne sprawy związku. To jakość, a nie ilość kontaktów jest ważniejsza i to szczególnie podczas ciąży.
- Należy kłaść znaczny nacisk na miłość i uczucie, a nie samą sferę fizyczną związku. Jeżeli jeden lub oboje partnerów nie ma poczucia pełni zbliżenia lub nie daje ono pełnego zaspokojenia, wywołując stres – trzeba poszukiwać kontaktów intymnych innego rodzaju. Jest ich o wiele więcej niż w poradnikach seksuologicznych, np.: staromodne całowanie i obejmowanie, trzymanie się za ręce, masaż pleców, stóp, dzielenie się w łóżku słodkim koktajlem (patrz s. 117), czytanie romantycznych wierszy, oglądanie telewizji, przytulanie się pod kocem, wspólny prysznic, obiad w restauracji lub w domu przy świecach i cokolwiek, co budzi w partnerach poczucie zakochania.
- Wyjaśnienie niepokojów, które pojawiły się w waszym związku ze względu na nadchodzący moment narodzin dziecka i związane z tym zmiany potrzeb i oczekiwań wobec sfery kontaktów intymnych. O wszystkim należy rozmawiać szczerze, a gdy problemy są zbyt trudne do rozwiązania, należy korzystać z pomocy specjalistów.
- Trzeba szukać wszystkich korzyści płynących ze współżycia: jest ono także dobrym fizycznym przygotowaniem do porodu. (Niewielu atletów ma tyle przyjemności ze swych treningów!)
- Trzeba myśleć o próbowaniu nowych pozycji jako o przygodzie. Ale trzeba je wprowadzać z cierpliwością. (Można nawet przećwiczyć je wstępnie w ubraniu, tak że wiadomo będzie, czego można się spodziewać przy prawdziwym zbliżeniu.) Najwygodniejszymi pozycjami są: mężczyzna na górze (z odciążeniem kobiety przez wsparcie na ramionach lub przechylenie na jedną stronę), kobieta na górze (unikać głębokiego wprowadzenia prącia), obydwoje partnerzy leżą na boku przodem do siebie lub kobieta plecami do mężczyzny.
- Swoje oczekiwania należy podporządkować rzeczywistości. Choć niektóre kobiety przeżywają orgazm po raz pierwszy właśnie w ciąży – pewne badania dowodzą, że większość kobiet osiąga orgazm rzadziej niż przed zapłodnieniem – szczególnie podczas ostatniego trymestru, gdy tylko jedna na cztery kobiety szczytuje.
- Jeśli lekarz zabroni kontaktów fizycznych w pewnym okresie ciąży, należy wyjaśnić, czy dozwolone jest osiąganie orgazmu przez wzajemną masturbację. Jeśli jest to tabu dla partnerki – może ona osiągnąć zadowolenie z zaspokojenia partnera.
- Jeżeli lekarz zakazał osiągania orgazmu, ale nie samego stosunku płciowego, możecie nadal czerpać przyjemność ze współżycia bez szczytowania. Może to nie dać pełnego zadowolenia, ale stworzy choć poczucie intymności. Inne rozwiązanie to stosunek przez wprowadzenie prącia między uda.

Nawet jeśli charakter lub częstość waszych kontaktów nie jest taka jak dotychczas – zrozumienie przyczyn zmian intensywności życia płciowego w ciąży może pomóc w utrzymaniu silnej więzi, a nawet jeszcze ją pogłębić, bez wyszukanych i częstych zbliżeń fizycznych.

9

Piąty miesiąc

Czego możesz oczekiwać w czasie badania okresowego

W tym miesiącu wizyta kontrolna u lekarza może obejmować następujące badania, dobrane pod kątem stanu pacjentki i wg stylu pracy lekarza[1]:

- ciśnienie tętnicze krwi;
- badanie moczu z oznaczeniem poziomu cukru i białka;
- czynność serca płodu;
- wymiary i kształt macicy w badaniu zewnętrznym;
- wysokość dna macicy;
- kontrola stóp i rąk ze względu na niebezpieczeństwo powstawania obrzęków oraz nóg ze względu na żylaki;
- weryfikacja obserwowanych objawów, szczególnie tych, które budzą niepokój pacjentki;
- wyjaśnienie innych wątpliwości pacjentki.

Co możesz odczuwać

Wymienione niżej objawy mogą występować razem lub w odstępach czasowych, mogły rozpocząć się w ubiegłym miesiącu lub pojawić się dopiero teraz. Ewentualnie mogą występować inne rzadsze objawy.

OBJAWY FIZYCZNE:

- ruchy płodu;
- zwiększenie ilości białawych upławów (leukorrhea);
- bóle podbrzusza (wynik rozciągania więzadeł podtrzymujących macicę);
- zaparcia;
- zgaga, niestrawność, wzdęcia;
- okresowe bóle głowy, omdlenia, zawroty głowy;
- nieżyt nosa i krwawienie z nosa, uczucie niedrożności;
- nieżyt ucha;

[1] Badania i testy opisane są w oddzielnym rozdziale *Dodatek*.

JAK MOŻESZ WYGLĄDAĆ

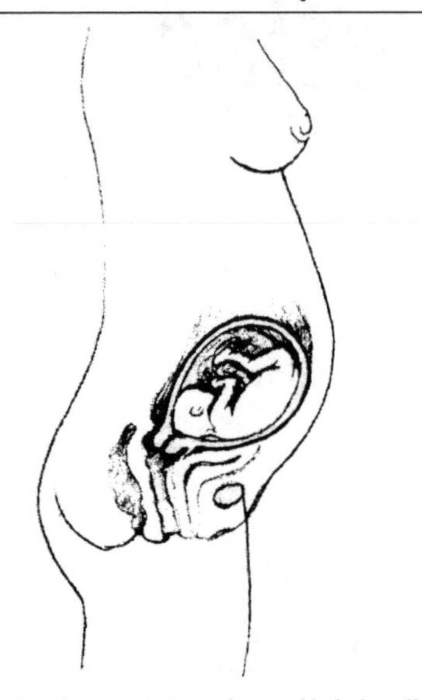

Pod koniec piątego miesiąca aktywność płodu o długości około 20-25 cm jest już tak silna, że jest odczuwana przez matkę. Jego ciało pokryte jest delikatnym meszkiem, na główce zaczynają rosnąć włosy, pojawiają się brwi i białawe rzęsy. Ochronna maź pokrywa płód.

- krwawienie z dziąseł;
- wzmożony apetyt;
- kurcze nóg;
- obrzęki stóp i kostek oraz czasami twarzy i rąk;
- żylaki podudzi i/lub żylaki odbytu;
- przyspieszona czynność serca;
- łatwiejsze lub trudniejsze osiąganie orgazmu;
- ból pleców;
- zmiana pigmentacji skóry na brzuchu i/lub twarzy.

ODCZUCIA PSYCHICZNE:

- coraz pełniejsze zrozumienie i poczucie „bycia w ciąży";
- rzadsze zmiany nastroju, lecz nadal pojawiać się może drażliwość oraz roztargnienie.

CO MOŻE CIĘ NIEPOKOIĆ

ZMĘCZENIE

Męczę się, gdy wykonuję ćwiczenia gimnastyczne lub sprzątam. Czy powinnam przestać?

Nie tylko powinnaś przestać, gdy jesteś zmęczona, ale jeśli tylko jest to możliwe, przestań, zanim poczujesz zmęczenie. Doprowadzenie się do stanu wyczerpania nigdy nie jest wskazane, szczególnie podczas ciąży, gdyż jego skutki odbijają się nie tylko na matce, ale i na dziecku. Należy dokładnie śledzić reakcje organizmu. Gdy podczas biegu zaczyna się tracić oddech lub gdy ma się wrażenie, że odkurzacz waży tonę – trzeba zrobić przerwę.

Zamiast układać swe zajęcia na zasadzie maratonu, trzeba ustalić specjalne tempo pracy i odpoczynku – na zmianę. Zazwyczaj można sobie poradzić z pracą i gimnastyką bez niepotrzebnego przepracowania. A jeśli czasem na coś nie starczy sił lub czasu, to jest to dobre przygotowanie na dni, kiedy obowiązki matki często nie pozwolą na dokończenie rozpoczętych prac. (Patrz s. 125, aby poznać szczegóły związane ze zmęczeniem.)

OMDLENIA I ZAWROTY GŁOWY

Czuję, że kręci mi się w głowie, nawet gdy wstaję z łóżka lub z krzesła. A wczoraj podczas zakupów prawie zemdlałam. Co to znaczy? Czy jest to niebezpieczne dla dziecka?

Niewątpliwie przypadki omdlenia są bardzo częste w tym okresie. Podczas gdy zawroty głowy są dla ciąży dość charakterystyczne, to omdlenia nie mają tej cechy. Jest wiele przyczyn, potwierdzonych lub domniemanych, dlaczego te objawy tak często dokuczają ciężarnym kobietom.

W pierwszym trymestrze zawroty głowy mogą być skutkiem dysproporcji między gwałtownie powiększającą się objętością naczyń krwionośnych a objętością krwi. W drugim – przyczyną może być ucisk rosnącej macicy na naczynia krwionośne. Zawroty głowy mogą pojawiać się zawsze przy wstawaniu lub wyprostowywaniu z pozycji pochylonej i jest to tzw. podciśnienie ortostatyczne. Spowodowane jest to przez gwałtowny odpływ krwi z naczyń mózgu przy gwałtownym spadku ciśnienia. Leczenie jest proste: zawsze należy wstawać stopniowo. Gwałtowne poderwanie się, by odebrać telefon, najpewniej skończy się lądowaniem na kanapie.

Inny powód takiego stanu to niski poziom cukru we krwi. Najczęściej dochodzi do tego przy zbyt długich przerwach między posiłkami, a zapobiega temu spożywanie pokarmów białkowych podczas każdego posiłku (co pomaga w utrzymaniu odpowiedniego poziomu cukru) i drobnych przekąsek między posiłkami. Warto w swojej torebce nosić rodzynki, owoce, herbatniki z otrębami lub paluszki w celu szybkiego podniesienia poziomu cukru.

Zawroty głowy mogą pojawiać się także podczas pobytu w przegrzanym sklepie czy biurze lub w czasie jazdy autobusem, szczególnie gdy jesteś ciepło ubrana. Wtedy najlepiej zaczerpnąć świeżego powietrza, wychodząc na zewnątrz lub otwierając okno. Dobrze jest też zdjąć płaszcz i poluźnić kołnierzyk – to też powinno przynieść ulgę. W sytuacji, gdy czuje się zbliżające omdlenie i utratę przytomności, należy zwiększyć przepływ krwi przez naczynia poprzez przyjęcie pozycji leżącej z uniesieniem stóp (nie głowy!) lub siedzącej z pochyleniem głowy w przód, między kolana. Jeśli w danej sytuacji nie ma możliwości położenia się, można uklęknąć na oba lub na jedno kolano, pochylić się tak, jak przy wiązaniu sznurowadeł. Całkowite omdlenie jest rzadkie, a nawet gdy się zdarza, nie ma powodu do obaw – choć chwilowo zmniejszony jest przepływ krwi przez naczynia mózgowe, to nie ma to wpływu na zdrowie dziecka[1].

Należy poinformować lekarza przy kolejnej wizycie o częstości i nasileniu zawrotów głowy, natomiast wypadki utraty przytomności należy konsultować natychmiast, gdyż częste omdlenia mogą być objawem ciężkiej anemii lub innego schorzenia.

BADANIA KONTROLNE W KIERUNKU WIRUSOWEGO ZAPALENIA WĄTROBY

W piątym miesiącu ciąży mój lekarz zlecił wykonanie testu w kierunku WZW. Dlaczego?

Rutynowym środkiem ostrożności jest zalecenie, aby wszystkie kobiety były poddane, co najmniej jeden raz, temu badaniu, zwykle pod koniec drugiego trymestru ciąży. Jest to spowodowane tym, że wirusowe zapalenie wątroby typu B (w przeciwieństwie do typu A) może zostać przeniesione na płód, szczególnie podczas porodu, a także (choć sporadycznie) w czasie ciąży. Około 9 na 10 zakażonych dzieci staje się nosicielami wirusowego zapalenia wątroby typu B i grozi im niebezpieczeństwo zapalenia wątroby lub innych poważniejszych schorzeń wątroby. Rutynowe badanie wykonane u matki w przypadku pozytywnego wyniku daje możliwość rozpoczęcia leczenia dziecka od momentu narodzin (patrz s. 320), co zazwyczaj zapobiega groźnym następstwom zakażenia.

POZYCJA DO SPANIA

Zawsze spałam na brzuchu. Teraz boję się to robić, a nie mogę sobie znaleźć innej wygodnej pozycji.

Rezygnacja z ulubionej pozycji podczas snu może być tak przykra jak rozstanie z ukochanym misiem, gdy miało się 6 lat.

---

[1] Pierwsza pomoc dla ciężarnej, która rzeczywiście zemdlała, jest taka sama jak w innych przypadkach omdleń.

Spanie na lewym boku

Trzeba się zgodzić na parę bezsennych nocy, lecz tylko do chwili przyzwyczajenia się do nowego ułożenia. A czas na zmianę jest już teraz, zanim rosnący brzuch uczyni to jeszcze trudniejszym.

Dwa najczęstsze ułożenia podczas snu na brzuchu i na plecach – nie są zbyt wygodne w czasie ciąży. Pozycja „na brzuchu" jest niewygodna ze względów oczywistych – przeszkadza rosnący brzuch i spanie na nim byłoby jak spanie na arbuzie. Pozycja na plecach, choć wygodniejsza, sprawia, że cała masa ciężarnej macicy spoczywa na kręgosłupie, jelitach i żyle głównej dolnej (żyle odpowiedzialnej za odpływ krwi z całej dolnej części ciała do serca). Może się to stać przyczyną bólu pleców oraz hemoroidów, hamować funkcje układu pokarmowego, przeszkadzać w oddychaniu i krążeniu krwi, a nawet wywoływać hipotensję, tj. niskie ciśnienie krwi.

Nie znaczy to jednak, że należy spać na stojąco. Zwijanie się w kłębek lub prostowanie w leżeniu na boku – najlepiej lewym – z założeniem jednej nogi na drugą lub poduszką między nimi jest najlepsze tak dla matki, jak i dla płodu. Nie tylko ułatwiony jest przepływ krwi ze składnikami odżywczymi do łożyska, lecz wspomagana jest także praca nerek, co oznacza skuteczniejsze usuwanie odpadowych produktów metabolizmu i nadmiaru płynów oraz zmniejszenie obrzęku kostek, stóp i rąk.

Niewiele osób potrafi spać w nie zmienionej pozycji przez całą noc. Nie ma powodu do obaw, gdy budzimy się nagle w pozycji na plecach lub brzuchu. Nic złego się nie stało i należy powrócić do pozycji na lewym boku. Zmiana ułożenia może być niewygodna przez parę nocy, ale ciało dostosuje się do niej bardzo szybko.

BÓLE PLECÓW

Bardzo dokucza mi ból pleców. Boję się, że pod koniec dziewiątego miesiąca nie będę potrafiła wstać.

Bóle i inne niewygody w czasie ciąży nie mają być pasmem udręk. Są to objawy towarzyszące przygotowaniu ciała kobiety na moment, gdy dziecko będzie się rodzić. Jednym z nich jest ból pleców. W okresie ciąży stawy biodrowo-krzyżowe, które zazwyczaj są nieruchome, zaczynają się rozluźniać, by umożliwić łatwiejsze przejście dziecka w czasie porodu. To oraz powiększony brzuch zaburzają poczucie równowagi. By temu zapobiec, często dochodzi do odwodzenia ramion do tyłu i zginania szyi. Wypinanie brzucha,

Przyjmowanie pozycji zapobiegającej bólom pleców

by nikt nie przeoczył stanu matki, tylko komplikuje problem. Skutek to: znacznie wygięty kręgosłup w dolnej części pleców, napięte mięśnie pleców oraz ból.

Ból nawet z takiej przyczyny jest dokuczliwy. Lecz choć tej przyczyny nie można usunąć, to można zwalczyć (lub chociażby uśmierzyć) sam ból. Najlepsze postępowanie to oczywiście zapobieganie: silne mięśnie brzucha sprzed ciąży, prawidłowa postawa i zręczne ruchy. Ale w tej chwili też nie jest za późno, by tę zręczność poprawić dla zmniejszenia bolesności kręgosłupa. Aby prawidłowo się prostować, należy ćwiczyć mięśnie miednicy (patrz s. 199). A oto inne rady:

- Zapobieganie nadmiernemu przybieraniu na wadze. Dodatkowe kilogramy tylko niepotrzebnie obciążają kręgosłup.
- Zaleca się unikanie pantofli na wysokim obcasie, a nawet płaskich, które nie mają odpowiedniej budowy wspierającej stopę. Niektórzy lekarze zalecają szerokie obcasy do wysokości 5 cm. Bywają też specjalnie projektowane buty i wkładki stosowane do zapobiegania bólom nóg i kręgosłupa. Dobrze jest skorzystać z rady lekarza lub sprzedawcy obuwia.
- Należy nauczyć się prawidłowego podnoszenia ciężarów (paczek, dzieci, prania, książek itp.). Nie wolno gwałtownie podnosić ciężarów. Po pierwsze trzeba stanąć stabilnie w lekkim rozkroku i napiąć pośladki. Uginamy kolana (a nie zginamy się w pasie) i podnosimy ciężar, używając mięśni ramion i nóg; a nie pleców (patrz rycina powyżej). Jeśli ból jest szczególnie dokuczliwy, należy unikać noszenia ciężarów. Jeżeli jednak zachodzi taka potrzeba – dobrze jest nosić zakupy w dwóch siatkach i nosić po jednej w każdej ręce, a nie dźwigać wszystko w jednej ręce, opierając siatkę na brzuchu.
- Unikać długiego stania. Jeśli jest to konieczne – należy jedną stopę oprzeć na niskim taborecie i ugiąć tę nogę w kolanie, co zapobiega nadmiernemu napinaniu mięśni krzyża (patrz rycina na poprzedniej stronie).

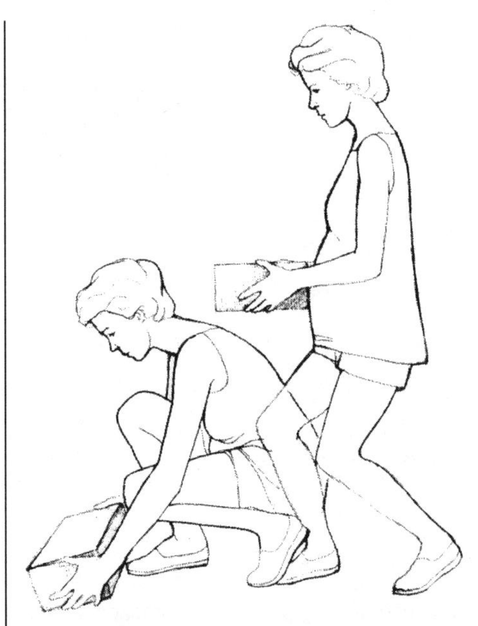

Zginanie kolan

Podczas stania na twardym podłożu, np. podczas gotowania lub mycia naczyń, należy podłożyć pod nogi dywanik, który zapobiegnie poślizgom.

- Prawidłowe siedzenie. Siedzenie obciąża kręgosłup o wiele bardziej niż inne czynności, tak więc prawidłowe siedzenie ma duże znaczenie. Oznacza to siedzenie na krześle, które daje odpowiednie wsparcie kręgosłupowi: najlepiej z prostym oparciem dla pleców, poręczami (należy się na nich wspierać podczas wstawania) i twardym siedziskiem, co zapobiega „zapadaniu się”. Należy unikać krzeseł bez oparcia i ławek. Nigdy nie należy zakładać nogi na nogę. Jest to nie tylko przyczyna upośledzenia krążenia, ale powoduje też zbytnie przeciążenie, przegięcie miednicy w przód, nasilając ból. Jeśli to tylko możliwe, dobrze jest używać podnóżka (patrz ryc. na następnej stronie). Także jadąc samochodem, można przysunąć siedzenie do przodu, co umożliwia zgięcie i uniesienie jednego kolana.

Siedzenie zbyt długie może być tak szkodliwe jak siedzenie nieprawidłowe. Dobrze jest siedzieć nie dłużej niż jedną godzinę, a następnie zrobić przerwę prze-

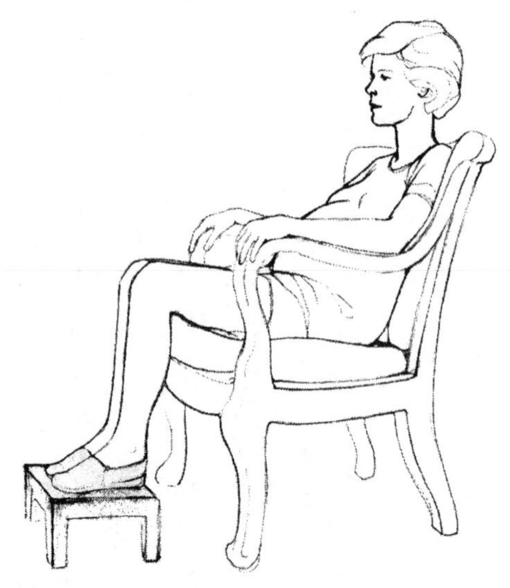

Wygodne siedzenie

znaczoną na spacer lub ćwiczenia rozciągające. Najlepiej jednak ustalić sobie półgodzinny limit.

- Zaleca się też spanie na twardym materacu lub położenie deski pod miękki. Wygodna pozycja podczas snu (patrz s. 183) zmniejszy ból przy przebudzeniu. Wstając, należy przełożyć obie nogi razem na krawędź łóżka i postawić je na podłodze, zamiast przewracać się na bok.
- Należy skonsultować z lekarzem, czy dla uśmierzenia bólu i/lub wzmocnienia kręgosłupa można by zastosować pas ciążowy.
- Nie należy nadmiernie naciągać mięśni przy czynnościach takich, jak wieszanie obrazów czy porządki na najwyższych półkach w kuchni. Można po prostu stanąć na taborecie. Wyciąganie ramienia naciąga mięśnie pleców.
- Można stosować poduszkę elektryczną (zawiniętą w ręcznik) lub ciepłe (lecz nie gorące) kąpiele, co przynosi okresową ulgę bolącym mięśniom.
- Należy nauczyć się odpoczywać. Wiele dolegliwości związanych z plecami pomnaża stresy. Jeśli wydaje ci się, że to może być główna przyczyna dyskomfortu – gdy pojawi się ból, należy wykonywać ćwiczenia relaksujące (patrz też s. 135 – walka z codziennym stresem).
- Należy wykonywać proste ćwiczenia, które wzmocnią mięśnie brzucha, jak tzw. „koci grzbiet" (s. 200), i ćwiczenia mięśni miednicy (s. 199).

NOSZENIE STARSZYCH DZIECI

Mam trzyipółletnią córkę, która zawsze chce, by zanieść ją na piętro, ale pod jej ciężarem załamują się moje plecy.

Lepiej złamać ten zły zwyczaj dziecka, a nie własne plecy. Obciążenie noszonym cały czas płodem jest wystarczające, bez dodawania 20 kg przedszkolaka. Jednak nie należy czynić odpowiedzialnym za tę zmianę przyszłego brata lub siostrę, lecz właśnie bolące plecy. Trzeba też chwalić dziecko za to, że w ten sposób pomaga mamie. Oczywiście zdarza się, że dziecko odmawia samodzielnego marszu, wtedy należy nauczyć się poprawnego podnoszenia (patrz s. 185) i upewnić się, że nie zaszkodzi płodowi, chyba że lekarz zabrania tak ciężkich ćwiczeń.

KŁOPOTY ZE STOPAMI

Wszystkie moje buty stały się okropnie ciasne. Czy stopy rosną mi tak jak brzuch?

Choć nie przez autentyczny wzrost, ale rzeczywiście stopy mogą się stawać coraz większe, przede wszystkim w wyniku obrzęków wywołanych normalną w ciąży retencją płynów. W sytuacji znacznego przybrania na wadze może to być także odrobina tkanki tłuszczowej. Także stawy skokowe (jak wszystkie inne) ulegają pewnemu rozluźnieniu od chwili, gdy hormon relaksyna rozpocznie rozluźnianie stawów miednicy, przygotowując ją do porodu. Obrzęk oraz nadwaga zazwyczaj znikają po porodzie. Choć stawy także ulegną ponownemu zacieśnieniu, to stopy mogą powiększyć się na stałe nawet o 1 rozmiar buta.

Tymczasem należy stosować metody mające na celu zmniejszenie obrzęków (s. 223), jeśli one są ich główną przyczyną, i kupić kilka par butów, które będą pasowały w tej chwili: jedną do spacerowania i pracy oraz parę butów wizytowych. Obie pary nie powinny mieć obcasów wyższych niż 5 cm, powinny mieć antypoślizgowe podeszwy i dużo miejsca na puchnące stopy (przymiarki należy dokonywać pod koniec dnia, gdy stopy są najbardziej obrzęknięte). Tworzywem powinna być skóra lub tkanina, co umożliwi skórze stóp „oddychanie".

Buty lub wkładki ortopedyczne, korygujące środek ciężkości w okresie ciąży, mogą przynieść ulgę nie tylko stopom, ale też kręgosłupowi i całym nogom. Są one dostępne w dwóch różnych wzorach dla 6 pierwszych miesięcy ciąży oraz trzeciego trymestru. Należy poprosić lekarza o pomoc w ich nabyciu. Także pantofle domowe mają duże znaczenie i pomagają walczyć z bólem. Jeśli to tylko możliwe – dobrze jest nosić je także w pracy.

SZYBKO ROSNĄCE WŁOSY I PAZNOKCIE

Mam wrażenie, że włosy i paznokcie nigdy nie rosły mi tak prędko.

Przyspieszenie przepływu krwi i zwiększenie ilości substancji odżywczych powoduje także lepsze odżywienie komórek skóry. Przyjemnym tego efektem jest taki przyrost paznokci, że nie można nadążyć z robieniem manicure, i włosów, które mogą też gęstnieć i nabierać połysku.

Poprawa odżywienia skóry może jednak spowodować także mniej przyjemne efekty. Owłosienie może się pojawiać w miejscach, gdzie kobiety sobie tego nie życzą. Twarz – okolice warg, broda, policzki to główne miejsca występowania spowodowanego ciążą hirsutyzmu, ale może on dotyczyć też ramion, nóg, pleców i brzucha. Większość tych włosów znika w ciągu 6 miesięcy po porodzie, lecz resztki mogą pozostawać jeszcze dłużej.

Choć nie ma dowodów, że jest to niebezpieczne, to dobrze jest wstrzymać stosowanie depilatorów lub kremów rozjaśniających od momentu zajścia w ciążę. Skóra może nie tolerować tych związków chemicznych, a mogą one być wchłaniane przez drobne naczynia krwionośne. Wyrywanie włosów na twarzy oraz golenie nóg i pach nie niosą ze sobą tego ryzyka.

PÓŹNE PORONIENIE

Znajomi twierdzą, że gdy minie trzeci miesiąc ciąży, nie ma już ryzyka poronienia. Ale znam kobietę, która straciła dziecko w piątym miesiącu.

Chociaż to prawda, że po trzecim miesiącu możliwość poronienia jest bardzo znikoma, to sporadycznie zdarza się utrata płodu między 12 a 20 tygodniem ciąży. Jest to tzw. późne poronienie i stanowi mniej niż 25% poronień samoistnych. Rzadko zdarza się w ciążach niepowikłanych. Po 20 tygodniu, gdy płód waży już około 500 g i ma szanse na przeżycie pod opieką specjalnych służb medycznych, poród taki nazywa się porodem przedwczesnym, a nie poronieniem.

W przeciwieństwie do poronień w pierwszym trymestrze, których przyczyną jest zazwyczaj sam płód, w drugim trymestrze powodem są zazwyczaj zaburzenia dotyczące łożyska lub matki. Łożysko może przedwcześnie oddzielić się od macicy, być nieprawidłowo zagnieżdżone lub nie produkować prawidłowych hormonów odpowiedzialnych za utrzymanie ciąży. W przypadku, gdy przyczyna jest związana z matką, może to być zabieg chirurgiczny na narządach miednicy mniejszej lub zażywany lek. Inne przyczyny to: ciężka infekcja, nie leczona przewlekła choroba, znaczne niedożywienie, zaburzenia hormonalne, mięśniaki macicy, nieprawidłowo zbudowana macica lub niewydolna i przedwcześnie rozwierająca się szyjka. Ciężki uraz psychiczny (np. udział w ciężkim wypadku samochodowym bez obrażeń fizycznych) odgrywa małą rolę w wywołaniu poronienia bez względu na okres ciąży.

Wczesne objawy poronienia w środkowym trymestrze to utrzymujące się przez parę dni różowe lub brunatne upławy o specyficznej woni. W przypadku zaobserwowania takich upławów nie należy wpadąć w panikę, gdyż nie musi to być objaw niebezpieczny. Należy jednak zawiadomić lekarza jeszcze tego samego dnia. W razie znacznego krwawienia z/lub bez skurczów należy natychmiast skontaktować się z lekarzem lub udać się do szpitala (patrz s. 346).

BÓLE BRZUCHA

Niepokoją mnie bardzo bóle, które pojawiają się po bokach miednicy.

Bóle te są spowodowane prawdopodobnie rozciąganiem mięśni i więzadeł podtrzymujących macicę. Odczuwa je większość ciężarnych. Ból może mieć charakter skurczu lub kłucia i najczęściej pojawia się przy wstawaniu z łóżka lub krzesła lub podczas kaszlu. Może trwać bardzo krótko bądź parę godzin. Dopóki jest przejściowy i nie towarzyszą mu: podwyższona temperatura, dreszcze, krwawienia, obfite upławy, omdlenia bądź inne nietypowe objawy – nie ma powodu do obaw. Odpoczynek w wygodnej pozycji powinien przynieść znaczną ulgę. Ból ten należy zgłosić lekarzowi przy następnej wizycie.

ZMIANY PIGMENTACJI SKÓRY

Mam ciemną pionową linię na brzuchu i plamki na twarzy. Czy ta zmiana to zjawisko normalne i czy przebarwienie pozostanie także po zakończeniu ciąży?

To kolejny efekt zmian hormonalnych. Tak jak spowodowały ściemnienie obwódek wokół sutków, również odpowiedzialne są za zwiększenie pigmentacji, tzw. *linea alba* – kresy białej, która jest niewidoczna, a biegnie w dół od środka brzucha do spojenia łonowego. W okresie ciąży zmienia się jej nazwę na *linea nigra*, czyli kresa czarna.

U niektórych kobiet, szczególnie tych o ciemnej karnacji, mogą wystąpić przebarwienia także w okolicy czoła, nosa i policzków. Plamy te są barwy ciemnej u kobiet o jasnej skórze i jasne u kobiet ciemnoskórych. Zmiana ta, tzw. *chloasma*, ustępuje stopniowo po zakończeniu ciąży. Stosowanie wybielających preparatów kosmetycznych nie rozjaśni tych zmian. Zakryć je można makijażem. Słońce może być przyczyną jeszcze silniejszego przebarwienia, dlatego należy stosować kremy do opalania z filtrem ochronnym lub osłaniać twarz kapeluszem. Jedną z przyczyn przebarwień skóry jest niedobór kwasu foliowego, należy więc upewnić się, że codzienna dieta zawiera tę witaminę w dostatecznej ilości, to znaczy, że zjada się zielonolistne warzywa, pomarańcze, pełnoziarnisty chleb i płatki owsiane.

Przebarwienia mogą się pojawiać także w tych okolicach ciała, które narażone są na ciągłe ocieranie, np. uda. I te zmiany ustąpią po porodzie.

INNE DZIWNE OBJAWY SKÓRNE

Moje ręce wydają się cały czas czerwone. Czy to tylko moja wyobraźnia?

Nie, i nie jest to także wina płynu do mycia naczyń. To działanie hormonów. Podniesienie ich poziomu powoduje zaczerwienienie i swędzenie rąk (a czasem także stóp), u 2/3 populacji ciężarnych kobiet rasy białej i 1/3 rasy czarnej. Objaw ten zniknie po porodzie.

Paznokcie mogą ulec zmianom, takim jak stwardnienie lub zmiękczenie, lub mogą stać się nierówne. Stosowanie lakieru do paznokci może tylko pogorszyć sytuację. W razie pojawienia się objawów zakażenia należy poinformować o tym lekarza.

Skóra moich nóg staje się czasem sina i plamista. Czy to objaw choroby krążenia?

Z powodu podniesienia poziomu estrogenów niektóre kobiety cierpią na przejściową zmianę zabarwienia skóry, towarzyszącą uczuciu zimna. Nie ma to żadnego znaczenia i ustąpi po porodzie.

Pod pachą na wysokości biustonosza pojawiło się małe, wypukłe znamię. Boję się, że to może być rak skóry.

Chodzi zapewne o małą brodawkę o charakterze łagodnym, często pojawiającą się w czasie ciąży, głównie w okolicach narażonych na częste pocieranie (doły pachowe). Brodawki te pojawiają się najczęściej w drugim i trzecim trymestrze, znikają po porodzie. Jeżeli nie znikną, lekarz łatwo może je usunąć.

Dla upewnienia się co do rozpoznania należy zmienione miejsce pokazać lekarzowi przy następnej wizycie.

Ostatnio pojawiły się na mojej skórze potówki. Myślałam, że mają je tylko dzieci.

Mogą one pojawiać się u wszystkich. Najczęściej jednak – u kobiet ciężarnych, ze względu na wzrost wydzielania potu przez gruczoły egzokrynowe, zlokalizowane na całym ciele i biorące udział w regulacji ciepłoty ciała. Posypywanie ciała mąką ziemniaczaną i unikanie przegrzewania pomoże zmniejszyć tę wysypkę i zapobiec jej ponownemu pojawianiu się. Istnieje też wydzielanie apokrynowe (gruczoły zlokalizowane są pod pachami, biustem, w okolicy sromu) i ten typ wydzielania potu zmniejsza swe nasilenie w okresie ciąży. Tak więc choć rośnie prawdopodobieństwo pojawienia się wysypki, to mniej dokuczliwy będzie zapach potu. Jeżeli czujesz ogólne swędzenie, ale nie masz wysypki, zadzwoń do lekarza.

KŁOPOTY Z UZĘBIENIEM

Moja jama ustna stała się nagle terenem katastrofy. Dziąsła krwawią przy każdym myciu zębów i chyba mam ubytki. Ale obawiam się wizyty u dentysty ze względu na znieczulenie.

Przy skoncentrowaniu uwagi na rosnącym w brzuchu dziecku łatwo przeoczyć zmiany w jamie ustnej aż do chwili, gdy jej stan będzie alarmujący i będzie się ona dopominała o więcej troski. Ciąża bowiem poważnie odbija się na stanie uzębienia i dziąseł. Dziąsła, tak jak błona śluzowa nosa, stają się obrzęknięte i objęte stanem zapalnym ze skłonnością do krwawień w wyniku zmian hormonalnych.

Zwlekanie z działaniem jest bardzo niewskazane. Przy podejrzeniu ubytku natychmiast należy udać się do lekarza stomatologa. Czasem odkładanie interwencji dentystycznej na okres późniejszy może być o wiele niebezpieczniejsze niż sam zabieg. Na przykład zaniedbane ubytki mogą być źródłem infekcji roznoszonej na cały organizm przez układ krążenia, co stwarza niebezpieczeństwo dla dziecka i matki. Także „zęby mądrości" zakażone lub sprawiające ból muszą być leczone.

Jednak przy leczeniu stomatologicznym w czasie ciąży należy podjąć specjalne środki ostrożności, by zapobiec zmniejszeniu dopływu tlenu dla płodu w czasie znieczulenia ogólnego. Także stosowane anestetyki nie mogą być obarczone ryzykiem szkodliwego wpływu na rozwój dziecka. Zazwyczaj wystarczające powinno być znieczulenie miejscowe. W razie konieczności zastosowania znieczulenie ogólne powinno być wykonane przez doświadczonego anestezjologa. Dla zapewnienia bezpieczeństwa należy przeprowadzić konsultację z dentystą i położnikiem. Trzeba też sprawdzić, czy i jaki antybiotyk będzie stosowany przed lub podczas leczenia.

Jeżeli po zabiegu stomatologicznym pozostaje obrzęk i nie można gryźć pokarmów stałych, należy wprowadzić pewne zmiany dotyczące diety. Czasami można uzyskać potrzebne substancje odżywcze, pijąc koktajle mleczne (patrz s. 117). Uzupełnić je trzeba sokami z owoców cytrusowych (jeśli nie wywołują pieczenia dziąseł) i domowymi zupami przygotowanymi z gotowanych warzyw, serów topionych, jogurtów i chudego mleka. Gdy możliwe będzie spożywanie miękkich produktów, zaleca się gotowane warzywa, jajecznicę, nie słodzony jogurt, mus jabłkowy, rozduszone banany, ziemniaki purée, kaszki zbożowe wzbogacone mlekiem w proszku.

Oczywiście najlepszym postępowaniem jest zapobieganie. Stosowanie poniższych wskazówek pomoże zapobiec kłopotom w okresie ciąży, a także przez całe życie, jeśli staną się nawykami:

- Należy umówić co najmniej jedną wizytę w okresie ciąży dla kontroli i oczyszczenia zębów (najlepiej uczynić to raz w każdym trymestrze). Czyszczenie jest ważne ze względu na usunięcie osadu, który nie tylko zwiększa niebezpieczeństwo tworzenia się ubytków, lecz także przyczynia się do powstawania chorób dziąseł. Zaleca się unikanie zdjęć rentgenowskich, jeśli nie są absolutnie konieczne, i stosowanie rad stomatologa. Rutynowe zabiegi lecznicze wymagające znieczulenia powinny być odłożone na później, ponieważ nawet najmniejsza ilość leku anestetycznego przenikać może do krążenia i wpływać na zdrowie dziecka. W przypadku chorób dziąseł przed rozpoczęciem ciąży – należy ponownie skonsultować ich stan ze specjalistą.
- Należy stosować zalecaną w tej książce dietę, redukując spożycie cukru rafinowanego, szczególnie między posiłkami (dotyczy to także suszonych owoców), i zwiększyć podaż witaminy C. Cukier sprzyja psuciu zębów i chorobom dziąseł, a witamina C wzmacnia dziąsła, zapobiegając krwawieniom. Ważne jest także spożywanie odpowiedniej ilości wapnia potrzebnego dla prawidłowej budowy zębiny i kości.
- Regularne szczotkowanie zębów i czyszczenie przestrzeni międzyzębowych zgodnie z radami stomatologa. (Jeśli takich nie udzieli – prawdopodobnie korzystasz z usług złego dentysty.)
- Podczas mycia zębów należy też pamiętać o języku, co jeszcze dokładniej usunie bakterie, a także służy odświeżeniu oddechu.
- Jeśli nie ma możliwości umycia zębów po posiłku, można żuć gumę bez cukru (najlepiej słodzoną ksylitolem) lub zjeść kawałek sera czy parę orzeszków ziemnych – produkty te mają właściwości antybakteryjne.

Zauważyłam drobną narośl na dziąśle, która krwawi przy każdym myciu zębów.

Jest to prawdopodobnie ziarniniak ropotwórczy, który pojawia się na dziąśle lub w innej okolicy ciała. Choć łatwo krwawi, jest absolutnie niegroźny. Zazwyczaj zanika samoistnie po porodzie. Jeśli jednak staje się bardzo dokuczliwy, może zostać usunięty chirurgicznie.

PODRÓŻE

Czy to bezpiecznie wyjechać na wakacje, które planowaliśmy z mężem na ten miesiąc?

Dla większości kobiet podróż w tym okresie jest nie tylko całkowicie bezpieczna, ale jest także ostatnią okazją na pełną radość z bycia we dwoje. Jeszcze bez pieluch, butelek, słoików z jedzeniem dla dziecka – następne wakacje nie będą już tak łatwe.

Oczywiście należy uzyskać zgodę lekarza; w przypadku nadciśnienia, cukrzycy lub innych schorzeń internistycznych bądź położniczych, może on jej nie udzielić. (Co nie znaczy, że odpoczynek jest całkowicie zabroniony. Jeśli przeciwwskazana jest podróż – można znaleźć hotel o godzinę drogi od gabinetu lekarza i tam korzystać z życia!) Długie, męczące podróże nawet w nie obciążonej ryzykiem ciąży nie są najlepszym pomysłem, szczególnie w pierwszym trymestrze, gdy niebezpieczeństwo poronienia jest znaczne i organizm matki dopiero przygotowuje się fizycznie i psychicznie do nowej roli. Przeciwwskazane są również podróże w trzecim trymestrze, gdyż w razie porodu przedwczesnego znajdziesz się daleko od swego lekarza.

Podróże w rejony o gorącym klimacie mogą okazać się dokuczliwe ze względu na szybszy metabolizm. Wyprawy w tereny położone na dużych wysokościach mogą być niebezpieczne ze względu na to, iż przystosowanie do zmniejszonego poziomu tlenu w powietrzu może być dla matki i dziecka zbyt dużym obciążeniem. W razie gdy taka podróż jest konieczna, należy przez pierwsze dni unikać zmęczenia, by zapobiec tzw. ostrej chorobie górskiej[1].

Gdy kobieta jest w trzecim trymestrze ciąży, lekarz może zalecić niestresowy test kardiotokograficzny po przyjeździe i dalej co drugi dzień, a potem co trzy dni. W przypadku niepokojących objawów dotyczących stanu płodu może być konieczne podanie tlenu i powrót na teren niżej położony.

Terenem, który może być niefortunnym miejscem na podróż, są kraje trzeciego świata. Tu trzeba by zastosować szczepienia ochronne, a to niesie znaczne ryzyko dla ciąży. Te rejony mają też często charakter „wylęgarni" dla potencjalnie niebezpiecznych bakterii, na które nie ma szczepionki.

Gdy jednak lekarz wyrazi zgodę na wyjazd, trzeba tylko zastosować się do kilku wskazówek zapewniających bezpieczeństwo i *bon voyage* dla matki i dziecka.

Należy założyć, że wycieczka będzie odpoczynkiem. Lepiej wybrać wycieczkę ze stałym miejscem pobytu niż wędrówkę do dziesięciu miejsc w ciągu tygodnia. Lepiej też wybrać wczasy, na których samemu ustala się plan dnia niż takie, gdzie trzeba podporządkować się rygorowi grupy. Parę godzin intensywnego zwiedzania lub zakupów powinno być zastąpione czytaniem, odpoczynkiem lub drzemką.

Kontynuacja diety. Choć dla matki są to wakacje, to dziecko cały czas ciężko pracuje nad swym wzrostem i rozwojem i ma takie same potrzeby co do odżywiania jak zawsze. Dlatego też nie wolno zupełnie zarzucać pewnych rygorów diety. Jeśli przemyśli się zamówienie składane kelnerowi, to można skosztować lokalnych przysmaków, jednocześnie spełniając życzenie dziecka (patrz s. 193). Nie wolno opuszczać śniadań czy obiadów, by pozwolić sobie na wystawną kolację.

Nie pić wody nieznanego pochodzenia, jeśli podróżujemy do obcego kraju. Można zastąpić ją sokami lub wodą butelkowaną. W niektórych rejonach niebezpieczne może być także jedzenie surowych, nie obranych owoców i warzyw.

Przygotowanie niezbędnych w ciąży rzeczy. Należą do nich witaminy w takiej ilości, by starczyły do końca wyprawy, chude mleko w proszku, gdyż mleko świeże może być nieosiągalne, słoik kiełków pszenicy, by wzbogacić biały chleb lub płatki owsiane, lekarstwa stosowane w chorobie lokomocyjnej, lekturę służącą wskazówkami, wygodne buty, które można nosić nawet przez długie godziny zwiedzania, środek dezynfekujący na wypadek używania publicznej toalety.

Adres położnika w miejscu przeznaczenia, na „wszelki wypadek". Może w tym pomóc lekarz prowadzący. Jeśli nie – można taką informację uzyskać po przybyciu na miejsce. W razie nagłej potrzeby pomocy może też udzielić najbliższy szpital lub stacja pogotowia.

Informacje dotyczące przebiegu ciąży. Należy zabrać ze sobą historię choroby, zawierającą informacje dotyczące przebiegu ciąży oraz grupy krwi, stale pobieranych leków, uczuleń itp., a także nazwisko i adres lekarza prowadzącego. Lekarz może także wypisać dodatkowe recepty, które należy mieć przy sobie z dokumentami na wypadek zagubienia bagażu. Czasem taka recepta musi być potwierdzona przez miejscowego lekarza i o to można poprosić np. lekarzy z izby przyjęć miejscowego szpitala.

Środki zapobiegające dolegliwościom ze strony przewodu pokarmowego. By zapobiec zaparciom, należy sobie zapewnić dostęp do: odpowiedniej ilości włóknika, płynów i ćwiczeń gimnastycznych (patrz s. 154). Można też zjeść śniadanie trochę wcześniej, by mieć czas na spokojną wizytę w łazience przed wyruszeniem na całodzienną wycieczkę.

Nie można powstrzymywać oddawania moczu. Może to powodować zakażenia dróg moczowych. Jeśli trzeba, należy od razu iść do łazienki.

[1] Objawy: utrata apetytu, nudności, wymioty, wzdęcia, niepokój, zmęczenie, duszności, zmiany psychiczne.

Noś rajstopy elastyczne, szczególnie gdy pojawią się żylaki kończyn dolnych, ale także wcześniej, by im zapobiegać. Należy je wkładać przed długim okresem siedzenia (w samochodzie, pociągu) albo stania (np. w muzeum).

Należy unikać bezruchu. Długie siedzenie może upośledzać krążenie w kończynach. Tak więc należy wstać i pospacerować choć chwilę co godzinę lub dwie, np. podczas podróży pociągiem. Także podczas podróży samochodem trzeba urządzać postoje co najmniej co 2 godziny i wykonać parę prostych ćwiczeń (s. 201).

Podróżując samolotem, należy się upewnić, czy dana linia lotnicza nie przewiduje specjalnych przepisów dotyczących kobiet ciężarnych. Dobrze jest też postarać się o miejsce z przodu samolotu, przy przejściu, aby mieć łatwy dostęp do toalety. Nie wolno korzystać z samolotów wyposażonych w kabiny bez regulacji ciśnienia, np. małe samoloty prywatne. Nie dotyczy to linii komercyjnych. Rezerwując lot, można zastrzec, że stosuje się specjalną wysokobiałkową dietę Należy przyjąć jak najwięcej płynów: wody, mleka, soków, by zapobiec odwodnieniu. Można wziąć ze sobą w podróż surowe warzywa, kawałki sera żółtego, herbatniki z otrębami itp.

Pas bezpieczeństwa należy założyć poniżej brzucha. Trzeba też wziąć pod uwagę ewentualną różnicę czasu i odpocząć już przed podróżą, a także zaplanować relaks po przybyciu na miejsce.

Podróżując samochodem, należy zabrać pełną torbę przekąsek i termos z sokiem lub mlekiem. Na długie podróże dobrze jest zaopatrzyć się w specjalną poduszkę wzmacniającą plecy. Jeśli jest się pasażerem, można odsunąć maksymalnie do tyłu siedzenie, co da swobodę ruchu nóg. I oczywiście należy mieć zapięte pasy.

Podróżując pociągiem – w razie długiej podróży dobrze jest wybrać pociąg dysponujący wagonem restauracyjnym. W innym przypadku zabrać napoje i przekąski. Podróżując nocą, należy zarezerwować miejsce do spania, bo nie ma sensu rozpoczynać wakacji w stanie wyczerpania.

WYJŚCIE DO RESTAURACJI, BARU, KAWIARNI

Staram się stosować właściwą dietę, lecz często muszę się spotykać w sprawach zawodowych np. na obiedzie i wtedy staje się to prawie niemożliwe.

Zazwyczaj kłopotem dla większości ciężarnych kobiet nie jest zmiana martini na wodę mineralną, lecz taki wybór potraw, by z listy ciężkich sosów i kuszących słodyczy wybrać coś prawdziwie wartościowego pod względem odżywczym. Oto parę sugestii:

- Unikać pieczywa, jeśli nie jest ono z otrębami, choć i wtedy należy pamiętać, że ciemny kolor np. pumpernikla to skutek stosowania karmelu lub słodu, a nie ziarna z otrębami. Sporadyczne zjedzenie makaronu, ryżu lub pieczywa pszennego nie uczyni wielkich szkód, lecz należy ich unikać na co dzień. Na wszelki wypadek dobrze jest mieć przy sobie odrobinę prażonych kiełków pszenicy i posypać nimi serwowane danie. Można też po prostu przynieść swoje ciemne pieczywo.

  W sumie spożytych tłuszczów należy ująć zjedzone masło bądź margarynę i pamiętać, że danie może zawierać także inne tłuszcze (np. w zaprawie do sałatki).

- Jako jedyne danie można zamówić surówkę lub sałatkę albo zakąskę rybną.

- Zamawiając zupę, najlepiej wybrać rosół, bulion, zupę na mleku, jogurcie albo warzywną. Powinno się unikać zup ze śmietaną i masłem.

- Danie główne powinno zawierać jak najwięcej białka. Drób, ryby, cielęcina to najlepszy wybór, gdy jest to potrawa z rusztu lub gotowana, a nie smażona lub pieczona w maśle czy ciężkim sosie. Można poprosić o osobne podanie sosu.

- Jako przystawki polecane są ziemniaki (z wyjątkiem smażonych), ciemny ryż, kasza, makarony, leguminy z grochu lub fasoli i gotowane warzywa.

Jedząc na mieście wg „Diety najlepszej szansy"

Jeśli dokonasz mądrego wyboru, możesz dobrze się odżywiać w prawie każdej restauracji. Szukaj takich, w których podaje się dania pieczone na grillu lub w piekarniku, także gotowane ryby i drób, chude kawałki mięsa z warzywami gotowanymi na parze i sałatki (najlepiej z ciemnozielonych warzyw) polane lekkim sosem oraz pieczone ziemniaki, makaron lub niełuskany ryż jako dodatek do dania głównego, a także pełnoziarnisty chleb; stosują oliwę z oliwek lub canoli (gatunek fasoli) zamiast innych tłuszczów, oraz serwują dania z małą zawartością tłuszczu, cukru i soli (w karcie dań lub na życzenie). Powinnaś też wiedzieć, czego szukać, a czego unikać w restauracjach serwujących dania specjalne i potrawy kuchni innych narodów.

Restauracje indyjskie. Jeśli lubisz przyprawy, znajdziesz tu bogate w białko pieczone ryby i kurczęta (tandoori, często marynowane w jogurcie, a także zdrowe potrawy z warzyw, pełnoziarnisty chleb indyjski, a czasem również niełuskany ryż. *Wegetarianie:* Dostępne są dania z soczewicy, grochu, ciecierzycy, sera oraz warzyw.

Restauracje włoskie. Jeśli to możliwe, rozkoszuj się rybą, kurczęciem lub cielęciną pieczoną na grillu, świeżymi zielonymi warzywami (szpinak lub brokuły), pełnoziarnistym makaronem lub pizzą. Wybieraj sosy na bazie pomidorów zamiast tych na bazie śmietany i oliwy. *Wegetarianie:* Dobry wybór to: pizza, spaghetti oraz dania warzywne z serem.
Restauracje francuskie. Unikaj tradycyjnych tłustych dań, wybieraj lżejsze dania współczesnej kuchni. Dobre są również niektóre dania mięsne, jak np. pieczony drób i ryba. *Wegetarianie:* Wybór może być ograniczony.

Dania koszerne z mięsa. Unikaj tłustych mięs. Proś, aby osobno podano sosy, a nie polewano nimi dania. Wyłącz z diety chleb razowy (nie jest pełnoziarnisty) oraz ogranicz spożycie słonych kiszonych ogórków. *Wegetarianie:* Wybór może być ograniczony.

Restauracje greckie i śródziemnomorskie. Zamawiaj ryby i drób pieczone w piekarniku lub na grillu, a jako dodatki sałatkę grecką, niełuskaną pszenicę i pełnoziarnistą pitę. *Wegetarianie:* Często bogaty wybór, obejmujący dania z fasoli, polenty, bakłażanów i sera.

Restauracje chińskie. Unikaj potraw przygotowanych z użyciem glutaminianu sodu, smażonych („chrupiących") dań obejmujących nadziewane chińskie paszteciki (tzw. springs rolls), wysokosłodzonych potraw słodko-kwaśnych, żeberek i białego ryżu. Dobre są zupy i kluski gotowane na parze. Zamawiaj dania gotowane na parze lub podsmażane na małej ilości oleju. Nie stosuj dodatkowo sosu sojowego. *Wegetarianie:* Często dostępne są dania z serka tofu, warzyw, substytutów mięsa.

Restauracje japońskie: Unikaj smażonych dań (Agemono, katsu, Agedashi, Tempura), a także potraw zawierających surowe ryby lub owoce morza (patrz s. 148). Wybieraj dania gotowane na wolnym ogniu (Nimono), pieczone w piekarniku (yaki), pieczone na grillu (Yalimono), zupy z mięsa, gulasze (domburi), szybko podsmażane na patelni (sukiyaki) oraz kluski (zamów soba z gryki). Sosy do zamaczania zakąsek najczęściej nie zawierają tłuszczu. *Wegetarianie:* Wybór może być ograniczony.

Restauracje tajskie. Unikaj potraw smażonych na głębokim tłuszczu, dań z dodatkiem curry oraz innych potraw przyrządzanych z mleka kokosowego lub śmietany, a także dań zawierających orzechy (są wysokokaloryczne) i cukier. Zamawiaj potrawy szybko podsmażane (z minimalną ilością oleju) oraz pieczone. *Wegetarianie:* Wybór może być ograniczony.

Restauracje meksykańskie i hiszpańskie. Wybieraj restauracje specjalizujące się w lekkiej kuchni, stosujące tłuszcze roślinne zamiast smalcu i oferujące w karcie dań bogaty wybór warzyw. Jeszcze lepsze są bary serwujące niskotłuszczowe sery, pełnoziarnistą tortillę i niełuskany ryż. Dobry wybór to gazpacho oraz zupy z czarnej fasoli, asada (z grilla), salsa i pikantne sosy. *Wegetarianie:* Wspaniałe są enchilada i burrito z fasoli i sera, a niektóre restauracje serwują również sery sojowe dla wegeterian nie jedzących nabiału.

Bary sałatkowe i bistro. Coraz więcej z nich serwuje lżejsze wersje tradycyjnych dań. Dokonasz dobrego wyboru, zamawiając sałatki (bez boczku, z kukurydzą, sałatkę szefa kuchni z gotowanych jaj i szynki oraz sałatkę nicejską), ka-

Dokończenie na stronie 194

Jedząc na mieście wg „Diety najlepszej szansy"

Dokończenie ze strony 193

napki (z mięsem z kurczaka, indyka, serem szwajcarskim, tuńczykiem i lekkim majonezem) z pełnoziarnistego pieczywa z sałatą i pomidorem oraz sałatką warzywną (unikaj sałatek z kapusty, jeśli mają dużo majonezu), omlety (bez frytek), hamburgery z mięsem z indyka. *Wegetarianie:* Dobry wybór to jajka, kanapki z serem oraz hamburgery wegetariańskie.

Kuchnie południowe. Unikaj żeberek, kurczaka smażonego na oleju, zielonych warzyw gotowanych na tłuszczu wieprzowym. Wybieraj ziemniaki, gotowane na parze lub podsmażane zielone warzywa, smażonego lub pieczonego na grillu suma, pieczonego kurczaka w sosie barbecue. *Wegetarianie:* Wybór może być ograniczony.

Bary szybkiej obsługi. Dokonuj mądrego wyboru (patrz s. 146).
Sporadyczny posiłek w barze szybkiej obsługi nie zakłóci „Diety najlepszej szansy", czego nie można powiedzieć o częstych wizytach. Zatem strzeż się.

powinny być ograniczone do nie słodzonych świeżych lub gotowanych owoców (ewentualnie z odrobiną bitej śmietany). Od czasu do czasu można zjeść lody, a w przypadku wielkiego apetytu można podkraść odrobinę deseru towarzyszowi.

PASY BEZPIECZEŃSTWA

Czy należy zapinać pasy bezpieczeństwa w samochodzie lub samolocie?

Co jest najczęstszą przyczyną śmierci kobiet w okresie ciąży? Gestoza? Poród? Zakażenie połogowe? Nie! Najczęściej jest to wypadek samochodowy. A najlepszy sposób na uniknięcie tego nieszczęścia, a także poważnego urazu i matki, i dziecka, to zapięcie pasów. Statystyki służą tu za jednoznaczne potwierdzenie.

Dla maksimum bezpieczeństwa i wygody pas należy przełożyć poniżej brzucha, wokół miednicy i nóg (ud). Jeżeli pas da się zapiąć przez ramię, zrób to (nie pod pachą), tak aby przechodził ukośnie między piersiami i w dół przez bok brzucha. Nie obawiaj się, że ucisk pasa w momencie raptownego zatrzymania samochodu uszkodzi dziecko – jest ono bardzo dobrze chronione wodami płodowymi. Aby uniknąć urazów związanych z otwarciem się poduszki powietrznej, kiedy tylko to możliwe, podróżuj na tylnym siedzeniu samochodu lub odsuwaj maksymalnie do tyłu przedni fotel. Prowadząc samochód, odchyl kierownicę w stronę klatki piersiowej, z dala od brzucha (patrz s. 151).

SPORT

Lubię pływanie i tenis, ale czy mogę teraz uprawiać te dyscypliny?

Dbanie o sprawność polecić można każdemu, ciężarna kobieta nie jest wyjątkiem. I zazwyczaj ciąża nie wymaga rezygnacji z aktywności fizycznej – wystarczy pamiętać o rosnącym dziecku oraz zachować umiar i rozwagę. Najczęściej lekarze wyrażają zgodę na ciągłe uprawianie danej dyscypliny, jak długo to możliwe, lecz z pewnymi zastrzeżeniami, jak np. „nie ćwiczyć do stanu znacznego zmęczenia" (patrz s. 197).

WZROK

Mam wrażenie, że od momentu zajścia w ciążę mój wzrok znacznie się pogorszył. I szkła kontaktowe są zbyt słabe. Czy to złudzenie?

To prawda, że wzrok może ulec pogorszeniu, gdyż oczy to kolejny narząd, na który mogą wywrzeć wpływ zmiany hormonalne. Pogorszyć może się nie tylko ostrość wzroku, ale twarde szkła kontaktowe nagle mogą stać się niewygodne. I choć te objawy (związane prawdopodobnie z retencją płynów) są przejściowe, to są bardzo dokuczliwe.

Po porodzie wzrok i oczy powinny wrócić do stanu sprzed ciąży. Ponieważ nie ma sensu wydawanie pieniędzy na nowe szkła kontaktowe, można w czasie ciąży zdecydować się na noszenie okularów. Choć lekkie zaburzenie ostrości wzroku nie jest w ciąży zjawiskiem rzadkim, to inne objawy mogą sygnalizować poważniejsze kłopoty.

Jeśli pojawia się wrażenie ściemniania, widzenia punktów i plam, zamazania, podwójne widzenie i utrzymuje się ono 2-3 godziny, nie należy czekać, aż stan ten minie sam, lecz natychmiast skontaktować się z lekarzem.

NISKO USADOWIONE ŁOŻYSKO

Lekarz powiedział, że badanie (USG wykazało, że łożysko jest zlokalizowane w pobliżu szyjki macicy. Dodał, że jeszcze nie ma powodu do niepokoju. Kiedy należy zacząć się niepokoić?

Tak jak płód – łożysko w okresie ciąży może się przemieszczać. Nie dzieje się to identycznie jak z dzieckiem, lecz polega na przesuwaniu w górę w miarę rozciągania i wzrostu dolnej części macicy. Choć u około 20-30% kobiet w drugim trymestrze łożysko jest nadal w dolnym odcinku (w 20 tygodniu procent ten jest nawet większy), to najczęściej przed porodem znajduje się ono w trzonie macicy. Jeśli tak się nie stanie i łożysko jest zlokalizowane nisko w macicy, mamy do czynienia z tzw. *placenta previa*, czyli łożyskiem przodującym. Występuje ono u ok. 1% ciąż donoszonych. W jednym na cztery przypadki położenie łożyska jest tak niskie (łożysko częściowo lub całkowicie pokrywa ujście macicy), że może powodować poważne problemy.

Tak więc twój lekarz miał rację – biorąc pod uwagę statystykę – że jest za wcześnie na obawy. Jeśli wynik ultrasonografii nie zmienia się do ósmego miesiąca ciąży, proszę przeczytać informację na temat łożyska przodującego.

WPŁYW CZYNNIKÓW ZEWNĘTRZNYCH NA ROZWÓJ PŁODU

Pewna moja przyjaciółka twierdzi, że zabieranie jeszcze nie narodzonego dziecka na koncerty muzyki poważnej uczyni zeń melomana, a inna prosi męża o głośne czytanie, by zaszczepić dziecku miłość do książek. Czy to nie bzdury?

W badaniach nad nie narodzonymi dziećmi coraz trudniej rozdzielić prawdę od nonsensu. I choć wiele teorii nie ma w sobie krzty prawdy, to naukowcy zaczynają się przekonywać, że niektóre z nich mogą znaleźć faktyczne potwierdzenie. Jednak na razie należy czekać na wyniki tych badań, zanim udzieli się pewnych odpowiedzi.

Ponieważ zmysł słuchu jest dość dobrze rozwinięty pod koniec drugiego trymestru lub na początku trzeciego, prawdą jest, że dzieci „słyszą" muzykę i głośne czytanie. Lecz jakie to może mieć skutki – do końca nie wiadomo. Część naukowców twierdzi, że można przez odpowiednią stymulację w czasie ciąży stworzyć „superdziecko". Ktoś nawet dowodzi istnienia dzieci, które mówiły w wieku 6 miesięcy, a czytały w wieku 18 miesięcy dzięki ekspozycji płodu na kompleksową imitację pracy serca matki. Inni jednak uważają, że takie łączenie z naturą może być wręcz szkodliwe.

Z pewnością nikt, kto zdaje sobie sprawę z zasad rozwoju, nie powinien próbować stworzyć „superdziecka" ani przed, ani po urodzeniu. O wiele ważniejsze jest to, aby przekazać dziecku, że jest kochane i chciane, a nie uczyć je mówienia i czytania.

Nie mamy tu na celu dowodzenia, że próby nawiązania kontaktu z dzieckiem przed urodzeniem, przez czytanie lub słuchanie muzyki, są szkodliwe lub są stratą czasu. Każdy sposób porozumiewania się z nie narodzonym dzieckiem może dać początek tworzeniu więzi między rodzicami a dzieckiem. Niekoniecznie ułatwi to kontakt z dzieckiem w przyszłości, ale na pewno uczyni najwcześniejsze chwile tuż po porodzie łatwiejszymi.

Umiejscowienie dziecka, piąty miesiąc

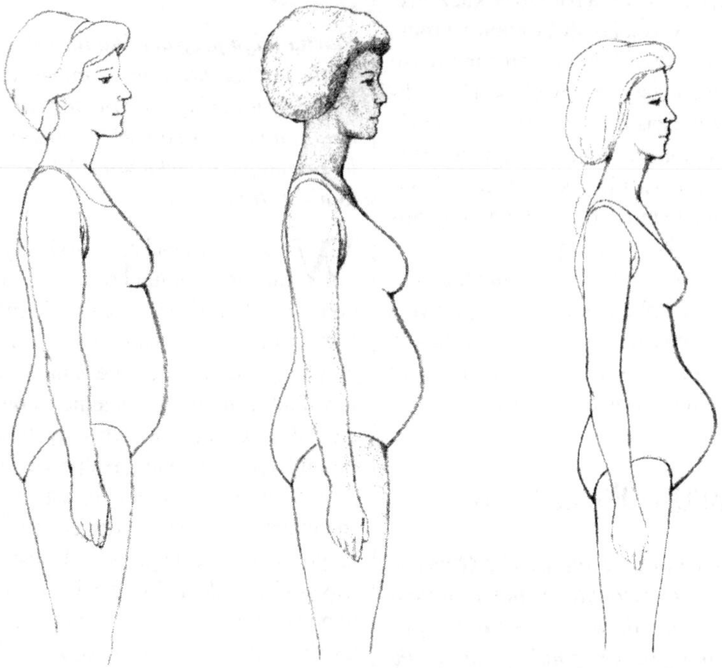

Oto tylko trzy z bardzo różnych sposobów, w jaki umiejscowiona jest ciężarna macica pod koniec piątego miesiąca. Jednak możliwości jest nieskończenie wiele w zależności od budowy matki i przyrostu masy ciała w ciąży oraz ustawienia macicy — dziecko może być położone wyżej lub niżej, brzuch może być większy lub mniejszy, szerszy lub węższy.

Oczywiście, jeśli przemawianie do dużego brzucha jest dla ciebie krępujące, to nie musisz uważać, że dziecko utraci możność poznania matki. Przyzwyczaja się ono do głosu matki, a także ojca, w każdej chwili, gdy rozmawiają ze sobą lub z kimś obcym. To dlatego tyle noworodków sprawia wrażenie, że rozpoznają głos rodziców. Dziecko może także przyzwyczajać się do innych głosów z otoczenia. Podczas gdy dziecko, które w czasie swego życia płodowego nigdy nie słyszało szczekającego psa, może zaniepokoić się, to dziecko, które słyszało szczekanie przez cały czas trwania ciąży – nawet nie mrugnie okiem.

Również kontakt z muzyką może mieć wpływ na płód. Pewne badania wykazały, że niektóre płody manifestowały swoje upodobania muzyczne (przez zmianę swoich ruchów) do określonych rodzajów muzyki – przeważnie spokojnej. Wykonano też badanie, w którym wielokrotnie odtwarzano ten sam utwór (w tym przypadku Debussy'ego), w czasie gdy matka i płód odpoczywali. Po urodzeniu dziecko sprawiało wrażenie, że lubi ten utwór i uspokajało się w czasie jego słuchania. Oczywiście większość badaczy zgadza się, że prawdopodobnie bardziej znaczące kontakty można uzyskać, umożliwiając kontakt dziecka z muzyką po urodzeniu.

Istnieją sugestie, że zmysł dotyku jest już rozwinięty w życiu płodowym, tak więc dla zwiększenia więzi między matką a dzieckiem można poklepywać brzuch lub bawić się kolankiem czy łokciem wyczuwalnym przez skórę. Nawet jeśli nie ma to żadnego znaczenia, nie jest też szkodliwe. Zresztą nie wymaga to specjalnego wysiłku, bo nawet obcy nie mogą wręcz oderwać ręki od brzucha. Teraz należy cieszyć się obecnością dziecka, a na naukę będzie jeszcze wiele czasu. I tak okaże się, że dzieci dorastają zawsze zbyt prędko. Nie ma potrzeby przyspieszania tego procesu, szczególnie przed narodzinami.

MACIERZYŃSTWO

Czy będę cieszyć się dzieckiem, gdy już przyjdzie na świat?

Wiele osób podchodzi do wszystkich ważniejszych wydarzeń w życiu, takich jak: ślub, nowa praca lub dziecko, z niepokojem, czy sprawią im one radość. I jeśli mają one wiele nierealnych oczekiwań, może dojść do dużego zawodu. Jeśli obraz macierzyństwa ogranicza się do porannych spacerów w parku, wizyt w słoneczne dni w zoo, wielogodzinnego dobierania małych, kolorowych ubranek, to należy przygotować się na duży wstrząs. Wiele z tych pogodnych poranków zacznie się tak wcześnie, że będzie jeszcze ciemno, słoneczne dni mogą upłynąć w pralni, a tylko parę ubranek uniknie poplamienia bananową papką i witaminami. Także wyobrażenie, że dziecko, z którym się przyjdzie ze szpitala do domu, będzie jak z reklamy, jest całkowicie mylne. Dziecko nie tylko nie będzie się uśmiechać i gaworzyć jeszcze przez wiele tygodni, ale może (poza płaczem) w ogóle nie reagować na obecność rodziców. A płacz najczęściej rozlega się podczas obiadu, zbliżenia intymnego rodziców, pójścia do łazienki lub gdy jest się tak zmęczonym, że nie można się już do niczego zmobilizować.

Lecz to, czego można oczekiwać, to często najcudowniejsze doświadczenia życia. Poczucie spełnienia, jakie daje przytulanie śpiącego, ciepłego maleństwa (nawet jeżeli jeszcze przed chwilą było małym diabełkiem), jest nieporównywalne z niczym innym. To oraz pierwszy bezzębny uśmiech warte jest bezsennych nocy, spóźnionych obiadów, „gór" prania i nerwowego pożycia płciowego.

Czy można więc spodziewać się radości? Tak, jeśli oczekujesz prawdziwego dziecka, a nie dziecka z bajki.

CO WARTO WIEDZIEĆ
Ćwiczenia fizyczne w czasie ciąży

Ćwiczą urzędnicy, emeryci, lekarze, prawnicy – dlaczego więc nie ma ćwiczyć kobieta w ciąży?

W ciąży niepowikłanej nie ma właściwie przeciwwskazań. Traktowanie ciąży jak choroby, a przyszłej matki jak inwalidki, zbyt delikatnej, aby mogła wejść na parę stopni lub nieść torbę z zakupami, to poglądy przestarzałe. Choć nie ma jeszcze pełnych wyników badań nad wpływem ćwiczeń fizycznych na przebieg ciąży, to z pewnością umiarkowane ćwiczenia są nie tylko bezpieczne, ale wręcz korzystne dla przyszłej matki i dziecka.

Jednak przed wyruszeniem na ścieżkę zdrowia należy złożyć wizytę w gabinecie lekarza. Nawet jeśli czujesz się znakomicie, musisz poddać się badaniu kontrolnemu przed założeniem dresu męża. W ciąży wysokiego ryzyka często trzeba ograniczyć liczbę i rodzaj ćwiczeń, a nawet całkowicie z nich zrezygnować do momentu rozwiązania. Jednak jeśli twoja ciąża przebiega bez komplikacji, a lekarz udzielił pozwolenia, to proszę przemyśleć poniższe wskazówki.

KORZYŚCI PŁYNĄCE Z REGULARNYCH ĆWICZEŃ FIZYCZNYCH

Kobiety, które nie wykonują żadnych ćwiczeń fizycznych w czasie ciąży, stają się coraz mniej sprawne, szczególnie dlatego, że z każdym dniem przybierają na wadze. Dobry zestaw ćwiczeń, który można ująć w planie każdego dnia, powinien temu zapobiec. Są cztery typy ćwiczeń, które można stosować w ciąży: aerobic, calanetics, przystosowane

Pozycja wyjściowa i ćwiczenia Kegla

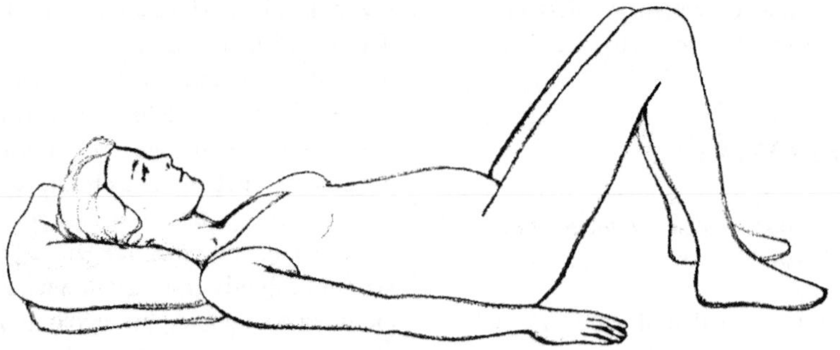

Leżenie na plecach, ugięte kolana oddalone o około 30 cm, stopy płasko położone na podłożu. Głowa i barki położone na poduszce, ramiona wzdłuż ciała. Podstawą ćwiczeń Kegla jest napięcie mięśni w okolicy odbytu i pochwy i utrzymanie jak najdłużej (8-10 sekund). Później – powolne rozluźnienie mięśni i odpoczynek. To ćwiczenie można (a po czwartym miesiącu należy) wykonywać w pozycji stojącej lub siedzącej. Ćwiczenie trzeba powtórzyć co najmniej 25 razy w różnych porach dnia.
Uwaga: Pozycja wyjściowa może być stosowana do czwartego miesiąca włącznie. Potem nie jest zalecana ze względu na niekorzystny wpływ ucisku macicy na duże naczynia krwionośne.

specjalnie do ciąży ćwiczenia relaksacyjne i ćwiczenia Kegla.

Aerobic. Są to powtarzane rytmicznie ćwiczenia wysiłkowe, które podnoszą zapotrzebowanie mięśni na tlen, jednak nie na tyle, by przekroczyć jego dostawy (chodzenie, jogging, jazda na rowerze, pływanie, gra w tenisa). Ten typ ćwiczeń pobudza pracę serca i płuc, mięśni i stawów, doprowadzając do takich zmian ogólnoustrojowych, jak wzrost wykorzystania tlenu, co jest korzystne dla matki i dziecka. Ćwiczenia zbyt intensywne, aby można je wykonywać przez 20-30 minut, żeby osiągnąć efekt treningowy (np. sprint), lub niewystarczająco wzmacniające (tenis w parach) nie są uznawane za aerobic.

Aerobic poprawia krążenie (usprawniając dopływ składników odżywczych i tlenu do płodu i zmniejszając ryzyko powstawania żylaków nóg i odbytu lub zatrzymywanie płynów). Podnosi siłę i napięcie mięśniowe (zapobiegając lub zmniejszając ból kręgosłupa i zaparcia i pomagając nosić dodatkowy ciężar, jakim jest ciężarna macica). Zwiększa też wytrzymałość, co ułatwia radzenie sobie w czasie długiego porodu; może pomóc w utrzymaniu odpowiedniego poziomu cukru we krwi, ułatwia spalanie kalorii – można sobie wtedy pozwolić na dodanie do diety wartościowych produktów bez groźby przybrania na wadze, co sprzyja odzyskaniu dobrej figury w połogu. Wpływa też na zwiększenie odporności na zmęczenie, poprawę jakości snu, poczucie pewności siebie i ogólne zwiększenie odporności na stres psychiczny i fizyczny.

Calanetics. Są to rytmiczne lekkie ćwiczenia tonizujące i rozwijające mięśnie i korygujące postawę. Zestaw ćwiczeń przygotowany specjalnie dla kobiet ciężarnych może dać doskonały efekt: zmniejszenie bólów pleców, poprawę odporności psychicznej, fizycznej, przygotowanie ciała matki do wysiłku związanego z porodem. Inne ćwiczenia mogą być niebezpieczne.

Techniki relaksacyjne. Ćwiczenia oddechowe i na koncentrację relaksują umysł i ciało, pomagają zachować energię na czas, gdy będzie potrzebna, zwiększają zdolność skupienia i świadomość własnego ciała. Wszystko to jest bardzo przydatne w momencie rozwiązania. Ćwiczenia z tej grupy należy łączyć z innymi lub wykonywać jako jedyne w przypadku ciąży powikłanej.

Zwiększenie napięcia mięśni miednicy. Ćwiczenia Kegla są proste i służą wzmocnieniu mięśni okolicy pochwy i krocza, przygotowując je do porodu. Pomocne są także w okresie połogu. Mogą je wykonywać wszystkie kobiety w każdym miejscu i czasie.

STWORZENIE DOBREGO PLANU ĆWICZEŃ

Początek. Najlepiej rozpocząć dbanie o kondycję przed zajściem w ciążę, ale nigdy nie jest za późno na rozpoczęcie ćwiczeń, nawet w dziewiątym miesiącu ciąży.

Rozpoczynamy w spokojnym tempie. Gdy już zdecydujesz się na ćwiczenia, może cię kusić przebiegnięcie 5 kilometrów pierwszego dnia albo wykonanie serii ćwiczeń jednego popołudnia. Taki entuzjastyczny początek kończy się zazwyczaj bólem mięśni, utratą ochoty na kontynuację lub nawet może być niebezpieczny.

Oczywiście, jeśli gimnastykę rozpoczęto przed ciążą, to można dalej stosować ten sam typ ćwiczeń, lecz z pewnymi zmianami (patrz s. 202). Jeśli nie – początki powinny być bardzo ostrożne. 10 minut rozgrzewki, 5 minut cięższych ćwiczeń i 5 minut ćwiczeń relaksujących wystarczy. Po paru dniach można wydłużyć okres intensywnych ćwiczeń aż do 20-30 minut, a nawet więcej, jeśli nie wystąpi uczucie dyskomfortu.

Nie wolno pomijać rozgrzewki. Rozgrzewka może stać się nużąca, gdy chcemy jak najprędzej zacząć (i skończyć) ćwiczenia cięższe. Jest to jednak zasadnicza część wszystkich typów gimnastyki. Zapobiega zbyt gwałtownemu przyspieszeniu czynności serca i niebezpieczeństwu uszkodzenia mięśni lub stawów, co może się zdarzyć, gdy są one „zimne" (szczególnie w czasie ciąży). Spacer przed biegiem, ćwiczenia rozciągające przed calaneticsem, wolne pływanie przed przyspieszeniem tempa to podstawa bezpieczeństwa.

Gimnastykę powinny kończyć ćwiczenia relaksująco-oddechowe. Opadnięcie na kanapę po ciężkich ćwiczeniach może zdawać się logiczne, ale jest wbrew fizjologii. Dochodzi wtedy to uwięzienia krwi w pracujących mięśniach, co obniża jej dopływ do innych narządów i dziecka. Skutkiem tego mogą być także zawroty głowy, dodatkowe skurcze serca, nudności. Należy więc po biegu spacerować przez 5 minut, bawić się przy brzegu basenu po intensywnym pływaniu, wykonać lekkie ćwiczenia odprężające po każdym innym wysiłku. Później dobrze jest poleżeć parę minut na kanapie. Zawrotom głowy można też zapobiec przez powolne wstanie po wykonywaniu ćwiczeń na podłodze.

Uwaga: ćwiczeń rozciągających nie należy wykonywać aż „do granic", ze względu na niebezpieczeństwo uszkodzenia stawów rozluźnionych w okresie ciąży.

Czas też ma duże znaczenie. Za krótkie ćwiczenia nie dadzą oczekiwanego efektu, a za

Unoszenie miednicy

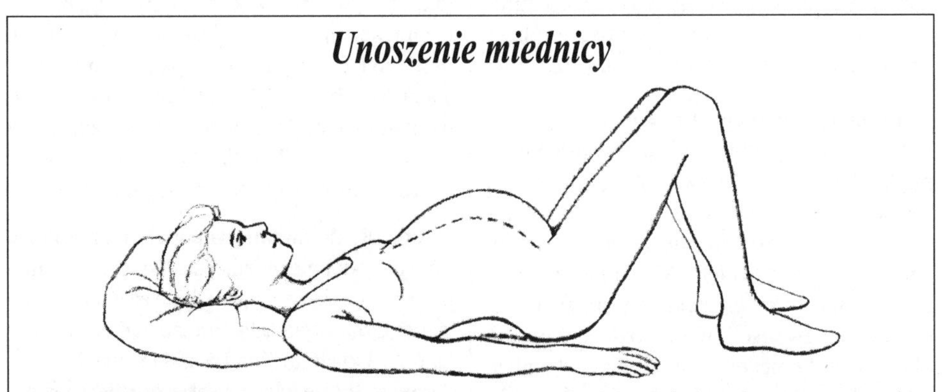

Pozycja wyjściowa (patrz rysunek „Pozycja wyjściowa i ćwiczenia Kegla"). Wydech z jednoczesnym przyciskaniem pleców do podłoża. Wdech i rozluźnienie mięśni grzbietu. Powtarzamy parokrotnie. Ćwiczenie można wykonywać w pozycji stojącej, opierając się o ścianę. Tym razem wdech w momencie dociskania pleców do ściany. Ćwiczenie w pozycji stojącej dobrze służy poprawieniu postawy i powinno być stosowane po czwartym miesiącu.

„Koci grzbiet"

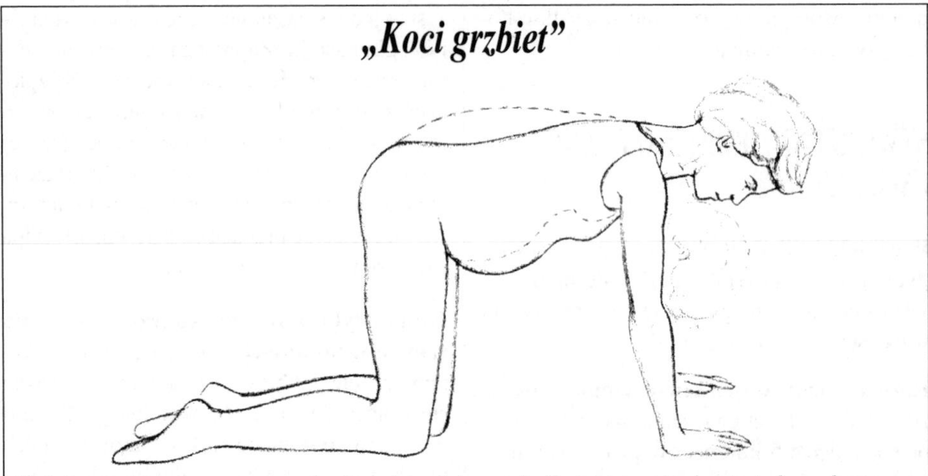

To ćwiczenie jest wskazane przez cały okres ciąży aż do porodu dla zmniejszenia obciążenia kręgosłupa przez ciężarną macicę. Proszę uklęknąć i oprzeć się na ramionach, rozluźnić mięśnie grzbietu (bez nadmiernego zgięcia kręgosłupa). Głowa, szyja i kręgosłup w linii prostej. Wygięcie kręgosłupa w górę z opuszczeniem głowy i silnym napięciem mięśni brzucha i pośladków. Stopniowe rozluźnienie i powrót do pozycji wyjściowej. Powtórzyć parę razy.

długie są zbyt męczące. Gimnastyka powinna trwać od 30 minut do godziny lub nawet dłużej. Jeśli gimnastykowałaś się przed zajściem w ciążę i lekarz wyraża zgodę, możesz kontynuować poprzedni program ćwiczeń, pod warunkiem, że są to ćwiczenia bezpieczne (patrz s. 201). Wysiłek powinien być łagodny lub umiarkowany. Dla kobiet, które nie ćwiczyły regularnie przed zajściem w ciążę, realistycznym i bezpiecznym celem, powinien być program do 30 minut ćwiczeń – wliczając w to rozgrzewkę i ćwiczenia rozprężające – trzy razy w tygodniu. Jeśli czas ćwiczeń jest ograniczony, można spróbować szybkiego dziesięciominutowego marszu trzy razy dziennie.

Kontynuacja. Nieregularne ćwiczenia (4 razy w pierwszym tygodniu i ani razu w następnym) nie podniosą sprawności. W podniesieniu sprawności pomogą ćwiczenia 3-4 razy w tygodniu. Jeżeli dokucza zmęczenie, nie należy zmuszać się do ciężkich ćwiczeń, lecz wykonywać chociaż rozgrzewkę, aby mięśnie zachowały sprawność i by nie rozluźnić dyscypliny. Wiele kobiet czuje się lepiej, wykonując parę ćwiczeń codziennie.

Ćwiczenia powinny odbywać się zawsze o ustalonej porze dnia. Wyznaczenie specjalnego czasu daje większą pewność, że ćwiczenia będą wykonane, np. rano przed pójściem do pracy, podczas przerwy na kawę lub przed obiadem. W przypadku nieregularnych godzin pracy i odpoczynku można spacerem iść do pracy lub zaparkować samochód czy wysiąść z autobusu w takim miejscu, by drogę do pracy choć w części pokonać pieszo. Można też zamiast odwozić starsze dziecko do szkoły samochodem – po prostu je odprowadzić lub spacerem wybrać się do koleżanki. Po lekkiej rozgrzewce można odkurzać dywany przez 20 minut, nadając tej czynności charakter ćwiczeń rozciągających, przez co łączy się dwa obowiązki. Zamiast zasiadać po obiedzie przed telewizorem – można namówić męża na spacer. Bez względu na liczbę zajęć, jeśli tylko się chce – zawsze można znaleźć czas na trochę ruchu.

Uzupełnienie dodatkowo spalanych kalorii. Prawdopodobnie możliwość dodania paru smakołyków do diety to największa zaleta wykonywanej gimnastyki. Jak zawsze należy obliczać kalorie. Dodać można będzie te składniki pokarmowe, które mają wysokie wartości odżywcze, gdyż po półgodzinnej gimnastyce należy dodać około 100-200 kalorii. Jeśli spożycie kalorii odpowiada natężeniu wysiłku, lecz nie ob-

Rozluźnienie mięśni szyi

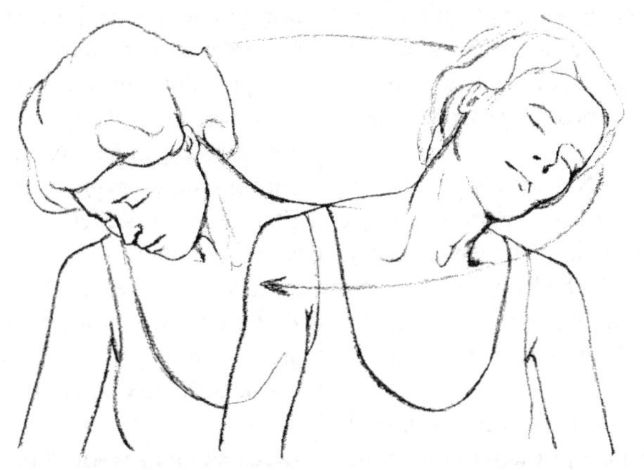

Szyja to często miejsce napięcia mięśni, szczególnie w momentach stresowych. To ćwiczenie pozwala na zniesienie napięcia mięśni szyi i odprężenie reszty ciała. Proszę usiąść w wygodnej pozycji (patrz s. 206), oczy zamknięte. Powoli zataczamy głową duże koła z jednoczesnym wdechem. Wydech i swobodne opuszczenie głowy w przód. Wykonać 4-5 razy, zmieniając kierunek ruchu, i powtórzyć parę razy w ciągu dnia.

serwuje się przybierania na wadze – może okazać się, że ćwiczenia są zbyt intensywne.

Uzupełnianie płynów. Na każde pół godziny wysiłku należy wypić co najmniej szklankę płynu, by uzupełnić straty w wyniku pocenia się. Potrzeby mogą być większe w ciepłe dni lub przy obfitym poceniu. Pić należy przed, podczas i po ćwiczeniu. Waga może sugerować zapotrzebowanie na płyn: 2 szklanki na każde pół kilograma stracone podczas ćwiczeń.

Ćwiczenia w grupie. Można zapisać się na gimnastykę dla kobiet w ciąży. Ponieważ nie każdy jest takim specjalistą, za jakiego się podaje, należy zapytać instruktora o uprawnienia i przygotowanie jeszcze przed podjęciem decyzji. Niektórym kobietom (szczególnie o małej dyscyplinie wewnętrznej) ćwiczenia grupowe odpowiadają bardziej niż w pojedynkę, zapewniając wsparcie i wskazówki. Najlepsze kursy prowadzone są na poziomie umiarkowanym, co najmniej trzy razy w tygodniu i dostosowane do indywidualnych potrzeb i możliwości. Nie należy stosować zbyt dynamicznej muzyki i zmuszać osób ćwiczących do nadmiernego wysiłku. Dobrze jest zapewnić pomoc lekarską dla wyjaśnienia pytań i problemów.

BEZPIECZEŃSTWO ĆWICZEŃ

Nie wolno rozpoczynać gimnastyki z uczuciem głodu. Stara zasada, że nie wolno pływać po posiłku, ma dużo racji, ale również

Nie wolno tylko siedzieć...

Siedzenie przez długi czas bez przerwy to nic dobrego, szczególnie w czasie ciąży. Powoduje zaleganie krwi w żyłach kończyn dolnych, obrzęki i inne dolegliwości. W przypadku pracy o charakterze siedzącym, nawyku długiego oglądania telewizji lub częstych długich podróży należy pamiętać, by co godzinę lub dwie wstać i spacerować przez 5-10 minut. Także siedząc, można wykonać kilka ćwiczeń usprawniających krążenie, jak np. parę głębokich wdechów, prostowanie nóg i kilkakrotne zgięcie stóp z poruszaniem palcami, napinanie mięśni brzucha i pośladków. W razie obrzęków rąk można też prostować ramiona w górę, nad głową i parokrotnie zaciskać i otwierać pięści.

niewskazane są ćwiczenia przy pustym żołądku. 15 minut przed rozgrzewką należy coś zjeść i wypić, najlepiej pokarm bogaty w potas, np. banana. Jeżeli nie lubisz jeść w tak krótkim odstępie czasu przed ćwiczeniami, to możesz to zrobić godzinę przed ich rozpoczęciem.

Ubranie sportowe. Należy zaopatrzyć się w wygodne, luźne ubranie sportowe, dające swobodę ruchów. Materiał powinien umożliwić skórze oddychanie. Do bielizny włącznie powinny to być tkaniny bawełniane. Wygodne obuwie sportowe zabezpieczy stopy i stawy.

Prawidłowe podłoże. Parkiet lub wykładzina w pomieszczeniach jest lepsza od zimnej podłogi wyłożonej płytkami. (Gdy podłoga jest śliska – nie ćwiczyć w skarpetkach lub rajstopach.) Ćwicząc na świeżym powietrzu, wybierajmy miękkie bieżnie lub trasy porośnięte trawą, a nie drogi i chodniki o twardej nawierzchni. Unikaj nierównego podłoża!

Umiar. Nigdy nie należy się przemęczać. Chemiczne produkty takiego wysiłku, które znajdują się we krwi, są szkodliwe dla dziecka (także jeśli ma się zaprawę atletyczną – nie należy ćwiczyć do granic możliwości, nawet przy braku zmęczenia). Jest parę sposobów na stwierdzenie nadmiernego wysiłku. Po pierwsze, przy dobrym samopoczuciu można kontynuować ćwiczenia, ale gdy pojawi się ból lub nadwerężenie – należy przestać. Także pocenie się to sygnał, aby zwolnić tempo. Utrzymywanie się tętna powyżej 100 uderzeń serca na minutę w 5 minut po zakończeniu gimnastyki to też znak, że ćwiczenia były zbyt intensywne. Inny sygnał to konieczność drzemki po wysiłku. Zamiast przyjemności ma się uczucie wycieńczenia.

Kiedy skończyć ćwiczenie? Organizm sam da znak. Będzie to uogólniony ból (głowa, biodra, plecy, miednica, klatka piersiowa itd.), kurcze lub ból kłujący, zawroty głowy, tachycardia, utrata tchu, kłopoty z chodzeniem lub utrata kontroli mięśni, ból głowy, znaczne obrzmienie stóp, rąk, twarzy, wyciek płynu owodniowego lub krwawienie z pochwy, a także – po 28 tygodniu ciąży – zwolnienie lub zatrzymanie ruchów płodu. Gdy wystąpią takie objawy, należy skontaktować się ze swoim le-

Siad skrzyżny, ćwiczenia rozciągające

Siedzenie ze skrzyżowanymi nogami jest szczególnie wygodne w ciąży. Należy tak siadać przy każdej okazji i wykonywać ćwiczenia ramion: położyć ręce na barkach, a następnie unieść je wysoko nad głową. Na zmianę wyciągać ramiona wysoko, próbując dosięgnąć sufitu. Powtórzyć 10 razy na każde ramię. Nie wolno balansować ciałem.

Gimnastyka nóg

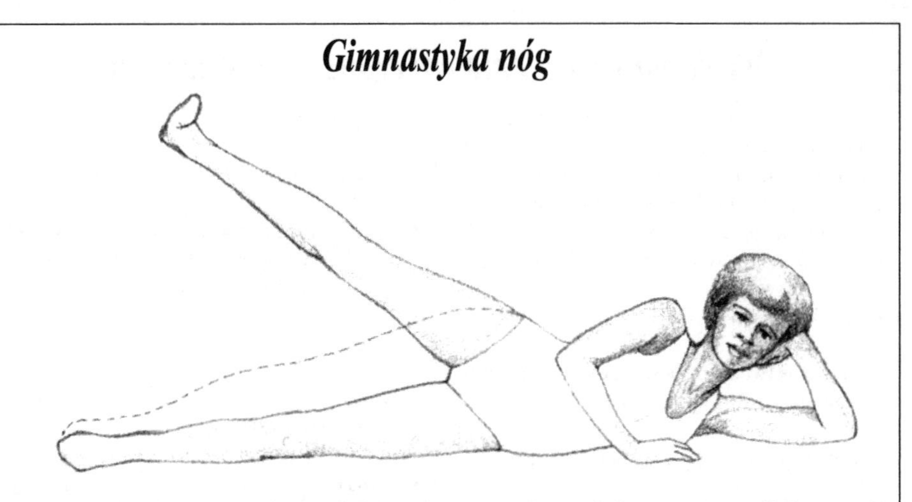

Leżenie na lewym boku, ramiona, biodra i kolana w linii prostej. Prawa dłoń spoczywa na podłodze z przodu klatki piersiowej, lewa wspiera głowę. Rozluźnienie mięśni i wdech. Następnie wydech z powolnym uniesieniem prawej nogi na maksymalną wysokość. Stopa zgięta, strona wewnętrzna nogi skierowana prosto w dół. Wydech z opuszczeniem nogi. Powtarzać 10 razy na każdym boku. Ćwiczenie to można wykonywać z nogą wyprostowaną bądź zgiętą w kolanie.

karzem. W drugim i trzecim trymestrze można obserwować spadek sprawności. Należy wówczas ograniczyć aktywność.

Temperatura. Nie należy ćwiczyć w bardzo ciepłe i wilgotne dni; nie korzystaj z sauny i łaźni parowej. Podniesienie temperatury ciała nawet o 0,2°C może okazać się niebezpieczne, gdyż upośledzony jest dopływ krwi do macicy na rzecz zwiększenia ukrwienia skóry, co służy ochłodzeniu ciała. Unikać też trzeba ćwiczeń w najgorętszej porze dnia lub dusznym pomieszczeniu. Nie ubieraj się zbyt ciepło. Noś lekkie ubranie latem i ciepłą bieliznę zimą. Kiedy wychodzisz, aby poćwiczyć, powinnaś czuć lekki chłód, ćwiczenia szybko cię rozgrzeją. Możesz włożyć kilka warstw ubrania, tak aby w miarę rozgrzewania łatwo pozbyć się kolejnych części garderoby. I nie wolno czekać na objawy przegrzania. Trzeba im zapobiec.

Zachowanie ostrożności. Nawet najbardziej wysportowane kobiety mogą utracić swój wdzięk w ciąży. W związku z przesunięciem środka ciężkości wraz z macicą do przodu rośnie niebezpieczeństwo upadku i trzeba o tym pamiętać. W końcowym okresie ciąży należy unikać sportów wymagających nagłych ruchów lub dobrego zmysłu równowagi, jak np. tenis.

Wzrost ryzyka urazu. Wiele przyczyn, jak np. rozluźnienie stawów, zmiana środka ciężkości, roztargnienie, powoduje, iż kobiety ciężarne częściej ulegają urazom, niż się tego spodziewają.

Oszczędzanie kręgosłupa, ustawienie stóp. Od piątego miesiąca nie należy wykonywać ćwiczeń w leżeniu płasko na wznak, gdyż znacznych rozmiarów macica może wywierać ucisk na naczynia krwionośne, upośledzając krążenie. Przesadne prostowanie stóp może być powodem kurczu łydek bez względu na okres ciąży. Stopy należy zginać, kierując palce ku twarzy.

Zmniejszenie intensywności ćwiczeń w ostatnim trymestrze. Choć znane są opowieści o ciężarnych zawodniczkach, które aż do samego porodu biegały na bieżni lub pływały, to dla większości kobiet wskazane jest ograniczenie ćwiczeń w czasie ostatnich trzech miesięcy. W rzeczywistości jedynie 10% wysportowanych kobiet utrzymuje program ćwiczeń w okresie ciąży aż do porodu. Zrezygno-

Wybieramy ćwiczenia wskazane w okresie ciąży

Wybierz odpowiednie dla ciebie ćwiczenia. Choć najczęściej nie ma przeciwwskazań co do kontynuowania dyscypliny sportu bądź rodzaju ćwiczeń uprawianych przed zapłodnieniem, można dodać jeszcze parę nowych. Oto ćwiczenia, które może wykonywać nawet nowicjuszka:

- szybki marsz,
- pływanie (woda nie powinna być za ciepła ani za zimna),
- ćwiczenia na rowerze stacjonarnym,
- calanetics i wodny aerobik przeznaczony dla kobiet w ciąży,
- ćwiczenia Kegla,
- ćwiczenia relaksacyjne.

Ćwiczenia dla sprawnych osób z przygotowaniem atletyczno-gimnastycznym:

- jogging (do 3 km dziennie)[1],
- gra w tenisa parami (singel może być zbyt dużym wysiłkiem),
- jazda na nartach biegowych (maksymalnie na wysokości 3000 m n.p.m.),
- podnoszenie niewielkich ciężarów (wypuszczaj powietrze w chwili podnoszenia, unikaj manewru Valsalvy – zatrzymuje oddech i wyczerpuje),
- jazda na rowerze (ze szczególną ostrożnością),
- jazda na łyżwach (ze szczególną ostrożnością).

Ćwiczenia zdecydowanie przeciwwskazane:

- jogging (ponad 3 km dziennie)[2],
- jazda konna,
- narty wodne,
- nurkowanie (w basenie) i skoki do wody,
- nurkowanie głębinowe (aparat tlenowy może upośledzić krążenie, choroba dekompresyjna jest zagrożeniem dla płodu),
- biegi sprinterskie,
- jazda na nartach zjazdowych (duże niebezpieczeństwo groźnego upadku),
- jazda na nartach biegowych na wysokości powyżej 3000 m n.p.m.,
- jazda na rowerze na nawierzchniach, które stwarzają duże ryzyko upadku oraz w pozycji wyścigowej (znaczne pochylenie w przód),
- gry zbiorowe (np. piłka nożna) ze względu na ryzyko urazu,
- pewne typy calanetics: ćwiczenia polegające na rozciąganiu mięśni brzucha (np. przysiady); ćwiczenia grożące wprowadzeniem powietrza do pochwy („rowerek", stanie na rękach, ćwiczenie z przywodzeniem kolan do klatki piersiowej); rozciąganie mięśni po wewnętrznej stronie uda (w siedzeniu stopy złączone, kolana podkurczone i rozchylone na boki, pochylenie w przód); ćwiczenia z pogłębianiem zgięcia odcinka lędźwiowego kręgosłupa (skłon w tył); a także inne, wymagające znacznego zginania i prostowania stawów (skoki, gwałtowne ruchy lub zmiany kierunku ruchu, balansowanie).

---

[1] To nie są nadmiernie obciążające ćwiczenia, więc w czasie ciąży najłatwiej właśnie je kontynuować.

[2] Wiele wysportowanych kobiet kontynuuje programy trudniejszych ćwiczeń bez negatywnych objawów, chociaż ich dzieci mogą urodzić się z niższą od przeciętnej masą urodzeniową. Skonsultuj się z lekarzem, zanim sama zaczniesz uprawiać takie ćwiczenia.

wanie z nich jest mądrą decyzją. Szczególnie dotyczy to dziewiątego miesiąca, gdy samo rozciąganie i energiczny marsz powinny zastąpić resztę ćwiczeń. Powrót do ćwiczeń gimnastycznych można rozpocząć w 6 tygodni po porodzie.

BRAK AKTYWNOŚCI RUCHOWEJ W CZASIE CIĄŻY

Gimnastyka w okresie ciąży z pewnością daje bardzo wiele korzyści, np. zmniejsza bóle kręgosłupa, zapobiega zaparciom, żylakom, polepsza samopoczucie, przygotowuje do porodu, który dzięki wzmocnieniu będzie szybszy i łatwiejszy, a także pozwala utrzymać dobrą formę w połogu. Lecz ciągłe siedzenie (tak z wyboru, jak i z zalecenia lekarza), stosowanie jedynego ćwiczenia: wsiadania i wysiadania z samochodu itp., także nie zaszkodzi ani matce, ani dziecku. Jeśli jest to zalecenie lekarza – można w ten sposób pomóc dziecku i sobie. Lekarz z pewnością zaleci ograniczenie ruchu w przypadku trzech lub więcej poronień samoistnych bądź porodu przedwczesnego, w przypadku rozwarcia szyjki macicy, krwawienia lub okresowego plamienia, rozpoznania łożyska przodującego lub choroby serca. Należy ograniczyć aktywność ruchową, gdy matka cierpi na nadciśnienie tętnicze, cukrzycę, choroby tarczycy, anemię lub inną chorobę krwi, znaczną nadlub niedowagę albo gdy dotychczas prowadziła wyłącznie siedzący tryb życia. Także w sytuacji, gdy ostatni poród był nagły lub rozwój płodu w poprzedniej ciąży przebiegał nieprawidłowo, lekarz może zabronić wykonywania jakichkolwiek ćwiczeń.

Czasem dopuszczalne są tylko ćwiczenia ramion, lecz w takiej sytuacji najlepiej porozumieć się z lekarzem.

10
Szósty miesiąc

Czego możesz oczekiwać w czasie badania okresowego

W tym miesiącu możesz oczekiwać, że lekarz prowadzący zaproponuje ci badanie kontrolne, które będzie obejmowało wymienione niżej punkty (chociaż mogą być pewne różnice w zależności od twojej szczególnej sytuacji lub schematu postępowania twojego lekarza)[1]:

- ważenie i mierzenie ciśnienia tętniczego krwi;
- badanie poziomu białka i cukru w moczu;
- badanie czynności serca płodu;
- określenie wysokości dna macicy;
- określenie wielkości macicy i położenia płodu poprzez badanie zewnętrzne;
- oglądanie kończyn w celu wykrycia ewentualnych obrzęków lub żylaków kończyn dolnych;
- omówienie objawów, które odczuwasz, a w szczególności tych nietypowych;
- pytania i problemy, które chcesz przedyskutować – przygotuj ich spis.

Co możesz odczuwać

Możesz odczuwać wszystkie wymienione niżej objawy jednocześnie lub tylko niektóre z nich. Jedne mogą trwać od poprzedniego miesiąca, inne mogą się pojawić dopiero teraz. Część objawów będzie ledwo zauważalna, ponieważ przyzwyczaiłaś się do nich. Możesz mieć też inne, mniej powszechnie występujące objawy.

OBJAWY FIZYCZNE:

- lepiej odczuwalna aktywność płodu;
- białawe upławy pochwowe;
- bolesność podbrzusza (spowodowana naciąganiem więzadeł podtrzymujących macicę);
- zaparcia;
- zgaga, niestrawność, wzdęcia;

[1] Badania i testy opisane są w oddzielnym rozdziale *Dodatek*.

JAK MOŻESZ WYGLĄDAĆ

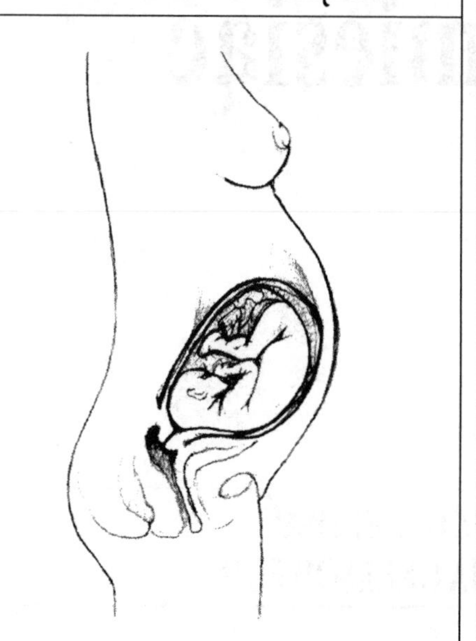

Pod koniec szóstego miesiąca długość płodu wynosi około 33 cm, a jego masa około 900 g. Jego skóra jest cienka, błyszcząca i zawiera niewiele tłuszczu w tkance podskórnej. Widoczne są palce rąk i stóp. Zaczynają się rozdzielać powieki, a oczy otwierają się. Jeśli urodziłby się w tym miesiącu, to przy intensywnej opiece i pielęgnacji płód może przeżyć.

- okresowe bóle głowy, zasłabnięcia lub zawroty głowy;
- przekrwienie śluzówki nosa lub krwawienia z nosa; uczucie „zatykania się" ucha;
- „różowa szczoteczka do zębów" z powodu krwawiących dziąseł;
- nadmierny apetyt;
- kurcze mięśni kończyn dolnych;
- delikatne obrzęki okolicy stawu skokowego i stóp, okresowo dotyczące również rąk lub twarzy;
- żylaki kończyn dolnych i/lub żylaki okołoodbytnicze;
- świąd skóry brzucha;
- bóle pleców;
- przebarwienia skóry brzucha i/lub twarzy;
- powiększenie piersi.

ODCZUCIA PSYCHICZNE:

- rzadsze występowanie zmienności nastrojów; nadal będziesz odczuwać roztargnienie;
- zaczyna pojawiać się uczucie znudzenia z powodu tego, że jesteś w ciąży;
- niepokój dotyczący przyszłości.

CO MOŻE CIĘ NIEPOKOIĆ

BÓL I CIERPNIĘCIE RĘKI

Często budzę się w środku nocy, ponieważ palce mojej prawej ręki są zdrętwiałe. Czasami nawet bolą. Czy jest to związane z ciążą?

Jeśli drętwienie i ból ograniczają się do kciuka, palca wskazującego, środkowego i połowy serdecznego, to są one objawami zespołu cieśni nadgarstka. Chociaż jest on najczęściej spotykany u ludzi wykonujących prace wymagające wielokrotnego powtarzania ruchów ręki, np. krojenie mięsa, granie na pianinie, pisanie na maszynie, występuje jednak również u kobiet w ciąży. Jest to spowodowane tym, że w czasie ciąży pojawia się obrzęk kanału nadgarstka, przez który przechodzą nerwy zaopatrujące palce. Rezultatem jest wzrost ciśnienia powodujący drętwienie, mrowienie, palenie i/lub ból. Objawy te mogą dotyczyć ręki i nadgarstka, mogą też promieniować aż do ramienia.

Ponieważ w okresie ciąży płyny w twoich tkankach gromadzą się przez cały dzień, stąd obrzęk i towarzyszące mu objawy mogą być bardziej nasilone w nocy. Staraj się, aby w czasie spania unikać pozycji, która mogłaby powodować ucisk na kończyny, ponieważ wtedy objawy te mogą się nasilać. Pojawiające się drętwienie możesz złagodzić przez uniesienie ręki powyżej brzegu łóżka i energiczne potrząsanie nią. Jeśli występuje ono nadal (bolesne lub bezbolesne) i zakłóca sen – przedyskutuj ten problem ze swoim lekarzem. Unieruchomienie nadgarstka i codzienne zażywanie witaminy B_6 często przynosi ulgę.

Niektórym ciężarnym ulgę przynosi akupunktura. Zapisywane zazwyczaj przy tym zespole niesterydowe i sterydowe leki przeciwzapalne nie mogą być zalecane w ciąży. Jeśli zawodzi leczenie zachowawcze i dolegliwości utrzymują się, pomocny może się okazać zabieg chirurgiczny.

MROWIENIE

Często odczuwam mrowienie w rękach i nogach. Czy wskazuje ono na zaburzenia w krążeniu krwi?

Jak gdyby było nie dość tego, że podczas ciąży czujesz się jak na igłach, to na domiar niektóre kobiety odczuwają okresowo niepokojące uczucie mrowienia w kończynach. Chociaż może to być odczuwane jako zaburzenia w krążeniu krwi, to zazwyczaj tak nie jest. Nikt nie wie, dlaczego to zjawisko występuje lub jak je wyeliminować. Wiadomo jednak, że nie wskazuje ono na żadne niebezpieczeństwo. Pomóc mogą zmiany pozycji ciała. Jeśli mrowienie przeszkadza ci w funkcjonowaniu – poinformuj o tym lekarza prowadzącego.

KOPANIE DZIECKA

Niekiedy dziecko kopie cały dzień, kiedy indziej wydaje się bardzo spokojne. Czy jest to normalne?

Płód jest po prostu człowiekiem i tak jak my ma „lepsze" dni, kiedy ma ochotę rozpychać się i kopać piętami (a także łokciami lub kolanami), i „gorsze" dni, kiedy woli leżeć sobie na plecach i odpoczywać. Najczęściej jego aktywność związana jest z tym, co robisz. Uspokaja go, tak samo jak i dziecko, kołysanie. Tak więc, kiedy cały dzień jesteś „na nogach", twoje dziecko jest prawdopodobnie uspokajane przez rytm twojego ciała i nie zauważasz większej ruchliwości (kopania) – częściowo z powodu zmniejszonej aktywności dziecka, częściowo dlatego, że jesteś bardzo zajęta. Zaledwie jednak zwolnisz tempo, on lub ona zaczyna się uaktywniać. To dlatego większość przyszłych matek lepiej czuje ruchy dziecka w łóżku w nocy lub rano. Aktywność płodu może również wzrastać po spożyciu posiłku, prawdopodobnie jako reakcja na wzrost poziomu glukozy (cukru) we krwi. Niektóre kobiety ciężarne donoszą o wzroście aktywności dziecka również wtedy, gdy są podniecone lub nerwowe (dziecko może być stymulowane przez adrenalinę matki).

Dzieci są najbardziej aktywne pomiędzy 24 a 28 tygodniem ciąży. Ale ich ruchliwość jest zmienna. Jest ona wyraźnie widoczna w badaniu ultrasonograficznym, a nie zawsze jest odczuwana przez bardzo zajętą matkę. Pomiędzy 28 a 32 tygodniem ciąży aktywność płodu staje się bardziej zorganizowana i stała, z wyraźnymi okresami odpoczynku i ruchliwości.

Nie ulegaj pokusie, aby porównywać swoje spostrzeżenia o ruchliwości dziecka ze spostrzeżeniami innych kobiet. Każdy płód, jak każdy noworodek, ma indywidualny model ruchliwości i rozwoju. Niektóre wydają się zawsze aktywne, inne przeważnie spokojne. Kopanie niektórych jest regularne, innych wydaje się nie wykazywać żadnej regularności. Wszystkie warianty są normą tak długo, dopóki nie wystąpi radykalne zmniejszenie lub zaprzestanie aktywności.

Ostatnie badania sugerują (i jest to bardzo dobry pomysł), by od 28 tygodnia ciąży kontrolować ruchy płodu dwukrotnie w ciągu dnia – raz rano, kiedy aktywność wydaje się mała, i raz wieczorem, kiedy występuje tendencja do jej ożywienia. W jaki sposób przeprowadzić tę kontrolę?

Spójrz na zegarek, kiedy zaczynasz liczyć. Licz wszelkie ruchy (kopanie, poruszenie, szmery, przewracanie się). Kiedy naliczysz 10 ruchów, zanotuj czas. Na ogół będziesz odczuwała około 10 ruchów w czasie 10 minut. Czasami będzie to trwało dłużej.

Jeśli nie naliczyłaś 10 ruchów w ciągu 1 godziny, wypij trochę mleka lub zjedz coś. Potem połóż się, odpręż i odpocznij, i spróbuj liczyć ponownie. Jeśli w czasie kolejnej godziny nie naliczyłaś 10 ruchów, zadzwoń bezzwłocznie do swojego lekarza. Wprawdzie taki brak aktywności nie zawsze wskazuje na jakieś problemy, może jednak sporadycznie oznaczać czy wskazywać na pewien problem lub niepokojący sygnał ze strony płodu. W takich przypadkach konieczna będzie szybka interwencja.

Im bliżej wyznaczonego terminu porodu, tym ważniejsze dla ciebie staje się regularne kontrolowanie ruchów płodu.

Czasami dziecko porusza się tak mocno, że aż boli.

Twoje dziecko rozwija się w macicy, staje się coraz silniejsze i ruchy, które kiedyś przypominały uderzenia skrzydeł motyla, teraz stają się coraz mocniejsze. Nie bądź zaskoczona, jeśli zostaniesz uderzona w żebro lub w brzuch czy w szyjkę macicy tak mocno, że aż zaboli. Kiedy stwierdzisz, że jesteś szczególnie gwałtownie atakowana, spróbuj zmienić pozycję. Być może spowoduje to, że zostanie zakłócona równowaga małego napastnika i że przerwie on na pewien czas atak.

Wydaje mi się, że dziecko kopie wszędzie. Czy oznacza to, że mogę mieć bliźnięta?

W którymś momencie ciąży prawie każda kobieta zaczyna myśleć, że ma bliźnięta lub „ludzką ośmiornicę". Oczywiście w większości przypadków nie jest to prawdą. Zazwyczaj w 34 tygodniu ciąży macica zaczyna ograniczać ruchliwość stale rosnącego płodu. Zanim jednak do tego dojdzie, płód jest zdolny do wykonywania akrobatycznych wyczynów. Dlatego też, kiedy czujesz się okładana przez tuzin piąstek, to prawdopodobnie są to tylko dwie piąstki wędrujące dookoła, wsparte uderzeniami malutkich kolan, łokci i stóp.

Spójrz na stronę 160, jeśli chciałabyś dowiedzieć się czegoś więcej na temat bliźniąt i metod ich diagnozowania.

KURCZE MIĘŚNI KOŃCZYN DOLNYCH

W nocy mam kurcze mięśni kończyn dolnych. Przeszkadza mi to w spaniu.

Trapiona gonitwą myśli i powiększającym się brzuchem i tak prawdopodobnie masz już dość problemów, by nie spać. A do tego dochodzą dolegliwości spowodowane kurczami mięśni kończyn dolnych. Niestety, te bolesne kurcze, występujące najczęściej w nocy, są powszechne wśród ciężarnych w II i III trymestrze ciąży. Na szczęście można im zapobiegać lub łagodzić je.

Od czasu kiedy stwierdzono, że są one spowodowane nadmiarem fosforu i niskim poziomem wapnia w organizmie, zażywanie preparatów uzupełniających, które zawierają wapń i nie zawierają fosforu, może być skuteczne w ich łagodzeniu. Niezbędne może też być (ale tu koniecznie porozum się z twoim lekarzem) zmniejszenie spożywania produktów zawierających fosforany, np. przez ograniczenie spożycia mięsa (tylko wtedy, kiedy masz zapewnioną odpowiednią podaż wapnia i białka w innych produktach; zapoznaj się z rozdziałem 4: *Dieta najlepszej szansy* na s. 103). Kurcze mięśni kończyn dolnych mogą być również spowodowane zmęczeniem i naciskiem powiększającej się macicy na pewne nerwy. Noś zatem rajstopy ściągające i odpoczywaj z nogami uniesionymi nieco ku górze; być może pomoże to wyeliminować opisany problem.

Jeśli wystąpił skurcz mięśni łydki, wyprostuj nogę w kolanie, zginając powoli w stawie skokowym i stawach palców, i unieś ją do góry w kierunku nosa. Powinno to wkrótce zmniejszyć ból (wielokrotne powtarzanie tego ćwiczenia przed udaniem się na spoczynek być może pozwoli nawet na uniknięcie tych dolegliwości). Czasami pomaga również stanie na zimnej powierzchni. Jeśli żadna z tych metod nie zmniejsza bólu, ulgę może przynieść masaż lub miejscowe ogrzanie. Jeśli to również nie pomaga, skontaktuj się z lekarzem, a jeśli ból wciąż trwa, należy rozważyć, czy mógł wytworzyć się w żyle skrzep krwi, co upoważniałoby lekarza do interwencji medycznej.

KRWAWIENIE Z ODBYTU I ŻYLAKI OKOŁOODBYTNICZE

Jestem zaniepokojona krwawieniem z odbytu.

Krwawienie z odbytu jest zawsze niepokojącym objawem, szczególnie podczas ciąży – dlatego że dotyczy obszarów znajdujących się w bezpośredniej bliskości dróg rodnych. W przeciwieństwie jednak do krwawienia z pochwy krwawienie z odbytu nie jest objawem wskazującym na zagrożenie ciąży. Jest ono często w czasie ciąży spowodowane zewnętrznymi żylakami odbytnicy. Hemoroidy, które są żylakowato poszerzonymi naczyniami żylnymi odbytnicy, występują u 20-50% ciężarnych. Żyły te, tak jak i żyły kończyn dolnych, są w tym czasie bardzo podatne na tworzenie się żylaków. Czasami żylaki odbytnicy spowodowane są zaparciami.

Żylaki okołoodbytnicze mogą powodować swędzenie, ból lub krwawienie. Krwawienie z odbytu może również pochodzić ze szczelin – pęknięć odbytu – spowodowanych przez zaparcia, które mogą towarzyszyć żylakom okołoodbytniczym lub występować niezależnie.

Nie próbuj sama diagnozować żylaków okołoodbytniczych. Krwawienie z odbytu jest czasem sygnałem poważnej choroby i powinno być zawsze ocenione przez lekarza. Jeśli jednak na pewno masz żylaki okołoodbytnicze i/lub szczeliny odbytu, to w procesie ich leczenia ty możesz odegrać zasadniczą rolę. Właściwa pielęgnacja może często wyeliminować potrzebę bardziej radykalnej terapii.

- Unikaj zaparć! Nie muszą one wcale towarzyszyć ciąży i nie są niezbędnym elementem ciąży; patrz s. 154. (Profilaktyka zaparć, od samego początku, jest często doskonałym sposobem zapobiegania tworzeniu się żylaków okołoodbytniczych.)
- Aby uniknąć dodatkowego nacisku na żyły odbytnicy, śpij na boku, nie na plecach; unikaj długiego stania i siedzenia; nie napręż aj się przy oddawaniu stolca, a także nie przeciągaj czasu korzystania z toalety (nie zaleca się czytania w ubikacji). Przy oddawaniu stolca może pomóc ci oparcie stóp na podnóżku.
- Wykonuj regularnie ćwiczenia Kegla, poprawiają one krążenie krwi w tej części ciała (patrz s. 198).
- Stosuj ciepłe nasiadówki dwukrotnie w ciągu dnia.
- Stosuj przymoczki z oczaru lub okłady z lodu (wybierz ten sposób, który lepiej łagodzi twoje dolegliwości).
- Stosuj leki miejscowo działające, czopki, środki przeczyszczające, tylko jeżeli zostały przepisane przez lekarza, który wie o twojej ciąży. Nie stosuj płynnej wazeliny.
- Utrzymuj w nienagannej czystości okolicę krocza (od pochwy do odbytu); myj tę okolicę ciepłą wodą od przodu do tyłu; po każdym wypróżnieniu używaj tylko białego papieru toaletowego.
- Jeśli siedzenie sprawia ci ból, używaj specjalnej, dmuchanej poduszeczki (przypominającej kształtem dętkę).
- Odpoczywaj kilka razy dziennie, kładź się możliwie na boku. W tej pozycji oglądaj telewizję, czytaj i rozmawiaj z mężem.

Stosując dobrą, właściwą pielęgnację, można zapobiec utrwaleniu żylakowatego poszerzenia naczyń żylnych odbytnicy. Mogą one sprawiać trochę kłopotu podczas porodu, szczególnie wówczas, kiedy faza parcia się przedłuża, znikają zazwyczaj po porodzie, jeśli środki profilaktyczne są nadal stosowane.

ŚWIĄD BRZUCHA

Stale swędzi mnie brzuch. Doprowadza mnie to do szaleństwa.

Brzuchy kobiet ciężarnych są „brzuchami swędzącymi", a uczucie świądu może progresywnie wzrastać i być większe niż w poprzednich miesiącach. Skóra na brzuchu mocno się napina. Rezultatem jest suchość wywołująca u niektórych kobiet wyjątkowe swędzenie. Spróbuj się nie drapać lub przynajmniej ograniczyć drapanie do minimum. Ulgę może przynieść smarowanie brzucha substancjami nawilżającymi lub redukującymi swędzenie. Jeżeli odczuwasz swędzenie na całym ciele, zgłoś to lekarzowi.

ZATRUCIE CIĄŻOWE LUB STAN PRZEDRZUCAWKOWY

Moja przyjaciółka przebywała ostatnio w szpitalu z powodu stanu przedrzucawkowego. W jaki sposób można taki stan rozpoznać?

Na szczęście stan przedrzucawkowy (znany również jako nadciśnienie wywołane ciążą) nie jest powszechny. W swojej najłagodniejszej formie występuje tylko u 5-10% ciężarnych. Większość tych przypadków występuje u kobiet, które zaszły w ciążę, chorując na przewlekłe nadciśnienie tętnicze. Stan przedrzucawkowy jest najpowszechniejszy w pierwszych ciążach i powyżej 20 tygodnia ciąży. Wśród kobiet objętych regularną opieką prenatalną, z wcześnie postawionym rozpoznaniem i wcześnie leczonych, możemy zapobiegać niepotrzebnym komplikacjom. Chociaż rutynowe wizyty w poradni wydają się czasami stratą czasu, szczególnie podczas prawidłowo przebiegającej ciąży, to jednak dzięki nim można wykryć najwcześniejsze objawy, zwiastujące stan przedrzucawkowy.

Jeśli zauważyłaś u siebie gwałtowny, wyraźny wzrost ciężaru ciała i nie jest to związane z nadmiarem przyjmowanego pokarmu, jeśli ponadto masz znaczne obrzęki rąk i twarzy, nie wyjaśnione bóle głowy i/lub zaburzenia wzroku lub nie dające się niczym wytłumaczyć ostre bóle w górnej, środkowej części brzucha, którym towarzyszą mdłości i niekiedy wymioty, skontaktuj się z lekarzem. Patrz s. 166 – wskazówki na temat postępowania w przypadku wysokiego ciśnienia krwi u kobiet w ciąży oraz s. 350 – więcej informacji na temat toksemii.

PRACA W POZYCJI STOJĄCEJ

W czasie pracy dużo stoję. Planowałam pracować aż do porodu, ale czy jest to bezpieczne?

Pytanie – jak praca przyszłej matki wpływa na nie narodzony płód – jest ważne szczególnie teraz, kiedy tak wiele przyszłych matek pracuje. Odpowiedź na to pytanie, wbrew pozorom, wcale nie jest taka prosta. Każdy z nas słyszał o kobietach, które prosto z biura, studia lub sklepu przyszły do szpitala i urodziły zdrowe dzieci. Przeprowadzone badania wykazały, że kobiety, które były „na nogach" 65 godzin tygodniowo, nie miały więcej komplikacji w ciąży niż kobiety, których praca była mniej stresowa i krótsza. Jednak inne badania sugerują, że mocno męcząca, pełna stresu praca lub praca wymagająca długiego stania w II połowie ciąży może zwiększyć ryzyko wystąpienia nadciśnienia tętniczego u matki, przedwczesnego oddzielania łożyska lub urodzenia dziecka z niską masą urodzeniową. Niektóre badania wykazują, że ryzyko wystąpienia komplikacji z powodu pracy w pozycji stojącej wzrasta powyżej 28 tygodnia ciąży, jeśli przyszła matka ma w domu jeszcze inne dzieci, którymi musi się opiekować.

Czy kobiety, których praca wymaga długiego stania, tj. kucharki, policjantki, kelnerki, lekarki, pielęgniarki itd., powinny pracować po 28 tygodniu ciąży? Aby otrzymać ostateczną odpowiedź na to pytanie, trzeba wykonać jeszcze wiele badań. Amerykańskie Stowarzyszenie Medyczne zaleca kobietom, które pracują w pozycji stojącej przez więcej niż 4 godziny dziennie, przerwanie pracy około 24 tygodnia ciąży, tym zaś, których praca wymaga stania przez połowę każdej godziny pracy, przerwanie jej około 32 tygodnia ciąży. Wielu lekarzy uważa te zalecenia za zbyt surowe i pozwala dłużej pracować tym kobietom, które po prostu dobrze się czują. Nie jest jednak dobrym pomysłem kontynuowanie pracy zawodowej przez cały czas, a to nie tyle z powodu teoretycznego ryzyka dla dziecka, ile z powodu realnego ryzyka nasilenia takich dolegliwości, jak: bóle pleców, żylaki kończyn dolnych lub żylaki okołoodbytnicze.

Badania wykazały, że pracujące kobiety z niedowagą, których przyrost ciężaru ciała w czasie ciąży był niewielki, mają większą szansę urodzenia małego dziecka niż te, które nie pracują. Jeśli rzeczywiście są one niezdolne do osiągnięcia odpowiedniej masy ciała (patrz s. 104), to właściwym postępowaniem będzie okresowe przerwanie pracy zawodowej lub zredukowanie godzin zatrudnienia.

Niektórzy eksperci zalecali kobietom, których praca wymaga podnoszenia, ciągnięcia, pchania, wspinania się (na schody, słupy, drabiny) lub schylania się poniżej pasa, przerwanie pracy – jeśli jest intensywna – po 20 tygodniach ciąży, lub po 28 tygodniu ciąży – jeśli praca jest umiarkowanie intensywna. Być może dobrym pomysłem jest też przerwanie pracy, gdy wymaga ona częstych zmian (które mogą rozregulować ustalony rytm przyjmowania posiłków, spania, a także zwiększyć zmęczenie), zwłaszcza jeśli wydaje się ona pogłębiać takie dolegliwości, jak: bóle pleców, bóle głowy, zmęczenie, a także jeśli zwiększa ryzyko upadków lub innych przypadkowych urazów.

Z drugiej strony, mając pracę siedzącą, możesz zaplanować sobie pójście prosto z pracy do szpitala, bez żadnego ryzyka dla ciebie i twojego dziecka. Praca siedząca, która nie jest zbyt stresowa, może być mniej wyczerpująca dla was obojga niż pozostawanie w domu z odkurzaczem i szczotką w ręce. Korzystny może też być codzienny spacer od 1 do 2 godzin dziennie – do i z pracy (zakładając, że niczego nie będziesz dźwigać w czasie spaceru).

Oto rady, które pomogą ci w czasie ciąży zmniejszyć fizyczne zmęczenie spowodowane pracą:

- noś ściągające rajstopy;
- jeśli musisz długo stać – połóż jedną nogę na niskim krzesełku, zegnij ją w kolanie i odciąż swoje plecy (patrz ilustracja na s. 184);
- rób częste przerwy w pracy; jeśli siedziałaś, wstań i pospaceruj dookoła; jeśli stałaś, usiądź z nogami uniesionymi do góry;
- w wolnym czasie dużo odpoczywaj; zrezygnuj z takich form aktywności, jak: biegi, tenis, wspinaczka itp.; im cięższa jest twoja praca, tym bardziej musisz wyeliminować inne męczące zajęcia;
- odpoczywaj na lewym boku; śpij na lewym boku;
- siedząc przy biurku, staraj się trzymać nogi uniesione nieco do góry (oprzyj je na krześle lub kartonie);
- słuchaj swojego ciała; odpocznij, jeśli jesteś zmęczona; idź wcześniej do domu, jeśli czujesz się wyczerpana;
- staraj się nie przebywać w pomieszczeniach zadymionych; są one niekorzystne nie tylko dla twojego dziecka, lecz mogą pogłębiać również twoje zmęczenie;
- unikaj ekstremalnych temperatur;
- unikaj szkodliwych dymów i chemikaliów (patrz s. 93);
- opróżniaj pęcherz moczowy do końca co 2 godziny;
- jeśli musisz stać lub chodzić w pracy, zmniejsz w miarę możliwości liczbę godzin pracy i zwiększ ilość czasu przeznaczonego na drzemkę i odpoczynek z nogami ułożonymi nieco wyżej;
- pamiętaj – praca nie jest tak ważna, jak ważne jest odżywianie twojego dziecka;
- nie pozwól, aby jakieś inne zajęcie przeszkadzało ci w codziennym spożywaniu śniadania, obiadu i kolacji (całodzienne odżywianie uzupełnij w pracy kanapkami).

NIEZRĘCZNOŚĆ

Dlaczego nagle stałam się niezręczna?

Niezręczność – podobnie jak dodatkowe centymetry w pasie – jest nieodłącznym elementem ciąży. To przejściowe zjawisko, jak i niektóre inne objawy towarzyszące ciąży, spowodowane jest rozluźnieniem więzadeł stawowych i zatrzymaniem wody w organizmie i powoduje, że będziesz mniej pewnie trzymać różne przedmioty. Również brak koncentracji z powodu roztargnienia może być czynnikiem powodującym niezręczność (patrz s. 169). Niewiele jednak tutaj można zrobić, zaleca się jedynie podejmowanie prób staranniejszego chwytania przedmiotów. I może to niezły pomysł, aby przez następne kilka miesięcy mąż zajmował się twoją porcelaną.

BÓL PORODOWY

Teraz, kiedy ciąża stała się faktem, martwię się, że nie zdołam znieść bólu porodowego.

Choć niemal każda przyszła matka niecierpliwie czeka na urodzenie dziecka, to niewiele z nich oczekuje samego porodu. Lęk przed nieznanym jest oczywisty i normalny, zwłaszcza u tych kobiet, które nigdy przedtem nie doświadczyły podobnego odczucia. Niestety jest on często zwielokrotniony przez straszliwe opowieści matek, ciotek i przyjaciółek, i przyszłe matki obawiają się pójść tymi samymi śladami.

Obawa przed bólem jest bezsensowna. Może on z jednej strony być znacznie gorszy, niż sobie wyobrażałaś, z drugiej wcale nie taki straszny. Wiele na ten temat można powiedzieć. Jeśli kobieta wyobraża sobie, że poród będzie jednym wielkim wspaniałym przeżyciem, to po 24 godzinach rozrywającego bólu będzie cierpiała zarówno z powodu bólu, jak i rozczarowania. A ponieważ nie przewidywała tego bólu, trudno jej sobie z nim poradzić.

Kobiety najbardziej obawiające się bólu, jak i te, które nie biorą go pod uwagę, na ogół znacznie trudniej przechodzą poród niż kobiety, które realistycznie podchodzą do rzeczywistości i są przygotowane na każdą ewentualność.

Jeżeli przygotujesz się zarówno ciałem, jak i duchem, to powinno to zmniejszyć twój niepokój, a jednocześnie sprawi, że łatwiej przejdziesz przez poród.

Ucz się. Jedną z przyczyn, z powodu których poród był tak nieprzyjemny dla wcześniejszych pokoleń kobiet, było to, że nie rozumiały one tego, co się z nimi działo. Jeśli to więc możliwe, weź razem ze swoim partnerem udział w zajęciach szkoły rodzenia (patrz *Edukacja przedporodowa*, s. 216). Gdyby to było niemożliwe, czytaj książki i czasopisma na temat porodu (spróbuj zaznajomić się ze wszystkimi poglądami na ten temat, począwszy od opisów na s. 219). Twoja niewiedza może cię drogo kosztować.

Ruszaj się. Z pewnością nie wzięłabyś udziału w maratonie bez odpowiedniego przygotowania. Powinnaś więc też odpowiednio przygotować się do porodu, który jest zadaniem na miarę Herkulesa. Dokładnie wykonuj wszystkie ćwiczenia zalecone przez lekarza prowadzącego i/lub nauczyciela w szkole rodzenia (jeśli nie zostały zalecone – to na s. 197 znajdziesz kilka podstawowych ćwiczeń).

Nie myśl teraz o bólu. O bólach porodowych, bez względu na ich siłę, można przytoczyć dwa stwierdzenia. Po pierwsze są one ograniczone w czasie, choć wydaje się to nie do wiary. Poród nie będzie trwał wiecznie. Na ogół poród pierwszego dziecka trwa od 12 do 14 godzin, ale tylko kilka z tych godzin będzie trudnych do zniesienia (wielu lekarzy nie pozwoli na przedłużanie się porodu powyżej 24 godzin i zaleci ukończenie porodu drogą cięcia cesarskiego, jeśli nie nastąpi odpowiedni postęp porodu). Po drugie jest to ból mający określony, pozytywny cel. Skurcze stopniowo rozwierają szyjkę macicy, a każdy skurcz przybliża cię do urodzenia dziecka. Jednakże podczas bardzo trudnego porodu możesz na skutek bólu zapomnieć o tym celu. Nie czuj się winna. Twój stopień wytrzymałości na ból nie odzwierciedla twojej miłości macierzyńskiej.

Pamiętaj, żeby porodu nie przechodzić samotnie. Nawet gdybyś w czasie porodu nie miała ochoty trzymać za rękę swojego męża, to zawsze pocieszająca będzie myśl, że on (lub bliska przyjaciółka czy krewna) będzie obok ciebie, będzie po to, aby wytrzeć ci czoło, podać lód, wymasować plecy lub kark, bądź po to, abyś mogła na niego nakrzyczeć. Twój partner też powinien, w miarę możliwości, przygotować się do porodu, powinien wziąć udział w kursach szkoły rodzenia albo przeczytać informacje od s. 291.

Bądź gotowa na zastosowanie znieczulenia, jeśli będzie to konieczne. Prośba lub zgoda na znieczulenie nie oznacza ani niepowodzenia, ani słabości, a czasami niezbędna jest jakaś forma łagodzenia bólu (na s. 232 znajdziesz więcej informacji na temat znieczulenia podczas porodu).

PORÓD

Jestem pełna obaw dotyczących porodu. Co się stanie, jeśli zawiodę?

Pojawienie się edukacji przedporodowej to dla kobiet w ostatnich dziesięcioleciach ogromny krok naprzód, prawdopodobnie ważniejszy niż wspaniałe postępy medycyny. Jednakże stworzenie modelu idealnego porodu powoduje czasami, że przyszli rodzice czują się zmuszeni do tego, by taki idealny poród osiągnąć. Małżonkowie przygotowują się do porodu jak do ważnego egzaminu końcowego. Nic też dziwnego, iż wielu z nich obawia się, że zawiodą, a to z kolei powoduje, że sprawiają sobie nawzajem zawód, a także lekarzom, położnym, a szczególnie swoim nauczycielom.

Na szczęście większość nauczycieli w szkołach rodzenia zrozumiała, że nie ma jednej, jedynej drogi przygotowania się do porodu. Jest tylko jeden wspólny cel, który jednoczy wszystkich rodziców, a mianowicie zdrowa matka i zdrowe dziecko. Nauczyciele uświadamiają rodzicom, że poród nie jest egzaminem, który matka zdaje (jeśli wykonuje ćwiczenia oddechowe, rodzi drogami naturalnymi i nie przyjmuje żadnych leków) lub oblewa (jeśli zaniedbuje ćwiczenia oddechowe, poród odbywa się drogą cięcia cesarskiego lub akceptuje znieczulenie). O tym wszystkim trzeba pamiętać, ale jeżeli nawet zapomnisz z powodu bólu i podniecenia o tym, o czym powinnaś pamiętać i co powinnaś wykonywać, nie zmienia to wyniku porodu ani nie zamieni go w twoją porażkę.

Naucz się w szkole rodzenia wszystkiego, czego możesz, lub korzystaj z książek, lecz nie pozwól, aby stało się to twoją obsesją. Nie zapominaj, że poród jest naturalnym procesem, przez który kobiety przechodzą szczęśliwie od tysięcy lat, zanim pani Lamaze urodziła syna, który później został lekarzem.

Obawiam się, że zrobię coś kłopotliwego w czasie porodu.

Perspektywa krzyku, płaczu lub mimowolnego opróżnienia pęcherza lub jelit może ci się teraz wydawać czymś bardzo zawstydzającym. Uniknięcie upokorzenia będzie jednakże ostatnią rzeczą, o której będziesz myślała w czasie porodu. Pamiętaj także o tym, że nic z tego, co zrobisz w czasie porodu, nie zaszokuje tych, którzy będą z tobą, a którzy niewątpliwie wszystko to już przedtem widzieli i słyszeli. Ważną rzeczą jest, by być sobą i robić wszystko, by czuć się jak najlepiej. Jeżeli jesteś osobą, która zazwyczaj mową wyraża swoje emocje – nie staraj się powstrzymywać jęków. Z drugiej strony, jeśli jesteś osobą na ogół małomówną i wolisz raczej „płakać w poduszkę" – nie czuj się zobowiązana do tego, aby przekrzyczeć kobiety znajdujące się w pokoju obok.

Obawiam się, że w czasie porodu stracę nad nim kontrolę.

Myśl o przekazaniu kontroli nad porodem personelowi medycznemu wydaje się nieco denerwująca dla członków pokolenia, które samo chce kierować swoim życiem. Pragniesz oczywiście, aby lekarze i pielęgniarki sprawowali jak najlepszą opiekę nad tobą i twoim dzieckiem. Ale osobiście nadal chciałabyś zachować minimalną kontrolę. Możesz to zrobić teraz, pracując ciężko nad przygotowaniem ćwiczeń, zaznajamiając się z przebiegiem porodu (patrz s. 291) i wypracowując odpowiednie podejście lekarza, który szanuje twój punkt widzenia. Ustalając z lekarzem plan porodu (patrz s. 231) i wyszczególniając w nim to, czego pragniesz, a także to, czego sobie nie życzysz, również w ten sposób zwiększasz nad nim swoją kontrolę.

Mimo to co powiedzieliśmy, ważne jest, aby zrozumieć, że niekoniecznie musisz panować nad swoim porodem i że nie wszystko musi przebiegać tak, jak to sobie zaplanowałaś. Może się zdarzyć, że nawet najlepiej ułożone przez pacjentki oddziałów położniczych i ich lekarzy plany będą musiały być zmienione z powodu nieprzewidzianych okoliczności. W związku z tym najrozsądniej jest być przygotowaną psychicznie na wszelkie ewentualne scenariusze, jakie mogą nastąpić, a także na zabiegi i inne interwencje, których w głębi duszy chciałabyś uniknąć, a które mogą stać się w ostatniej chwili nieuniknione. Oto przykład: chciałabyś urodzić bez nacięcia krocza, ale twoje krocze może odmówić posłuszeństwa po 3 godzinach parcia. Albo: zaplanowałaś sobie przebycie porodu bez środków znieczulających, ale wyjątkowo długi i wyczerpujący okres aktywnego porodu pozbawił cię sił. Dlatego ważną częścią twojej edukacji przedporodowej będzie uświadomienie sobie, kiedy rezygnacja z kontroli będzie w najlepszym interesie twojego dziecka i twoim.

CO WARTO WIEDZIEĆ
Edukacja przedporodowa

Kiedy rodzice oczekiwali twojego przyjścia na świat, przygotowanie do porodu polegało na wymalowaniu pokoju dziecięcego, przygotowaniu wyprawki i walizki pełnej pięknych koszul nocnych, która gotowa czekała przy drzwiach. Tym, na co czekano, było dziecko, a nie doświadczenie porodu. Kobiety nie wiedziały prawie nic na temat porodu, a ich mężowie jeszcze mniej. A ponieważ należało się spodziewać, że matka najprawdopodobniej będzie znieczulona podczas porodu, a roztargniony ojciec będzie czytał gazety w poczekalni, ich brak wiedzy na ten temat nie miał większego znaczenia.

Obecnie, kiedy znieczulenie ogólne zarezerwowane jest głównie dla nagłych przypadków cięcia cesarskiego i poczekalnie są zarezerwowane dla zdenerwowanych dziadków, a mama i tata razem mogą przejść przez poród, taki brak wiedzy nie jest ani rzeczą rozsądną, ani zalecaną. Przygotowanie się do urodzenia dziecka oznacza przygotowanie się do samego procesu porodu, a także oczekiwanie na przyjście na świat nowego dziecka. Pary oczekujące przyjścia dziecka dosłownie pożerają książki, artykuły w czasopismach lub ulotki dotyczące ciąży i porodu. Uczestniczą w pełni we wszystkich wizytach przed porodem, poszukując odpowiedzi na wszystkie swoje pytania i starając się rozwiać wszelkie wątpliwości. I coraz częściej uczestniczą w zajęciach prowadzonych przez tzw. szkoły rodzenia.

Czym zajmują się szkoły rodzenia i dlaczego jest ich coraz więcej? Pierwsze szkoły rodzenia miały za cel wytłumaczenie nowego podejścia do porodu – tzn. bez znieczulenia i bez obaw – i były powszechnie znane jako szkoły rodzenia naturalnego. Od tego czasu przesunięto akcent z porodu naturalnego (chociaż nadal uważa się go za idealny) na kształcenie się i przygotowanie do wielu wariantów porodu. Robi się to po to, aby w momencie kiedy okaże się, że poród będzie przebiegał ze znieczuleniem lub bez, drogami naturalnymi lub drogą cięcia cesarskiego, z nacięciem krocza lub bez niego, rodzice w pełni będą w stanie zrozumieć to, co się dzieje, i w pełni będą uczestniczyć w porodzie.

Większość programów bazuje na następujących zasadach:

- udzielić dokładnej informacji, mającej na celu zmniejszenie obaw, przezwyciężenie bólu i doskonalenie umiejętności podejmowania decyzji;
- nauczyć specjalnie opracowanych metod relaksacji (odpoczynku), oderwania uwagi od porodu, panowania nad pracą mięśni i kontroli oddychania – wszystkie te elementy przyczyniają się do poczucia kontroli nad porodem, a jednocześnie zwiększają wytrzymałość kobiety i jej odporność na ból;
- rozwinąć owocny, aktywny klimat pomiędzy rodzącą matką a jej nauczycielem. Jeśli ów klimat zostanie utrzymany w czasie porodu, może on stworzyć warunki pomagające zminimalizować obawy matki i zwiększyć jej starania w czasie porodu.

KORZYŚCI WYNIKAJĄCE Z UCZESTNICTWA W ZAJĘCIACH PROWADZONYCH PRZEZ SZKOŁY RODZENIA

Korzyści, jakie wyniosą małżonkowie z tych zajęć, zależą od rodzaju szkoły, nauczyciela i ich własnej postawy. Zajęcia te jednym przynoszą większą korzyść, a drugim mniejszą. Niektórzy czują się w grupie swobodnie, a dzielenie się odczuciami jest czymś naturalnym i pomocnym. Inni czują się w grupie nieswojo, a opowiadanie o swoich odczuciach jest ich zdaniem trudne i do niczego nie prowadzi. Niektóre osoby uczą się z przyjemnością technik odpoczynku i prawidłowego oddychania, podczas gdy inne uważają je za niepotrzebne i niepożądane, a nawet za stymulujące stres (zamiast go łagodzić). Niektóre kobiety znajdują w tych technikach skuteczny środek dla opanowania bólu porodowego, natomiast inne nie korzystają z nich wcale. Jednakże prawie każde małżeństwo zyskuje coś z uczestnictwa w dobrej szkole rodzenia – a na pewno niczego nie traci.

A oto niektóre z tych korzyści:

- Możliwość spędzenia wspólnie czasu z innymi małżeństwami, które również spodziewają się przyjścia dziecka na świat, co pozwala na wspólne dzielenie się doświadczeniami, porównywanie uczynionych postępów czy opowiadanie o obawach. Te spotkania są również szansą na nawiązanie przyjaźni.

  Wiele grup urządza sobie nawet spotkania już po urodzeniu dzieci przez uczestniczki szkół rodzenia.

- Zwiększenie udziału ojca w tym szczególnym momencie życia kobiety, jakim jest ciąża, a w szczególności wtedy, gdy nie jest możliwy jego udział w wizytach przedporodowych. Zajęcia w szkołach rodzenia zaznajamiają go z samym procesem porodu, a także umożliwiają kontakt z innymi przyszłymi ojcami. Niektóre szkoły prowadzą nawet specjalne zajęcia tylko dla ojców, dając im szansę wyrażania własnych odczuć i obaw, którymi nie chcą obciążać swoich partnerek.

- Cotygodniowa szansa uzyskiwania odpowiedzi na nurtujące cię pytania, które pojawią się w okresach pomiędzy wizytami w poradni, a także na te, o których nie chciałabyś rozmawiać z lekarzem.

- Możliwość otrzymania praktycznych instrukcji dotyczących ćwiczeń oddechowych i relaksacyjnych i nawiązania dobrego kontaktu z ekspertem w tej dziedzinie.

- Okazja do uwierzenia w siebie i swoje umiejętności (które pozwolą ci lepiej przejść przez trudy porodu) poprzez poszerzenie wiedzy (która pomoże ci zwalczać strach przed nieznanym) i nabycie niezbędnych w czasie porodu umiejętności (które sprawią, że będziesz lepiej panowała nad sytuacją).

- Szansa nauczenia się pewnej strategii, która może ci pomóc w zwalczaniu bólu i przypuszczalnie zwiększyć twoją tolerancję na ból, co może zostać wyrażone poprzez zmniejszone zapotrzebowanie na znieczulenie.

- Możliwość bardziej doskonałego, mniej stresowego porodu, dzięki lepszemu zrozumieniu samego procesu rodzenia i wyrobieniu w sobie umiejętności radzenia sobie w tej sytuacji. Małżeństwa, które uczestniczyły w kształceniu przedporodowym, oceniają swoje doznania jako bardziej satysfakcjonujące niż te pary, które w nim nie uczestniczyły.

- Możliwość nieznacznego skrócenia czasu trwania porodu. Badania wykazują, że przeciętny poród kobiet, które uczestniczyły w zajęciach prowadzonych przez szkoły rodzenia, jest trochę krótszy niż tych, które w nich nie uczestniczyły. Prawdopodobnie dlatego, iż szkolenie i lepsze przygotowanie pozwala im na lepszą współpracę ze swoim ciałem (a szczególnie z pracą macicy w czasie porodu). Nie gwarantuje to jednak krótkiego porodu, a stwarza jedynie szansę na skrócenie go.

WYBÓR SZKOŁY RODZENIA

W niektórych ośrodkach, gdzie jest mało szkół, wybór jest relatywnie prosty. W innych różnorodność ofert może utrudnić ci wybór. Kursy są różne. Niektóre prowadzone są przez szpitale, inne przez prywatnych instruktorów, a jeszcze inne przez lekarzy w poradniach. Są kursy dla kobiet we wczesnym okresie ciąży, tzn. w I czy II trymestrze, na których omawia się problemy dotyczące odżywiania, ćwiczeń, rozwoju płodu, higieny seksu, snów i fantazji. Są też zajęcia 6- do 10-tygodniowe, rozpoczynające się zazwyczaj w 7 czy 8 miesiącu, które koncentrują się głównie na porodzie i opiece nad matką i dzieckiem w połogu.

Jeśli możliwości wyboru są niewielkie, udział w jakiejkolwiek szkole rodzenia jest przypuszczalnie lepszy niż nic – jeżeli potrafisz zachować dystans i nie przyjmujesz wszystkiego zbyt dosłownie. Jeżeli tam, gdzie mieszkasz, istnieje możliwość wyboru szkoły, spróbuj zdecydować, opierając się na następujących przesłankach:

- Najlepiej sprawdza się uczestniczenie w zajęciach prowadzonych przez twojego lekarza lub prowadzonych pod jego auspicjami lub też zalecanych przez niego. Jeśli poglądy twojego nauczyciela ze szkoły rodzenia, dotyczące porodu, różnią się od poglądów reprezentowanych przez osobę, która będzie przy twoim porodzie, to na pewno nie unikniesz konfliktów. Jeśli takie rozbieżności się pojawiają, to jak najszybciej zgłoś się z nimi do swojego lekarza.

- Małe jest piękne. Za ideał uważa się grupę składającą się z 5-6 par małżeńskich. Nie zaleca się, by grupy liczyły więcej niż 10 par. Jest to ważne nie tylko dlatego, że w małych grupach nauczyciel może poświęcić więcej czasu i uwagi poszczególnym parom (co jest niezwykle ważne przy wykonywaniu ćwiczeń oddechowych i relaksacyjnych), lecz także dlatego, że poczucie wspólnoty jest w takich grupach silniejsze.

- Zajęcia, które stawiają nierealne wymagania, mogą ci nawet szkodzić (np. strzeż się, jeśli szkoła rodzenia gwarantuje ci bezbolesny, wspaniały poród i znaczne jego skrócenie). Nie sposób jednak przewidzieć, jakie poglądy reprezentuje nauczyciel, zanim weźmiesz udział w prowadzonych przez niego zajęciach – pewne rozeznanie może ci dać uczestnictwo w nich bądź rozmowa z nauczycielem przed podjęciem decyzji o zapisaniu się.

- Jaka jest liczba porodów bez znieczulenia wśród „absolwentek" szkół rodzenia? Ta informacja może być bardzo pomocna, ale czasami może też wprowadzać w błąd. Czy duża liczba porodów bez znieczulenia wskazuje na dobre przygotowanie absolwentek tych szkół do radzenia sobie z bólem, czy rzeczywiście rzadziej potrzebowały one zastosowania środków znieczulających? Czy też dlatego, że prośbę o środek znieczulający uważały za osobistą porażkę, więc ze stoickim spokojem wytrzymywały najgorsze bóle? Być może najlepszym sposobem znalezienia odpowiedzi byłaby rozmowa z niektórymi absolwentkami.

- Jaki jest plan zajęć? Poproś o zarys tego, czego uczą na tym kursie, i jeśli możesz, weź udział w jednych zajęciach. Dobry kurs będzie obejmował omówienie ukończenia porodu drogą cięcia cesarskiego (15-25% absolwentek może ukończyć poród drogą cięcia cesarskiego) i stosowania środków znieczulających (biorąc pod uwagę fakt, że niektóre z nich będą ich potrzebowały).

Informacja dotycząca szkół rodzenia

Poproś swojego lekarza o informację o szkołach rodzenia w twoim rejonie lub zadzwoń do szpitala, w którym zamierzasz urodzić. Jeśli interesują cię zajęcia dotyczące pierwszych trymestrów ciąży, zapytaj o nie podczas jednej z pierwszych wizyt, jeśli nie, to zainteresuj się nimi w III trymestrze.

Poza tym zajmie się psychicznymi i emocjonalnymi aspektami porodu, jak również aspektami technicznymi.

- W jaki sposób są przeprowadzane zajęcia w szkole?

  Czy pokazuje się filmy z prawdziwych porodów?

  Czy usłyszysz opinie ojców i matek, które ostatnio rodziły?

  Czy będą dyskusje, czy tylko wykłady?

  Czy przyszli rodzice będą mieli możliwość zadawania pytań? Czy zapewnia się odpowiednią ilość czasu na praktyczne ćwiczenie różnych technik?

  Czy prowadzący zajęcia są zwolennikami jakiejś konkretnej metody – np. Lamaze'a czy Bradleya?

NAJPOPULARNIEJSZE FILOZOFIE W SZKOŁACH RODZENIA

Są trzy główne filozofie wykorzystywane w szkołach rodzenia, choć wielu nauczycieli łączy elementy każdej z nich w czasie prowadzonych przez siebie zajęć.

Dick-Read. Ta psychofizyczna filozofia pochodzi z lat czterdziestych i pięćdziesiątych naszego wieku. Jest ona pierwszym tego typu podejściem do spraw dotyczących przygotowania do porodu, które stworzono w Stanach Zjednoczonych. Łączy ona techniki relaksacyjne z kształceniem przedporodowym w celu przełamania cyklu: obawa – napięcie – ból. Była ona pierwszą filozofią, która włączyła przyszłych ojców w proces kształcenia i umożliwiła im obecność na salach porodowych. Kształcenie rozpoczyna się w 4 miesiącu ciąży i jest prowadzone przez wyszkolonych instruktorów, mających świadectwo ukończenia specjalnego kursu umożliwiającego im nauczanie metodą Gamper (nazwaną tak od nazwiska pielęgniarki Margaret Gamper, która to zainspirowała doktora Dick-Reada).

Lamaze. Ta szkoła nazywana jest również metodą psychoprofilaktyczną. Jej pionierem był doktor Ferdynand Lamaze. Jest ona w wielu aspektach podobna do szkoły psychofizycznej, dlatego iż główną jej bronią w walce z bólem są techniki relaksacyjne i poszerzanie wiedzy. Korzysta ona też z odruchów warunkowych odkrytych przez doktora Pawłowa. Można u przyszłej matki wyrobić odruch warunkowy (przez intensywne szkolenie) podstawiania reakcji użytecznych na bodziec, jakim są skurcze porodowe, w miejsce reakcji bezużytecznych. Ojciec dziecka lub nauczyciel ćwiczy z przyszłą matką i pomaga jej podczas porodu.

Bradley. Ta szkoła zapoczątkowała aktywny udział ojca w porodzie. Przykłada ona szczególną wagę do odpowiedniej diety i wykonywania ćwiczeń, które mają łagodzić dyskomfort występujący w ciąży, przygotowywać mięśnie do porodu, a piersi do karmienia. Kobiety uczą się naśladować pozycję i oddychanie (powolne i głębokie) w czasie snu i stosować techniki relaksacyjne, które mogą złagodzić dolegliwości pierwszego okresu porodu. Nie zaleca ona modelu oddychania stosowanego w szkole Lamaze'a, a propaguje tzw. brzuszne, głębokie oddychanie. Bardziej zaleca rodzącym kobietom, aby skoncentrowały się na swoim ciele i współpracowały z nim, w miejsce oderwania uwagi od własnego ciała i koncentracji na jakimś punkcie otoczenia (zalecanej w metodzie Lamaze'a) dla oderwania uwagi od dyskomfortu. Znieczulenie zarezerwowane jest tylko dla przypadków powikłań i rozwiązania drogą cięcia cesarskiego i około 94% absolwentek tej szkoły z niego nie korzysta. W szkołach Bradleya proponuje się zajęcia od momentu potwierdzenia ciąży przez okres jej trwania, jak również takie, które trwają aż do połogu, ale nie są one obowiązkowe. Typowy kurs Bradleya trwa 12 tygodni i rozpoczyna się w 5 lub 6 miesiącu.

Inne szkoły. Nauczyciele z Międzynarodowego Stowarzyszenia Kształcenia Przedporodowego propagują włączenie całej rodziny w ideę macierzyństwa przy minimalnej interwencji medycznej. Są też szkoły rodzenia,

Jeżeli nie wszystko wydaje się w porządku

Może to być ból brzucha przypominający skurcz, który zignorujesz, nagła zmiana charakteru wydzieliny pochwowej (silniejsze wydzielanie płynów, mętne albo albuminowe wydzieliny, z lub bez krwi), ból w dolnej części pleców albo na poziomie miednicy, ale możliwe, że jest to coś tak nieokreślonego, iż nie potrafisz wskazać miejsca bólu. Nie musi to wcale oznaczać niczego złego, ale aby mieć pewność, sprawdź objawy na stronie 227 i 360. Wykrycie zawczasu objawów wcześniejszego porodu (tak jak i innych komplikacji) może często zaważyć na pozytywnym rozwiązaniu.

których celem jest przygotowanie przyszłych rodziców do porodu w konkretnym szpitalu, a także szkoły sponsorowane przez grupy medyczne, organizacje ochrony zdrowia czy inne organizacje opieki zdrowotnej. Wiele szkół rodzenia nie wykazuje ścisłych powiązań z tymi głównymi filozofiami i wybiera z nich jedynie to, co najlepsze, a przy układaniu planu zajęć korzysta również z najnowszych doniesień. W wielu miastach zazwyczaj proponuje się rozpoczęcie zajęć w I trymestrze.

11

Siódmy miesiąc

Czego możesz oczekiwać w czasie badania okresowego

Możesz się spodziewać, że twój lekarz zaproponuje ci w tym miesiącu badanie kontrolne, które będzie obejmowało wymienione niżej punkty (chociaż mogą wystąpić pewne różnice w zależności od twojej szczególnej sytuacji lub schematu postępowania twojego lekarza)[1]:

- ważenie i mierzenie ciśnienia tętniczego krwi;
- badanie czynności serca płodu;
- badanie poziomu cukru i białka w moczu;
- określenie wysokości dna macicy;
- określenie wielkości i położenia płodu (poprzez badanie zewnętrzne);
- badanie kończyn pod kątem obrzęków i kończyn dolnych pod kątem żylaków;
- omówienie objawów przez ciebie odczuwanych, zwłaszcza tych nietypowych;
- twoje problemy i pytania – przygotuj ich spis.

Co możesz odczuwać

Możesz odczuwać wszystkie wymienione niżej objawy jednocześnie lub tylko niektóre z nich. Jedne mogą trwać od poprzedniego miesiąca, inne mogą się pojawić dopiero teraz, jeszcze innych możesz nie zauważać, ponieważ przyzwyczaiłaś się do nich. Możesz mieć również pewne mniej powszechnie występujące objawy.

OBJAWY FIZYCZNE:

- silniejsza i częstsza aktywność płodu;
- nasilające się białawe upławy pochwowe;
- bóle podbrzusza;
- zaparcia;
- zgaga, niestrawność, gazy, wzdęcia;
- sporadyczne bóle głowy, mdłości, zawroty głowy;
- przekrwienie nosa, sporadyczne krwawienie z nosa, uczucie „zatkania uszu";
- „różowa szczoteczka do zębów" spowodowana krwawiącymi dziąsłami;
- kurcze mięśni kończyn dolnych;

[1] Badania i testy opisane są w oddzielnym rozdziale *Dodatek*.

JAK MOŻESZ WYGLĄDAĆ

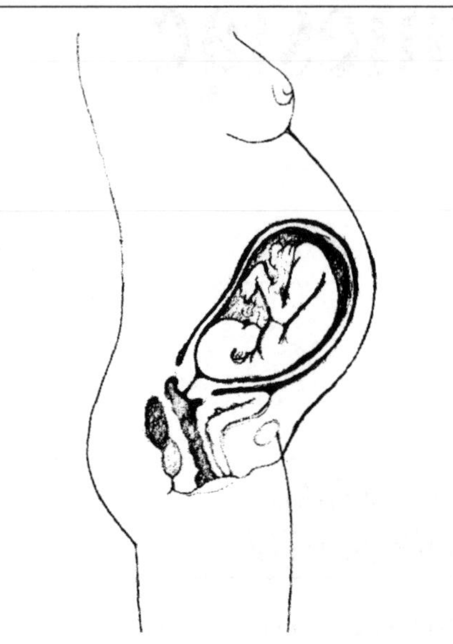

Pod koniec siódmego miesiąca płód otoczony jest warstwą tłuszczu. Może on ssać kciuk, mieć czkawkę, może płakać i odróżniać smak słodki czy kwaśny. Reaguje na takie bodźce, jak: ból, światło i dźwięk. Ograniczeniu zaczyna ulegać funkcja łożyska, podobnie jak objętość płynu owodniowego, W miarę jak rozrastający się płód wypełnia macicę. Ma on znaczne szanse, aby przeżyć, jeśli się teraz urodzi.

- bóle pleców;
- niewielkie obrzęki w okolicy stawu skokowego i stóp, czasami dotyczące również twarzy i rąk;
- żylaki kończyn dolnych;
- żylaki odbytnicy;
- świąd brzucha;
- spłycenie oddechu;
- trudności z zasypianiem;
- sporadyczne skurcze Braxtona-Hicksa, zazwyczaj bezbolesne (macica twardnieje na chwilę, po czym wraca do normy);
- niezręczność (która zwiększa ryzyko upadku);
- siara (wyciekająca lub tylko obecna w powiększonych piersiach).

ODCZUCIA PSYCHICZNE:

- zwiększenie obaw dotyczących macierzyństwa, zdrowia dziecka i porodu;
- wciąż jesteś roztargniona;
- zwiększenie marzeń i fantazji na temat dziecka;
- zwiększenie uczucia znużenia ciążą, pojawienie się pragnienia zakończenia jej.

CO MOŻE CIĘ NIEPOKOIĆ

NARASTAJĄCE ZMĘCZENIE

Słyszałam, że kobiety w ostatnim trymestrze ciąży mają się podobno czuć wspaniale. Ja czuję się cały czas zmęczona.

„Mają się..." jest wyrażeniem, które powinno być wykreślone ze słownika kobiety ciężarnej. Chociaż niektóre kobiety czują się mniej zmęczone w III trymestrze niż w I i II, to jest rzeczą absolutnie normalną i naturalną, że inne będą się czuły zmęczone, a nawet bardziej zmęczone niż przedtem. Teraz jest faktycznie więcej powodów, aby czuć się bardziej zmęczoną niż wypoczętą. Po pierwsze jesteś teraz o wiele cięższa. Po drugie z powodu obecnych rozmiarów możesz mieć kłopoty ze spaniem. Mogą one być również spowodowane przeciążeniem twojego umysłu obawami, planami i fantazjami dotyczącymi twojego dziecka. Opiekowanie się innymi dziećmi, praca lub przygotowywanie się na przyjście na świat dziecka mogą wywierać na tobie piętno.

Ale to, że zmęczenie jest normalnym objawem, towarzyszącym każdej ciąży, nie oznacza, że należy je ignorować. Jest to niewątpliwie sygnał twojego ciała, że należy odpocząć. Skorzystaj z tego. Odpoczywaj i relaksuj się tak często, jak tylko możesz. Staraj się zachować siły na okres porodu, a zwłaszcza na to, co nastąpi po nim. Wyjątkowe zmęczenie, które nie ustępuje po wypoczynku, powinnaś zgłosić swojemu lekarzowi. Często na początku III trymestru ujawnia się niedokrwistość (patrz s. 168) i dlatego wielu lekarzy rutynowo zaleca wykonywanie badania krwi w 7 miesiącu ciąży.

OBAWA DOTYCZĄCA STANU DZIECKA

Martwię się cały czas, że coś jest nie w porządku z moim dzieckiem.

Prawdopodobnie nie ma przyszłej matki (czy ojca), której nie nawiedzałyby takie obawy. Niektórzy nie kupują ubranek i mebli dla dziecka lub nie wybierają imienia, dopóki nie policzą wszystkich palców u rąk i stóp, dopóki nie zostanie podana punktacja w skali Apgar, a lekarz nie pogratuluje z okazji urodzenia ślicznego, zdrowego dziecka. A przecież szanse na posiadanie całkowicie zdrowego dziecka nigdy nie były większe niż obecnie. Współczynnik śmiertelności noworodków w USA jest obecnie najniższy w historii, nieco poniżej 9 na 1000 urodzeń (a dla kobiet z klas średnich jest jeszcze niższy)[1]. Większość zgonów około porodowych dzieci dotyczy kobiet, które zostały otoczone opieką medyczną dopiero pod koniec ciąży, były jej zupełnie pozbawione, bądź które nie odżywiały się prawidłowo. W pozostałych przypadkach dotyczyło to kobiet z ciążą wysokiego ryzyka, z chorobą genetyczną w wywiadzie, z nie wyleczonymi chorobami przewlekłymi, pijących znaczne ilości alkoholu i/lub palących papierosy czy zażywających narkotyki lub z ciążą wielopłodową. W przypadku tych kobiet ścisła opieka lekarska i dobra opieka prenatalna już znacznie zwiększyły szanse posiadania zdrowego dziecka.

Niektórzy eksperci przewidują, że choć spadł współczynnik umieralności – ponieważ ratuje się więcej dzieci dzięki cudom medycyny – to wzrośnie liczba dzieci z różnego rodzaju kalectwem. Nie miało to jednak dotąd miejsca, a nawet wydaje się, że odsetek dzieci urodzonych z defektami maleje. A jeśli dziecko urodzi się z wadą, to niekoniecznie jest ono skazane na trwałe kalectwo. Większość niewielkich i wiele poważnych wad jest teraz uleczalna. Jeśli są one zdiagnozowane w macicy, niektóre z nich mogą być nawet leczone przed urodzeniem metodą zachowawczą lub operacyjną. Krótko po urodzeniu leczy się chirurgicznie wiele wad serca i inne nieprawidłowości narządów wewnętrznych, a nieco później rozszczep podniebienia, zaburzenia rozwojowe kości czy kończyn. Dzieci upośledzone mogą poczynić znaczne postępy, jeśli wcześnie rozpoczniemy leczenie.

Więc kiedy ogarnia cię troska, nie daj się, wiedząc, że twoje dziecko nie mogłoby wybrać lepszego czasu, aby się urodzić. I oczywiście rób, co tylko możesz, aby dać mu jak najlepsze szanse.

OBRZĘKI W OKOLICY STAWU SKOKOWEGO I STÓP

Moje kostki są opuchnięte, zwłaszcza kiedy jest ciepło. Czy jest to zły objaw?

Wszelkie objawy obrzęku (na skutek nadmiernej akumulacji płynów w tkankach) uważano kiedyś za potencjalnie groźne. Obecnie lekarze uważają, że niewielki obrzęk związany jest z normalnym i koniecznym wzrostem ilości płynów w organizmie w czasie ciąży. Pewne obrzęki kończyn dolnych, bez towarzyszących objawów sugerujących wystąpienie stanu przedrzucawkowego (patrz obok), uważane są za zupełnie normalne. Rzeczywiście, u 75% kobiet w pewnym okresie ciąży rozwija się taki obrzęk[2]. Jest to szczególnie powszechne pod koniec dnia, przy ciepłej pogodzie lub po pewnym okresie stania albo siedzenia. Zazwyczaj znikają one w ciągu nocy – po kilku godzinach spędzonych w pozycji leżącej.

[1] Współczynnik ten pochodzi ze źródeł rządowych z roku 1990. Chociaż wielkość tego współczynnika stanowi pewien postęp w porównaniu z przeszłością, wciąż jest on wyższy niż współczynniki śmiertelności okołoporodowej w wielu innych krajach. Przyczyną tego jest nieodpowiednia opieka nad kobietami z warstw najniższych.

[2] U 1 na 4 ciężarne nie stwierdza się obrzęków i jest to też zupełnie normalne. Inne mogą tego objawu nawet nie zauważyć.

Generalnie obrzęk jest tylko drobną dolegliwością. Aby ją złagodzić, układaj nogi wyżej lub kładź się (szczególnie na lewym boku), kiedy tylko jest to możliwe. Noś wygodne buty lub pantofle. Unikaj skarpetek lub pończoch z gumką u góry.

Jeśli obrzęki są bardzo dokuczliwe, ubieraj rajstopy ściągające. Jest kilka typów rajstop przeznaczonych dla ciężarnych (z wielką przestrzenią na brzuch) i skarpetek – więc skonsultuj się z lekarzem i zapytaj, czy ma dla ciebie jakieś specjalne zalecenia. Kupując, wybieraj rozmiar, opierając się na masie ciała przed ciążą. Rajstopy ściągające zakładaj rano, kiedy nie ma jeszcze obrzęków.

Pomóż swojemu organizmowi w usuwaniu szkodliwych substancji, wypijając co najmniej 8 do 10 ćwierćlitrowych szklanek płynu na dzień. Brzmi to paradoksalnie, lecz picie jeszcze większej ilości wody – do 1 galona (4,5 l) dziennie – pomaga wielu kobietom uniknąć nadmiernego gromadzenia wody w organizmie. Ale nie pij więcej niż dwie szklanki naraz i nie napełniaj szklanki do pełna, tak aby było jeszcze miejsce dla pozostałych 11 innych składników twojej diety. Chociaż obecnie nie uważa się, że konieczne jest ograniczenie soli podczas prawidłowej ciąży (można ją ograniczać u kobiet z nadciśnieniem tętniczym), to jednak jej nadmiar może zwiększyć zatrzymywanie wody.

Jeśli twoje ręce i/lub twarz stają się obrzęknięte lub obrzęk utrzymuje się dłużej niż przed 24 godziny – powiadom swojego lekarza. Taki obrzęk może nic nie znaczyć, ale gdy będzie mu towarzyszyć gwałtowny przyrost ciężaru ciała, nadciśnienie i gdy pojawi się białko w moczu, może sygnalizować to tzw. stan przedrzucawkowy (patrz s. 212 – nadciśnienie spowodowane ciążą).

PRZEGRZANIE

Zazwyczaj jest mi bardzo gorąco i mocno się pocę. Czy jest to normalne?

Uczucie ciepła i gorąca może się pojawić, zważywszy, że w ciąży przemiana materii zwiększona jest o 20%. Będzie ci prawdopodobnie gorąco nie tylko podczas ciepłej pogody, ale i zimą, kiedy inni dygoczą z zimna. Prawdopodobnie będziesz też się więcej pocić, szczególnie nocą. Ma to swoje dobre i złe strony – z jednej strony pomaga się ochłodzić i usunąć szkodliwe produkty przemiany materii, ale z drugiej jest zdecydowanie nieprzyjemne.

Aby zminimalizować tę niewygodę – kąp się często, używaj dobrego dezodorantu, ubieraj się warstwowo (zwłaszcza zimą), tak abyś zawsze, kiedy zacznie ci być gorąco, mogła rozebrać się do „krótkich rękawków". Nie zapominaj uzupełniać płynów utraconych z potem.

ORGAZM A DZIECKO

W chwilę po tym, gdy odczuję orgazm, dziecko zazwyczaj przestaje przez pół godziny kopać. Czy seks w tym okresie ciąży jest nieszkodliwy dla mojego dziecka?

Dziecko to człowiek, nawet jeśli jest jeszcze w łonie swojej matki, i jego reakcje na seks rodziców mogą być bardzo różne. Na niektóre dzieci, być może na twoje też, rytmiczne ruchy podczas stosunku i skurcze macicy następujące po orgazmie wpływają bardzo uspokajająco. Inne, stymulowane przez tę aktywność, mogą stać się jeszcze żywsze. Obydwie reakcje są normalne. Żadna z nich nie wskazuje na jakiś szkodliwy wpływ na płód.

Jest sprawą bardzo kontrowersyjną wśród położników, czy stosunki seksualne są zupełnie bezpieczne w czasie dwóch ostatnich miesięcy, nawet podczas prawidłowej ciąży. Choć kilka lat temu stwierdzono, że stosunek nie wpływa na zagrożenie porodem przedwczesnym i infekcjami, to obecnie ponownie implikuje się jego wpływ na te powikłania. Jeżeli chcesz dowiedzieć się, co jest naprawdę bezpieczne – to zapoznaj się z materiałem na s. 175 (*Współżycie płciowe podczas ciąży*).

PORÓD PRZEDWCZESNY

Czy jest coś, co mogę zrobić, aby być pewna, że moje dziecko nie urodzi się przedwcześnie?

Znacznie większa liczba dzieci rodzi się później niż wcześniej. W USA jest tylko 7-10 porodów przedwczesnych na 100 porodów, tzn. ma miejsce przed 37 tygodniem ciąży. Jedna trzecia porodów przedwczesnych spowodowana jest wcześniejszym rozpoczęciem akcji porodowej, jedna trzecia wywołana jest przedwczesnym pęknięciem błon płodowych, a jedna trzecia spowodowana jest komplikacjami matczynymi lub płodowymi. Mniej więcej 3 na 4 porody przedwczesne występują u kobiet z ciążą wysokiego ryzyka. Współczynnik porodów przedwczesnych jest niższy dla białych kobiet (mniej niż 6 na 100), a wyższy wśród czarnych kobiet (blisko 13 na 100), tylko częściowo z przyczyn socjalno-ekonomicznych. Pomimo czynionych wysiłków, aby ograniczyć liczbę porodów przedwczesnych, sytuacja nie poprawiła się, a właściwie liczba dzieci urodzonych przedwcześnie w ostatnich latach wzrosła.

Jest wiele czynników, które zwiększają ryzyko wystąpienia porodu przedwczesnego. Im więcej czynników ryzyka ma pacjentka w wywiadzie, tym większe prawdopodobieństwo przedwczesnego ukończenia ciąży. Oto podstawowe czynniki ryzyka, że urodzi ona przedwcześnie. Unikanie podanych niżej czynników ryzyka podnosi szansę urodzenia dziecka w terminie.

Palenie. Przestań palić przed poczęciem lub tak wcześnie w czasie ciąży, jak tylko jest to możliwe.

Używanie alkoholu. Unikaj regularnej konsumpcji piwa, wina i mocnych alkoholi (ponieważ nikt jak dotąd nie potrafi określić, co to znaczy „za dużo", więc bezpieczniej jest nie pić alkoholu w ogóle).

Nadużywanie lekarstw lub narkotyków. Nie zażywaj żadnych lekarstw bez zgody lekarza, który wie, że jesteś w ciąży; nie stosuj też żadnych narkotyków.

Nieodpowiedni wzrost ciężaru ciała. Jeśli twój ciężar przed ciążą mieścił się w granicach normy, to do terminu porodu winien wzrosnąć o 12 kg.

Nieodpowiednie odżywianie. Przestrzegaj zrównoważonej diety (patrz *Dieta najlepszej szansy* na s. 103); upewnij się, że twoja dieta zawiera cynk (niektóre badania łączą niedobór cynku ze zwiększonym ryzykiem wystąpienia porodu przedwczesnego).

Ciężka praca fizyczna lub praca w pozycji stojącej. Jeśli twoja praca zawodowa lub zajęcia domowe i praca wymagają codziennie kilkugodzinnego stania – przerwij ją lub ogranicz.

Stosunki płciowe. Przyszłe matki zagrożone wystąpieniem porodu przedwczesnego powinny powstrzymywać się od stosunków płciowych i/lub orgazmu w czasie dwóch lub trzech ostatnich miesięcy ciąży (orgazm u tych kobiet może spowodować uaktywnienie czynności skurczowej macicy).

Brak równowagi hormonalnej. Może on spowodować późne poronienie, a także wywołać poród przedwczesny; substytucyjne stosowanie hormonów może im zapobiec.

Nie zawsze możliwe jest wyeliminowanie wszystkich czynników ryzyka, lecz można modyfikować ich efekty.

Zakażenia (np. różyczka, pewne choroby weneryczne, zakażenia układu moczowego i dróg rodnych). Jeśli pojawi się infekcja, stanowiąca zagrożenie dla płodu, to wcześniejsze ukończenie ciąży usuwa dziecko z niebezpiecznego otoczenia. W przypadku zakażenia wewnątrzmacicznego, które może być główną przyczyną porodu przedwczesnego, immunologiczna reakcja organizmu stymuluje produkcję prostaglandyn, które mogą zainicjować poród, a także substancji, które mogą uszkadzać błony płodowe, doprowadzając do ich przedwczesnego pęknięcia.

W celu zmniejszenia ryzyka zakażenia – trzymaj się z dala od ludzi chorych, dużo ćwicz i odpoczywaj, odżywiaj się optymalnie i poddawaj się regularnej kontroli lekarskiej. Niektórzy lekarze zalecają stosowanie prezerwatyw w czasie ostatnich trzech miesięcy ciąży, aby zmniejszyć ryzyko zakażenia wewnątrzmacicznego.

Niewydolność cieśniowo-szyjkowa. Jest to stan, w którym szyjka rozwiera się przedwcześnie. Pozostaje on często nie rozpoznany aż do wystąpienia późnego poronienia lub porodu przedwczesnego. Zdiagnozowanie tego stanu pozwala uniknąć porodu przedwczesnego dzięki założeniu szwu okrężnego na szyjkę około 14 tygodnia ciąży. U niektórych kobiet – z przyczyn zupełnie nieznanych i nie związanych z niewydolnością cieśniowo-szyjkową – szyjka zaczyna się rozwierać stosunkowo wcześnie. W związku z tym bardzo użyteczne jest przeprowadzanie rutynowych badań.

Wrażliwa macica. Badania sugerują, że macica niektórych kobiet jest szczególnie wrażliwa, a ta skłonność może uaktywnić przedwczesną czynność skurczową. Niektórzy uważają, że wykrycie i monitorowanie takich kobiet w III trymestrze może pomóc w profilaktyce porodu przedwczesnego. Zaleca się stosowanie leków i całodzienne lub okresowe przebywanie w łóżku, aby wyciszyć skurcze.

Łożysko przodujące (łożysko nisko usadowione, blisko lub nad ujściem wewnętrznym szyjki macicy). Stan ten można wykryć w trakcie badań ultrasonograficznych. Czasami nie podejrzewamy go aż do momentu pojawienia się krwawienia w II lub III trymestrze ciąży. Ścisły reżim łóżkowy może zapobiec porodowi przedwczesnemu.

Stres. Czasami można wyeliminować przyczynę stresu lub zminimalizować go (przez przerwanie pracy, która go wywołuje, lub uzyskanie porady, w przypadku kłopotów małżeńskich). Czasami trudniej jest wyeliminować przyczynę, np. jeśli straciłaś pracę lub jesteś kobietą samotną, oczekującą przyjścia na świat dziecka. Ale każdy rodzaj stresu można zmniejszyć poprzez odpowiednią edukację, stosowanie technik relaksacyjnych, właściwe odżywianie bądź równoważenie okresów aktywności i odpoczynku, a także poprzez omawianie tego problemu – często w tzw. grupach samopomocy (patrz s. 135).

Przewlekła choroba matki (np. nadciśnienie tętnicze, choroby serca, wątroby lub nerek, cukrzyca). Właściwa opieka medyczna, często w połączeniu z bezwzględnym nakazem leżenia w łóżku, może stanowić dobrą profilaktykę porodu przedwczesnego.

Wiek poniżej 17 roku życia. Optymalne odżywianie i odpowiednia opieka prenatalna mogą pomóc zrekompensować fakt, że zarówno matka, jak i jej dziecko ciągle jeszcze rosną.

Wiek powyżej 35 roku życia. Ryzyko można zmniejszyć przez właściwe odżywianie, odpowiednią opiekę prenatalną, eliminowanie sytuacji stresowych, a także prenatalne badania skryningowe dotyczące zaburzeń genetycznych i problemów położniczych.

Niski poziom socjalno-ekonomiczny lub niski poziom wykształcenia. Pomocne może okazać się: odpowiednie odżywianie, wczesne objęcie właściwą opieką medyczną, prenatalną i wyeliminowanie tylu czynników ryzyka, ile będzie możliwe.

Nieprawidłowa budowa macicy. Jeśli stan ten został zdiagnozowany, to właściwa interwencja chirurgiczna – jeszcze przed zajściem w ciążę – powodująca korekcję nieprawidłowości, często zapobiega wystąpieniu porodu przedwczesnego.

Ciąża wielopłodowa. Kobiety, u których stwierdza się ciążę wielopłodową, rodzą przeciętnie o 3 tygodnie wcześniej. Staranna opieka prenatalna, prawidłowe odżywianie, reżim łóżkowy, ograniczenie aktywności na tyle, na ile jest to konieczne w ostatnim trymestrze ciąży – wszystko to może zapobiec porodowi przedwczesnemu.

Nieprawidłowości ze strony płodu. W niektórych przypadkach diagnoza prenatalna pozwala na wykrycie wady, a następnie na jej leczenie jeszcze w łonie matki. Czasami taka korekcja pozwala na ukończenie ciąży w terminie.

Porody przedwczesne w wywiadzie. Rozpoznanie przyczyny może pozwolić na jej usunięcie. Szczególnie staranna opieka prenatalna, zmniejszenie innych czynników ryzyka i ograniczenie aktywności mogą zapobiec wystąpieniu porodu przedwczesnego. Ryzyko porodu przedwczesnego może też zmniejszyć badanie i leczenie zakażeń pochwy w drugim trymestrze ciąży.

Czasami jednak zdarza się tak, że nie występuje żaden z wyżej wymienionych czynników ryzyka, a zdrowa kobieta z prawidłowym przebiegiem ciąży nagle zbyt wcześnie zaczyna rodzić bez żadnej uchwytnej przyczyny. Być może kiedyś uda się znaleźć przyczynę takich porodów przedwczesnych, lecz obecnie obejmuje się je wszystkie pojęciem „przyczyna nieznana".

Proponuje się używanie domowych monitorów, gdy istnieją czynniki ryzyka, co obniżyłoby liczbę przedwczesnych porodów. Z dotychczasowych badań nie wynika jasno, czy ten rodzaj techniki się sprawdza. Jednakże zaleca się zaznajamianie matek z objawami przedwczesnego porodu i regularny kontakt z lekarzem, co może bardzo pomóc, gdy pojawi się tego rodzaju problem.

Często rozpoczynający się przed czasem poród można zahamować do czasu, kiedy dziecko osiągnie większą dojrzałość. Bardzo korzystne może okazać się nawet krótkotrwałe wydłużenie czasu trwania ciąży. Każdy dodatkowy dzień, który dziecko spędza w macicy, zwiększa jego szansę na przeżycie. Widzisz więc, jak ważne jest zapoznanie się z objawami (patrz poniżej) zagrażającego porodu przedwczesnego i umiejętność rozpoznawania ich, aby móc powiadomić lekarza w momencie wystąpienia nawet najmniejszych podejrzeń dotyczących objawów rozpoczynającego się porodu. Nie bój się, że przeszkodzisz swojemu lekarzowi, kontaktuj się bez względu na porę dnia i nocy.

Objawy:

- skurcze podobne do miesiączkowych z / lub bez biegunki, mdłości lub niestrawność;
- ból i ucisk w dolnej części pleców lub zmiana charakteru dolegliwości bólowych w tej części ciała;
- bolesność lub uczucie ucisku w miednicy, promieniujące do okolicy lędźwiowej i ud;
- zmiana charakteru upławów – zwłaszcza jeśli są wodniste, podbarwione przez krew różowo lub brunatnie; pojawienie się gęstego czopu śluzowego może, ale nie musi poprzedzać „krwawego widoku";
- pęknięcie błon płodowych – sączenie lub wyciek płynu owodniowego z pochwy.

Możesz mieć wszystkie te objawy, a poród jeszcze się nie rozpoczął, i tylko lekarz może to stwierdzić. Jeśli uzna on, że poród już się rozpoczął, to prawdopodobnie zostaniesz błyskawicznie przebadana. Więcej informacji na temat leczenia porodu przedwczesnego znajdziesz na s. 360.

Jeżeli poród przedwczesny – pomimo podjętych wysiłków mających na celu zapobieżenie i przesunięcie go w czasie – rozpoczął się, twoje szanse na powrót do domu ze zdrowym dzieckiem są duże (oczywiście ten powrót do domu może być opóźniony o dni, tygodnie lub miesiące, aby tę szansę zwiększyć).

CZEKAJĄCA CIĘ ODPOWIEDZIALNOŚĆ

Zaczynam martwić się o to, czy dam sobie radę z pracą, domem, małżeństwem, a także z dzieckiem.

Prawdopodobnie nie dasz sobie rady, jeśli będziesz chciała być jednocześnie kobietą, która pracuje w pełnym wymiarze godzin, jest gospodynią domową, żoną i matką, i w dodatku będziesz chciała osiągnąć perfekcję w każdej z tych ról. Wiele młodych matek próbuje być „superkobietą". Niewielu udaje się to bez naruszenia zdrowia fizycznego i psychicznego.

Ale można się z tym problemem uporać, jeśli pogodzisz się z myślą, że nie zdołasz zrobić wszystkiego (przynajmniej na początku). Jeśli praca, mąż i dziecko są na pierwszym miejscu w twojej hierarchii wartości, będziesz musiała odsunąć na plan drugi utrzymanie domu w idealnej czystości. Jeśli najważniejszą rzeczą jest macierzyństwo i masz możliwość przerwania pracy, zrezygnuj czasowo ze swojej kariery i/lub podejmij pracę w niepełnym wymiarze godzin. W zależności więc od priorytetów, będziesz musiała podjąć ważną dla ciebie decyzję.

Jakąkolwiek decyzję podejmiesz, twoje życie będzie łatwiejsze, a w szczególności, jeśli nie będziesz musiała pokonywać go samotnie. Za większością szczęśliwych mam stoi chętny do pomocy tata. Nie miej wyrzutów sumienia, gdy po długim dniu w pracy poprosisz męża o zmienienie pieluszek lub wykąpanie dziecka. Chyba nie ma dla niego lepszego sposobu na to, aby rozwijać uczucia ojcowskie i jednocześnie poznawać swoje dziecko. Być może będziesz też potrzebowała pomocy z innych źródeł, np. dziadków, innych krewnych, pracowników opieki społecznej lub przedszkoli, szczególnie jeśli twój mąż często jest poza domem.

WYPADKI

Kiedy byłam dzisiaj na spacerze, potknęłam się o krawężnik i upadłam na brzuch. Nie martwią mnie otarte kolana czy łokcie, lecz niepokoję się o dziecko.

Kobiety w ostatnim trymestrze ciąży nie można by chyba nazwać najzręczniejszym stworzeniem na świecie. Do jej niezręczności przyczynia się słabe poczucie równowagi (ponieważ środek ciężkości przesunął się do przodu) i rozluźnienie więzadeł stawowych. Zwiększa się też tendencja do łatwego męczenia się, a także coraz trudniej jest spoglądać na stopy poprzez rosnący brzuch.

O ile upadek na chodniku może pozostawić ślady w postaci zadrapań i siniaków (zwłaszcza ślady na twoim „ego"), o tyle niezmiernie rzadko niezręczność matki może spowodować uszkodzenie płodu. Dziecko jest chronione przez najwymyślniejszy układ amortyzujący, złożony z płynu owodniowego, błon, mięśnia macicy i jamy brzusznej. Musiałabyś ulec bardzo poważnemu wypadkowi, który naruszyłby tę ochronę, doprowadzając do uszkodzenia dziecka.

Pomimo iż najprawdopodobniej nie wyrządziłaś dziecku żadnej szkody, powinnaś powiadomić swojego lekarza o wypadku. Może on wyznaczyć ci dodatkową wizytę, aby skontrolować czynność serca płodu (głównie po to, aby cię uspokoić).

W rzadkich przypadkach, kiedy na skutek upadku dochodzi do pewnych zaburzeń dotyczących najczęściej całkowitego lub częściowego oddzielenia łożyska – wymagana jest szybka interwencja medyczna. Jeżeli zauważysz krwawienie z pochwy, sączenie płynu owodniowego, tkliwość brzucha lub skurcze macicy bądź gdy przestałaś odczuwać ruchy – natychmiast skontaktuj się z lekarzem. Jeśli nie uda ci się z nim skontaktować – jedź do stacji pogotowia ratunkowego.

BÓL W OBRĘBIE KOŃCZYNY DOLNEJ I OKOLICY LĘDŹWIOWEJ

Odczuwam ból po prawej stronie pleców, promieniujący do biodra i nogi. Co się dzieje?

Jest to kolejne „ryzyko zawodowe" przyszłych matek. Ucisk powiększającej się macicy (który powoduje również wiele innych dolegliwości) na nerw kulszowy może wywołać ból promieniujący z okolicy lędźwiowej do pośladków i kończyny dolnej.

Miejscowe zastosowanie termoforu, a także odpoczynek, mogą temu zaradzić. Ból ten może zniknąć wraz ze zmianą położenia dziecka, bądź może trwać aż do porodu. W poważnych przypadkach zaleca się pozostawanie w łóżku przez kilka dni lub specjalne ćwiczenia.

Nie powstrzymuj się

Powstrzymywanie się od oddawania moczu – mimo że czujesz taką potrzebę – zwiększa ryzyko infekcji pęcherza moczowego, a to z kolei prowadzi do podrażnienia macicy i wzniecenia czynności skurczowej. A więc – nie powstrzymuj się!

WYKWITY SKÓRNE

Nie dość tego, że mam już rozstępy, to jeszcze w nich pojawiają się jakieś swędzące pryszcze.

Nie martw się. Pozostało ci już mniej niż trzy miesiące do porodu; a wówczas pożegnasz się z większością nieprzyjemnych objawów towarzyszących ciąży, między innymi też z wykwitami skórnymi. Tymczasem może uspokoić cię informacja, że choć wykwity skórne nie są zbyt miłe, to jednak nie stanowią one zagrożenia dla ciebie ani twojego dziecka. Zmiany określane jako swędzące pokrzywkowe grudki, plamy lub jako PUPPP znikają po porodzie i na ogół nie pojawiają się w kolejnych ciążach. Chociaż zmiany te najczęściej pojawiają się w rozstępach na brzuchu, to czasami można je również znaleźć na udach, pośladkach i ramionach przyszłej matki. Pokaż tę wysypkę swojemu lekarzowi, który najprawdopodobniej zapisze ci jakiś miejscowy i/lub antyhistaminowy lek, aby złagodzić twoje dolegliwości.

W czasie ciąży mogą pojawić się różnego rodzaju zmiany skórne i choć zawsze powinnaś pokazać je lekarzowi, to rzadko stanowią one jakieś niebezpieczeństwo. Niektóre z nich trzeba leczyć, inne znikną same po porodzie.

CZKAWKA PŁODU

Czasami czuję regularne, małe skurcze w brzuchu. Czy to jest kopanie, ruchy lub coś innego?

Może trudno ci w to uwierzyć, lecz twoje dziecko najprawdopodobniej ma czkawkę. To zjawisko nie jest wcale takie rzadkie u płodów w ostatnim trymestrze ciąży. Niektóre mają czkawkę kilka razy dziennie, każdego dnia. Inne nie mają jej w ogóle. To samo może się powtarzać po urodzeniu.

Lecz zanim rozpoczniesz trzymanie papierowej torby przed swoim brzuchem, powinnaś wiedzieć, że czkawka nie powoduje tego samego dyskomfortu u dzieci (wewnątrz lub poza jamą macicy), jak ma to miejsce u dorosłych – nawet jeśli trwa dwadzieścia minut lub dłużej. A więc zrelaksuj się i baw się tym widowiskiem pochodzącym z wnętrza.

MARZENIA I FANTAZJE

Miewam ostatnio tak wiele dziwnych, fantastycznych snów o dziecku, że zaczynam podejrzewać, że coś jest ze mną nie tak.

Marzenia i fantazje należą do rzeczy normalnych i zdrowych. Pomagają one przyszłym matkom w sposób nieszkodliwy uporać się z obawami i zmartwieniami.

Każde marzenie lub fantazja (o których zazwyczaj opowiadają przyszłe matki) odzwierciedla zazwyczaj jedno lub kilka głęboko nurtujących odczuć i trosk. I tak:

- poczucie braku przygotowania – gubienie różnych przedmiotów, zapominanie o karmieniu dziecka, niestawienie się na umówioną wizytę u lekarza, zgubienie kluczy do samochodu lub nawet dziecka – wszystko to może wyrażać obawę o to, że nie sprostasz zadaniom stawianym przez macierzyństwo;
- atak lub zranienie – przez intruzów, zwierzęta, upadek ze schodów po poślizgnięciu lub po popchnięciu – może oznaczać poczucie własnej słabości;
- zamknięcie lub niemożność ucieczki, pułapka w tunelu, w samochodzie, w małym

pokoju, tonięcie w basenie, w myjni samochodowej – może oznaczać obawę przed przywiązaniem i utratą wolności spowodowaną przez dziecko;

- nieprzestrzeganie diety podczas ciąży, nadmierny przyrost masy ciała lub znaczny jej wzrost w ciągu jednej nocy, objadanie się; spożywanie niewłaściwych pokarmów, bądź niespożywanie pokarmów niezbędnych (np. wyeliminowanie picia mleka) – jest to temat powszechny dla tych kobiet, które próbują dostosować się do ograniczeń dietetycznych;
- utrata atrakcyjności – kobieta staje się nieatrakcyjna lub odrażająca dla męża, mąż znajduje sobie inną kobietę – wszystko to wyraża obawę występującą u wielu kobiet, które boją się, że ciąża zniszczy na zawsze ich wygląd i odstraszy męża;
- zbliżenia (płciowe) – zarówno pozytywne, jak i negatywne, dające poczucie przyjemności lub winy – mogą odzwierciedlać zażenowanie lub ambiwalentność seksualną tak często odczuwalną w ciąży;
- śmierć i zmartwychwstanie – pojawienie się zmarłych rodziców lub innych krewnych – umysł być może w ten podświadomy sposób łączy stare i nowe pokolenia;
- życie rodzinne z nowym dzieckiem, przygotowywanie się na przyjście na świat dziecka, zabawa z nim – to ćwiczenie rodzicielstwa, łączącego matkę z dzieckiem jeszcze przed porodem;
- jakie będzie dziecko – tu do głosu może dojść wiele różnych obaw. Myśli dotyczące deformacji dziecka lub jego niezwykłych rozmiarów – wyrażają obawę dotyczącą stanu zdrowia dziecka. Fantazje na temat posiadania przez dziecko niezwykłych umiejętności (jak umiejętność mówienia lub chodzenia w momencie urodzenia) mogą wskazywać na obawę co do inteligencji. Przeczucie, że dziecko będzie chłopcem lub dziewczynką, może oznaczać, że zbyt mocno pragniesz jego lub jej. Dotyczyć to może również rodzaju włosów dziecka, koloru jego oczu lub podobieństwa do jednego z rodziców. Koszmary nocne, dotyczące urodzenia zupełnie dorosłego dziecka, mogą oznaczać obawę przed dotykaniem i opiekowaniem się malutkim dzieckiem.

Chociaż marzenia i fantazje w ciąży mogą powodować więcej obaw niż normalnie, to czasami stają się użyteczne. Jeśli posłuchasz tego, co mówią twoje fantazje o twoich odczuciach na temat macierzyństwa, to ułatwi ci to przejście do prawdziwego macierzyństwa.

DZIECKO O NISKIEJ MASIE URODZENIOWEJ

Wiele czytałam o dzieciach z niską masą urodzeniową. Czy jest coś, co mogę zrobić, aby być pewna, że nie będę miała dziecka z niedowagą?

Większości przypadków urodzeń dzieci o niskiej masie urodzeniowej można zapobiec. Możesz zatem zrobić wiele, a czytając tę książkę, masz już pewne szanse. W USA do tej kategorii dzieci (poniżej 2500 g) zalicza się około 7 na 100 noworodków, a trochę więcej niż 1 na 100 do grupy dzieci o bardzo niskiej masie urodzeniowej (1500 g lub mniej). Jednakże wśród kobiet świadomych znaczenia prawidłowej opieki medycznej i własnej pielęgnacji, a także znaczenia trybu ich życia, współczynnik ten jest znacznie niższy. Można zapobiec większości przyczyn doprowadzających do niskiej masy urodzeniowej. Są to: alkohol, papierosy, narkotyki, niedożywienie, nieodpowiednia opieka prenatalna, a także wiele innych, jak: przewlekłe choroby matki, które mogą być kontrolowane przy dobrej współpracy pomiędzy przyszłą matką i lekarzem. Można również w niektórych przypadkach zapobiegać głównej przyczynie, jaką jest zagrożenie porodem przedwczesnym (patrz s. 225). Oczywiście pewnych przyczyn nie można wyeliminować, np. takich, jak niska masa urodzeniowa matki przy jej porodzie, nieprawidłowe łożysko czy choroby genetyczne (patrz s. 353, w celu uzyskania dalszych informacji na temat przyczyn opóźnionego wzrostu płodu). Lecz nawet w tych przypadkach odpowiednia dieta i właściwa opieka prenatalna mogą je w pewien sposób skompensować. A kiedy dziecko urodzi się bardzo małe, to doskonała opieka medyczna, obecnie powszechnie dostępna, daje szansę przeżycia i prawidłowego rozwoju nawet tym najmniejszym.

Jeśli uważasz, że pewne fakty wskazują na to, iż możesz urodzić dziecko o niskiej masie urodzeniowej, powinnaś podzielić się swoimi obawami z lekarzem. Najprawdopodobniej badanie ultrasonograficzne zdoła ustalić, czy twoje dziecko rośnie i rozwija się prawidłowo. Jeżeli rozwój przebiega nieprawidłowo, trzeba podjąć kroki, aby ustalić przyczynę zbyt wolnego wzrostu i jeśli jest to możliwe, skorygować to (patrz s. 353).

PLAN PORODU

Moja przyjaciółka, która niedawno rodziła, powiedziała mi, że jeszcze przed porodem ustaliła ze swoim lekarzem plan porodu. Czy jest to powszechne?

Plany porodów stają się coraz bardziej powszechne. Uznano, że coraz więcej kobiet – i ich partnerów – chciałoby w miarę możliwości uczestniczyć w podejmowaniu decyzji dotyczących porodu. Niektórzy lekarze rutynowo proszą przyszłych rodziców o sporządzenie planu porodu. Inni chętnie dyskutują nad nim z pacjentką, jeśli ona sobie tego życzy. Typowy plan łączy życzenia i preferencje rodziców z tym, co zaakceptuje lekarz i szpital i co z praktycznego punktu widzenia jest realne do wykonania. Nie jest to żaden kontrakt, lecz pisemne porozumienie pomiędzy lekarzem i/lub szpitalem a pacjentką, mające na celu wypracowanie planu porodu jak najbardziej odpowiadającego ideałom pacjentki, ale zarazem usuwającego nierealne nadzieje po to, by uniknąć rozczarowań i niepotrzebnych konfliktów w czasie porodu.

Plan porodu może obejmować wiele różnych zagadnień. Dokładna jego zawartość zależeć będzie od rodziców, lekarza i szpitala, a także od konkretnej sytuacji. A oto niektóre ze spraw, co do których możesz wyrazić swoje preferencje (odsyłamy cię do odpowiednich zagadnień, zanim podejmiesz ostateczną decyzję):

- jak długo od momentu rozpoczęcia porodu chciałabyś pozostawać w domu (patrz s. 273);
- jedzenie i/lub picie podczas aktywnego okresu porodu (s. 293);
- kiedy możesz spacerować lub siedzieć w czasie porodu (s. 292);
- używanie soczewek kontaktowych w trakcie porodu (zazwyczaj nie zezwala się na to, jeśli niezbędne jest wykonanie znieczulenia ogólnego);
- pomieszczenie, w którym zamierzasz odbyć poród – sala porodowa lub inna (s. 266);
- nadanie indywidualnego charakteru atmosferze porodu (przez muzykę, światło, przedmioty przyniesione z domu);
- użycie aparatu fotograficznego lub kamery wideo;
- stosowanie lewatywy (s. 281);
- usunięcie włosów z okolicy łonowej (s. 282);
- zastosowanie kroplówki (s. 282);
- rutynowe cewnikowanie (s. 377);
- zastosowanie środków przeciwbólowych (s. 232);
- zewnętrzne (stałe lub okresowe) i wewnętrzne monitorowanie stanu płodu (s. 284);
- zastosowanie oksytocyny w celu indukowania lub wzmocnienia czynności skurczowej macicy (s. 276);
- pozycje w trakcie porodu (s. 301);
- nacięcie krocza lub zastosowanie innych zabiegów w celu uniknięcia nacięcia krocza (s. 287);

- zastosowanie kleszczy (s. 289);
- wykonanie cięcia cesarskiego (s. 247);
- odśluzowanie noworodka; odśluzowanie wykonane przez ojca;
- obecność innych ważnych członków rodziny (oprócz męża) w trakcie porodu;
- obecność starszych dzieci przy porodzie lub bezpośrednio po nim;
- możliwość trzymania dziecka natychmiast po urodzeniu; karmienie piersią bezpośrednio po porodzie;
- ważenie dziecka, zakraplanie oczu dopiero po pierwszym pozałonowym kontakcie matki z dzieckiem.
- przechowywanie krwi z pępowiny (patrz s. 258)

Do swojego planu możesz włączyć życzenia dotyczące połogu, takie jak np.:

- twoja obecność przy ważeniu dziecka, zakraplaniu oczu, badaniu pediatrycznym lub pierwszej kąpieli;
- żywienie dziecka w szpitalu (kontrolowane przez plan lub na życzenie dziecka, pomoc w karmieniu piersią, unikanie dodatkowych butelek)[1];
- umiejętne postępowanie odnoszące się do przepełnionych gruczołów sutkowych w przypadku, gdy nie karmisz piersią (s. 380);
- obrzezanie;
- pobyt w jednym pokoju wraz z dzieckiem;
- wizyta innych dzieci;
- postępowanie lecznicze po porodzie, dotyczące ciebie i/lub twojego dziecka;
- czas pobytu w szpitalu, zapobieganie komplikacjom.

Na ostateczną formę planu wpływ będzie oczywiście miała opinia lekarza co do niektórych spraw, a także zasady obowiązujące w szpitalu. Pamiętaj o tym, że naszkicowany przez ciebie plan jest dla ciebie ideałem, ale nie zawsze będzie go można zrealizować. Ponieważ nie sposób dokładnie przewidzieć, jak będzie wyglądał przebieg twojego porodu, ustalony przez ciebie przed porodem plan może okazać się niewystarczający, nie gwarantujący tobie i twojemu dziecku najlepszego zabezpieczenia i być może w ostatnim momencie trzeba będzie go zmienić. Jeśli tak się stanie, to pamiętaj, że w trakcie każdego porodu najważniejszą rzeczą jest zdrowie i bezpieczeństwo matki i dziecka, wszelkie inne sprawy są drugorzędne.

CO WARTO WIEDZIEĆ

Wszystko na temat znieczulenia w czasie porodu

Dnia 19 stycznia 1847 roku szkocki lekarz, James Young Simpson, nalał pół łyżeczki chloroformu na chusteczkę i przyłożył ją do nosa rodzącej kobiety. Mniej niż pół godziny później stała się ona pierwszą kobietą, która urodziła dziecko przy zastosowaniu znieczulenia w trakcie porodu (wystąpiło tylko jedno powikłanie: kiedy kobieta pamiętająca jeszcze swój pierwszy bolesny poród, który trwał trzy dni, obudziła się, trudno było przekonać ją, że jest już po porodzie).

Ta rewolucja w położnictwie została z radością powitana przez kobiety, lecz przeciwstawił się jej kler, a także niektórzy lekarze, którzy wierzyli, że kobiety zostały stworzone do tego, by znosić ból podczas porodu. Złagodzenie tego bólu uważali za niemoralne.

Oponenci jednak nie mieli szans na zatrzymanie tej rewolucji. Kiedy wiadomość o tym, że poród nie musi oznaczać bólu, rozprzestrzeniła się, pacjentki oddziałów położ-

[1] Więcej informacji na ten temat w książce *Pierwszy rok życia dziecka.*

niczych zaczęły się domagać uśmierzenia bólu. Nie stawiano już pytania o miejsce anestezji w położnictwie (ponieważ było ono nienaruszalne), lecz o jej rodzaj, który byłby najbardziej odpowiedni dla rodzących kobiet.

Rozpoczęło się poszukiwanie doskonałego środka znieczulającego – środka, który eliminowałby ból, nie szkodząc ani matce, ani dziecku. Dokonany został ogromny postęp w tej dziedzinie (i wciąż się dokonuje). Środki przeciwbólowe i znieczulające stają się z roku na rok coraz bardziej bezpieczne i efektywne.

Jednak w latach pięćdziesiątych i sześćdziesiątych ten wspaniały związek pomiędzy kobietami rodzącymi a znieczuleniem zaczął się psuć. Kobiety chciały być świadome swego porodu i doznawać wszystkich odczuć pomimo dyskomfortu. Chciały też, aby ich dzieci rodziły się tak samo jak one rześkie, nie oszołomione środkami znieczulającymi.

W latach siedemdziesiątych nieprzejednane kobiety rzuciły wyzwanie lekarzom, a ich okrzykiem bojowym stało się hasło „poród naturalny dla wszystkich". Dzisiaj światli lekarze i pacjentki uznają, że pragnienie ucieczki przed rozrywającym bólem jest rzeczą naturalną i dlatego znieczulenie może odgrywać pewną rolę w porodzie naturalnym. Choć do dziś za poród idealny uważa się poród bez środków znieczulających, to jednak zrozumiały stał się fakt, że czasami nie jest on najlepszym rozwiązaniem dla matki i/lub dziecka. Znieczulenie zalecane jest w takich przypadkach, jak:

- długi i skomplikowany poród – ponieważ stres wywołany bólem może doprowadzić do zakłócenia równowagi chemicznej, a ta zakłócać może czynność skurczową macicy, przepływ krwi do płodu lub doprowadzić do wyczerpania matki, zmniejszając tym samym jej zdolność do efektywnego parcia;
- gdy ból jest większy niż wytrzymałość matki lub ogranicza jej zdolność do parcia;
- gdy konieczne jest założenie kleszczy (aby ułatwić urodzenie się dziecka);
- gdy konieczne jest przyhamowanie niebezpiecznie szybkiego porodu;
- gdy matka jest tak podniecona, że wpływa to na zakłócenie postępu porodu.

Rozsądne stosowanie środków znieczulających zawsze wymaga rozważenia ryzyka i korzyści, jakie mogą spowodować. W przypadku leków używanych w położnictwie w trakcie porodu, ryzyko i korzyści muszą być rozważone zarówno w stosunku do matki, jak i dziecka. W niektórych przypadkach ryzyko ich użycia wyraźnie przewyższa korzyści, jakie one oferują, tak jest wówczas, gdy płód z uwagi na poród przedwczesny lub inne czynniki nie wydaje się dość silny, aby dać sobie radę ze stresami spowodowanymi zarówno porodem, jak i środkami znieczulającymi.

Większość ekspertów zgadza się z tym, że stosując środki znieczulające, ryzyko ich użycia można zmniejszyć, a korzyści zwiększyć przez:

- wybranie leku o najmniejszych skutkach ubocznych i stanowiącego najmniejsze ryzyko dla matki i dziecka, powodującego jednocześnie uśmierzenie bólu; podanie go w mniejszej, skutecznej dawce; podanie go w optymalnym czasie w trakcie porodu. Ekspozycja na znieczulenie ogólne jest zazwyczaj zminimalizowana przez krótki czas jego działania na dziecko w czasie cięcia cesarskiego, tzn. chroni je przed nim wydobycie dziecka w ciągu kilku minut od podania matce środków znieczulających, zanim zdołają one w znacznych ilościach przejść przez łożysko;
- korzystanie z pomocy doświadczonego anestezjologa (masz prawo nalegać na to, jeśli będziesz poddana znieczuleniu ogólnemu lub np. nadtwardówkowemu).

W centrum uwagi bezpiecznego znieczulenia w położnictwie jest nie tylko bezpieczeństwo bezpośredniego biorcy (czyli matki), ale i pośredniego biorcy, a zarazem niewinnego obserwatora (czyli dziecka). Dziecko matki, która otrzymywała środki znieczulające podczas porodu, może urodzić się śpiące, spowolniałe, słabo reagujące, a czasami też z zaburzeniami oddychania i zaburzeniami czynności serca. Jednakże badania pokazują, że właściwe stosowanie tych środków powoduje, iż w większości przypadków objawy te znikają po urodzeniu. Płód radzi sobie w pewnym stopniu z obniżeniem aktywności, która może być efektem zbyt dużej ilości środków przeciwbólowych czy znieczulających w czasie porodu. Tylko wyjątkowo duże obniżenie jego aktywności może być niebezpieczne. Jeśli dziecko jest na tyle oszołomione, że nie zaczyna oddychać spontanicznie po urodzeniu, tylko szybka resuscytacja może zapobiec długotrwałym uszkodzeniom.

Kolejną kwestią, którą rozważyć trzeba przed podjęciem decyzji o zastosowaniu środków uśmierzających, jest sprawa dotycząca ich wpływu na postęp porodu. Podanie w nieodpowiednim momencie może przyhamować lub nawet zatrzymać postęp porodu.

JAKICH ŚRODKÓW PRZECIWBÓLOWYCH UŻYWA SIĘ NAJCZĘŚCIEJ?

W trakcie porodu można zastosować wiele środków przeciwbólowych (tzn. uśmierzających ból), znieczulających (powodujących utratę czucia) i uspokajających. To, jaki środek (jeżeli w ogóle będzie zastosowany) należy podać, zależy od okresu porodu, preferencji pacjentki (z wyjątkiem nagłych przypadków), danych z wywiadu, od obecnego jej stanu i stanu dziecka, a także od preferencji i doświadczenia położnika i/lub anestezjologa. Skuteczność zależy od dawki, indywidualnej podatności kobiety i innych czynników (bardzo rzadko zdarza się, że środek nie wywołuje zamierzonego efektu, nie zmniejszając w ogóle bólu lub tylko w niewielkim stopniu). Uśmierzenie bólu w położnictwie osiąga się najczęściej za pomocą następujących środków:

Środki przeciwbólowe. Meperidine hydrochloride – silny środek przeciwbólowy (znany pod nazwą Demerol) – jest jednym z najczęściej stosowanych w praktyce położniczej. Najskuteczniejsze działanie występuje po podaniu dożylnym lub domięśniowym (zazwyczaj jeden zastrzyk w pośladek, lecz gdy zajdzie taka potrzeba, można powtarzać go co 2 godziny). Demerol zazwyczaj nie zakłóca czynności skurczowej macicy, choć przy większych dawkach skurcze mogą ulec osłabieniu, a ich częstość zwolnieniu. Może on też normalizować czynność skurczową w przypadku dysfunkcji macicy (nieprawidłowej czynności). Tak jak i inne środki przeciwbólowe Demerol podawany jest zazwyczaj dopiero przy wyraźnym postępie porodu, lecz nie później niż 2 do 3 godzin przed spodziewanym urodzeniem dziecka. Reakcje matki na lek i jego działanie przeciwbólowe wahają się w szerokim zakresie. Niektóre kobiety wyraźnie odczuwają jego relaksujące działanie, doskonale radzą sobie ze skurczami. Inne nie lubią tego uczucia oszołomienia i radzą sobie gorzej. W zależności od wrażliwości kobiety mogą wystąpić różne objawy uboczne, takie jak: nudności, wymioty, depresja i spadek ciśnienia tętniczego krwi. Wpływ Demerolu na noworodka zależy od całkowitej dawki i czasu podania (czasu, który upłynął od podania leku do urodzenia dziecka). Jeśli środek ten został podany na krótko przed urodzeniem dziecka – może ono urodzić się senne i niezdolne do pierwszego krzyku. Rzadziej może on wywołać depresję oddechu, czyniąc koniecznym zastosowanie tlenoterapii. Objawy te trwają zazwyczaj krótko i jeśli jest to konieczne, można im przeciwdziałać. Demerol może być również stosowany w celu uśmierzenia bólu podczas szycia krocza lub cięcia cesarskiego.

Środki uspokajające. Środki te (takie jak Phenergan lub Vistrail) stosuje się w celu uspokojenia i zrelaksowania niespokojnych kobiet, aby mogły pełniej uczestniczyć w porodzie. Środki uspokajające mogą nasilać działanie środków przeciwbólowych, takich jak np. Demerol. Podobnie jak środki przeciwbólowe są one stosowane przy pewnym stopniu zaawansowania porodu, na długo jednak przed urodzeniem dziecka. Sporadycznie używa się ich w początkowym okresie porodu, gdy przyszła matka jest nadpobudliwa. Reakcje kobiet na działanie środków uspokajających są różne. Niektórym podoba się wywołane przez nie oszołomienie. Natomiast innym przeszkadza ono w sprawowaniu kontroli nad porodem. Mała dawka może zmniejszyć niepokój, nie wpływając na stan gotowości. Większa dawka może powodować zaburzenia mowy, a także stymulować zasypianie pomiędzy szczytami skurczów, co utrudnia wykorzystanie nabytych w szkole rodzenia umiejętności. Choć ryzyko wynikające z ich użycia jest minimalne tak dla płodu, jak i noworodka (z wyjątkiem przypadków ciężkich zaburzeń u płodu), dobrze byłoby skorzystać z technik relaksacyjnych, zanim zastosuje się środki uspokajające.

Wziewne środki znieczulające. Podtlenek azotu jest dzisiaj rzadko stosowany, z wyjątkiem znieczulenia ogólnego, kiedy łączy się go z innymi lekami.

Znieczulenie miejscowe (blokada miejscowa). Dla zniesienia czucia w pewnym obszarze wstrzykuje się środki znieczulające wzdłuż przebiegu nerwu lub nerwów. Zastosowanie środków znieczulających w trakcie porodu może wywołać całkowite zniesienie czucia od pasa w dół, niezbędne w przypadku porodu operacyjnego, lub znieczulić częściowo lub całkowicie pewną okolicę podczas porodu siłami natury. Znieczulenie obszaru od pasa ku dołowi ma tę przewagę nad znieczuleniem ogólnym przy porodzie operacyjnym, że matka jest zarówno w czasie porodu, jak i po nim cały czas przytomna. Natomiast rzeczą niekorzystną w czasie porodu siłami natury jest zakłócenie okresu parcia. Sporadycznie zaleca się podanie oksytocyny, w celu stymulowania czynności skurczowej macicy, osłabionej działaniem leków znieczulających. Czasami niezbędne jest również cewnikowanie pęcherza moczowego, w celu jego opróżnienia, w przypadku supresji (zahamowania) bodźców stymulujących mikcję.

Najczęściej stosowanymi rodzajami znieczulenia miejscowego są: blokada nerwu sromowego, znieczulenie zewnątrzoponowe, znieczulenie rdzeniowe, zewnątrzoponowe – krzyżowe.

Blokada nerwu sromowego używana jest sporadycznie, w celu uzyskania bezbolesnego II okresu porodu i zazwyczaj zarezerwowana jest dla porodu fizjologicznego. Przeprowadza się ją, wprowadzając igłę w okolicę kroczową lub pochwową (podczas gdy pacjentka leży na plecach z nogami ułożonymi na podpórkach). Działanie znieczulające dotyczy tylko tej okolicy, nie znosi bólu pochodzącego z macicy. Blokada ta użyteczna jest również, gdy zachodzi konieczność użycia kleszczy, a czas jej trwania wystarcza zarówno na wykonanie nacięcia krocza, jak i jego zeszycie. Często stosuje się ją wraz z Demerolem lub środkami uspokajającymi, co daje doskonałe i relatywnie bezpieczne znieczulenie – nawet jeśli nie ma anestezjologa.

Znieczulenie zewnątrzoponowe. Coraz bardziej zwiększa się popularność tego znieczulenia, stosowanego zarówno w trakcie porodu fizjologicznego, jak i cięcia cesarskiego. Główną jego zaletą jest relatywne bezpieczeństwo (potrzebna jest mniejsza dawka leku w celu osiągnięcia zamierzonego efektu) i łatwość podawania. Lek (zazwyczaj Bupivacaina, Lidocaina lub Chloroprocaina) podaje się podczas porodu przez cewnik wprowadzony za pomocą grubej igły, wprowadzonej do przestrzeni nadtwardówkowej w okolicy lędźwiowej (po uprzednim miejscowym znieczuleniu tego obszaru). Kobieta leży zazwyczaj na lewym boku lub siedzi, pochylając się do przodu. Podawanie leku może być w każdej chwili wstrzymane, aby pozwolić kobiecie na zachowanie pełnej kontroli nad skurczami partymi, a następnie wznowione w czasie szycia krocza. W trakcie znieczulenia powinno się często kontrolować ciśnienie tętnicze krwi, gdyż może wystąpić jego nagły spadek. W celu przeciwdziałania spadkowi ciśnienia podaje się dożylnie leki lub płyny infuzyjne. Z powodu możliwości wystąpienia spadku ciśnienia ten rodzaj znieczulenia nie powinien być stosowany w przypadku stwierdzenia łożyska przodującego, stanu przedrzucawkowego bądź rzucawki lub stanu zagrożenia życia płodu. Wymagane jest również stałe monitorowanie czynności serca płodu, ponieważ może wystąpić jej zwolnienie.

Chociaż znieczulenie zewnątrzoponowe staje się coraz bardziej popularne, ma swoje ujemne strony. Najnowsze badania wykazały, że znieczulenie podane przed rozwarciem szyjki do 3 cm może opóźnić akcję porodową, zwiększając ryzyko cięcia cesarskiego. Ryzyko to wzrasta, jeśli rozwarcie szyjki nie osiągnęło 5 cm. Zatem znieczulenie zewnątrzoponowe podobnie jak inne sposoby łagodzenia bólu w czasie porodu, powinno być stosowane z dużą ostrożnością, a nie rutynowo, ze zwróceniem szczególnej uwagi na stopień rozwarcia szyjki.

Choć znieczulenie zewnątrzoponowe staje się coraz bardziej popularne, to jednak do tej pory uważano, że jego zastosowanie może opóźnić przebieg porodu i być może zwiększyć prawdopodobieństwo użycia narzędzi (kleszczy lub próżnociągu położniczego) albo konieczności wykonania cięcia cesarskiego. Najnowsze badania jednak podważają te przypuszczenia. Niemniej znieczulenie zewnątrzoponowe, podobnie jak i inne sposoby znieczulenia, powinno być stosowane, gdy jest rzeczywiście potrzebne, a nie jako zabieg rutynowy.

Znieczulenie podpajęczynówkowe. Znieczulenie podpajęczynówkowe niskie lub znieczulenie do kleszczy podczas porodu samoistnego wykonuje się bezpośrednio przed porodem, podając jedną dawkę środka znieczulającego. Kobiecie, leżącej na boku (plecy wyprostowane, głowa i kolana przygięte), podaje się środek znieczulający do przestrzeni podpajęczynówkowej wypełnionej płynem mózgowo-rdzeniowym otaczającym rdzeń kręgowy. W czasie działania środka znieczulającego mogą występować wymioty i nudności przez około 1-1,5 godziny. Podobnie jak przy stosowaniu znieczulenia zewnątrzoponowego istnieje tu ryzyko obniżenia ciśnienia tętniczego krwi. Aby temu zapobiec, stosuje się odpowiednio wysokie ułożenie kończyn dolnych, płyny infuzyjne lub sporadycznie leki. Pacjentki po porodzie w znieczuleniu podpajęczynówkowym muszą na ogół pozostawać w pozycji leżącej na plecach przez około 8 godzin, a niektóre z nich mogą odczuwać bóle głowy (wywołane środkiem znieczulającym). Znieczulenie to, podobnie jak zewnątrzoponowe, nie powinno być stosowane w przypadku łożyska przodującego, stanu przedrzucawkowego, rzucawki lub objawów zagrożenia płodu. Znieczulenie podpajęczynówkowe jest podobne do znieczulenia zewnątrzoponowego. Różni się ono bardziej ograniczonym obszarem zniesienia czucia i wymaga większej dawki leku oraz lepszych umiejętności ze strony anestezjologa. Może również hamować poród. Ze względu na te potencjalne zagrożenia stosowane jest obecnie rzadziej niż w przeszłości.

Znieczulenie ogólne. Kiedyś był to najpopularniejszy sposób znieczulenia podczas porodu. Dzisiaj znieczulenie to, które usypia pacjentki, jest używane prawie wyłącznie w przypadku porodu operacyjnego lub sporadycznie, w celu urodzenia główki siłami natury podczas porodu dziecka w położeniu miednicowym. Z uwagi na szybkie działanie używane jest na ogół w nagłych przypadkach porodu drogą cięcia cesarskiego, kiedy nie ma czasu na zastosowanie znieczulenia miejscowego.

W celu indukcji znieczulenia ogólnego stosuje się środki wziewne w połączeniu z innymi lekami. Wykonywane jest ono przez anestezjologa na sali operacyjnej. Kobieta jest przytomna podczas przygotowania do znieczulenia, lecz podczas znieczulenia traci świadomość i zdolność odczuwania bólu na czas potrzebny do ukończenia porodu. (Zazwyczaj jest to sprawa minut. Kiedy obudzi się, może czuć się zdezorientowana i niespokojna. Może również kaszleć i odczuwać ból gardła, wywołany przez rurkę intubacyjną.) Może także odczuwać mdłości czy nawet wymiotować. Znieczulenie może również wywołać zaburzenia w oddawaniu moczu i stolca. Innym skutkiem ubocznym jest okresowe obniżenie ciśnienia krwi.

Główny problem tkwi jednak w tym, że dotyczy ono nie tylko matki, ale i dziecka.

Wpływ znieczulenia na dziecko można jednakże zmniejszyć przez właściwe użycie środków znieczulających (tak, aby okres od wprowadzenia go do urodzenia dziecka był jak najkrótszy). W ten sposób dziecko może urodzić się, zanim środek znieczulający w znaczących ilościach dotrze do niego. Tlenoterapia matki, a także jej pozycja na boku (zazwyczaj lewym), może również pomóc w dostarczeniu tlenu do płodu.

Innym istotnym niebezpieczeństwem, wynikającym ze znieczulenia ogólnego, są wymioty i możliwość zaaspirowania ich. Może to być przyczyną powikłań, takich jak zapalenie chemiczne płuc. Stąd też prośba do ciebie, abyś powstrzymywała się od picia i jedzenia podczas porodu. Podczas znieczulenia wprowadza się rurkę intubacyjną do tchawicy, aby zapobiec zaaspirowaniu treści pokarmowej. Czasami podaje się też środki alkalizujące przed zabiegiem, w celu zneutralizowania kwaśnej treści żołądkowej (w przypadku gdyby doszło do zaaspirowania treści żołądkowej).

Hipnoza. Pomimo pewnej dozy niedowierzania i sceptycyzmu wyniesionego z nocnych klubów, hipnoza jest w wykwalifikowanych rękach przyjętym w świecie medycznym środkiem zwalczającym ból. W hipnozie nie ma nic tajemniczego. W żadnej dobrej szkole rodzenia, przygotowującej do porodu, nie zapomina się o sugestii i sile rozumu. Za pomocą hipnozy uzyskuje się bardzo wysoki poziom podatności na sugestię, dzięki któremu (w zależności od indywidualnej podatności i rodzaju zastosowanej hipnozy) można uzyskać prawie wszystko, od lepszego poczucia wygody i relaksu począwszy, do całkowitego wyeliminowania odczuwania bólu. Tylko jedną osobę na cztery (osoby dorosłe) udaje się zahipnotyzować. (U wielu kobiet można za pomocą hipnozy wykonać bez znieczulenia nawet bezbólowe cięcie cesarskie.)

Szkolenie, dotyczące zastosowania hipnozy w czasie porodu, powinno się rozpoczynać na wiele tygodni czy miesięcy przed planowanym terminem porodu. Powinno być ono prowadzone przez odpowiednio wyszkolonego lekarza czy innego instruktora polecanego przez twojego lekarza. Możesz stosować autohipnozę lub zdać się na sugestie lekarza. Uważaj jednak, ponieważ hipnoza może być również używana niewłaściwie.

Inne metody łagodzenia bólu. Jest wiele metod, których stosowanie ma na celu zmniejszenie odczuwania bólu, a które nie wymagają użycia leków i w pewnych przypadkach są skuteczne. Są one szczególnie zalecane w trakcie leczenia uzależnienia od narkotyków lub alkoholu, a także dla tych kobiet, które z jakichś innych powodów nie chcą korzystać z leków.

TENS (przezskórna, elektryczna stymulacja włókien nerwowych). W metodzie tej używa się elektrod w celu stymulacji włókien nerwowych, unerwiających szyjkę macicy i pozostałe jej części. Z teoretycznego punktu widzenia zakłada się, że ta stymulacja tłumi impulsy przebiegające drogą tych nerwów np. impulsy bólowe. Intensywność stymulacji jest kontrolowana przez pacjentkę i pozwala na zwiększanie jej w czasie skurczów i zmniejszanie w przerwie pomiędzy nimi. Coraz więcej szpitali stosuje tę metodę u pacjentek. Może więc warto sprawdzić, czy twój szpital również do nich należy.

Akupunktura. Od dawna stosowana jest w Chinach, a czasami również w USA. Prawdopodobnie oparta jest ona na takich samych zasadach jak TENS. Stymulacja wywoływana jest przez wprowadzanie w skórę specjalnych igieł.

Zmiana czynników ryzyka. Wiele czynników emocjonalnych i fizycznych może wpływać na to, w jaki sposób kobieta może odczuwać ból porodowy. Ich zmiana powoduje często polepszenie samopoczucia w czasie porodu (patrz s. 300).

Fizykoterapia. Masaż, ciepło, ucisk lub kontrucisk zastosowany przez specjalistę, męża lub przyjaciela często zmniejsza odczuwanie bólu.

Rozrywka. Oglądanie telewizji, słuchanie muzyki, medytacje, wykonywanie ćwiczeń oddechowych – wszystko to może zmniejszyć twoją percepcję wrażeń bólowych.

Wizualizacja. Wyobrażanie sobie przebiegu porodu może być bardzo pomocne (możesz wymyślić sobie własne ćwiczenia).

PODJĘCIE DECYZJI

Kobiety mają dzisiaj znacznie szerszy wybór rodzaju porodu niż kiedykolwiek wcześniej. Z wyjątkiem pewnych szczególnych sytuacji decyzja odnośnie do znieczulenia będzie należała do ciebie. Aby podjąć najlepszą decyzję, dotyczącą ciebie i dziecka, należy:

- Omówić jeszcze przed porodem temat dotyczący użycia środków przeciwbólowych i znieczulających. Doświadczenie twojego lekarza powoduje, że jest on nieocenionym partnerem w procesie podejmowania decyzji. Dowiedz się, jakiego rodzaju leki twój lekarz stosuje najczęściej, a także jakie skutki uboczne mogą wystąpić. Poinformuj się również, kiedy lekarz uważa znieczulenie za absolutnie konieczne, a kiedy decyzja należy do ciebie.
- Przyjąć do wiadomości, że chociaż urodzenie dziecka jest naturalnym doświadczeniem każdej kobiety, nie jest ono próbą dzielności, siły lub wytrzymałości. Ból porodowy opisano jako jeden z najsilniej odczuwanych przez człowieka. Medycyna dzięki znieczuleniu dała kobietom szansę złagodzenia bólu. Znieczulenie zostało nie tylko zaakceptowane, lecz w niektórych przypadkach stało się ono wręcz wskazane.
- Pamiętać o tym, że zastosowanie znieczulenia podczas porodu niesie ze sobą zarówno korzyści, jak i ryzyko. Powinno się korzystać z niego tylko wtedy, gdy korzyści przeważają nad ryzykiem.
- Nie podejmować z góry nie podlegających zmianie decyzji. Chociaż można czynić pewne teoretyczne rozważania na temat tego, co może być najlepszym rozwiązaniem w pewnych okolicznościach, to jednak nie sposób przewidzieć, jak będzie przebiegał twój poród, jak zareagujesz na skurcze i czy będziesz wymagała znieczulenia. Jeśli zapadnie decyzja o wykonaniu cięcia cesarskiego, możesz spróbować przedyskutować z lekarzem możliwość znieczulenia zewnątrzoponowego. Musisz być jednak przygotowana na to, że komplikacje mogą w ostatniej chwili zmienić plany, czyniąc koniecznym wykonanie znieczulenia ogólnego.
- Jeśli w czasie porodu poczujesz potrzebę zastosowania środków znieczulających, omów to ze swoim instruktorem, lekarzem czy pielęgniarką. Nie nalegaj jednak, by podano ci je natychmiast. Spróbuj wytrzymać przez mniej więcej 15 minut i wykorzystaj ten czas w sposób najlepszy, jak potrafisz, koncentrując się na technikach relaksacyjnych czy ćwiczeniach oddechowych i korzystając z pomocy instruktora, staraj się zminimalizować dyskomfort. Być może stwierdzisz, że dzięki wsparciu łatwiej będziesz tolerować ból. Może też tak się zdarzyć, że przetrwanie tych 15 minut da ci siłę przetrwania porodu bez dodatkowych środków. Jeśli jednak po tych 15 minutach stwierdzisz, że środki przeciwbólowe są ci niezbędne – poproś o nie i nie miej wyrzutów sumienia z tego powodu. Oczywiście, kiedy lekarz zadecyduje o natychmiastowym zastosowaniu znieczulenia, ze względu na ciebie czy dziecko, czekanie nie jest uzasadnione.
- Pamiętaj, że najważniejszą rzeczą jest dobro dziecka i twoje (jak podczas całej ciąży), a nie jakiś wyidealizowany scenariusz porodu. Zatem wszystkie decyzje powinnaś podejmować, mając to dobro na względzie.

12

Ósmy miesiąc

Czego możesz oczekiwać w czasie badania okresowego

Po 32 tygodniach ciąży twój lekarz może cię poprosić o to, abyś przychodziła do kontroli co dwa tygodnie, żeby zapewnić lepszą opiekę tobie i twojemu dziecku. Możesz spodziewać się, że zostaną skontrolowane następujące parametry, zależnie od twojej szczególnej sytuacji i stylu pracy lekarza[1]:

- ciężar ciała i ciśnienie krwi;
- cukier i białko w moczu;
- czynność serca płodu;
- wysokość dna macicy;
- wielkość (możesz poznać szacunkowy ciężar) i położenie płodu;
- badanie kończyn pod kątem występowania obrzęków i kończyn dolnych pod kątem pojawienia się żylaków;
- inne objawy, które odczuwasz, zwłaszcza te niezwykłe;
- poza tym omówienie twoich pytań i problemów – przygotuj ich spis.

Co możesz odczuwać

Możesz odczuwać wszystkie poniżej wymienione objawy jednocześnie lub tylko niektóre z nich. Niektóre mogą być kontynuacją z poprzedniego miesiąca, inne mogą pojawić się dopiero teraz. Możesz mieć również inne mniej powszechnie występujące objawy.

OBJAWY FIZYCZNE:

- silna, regularna aktywność płodu;
- nasilające się białawe upławy pochwowe;
- nasilające się zaparcia;
- okresowe bóle głowy, mdłości lub zawroty głowy;
- zgaga, niestrawność, wiatry, wzdęcia;
- przekrwienie błony śluzowej nosa i sporadyczne krwawienie z nosa; uczucie „zatkania uszu";
- „różowa szczoteczka do zębów" spowodowana krwawieniem z dziąseł;
- kurcze mięśni kończyn dolnych;

[1] Badania i testy opisane są w oddzielnym rozdziale *Dodatek*.

JAK MOŻESZ WYGLĄDAĆ

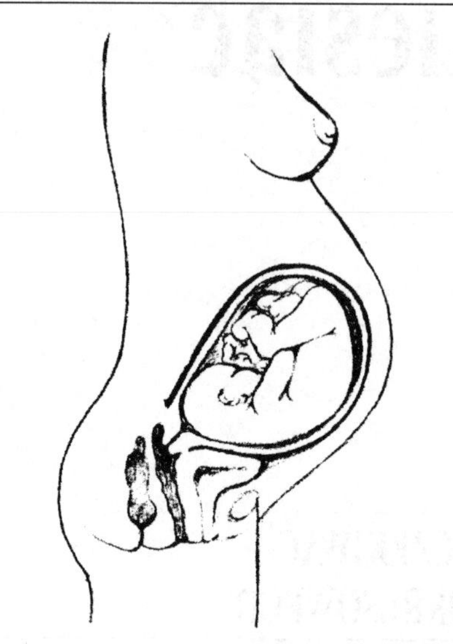

Pod koniec ósmego miesiąca dziecko ma około 45 cm długości i waży około 2500 g. Szczególnie wzrost mózgu jest w tym okresie intensywny. Dziecko może widzieć i słyszeć. Większość układów jest dobrze rozwinięta, ale płuca mogą być jeszcze niedojrzałe. Dziecko ma dużą szansę, aby przeżyć, jeśli się teraz urodzi.

- bóle pleców;
- lekkie obrzęki w okolicy stawu skokowego i stóp; sporadycznie obrzęki twarzy i rąk;
- żylaki kończyn dolnych;
- żylaki odbytnicy;
- świąd brzucha;
- narastające skrócenie oddechu, spowodowane naciskiem macicy na płuca (które ustępuje nieco, gdy dziecko przesunie się niżej);
- trudności w zasypianiu;
- zwiększenie liczby skurczów Braxtona-Hicksa;
- niezręczność;
- siara wyciekająca z piersi (chociaż może ona pojawić się dopiero po porodzie).

ODCZUCIA PSYCHICZNE:

- chęć ukończenia ciąży;
- obawy dotyczące zdrowia dziecka i porodu;
- wzrastające roztargnienie;
- podniecenie na myśl, że to już niedługo.

CO MOŻE CIĘ NIEPOKOIĆ

SKRÓCENIE ODDECHU

Czasami mam problemy z oddychaniem. Czy oznacza to, że moje dziecko otrzymuje wtedy niewystarczającą ilość tlenu?

Skrócenie oddechu nie oznacza, że tobie czy twojemu dziecku brakuje tlenu. Zmiany w układzie oddechowym podczas ciąży faktycznie pozwalają kobietom na pobieranie większej ilości tlenu i lepsze wykorzystanie go. Ale większość kobiet doświadcza różnych problemów z oddychaniem (niektóre opisują to jako świadomą potrzebę pogłębienia oddechu) – szczególnie w ostatnim trymestrze, kiedy to powiększająca się macica uciska płuca poprzez przeponę. Ulgę odczuwają zazwyczaj dopiero wtedy, kiedy brzuch obniża się (kiedy płód przesuwa się bardziej do dolnej części miednicy, w pierwszych ciążach zazwyczaj około 2-3 tygodni przed porodem).

Będzie ci łatwiej oddychać, jeśli siedząc, będziesz trzymała plecy prosto i nie będziesz się garbiła, jeśli będziesz spała w pozycji półsiedzącej i unikała znacznej aktywności fizycznej.

Niektóre kobiety nie będą nigdy odczuwały skróconego oddechu i to też będzie zupełnie normalne.

Jednakże skrócenie oddechu w znacznym stopniu z towarzyszącym przyspieszeniem oddechu, sinymi wargami i sinymi czubkami palców, z bólem w klatce piersiowej i/lub z przyspieszeniem tętna jest nienormalne i wymaga natychmiastowego powiadomienia twojego lekarza bądź wizyty w stacji pogotowia ratunkowego.

TKLIWOŚĆ ŻEBER

Czuję się tak, jakby moje dziecko wkładało nóżki pomiędzy moje żebra. To naprawdę boli.

W późniejszych miesiącach ciąży, kiedy dziecku nie jest zbyt wygodnie w jego kwaterze, czasami wydaje się, że znajduje ono zaciszne miejsce dla swoich nóg pomiędzy twoimi żebrami. Czasem zmiana pozycji matki wywołuje zmianę pozycji dziecka. Spróbuj zrobić kilka „kocich grzbietów" (s. 200), mogą one spowodować zmianę położenia dziecka. Spróbuj też wziąć głęboki oddech, podnosząc jedną rękę ponad głową, a następnie wypuść powietrze, opuszczając ramię. Powtórz to kilka razy z każdą ręką.

Jeśli to nie zadziała – poczekaj. Gdy twój mały rozrabiaka przesunie się w dół miednicy (co zazwyczaj następuje 2 lub 3 tygodnie przed porodem u pierwiastek, a u wieloródki często dopiero podczas porodu), prawdopodobnie nie będzie już w stanie podnieść nóżek tak wysoko.

NIETRZYMANIE MOCZU WYWOŁANE STRESEM

Ostatnio zaczęłam sporadycznie popuszczać trochę moczu. Czy coś jest nie tak?

Niektóre kobiety w ostatnim trymestrze ciąży mają problemy z nietrzymaniem moczu zazwyczaj wtedy, kiedy śmieją się, kaszlą czy kichają. Określamy to stresowym nietrzymaniem moczu, które jest rezultatem ogromnego ucisku rosnącej macicy na pęcherz. Ćwiczenia Kegla (patrz str. 198), które są również potrzebne do wzmocnienia mięśni miednicy pomagających przy porodzie i w okresie poporodowym, mogą pomóc także w dolegliwości nietrzymania moczu. Ponieważ jednak istnieje niewielkie prawdopodobieństwo, że substancją wyciekającą są wody płodowe, należy zgłosić ten fakt lekarzowi.

ZALEŻNOŚĆ MIĘDZY WZROSTEM TWOJEGO CIĘŻARU CIAŁA A WIELKOŚCIĄ DZIECKA

Przybrałam tyle na wadze, że aż boję się, że dziecko będzie bardzo duże i trudno będzie je urodzić.

Sam fakt, że nastąpił znaczny przyrost ciężaru ciała, nie oznacza, że dotyczy to również dziecka. Jeśli wzrost ciężaru ciała wynosi 17,5-20 kg, to twoje dziecko może ważyć 3,0-3,5 kg lub nawet mniej (gdy wzrost ciężaru spowodowany jest niezbyt wartościowym pożywieniem). Zazwyczaj jednak większy wzrost ciężaru ciała matki daje większe dziecko. Wielkość twojego dziecka zależeć może również od twojej masy urodzeniowej (jeśli urodziłaś się duża – twoje dziecko też może być takie) i od ciężaru ciała przed ciążą (generalnie tęższe kobiety mają większe dzieci).

Lekarz, badając brzuch i określając wysokość dna macicy, może w przybliżeniu podać masę dziecka (choć jest ona obarczona pewnym błędem). Badanie ultrasonograficzne może dokładniej określić masę dziecka, lecz ten pomiar też nie jest bezbłędny.

Jeśli dziecko jest duże – nie oznacza to automatycznie problemów w czasie porodu. Chociaż 3,0-3,5 kg dziecko często rodzi się szybciej niż 4,0-4,5 kg, to jednak wiele kobiet rodzi większe dzieci drogami naturalnymi, bez komplikacji. Czynnikiem determinując, jak przy każdym porodzie, jest fakt, czy główka dziecka (największa część) może przejść bez problemów przez kanał rodny w miednicy matki. Kiedyś rutynowo używano promieni rentgenowskich w celu wykrycia dysproporcji pomiędzy główką płodu a miednicą matki (tzw. niewspółmierność płodowo-matczyna czy główkowo-miednicowa). Lecz doświadczenie i badania wykazały, że metoda ta nie jest dokładnym wykładnikiem niewspółmierności, chociażby dlatego, że nie można przewidzieć, jak mocno odkształci się główka dziecka, przechodząc przez kanał rodny. Chociaż objawy uboczne są niewielkie, to jednak promieniowanie rentgenowskie zaleca się rzadko – wtedy, gdy korzyści użycia ich przeważają nad objawami ubocznymi.

Dzisiaj, bardziej powszechnie w niektórych przypadkach niewspółmierności główkowo-miednicowej, lekarze pozwalają przyszłej matce na poród drogami naturalnymi. Poród taki jest bardzo starannie monitorowany i jeśli główka dziecka schodzi w dół, a szyjka prawidłowo się rozwiera, to zezwala się na kontynuowanie porodu. Jeśli nie ma postępu porodu, można zlecić podanie oksytocyny, a jeśli nadal brak postępu, wykonuje się cięcie cesarskie.

JAKIEGO KSZTAŁTU JEST TWÓJ BRZUCH?

Wszyscy mi mówią, że jak na ósmy miesiąc mam mały, nisko ułożony brzuch. Czy może to oznaczać, że moje dziecko rozwija się nieprawidłowo?

Zdaje się, że dobrym pomysłem byłoby obowiązkowe włączenie do garderoby każdej kobiety ciężarnej zatyczek do uszu i ciemnych okularów. Noszenie ich przez 9 miesięcy pozwoliłoby jej na uniknięcie zmartwień spowodowanych przez chybione komentarze i rady krewnych i przyjaciół – a nawet obcych – i zapobiec budzącym zawiść porównaniom jej brzucha z brzuchami innych kobiet w ciąży, które są większe, mniejsze, niższe, wyższe.

Tak jak nie można znaleźć kobiet o identycznych figurach, tak samo nie ma identycznych sylwetek kobiet w ciąży. Kształt i wielkość twojego brzucha podczas ciąży zależy od tego, czy w momencie zajścia w ciążę byłaś wysoka czy niska, szczupła czy tęga, mocno zbudowana czy drobna. Rzadko też

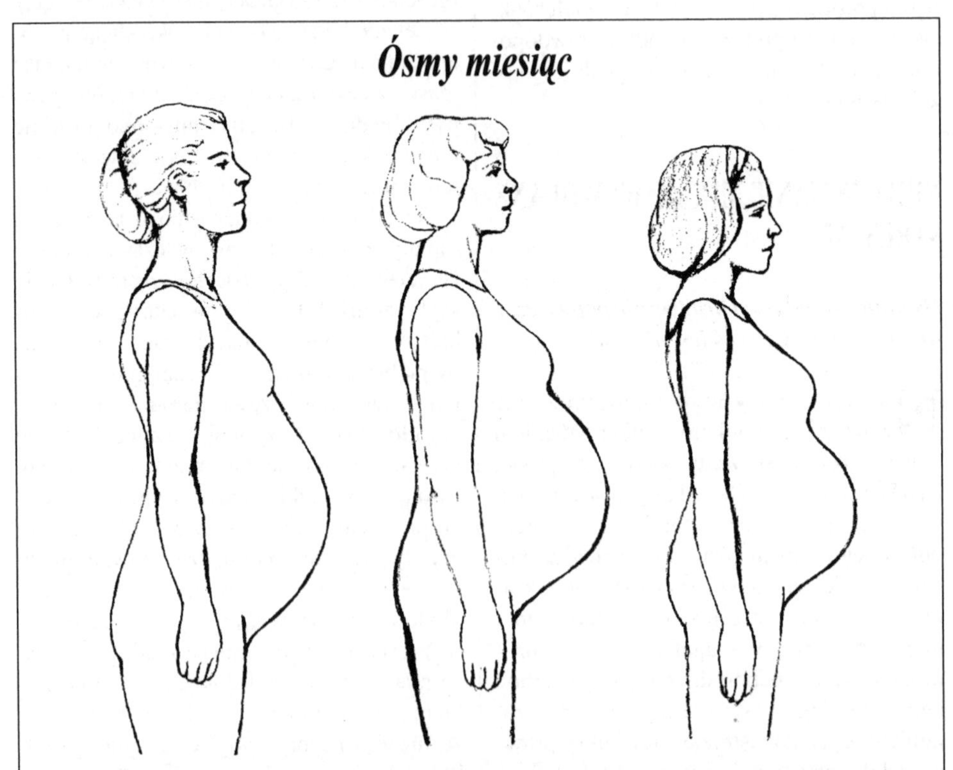

Ryciny te pokazują trzy spośród wielu różnych sylwetek kobiet ciężarnych pod koniec ósmego miesiąca. Różnice są teraz nawet większe niż przedtem. W zależności od wielkości i położenia dziecka, tak jak i od masy i rozmiarów twojego ciała, twój brzuch może być wyższy lub niższy, większy lub mniejszy, bardziej lub mniej zwarty.

Jak ułożyło się twoje dziecko?

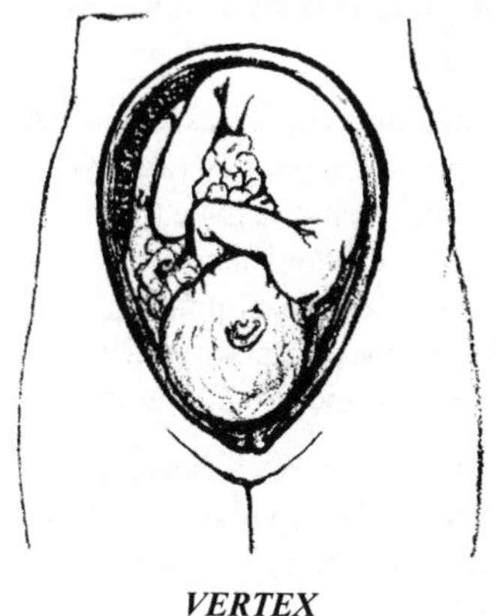

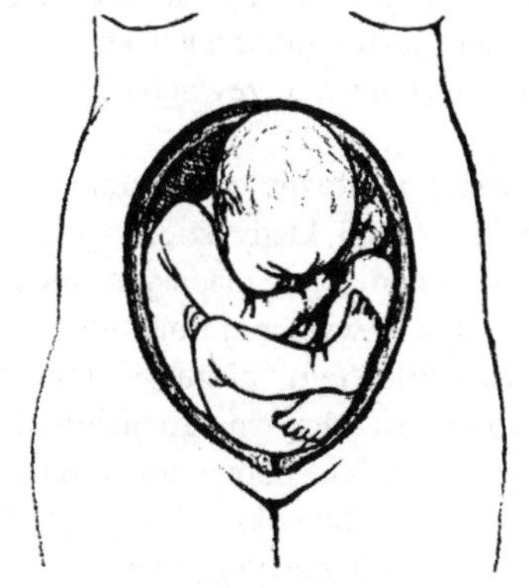

VERTEX BREECH

Około 96 na 100 płodów układa się tak, że częścią przodującą jest główka (vertex). Reszta przypadków dotyczy zazwyczaj różnych odmian położenia miednicowego. Położenie miednicowe pokazane jest na drugiej rycinie (breech).

wielkość dziecka zależy od wielkości twojego brzucha. Drobna kobieta o małym, niskim brzuchu może urodzić większe dziecko niż grubokoścista kobieta, której brzuch jest wysoki i duży.

Właściwą ocenę rozwoju i stanu twojego dziecka może dać tylko lekarz. Jeśli nie jesteś właśnie u niego – to załóż swoje zatyczki i ciemne okulary i nie słuchaj tego, co do ciebie mówią inni, a będziesz miała o wiele mniej zmartwień.

POŁOŻENIE DZIECKA

Lekarz powiedział mi, że moje dziecko jest w położeniu miednicowym. W jaki sposób może to wpłynąć na przebieg porodu?

Nigdy nie jest za wcześnie na to, aby przygotować się do porodu w położeniu miednicowym, ale za wcześnie, aby się na niego skazywać. Większość dzieci przyjmuje pozycję określoną jako położenie podłużne główkowe pomiędzy 32 a 36 tygodniem ciąży, ale niektóre utrzymują w niepewności swoich rodziców i lekarzy aż do kilku dni przed porodem.

Niektóre położne zalecają wykonywanie w ostatnich 8 tygodniach ćwiczeń, mających na celu zmianę położenia dziecka w położeniu miednicowym. Nie ma dostatecznych dowodów na to, że ćwiczenia te sprawdzają się, lecz nie ma też dowodów na ich szkodliwość.

Jeżeli zbliża się termin twojego porodu, a dziecko wciąż znajduje się w położeniu miednicowym, to lekarz może spróbować zmienić jego położenie przez wykonanie obrotu zewnętrznego na główkę (przykładając ręce do brzucha ciężarnej i pod kontrolą ultrasonografii próbując przemieścić płód, tak aby główka znalazła się na dole). Należy przez cały czas monitorować stan płodu, aby upewnić się, czy nie została przypadkowo uciśnięta pępowina lub uszkodzone łożysko. Najlepiej wykonać ten zabieg przed porodem bądź w bardzo wczesnym okresie porodu, gdy macica jest jeszcze relatywnie rozluźniona. Zazwyczaj po tym zabiegu płody pozostają w położeniu główkowym aż do porodu, niektóre jednak mogą powracać do położenia miednicowego przed porodem.

Jeśli zabieg ten, tzn. obrót zewnętrzny na główkę, powiedzie się, może on zmniejszyć prawdopodobieństwo ukończenia porodu drogą cięcia cesarskiego. Z tego powodu stał się on bardziej popularny i większość lekarzy przynajmniej sporadycznie korzysta z niego. Niektórzy jednak wahają się przed jego użyciem z uwagi na powikłania. Tylko lekarz przeszkolony w wykonywaniu tego zabiegu i przygotowany do przeprowadzenia cięcia cesarskiego, jeśli zajdzie taka konieczność, powinien wykonywać zewnętrzny obrót na główkę.

Położenie podłużne miednicowe płodu występuje częściej, kiedy dziecko jest mniejsze niż przeciętnie, gdy macica ma nieprawidłową budowę, występuje nadmierna ilość płynu owodniowego, ciąża wielopłodowa i gdy macica jest relatywnie rozluźniona, rozciągnięta z powodu poprzednich ciąż. Jeśli twoje dziecko należy do 3-4% grupy dzieci w położeniu miednicowym, powinnaś omówić z lekarzem różne możliwe wersje porodu. Być może będziesz mogła urodzić drogami naturalnymi lub, w zależności od warunków, drogą cięcia cesarskiego (które wcale nie oznacza końca świata i na które każda ciężarna powinna być przygotowana – patrz s. 307).

Brak obecnie dostatecznych dowodów na wyższość jednego sposobu ukończenia ciąży nad drugim (tzn. drogami naturalnymi lub drogą cięcia cesarskiego) w położeniu miednicowym. Poród drogami naturalnymi uważa się za bezpieczniejszy w 1/3 do 1/2 przypadków porodu w położeniu miednicowym, lecz tylko wtedy, gdy prowadzący go lekarz jest przeszkolony w wykonywaniu właściwych dla tego porodu zabiegów. Niektóre badania, dotyczące porodu płodu w położeniu miednicowym, wskazują, że potencjalne ryzyko nie zawsze zależy od położenia, lecz także może być spowodowane innymi przyczynami, jak np.: niedojrzałość płodu, mały płód, ciąża wielopłodowa lub jakiś inny wrodzony defekt.

Niektórzy lekarze rutynowo wykonują cięcie cesarskie w położeniu płodu podłużnym miednicowym, wierząc, że jest to najbezpieczniejsza droga przyjścia dziecka na świat (być może jest to też najlepszy sposób dla lekarzy, aby uniknąć zarzutów dotyczących możliwości uszkodzenia podczas porodu drogami naturalnymi). Inni na podstawie doświadczenia własnego lub innych lekarzy uważają poród drogami naturalnymi za bezpieczny, jeżeli zaistnieją niżej wymienione warunki:

- położenie płodu pośladkowe (nóżki płodu wyprostowane wzdłuż brzucha i klatki piersiowej tak, że stopy znajdują się obok jego twarzy);
- dostatecznie małe dziecko, które łatwo przejdzie przez drogi rodne (zazwyczaj poniżej 4,25 kg), ale nie za małe (poniżej 2,75 kg), aby poród siłami natury nie był niebezpieczny; zazwyczaj poród przed 36 tygodniem ciąży, przy położeniu miednicowym, rozwiązuje się drogą cięcia cecarskiego;
- nie ma objawów łożyska przodującego, wypadnięcia pępowiny lub innych objawów zagrożenia płodu, których nie można łatwo usunąć;
- u matki nie stwierdza się żadnych problemów położniczych lub innych, które mogłyby skomplikować poród siłami natury; jej miednica jest odpowiedniej wielkości; w wywiadzie nie ma żadnych danych o przebyciu ciężkich urazowych porodów; niektórzy lekarze dodają do tego wymóg, aby wiek matki był poniżej 35 roku życia;
- część przodująca w momencie porodu przeszła już do miednicy;
- główka płodu nie jest nadmiernie odgięta, lecz raczej bródka przygięta jest do klatki piersiowej;
- wszystko (i wszyscy) przygotowani są do zabiegu chirurgicznego, jeśli okazałby się konieczny.

Jeśli próbujemy prowadzić poród drogami natury, to niezbędne jest jego stałe monitorowanie, najlepiej na sali zabiegowej. Gdy wszystko idzie dobrze, można go kontynuować. Jeśli natomiast szyjka będzie rozwierała się zbyt wolno lub wystąpią inne problemy, to lekarz wraz z całym zespołem operacyjnym powinien być w każdej chwili przygotowany do cięcia cesarskiego. Stałe elektroniczne monitorowanie płodu jest absolutnie niezbędne. Czasami stosuje się znieczulenie zewnątrzoponowe, by zapobiec nadmiernemu parciu, zanim dojdzie do całkowitego rozwarcia (co mogłoby doprowadzić do uciśnięcia pępowiny pomiędzy dzieckiem a miednicą matki). Sporadycznie wykonuje się znieczulenie ogólne, w celu natychmiastowego zakończenia porodu. Można również skorzystać z użycia kleszczy, aby pomóc w urodzeniu główki bez zbędnego naciągania ciała i szyi. Rutynowo stosowane nacięcie krocza ułatwia zabieg.

Czasami w przypadku planowanego cięcia cesarskiego poród przebiega tak szybko, że pośladki przemieszczają się do miednicy jeszcze przed rozpoczęciem cięcia. Większość lekarzy próbuje wtedy kontynuować poród drogami natury, niż prowadzić pospieszne i ciężkie cięcie cesarskie.

W jaki sposób mogę sprawdzić, czy moje dziecko jest prawidłowo położone?

Zabawa pod tytułem „cóż to za górka", tzn. odgadywanie, gdzie znajdują się ramionka, łokcie lub pośladki, może być lepszą rozrywką niż oglądanie telewizji, ale nie jest najlepszym sposobem na określenie pozycji twojego dziecka. Prawdopodobnie lepiej potrafi zrobić to lekarz lub położna, przez badanie palpacyjne twojego brzucha, płasko ułożonymi rękami próbując rozpoznać części ciała dziecka. I tak na przykład grzbiet dziecka ma zazwyczaj gładki, wypukły kształt i zlokalizowany jest po przeciwnej stronie niż grupa małych nierówności, którymi są drobne części takie, jak ręce, stopy, łokcie. Główka w tym miesiącu jest zazwyczaj zlokalizowana w pobliżu twojej miednicy. Jest ona okrągła, twarda – a jeśli naciśniesz ją, powraca do poprzedniej pozycji, a reszta ciała pozostaje w bezruchu. Pośladki dziecka mają kształt mniej regularny i są bardziej miękkie niż główka. Kolejną wskazówką, dotyczącą położenia płodu, jest lokalizacja jego serca – jeśli przoduje główka, to czynność serca będzie zazwyczaj słyszalna w dolnej części brzucha, i będzie to czynność najgłośniejsza – jeśli plecy dziecka są skierowane do przodu. Przy jakichkolwiek wątpliwościach, aby wszystko zweryfikować, można skorzystać z badania ultrasonograficznego.

TWOJE BEZPIECZEŃSTWO PODCZAS PORODU

Wiem, że postęp medycyny sprawił, że nie ma już wielu niebezpieczeństw, lecz ciągle boję się, że umrę w czasie porodu.

Dawno minęły czasy, kiedy kobiety ryzykowały życie, aby urodzić dziecko. Wciąż jednak tak jest w niektórych częściach świata. Dzisiaj w Stanach Zjednoczonych nie istnieje takie ryzyko. Przy porodzie umiera mniej niż 1 na 10 000 kobiet. Liczba ta obejmuje kobiety nie tylko z przewlekłymi chorobami serca lub innymi poważnymi schorzeniami, lecz także kobiety rodzące dzieci bez pomocy lekarskiej w szopach lub zapuszczonych slumsach.

Krótko mówiąc, jeśli twoja ciąża zaliczana jest do grupy największego ryzyka, a najprawdopodobniej tak nie jest – masz znacznie większe szanse na przeżycie porodu niż przeżycie przejazdu samochodem do sklepu na zakupy czy przejścia przez ruchliwą ulicę.

CZY NADAJĘ SIĘ DO RODZENIA DZIECI?

Mam 150 cm wzrostu, jestem bardzo mała. Obawiam się, że będę miała kłopoty z urodzeniem dziecka.

Tak się składa, że jeżeli chodzi o rodzenie dzieci, to liczy się to, co jest w środku, a nie to, co na zewnątrz. Tym, co określa, jak trudny będzie poród, jest wielkość i kształt twojej miednicy w stosunku do wielkości głowy twojego dziecka. Nie zawsze można określić miednicę po jej zewnętrznym kształcie. Niska, szczupła kobieta może mieć obszerniejszą miednicę niż kobieta wysoka i dobrze zbudowana. Lekarz może pozwolić sobie na jej określenie, korzystając z pomiarów dokonywanych zazwyczaj podczas pierwszej wizyty. Jeśli istnieje podejrzenie, że główka dziecka jest zbyt duża, aby przejść przez drogi rodne w miednicy, podczas porodu można wykonać badanie ultrasonograficzne.

Oczywiście, u ludzi o delikatniejszej budowie na ogół wielkość miednicy jak i wszystkich struktur kostnych jak mniejsza. Np. Azjatki mają zazwyczaj mniejszą miednicę niż kobiety nordyckie. Na szczęście natura w swojej mądrości rzadko daje Azjatkom dzieci wielkości dzieci nordyckich – nawet jeśli ojcem jest piłkarz o wzroście 180 cm. Dzieci są najczęściej dobrze dopasowane do rozmiarów swoich matek.

PORÓD BLIŹNIACZY

Spodziewam się bliźniąt. Czym będzie się różnił mój poród od porodów innych kobiet?

Może nie być żadnych innych różnic poza tą, że za twoje wysiłki zbierzesz podwójną nagrodę. Wiele porodów bliźniaczych odbywa się bez komplikacji drogami natury[1].

Jednakowoż istnieje większe ryzyko potencjalnych powikłań podczas porodu w przypadku ciąży bliźniaczej. Komplikacje przeważnie nie pojawiają się w I okresie porodu, który jest przeciętnie krótszy w ciąży bliźniaczej niż w jednopłodowej (chociaż okres aktywnego porodu i okres parcia jest zazwyczaj dłuższy, to całkowity czas od pierwszego skurczu do urodzenia dziecka jest krótszy). Zazwyczaj zaleca się, aby przy porodzie w ciąży bliźniaczej obecny był anestezjolog, na wypadek gdyby zaszła konieczność wykonania cięcia cesarskiego, chociaż większość bliźniąt może urodzić się siłami natury (czasami za pomocą kleszczy, aby uchronić je przed nadmiernym urazem). Powinien też znajdować się w pobliżu pediatra lub neonatolog, gotowy do udzielenia noworodkowi pomocy. Często też oba płody monitorowane są za pomocą elektrod zakładanych na główkę (jednej zewnętrznej, a drugiej wewnętrznej).

W przypadku bliźniąt – o czym wkrótce się dowiesz – należy zawsze być przygotowanym na niespodzianki, które mogą pojawić się przy porodzie. Ponieważ masz więcej niż jedno dziecko, możliwe jest, że wystąpi więcej niż jeden typ porodu. Może zdarzyć się tak, że po porodzie pierwszego dziecka drogami natury, drugie, leżące poprzecznie i nie dające się obrócić, trzeba będzie wydobyć drogą brzuszną. Być może też – chociaż płyn owodniowy odpływa samoistnie podczas porodu pierwszego dziecka – u drugiego dziecka błony płodowe trzeba będzie przerwać sztucznie.

W większości przypadków drugi bliźniak rodzi się w ciągu 20 minut po pierwszym. Jeśli ten drugi rodzi się wolno, lekarz może polecić podanie oksytocyny lub założenie kleszczy, lub nawet wykonanie cięcia cesarskiego. Po urodzeniu dzieci łożyska rodzą się zazwyczaj szybko. Czasami jednak odbywa się to wolno i wymagać może pomocy ze strony lekarza.

BANK WŁASNEJ KRWI

Obawiam się możliwości transfuzji w czasie porodu i przetoczenia zakażonej krwi. Czy mogę na zapas przechowywać własną krew?

Po pierwsze istnieje bardzo małe prawdopodobieństwo, że będziesz wymagać transfuzji. Tylko w 1% porodów drogami natury i w 2% cięć cesarskich będzie ona niezbędna. Kobiety tracą zazwyczaj od 1 do 2 filiżanek krwi przy porodzie drogami natury (tj. 1/4 do 1/2 l) lub 2-4 filiżanki krwi w przypadku cięcia cesarskiego. Utrata ta nie stanowi zazwyczaj żadnego problemu, ponieważ w ciąży objętość krwi wzrasta o 40-50%. Po drugie w USA jest bardzo niewielkie ryzyko zakażenia się w wyniku transfuzji chorobami (1 na 65 dla zapalenia wątroby typu B, 1 na 105 000 dla zapalenia wątroby typu A oraz 1 na 500 000 do 1 na 1 000 000 dla HIV). Cała pobrana krew jest badana za pomocą specjalnych testów (chociaż nie są one całkowicie niezawodne). Po trzecie możliwości oddawania własnej krwi są ograniczone i zarezerwowane dla pacjentów poddających się zabiegom chirurgicznym o wysokim stopniu ryzyka. Dlatego kobiety ciężarne mogą nie zostać zaliczone do tej grupy.

---

[1] Jednakże wraz ze wzrostem liczby płodów wzrasta prawdopodobieństwo ukończenia ciąży drogą cięcia cesarskiego.

Jeśli jednak masz powody, aby spodziewać się dużej utraty krwi w czasie porodu z powodu zaburzeń w jej krzepnięciu, planowanego cięcia cesarskiego czy jeszcze jakiegoś innego – porozmawiaj z lekarzem o możliwościach stworzenia banku własnej krwi (oddawanie krwi na krótko przed porodem może stanowić problem, ponieważ może znacznie zmniejszyć objętość krwi, czy doprowadzić do niedokrwistości). Możesz też zaplanować, aby krewny lub znajomy z taką samą grupą krwi oddał krew przeznaczoną dla ciebie bezpośrednio przed porodem lub znajdował się na wszelki wypadek w pobliżu w czasie twojego porodu. Nie każdy szpital jest do tego odpowiednio przygotowany i wyposażony, a personel nie zawsze jest gotów na to przystać. Może on próbować przekonać cię odnośnie do ryzyka zarażenia się AIDS, które nie jest wcale niższe niż w przypadku, gdy krew pochodzi od krewnego czy przyjaciela lub z ogólnego banku krwi.

CIĘCIE CESARSKIE

Lekarz powiedział mi, że być może będę musiała mieć wykonane cięcie cesarskie. Obawiam się, że ta operacja będzie niebezpieczna.

Popularnie uważa się, że nazwa tej operacji pochodzi od Juliusza Cezara, który tym sposobem przyszedł na świat. Jest to jednak mało prawdopodobne. Juliusz Cezar mógłby przeżyć tę operację, ale jego matka nie. A wiadomo, że jego matka po tym porodzie żyła jeszcze wiele lat.

Dzisiaj cięcie cesarskie jest niemal tak samo bezpieczne dla matki jak poród drogami natury, a przy objawach zagrożenia płodu często również najbezpieczniejsze dla płodu. Chociaż uważa się je za poważną operację, to ryzyko z nim związane porównuje się raczej do wycięcia migdałków niż np. do wycięcia pęcherzyka żółciowego.

Aby przygotować się do niego i złagodzić swoje obawy, postaraj się zebrać jak najwięcej informacji. Możesz je uzyskać od swojego lekarza na zajęciach w szkole rodzenia czy korzystając z wiadomości zawartych w książkach (idealną rzeczą byłyby specjalne zajęcia poświęcone tej operacji).

Lekarz powiedział mi, że być może będę musiała mieć cięcie cesarskie. Obawiam się, że może to być niebezpieczne dla dziecka.

Jeśli zapadnie decyzja wykonania cięcia cesarskiego, to twoje dziecko będzie bezpieczne i prawdopodobnie bezpieczniejsze, niż gdyby poród odbywał się siłami natury. Każdego roku tysiące dzieci, które nie przeżyłyby przejścia przez drogi rodne (lub mogłyby zostać okaleczone), rodzą się zdrowe w trakcie cięcia cesarskiego.

Choć było wiele spekulacji na temat szkodliwości tego zabiegu dla dziecka, to jednak nie uzyskano niezbitych dowodów. U dzieci urodzonych tą drogą stwierdza się pewien odsetek nieprawidłowości. Najczęściej są one wywołane przyczynami, które spowodowały objawy zagrożenia płodu, z powodu których wykonano cięcie cesarskie, a nie samą operacją. Wiele tych noworodków nie przeżyłoby porodu samoistnego.

Na ogół dzieci urodzone drogą cięcia nie różnią się od urodzonych drogami natury – chociaż dzieci z cięcia mają małą przewagę, jeśli chodzi o wygląd zewnętrzny. Mają one zazwyczaj piękne, okrągłe główki w przeciwieństwie do wydłużonych główek dzieci, które muszą przecisnąć się przez wąskie drogi rodne. Ocena punktowa stanu dziecka w skali Apgar, dokonywana w pierwszej i piątej minucie po porodzie, jest porównywalna dla dzieci z porodów operacyjnych i fizjologicznych. Pewnym minusem jest fakt, że w trakcie cięcia cesarskiego nie dochodzi do usuwania nadmiaru śluzu z dróg oddechowych, lecz może on być łatwo odessany po urodzeniu. Bardzo, bardzo rzadko dochodzi do poważnego uszkodzenia dziecka w czasie porodu operacyjnego – znacznie rzadziej niż podczas porodu samoistnego. Takie dzieci należą do grupy podwyższonego ryzyka wystąpienia zaburzeń układu oddechowego.

Najbardziej prawdopodobnym rodzajem zaburzeń u dziecka przy tego rodzaju porodzie są zaburzenia natury psychicznej – właściwie nie są one spowodowane samym porodem, lecz postawą matki wobec dziecka. Niekiedy matka po cięciu cesarskim będzie miała podświadome pretensje wobec dziecka, które jej zdaniem ograbiło ją z najpiękniejszej godziny życia i doprowadziło do okaleczenia jej ciała[1].

Może ona również odczuwać zazdrość w stosunku do matek, które urodziły samoistnie, i mieć poczucie winy z powodu zawodu, który sprawiła. Nie pozwala jej to na wytworzenie właściwego związku między nią a dzieckiem. Może również podejrzewać, że takie dziecko jest wyjątkowo wrażliwe (niektóre są), doprowadzając do nadmiernej opiekuńczości. Jeśli zauważy to, powinna spróbować przeciwstawić się temu, lub jeśli to konieczne, skorzystać z profesjonalnej porady.

Często można zapobiec postawom destrukcyjnym od samego początku. Po pierwsze należy uzmysłowić sobie, że droga, jaką dziecko przyszło na świat, w żaden sposób nie wpływa ani na matkę, ani na dziecko; ani kobieta nie jest w mniejszym stopniu matką, ani dziecko nie jest w mniejszym stopniu owocem jej łona, jeśli urodziło się drogą cięcia cesarskiego. Po drugie ważne jest, aby matka i dziecko spędzali jak najwięcej czasu razem, tak wcześnie jak to możliwe. Porozmawiaj na długo przed porodem ze swoim lekarzem o tym, jakie są możliwości trzymania i karmienia dziecka jeszcze na stole operacyjnym, bezpośrednio po cięciu cesarskim, lub jeśli nie jest to możliwe, to na sali. Jeśli będziesz czekała aż do porodu, aby porozmawiać o tym, to może zdarzyć się, że zabraknie ci siły lub okazji ku temu. Da ci to również szansę na zakwestionowanie reguł szpitala, takich jak np. te, które wymagają, by każdy noworodek (nawet zdrowy) znajdował się na oddziale intensywnej opieki noworodków. Może zdołasz wywołać zmianę lub wyjątek od tych reguł, jeśli w racjonalny sposób przedstawisz swój punkt widzenia.

[1] Kobiety po porodzie samoistnym mogą również odczuwać niechęć do swoich dzieci – prawie zawsze przejściową – z powodu bólu porodowego.

Nie panikuj, jeśli pomimo dobrych intencji czujesz się zbyt słaba, aby opiekować się dzieckiem lub jeśli twoje dziecko wymaga obserwacji bądź opieki na oddziale intensywnej opieki noworodków. Nie ma dowodu (pomimo rozgłosu, jaki nadano tej sprawie w przeszłości) na to, że więź matki i dziecka nawiązuje się tylko bezpośrednio po porodzie (patrz s. 380).

Tak bardzo chciałabym urodzić drogami natury. Ale wydaje się, że teraz wszystkie kobiety rodzą drogą cięcia cesarskiego. Obawiam się, że ja też będę musiała.

Nie u wszystkich kobiet wykonuje się obecnie cięcia cesarskie, lecz dotyczy to znacznie większej liczby kobiet niż wcześniej. Na początku lat sześćdziesiątych twoje szanse na cięcie cesarskie wynosiłyby 1 do 20. Dzisiaj stosunek ten wynosi 1 do 4 (w niektórych szpitalach jest wyższy, w niektórych niższy), a jeśli twoja ciąża jest ciążą wysokiego ryzyka, to nawet 1 do 3.

Skąd wziął się taki znaczny wzrost? Wiele faktów wskazuje na społeczność lekarską. Niekiedy dzieje się to za sprawą lekarza, który decyduje o wykonaniu cięcia cesarskiego podczas godzin przyjęć, ponieważ nie chce być budzony o godzinie trzeciej w nocy, albo za sprawą lekarzy, którzy pod najmniejszym pretekstem wykonują je, widząc w nim szansę otrzymania większego honorarium (fakt, że koszty ponoszą firmy ubezpieczeniowe, oddala wyrzuty sumienia). Oskarża się o to również lekarzy obawiających się odpowiedzialności prawnej w wypadku popełnienia błędu w sztuce lekarskiej. W trakcie porodu fizjologicznego, który zaczyna się komplikować – lekarze, asekurując się, wykonują cięcie cesarskie (więcej procesów sądowych przeciwko położnikom wytaczanych jest z powodu niewykonania niż z powodu wykonania cięcia). Należy do tego dodać lekarzy podejmujących decyzję o cięciu w momencie pojawienia się niepokojących danych na monitorze aparatu służącego do oceny i kontroli stanu płodu (bez upewnienia się, że nie jest to wina urządzenia). Wydaje się, że główną tego przyczyną jest niedostateczna opieka medyczna.

Lecz głównym powodem wzrostu tego wskaźnika nie jest wcale tzw. niedostateczna opieka lekarska, lecz raczej właśnie ta dobra – ponieważ cięcia cesarskie ratują dzieci, które nie mogłyby bezpiecznie się urodzić. Większość lekarzy wykonuje cięcie cesarskie nie dla wygody, pieniędzy czy ze strachu przed oskarżeniem o błąd w sztuce lekarskiej, lecz dlatego, że w pewnych sytuacjach jest ono najlepszym sposobem ochrony dziecka.

Do wzrostu liczby cięć cesarskich przyczyniło się również wiele zmian w praktyce położniczej. Po pierwsze rzadziej niż w przeszłości używa się kleszczy próżniowych (patrz s. 289), z uwagi na wątpliwości co do bezpieczeństwa manipulowania metalowymi narzędziami w drogach rodnych. Po drugie poród drogą cięcia cesarskiego stał się wyjątkowo szybkim i bezpiecznym sposobem ukończenia ciąży – a w większości przypadków matki mogą być przytomne w czasie wydobywania dziecka. Po trzecie dzięki monitorowaniu płodu, używając KTG czy wielu innych testów, można dokładnie (lecz nie niezbicie) wykazać objawy zagrożenia płodu i konieczność natychmiastowego ukończenia porodu. Po czwarte obecny trend wśród matek do osiągnięcia wyższego niż zalecany wzrostu masy ciała (powyżej 17,5 kg) doprowadził do porodów większej liczby dużych dzieci, które czasami sprawiają pewne trudności przy porodach fizjologicznych. Obserwuje się też dążenie do położnictwa nieinterwencyjnego – pozwalającego naturze na dyktowanie własnego tempa, nie przyspieszając go przez przerwanie błon płodowych, podawanie oksytocyny lub użycie kleszczy. Ponadto wzrasta liczba kobiet z chorobami przewlekłymi, które mogą z powodzeniem przejść ciążę, lecz niezbędne jest jej ukończenie drogą cięcia cesarskiego. Należy też zwrócić uwagę na fakt, że w dobie coraz częstszych cięć cesarskich, zdarza się, że kolejna ciąża jest kończona również cięciem (co nie zawsze ma uzasadnienie).

Obecnie uważa się, iż mimo wielu poważnych wskazań do wykonania tego zabiegu, wiele z nich wykonywanych jest niepotrzebnie. Aby temu zapobiec, wiele instytucji ubezpieczeniowych, szpitali, grup medycznych oraz inne osoby lub instytucje zalecają zasięganie różnych opinii, zanim wykona się cięcie cesarskie. Zaleca się: wykonanie próby porodu samoistnego u kobiet, u których poprzednio wykonano cięcie cesarskie (patrz s. 51); lepsze kształcenie lekarzy w interpretacji wyników monitorowania płodu, w celu uniknięcia niepotrzebnych operacji; poród samoistny w wielu przypadkach położenia miednicowego płodu; spokój i cierpliwość przy wolnym postępie porodu – pod warunkiem dobrego stanu matki i dziecka; ostrożne stosowanie oksytocyny, w celu pobudzenia czynności skurczowej przy zahamowaniu postępu porodu; stosowanie wielu wiarygodnych metod oceny stanu płodu (takich jak ocena pH krwi włośniczkowej pobranej ze skóry owłosionej główki płodu, profil biofizyczny, stymulacja akustyczna) w celu potwierdzenia objawów zagrożenia płodu, wynikających z monitorowania płodu (kardiotokografia). W niektórych szpitalach stosuje się przesyłanie odczytu za pomocą faxu do ekspertów, w celu uzyskania natychmiastowej oceny stanu płodu. W innych uzyskano znaczne zmniejszenie liczby wykonywanych cięć, dzięki dokładnej analizie każdego przypadku u kobiet, które pierwszy raz rodziły drogą cięcia cesarskiego. Jeśli stwierdzono, że któryś z lekarzy przeprowadza nieuzasadnione porody operacyjne, poddawany był karze dyscyplinarnej. Na ogół uważa się, że do zmniejszenia liczby cięć cesarskich przyczyniłoby się znacznie lepsze kształcenie lekarzy stażystów, prowadzących porody samoistne w przypadku stanu po cięciu cesarskim, lepsze przygotowanie do wykonywania zewnętrznego obrotu na główkę czy prowadzenia porodu w położeniu miednicowym siłami natury. Jednakże w przypadku porodu po cięciu cesarskim niezbędna jest również współpraca ze strony matki. Niektóre kobiety, które raz lub więcej razy rodziły drogą cięcia cesarskiego, odmawiają poddania się próbnemu porodowi – bądź z powodu obawy przed ryzykiem porodu samoistnego lub strachu przed długim i bolesnym porodem.

U większości kobiet nie można przewidzieć decyzji wykonania cięcia cesarskiego aż do momentu, kiedy poród w pełni się rozwinie. Jednakże jest kilka wskazań, które już wcześniej mogą taką decyzję sugerować:

- niewspółmierność miednicowo-główkowa (matczyno-płodowa); (główka płodu jest zbyt duża, aby przejść przez miednicę matki, patrz s. 245); sugeruje to wielkość dziecka, określona w badaniu ultrasonograficznym lub trudny poprzedni poród;
- choroba lub inne nieprawidłowości płodu, powodujące ryzyko bądź uraz podczas porodu samoistnego;
- ukończenie poprzedniej ciąży drogą cięcia cesarskiego (patrz s. 51), jeżeli przyczyna cięcia nadal stanowi realne zagrożenie (np. choroba matki lub nieprawidłowa budowa miednicy) lub jeśli macica została przecięta pionowo;
- nadciśnienie tętnicze (s. 331) lub choroba nerek u matki – może ona nie być zdolna do tolerowania stresu porodowego;
- nieprawidłowe położenie płodu, takie jak położenie miednicowe (przodują pośladki lub stópki) bądź poprzeczne, które może czynić poród samoistny trudnym lub wręcz niemożliwym.

Istnieje wiele różnych przyczyn, które upoważniają do tego, że cięcie cesarskie możemy zaplanować na długo przed rozpoczęciem porodu. Są to:

- cukrzyca u matki – w przypadku gdy ko-

Pytania do przedyskutowania z lekarzem, dotyczące cięcia cesarskiego

- Czy będzie możliwe wypróbowanie innych metod, zanim podejmie się decyzję wykonania cięcia cesarskiego (wyłączając sytuacje nagłe)? Np. wykorzystanie oksytocyny w celu stymulacji czynności skurczowej lub wykorzystanie pozycji siedzącej dla zwiększenia efektywności parcia?
- Czy przed podjęciem decyzji o porodzie operacyjnym (z powodu położenia miednicowego płodu) podejmuje się próbę wykonania obrotu zewnętrznego na główkę (aby zmienić pozycję płodu)?
- Jaki rodzaj znieczulenia może być użyty? Jeśli czas nagli, to wówczas stosuje się znieczulenie ogólne (które usypia cię). Można też zastosować znieczulenie podpajęczynówkowe lub zewnątrzoponowe (które pozwoli ci na zachowanie przytomności), gdy cięcie cesarskie nie jest wykonywane ze wskazań nagłych (s. 232).
- Czy twój lekarz w czasie zabiegu przecina macicę nisko, w dolnym odcinku, tak aby istniała możliwość ukończenia następnej ciąży drogą porodu samoistnego? Powinnaś również dowiedzieć się (z powodów kosmetycznych), jak będzie wyglądało przecięcie powłoki brzusznej (które zazwyczaj nie jest związane z przecięciem macicy).
- Czy podczas cięcia (z zachowaniem świadomości lub bez świadomości) może być obecny twój instruktor?
- Czy może być z tobą twoja położna (jeśli masz taką)?
- Czy będziesz mogła sama lub twój partner trzymać dziecko bezpośrednio po urodzeniu (jeśli jesteś w dobrym stanie i nie jesteś uśpiona) i czy będziesz mogła karmić je na sali operacyjnej? Czy twój partner będzie mógł trzymać dziecko, jeśli ty będziesz uśpiona?
- Czy będziesz mogła przebywać razem z dzieckiem w tej samej sali, jeśli nie będzie ono wymagało specjalistycznej opieki? Czy twój partner będzie mógł zostać z tobą w nocy, aby ci pomóc?
- Jak długo będziesz musiała przebywać w szpitalu po porodzie operacyjnym bez komplikacji? Jakich możesz się spodziewać niewygód i ograniczeń?
- Czy możliwe będzie wykonanie innych testów (takich jak ocena pH krwi włośniczkowej ze skóry owłosionej płodu, ocena reakcji płodu na dźwięk czy ucisk, patrz s. 268) w celu weryfikacji danych uzyskanych podczas monitorowania płodu, przed podjęciem decyzji o wykonaniu cięcia cesarskiego? Czy możliwe będzie uzyskanie innej opinii?

Szpitale a liczba cięć cesarskich

Liczba wykonywanych cięć cesarskich jest różna w zależności od szpitala. Wiele poważnych ośrodków medycznych ma duży odsetek porodów operacyjnych, gdyż przyjmują one wiele pacjentek z ciążą wysokiego ryzyka. Niektóre małe szpitale mają również wysoki ten odsetek, ponieważ nie mają stale pełnej obsady do wykonywania nagłego cięcia cesarskiego. Jeśli więc istnieją jakieś wątpliwości co do pomyślnego ukończenia porodu samoistnego, wzywa się anestezjologa i cały zespół operacyjny, by wykonali cięcie cesarskie, nim zaistnieje jego nagła potrzeba. Większy szpital może sobie pozwolić na postawę wyczekującą. Dowiedz się od swojego lekarza, ile cięć cesarskich wykonuje się w twoim szpitalu i jakie inne zabiegi stosuje się, aby uniknąć cięcia.

nieczne jest ukończenie ciąży przed terminem i stwierdza się niedostateczną dojrzałość szyjki;

- infekcja wywołana wirusem typu Herpes, istniejąca w momencie rozpoczęcia porodu; cięcie cesarskie wykonuje się wówczas w tym celu, aby zapobiec zakażeniu płodu podczas przechodzenia przez drogi rodne;
- łożysko przodujące (kiedy łożysko częściowo lub całkowicie blokuje ujście szyjki) – może spowodować krwotok, jeśli łożysko zacznie się przedwcześnie oddzielać (s. 355);
- przedwczesne oddzielenie łożyska (s. 357) – występuje wyraźne oddzielenie łożyska od ściany macicy, stwarzające duże niebezpieczeństwo dla płodu.

Ukończenie porodu cięciem cesarskim można również zaplanować, jeśli konieczne jest szybkie ukończenie porodu, nie ma czasu na jego wzniecenie lub jeśli przypuszcza się, że matka i/lub płód nie będą w stanie znieść stresu wywołanego porodem.

A oto jeszcze inne przypadki:

- stan przedrzucawkowy lub rzucawka (s. 350, 353), nie reagujące na leczenie;
- ciąża przeterminowana (przekroczenie terminu porodu o 2 lub więcej tygodni, s. 266), dochodzi do pogorszenia się warunków życia płodu w macicy z powodu pogorszenia się wydolności łożyska;
- objawy zagrożenia życia płodu lub matki spowodowane różnymi przyczynami.

Jednakże w większości przypadków decyzja o wykonaniu cięcia zapada w czasie aktywnej fazy porodu. Najprawdopodobniej zdecydują o tym następujące powody:

- brak postępu porodu (szyjka macicy rozwiera się zbyt wolno) po 16-18 godzinach jego trwania (niektórzy lekarze czekają jeszcze dłużej). Niekiedy stosuje się też oksytocynę w celu stymulacji czynności skurczowej macicy przed podjęciem decyzji o cięciu cesarskim;
- objawy zagrożenia płodu wykazane podczas monitorowania za pomocą KTG lub innych testów (s. 268);
- wypadnięcie pępowiny (s. 359) – jej uciśnięcie może odciąć dopływ tlenu do płodu, powodując zagrożenie jego życia;
- nie rozpoznane uprzednio przypadki łożyska przodującego lub przedwczesnego oddzielenia łożyska – zwłaszcza jeśli istnieje ryzyko krwotoku.

Jeżeli cięcie cesarskie jest tak bezpieczne, a czasami nawet ratuje życie, to dlaczego większość z nas tak bardzo się go obawia? Częściowo dlatego, że rutynowa operacja – nawet jeśli jest pozbawiona ryzyka, jest czymś, co nas trochę przeraża. Lecz główną przyczynę obaw należy upatrywać w tym, że przez wiele miesięcy przygotowujemy się do porodu fizjologicznego, a wchodząc na salę porodową, nie jesteśmy zazwyczaj przygotowane na realną możliwość porodu operacyjnego. Przez dziewięć miesięcy nie dopuszczamy tej myśli do siebie. Czytamy zachłannie książki na temat porodu, omijając rozdziały

Jak uczynić z porodu drogą cięcia cesarskiego wydarzenie rodzinne?

Coraz popularniejsze staje się podejście do porodu operacyjnego jako do sprawy dotyczącej całej rodziny. Większość lekarzy i szpitali rozluźnia swoje rygory, dotyczące zasad postępowania w czasie cięcia cesarskiego. Możliwa jest obecność w pobliżu ojca oraz zachowanie świadomości u matki, jeśli nie ma nagłych wskazań do ukończenia porodu drogą cięcia cesarskiego. Nowa rodzina poznaje się nawzajem od razu po urodzeniu dziecka, tak jak gdyby miało to miejsce podczas nieskomplikowanego porodu fizjologicznego. Badania wykazują, że taka „normalizacja" porodu operacyjnego pozwoli małżonkom na lepszy odbiór samego porodu, zmniejszy możliwość depresji poporodowej i obniżenia samooceny u matki (obie te sprawy mogą stanowić problem po porodzie drogą cięcia cesarskiego) i pozwoli na szybsze powstawanie rodzinnych więzi.

dotyczące cięcia cesarskiego. Zadajemy w szkołach rodzenia tysiące pytań dotyczących porodu naturalnego, lecz żadnego na temat porodu operacyjnego. Niecierpliwie czekamy na chwilę, kiedy trzymając rękę męża, będziemy w bólach świadomie rodzić swoje dziecko, a nie na moment, kiedy sterylne narzędzia będą rozcinały nasz brzuch, by wydobyć dziecko, podczas gdy będziemy nieświadome. Czujemy się pozbawione kontroli nad porodem, stojąc przed koniecznością nagłego cięcia cesarskiego, a technologia medyczna wywołuje w nas frustrację, rozczarowanie, złość, poczucie winy.

Lecz tak nie musi być. Nie, jeśli jesteś przygotowana na poród drogą cięcia cesarskiego lub drogami naturalnymi, jeśli zdasz sobie sprawę, iż obydwie mogą być piękne, jeśli skoncentrujesz się na dziecku, a nie na sposobie porodu.

Możesz teraz zrobić coś w tym kierunku, a w efekcie cięcie cesarskie stanie się mniej groźne i rzeczywistość bardziej zadowalająca. Nawet jeżeli nie masz powodu, aby przypuszczać, że wykonanie cięcia cesarskiego stanie się niezbędne – upewnij się, że choć jedno zajęcie w szkole rodzenia dotyczyć będzie tego problemu. Jeśli masz pewne powody, aby wierzyć, że wykonanie cięcia cesarskiego stanie się koniecznością, spróbuj wziąć udział w pełnym kursie przygotowawczym i znaleźć odpowiednie dla siebie lektury.

Poproś o dokładny opis przyczyn, z powodu których twój położnik zaplanował wykonanie cięcia cesarskiego. Zapytaj, czy istnieje coś alternatywnego, jak np. poród próbny – który będziesz mogła kontynuować tak długo, jak długo wszystko będzie przebiegało normalnie (ta możliwość może być niedostępna w małym szpitalu, w którym nie zawsze można wykonać nagłe cięcie cesarskie, kiedy wymagają tego okoliczności; niektórzy sugerują, że w takich szpitalach porody nie powinny się w ogóle odbywać). Jeśli po tych konsultacjach odniesiesz wrażenie, że główną przyczyną zalecanego porodu operacyjnego jest wygoda lekarza, powinnaś poprosić o opinię innego lekarza.

Jest z pewnością wiele problemów, które chciałabyś przedyskutować ze swoim lekarzem lub lekarzem dyżurnym (z którego pomocy korzysta twoja położna), przygotowując się do zaplanowanego cięcia cesarskiego bądź tylko na jego ewentualną możliwość (s. 250). Nie daj się zbyć zapewnieniami, że prawdopodobnie nie będzie to dotyczyć twojej osoby. Wyjaśnij, że chcesz na wszelki wypadek być przygotowana. Zasugeruj lekarzowi, że chciałabyś należeć do zespołu, który podejmie decyzję, gdyby cięcie cesarskie stało się konieczne.

Oczywiście większość ciężarnych nie wybrałaby tego rodzaju porodu jako porodu z wyboru, a około 3 na 4 ciężarne ukończą ciążę drogą porodu samoistnego. Ta pozostała część kobiet, którym nie uda się urodzić samoistnie, nie ma żadnego powodu do rozczarowania, poczucia winy czy porażki. Każdy poród (samoistny czy operacyjny, ze znieczuleniem czy bez) jest bezsprzecznym sukcesem, jeśli tylko matka i dziecko są zdrowe.

BEZPIECZEŃSTWO W CZASIE PODRÓŻY

Mam zaplanowaną bardzo ważną podróż służbową w tym miesiącu. Czy mogę podróżować, czy powinnam raczej odwołać tę podróż?

Jeśli możesz, to staraj się unikać podróży w ostatnim trymestrze ciąży. Jest to nie tylko niewygodne, lecz może też być ryzykowne, ponieważ nagle może rozpocząć się poród, a ty będziesz setki czy tysiące mil od twojego lekarza (nie zawsze można wcześniej przewidzieć wystąpienie porodu przedwczesnego). Linie lotnicze, np. mając na uwadze możliwość porodu na wysokości tysięcy stóp nad ziemią (i godziny dzielące od lądowania), zabroniły ciężarnym w 9 miesiącu ciąży podróżować samolotem bez pisemnej zgody lekarza. Taka zgoda może być trudna do uzyskania, ponieważ lekarze nie zalecają podróżowania w III trymestrze, szczególnie w ósmym i dziewiątym miesiącu. Skorzystaj z uwag na s. 190, jeśli musisz podróżować. Rzeczą szczególnie istotną jest uzyskanie nazwiska godnego zaufania lekarza w miejscu przeznaczenia.

PROWADZENIE POJAZDU

Czy mogę teraz jeszcze prowadzić?

Długie podróże samochodem (dłuższe niż godzinne) wydają się zbyt wyczerpujące w ostatnich miesiącach ciąży, bez względu na to, kto prowadzi. Jeśli jednak musisz udać się w długą podróż i posiadasz zgodę swojego lekarza, to zatrzymuj się co godzinę lub dwie, aby wstać i pospacerować trochę. Krótsze podróże nie powinny stanowić problemu, jeżeli nie odczuwasz zawrotów głowy i mieścisz się za kierownicą. Jednakże nie próbuj sama przyjechać do szpitala, gdy rozpocznie się poród. Nie zapomnij także zapiąć pasów podczas podróży samochodem i to bez względu na to czy jesteś kierowcą, czy pasażerem.

SKURCZE BRAXTONA-HICKSA

Co jakiś czas moja macica zdaje się twardnieć i napinać. Co się dzieje?

Są to prawdopodobnie skurcze Braxtona-Hicksa, które zazwyczaj po 20 tygodniach ciąży zaczynają przygotowywać ciężarną macicę do porodu. Wieloródki odczuwają je silniej i wcześniej. Mięsień macicy napina się, przygotowując się do prawdziwych skurczów, które „wypchną" dziecko w oznaczonym terminie. Będziesz odczuwała je jako bezbolesne (nieprzyjemne) stwardnienie macicy, rozpoczynające się od dna i stopniowo przesuwające się ku dołowi, zanim się rozluźni. Trwają one na ogół około 30 sekund, a więc wystarczająco długo, by wykonać ćwiczenia oddechowe, lecz mogą trwać również 2 minuty lub dłużej.

Kiedy zbliża się 9 miesiąc, skurcze te stają się częstsze, intensywniejsze – czasami nawet bolesne – i coraz trudniej odróżnić je od prawdziwych skurczów porodowych (s. 272). Chociaż nie są one na tyle skuteczne, by wydalić płód, to mogą zapoczątkować proces skracania i rozwierania się szyjki, dając ci przedsmak porodu, jeszcze zanim się on rozpocznie.

Aby złagodzić dolegliwości, które możesz odczuwać w czasie tych skurczów – spróbuj położyć się, odpocząć lub wstać i pospacerować. Zmiana pozycji może całkowicie zahamować skurcze.

Chociaż skurcze Braxtona-Hicksa nie oznaczają właściwego porodu, to czasami trudno je odróżnić od przedwczesnej czynności skurczowej macicy, która zazwyczaj poprzedza poród przedwczesny. Podczas następnej wizyty u lekarza powiedz mu o tym koniecznie. Powiadom go jednak natychmiast, jeśli występują one bardzo często (więcej niż 4 na godzinę) i/lub towarzyszy im ból pleców, brzucha czy jakiekolwiek upławy pochwowe lub jeśli jesteś w grupie wysokiego ryzyka (ryzyka zagrożenia porodem przedwczesnym).

KĄPIELE

Moja mama mówi, że nie powinnam się kąpać po 34 tygodniu ciąży. Natomiast lekarz mówi, że mogę. Kto ma rację?

W tym przypadku twoja matka nie zdaje sobie sprawy z tego, co jest najlepsze dla dziecka i ciebie. Choć ma dobre intencje, to jej informacje są błędne. Prawdopodobnie opiera ona swoje spostrzeżenie na zaleceniach, które otrzymała od swojego lekarza, kiedy sama była w ciąży z tobą. Większość lekarzy 30 lat temu wierzyła, że brudna woda podczas kąpieli może wniknąć do pochwy czy dalej do szyjki i spowodować zakażenie. Obecnie lekarze uważają, że woda nie dostaje się do pochwy, chyba że stosuje się irygacje. Tak więc nie ma potwierdzenia tej hipotezy. Nawet jeśli woda dostaje się do pochwy, to czop śluzowy, znajdujący się w szyjce, zabezpiecza skutecznie wejście do macicy, chroniąc błony płodowe otaczające płód, płyn owodniowy i sam płód przed inwazją mikroorganizmów. Dlatego też większość lekarzy, w przypadku prawidłowo przebiegającej ciąży, zezwala na kąpiele w wannie aż do czasu pęknięcia błon płodowych. Na ogół prysznic dozwolony jest aż do rozpoczęcia porodu.

Jednakże kąpiele i prysznic nie są pozbawione ryzyka, zwłaszcza w ostatnim trymestrze, kiedy niezręczność może spowodować poślizgnięcie i upadek. Kąp się bardzo ostrożnie, aby zapobiec takim nieszczęściom. Umieść w wannie czy pod prysznicem antypoślizgową matę. Jeśli jest to możliwe, skorzystaj z pomocy innej osoby przy wchodzeniu i wychodzeniu z wanny.

TWÓJ STOSUNEK DO PARTNERA

Dziecko jeszcze się nie urodziło, a mój stosunek do męża zaczyna się zmieniać. Jesteśmy pochłonięci nadchodzącym porodem i dzieckiem, a nie sobą nawzajem, jak byliśmy kiedyś.

Wszystkie małżeństwa przechodzą w róż- różnym stopniu pewne zmiany dynamiki życia oraz zmieniają priorytety, gdy dziecko dołącza do rodziny. Badania wykazują, że jest to zazwyczaj mniej stresowe, jeśli małżeństwo rozpoczyna ten proces już w trakcie ciąży. Choć zmiana, którą obserwujesz w twoim stosunku do męża, nie wydaje się zmianą na lepsze, to lepiej, że odczuwasz ją teraz niż po urodzeniu dziecka. Pary, które idealizują trzyosobową rodzinę i które nie przewidują dezintegracji czy przerwania romansu, często źle znoszą nową rzeczywistość z maleńkim noworodkiem.

O ile pochłonięcie ciążą i spodziewanym porodem jest czymś normalnym, nie powinnaś pozwolić na nienormalne przekreślenie twojego życia z mężem.

Teraz jest odpowiedni czas na to, aby uczyć się, jak łączyć opiekę i karmienie dziecka z pielęgnacją twojego małżeństwa. Małżeństwo trzeba wspólnie pielęgnować, dbać o nie. Chociaż raz na tydzień spróbuj, byście razem coś obejrzeli, zjedli obiad czy poszli do muzeum. Zróbcie coś, co nie ma nic wspólnego z porodem czy dziećmi. Kupując wyprawkę, kup coś specjalnego i niespodziewanego dla męża. Wychodząc z gabinetu lekarza po kolejnej wizycie, zrób swojemu partnerowi niespodziankę, kupując bilety na jego ulubiony film lub imprezę sportową. Porozmawiaj z nim od czasu do czasu przy obiedzie, omów najnowsze wiadomości, nie poruszaj tematu dziecka. Nie umniejszy to na pewno w żadnym calu tego wspaniałego wydarzenia, a wam przypomni, że w życiu jest jeszcze coś innego niż Lamaze i wyprawka.

Wspomnienia o tym pozwolą wam na utrzymanie dobrych stosunków później, kiedy będziesz spacerować z dzieckiem o godzinie drugiej nad ranem. (Wskazówki znajdują się w książce *Pierwszy rok życia dziecka.*) Dzięki waszej miłości przygotujecie dla swojego dziecka przytulne gniazdko, w którym będzie się czuło szczęśliwe i bezpieczne.

CZY MOŻNA SIĘ TERAZ KOCHAĆ?

Jestem w rozterce. Słyszę wiele sprzecznych informacji na temat stosunków w ostatnich tygodniach ciąży.

Problem polega na tym, że istniejące dowody medyczne są sprzeczne. Na ogół uważa się, że sam stosunek lub orgazm nie wywołują porodu, chyba że jest już jego termin (choć wiele niecierpliwych par próbowało udowodnić coś innego). Z tego powodu wielu lekarzy pozwala pacjentkom (przy prawidłowym przebiegu ciąży) na współżycie seksualne – pod warunkiem, że jeszcze je ono interesuje – aż do dnia porodu. Dotyczy to większości par małżeńskich.

Jednakże wydaje się, że istnieje pewne zagrożenie wśród kobiet z grupy wysokiego ryzyka dotyczącego porodu przedwczesnego, np. z ciążą wielopłodową, gdy wcześnie zaczyna się skracanie i rozwieranie szyjki, a także u tych z porodem przedwczesnym w wywiadzie. Stosunek wiąże się też z przedwczesnym pęknięciem błon płodowych, szczególnie gdy są już zmienione zapalnie, a także z zakażeniem zarówno w okresie prenatalnym, jak i porodowym. Aby zapobiec infekcji i ewentualnej przedwczesnej czynności skurczowej, spowodowanej przez ekspozycję szyjki na drażniące prostaglandyny w nasieniu, wielu lekarzy zaleca używanie prezerwatyw w ostatnich 8 tygodniach ciąży.

Rozwiej swoje wątpliwości podczas rozmowy z lekarzem i zasięgnij opinii środowiska lekarskiego na ten temat. Gdy lekarz da ci „zielone światło", kochaj się, jeśli masz na to ochotę i jeśli cię to nie krępuje. Gdy zabroni (a stanie się to, jeśli jesteś w grupie wysokiego ryzyka zagrożenia porodem przedwczesnym) lub gdy stwierdza się łożysko przodujące, przedwczesne oddzielenie łożyska, niewyjaśnione krwawienie, pęknięcie błon płodowych – wtedy szukaj innych sposobów. Spróbuj wybrać się do restauracji na romantyczną kolację przy zapalonych świecach czy na spacer pod gwiazdami, trzymając się za ręce, a wieczorem w domu przytul się w łóżku lub siądźcie razem pod kocem przed telewizorem, obejmujcie się i całujcie, możecie też wziąć wspólny prysznic albo zróbcie sobie masaż ciała.

CO WARTO WIEDZIEĆ
Informacje na temat karmienia piersią

Na przełomie naszego wieku niemal każde dziecko było karmione piersią. Innych możliwości nie było. W pierwszych latach naszego stulecia kobiety zaczęły domagać się praw, jakich przedtem nie miały – prawa do głosu, pracy, palenia papierosów, zrzucenia ograniczającej ruchy bielizny, sięgnięcia wzrokiem dalej niż kuchnia i pokój dziecinny. Karmienie piersią było staromodne, ograniczało ich wolność i reprezentowało to wszystko, przeciw czemu się buntowały. Kobieta nowoczesna karmiła butelką. Jedynymi kobietami, które w latach pięćdziesiątych karmiły piersią (oprócz autorki i wybranych przedstawicielek cyganerii), były te kobiety, do których nie dotarła jeszcze idea emancypacji.

Jak na ironię to właśnie odnowiony ruch kobiecy rozpropagował w latach pięćdziesiątych i siedemdziesiątych powrót do karmienia piersią. Kobiety chciały nie tylko wolności, lecz także kontroli – kontroli nad swoim życiem i swoim ciałem. Wiedziały, że kontrolę zyskuje się wraz ze wzrostem wiedzy. Natomiast ta udowodniła im, że karmienie piersią jest najlepsze zarówno dla ich dziecka, jak i dla nich samych. Obecnie wyraźny jest nawrót do karmienia piersią.

DLACZEGO KARMIENIE PIERSIĄ JEST NAJLEPSZE?

Nie ma co do tego wątpliwości, że w normalnych okolicznościach karmienie piersią jest najlepszym sposobem dostarczania pożywienia dla noworodka, zawierającym też najwartościowsze składniki. Mleko matki zawiera co najmniej 100 składników, których nie ma w mleku krowim i nie można tego składu dokładnie powielić w technologiach przemysłowych.

- Mleko matki jest dostosowane do indywidualnych potrzeb każdego dziecka. Odpowiednie składniki są w zależności od potrzeb wybierane z krwiobiegu matki. Zmienia się skład mleka w zależności od dnia czy karmienia, w miarę wzrostu dziecka. Składniki odżywcze są dopasowane do potrzeb dziecka. Przejście z mleka matki na gotowe (krowie) mieszanki mleczne może doprowadzić do niedoborów żywieniowych.
- Mleko matki jest łatwiej przyswajalne niż mleko krowie. Ilość białka w mleku matki jest niższa (wynosi 1,5%) niż w mleku krowim (gdzie wynosi 3,5%). Powoduje to, że dziecko lepiej daje sobie radę z mlekiem matki. Białko w mleku matki to głównie laktoalbumina, która jest bardziej odżywcza i łatwiej przyswajalna niż główny składnik mleka krowiego (inogen). Zawartość tłuszczu jest podobna, lecz tłuszcz mleka matki jest łatwiej trawiony przez dziecko. Mleko matki znacznie rzadziej powoduje nadwagę u dzieci i otyłość w późniejszym okresie.
- Zazwyczaj nie stwierdza się u dziecka alergii na mleko własnej matki (choć może wystąpić reakcja na niektóre potrawy spożywane przez matkę, włącznie z mlekiem). Beta-laktoglobulina, substancja zawarta w mleku krowim, może wyzwalać reakcje alergiczne, a po wytworzeniu przeciwciał doprowadzić do wstrząsu anafilaktycznego (reakcja alergiczna zagrażająca życiu) u niemowląt, co mogłoby być czynnikiem sprawczym syndromu nagłej śmierci noworodków (czyli tzw. śmierci w kołysce). Substytuty z mleka sojowego, stosowane często u dzieci uczulonych na składniki mleka krowiego, oddalają się jeszcze bardziej w swoim składzie od składu mleka matki.
- Dzieci karmione piersią prawie nigdy nie cierpią na zaparcia, gdyż mleko matki jest łatwo strawne. Bardzo rzadko mają też biegunki, ponieważ mleko matki niszczy przyczyny wywołujące biegunki, a także sprzyja rozwojowi korzystnej flory bakteryjnej, co zapobiega zaburzeniom ze strony układu pokarmowego. Patrząc na to od strony czysto estetycznej, można stwierdzić, że wypróżnienia dzieci karmionych piersią pachną przyjemniej przynajmniej do momentu wprowadzenia pokarmów stałych.
- Mleko matki zawiera około 1/3 składników mineralnych mleka krowiego. Większa zawartość sodu w mleku krowim stanowi dodatkowe obciążenie dla nerek dziecka.
- Mleko matki zawiera mniej fosforu. Większa zawartość fosforu w mleku krowim wiąże się ze zmniejszonym poziomem wapnia we krwi dziecka.
- Niemowlęta karmione piersią w pierwszym roku życia są mniej podatne na choroby. Ta ochrona jest częściowo zapewniona przez substancje immunologiczne, znajdujące się w mleku matki, a także w siarze.
- Karmienie piersią (ponieważ wymaga od dziecka większego wysiłku) sprzyja rozwojowi szczęk, zębów i podniebienia.
- Mleko matki jest bezpieczne. Nie istnieje ryzyko zepsucia czy zakażenia.
- Karmienie piersią jest wygodne. Nie wymaga ono żadnego wcześniejszego planowania czy przygotowania sprzętu. Można je wykorzystać zarówno w samochodzie czy samolocie, jak i w środku nocy. Mleko ma zawsze odpowiednią temperaturę. Jeśli matka i dziecko nie przebywają cały dzień razem, np. gdy matka pracuje – mleko można odciągnąć do butelki i przechowywać w lodówce, aby można było w razie potrzeby karmić butelką.
- Karmienie piersią jest oszczędne. Nie trzeba kupować butelek, sterylizować ich lub kupować sterylizatorów gotowych mieszanek. Nie ma w połowie opróżnionych butelek i otwartych puszek mieszanki, które mogłyby się zmarnować. A odżywcza dieta, konieczna przy karmieniu piersią, jest prawdopodobnie tańsza niż typowa amerykańska dieta nasycona pustymi lecz kosztownymi kaloriami.

- Karmienie piersią zmniejsza u kobiety ryzyko zachorowania na raka piersi przed menopauzą (chociaż wydaje się, że nie ma wpływu na rozwój raka w późniejszym wieku).
- Karmienie piersią przyspiesza obkurczanie się macicy i wydalanie odchodów po porodzie.
- Laktacja hamuje owulację i menstruację (przynajmniej w pewnym stopniu). Choć nie powinno się polegać na tym jako na środku antykoncepcyjnym, to może ona doprowadzić do opóźnienia pojawienia się miesiączki o kilka miesięcy, a przynajmniej do czasu zakończenia karmienia piersią.
- Karmienie piersią pozwala na lepsze spalanie tłuszczu, który pojawił się w czasie ciąży. Jeśli kobieta przyjmuje tylko taką liczbę kalorii, która zapewnia wytwarzanie mleka i jej potrzeby energetyczne (patrz s. 392), i jeśli pochodzą one z produktów odżywczych – może odzyskać swoją figurę, zaspokajając równocześnie wszystkie odżywcze wymagania dziecka.
- Karmienie piersią wymusza okresy odpoczynku, jest to szczególnie istotne w pierwszych 6 tygodniach po porodzie.
- Karmienie piersią w miejscach publicznych staje się coraz bardziej przyjęte. Przy niewielkiej dyskrecji zarówno matka, jak i dziecko mogą jeść przy tym samym stoliku w restauracji.
- Karmienie piersią utrzymuje ścisły kontakt matki z dzieckiem, skóra przy skórze, przynajmniej 6 do 8 razy dziennie. Zaspokojenie potrzeb emocjonalnych, poczucie intymności, wspólne przeżywanie miłości i przyjemności – wszystko to może być bardzo piękne. (Uwaga dla matek bliźniąt: Wszystkie dobre strony karmienia piersią są w twoim przypadku podwójne. Na s. 394 znajdziesz wskazówki, które ułatwią ci karmienie.)

DLACZEGO NIEKTÓRZY WOLĄ BUTELKĘ?

Podobnie jak 30 lat temu podnosiły się głosy przeciwne karmieniu piersią, tak i dziś siaj są kobiety, które z wyboru nie karmią piersią. Choć korzyści z karmienia butelką są niepomiernie mniejsze, to mogą być one przekonywające dla niektórych kobiet.

- Karmienie butelką nie przywiązuje matki do dziecka. Może ona pracować poza domem, robić zakupy, wychodzić wieczorem, a nawet spać przez całą noc, ponieważ ktoś inny może karmić dziecko.
- Pozwala ona na dzielenie się odpowiedzialnością z ojcem i na znacznie łatwiejsze nawiązywanie kontaktu z dzieckiem (chociaż ojciec dziecka karmionego piersią może odczuwać to samo, karmiąc dziecko butelką z odciągniętym mlekiem matki).
- Nie zakłóca ono życia płciowego małżeństwa (jedynie w sytuacji, kiedy dziecko obudzi się o „złej porze" na karmienie). Karmienie piersią może czasem przeszkadzać. Po pierwsze, ponieważ hormony wywołujące laktację mogą powodować suchość pochwy, po drugie wyciek mleka z piersi podczas stosunku może na niektóre pary działać zniechęcająco. Kiedy stosujesz karmienie butelką, piersi odgrywają raczej rolę zmysłową niż użyteczną.
- Nie ogranicza ono twojej diety ani stylu twojego jedzenia. Możesz jeść mocno przyprawione potrawy, czosnek i kapustę w dowolnych ilościach, nie musisz pić ani jednej szklanki mleka.
- Może ono stanowić pewien wybór dla kobiety, która wstydzi się okazywania intymnego kontaktu z dzieckiem, czy krępuje ją karmienie piersią w miejscach publicznych lub dla kobiety, która jest zbyt nerwowa czy brak jej cierpliwości, aby karmić piersią.

DOKONANIE WYBORU

Coraz większa liczba kobiet nie ma problemu z wyborem. Niektóre z nich opowiedzą się za karmieniem piersią na długo przed tym, zanim zdecydują się zajść w ciążę.

Przechowywanie krwi z pępowiny

Chociaż praktyka ta jest nadal w fazie eksperymentalnej i bardzo dużo kosztuje, niektórzy rodzice decydują się na ściągnięcie krwi z pępowiny noworodka i przechowywanie jej na wypadek, gdyby komórki pnia były potrzebne w przyszłości w leczeniu poważnych chorób (jak np. białaczki i innych nowotworów, niedokrwistości sierpowato-krwinkowej i innych zaburzeń krwi) u dziecka lub innego członka rodziny. Ściąganie krwi z pępowiny jest całkowicie bezpieczne zarówno dla matki, jak i dziecka i wielce obiecujące. Jeśli jesteś nim zainteresowana, porozmawiaj z lekarzem, czy istnieją takie możliwości. Jeśli podejmiesz już decyzję, upewnij się, czy krew zostanie przekazana godnemu zaufania bankowi krwi, który będzie skrupulatnie przechowywał ją dla potrzeb twojego dziecka. Zapytaj o cenę rocznego przechowywania krwi.

Inne, które przed ciążą nie zastanawiały się nad tym, decydują się na karmienie piersią po przeczytaniu, jak wiele z niego wynika korzyści. Jeszcze inne są targane sprzecznościami przez całą ciążę, a nawet w czasie porodu. Niewielka liczba kobiet, które uważają, że karmienie piersią jest nie dla nich, nie może jednak pozbyć się wewnętrznego przekonania, że powinny to zrobić, choćby ze względu na wynikające z niego korzyści.

Dla wszystkich niezdecydowanych kobiet mamy jedną sugestię: Spróbuj – może ci się spodoba. Możesz zawsze przestać, jeśli nie będzie ci to odpowiadało. Przede wszystkim ty i twoje dziecko skorzystacie ze wszystkich jego korzyści choćby przez krótki czas.

Daj szansę karmieniu piersią! Niektórzy eksperci sugerują, że pełen miesiąc czy nawet 6 tygodni karmienia piersią jest niezbędne dla ustalenia korzystnej relacji oraz dania matce czasu na podjęcie decyzji odnośnie do karmienia.

KIEDY NIE MOŻESZ LUB NIE POWINNAŚ KARMIĆ PIERSIĄ?

Niestety nie każda młoda matka może karmić piersią. Niektóre kobiety nie mogą lub nie powinny karmić piersią swoich dzieci. Przyczyny mogą być emocjonalne lub psychiczne, wynikające ze zdrowia matki lub dziecka, okresowe lub długoterminowe. Oto najczęściej spotykane czynniki, uniemożliwiające karmienie piersią:

- poważne choroby osłabiające (takie, jak: choroby nerek lub serca, poważna anemia) lub wyjątkowa niedowaga;
- poważne infekcje, np. gruźlica;
- choroby wymagające leczenia środkami szkodliwymi dla dziecka, przechodzącymi do mleka (takimi, jak: środki stosowane w chorobach tarczycy, przeciwrakowe, przeciwko nadciśnieniu, lit, środki uspokajające czy nasenne). Jeśli musisz zażywać jakiekolwiek leki – skontaktuj się z lekarzem przed rozpoczęciem karmienia piersią;
- AIDS, który może być przekazywany przez płyny ustrojowe (także mleko);
- narkomania – zażywanie środków uspokajających, kokainy, heroiny, marihuany czy nadmierne spożywanie alkoholu i kofeiny;
- głęboko zakorzeniona awersja do karmienia piersią.

Przyczyny ze strony noworodka

- choroby takie, jak: nietolerancja laktozy, fenyloketonuria (dziecko nie może strawić ani ludzkiego, ani krowiego mleka);
- rozszczep wargi i/lub podniebienia i inne deformacje jamy ustnej, które utrudniają ssanie piersi.

JAK KARMIĆ BUTELKĄ?

Choć karmienie piersią jest wspaniałym doświadczeniem zarówno dla matki, jak i dla dziecka, to nie ma powodu, dla którego karmienie butelką nie mogłoby też nim być. Na butelce wychowano miliony szczęśliwych i zdrowych dzieci. Jeśli nie możesz lub nie chcesz karmić piersią, to nie upatruj niebezpieczeństwa w butelce, leży ono raczej w tym, że możesz dziecku przekazać poczucie winy lub frustracji. Wiedz, że przy minimalnym wysiłku miłość matki do dziecka może być przekazywana podczas karmienia butelką równie dobrze jak piersią. Podczas każdego karmienia obejmuj dziecko, tak jakbyś to robiła, karmiąc je piersią (nie podpieraj butelki jakąś poduszką). Nie unikaj kontaktu z dzieckiem, jeśli jest to np. możliwe, odepnij bluzkę, tak aby dziecko mogło spoczywać na twoich piersiach podczas karmienia.

13
Dziewiąty miesiąc

CZEGO MOŻESZ OCZEKIWAĆ W CZASIE BADANIA OKRESOWEGO

Po około 36 tygodniach trwania ciąży będziesz spotykała swojego lekarza co tydzień. Zarówno nastrój, jak i treść tych wizyt będą przypominały, że zbliża się „dzień próby". Możesz oczekiwać, że badanie będzie obejmowało wymienione niżej punkty. Jednak mogą być pewne różnice w zależności od twojej szczególnej sytuacji lub schematu postępowania lekarza.[1]

- Ważenie (następuje zwolnienie lub zatrzymanie przyrostu ciężaru) i mierzenie ciśnienia tętniczego krwi (może być nieco wyższe niż było w połowie ciąży);
- Badanie obecności cukru i białka w moczu;
- Badanie czynności serca płodu;
- Określenie wysokości dna macicy;
- Określenie wielkości płodu (możesz dowiedzieć się o przybliżonym ciężarze dziecka), określenie położenia (pierwsza główka czy pośladki?) i ustawienia płodu (twarzyczką ku przodowi czy do tyłu?) oraz wysokości (czy część przodująca jest ustalona?);
- Zbadanie obrzęków (obrzmienia) na stopach i rękach oraz ewentualnych żylaków na nogach;
- Badanie wewnętrzne szyjki (zwykle po 38 tygodniu ciąży) w celu określenia jej zanikania i rozwierania oraz, w razie potrzeby, w celu powtórnego pobrania posiewu;
- Omówienie zauważonych przez ciebie objawów, zwłaszcza nowych;
- Określenie częstości i czasu trwania skurczów przepowiadających macicy (tzw. skurcze Braxtona-Hicksa);
- Wyjaśnienie twoich pytań i wątpliwości, zwłaszcza dotyczących porodu – przygotuj listę;
- Powinnaś również uzyskać informację, jak rozpoznać początek porodu i kiedy zatelefonować do lekarza.

[1] Badania i testy opisane są w oddzielnym rozdziale *Dodatek*.

CO MOŻESZ ODCZUWAĆ

Możesz odczuwać wszystkie wymienione niżej objawy jednocześnie lub tylko niektóre z nich. Jedne mogą trwać przez cały miesiąc, inne pojawią się nagle. Część objawów będzie ledwo zauważalna z powodu ich stałego występowania oraz tego, że przyzwyczaiłaś się do nich. Mogą zostać one również zamaskowane przez nowe, silniejsze wrażenia, które bardziej zwracają twoją uwagę, zapowiadają bowiem, że poród jest już bliski.

JAK MOŻESZ WYGLĄDAĆ

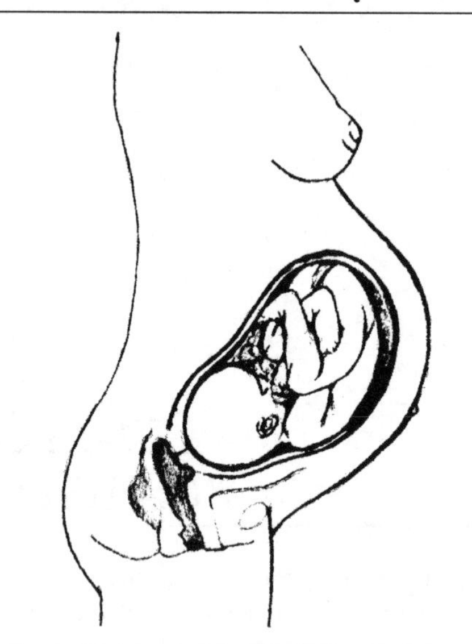

Trwają ostatnie przygotowania do porodu, który teraz może się rozpocząć i przebiega bezpiecznie w dowolnym momencie. Płuca płodu są dojrzałe. Dziecko urosło o około 5 centymetrów i przybrało prawie 1 kilogram (w terminie porodu średnio mierzy około 50 centymetrów i waży ponad 3 kilogramy). Obecnie ma mało miejsca w macicy, a w dodatku może być unieruchomione w miednicy i dlatego wydaje się mniej ruchliwe.

OBJAWY FIZYCZNE:

- zmiany w aktywności płodu (dziecko bardziej się „wierci” niż kopie z powodu stopniowego zmniejszania się wolnej przestrzeni);
- wydzielina z pochwy staje się gęstsza i zawiera więcej śluzu, w którym można zobaczyć pasemka krwi, może też być zabarwiony na brązowo lub różowo po badaniu wewnętrznym lub po stosunku;
- zaparcia;
- zgaga, niestrawność, wzdęcia i wiatry;
- okresowe bóle i zawroty głowy, skłonność do omdleń;
- obrzęk i przekrwienie śluzówki nosa, krwawienia z nosa, wrażenie „zatkanych” uszu;
- „zaróżowiona” szczoteczka do zębów z powodu krwawienia z dziąseł;
- skurcze mięśni nóg w czasie snu;
- nasilające się bóle kręgosłupa i uczucie ociężałości;
- dolegliwości i bolesność miednicy i pośladków;
- narastające obrzęki kostek i stóp, a czasem dłoni i twarzy;
- żylaki na nogach;
- żylaki odbytu;
- świąd skóry brzucha;
- łatwiejsze oddychanie po obniżeniu się macicy i płodu;
- częste oddawanie moczu po obniżeniu się macicy i płodu;
- nasilająca się bezsenność;
- częstsze i silniejsze skurcze macicy (niektóre mogą być bolesne);
- trudności w poruszaniu się i niezgrabne ruchy;
- pojawienie się siary przy ucisku piersi lub wyciekającej samoistnie (niekiedy nie pojawia się aż do porodu);
- zmęczenie lub nadmiar energii, a niekiedy obydwa uczucia na przemian;
- wzrost lub utrata apetytu.

ODCZUCIA PSYCHICZNE:

- wzrastające podniecenie, niepokój, lęk, roztargnienie;
- uczucie ulgi „że to prawie już";
- drażliwość i nadpobudliwość (zwłaszcza w stosunku do osób mówiących: „Ty jeszcze tutaj?");
- niecierpliwość i pobudzenie;
- sny i marzenia o dziecku.

CO MOŻE CIĘ NIEPOKOIĆ

ZMIANY W RUCHACH PŁODU

Moje dziecko kopało do niedawna bardzo mocno, a teraz przestało prawie zupełnie, wierci się tylko.

W piątym miesiącu ciąży, kiedy po raz pierwszy poczułaś ruchy dziecka, macica przypominała obszerny pokój, w którym płód mógł uprawiać akrobacje, swobodnie kopać i boksować. Teraz, gdy w macicy jest coraz ciaśniej, taka gimnastyka staje się utrudniona. Pozostaje tylko trochę miejsca, umożliwiającego obracanie się, skręcanie lub inne drobne ruchy. Po ustaleniu się główki płodu w miednicy swoboda ruchów będzie jeszcze bardziej ograniczona.

Na tym etapie nie jest ważne, jaki rodzaj ruchów płodu odczuwasz, lecz to, abyś odczuwała jego aktywność codziennie. Jeżeli nie będziesz nic czuła (patrz poniżej) lub gdy zaskoczą cię paniczne ruchy dziecka, skontaktuj się z lekarzem.

Dzisiaj przez całe popołudnie ledwo czułam ruchy dziecka. Czy powinnam się denerwować?

Mogło się zdarzyć, że dziecko właśnie się zdrzemnęło lub byłaś zbyt zajęta, by zauważyć jego ruchy. Dla pewności sprawdź aktywność płodu nieco dokładniej za pomocą badania opisanego na stronie 209. Warto powtarzać opisany test parę razy dziennie w ciągu ostatniego trymestru ciąży. Dziesięć lub więcej zauważonych ruchów płodu w każdym okresie obserwacji świadczy o jego prawidłowej aktywności. Mniejsza liczba ruchów świadczyć może o konieczności przeprowadzenia dodatkowych badań i wyjaśnienia przyczyny małej aktywności dziecka. Skontaktuj się szybko ze swoim lekarzem. Chociaż dziecko względnie mało ruchliwe w macicy może być zupełnie zdrowe, to jednak ustanie ruchów może świadczyć o zagrożeniu. Wczesne wykrycie zagrożenia płodu za pomocą oceny jego ruchów i szybka interwencja lekarska mogą często zapobiec groźnym skutkom.

Przeczytałam, że podobno liczba ruchów płodu zmniejsza się na krótko przed porodem. Wydaje mi się, że moje dziecko jest bardziej ruchliwe niż kiedykolwiek. Czy może to oznaczać, że będzie zbyt aktywne?

Martwienie się o zbytnią aktywność dziecka przed porodem to przesada. Badania wykazują, że dzieci, które w życiu płodowym były bardzo ruchliwe, nie są częściej nadmiernie aktywne niż te, które w macicy były bardzo spokojne.

Ostatnie badania również nie potwierdzają poglądu, że aktywność większości płodów zmniejsza się wyraźnie na krótko przed porodem. W zaawansowanej ciąży stwierdza się stałe, stopniowe zmniejszanie się liczby ruchów (od 25-40 na godzinę w 30 tygodniu ciąży do 20-30 na godzinę w terminie porodu). Prawdopodobnie jest to spowodowane zmniejszeniem wolnej przestrzeni i ilości płynu owodniowego oraz lepszą koordynacją ruchów płodu. Jednak bez dokładnego liczenia zwykle nie będziesz mogła tego zauważyć.

STRACH PRZED NASTĘPNYM DŁUGIM PORODEM

Za pierwszym razem miałam skurcze przez 48 godzin i w końcu urodziłam po 4,5 godzi-

nach parcia. Wszystko skończyło się dobrze dla mnie i dziecka, ale przeraża mnie myśl o przechodzeniu tej tortury jeszcze raz.

Każdy zawodnik, który wraca na ring po tak ciężkiej pierwszej rundzie, zasługuje na nagrodę. Ty również możesz ją otrzymać. Drugi oraz następne porody są zwykle łatwiejsze i krótsze niż pierwszy – niekiedy zdecydowanie krótsze. Szerszy kanał rodny i rozluźnione mięśnie stawiają zwykle mniejszy opór. Chociaż poród nie będzie wymagał mniejszego wysiłku (co niekiedy się zdarza), to powinien być mniej męczący. Najwyraźniejsza i najłatwiej zauważalna może być różnica w liczbie skurczów partych. „Wyparcie" drugiego dziecka odbywa się często w ciągu minut, a nie godzin.

Oczywiście, chociaż twoje szanse na łatwiejszy poród są wyraźnie większe przy drugim porodzie, to na oddziale porodowym nie ma pewnych wygranych. Nie ma żadnej pewnej metody przewidywania przebiegu jakiegokolwiek porodu, może z wyjątkiem patrzenia w szklaną kulę!

KRWAWIENIE I PLAMIENIE

Dzisiaj rano, zaraz po stosunku z mężem, zaczęłam krwawić. Czy to oznacza, że zbliża się poród lub że dziecko jest zagrożone?

Stwierdzenie każdego nowego objawu w dziewiątym miesiącu ciąży natychmiast skłania do postawienia jednego z dwóch pytań – lub obu jednocześnie: „Czy to już czas? Czy dzieje się coś złego?" Krwawienie i plamienie są właśnie takimi objawami, które wywołują niepokój. Ich znaczenie zależy od rodzaju krwawienia i innych stwierdzonych okoliczności.

- Śluz, w którym można zobaczyć pasemka krwi lub zabarwiony różowo wkrótce po stosunku lub badaniu wewnętrznym, śluz zabarwiony brązowo lub brązowe plamienie w ciągu 48 godzin po stosunku lub badaniu – są prawdopodobnie skutkiem poruszania lub otarcia bardzo wrażliwej w tym okresie szyjki macicy. Jest to zjawisko normalne i niegroźne – chociaż powinno być zgłoszone twojemu lekarzowi. Może on zalecić powstrzymanie się od stosunków aż do porodu.
- Jasnoczerwone krwawienie lub utrzymujące się plamienie może pochodzić z łożyska i wymaga wówczas szybkiej oceny przez lekarza. Zawiadom go niezwłocznie. Jeżeli to będzie niemożliwe, niech ktoś zawiezie cię do szpitala.
- Różowy, brązowy lub krwisty śluz w połączeniu ze skurczami macicy może sygnalizować początek porodu, niezależnie od tego, czy występuje po stosunku, czy też nie (objawy przedporodowe, poród pozorny i prawdziwy opisane są na stronie 272). Zawiadom twojego lekarza!

OBNIŻENIE DNA MACICY I USTALENIE SIĘ CZĘŚCI PRZODUJĄCEJ PŁODU

Jestem już w 38 tygodniu ciąży i nie odczuwam obniżenia macicy. Czy to znaczy, że przenoszę ciążę?

Dno macicy obniża się, gdy przodująca część płodu zaczyna wchodzić do miednicy ciężarnej. W pierwszej ciąży następuje to zwykle na 2 do 4 tygodni przed porodem. Natomiast u kobiety, która już rodziła, rzadko stwierdza się to zjawisko przed rozpoczęciem porodu. Jednak podobnie jak we wszystkich sytuacjach dotyczących ciąży i porodu, regułą są wyjątki od reguły. Kobieta ciężarna po raz pierwszy może stwierdzić obniżenie dna macicy na 4 tygodnie przed wyznaczonym terminem porodu i urodzić 2 tygodnie „za późno" lub zacząć poród bez zauważalnego obniżenia macicy.

Często zmiana jest bardzo wyraźna. Ciężarna stwierdza, że brzuch jest nisko i wystaje znacznie bardziej ku przodowi. Znacznie zmniejsza się ucisk macicy ku górze, na przeponę oraz na żołądek. Następuje duża poprawa samopoczucia ciężarnej z powodu ułatwionego oddychania oraz możliwości spożywania obfitszych posiłków. Niestety odbywa się to kosztem nowych dolegliwości, wynikających z ucisku na pęcherz moczowy, stawy miednicy oraz okolicę krocza. Występuje wzrost częstości oddawania moczu, trudności w poruszaniu się oraz uczucie ucisku, a czasem ból okolicy krocza. Kiedy główka dziecka uciska na dno miednicy, ciężarna może odczuwać ostre, drobne kłucia, a przy ruchach główki występuje uczucie „toczenia się". W związku z nagłą zmianą położenia środka ciężkości bezpośrednio po obniżeniu dna macicy mogą występować trudności z utrzymaniem równowagi.

Zdarza się również, że obniżenie dna macicy pozostaje nie zauważone przez ciężarną. Twoja sylwetka na przykład może nie zmienić się wyraźnie, jeżeli dziecko leżało nisko od początku. Jeżeli nigdy nie odczuwałaś trudności w oddychaniu lub uczucia pełności po posiłkach, możesz nie zaobserwować wyraźnych zmian.

Obniżenie dna macicy jest objawem wchodzenia części przodującej płodu, zwykle główki, do górnej części kanału rodnego utworzonego przez kości miednicy. Taki stan określa się jako ustalenie się części przodującej. Twój lekarz może stwierdzić ustalenie się główki dwoma sposobami. Część przodującą można wyczuć w miednicy w czasie badania wewnętrznego lub „wymacać" ją zewnętrznie przez powłokę brzucha. Jeżeli jest ustalona, to nie ma możliwości „pływania" czy „balotowania" główki.

Przesuwanie się części przodującej przez kanał miednicy można oceniać i mierzyć, centymetr po centymetrze. Całkowite ustalenie główki określa się jako wysokość zero centymetrów. Oznacza to, że główka płodu obniżyła się do poziomu kolców kulszowych (wystające wyrostki kostne po obu stronach kanału miednicy). Dziecko, które dopiero zaczyna się obniżać, może być na wysokości –4 lub –5 centymetrów. Na początku porodu główka przechodzi przez kanał rodny od wysokości 0 do +1, +2 centymetry. W chwili, gdy główka ukazuje się w wychodzie kanału rodnego i zewnętrzny brzeg pochwy tworzy na główce „koronę", wysokość wynosi +5 centymetrów. Kobieta, która zaczyna poród z główką płodu na wysokości 0 centymetrów, ma prawdopodobnie przed sobą mniej parcia niż rodząca z główką na wysokości –3, ale nie jest to regułą. Wysokość główki nie jest jedynym czynnikiem decydującym o postępie porodu.

Ustalenie się główki w miednicy kostnej sugeruje, że dziecko powinno przejść przez kanał miednicy bez trudności. Jednak również w tym zakresie nie ma absolutnej pewności. I przeciwnie, długie „balotowanie" główki płodu nad wejściem do miednicy niekoniecznie oznacza trudności przy porodzie. W rzeczywistości większość płodów, które nie weszły do wchodu miednicy na początku porodu, przechodzi potem gładko przez kanał miednicy. Dotyczy to zwłaszcza kobiet, które wcześniej już rodziły, raz lub więcej.

KIEDY URODZISZ

Czy lekarz może mi powiedzieć, ile mam jeszcze czasu do porodu?

Nie. I nie wierz, jeżeli ktokolwiek mówi ci coś innego. Istnieją wskazówki i objawy, że poród może rozpocząć się wkrótce. Lekarz zaczyna ich poszukiwać w dziewiątym miesiącu ciąży. Czy nastąpiło obniżenie dna macicy lub ustalenie się części przodującej płodu? Do jakiej wysokości obniżyła się część przodująca? Czy nastąpiło już zanikniecie lub rozwarcie szyjki macicy?

Ale „wkrótce" może oznaczać kilka godzin lub trzy tygodnie i nawet więcej. Należy zapytać kobiety, jak euforia wywołana słowami „zacznie pani rodzić dziś wieczorem", przechodzi w depresję po tygodniu daremnego oczekiwania.

Równie nieprawdziwe mogą się okazać opinie lekarza, który na podstawie braku zanikania i rozwierania się szyjki przewiduje poród za kilka tygodni. Zbyt wiele kobiet po usłyszeniu takiej opinii udało się do domu, by z rezygnacją oczekiwać kolejnych tygodni

Własnoręczne wywołanie czynności porodowej

Badania wykazały iż kobiety, które po 39 tygodniu ciąży stymulowały swoje brodawki sutkowe przez trzy lub więcej godzin dziennie, były o wiele mniej narażone na odsunięcie w czasie właściwej daty swojego porodu.

Zalecane postępowanie: stymuluj brodawkę sutkową, otoczkę brodawki sutkowej i sutek opuszkami palców, 15 minut każdy, zmieniając sutki w ciągu jednej godziny. Rób tak 3 razy dziennie. Możesz używać kremów lub płynów, a pomoc twojego męża może być przydatna, jeśli będziesz się do tego uciekać. Jest to z pewnością czaso- i energochłonny proces, lecz wiele kobiet stwierdza, iż rezultaty są cenniejsze niż wysiłek. Jednakże istnieje ryzyko wywołania bardzo silnych skurczów mięśnia macicy (takich jak oksytocyną), a więc skonsultuj się ze swoim lekarzem przed rozpoczęciem tego rodzaju zabiegu.

ciąży i znalazło się następnego dnia na oddziale porodowym.

Stwierdzono, że ustalanie się części przodującej płodu, zanikanie i rozwieranie się szyjki macicy może następować u niektórych kobiet stopniowo, w ciągu tygodni lub nawet miesięcy. U innych może to przebiegać w ciągu godzin. Nikt, nieważne jak doświadczony, nie potrafi dokładnie przewidzieć początku porodu, ponieważ nikt nie wie dokładnie, co wyzwala początek porodu. (Oto, dlaczego większość lekarzy tak niechętnie odpowiada na pytania, kiedy rozpocznie się poród.)

W rezultacie ty też, podobnie jak wszystkie kobiety ciężarne przed tobą, musisz bawić się w tę grę oczekiwania, wiedząc z pewnością tylko tyle, że twój dzień lub twoja noc nadejdzie – kiedyś.

ODDZIAŁ PORODOWY

Jestem bardzo niezadowolona z konieczności porodu w szpitalu. Nie odpowiada mi urodzenie dziecka w takim obcym otoczeniu.

Oddział porodowy jest najszczęśliwszym miejscem w szpitalu. Jednak jeżeli nie wiesz, czego oczekiwać, możesz wkraczać tam z drżeniem. Większość szpitali pozwala, a nawet zachęca oczekujące dziecka pary do zwiedzania oddziałów porodowych. Dowiedz się, kiedy możesz to zrobić. Jeżeli takie wycieczki nie są przyjęte w szpitalu, zapytaj twojego lekarza, czy może zorganizować taką wizytę dla ciebie. Niektóre szpitale wypożyczają nagrania wideo dotyczące porodu. Możesz również skorzystać z okazji podczas wizyty okresowej i zatrzymać się na korytarzu szpitalnym. Nawet jeżeli nie zobaczysz oddziału porodowego i porodu, możesz zobaczyć oddział poporodowy lub noworodkowy. Poczujesz się trochę pewniej. Będziesz też mogła zobaczyć, jak wyglądają noworodki, zanim otrzymasz do rąk własne dziecko.

Oddziały porodowe poszczególnych szpitali różnią się między sobą. Jedne wyglądają sterylnie i urzędowo, inne bardziej domowo. Obecnie wygląd tych pomieszczeń coraz bardziej przypomina wnętrze domu mieszkalnego, z fotelami, obrazami na ścianach, firankami na oknach. Nawet łóżko porodowe często przypomina bardziej eksponat z salonu meblowego niż urządzenie z katalogu sprzętu medycznego.

Przyjemnie jest przebywać w ładnym otoczeniu. Ale dla bezpieczeństwa twojego i twojego dziecka ważniejsza będzie troskliwość i umiejętności personelu medycznego niż dobry smak artystyczny szpitalnego dekoratora wnętrz.

CIĄŻA PRZENOSZONA

Mój termin porodu minął tydzień temu i lekarz zalecił wykonanie testu niestresowego. Czy to możliwe, że poród sam się nie zacznie?

Magiczna data zaznaczona jest w kalendarzu na czerwono. Każdy dzień w ciągu poprzedzających tę datę 40 tygodni został przekreślony z wielkim oczekiwaniem. Wreszcie, po długim czasie ten ważny dzień nadchodzi – i w około połowie przypadków dziecka nie ma. Oczekiwanie zamienia się w zniechęcenie. Wózek i łóżeczko dziecięce pozostają puste przez jeszcze jeden dzień. I jeszcze przez tydzień. I – w 10% przypadków – jeszcze dwa tygodnie, zwłaszcza u kobiet będących w ciąży pierwszy raz. Czy ta ciąża nigdy się nie skończy?

Chociaż kobiety, które osiągnęły 42 tydzień ciąży mogą w to uwierzyć z trudnością, żadna z ciąż, jakie kiedykolwiek się zdarzyły, nie trwała wiecznie. Nawet przed wprowadzeniem wzniecenia porodu. (To prawda, że pojedyncze ciąże mogą trwać nawet 44 tygodnie lub nieco dłużej, ale obecnie w znacznej większości wywołuje się poród po skończeniu 42 tygodnia.)

Dokładne badania wykazują, że aż w 70% przypadków rozpoznanie przenoszenia ciąży jest nieprawidłowe. Zwykle ciąże uważa się za przenoszone z powodu błędu w obliczeniu czasu zapłodnienia, zwykle na podstawie błędnego zanotowania daty ostatniej miesiączki. W rzeczywistości, jeżeli użyjemy ultrasonografii w celu dokładnej oceny czasu trwania ciąży, częstość przenoszenia obniża się z 10% (jak przez długi czas uważano) do 2%.

Jeżeli ciąża jest przeterminowana (przyjmuje się granicę 42 skończonego tygodnia ciąży, chociaż niektórzy położnicy podejmują działania wcześniej), lekarz będzie rozważać dwa główne czynniki. Po pierwsze postawi pytanie, czy wyznaczona data porodu jest właściwa. Jeżeli w ciągu całej ciąży wyznaczony wiek ciążowy był zgodny z wielkością macicy i wysokością dna macicy (najwyższy punkt macicy), z datą odczuwania pierwszych ruchów płodu przez ciężarną, z datą wysłuchania przez lekarza uderzeń serca płodu, to można być pewnym prawidłowego wieku ciążowego. Wcześnie wykonane badanie ultrasonograficzne lub test ciążowy oparty na pomiarze stężenia hCG we krwi ciężarnej (patrz s. 34) mogą dodatkowo potwierdzać prawidłowość wyznaczonej daty.

Po drugie położnik będzie chciał ustalić, czy dziecko nadal dobrze się rozwija. Wiele dzieci prawidłowo rośnie i rozwija się w dziesiątym miesiącu ciąży (chociaż może to spowodować trudności w czasie porodu, gdy duże i wyrośnięte dziecko będzie miało trudności z przejściem przez miednicę rodzącej). Niekiedy jednak środowisko wewnątrz macicy, dotychczas idealne, zaczyna się pogarszać. Starzejące się łożysko nie dostarcza odpowiedniej ilości składników odżywczych i tlenu, a produkcja płynu owodniowego zmniejsza się. Niebezpiecznie zmniejsza się ilość płynu owodniowego w macicy. W tych warunkach dalszy rozwój płodu w macicy staje się utrudniony.

Dzieci urodzone po pewnym czasie przebywania w takich warunkach określa się jako przenoszone. Są one chude, z suchą, popękaną, łuszczącą się, luźną i pomarszczoną skórą bez warstwy mazi płodowej, pokrywającej zwykle skórę donoszonego noworodka. Ponieważ są „starsze" od innych noworodków, mają dłuższe paznokcie, więcej włosów, mają zwykle otwarte oczy i są aktywniejsze. Te, które przebywały w pogarszającym się środowisku wewnątrzmacicznym, mogą mieć zielonkawo zabarwioną skórę i pępowinę (smółka). Noworodki, które najdłużej przebywały w niekorzystnym środowisku, mają skórę żółtawą i są najbardziej zagrożone w czasie porodu lub nawet wcześniej.

Płody przenoszone są w większym stopniu zagrożone w czasie porodu i częściej rodzą się drogą cięcia cesarskiego. Dzieje się tak z kilku powodów. Są większe niż dzieci w 40 tygodniu ciąży i mają większy obwód główki. Mogą być gorzej zaopatrzone w tlen i składniki odżywcze. W czasie porodu mogą zaaspirować (wciągnąć do oskrzeli) smółkę. Dzieci te wymagają również specjalnej opieki na oddziale noworodkowym przez krótki okres po porodzie. Jednak dzieci urodzone w 42 tygodniu prawidłowo przebiegającej ciąży nie są przewlekle chore częściej niż dzieci urodzone w terminie porodu.

Jeżeli zostało ustalone z pewnością, że zakończył się 41 tydzień ciąży i w czasie badania stwierdzono, że szyjka macicy jest dojrzała (miękka), wielu lekarzy wybiera wzniecenie (wywołanie) porodu (patrz s. 276). Wzniecenie porodu lub cięcie cesarskie zostanie również zastosowane (niezależnie od dojrzałości szyjki), jeżeli występują komplikacje takie,

Jak czuje się dziecko?

Lekarze codziennie odkrywają nowe sposoby oceny stanu dziecka w macicy. Wymienione niżej badania mogą być wykonane w dowolnym okresie ciąży, jeżeli istnieją do tego wskazania, lub w 41 i 42 tygodniu ciąży z powodu przekroczenia terminu porodu. Najczęściej wykonywane są następujące testy:

Ocena ruchów płodu przez ciężarną. Notowanie ruchów dziecka przez ciężarną (patrz s. 284) może dostarczyć pewnych wskazówek o stanie dziecka i być prostą metodą wykrywającą możliwe niebezpieczeństwo. Nie jest to jednak metoda obiektywna. Jeżeli ciężarna nie odczuwa odpowiedniej liczby ruchów dziecka, powinno się wykonać inne badania.

Test niestresowy. Na brzuchu ciężarnej umieszcza się czujnik monitora płodowego, podobnie jak będzie to miało miejsce w czasie porodu. Ocenia się reakcję serca płodu na ruchy płodu. Jeżeli podczas badania serce płodu nie przyspiesza w czasie ruchów lub gdy obserwuje się inne nieprawidłowości, może to oznaczać zagrożenie płodu. Wadą testu niestresowego (i monitorowania elektronicznego w ogóle) jest to, że dokładność testu zależy od doświadczenia osoby oceniającej wynik.

Test stymulacji akustycznej lub wibroakustycznej. Jest to test niestresowy, w którym ocenia się reakcję płodu na dźwięk lub wibrację (drgania). Ocenia się, że jego dokładność jest większa niż tradycyjnego testu niestresowego.

Test skurczowy lub test oksytocynowy. Badanie używane dla oceny wpływu skurczów macicy na czynność serca płodu. Jest to badanie bardziej złożone i czasochłonne (może trwać nawet 3 godziny). Tutaj również ciężarna ma na brzuchu czujnik monitora płodowego. Jeżeli skurcze nie występują samoistnie dość często, można je wywołać przez dożylne podanie oksytocyny lub poprzez drażnienie brodawek sutkowych (za pomocą gorącego ręcznika lub ręką) przez ciężarną. Reakcja płodu na skurcze określa prawdopodobny stan dziecka i łożyska. Ta przybliżona symulacja porodu pozwala przewidzieć, czy płód może bezpiecznie pozostawać w macicy i w razie potrzeby sprostać wymaganiom prawdziwego, rozpoczynającego się porodu

Profil biofizyczny. Badanie wykonuje się z wykorzystaniem ultrasonografu i ocenia się ruchy ciała płodu, ruchy oddechowe płodu i ilość płynu owodniowego. Prawidłowe wyniki tych pomiarów wskazują, że dziecko jest prawdopodobnie w dobrym stanie. Jeżeli badanie to połączy się z oceną częstości uderzeń serca płodu, uzyskuje się bardzo dokładną orientację co do stanu dziecka.

„Zmodyfikowany" profil biofizyczny. Jest to połączenie badania profilu biofizycznego (patrz wyżej) oraz testu niestresowego (patrz wyżej). Pozwala na dokładną ocenę stanu dziecka.

Inne badania oceniające dobrostan płodu. Zalicza się do nich: kolejno przeprowadzane badania ultrasonograficzne, oceniające ciągły wzrost płodu, ultrasonograficzną ocenę ilości płynu owodniowego (zmniejszenie objętości może wskazywać niewydolność łożyska), pobranie płynu owodniowego (drogą amniopunkcji, s. 73), badanie dopplerowskie (ocenia się objętość krwi przepływającej przez pępowinę), szybki test oceny stanu płodu przy przyjęciu na oddział porodowy (połączenie testu akustycznego z oceną ilości płynu owodniowego), elektrokardiografia płodowa (ocena pracy serca płodu, zwykle za pomocą elektrody umocowanej na główce płodu), test stymulacji główki płodu (ocena reakcji płodu na ucisk lub ukłucie w główkę) oraz badanie próbki krwi płodu.

jak nadciśnienie (przewlekłe lub wywołane przez ciążę), cukrzyca, zielony kolor płynu owodniowego z powodu wydalenia smółki, zahamowanie wzrostu płodu lub inne zagrażające dziecku sytuacje. Jeżeli szyjka nie jest dojrzała, lekarz może to przyspieszyć przez zastosowanie przed wznieceniem porodu odpowiedniego leku, prostaglandyny E_2 (zwykle w postaci czopków dopochwowych lub żelu). Lekarz może również odczekać nieco dłużej, przeprowadzając jeden lub więcej spośród wymienionych testów oceny stanu płodu (patrz wyżej) i sprawdzić, czy dziecko jest bezpieczne w macicy. Może powtarzać te testy jeden lub dwa razy w tygodniu aż do początku porodu.

Niektórzy lekarze będą czekać aż do 42 tygodnia ciąży lub nieco dłużej, by przechytrzyć Matkę Naturę – upewniając się jednocześnie za pomocą wymienionych badań, że dziecko i matka są w dobrym stanie. Jeżeli zostaną stwierdzone jakiekolwiek objawy niewydolności łożyska lub nieprawidłowo mała ilość płynu owodniowego, lub wystąpią jakiekolwiek inne sygnały o zagrożeniu matki lub dziecka, lekarz podejmie działanie. Zależnie od sytuacji będzie to albo wzniecenie porodu, albo cięcie cesarskie. Na pociechę niespokojnym przyszłym matkom trzeba podkreślić, że tylko nieliczne ciąże trwają dłużej niż kilka dni po skończeniu 42 pewnego tygodnia ciąży.

Zaleca się czasem dwa sposoby zmniejszenia szansy na przenoszenie ciąży, ale obydwa mają pewne wady. Jeden z nich to codzienne drażnienie brodawek piersi. Ciężarna może to wykonywać samodzielnie w domu, ale istnieje ryzyko wyzwolenia bardzo sil-

Co zabrać do szpitala?

Do porodu na oddziale porodowym

- Tę książkę;
- Zegarek z sekundnikiem dla oceny czasu trwania skurczów;
- Jeżeli lubisz muzykę, zabierz radio lub magnetofon ze swoimi ulubionymi nagraniami;
- Jeżeli nie dowierzasz swojej pamięci, zabierz aparat fotograficzny, magnetofon lub kamerę wideo (jeżeli regulamin szpitalny na to pozwala);
- Puder, płyn kosmetyczny, olejek lub inny środek przydatny do masażu;
- Małą torbę papierową. Jeżeli w czasie skurczów zaczniesz oddychać bardzo szybko, oddychaj do tej torby;
- Piłkę tenisową lub plastykowy kręgiel do masażu bolącej okolicy krzyżowej;
- Lizaki bez zawartości cukru, które pomogą utrzymać wilgotne usta (często zalecane są słodkie cukierki, jednak zwiększają one pragnienie i powodują odwodnienie);
- Ciepłe skarpetki;
- Szczotkę do włosów, jeżeli jej używasz;
- Myjkę, ręcznik (unikaj koloru białego, bo może się znaleźć w szpitalnej pralni);
- Kanapki lub inne przysmaki dla tatusia (partner, który mdleje z głodu, niewiele może pomóc);
- Butelka szampana z wypisanym nazwiskiem dla uczczenia wydarzenia (możesz poprosić położną o przechowanie butelki w lodówce). Zależnie od godziny porodu można również wznieść toast sokiem pomarańczowym.

Do porodu w szpitalu

- Jeżeli wolisz nosić własne rzeczy, zabierz swój szlafrok i/lub koszulę nocną. Pamiętaj jednak, że chociaż ładna koszula poprawi twoje samopoczucie, to może ona zostać trwale poplamiona krwią. Podobnie jak szlafrok. Dobrym rozwiązaniem może być krótki szlafrok założony na koszulę szpitalną;
- Perfumy, puder i inne kosmetyki;
- Przybory toaletowe, w tym szampon, szczoteczka i pasta do zębów, płyn do skóry (która może być wysuszona z powodu utraty wody), mydło w mydelniczce, dezodorant, szczotkę do włosów, ręczne lusterko, zestaw do makijażu i wszystko, czego potrzebujesz do utrzymania higieny i urody;
- Jednorazowe wkładki, najlepiej samoprzylepne, chociaż zwykle są dostarczane w szpitalu;
- Karty do gry, książki (włączając księgę imion, jeżeli decyzję zostawiasz do ostatniej chwili) i inne rozrywki;
- Paczkę rodzynek, orzeszków, krakersy z grubo mielonych nasion lub inną „zdrową żywność", która pozwoli zachować siły oraz regularne wypróżnienia niezależnie od diety szpitalnej;
- Ubranie, w którym wrócisz do domu, pamiętając o tym, że nadal będziesz paradować z powiększonym brzuchem;
- Wyprawkę dla dziecka: śpioszki, bluzeczkę, buciki, kołderkę i koc – odpowiednio do pory roku i pogody. Pieluszki prawdopodobnie zostaną dostarczone przez szpital, ale możesz wziąć na wszelki wypadek;
- Książkę *Pierwszy rok życia dziecka.*

nych skurczów. Innym sposobem jest ręczne oddzielenie błon płodowych od dolnego odcinka macicy. Musi to być wykonane przez lekarza. Wielu specjalistów nie zaleca jednak takiego postępowania z powodu możliwości pęknięcia błon płodowych lub zakażenia.

PĘKNIĘCIE BŁON PŁODOWYCH W MIEJSCU PUBLICZNYM

Żyję w ciągłym strachu, że błony płodowe pękną mi, gdy będę w miejscu publicznym.

Nie ty jedna się tego obawiasz. Myśl o „worku wody" pękającym w autobusie lub zatłoczonym sklepie jest dla większości ciężarnych kobiet tak samo przerażająca jak publiczna utrata kontroli nad pęcherzem. Jedną z kobiet ta myśl ogarnęła tak obsesyjnie, że stale nosiła w torbie słoik z marynatami. Chciała go rzucić na ziemię, na pierwszą zauważalną strugę płynu owodniowego.

Zanim zaczniesz przewracać słoiki w swojej szafie kuchennej, powinnaś dowiedzieć się dwóch rzeczy. Po pierwsze, pęknięcie błon płodowych przed rozpoczęciem porodu nie jest częste – zdarza się w mniej niż 15% ciąż. W momencie pęknięcia wypływanie płynu owodniowego zwykle nie jest bardzo obfite, z wyjątkiem sytuacji, gdy leżysz (co rzadko się zdarza w miejscu publicznym). Kiedy chodzisz lub siedzisz, główka dziecka zwykle zamyka ujście macicy, jak korek butelkę wina.

Po drugie, jeżeli błony płodowe pękną i nagle wytryśnie płyn owodniowy, możesz być pewna, że nikt w otoczeniu nie będzie na ciebie pokazywał, kręcił głową z niezadowoleniem lub, co gorsza, chichotał. Zamiast tego będą (podobnie jak sama byś zrobiła) proponować swoją pomoc lub dyskretnie cię ignorować. Weź pod uwagę, iż nikt nie może przeoczyć faktu, że jesteś ciężarną i pomylić płynu owodniowego z czymkolwiek innym.

Wiele kobiet nigdy nie zaobserwowało gwałtownego tryskania płynu owodniowego mimo pęknięcia błon płodowych przed porodem. Działo się tak częściowo z powodu opisanego działania główki płodu, częściowo z powodu braku skurczów wyciskających płyn z macicy. Wszystkie one obserwowały raczej sączenie lub kapanie płynu, w sposób ciągły lub przerywany.

Poczucie bezpieczeństwa w ciągu ostatnich tygodni ciąży może dać ci noszenie wkładki. Zaletą wkładki jest również wchłanianie coraz obfitszej w tym okresie wydzieliny pochwowej.

KARMIENIE PIERSIĄ

Mam bardzo małe piersi i płaskie brodawki. Czy będę zdolna do karmienia piersią?

Jeżeli głodne niemowlę będzie chciało zaspokoić głód, to nie będzie zwracało uwagi na opakowanie. Piersi nie muszą mieć idealnego kształtu i wielkości i mogą być wyposażone w dowolny rodzaj brodawek – małe i płaskie, duże i wystające, a nawet wciągnięte.

Wszystkie rodzaje piersi i brodawek mają zdolność wytwarzania i wydzielania mleka, którego ilość i jakość bynajmniej nie zależy od wyglądu zewnętrznego. Niestety, stare i „doświadczone" matki i babcie rozpowszechniają tak wiele fałszywych poglądów i bajeczek na temat rodzaju piersi, które zadowolą dzieci lub nie, że wiele kobiet zupełnie niepotrzebnie zostaje zniechęconych do karmienia.

Wciągnięte brodawki, które nie powiększają się i nie twardnieją w czasie pobudzenia seksualnego, zwykle wymagają pewnego przygotowania przed porodem. Najlepszym sposobem „wyciągnięcia" brodawek jest użycie specjalnych kapturków, dostępnych w sklepach dla matek i dzieci, które powodują lekkie zassanie brodawki. Początkowo powinny one być noszone tylko krótko rano i wieczorem, stopniowo czas można wydłużać aż do noszenia przez cały dzień. Ręczne ściągacze pokarmu używane kilka razy dziennie mogą również poprawić wciągnięte brodawki. Ściągaczy nie należy jednak używać, jeżeli wywołują silne skurcze macicy lub istnieje duże zagrożenie porodem przedwczesnym.

Niektórzy specjaliści zalecają, by każda kobieta ciężarna próbowała przygotować piersi do karmienia przez codzienne wyciskanie małej ilości siary z brodawek, poczynając od ósmego miesiąca ciąży (chociaż nie każdej się to uda zrobić) oraz przez codzienne ciągnięcie, skręcanie lub toczenie brodawki między kciukiem i palcem wskazującym w celu wzmocnienia i utwardzenia. Inni uważają, że prawidłowe karmienie rozpocznie się samo, bez specjalnych przygotowań.

Moja matka mówi, że w tym okresie ciąży mleko ciekło jej z piersi bez przerwy. Mnie nie leci. Czy to oznacza, że nie będę miała pokarmu?

Niektóre kobiety ciężarne mogą wycisnąć z piersi rzadką, żółtawą wydzielinę. U innych wydzielina ta wycieka samoistnie. Jest to siara wydzielana przed rozpoczęciem wytwarzania właściwego mleka. Zawiera więcej białka, mniej tłuszczu i cukru (galaktozy) niż mleko powstające trzy lub cztery dni po porodzie. Zawiera również przeciwciała mogące chronić dziecko przed chorobami.

U wielu kobiet nie zauważa się wydzielania siary aż do okresu poporodowego (nawet wtedy mogą tego nie zauważyć). Nie jest to żadną wskazówką co do ryzyka braku pokarmu czy trudności w karmieniu.

MACIERZYŃSTWO

Teraz, gdy narodziny dziecka są tak bliskie, zaczynam się martwić, czy będę umiała się nim opiekować. Nigdy przedtem nie trzymałam na rękach noworodka.

Kobiety nie rodzą się matkami, wiedzącymi instynktownie, jak utulić płaczące dziecko do snu, zmienić pieluchę czy wykąpać je. Macierzyństwo i rodzicielstwo w rzeczywistości jest sztuką, której trzeba się nauczyć. Doskonałe (lub nawet prawie doskonałe) opanowanie tej roli wymaga wiele praktyki i ćwiczeń. Sto lat temu ta nauka przebiegała zwykle w młodym wieku, kiedy dziewczynki opiekowały się młodszym rodzeństwem, podobnie jak uczyły się piec chleb lub cerować skarpety.

Obecnie duża część dorosłych kobiet nigdy nie ugniatała ciasta, nie miała w dłoni igły ani skarpet i nie opiekowała się samodzielnie dzieckiem. Wiedzę o macierzyństwie i doświadczenie zdobywają praktycznie same, z małą pomocą książek, czasopism, a jeżeli mają szczęście, na zajęciach organizowanych w szpitalu. Oznacza to, że przez pierwszy tydzień lub dwa dziecko może więcej płakać niż spać, pieluchy mogą przeciekać i mimo używania „bezłzowych" szamponów łzy mogą płynąć często. Jednak na pewno, chociaż powoli, młoda matka będzie zdobywała doświadczenie. Wahania zamienią się w pewność. Matka, która bała się trzymać dziecko (czy się nie złamie?), nosi je pewnie na lewym ramieniu, podczas gdy prawą ręką podaje do stołu lub obsługuje odkurzacz. Odmierzanie kropli witamin, kąpanie, upychanie machających rączek i nóżek w śpioszkach przestaje być ciężką próbą. Umiejętności te, podobnie jak i inne codzienne czynności związane z opieką, stają się zupełnie naturalne, jakby wrodzone. Kobieta staje się matką i chociaż trudno być może w to uwierzyć – ty również nią będziesz.

Chociaż nic nie zastąpi tych dni zdobywania doświadczeń po urodzeniu pierwszego dziecka, to rozpoczęcie nauki przed porodem pozwoli uniknąć wielu trudności. Wiele może pomóc wizyta położnej w domu, pomoc koleżanek mających dzieci, przeczytanie książki dla młodych matek lub udział w zajęciach dla młodych rodziców.

CO WARTO WIEDZIEĆ

Okres przedporodowy, poród pozorny, poród prawdziwy

W serialach telewizyjnych wygląda to zawsze podobnie i prosto. Około trzeciej nad ranem ciężarna siada na łóżku, chwyta się za brzuch, po czym budzi śpiącego obok męża, mówiąc słodkim głosem: „Kochanie, to już".

Dziwimy się, skąd ona wie, że to już czas. Jak rozpoznała początek porodu z taką chłodną, niemal kliniczną dokładnością, jeżeli nigdy przedtem nie rodziła. Nie była w szpitalu, gdzie lekarz po badaniu stwierdził, że szyjka nie zanikła ani się nie rozwiera. Wie dokładnie, że nie zostanie odesłana do domu, tak samo ciężarna jak przedtem, gdy jechała do szpitala.

Po naszej stronie ekranu budzimy się często o trzeciej w stanie zupełnej niepewności. Czy są to rzeczywiście skurcze porodowe, czy przepowiadające? Czy powinnam zapalić światło i zacząć się przygotowywać? Budzić męża? Telefonować do lekarza w środku nocy? A jeżeli to skurcze przepowiadające i rozpoznanie porodu jest fałszywe? Jeżeli uznają mnie za histeryczkę, która ciągle krzyczy: „Już rodzę!", i nie potraktują mnie poważnie, kiedy zacznę rodzić naprawdę? A może będę jedyną ciężarną z grupy zajęciowej w szkole rodzenia, która nie rozpoznała porodu? A jeżeli pojadę za późno i urodzę w taksówce? Pytania mnożą się szybciej niż skurcze.

Większość kobiet, nie wiedząc dokładnie dlaczego, nie myli się w rozpoznaniu początku porodu. Niemal wszystkie dzięki instynktowi, szczęściu lub bolesnym skurczom porodowym, które nie budzą już żadnych wątpliwości, przybywają do szpitala we właściwym czasie, nie za wcześnie i nie za późno. Nie oznacza to jednak, że należy zdać się tylko na instynkt. Wcześniejsze zapoznanie się z objawami przedporodowymi, sygnałami rozpoczynającego się porodu lub porodu pozornego ułatwi podjęcie właściwej decyzji w wypadku rozpoczęcia się skurczów.

Nikt nie wie dokładnie, co wyzwala początek porodu. Uważa się, że w tym procesie odgrywają dużą rolę substancje zwane prostaglandynami (PG). Są one produkowane w czasie ciąży przez macicę i ich ilość wzrasta w czasie samoistnego rozpoczęcia się porodu we właściwym terminie. Prostaglandyny wywołują czynność mięśnia macicy i wyzwalają uwalnianie oksytocyny przez przysadkę mózgową. Obydwa mechanizmy prowadzą do rozpoczęcia porodu. Inhibitory (tzn. substancje hamujące działanie) prostaglandyn, takie jak aspiryna, mogą odsunąć poród w czasie. Za rozpoczęcie porodu odpowiedzialne są czynniki pochodzące prawdopodobnie od płodu, łożyska i matki.

OBJAWY PRZEDPORODOWE

Zmiany i objawy fizyczne okresu przedporodowego mogą trwać przez miesiąc i dłużej – lub tylko kilka godzin. W okresie tym następuje skracanie się i rozwieranie szyjki macicy, które może zaobserwować lekarz. Istnieją też sygnały dostrzegalne przez ciężarną: obniżenie dna macicy i ustalenie się części przodującej płodu. Zwykle na dwa do czterech tygodni przed porodem, u kobiet będących w ciąży po raz pierwszy, płód zaczyna wchodzić do miednicy. U kobiet, które już rodziły, zdarza się to rzadko przed rozpoczęciem porodu.

Uczucie narastającego ucisku w miednicy i na odbytnicę. Skurcze i ból okolicy pachwin szczególnie często występują w drugiej i następnych ciążach. Może również występować ciągły ból okolicy krzyżowej.

Zmniejszenie lub brak przyrostu ciężaru ciała. Zwykle tygodniowe przyrosty ciężaru ciała zmniejszają się w dziewiątym miesiącu. Przed rozpoczęciem porodu część kobiet traci na wadze 1,0-1,5 kilograma.

Zmiany nastroju i zachowania. Część ciężarnych w dziewiątym miesiącu odczuwa stałe i narastające zmęczenie. Inne czują nagły przypływ sił i energii. Niespodziewany pęd do szorowania podłogi i mebli bywa porównywany do „instynktu gniazdowego”, dzięki któremu samice różnych gatunków przygotowują gniazda dla oczekiwanego potomstwa.

Zmiany wydzieliny pochwowej. Wydzielina staje się obfitsza i bardziej gęsta.

Wydalenie czopu śluzowego. Kiedy szyjka staje się drobna i rozwarta, zamykający macicę w kanale szyjki „korek” ze śluzu zostaje wypchnięty. Ten galaretowaty czop może ukazać się na zewnątrz na tydzień lub dwa przed prawdziwymi skurczami lub na początku porodu.

Różowe lub czerwone znaczenie. Podczas skracania i rozwierania się szyjki zostają przerwane drobne naczynia krwionośne i śluz zabarwia się na różowo lub zawiera czerwone pasemka. Takie „znaczenie” poprzedza zwykle poród na około 24 godziny – ale może nastąpić wiele dni wcześniej.

Nasilanie się skurczów przepowiadających (tzw. skurcze Braxtona-Hicksa). Skurcze stają się częstsze i silniejsze, a następnie nawet bolesne.

Biegunka. Część kobiet odczuwa tuż przed rozpoczęciem porodu silne ruchy jelit i oddaje luźne stolce.

OBJAWY PORODU POZORNEGO

Prawdziwy poród zwykle nie zacznie się, jeżeli:

- Skurcze nie są regularne i nie zwiększa się ich częstość i natężenie;
- Występuje raczej ból podbrzusza niż okolicy krzyżowej;
- Skurcze zanikają w czasie chodzenia lub po zmianie pozycji;
- Wydzielina (jeżeli jest w ogóle) jest brązowa[1] (jest to często wynik badania wewnętrznego lub stosunku w ciągu ostatnich 48 godzin);
- Ruchy płodu nasilają się w czasie skurczów. Powiadom lekarza, jeśli ruchy staną się gwałtowne.

[1] Pojawienie się jasnoczerwonej krwi wymaga szybkiej konsultacji lekarza.

OBJAWY PORODU PRAWDZIWEGO

Kiedy skurcze przepowiadające zaczynają być silniejsze, bardziej bolesne i częstsze, pojawia się pytanie: „Poród prawdziwy czy pozorny?” Poród jest prawdopodobnie prawdziwy, jeżeli:

- Przy większej aktywności i zmianach pozycji kobiety skurcze raczej się nasilają niż słabną;
- Ból zaczyna się w okolicy krzyżowej i rozprzestrzenia się na podbrzusze – może też promieniować w kierunku nóg. Skurcze mogą być odczuwane jak kolka brzucha i być połączone z biegunką;
- Skurcze stają się stopniowo częstsze i bardziej bolesne i zwykle (choć nie zawsze) bardziej regularne. (Ten postęp nie musi być absolutny – nie każdy następny skurcz musi być koniecznie bardziej bolesny czy dłuższy od poprzedniego, jednak w sumie intensywność skurczów zwiększa się z postępem porodu.);
- Plamienie jest różowe lub z czerwonymi pasemkami;
- Pękają błony płodowe. W 15% porodów płyn odpływa – może sączyć lub tryskać – przed rozpoczęciem porodu.

KIEDY TELEFONOWAĆ DO LEKARZA?

Kiedy masz wątpliwości, zatelefonuj. Nawet jeżeli przestudiowałaś kilkakrotnie powyższą listę, możesz ciągle mieć wątpliwości, czy to już zaczyna się poród. Nie czekaj aż do uzyskania absolutnej pewności – chyba że planujesz poród w domu. Zatelefonuj do lekarza. Prawdopodobnie będzie mógł ocenić, nawet na podstawie twojego głosu podczas skurczu, czy to już odpowiednio silne skurcze (ale tylko wtedy, gdy nie będziesz się starała ukryć bólu z powodu dobrego wychowania). Strach przed zakłopotaniem w wypadku fałszywego alarmu nie powinien powstrzymywać cię przed porozumieniem się z lekarzem. Nikt nie będzie z ciebie kpił. Nie będziesz pierwszą pacjentką błędnie oceniającą objawy porodu – i na pewno nie ostatnią.

- Telefonuj o każdej porze dnia czy nocy, jeżeli wszystko wskazuje, że pójdziesz do szpitala. Nie pozwól, by nadmiernie rozwinięte poczucie winy lub grzeczność powstrzymała cię przed obudzeniem twojego lekarza w środku nocy lub przeszkadzaniem mu w domu w czasie weekendu. Ludzie, którzy wybrali zawód położnika, nie oczekują pracy wyłącznie między godziną ósmą a piętnastą.
- Lekarz zwykle określi, kiedy powinnaś do niego zatelefonować – na przykład kiedy skurcze będą występowały z określoną częstością, co 5, 8 lub 10 minut. Zadzwoń, kiedy przynajmniej część skurczów osiągnie taką częstość. Nie czekaj, aż wszystkie przerwy międzyskurczowe będą idealnie równe i zgodne z zaleceniem – to może nigdy nie nastąpić.
- Lekarz prawdopodobnie poinformował cię również, jak zachować się w wypadku pęknięcia lub podejrzenia o pęknięcie błon płodowych przy braku wyraźnych skurczów macicy. Niektórzy mówią: „Jeżeli pękną o trzeciej rano, proszę zaczekać do rana". Inni mogą zalecać natychmiastowe powiadomienie w takiej sytuacji. Przestrzegaj zaleceń lekarza, z wyjątkiem sytuacji, gdy: do wyznaczonego prawidłowo terminu porodu brakuje jeszcze kilku tygodni, wiesz, że dziecko jest małe lub nie jest ustalone w macicy, lub gdy płyn owodniowy nie jest jasny, ma natomiast kolor zielony lub brązowy. W tych sytuacjach telefonuj natychmiast.
- Nie sądź, że jeżeli nie jesteś pewna, czy to prawdziwy poród, to znaczy, że jest pozorny. Lepiej być zbyt czujnym niż za mało. Zatelefonuj do lekarza.

14
Poród

Rozwój dziecka zajmuje dziewięć długich miesięcy, natomiast jego wyjście na świat jest sprawą godzin. Jednak te kilka godzin najbardziej zajmuje uwagę oczekującej ciężarnej i rodzi więcej pytań, obaw i niepokoju niż jakiekolwiek inne zjawisko związane z ciążą. Kiedy się zacznie? I co ważniejsze, kiedy się skończy? Czy będę potrafiła znieść ból? Czy muszę mieć lewatywę? Co to jest monitor płodowy? Nacięcie krocza? Co się stanie, gdy nie będzie postępu porodu? A co, gdy postęp będzie zbyt szybki i nie zdążę przyjechać do szpitala?

Odpowiedzi na te pytania i obawy znajdziesz na następnych stronach książki. Pomoc i wsparcie twojego partnera i personelu prowadzącego poród oraz wiedza, że poród nigdy przedtem nie był tak bezpieczny i możliwy do kierowania jak obecnie, powinny pomóc ci odpowiednio przygotować się do tego wydarzenia.

CO MOŻE CIĘ NIEPOKOIĆ

ZNACZENIE KRWIĄ

Mam różową, śluzową wydzielinę. Czy to oznacza początek porodu?

Na razie nie wysyłaj męża z domu po szampana. Wydzielanie śluzu krwistego lub koloru brązowego zwykle oznacza, że szyjka macicy skraca się lub rozwiera. Proces ten prowadzi do rozpoczęcia porodu. Jednak poród może być odległy nawet o tydzień, dwa lub trzy, podczas których szyjka macicy będzie stopniowo się zmieniała. Poród może się również zacząć w ciągu kilku godzin. Należy jeszcze poczekać do rozpoczęcia się skurczów.

Jeżeli wydzielina staje się nagle jasnoczerwona lub ilość krwi się zwiększa, zadzwoń niezwłocznie do lekarza. Krwawienie może oznaczać przedwczesne oddzielanie się łożyska lub łożysko przodujące, które to sytuacje wymagają natychmiastowej pomocy lekarskiej.

PĘKNIĘCIE BŁON PŁODOWYCH

Obudziłam się w środku nocy w mokrym łóżku. Straciłam panowanie nad swoim pęcherzem czy pękły błony płodowe?

Zapach prześcieradła może pomóc w rozstrzygnięciu tego pytania. Jeżeli zapach jest słodkawy i nie jest podobny do amoniaku, to prawdopodobnie przyczyną jest pęknięcie błon płodowych. W takiej sytuacji zwykle w dalszym ciągu utrzymuje się sączenie jasnego płynu owodniowego (nie przestaje odpływać, ponieważ jest stale produkowany na nowo, pełna wymiana na nowy następuje w ciągu trzech godzin). Jeżeli usiądziesz lub wstaniesz, płyn może przestać odpływać, ponieważ główka dziecka zadziała jak korek w środku butelki i może zamknąć ujście.

Niezależnie od tego, czy płyn wciąż sączy, czy też nie, jeżeli podejrzewasz pęknięcie błon płodowych, zatelefonuj do lekarza. Dopóki nie porozumiesz się z nim, zachowuj się tak, jak gdyby nastąpiło pęknięcie błon płodowych (patrz niżej).

Wody już odeszły, a ja nadal nie odczuwam żadnych skurczów. Kiedy zacznie się poród i co powinnam robić do tego czasu?

U większości ciężarnych, u których błony płodowe pękają przed rozpoczęciem porodu, skurcze pojawiają się w ciągu 12 godzin. U większości pozostałych rozpoczną się w ciągu następnych 12 godzin. Poród rozpoczyna się z większym opóźnieniem tylko u jednej na dziesięć ciężarnych. Z upływem czasu rośnie ryzyko zakażenia dziecka lub matki – drogą zakażenia może być odpływający płyn owodniowy. Dlatego, jeżeli wyznaczony termin porodu jest bliski, większość lekarzy dąży do rozpoczęcia porodu za pomocą oksytocyny w ciągu 24 godzin od pęknięcia błon. Niektórzy czekają najwyżej 6 godzin. Najnowsze badania potwierdzają, że odwlekanie wzniecenia porodu ponad 24 godziny wiąże się ze wzrostem niebezpieczeństwa zakażenia (patrz s. 358).

Jeżeli stwierdzasz odpływanie płynu owodniowego z pochwy, to niezależnie od jego ilości zawiadom lekarza lub położną. W tym czasie staraj się utrzymać okolicę ujścia pochwy w maksymalnej czystości. Nie należy kąpać się w wannie i oczywiście odbywać stosunków. Załóż wkładkę sanitarną (nie wolno używać tamponów, np. OB) w celu wchłaniania odpływającego płynu. Nie próbuj samodzielnie się badać! Podmyj się w łazience od przodu ku tyłowi.

Rzadko, zwłaszcza w przypadku przedwczesnego pęknięcia błon płodowych (zwykle kiedy dziecko jest w położeniu miednicowym lub jest niedojrzałe), kiedy część przodująca płodu nie jest ustalona w miednicy, zdarza się wypadnięcie pępowiny. Pępowina wpada do ujścia macicy (do kanału szyjki macicy) lub nawet do pochwy w momencie odpłynięcia dużej ilości płynu. Czasem zdarza się nawet, że pętla pępowiny widoczna jest w ujściu pochwy lub ciężarna czuje coś w pochwie (patrz s. 359). Taka sytuacja wymaga natychmiastowej pomocy.

ZABARWIENIE PŁYNU OWODNIOWEGO (SMÓŁKA)

Co oznacza zielonobrązowy kolor płynu owodniowego?

Odpływający płyn owodniowy jest prawdopodobnie zabarwiony przez smółkę. Jest to ciemnozielona substancja, pochodząca z przewodu pokarmowego płodu. Zwykle smółka jest oddawana po porodzie, jako pierwsza „kupka" dziecka. Jednak czasami – zwłaszcza kiedy płód jest poddany silnym bodźcom w macicy lub kiedy jest już po terminie porodu – smółka zostaje wydalona do płynu owodniowego.

Samo zabarwienie płynu smółką nie jest pewnym objawem zagrożenia płodu, ale ponieważ sugeruje taką możliwość, zawiadom lekarza jak najszybciej.

WZNIECENIE PORODU

Mój lekarz proponuje wzniecenie porodu. Jestem niezadowolona, ponieważ zawsze chciałam rodzić w sposób naturalny.

Przed 20 laty część lekarzy uważała rutynowe wzniecenie porodu za zupełnie bezpieczne postępowanie, które doprowadzi do porodu w zaplanowanym czasie. Obecnie lekarze nie proponują wzniecenia bez odpowiednio uzasadnionych powodów. Stało się tak częściowo z powodu zmiany zaleceń Departamentu Żywności i Leków (w Stanach Zjednoczonych), które obecnie nie zaleca elektywnego („elektywne” to znaczy nie bezwzględnie konieczne) stosowania oksytocyny, używanej do wzniecenia porodu. Innym powodem rzadszego stosowania wzniecenia jest obawa przed powikłaniami w wypadku niewłaściwego zastosowania oksytocyny. Obecnie uważa się, że jeżeli jest to możliwe, najkorzystniejszym rozwiązaniem jest samoistne rozpoczęcie się porodu i jego naturalny przebieg.

Jednak w jednym porodzie na trzy natura może wymagać pewnej pomocy. Istnieją różne sytuacje, w których należy doprowadzić do urodzenia dziecka wcześniej, niżby to nastąpiło samoistnie. Niekiedy najlepszym sposobem rozwiązania jest cięcie cesarskie. W innych sytuacjach czas nie jest aż tak istotny. Jeżeli lekarz ocenia, że stan ciężarnej i płodu pozwoli na poród drogami natury, to zwykle wybiera wtedy wzniecenie porodu. Dzieje się tak, gdy na przykład:

- Skurcze w czasie porodu są słabe, nieregularne lub zanikły;
- Nastąpiło zatrzymanie wzrostu płodu (z powodu nieodpowiedniego odżywienia płodu, złej funkcji łożyska, przenoszenia lub innych przyczyn), który jest wystarczająco dojrzały do życia poza macicą;
- Test stresowy lub niestresowy wskazuje, że wydolność łożyska jest już niewystarczająca i środowisko wewnątrz macicy zaczyna być niekorzystne dla płodu;
- W terminie porodu pękły błony płodowe (s. 358);
- Dokładnie wyznaczony termin porodu minął jeden lub dwa tygodnie temu (s. 266);
- Ciężarna jest chora na cukrzycę i łożysko „starzeje się” wcześniej niż zwykle lub istnieje obawa, że dziecko w terminie porodu będzie zbyt duże;
- Ciężarna jest chora na ciężką gestozę (tzw. zatrucie ciążowe) lub jest w stanie przedrzucawkowym, które nie poddają się leczeniu i zakończenie ciąży leży w interesie matki i dziecka;
- Ciężarna jest chora na przewlekłą lub ostrą chorobę, np. nadciśnienie, chorobę nerek, która zagraża matce i dziecku w wypadku dalszego trwania ciąży;
- Istnieje ciężki konflikt serologiczny w zakresie układu Rh, powodujący chorobę hemolityczną u płodu.

Przy wznieceniu porodu z wymienionych powodów niekiedy lekarz sztucznie przebija błony płodowe. Jeżeli szyjka macicy nie jest jeszcze odpowiednio przygotowana, niekiedy podaje się jednocześnie leki przeciwbólowe. Niektórzy lekarze zalecą podanie ciężarnej parafiny lub drażnienie brodawek sutkowych, w celu wzmocnienia skurczów. Dla przyspieszenia dojrzewania szyjki macicy mogą być zastosowane prostaglandyny E_2 w postaci globulek lub żelu. Jednak zwykle konieczne będzie ciągłe stosowanie oksytocyny w celu podtrzymania czynności macicy.

Oksytocyna jest naturalnym hormonem produkowanym przez przysadkę mózgową przez całą ciążę. Wraz z czasem trwania ciąży macica staje się coraz bardziej wrażliwa na działanie hormonu. Nie wiadomo jednak dokładnie, co jest sygnałem do naturalnego, samoistnego rozpoczęcia porodu. Wiadomo, że uwalnianie oksytocyny może być zwiększane przez pobudzanie mechaniczne brodawek sutkowych. Zwykle powoduje to pojawienie się skurczów, a czasem może wyzwolić rozpoczęcie porodu, który przebiega potem bez stymulacji. Podanie oksytocyny jest jednak bardziej niezawodną metodą wzniecania porodu. W wypadku pełnej dojrzałości szyjki macicy oksytocyna może wywołać poród, który przebiega tak samo jak rozpoczęty samoistnie. Jeżeli szyjka nie jest dojrzała, można zastosować oksytocynę kilkakrotnie w ciągu 2-3 dni (jeśli jest tyle czasu) i stopniowo doprowadzić szyjkę do dojrzałości. Można również przyspieszać dojrzewanie szyjki przez zastosowanie prostaglandyny E_2. Niektórzy stosują także mechaniczne, stopniowe rozszerzenie kanału szyjki przed podawaniem oksytocyny. Metody te zwiększają szanse na samoistne urodzenie dziecka drogami natury w ciągu 24 godzin.

Podczas wzniecania porodu oksytocyna podawana jest dożylnie za pomocą pompy infuzyjnej. Jest to metoda najbardziej bezpieczna, wygodna i możliwa do kontroli. Kobieta ma na przedramieniu lub na grzbiecie dłoni założoną igłę, która połączona jest rurkami plastykowymi z dwoma butelkami. W jednej jest czysty płyn nie zawierający żadnych leków, w drugiej znajduje się oksytocyna. Oksytocyna dawkowana jest dokładnie przez pompę do przepływającego czystego płynu i w ten sposób dostaje się do organizmu kobiety w kontrolowany sposób. Rozpoczyna się od małej dawki leku i skurcze wywoływane są powoli z jednoczesną ciągłą kontrolą czynności macicy i stanu dziecka (w czasie wzniecenia porodu cały czas musi być w pobliżu lekarz lub położna). Szybkość podawania leku zwiększa się stopniowo do momentu uzyskania skutecznych skurczów macicy. Może się zdarzyć, że macica jest bardzo wrażliwa na działanie oksytocyny i następuje tzw. hiperstymulacja – skurcze są zbyt długie i zbyt silne. Opisana wcześniej metoda pozwala łatwo zmniejszyć lub nawet przerwać podawanie oksytocyny przez zamknięcie butelki z lekiem i podawanie wyłącznie czystego płynu.

Jeżeli wyznaczony termin porodu jest bliski i macica jest już odpowiednio wrażliwa, to skurcze zaczynają się zwykle około 30 minut po rozpoczęciu podawania oksytocyny. Są one zwykle bardziej regularne i silniejsze niż na początku samoistnego porodu. Jeżeli po 6 do 8 godzin stosowania oksytocyny poród się nie zaczął lub nie postępuje, często odstępuje się od wzniecania porodu i wybiera inne postępowanie, zwykle cięcie cesarskie. Podawanie leku przerywa się również, gdy rozwinięte są odpowiednio silne i częste skurcze, utrzymujące się nawet bez stosowania oksytocyny.

Wzniecenie porodu nie powinno być wykonywane, gdy konieczne jest natychmiastowe ukończenie ciąży lub gdy istnieją wątpliwości, czy płód może przejść przez miednicę kobiety. Nie wywołuje się również porodu, gdy łożysko dochodzi do ujścia wewnętrznego kanału szyjki macicy lub je zakrywa (łożysko przodujące), gdy kobieta rodziła pięć lub więcej razy lub gdy w czasie cięcia cesarskiego przecinano trzon macicy, bowiem wiąże się to z większym ryzykiem pęknięcia macicy. Część lekarzy nie wznieca porodu w przypadku ciąży wielopłodowej (bliźniaczej, trojaczej itd.) ani gdy dziecko jest w położeniu miednicowym. Amerykańskie Kolegium Położników i Ginekologów zaleca, by w wypadku wzniecania porodu za pomocą oksytocyny lekarz zawsze był przygotowany do szybkiego wykonania cięcia cesarskiego w razie potrzeby.

Część kobiet uważa, że szybkie rozpoczęcie silnych skurczów w wypadku ich wzniecenia jest nieprzyjemne, inne czują się nawet oszukane z powodu sztucznego skrócenia ich porodu i przez to odebrania części przeżyć i doświadczeń. Jeszcze inne są zadowolone z szybkiego i sprawnego urodzenia dziecka. Razem z partnerem przeżywają wzniecany poród zupełnie naturalnie, stosując wszystkie ćwiczenia oddechowe i inne techniki opanowane w szkole rodzenia. Niezależnie od tego, jaka była pierwotna przyczyna wyzwalająca rozpoczęcie porodu (której zwykle nie znamy), jest to przecież także poród.

KRÓTKI PORÓD

Czy krótki poród może być obecnie niebezpieczny dla dziecka?

Krótki poród nie zawsze jest tak krótki, jak się to wydaje. Często się zdarza, że ciężarna, mając skurcze, nie odczuwa ich przez całe godziny, dni, a nawet tygodnie. Jednak rozwierają one stopniowo szyjkę macicy. Kiedy ciężarna poczuje pierwszy skurcz, poród jest już bardzo daleko zaawansowany (patrz s. 291). Taki wolno postępujący i nagle zakończony poród nie powoduje dodatkowo obciążenia dla płodu, może być dla niego nawet mniej wyczerpujący niż normalny poród, trwający 12 godzin.

Niekiedy szyjka rozwiera się bardzo szybko, nawet w ciągu minut, w porównaniu z rozwarciem, które normalnie (zwłaszcza przy pierwszym porodzie) następuje po wielu godzinach trwania skurczów. Ale nawet taki gwałtowny i nagły poród (tzn. trwający trzy lub mniej godzin od początku do końca) rzadko stanowi zagrożenie dla płodu. Nie ma dowodów na to, że dla urodzenia dziecka w dobrym stanie potrzebny jest określony czas trwania porodu.

Bardzo rzadko skrajnie szybki poród może spowodować przerwanie zaopatrzenia płodu w tlen i inne składniki lub spowodować pęknięcia i inne urazy szyjki macicy, pochwy i krocza u rodzącej. Dlatego, jeżeli poród zaczyna się bardzo gwałtownie – skurcze są silne i następują jeden po drugim – szybko jedź do szpitala. Zastosowanie odpowiednich leków może nieco osłabić skurcze, pozwolić odpocząć dziecku i ochronić twoje ciało.

WZYWANIE LEKARZA PODCZAS PORODU

Właśnie rozpoczęły się skurcze i powtarzają się co trzy lub cztery minuty. Nie chcę postępować głupio i telefonować do lekarza, który powiedział mi, aby w ciągu kilku pierwszych godzin porodu pozostać w domu.

Większość rodzących po raz pierwszy (u których poród nasila się powoli) może bezpiecznie liczyć na spędzenie kilku pierwszych godzin w domu. Natomiast jeżeli skurcze są silne – trwają przynajmniej 45 sekund i powtarzają się częściej niż co 5 minut, a w dodatku już wcześniej rodziłaś, to czas czekania w domu już minął. Istnieje możliwość, że znaczna część pierwszego okresu porodu minęła bezboleśnie i szyjka macicy rozwarła się już częściowo. Oznacza to, że nie zawiadamiając lekarza i narażając się na dramatyczny wyścig do szpitala na ostatnią minutę – postępowałabyś znacznie bardziej nierozsądnie, niż telefonując teraz.

Zanim zadzwonisz, zaobserwuj kilka kolejnych skurczów. Postaraj się określić ich częstość, czas trwania i siłę, by móc to przekazać. Nie próbuj ukrywać swoich dolegliwości, jeżeli wystąpią podczas rozmowy, przez utrzymywanie tego samego sposobu mówienia (lekarz potrafi częściowo ocenić nasilenie skurczów na podstawie zmiany głosu kobiety w czasie skurczu).

Jeżeli czujesz, że poród jest zaawansowany, ale lekarz uważa inaczej, nie zadowalaj się zaleceniem czekania. Zapytaj, czy możesz pojechać do szpitala i sprawdzić to zaawansowanie (patrz s. 272). Możesz zabrać do szpitala rzeczy przygotowane „na wszelki wypadek", ale bądź przygotowana do powrotu i oczekiwania w domu, jeżeli poród na dobre się jeszcze nie zaczął.

BÓLE KRZYŻOWE

Odkąd zaczął się poród, okolica krzyża boli mnie tak mocno, że nie wiem, jak wytrzymam przez cały poród

Uważa się, że „bóle krzyżowe" występują, gdy płód jest w ustawieniu tylnym (lub potylicowym tylnym), w którym tył głowy dziecka naciska na kość krzyżową rodzącej – to jest na tylną część miednicy. Jednak bóle takie mogą występować również przy innym ustawieniu płodu lub po zmianie ustawienia z tylnego na przednie. Przyczyną może być powstanie w tym miejscu wzmożonego napięcia mięśni.

W razie występowania tego rodzaju bólów, które niestety często nie ustępują między skurczami, a w czasie skurczu są trudne do zniesienia, rozważania na temat mechanizmu powstania nie są najważniejsze. Ważne jest, jak można je zmniejszyć, chociaż trochę. Istnieje kilka sposobów mogących przynieść ulgę, których przynajmniej warto spróbować.

- Zmniejszenie nacisku na kość krzyżową. Próbuj zmieniać pozycję ciała – możesz spacerować wkoło (chociaż może to być niemożliwe z powodu silnych skurczów, powtarzających się co chwilę), kucać lub siadać „po turecku" albo leżeć. Przyjmij pozycję, która jest dla ciebie najwygodniejsza i w której odczuwasz najmniejszy ból. Jeżeli nie możesz się poruszać i wolisz leżeć, połóż się na boku.

- Ciepło lub zimno przykładane przez partnera lub położne. Można wykorzystać termofor owinięty w ręcznik, ciepłe kompresy, poduszkę elektryczną, woreczki z lodem lub zimny kompres – wybierz to, co przyniesie ci największą ulgę.
- Przeciwnacisk. Twój partner może spróbować różnych sposobów wywierania nacisku lub masażu najbardziej bolesnych miejsc okolicy krzyżowej lub w ich pobliżu i odnaleźć właściwą metodę. Powinien wykonywać bezpośredni ucisk lub ruchy okrężne za pomocą kostek pięści lub nadgarstka jednej ręki. Druga ręka powinna zwiększać nacisk ręki masującej. Możesz w tym czasie siedzieć lub leżeć na boku. Zmniejszenie bólu może przynieść stosowanie dość silnego przeciwnacisku, ale ulga może przynieść rezultat w postaci ciemnoniebieskich śladów, widocznych na plecach następnego dnia.
- Akupresura. Jest to prawdopodobnie najstarsza forma zmniejszania bólu – i nie musisz być wcale Chinką, by ją stosować. W wypadku silnych bólów krzyżowych należy mocno naciskać palcem odpowiednie miejsce na powierzchni stopy – śródstopie u nasady dużego palca.
- Zamiast przeciwnacisku lub na przemian z nim można stosować bardzo silny masaż bolącej okolicy krzyżowej. Do tego szczególnie silnego masażu może być wykorzystana piłka tenisowa lub okrągły kręgiel (chociaż później możesz czuć się trochę obolała). Okresowo można zastosować puder lub olejek w celu ochrony skóry przed podrażnieniem.

NIEREGULARNE SKURCZE

W szkole rodzenia mówiono nam, by nie jechać do szpitala, dopóki skurcze nie są regularne i nie powtarzają się co 5 minut. Czuję skurcze częściej niż co 5 minut, ale są nieregularne. Nie wiem, co robić.

Podobnie jak nie ma dwóch jednakowych odcisków palców, nie ma też dwóch identycznych porodów. Poród opisywany w książkach, w szkole rodzenia i przez lekarzy to poród typowy i „książkowy". Ale w praktyce nie zawsze można tak łatwo przewidywać stopniowe, regularne nasilanie się skurczów.

Jeżeli masz skurcze silne, długie (trwające od 40 do 60 sekund) i częste (powtarzające się co 5 minut lub częściej), to nawet jeśli różnią się one od siebie znacząco, nie czekaj w domu, aż będą idealnie regularne. Zadzwoń do lekarza lub jedź do szpitala, niezależnie od tego, co na ten temat słyszałaś lub czytałaś. Może się zdarzyć, że skurcze nie będą już bardziej regularne do końca porodu, a poród już jest bardzo zaawansowany. Nie zwlekaj z zawiadomieniem lekarza i jedź do szpitala – wahania i strata czasu mogą się skończyć nagłym porodem w domu.

ZBYT PÓŹNY PRZYJAZD DO SZPITALA

Ciągle boję się, że nie zdążę do szpitala na czas.

Dzięki Bogu, najbardziej zaskakujące i nagłe porody zdarzają się w kinie i telewizji. W rzeczywistości porody – zwłaszcza u kobiet, które nie rodziły – następują bardzo rzadko bez licznych wcześniejszych sygnałów. Jednak od czasu do czasu zdarza się, że kobieta, nie mając wcześniej żadnych bólów lub po pierwszym wyczuwalnym skurczu, nagle doznaje niepohamowanego uczucia parcia na stolec. Często nie rozpoznaje ona rzeczywistej przyczyny parcia i udaje się do ubikacji.

Na wypadek gdyby zdarzyło ci się znaleźć w takiej sytuacji, dobrze byłoby, abyście razem z mężem znali kilka podstawowych zasad postępowania (patrz. s. 281 i 283). Jednak nie traćcie zbyt wiele czasu na roztrząsanie takiej bardzo odległej i mało prawdopodobnej sytuacji.

Nagły poród w drodze do szpitala

1. Jeżeli jesteś sama w samochodzie i za chwilę może się odbyć poród, zatrzymaj się. Jeżeli masz nadajnik samochodowy lub telefon, wezwij pomoc. Jeżeli nie, włącz światła awaryjne lub sygnał dźwiękowy. Gdy ktoś się zatrzyma, poproś o udanie się do najbliższego telefonu i zawiadomienie pogotowia ratunkowego. Jeżeli jedziesz taksówką, poproś kierowcę o wezwanie pomocy przez radio.

2. Powinieneś pomóc rodzącej i umieścić ją na tylnym siedzeniu samochodu. Na siedzenie należy położyć płaszcz, kurtkę lub koc. Dalsze postępowanie opisane jest na stronie 283. Natychmiast po odbyciu porodu należy udać się do najbliższego szpitala.

Nagły poród w samotności

1. Spróbuj zachować spokój.
2. Zatelefonuj po pogotowie ratunkowe. Poproś przyjmującego wiadomość o zawiadomienie twojego lekarza.
3. Wezwij na pomoc sąsiadkę, sąsiada lub kogokolwiek innego, jeżeli to możliwe.
4. Zacznij oddychać[1] w czasie skurczu, by powstrzymać się od parcia na stolec.
5. Umyj ręce i krocze, jeżeli możesz.
6. Rozłóż kilka czystych ręczników, gazet lub prześcieradeł na łóżku, kanapie lub na podłodze, połóż się i czekaj na pomoc.
7. Jeżeli pomimo oddychania w czasie skurczu dziecko zaczyna się rodzić przed przybyciem pomocy, delikatnie ułatw mu wydostanie się na zewnątrz – możesz już przeć w chwili odczuwania takiej potrzeby, trzymając dziecko rękoma.
8. Postępuj dalej według punktów od 10 do 14 instrukcji na stronie 283. Zrób to najlepiej, jak potrafisz.

LEWATYWA

Słyszałam, że lewatywa na początku porodu nie jest konieczna i zakłóca naturalny przebieg porodu.

Jeszcze całkiem niedawno lewatywa była stosowana niezależnie od opinii rodzącej. Była to jedna z rutynowych czynności, wykonywanych przy przyjęciu do szpitala na początku porodu. Zakładano (i nadal tak się postępuje w wielu szpitalach), że opróżnienie jelita przed porodem zmniejsza ryzyko zanieczyszczenia sterylnego zestawu porodowego przez wydalany w czasie parcia stolec. Usunięcie mas kałowych miało też zmniejszyć opór, na jaki napotyka główka dziecka w czasie przechodzenia przez miednicę. Również istotnym celem opróżnienia jelita było oszczędzenie rodzącej nieprzyjemnej i peszącej ją sytuacji, gdy w czasie parcia i rodzenia dziecka oddawała stolec.

Obecnie te argumenty są mniej popularne. Stwierdzono, że nie ma obawy blokowania kanału rodnego, jeżeli w badaniu wewnętrznym nie wyczuwa się twardego, zalegającego kału, a ciężarna oddawała stolec w ciągu 24 godzin. Używanie podczas porodu jednorazowych, sterylnych podkładów, wyrzucanych natychmiast razem ze stolcem, zabezpiecza przed zakażeniem noworodka. Przeprowadzone badania wykazały, że ryzyko zakażenia noworodka przez bakterie jelitowe jest bardzo niewielkie, inne sugerują nawet wzrost ryzyka zakażenia po zastosowaniu lewatywy.

[1] Zalecenie rodzącym regulacji czynności oddechowej powinno uwzględniać nowe zdobycze wiedzy w zakresie fizjopatologii wymiany gazowej między matką a płodem. Już w czasie ciąży następuje miernego stopnia obniżenie ciśnienia parcjalnego dwutlenku węgla (tzw. hipokapnia), które nasila się szczególnie w końcowej fazie porodu. Hipokapnia znacznego stopnia pogarsza u rodzącej warunki wymiany gazowej płodu, tj. utrudnia transfer tlenu z krwi matczynej do płodowej, bowiem wraz z obniżeniem pCO_2 (ciśnienia parcjalnego dwutlenku węgla) zmniejsza się dysocjacja tlenu we krwi matki. Z powyższych przyczyn regulacja oddychania powinna zawierać elementy uspokojenia i rozluźnienia, lecz nie należy dążyć do nadmiernego przyspieszenia i pogłębienia oddechu, następstwem tego jest bowiem znaczne obniżenie ciśnienia parcjalnego dwutlenku węgla (uwaga redaktora wydania polskiego).

Z wymienionych powodów w większości szpitali zrezygnowano z obowiązkowego wykonywania lewatywy, w innych wciąż ją się stosuje.

Jeżeli w szpitalu, w którym będziesz odbywała poród, nadal stosuje się lewatywę i ta perspektywa bardzo ci nie odpowiada, omów to wcześniej z lekarzem. Jeżeli zdecydowanie nie chcesz mieć wykonanej lewatywy, lekarz może się zgodzić i zrezygnować z tej czynności (ale upewnij się, czy zostanie to uzgodnione z personelem szpitala). Z drugiej strony, jeżeli myśl o oddawaniu stolca na łóżku porodowym jest dla ciebie nieprzyjemna (chociaż nie ma gwarancji, że lewatywa całkowicie przed tym uchroni), nie pozwól komukolwiek wbić sobie do głowy poglądu, że stosowanie lewatywy jest nienaturalne lub zbyteczne. Zaznacz swój wybór w twoim planie porodu (s. 231).

Jeżeli bardziej ci to odpowiada, możesz sama wykonać lewatywę w domu, na początku porodu. Niezależnie od miejsca wykonania, lewatywa z ciepłej wody może przynieść dodatkową korzyść w postaci wzmocnienia słabych skurczów macicy i lekkiego przyspieszenia porodu.

Cały ten wielki spór może się okazać zbyteczny, jeżeli na początku porodu wystąpi silna perystaltyka jelit (co często się zdarza) i nastąpi samoistne opróżnienie jelita grubego. Podobnie nikt nie będzie próbował wykonać lewatywy, jeżeli okaże się, że poród jest bardzo zaawansowany i personel szpitala będzie bardziej zajęty szybkim przebraniem ciebie i zawiezieniem na oddział porodowy.

GOLENIE OWŁOSIENIA ŁONOWEGO

Nie podoba mi się pomysł ogolenia mojego owłosienia łonowego. Czy jest to obowiązkowe?

Chociaż golenie wzgórka łonowego jest w wielu szpitalach ciągle rutynową czynnością „upiększającą", to bywa wykonywane coraz rzadziej. Wykonywane jest głównie dlatego, że „zawsze tak robiono", a nie z przekonania o konieczności tego zabiegu. Kiedyś uważano, że włosy łonowe są zbiornikiem licznych bakterii, które mogłyby zakazić dziecko. Jednak od czasu zastosowania spłukiwania okolicy przedsionka pochwy i krocza tuż przed porodem płynem bakteriobójczym, zakażenia tego typu są rzadkie. W dodatku pewne badania wykazały większą częstość zakażeń u kobiet poddanych goleniu niż u pozostałych. Dzieje się tak prawdopodobnie dlatego, że w czasie golenia, nawet bardzo ostrożnego, powstają drobne, nawet mikroskopijne rany i nacięcia, stanowiące drogę wnikania zakażenia. Z punktu widzenia kobiety, upokorzenie w czasie golenia oraz swiąd i pieczenie w czasie odrastania włosów są dodatkowymi argumentami przeciwko temu zwyczajowi.

Część lekarzy uważa, że golenie ułatwia wykonanie i zeszycie nacięcia krocza, ponieważ oczyszcza pole działania. Jednak również dla nich jest raczej sprawą nawyku niż przekonania. Wzrastająca liczba lekarzy wykonuje i zeszywa nacięcie krocza bez golenia otaczającej skóry. Obcinają oni włosy nożyczkami lub odsuwają na bok w czasie pracy.

To, czy zostaniesz ogolona, zależy od zwyczaju przyjętego przez twojego lekarza oraz szpitala, do którego pojedziesz. Jednak obecnie coraz większe znaczenie przykłada się do zdania kobiety. Nie czekaj, aż przybędziesz do szpitala, określ wcześniej twoje zdanie na temat ogolenia włosów i przedyskutuj to z lekarzem. Zaznacz swój wybór w planie porodu (s. 231).

Jeżeli lekarz prowadzący lub personel szpitala nalegają na ogolenie włosów, poproś, by nie ogolono więcej, niż jest to absolutnie niezbędne. Taka „minifryzura", polegająca tylko na ogoleniu okolicy krocza w miejscu możliwego nacięcia lub pęknięcia, zwykle całkowicie wystarcza. Innym możliwym wyjściem, które powinnaś omówić z lekarzem, jest ostrzyżenie lub ogolenie włosów przez partnera w domu.

RUTYNOWO ZAKŁADANY CEWNIK DOŻYLNY

Kiedy odwiedzałam szpital, zauważyłam kobietę wychodzącą z pokoju porodowego z do-

Nagły poród w domu lub w miejscu publicznym

1. Spróbuj zachować spokój. Pamiętaj, że jeżeli nawet prawie nic nie wiesz na temat porodu, to ciała kobiety i dziecka są przystosowane do porodu, i niemal wszystko może nastąpić samoistnie.

2. Zadzwoń po pogotowie ratunkowe, poproś o przysłanie lekarza lub położnej.

3. Rodząca powinna w czasie skurczu oddychać (w razie potrzeby szybko i powierzchownie), by powstrzymać się od mimowolnego parcia.

4. Podczas wszystkich przygotowań i podczas porodu należy pamiętać o tym, by zapewnić rodzącej poczucie bezpieczeństwa i uspokajać ją.

5. Gdy zbliża się poród, należy umyć ręce i okolicę krocza wodą z mydłem lub innym odpowiednim środkiem.

6. Jeżeli nie ma czasu, by położyć rodzącą na łóżku lub na stole, połóż gazety, czyste ręczniki lub złożone ubranie pod pośladki tak, by były nieco uniesione i było dosyć miejsca na urodzenie barków (ramion) dziecka.

7. Jeżeli jest czas, połóż rodzącą na łóżku (lub na stole, biurku) tak, by pośladki lekko zwisały na krawędzi, ręce znajdowały się pod uniesionymi udami. Dobrze jest postawić dwa krzesła dla oparcia stóp. Kilka poduszek pod ramiona i głowę pozwoli przyjąć wygodniejszą przy porodzie pozycję półsiedzącą. Jeżeli oczekujesz na pomoc lekarską, a główka nie pojawia się, leżenie płasko spowolni poród.

8. Przykryj otoczenie, jeżeli to możliwe, plastykowymi obrusami, zasłoną prysznica, gazetami, ręcznikami itp. Do zbierania płynu owodniowego i krwi może się przydać miednica lub inne naczynie.

9. Kiedy przodująca część główki dziecka zaczyna się pokazywać na zewnątrz, rodząca powinna oddychać szybko i powierzchownie (uwaga redaktora, s. 281), i nie przeć. Należy wtedy położyć rękę na główce i wywierać delikatny nacisk w przeciwnym kierunku, by zapobiec nagłemu wyskoczeniu główki. Pozwól urodzić się główce stopniowo i powoli – w żadnym wypadku nie wyciągaj główki na zewnątrz.

Jeżeli wokół szyi dziecka biegnie pętla pępowiny, włóż pod nią palec i delikatnie przełóż nad główką.

10. Po urodzeniu główki należy wycisnąć delikatnie śluz i płyn owodniowy z górnych dróg oddechowych dziecka. Wykonuje się ruch wyciskający wzdłuż skrzydełek nosa w kierunku otworów nosowych oraz wzdłuż szyi i podbródka w kierunku ust.

11. Następnie weź lekko główkę w dwie ręce i skieruj ją delikatnie ku dołowi (nie ciągnij!), polecając jednocześnie przeć rodzącej, w celu urodzenia przedniego barku (ramienia). Po ukazaniu się górnego barku, podnieś delikatnie główkę, obserwując jednocześnie rodzenie się tylnego barku. Kiedy obydwa ramiona są już na zewnątrz, tułów i nóżki wyślizgują się bez trudu.

12. Szybko owiń dziecko w koc, ręcznik lub inny materiał (wybierz coś czystego, materiał niedawno wyprasowany jest względnie jałowy). Połóż dziecko na brzuchu matki lub, jeżeli długość pępowiny na to pozwoli (nie ciągnij za nią), przy piersi.

13. Nie próbuj wyciągnąć łożyska na zewnątrz. Natomiast jeżeli rodzi się samo, przed przybyciem fachowej pomocy, owiń łożysko w ręcznik lub gazetę i trzymaj uniesione powyżej poziomu, na którym leży dziecko. Nie ma potrzeby podwiązywania i przecinania pępowiny.

14. Matka i dziecko powinny mieć zapewnione ciepło i wygodę do czasu przybycia fachowej pomocy.

żylnym cewnikiem na ręce. Czy jest to konieczne w czasie normalnego porodu?

Dzięki wyświetlaniu w telewizji filmu *MASH* i innych nie kończących się „ambitnych" seriali, wszyscy kojarzymy natychmiast cewnik dożylny z obrazem rannych frontowców, głównych bohaterów nagle ginących z powodu śmiertelnej choroby lub postrzelonych przez zazdrosnego kochanka. Trudno natomiast skojarzyć opisany cewnik z normalnym porodem.

W wielu amerykańskich szpitalach przyjęto, aby wszystkim rodzącym zakładać kroplówkę dożylną, zawierającą prosty roztwór odżywiający i nawadniający. Stosuje się to częściowo dla zapobiegania odwodnieniu i osłabieniu rodzącej z powodu powstrzymywania się od picia i jedzenia w czasie porodu, częściowo dla umożliwienia łatwego podawania leków w razie potrzeby (by podać lek, wystarczy wstrzyknąć go do cewnika – nie trzeba podawać bezpośrednio rodzącej). W tych sytuacjach cewnik dożylny zakładany jest profilaktycznie.

Z drugiej strony, część lekarzy i położnych woli zaczekać z założeniem cewnika do chwili pojawienia się konkretnej potrzeby – na przykład poród się przedłuża i rodząca czuje się zmęczona. Zapytaj swojego lekarza zawczasu o sposób postępowania i jeżeli bardzo nie chcesz mieć założonego cewnika, powiedz to. Być może cewnik zostanie założony dopiero w chwili pojawienia się wyraźnej potrzeby, jeżeli taka powstanie.

Jeżeli lekarz uważa, że należy cewnik bezwzględnie założyć na początku porodu i nie ma zamiaru na ten temat dyskutować, lub zostanie on założony w trakcie porodu, nie rozpaczaj. Cewnik taki jest tylko trochę niewygodny, bo po prostu jest w nim igła – a to, jak zawsze, wymaga pewnej uwagi. Jeśli cewnik będzie na ruchomym stojaku, możesz się swobodnie poruszać, pójść do łazienki lub na krótki spacer (jeżeli w pobliżu miejsca wkłucia pojawi się ból lub obrzęk, powiedz o tym lekarzowi lub położnej).

Chociaż nie zawsze będziesz mogła podjąć decyzję co do założenia cewnika, masz prawo wiedzieć, jakie płyny są podawane do twoich żył. Pytaj lekarza lub położną, którzy podłączają kolejne butelki. Towarzyszący ci partner może przeczytać nalepki na butelce. Czasami leki mogą być podane bez porozumienia się z tobą, poproś wówczas o rozmowę z lekarzem tak szybko, jak to będzie możliwe.

MONITOROWANIE PŁODU

Mój lekarz stosuje monitorowanie płodu podczas wszystkich porodów. Słyszałam, że takie monitorowanie może prowadzić do niepotrzebnego wykonywania cięcia cesarskiego oraz powoduje pewne niewygody w czasie porodu.

Dla kogoś, kto spędził pierwsze dziewięć miesięcy życia, pływając spokojnie i bezpiecznie w ciepłej i wygodnej kąpieli w płynie owodniowym, przeciśnięcie się przez ciasny i twardy odcinek miednicy matki nie jest akurat przyjemną wycieczką. Dziecko będzie ściskane, popychane i wgniatane do miednicy w czasie każdego skurczu.

Podczas tej męczącej podróży dziecko może być narażone na niebezpieczeństwo – dlatego monitorowanie stanu płodu jest stosowane tak powszechnie. Celem monitorowania nie jest wykonywanie niepotrzebnych cięć cesarskich lub powodowanie pewnych niewygód dla rodzącej. W wielu szpitalach monitoruje się elektronicznie wszystkie porody. Praktycznie we wszystkich szpitalach monitorowana jest przynajmniej połowa porodów, zwłaszcza tzw. porodów wysokiego ryzyka, np. po stwierdzeniu zielonego płynu owodniowego, w czasie stosowania oksytocyny lub w wypadku długiego i trudnego porodu.

Monitor płodowy pozwala ocenić zmiany czynności serca płodu pod wpływem skurczów macicy. Reakcja dziecka w czasie normalnego porodu może wyglądać bardzo różnie. Lekarz oceniający zapis wydrukowany przez monitor może wyłowić wśród takich zmiennych reakcji zarówno objawy prawidłowej adaptacji zdrowego płodu do silnych bodźców porodowych, jak i objawy zagrożenia płodu. Alarm może być czasami przedwczesny.

Monitorowanie płodu może być prowadzone drogą zewnętrzną, jak i wewnętrzną.

Monitorowanie zewnętrzne. W tym najczęściej stosowanym typie monitorowania na brzuchu rodzącej założone są dwa czujniki. Jeden to przetwornik ultradźwiękowy rejestrujący uderzenia serca płodu. Drugi to miernik reagujący na nacisk i mierzący siłę i czas trwania skurczów macicy. Obydwa czujniki połączone są z monitorem, który wyświetla lub drukuje wartości pomiarów. Nie oznacza to, że rodząca musi być unieruchomiona w łóżku i przywiązana do aparatu na długie godziny. W większości przypadków monitorowanie prowadzone jest w sposób przerywany i rodząca może poruszać się swobodnie między kolejnymi okresami monitorowania. Niektóre szpitale są wyposażone w monitory przenośne, które można przypiąć do ubrania rodzącej. Pozwala to na pełną swobodę poruszania się, podczas gdy dane o stanie dziecka przesyłane są do odbiornika przy łóżku porodowym lub na stanowisko centralnego monitorowania.

Podczas drugiego okresu porodu (podczas parcia), kiedy skurcze następują jeden po drugim i są bardzo silne, rodząca traci często orientację, kiedy przeć, a kiedy odpoczywać. Monitor pomaga wtedy określić początek i koniec każdego skurczu. Niekiedy monitor właśnie w tym momencie jest wyłączany, by nie przeszkadzał rodzącej w koncentracji. W takiej sytuacji czynność serca dziecka sprawdzana jest stetoskopem (słuchawką).

Monitorowanie wewnętrzne. Monitorowanie wewnętrzne stosowane jest w sytuacjach, gdy potrzebny jest bardziej dokładny pomiar – na przykład, gdy podejrzewa się zagrożenie płodu. Ponieważ elektroda służąca do oceny uderzeń serca płodu jest umocowana na główce dziecka i wprowadzana jest poprzez szyjkę macicy, monitorowanie wewnętrzne jest możliwe, gdy rozwarcie szyjki wynosi przynajmniej 1-2 centymetry i błony płodowe są pęknięte. Siła skurczów może być mierzona przez czujnik umieszczony na brzuchu lub wypełniony płynem cewnik (plastykową rurkę) wprowadzony do macicy. Ponieważ monitorowanie wewnętrzne nie może być okresowo wyłączane i włączane, ogranicza możliwość poruszania się, chociaż możliwe są zmiany pozycji.

Niekiedy monitorowanie wewnętrzne połączone jest z tzw. telemetrią. Oznacza to, że sygnały przekazywane są drogą fal radiowych. Technika ta, wypróbowana w badaniach kosmicznych, pozwala na ciągłe monitorowanie bez połączenia z monitorem. Pacjentka jest zupełnie swobodna, może przyjąć dowolną, wygodną pozycję, pójść do łazienki lub nawet na spacer.

Podobnie jak inne inwazyjne techniki medyczne (wnikające do środka ciała), monitorowanie wewnętrzne niesie ze sobą pewne ryzyko – głównie zakażenia. Niekiedy u dziecka pojawia się zaczerwienienie lub (rzadko) ropień w miejscu umocowania elektrody. Bardzo rzadko może w tym miejscu pozostać maleńka „łysinka". Jest również prawdopodobne, że założenie elektrody może być nieprzyjemne lub powodować chwilowy ból u dziecka. Z powodu wymienionych zagrożeń, chociaż niewielkich, monitorowanie wewnętrzne jest stosowane tylko wtedy, gdy przynosi duże korzyści.

Nie wpadaj w panikę, gdy pojawiają się trudności z oceną czynności serca płodu. Większość takich sygnałów to fałszywy alarm. Czasem nie funkcjonuje prawidłowo, czasem zapis jest nieprawidłowo odczytywany. Dość często nieprawidłowy zapis czynności serca dziecka jest spowodowany pozycją ciężarnej na wznak. Następuje wówczas ucisk głównych żył ciężarnej lub pępowiny płodu, zaburzający zaopatrzenie płodu. Zmiana pozycji (położenie się na lewym boku) często powoduje natychmiastową poprawę. Jeżeli zaburzenia powstały podczas stosowania oksytocyny, to poprawę można uzyskać przez zmniejszenie dawki lub przerwanie podawania leku. Poprawę może przynieść również stosowanie tlenu.

Jeżeli wciąż utrzymuje się nieprawidłowy zapis, można podjąć kilka sposobów postępowania. Jeżeli ocenia się, że istnieje duże zagrożenie dla płodu, lekarz może podjąć decyzję natychmiastowego cięcia cesarskiego. W przeciwnym wypadku wykonuje się inne badania, pozwalające szybko ocenić stan płodu: sprawdzenie koloru płynu owodniowego w celu wykrycia smółki, zbadanie pH próbki krwi płodu pobranej z główki lub ocena reakcji płodu na bodziec dźwiękowy, na poruszenie lub ukłucie główki. Jeżeli do przeprowadzenia któregoś z wymienionych badań potrzebny jest bezpośredni dostęp do płodu, w razie potrzeby przebija się błony płodowe. Ocenia się również dotychczasowy przebieg ciąży i porodu oraz ewentualnych chorób ciężarnej. Niektóre nieprawidłowości czynności serca płodu mogą bowiem być spowodowane zakażeniem, chorobą matki lub stosowanymi u niej lekami i nie zagrażają dziecku bezpośrednio. Doświadczony i wykształcony położnik musi wziąć pod uwagę bardzo wiele czynników, zanim rozpozna poważne zagrożenie dla płodu. W niektórych sytuacjach lekarz może przekazać natychmiast zapis przez telefaks (przekazywanie obrazów graficznych przez linię telefoniczną) do drugiego specjalisty, celem skonsultowania. Jeżeli rozpoznane zostanie zagrożenie płodu, wykonuje się natychmiast cięcie cesarskie. Niekiedy lekarz może spróbować poprawić stan dziecka za pomocą leków. Jeżeli to się uda, uzyskuje się dodatkowy czas na przygotowania do operacji i zwiększa się szanse urodzenia dziecka w dobrym stanie. Niekiedy udaje się nawet uniknąć cięcia cesarskiego i prowadzić dalej poród drogami natury.

Ostatnie badania dotyczące monitorowania płodu wykazały, że prawdopodobnie nie uratowano w ten sposób więcej dzieci niż przez tradycyjne osłuchiwanie stetoskopem (najpierw co 15 minut, a później, w trakcie porodu, co 5), choć zdaje się, że zmniejsza się nieco ryzyko wstrząsu u noworodka, po którym długofalowe efekty wydają się minimalne. Ciągle jednak wielu lekarzy uważa, że są zagrożenia, które gdyby nie monitoring, mogłyby zostać przeoczone. Niemniej jednak rutynowe wykorzystywanie monitoringu budzi kontrowersje. Ponieważ monitorowanie elektroniczne jest metodą drogą i uważa się, że w niektórych szpitalach powoduje zwiększenie liczby niepotrzebnych cięć cesarskich (głównie z powodu nieprawidłowej interpretacji zapisu), ponieważ niektórzy uważają, że jest to nadmierna ingerencja techniki w naturalny poród i zastępowanie osobistej opieki położnej przez bezduszną maszynę, istnieją kontrowersje co do zakresu zastosowania. W Amerykańskim Kolegium Położników i Ginekologów zaczyna przeważać pogląd, że monitorowanie powinno być stosowane tylko w porodach wysokiego ryzyka. Niemniej jednak niektórzy lekarze, którzy podzielają ten pogląd, zamierzają kontynuować monitorowanie wszystkich swoich pacjentek. Dyskusja nie została więc jeszcze zakończona.

Sposób, w jaki rodząca i jej partner podchodzą do monitorowania elektronicznego, zależy głównie od ich nastawienia. Jeżeli wchodzą do pokoju porodowego pełni strachu i nieufności do wszystkiego, co nie jest „naturalne", prawdopodobnie monitor płodowy wzbudzi ich zastrzeżenia. Jeżeli chcą oni wszystkiego co najlepsze z obu światów – świata natury i świata nauki – będą spokojniejsi i pewniejsi siebie, widząc rejestrowane rytmicznie na monitorze kolejne uderzenia serca dziecka.

WIDOK KRWI

Widok krwi zawsze powodował u mnie zasłabnięcie. Co będzie, gdy zemdleję na widok własnego porodu?

Widok krwi u wielu ludzi powoduje takie właśnie reakcje. Ale, co ciekawe, chociaż mogą zemdleć, oglądając czyjś poród w telewizji, to nawet najbardziej wrażliwe kobiety przechodzą przez własny poród bez wąchania soli trzeźwiących.

Po pierwsze, w czasie porodu wcale nie ma tak wiele krwi – niewiele więcej niż się widzi w czasie miesiączki (nieco więcej w wypadku wykonania nacięcia lub pęknięcia krocza). Po drugie, nie będziesz widzem swojego porodu – będziesz bardzo aktywnym uczestnikiem, całą swoją energię skoncentrujesz na parciu i przebywaniu przez dziecko ostatnich kilku centymetrów. Będziesz tak podniecona i pochłonięta oczekiwaniem (i powiedzmy szczerze, bólem i zmęczeniem), że nie będziesz dostrzegać i niepokoić się krwawieniem. Tylko nieliczne matki są w stanie powiedzieć, ile krwi widziały w czasie własnego porodu.

Jeżeli jesteś przekonana, że nie zniesiesz widoku krwi, odwróć głowę od lustra (gdyby ktoś koniecznie chciał ci to pokazać) podczas wykonywania nacięcia krocza lub w chwili rodzenia się dziecka. Zamiast tego patrz na dół, na swój brzuch i rodzące się dziecko. W ten sposób wcale nie zobaczysz krwi.

NACIĘCIE KROCZA

Prowadzący szkołę rodzenia powiedział nam, że nie powinno się nacinać krocza – jest to nienaturalne. Mój lekarz to wyśmiał. Nie wiem, co o tym sądzić.

Nacinać czy nie nacinać? Oto jest pytanie, którym „strzelają" do siebie niektórzy położnicy i propagatorzy porodu naturalnego, biorąc ciężarne w ogień krzyżowy.

Niewielki zabieg chirurgiczny, który jest przedmiotem tej wojny, został wprowadzony w Irlandii w roku 1742 w celu ułatwienia trudnych porodów. Nie był jednak szeroko używany aż do połowy obecnego stulecia. Obecnie episiotomię (chirurgiczne nacięcie, wykonane na kroczu tuż przed urodzeniem główki dziecka, w celu zwiększenia średnicy kanału rodnego) wykonuje się przy pierwszym porodzie w 80-90% i w około 50% przy następnych.

Wykonuje się dwa główne rodzaje episiotomii: środkową i środkowo-boczną. Nacięcie pośrodkowe wykonuje się prosto ku tyłowi, w kierunku odbytu. Mimo jego zalet (w stosunku do długości nacięcia powoduje większe poszerzenie wychodu kanału rodnego, dobrze się goi i jest łatwiejsze do zeszycia, powoduje mniejsze krwawienie, rzadziej powoduje dolegliwości poporodowe i ulega zakażeniu) jest rzadziej stosowane w Stanach Zjednoczonych, z powodu większego ryzyka pęknięcia krocza aż do odbytu. By uniknąć tego niebezpieczeństwa, większość lekarzy wybiera nacięcie środkowo-boczne, które omija odbyt. Postępuje się tak zwłaszcza przy pierwszym porodzie.

Tradycyjna medycyna zalecała wykonywanie nacięcia krocza z różnych powodów. Równe brzegi nacięcia są łatwiejsze do zaopatrzenia niż poszarpane pęknięcie. Nacięcie we właściwym momencie zapobiega uszkodzeniom mięśni krocza i pochwy. Główka dziecka jest chroniona przed naciskiem krocza. O około 15-30 minut zostaje skrócone parcie rodzącej – jest to zwłaszcza korzystne, kiedy poród się przedłuża, dziecko jest zagrożone lub rodząca wyczerpana.

Przeciwnicy nacinania krocza twierdzą, że jest to nienaturalne, w znakomitej większości zupełnie niepotrzebne zaburzenie przebiegu porodu. Według nich nacięcie jest często znacznie większe od ewentualnego pęknięcia krocza, powoduje nadmierną utratę krwi, ból i niewygodę po porodzie, bolesne stosunki nawet przez wiele miesięcy i (czasem) zakażenie. Zamiast tego zalecają oni ćwiczenia opracowane przez Kegla (s. 198) i rozpoczęcie na cztery do sześciu tygodni przed porodem masażu krocza w celu jego wcześniejszego przygotowania i wzmocnienia. W czasie porodu stosują ciepłe kompresy, zmniejszające napięcie krocza, masaż, pozycję stojącą lub kuczną, wydech lub chrząknięcie w czasie parcia w celu łatwiejszego rozciągnięcia krocza. Nie zalecają stosowania znieczulenia miejscowego, które zwiotcza mięśnie krocza. Chociaż wszystkie te metody mogą zmniejszyć częstość nacinania i pęknięć krocza, nie gwarantują tego jednak wcale. W ośrodkach, stosujących opisane techniki, nacięcie krocza wykonuje się u 15-25% kobiet, u 25-30% pozostałych kobiet występują pęknięcia na tyle duże, że wymagają zaopatrzenia. Poważne pęknięcia, sięgające do odbytu, zdarzają się u 3-4% rodzących.

Niestety „twardogłowi" (ci, którzy rutynowo wykonują nacięcie, nawet wtedy, gdy nie jest potrzebne, oraz ci, którzy powstrzymują się od nacięcia, nawet gdy jest potrzebne) zapomnieli, że odpowiedzi na pytanie „nacinać krocze czy nie?" należy udzielać nie w klasie czy na wykładzie, ale w pokoju porodowym, kiedy rodzi się główka dziecka. Jest tylko jeden realny sposób rozsądzenia sporu, czy krocze jest dostatecznie elastyczne w stosunku do wielkości główki dziecka, czy też nie – jest nim urodzenie dziecka w dobrym stanie, bez narażania jego i rodzącej na długi poród i spowodowania poważnych uszkodzeń i pęknięć krocza. W chwili pojawienia się wątpliwości ostrożny położnik i roztropna położna wybiorą raczej nacięcie krocza niż ryzyko nieprzewidzianych i trudnych do zaopatrzenia uszkodzeń.

Jeżeli po przeczytaniu powyższych informacji chcesz przedyskutować to zagadnienie ze swoim lekarzem i wolałabyś nie mieć nacinanego krocza, zaznacz to w swoim planie porodu (s. 231). Jednak pamiętaj, że ostateczna decyzja zostanie podjęta w sali porodowej, po uwzględnieniu twojego stanu i przede wszystkim możliwości szybkiego i bezpiecznego urodzenia dziecka.

ROZCIĄGNIĘCIE KROCZA PRZEZ PORÓD

Najbardziej przeraża mnie możliwość rozciągnięcia i pęknięcia pochwy w czasie porodu. Czy po porodzie będę taka, jaka byłam wcześniej?

Pochwa jest narządem bardzo elastycznym. W czasie porodu jej ściany rozciągają się jak w akordeonie. Kobieta, u której przed ciążą zdarzały się kłopoty z założeniem tamponu, potrafi urodzić 3-4-kilogramowe dziecko. Po porodzie, po kilku tygodniach narządy płciowe kobiety powracają niemal zupełnie do poprzednich rozmiarów. Dla większości kobiet większa pojemność pochwy jest niemal niezauważalna i nie ma wpływu na współżycie płciowe. Dla kobiet o szczególnie wąskiej pochwie, zmiany mogą być korzystne i współżycie może przynosić więcej satysfakcji.

Krocze, czyli przestrzeń pomiędzy pochwą i odbytem, jest również bardzo rozciągliwe, jednak nie aż tak jak pochwa. U części kobiet może się rozciągnąć wystarczająco do przejścia dziecka bez żadnego pęknięcia. Znaczne rozciągnięcie może osłabić mięśnie krocza bardziej niż wykonanie jego nacięcia we właściwym momencie.

Można jednak zwiększyć zdolność krocza do rozciągania oraz powrotu do pierwotnego kształtu przez odpowiednio długo wykonywane ćwiczenia. Ćwiczenia wmacniające mięśnie krocza zaproponowane zostały przez Kegla (s. 198). Powinno się je wykonywać przez całą ciążę i przynajmniej 6 miesięcy po porodzie.

Wiele par stwierdza, że po porodzie współżycie daje im więcej satysfakcji. Dzieje się tak dzięki nabyciu w czasie ćwiczeń przedporodowych większej kontroli nad mięśniami krocza i świadomemu kierowaniu nimi. Innymi słowy, po porodzie możesz nie być taka sama – możesz być nawet atrakcyjniejsza!

Zdarza się, chociaż rzadko, że u kobiety poprzednio zadowolonej ze swojej budowy, duże rozciągnięcie krocza w czasie porodu powoduje po porodzie zmniejszenie satysfakcji ze współżycia. Często dopiero po upływie czasu mięśnie wzmacniają się ponownie. Systematyczne wykonywanie ćwiczeń Kegla kilka razy dziennie – podczas kąpieli, oddawania moczu, zmywania naczyń, spaceru z dzieckiem, prowadzenia samochodu, pracy przy biurku – bardzo przyspieszy ten proces. Natomiast jeżeli nie ma poprawy po sześciu miesiącach, może to wymagać pomocy lekarskiej.

PRZYPINANIE DO ŁÓŻKA PORODOWEGO

Przeraża mnie myśl, że będę przywiązana do łóżka porodowego, podobnie jak kiedyś moja matka. Czy to naprawdę konieczne?

Rzeczywiście, perspektywa przypięcia rąk i nóg do łóżka porodowego za pomocą pasków może przerażać – zwłaszcza kobiety chcące uczestniczyć aktywnie w porodzie. Na szczęście ten rutynowy niegdyś zwyczaj dzisiaj praktycznie nie istnieje. Większość położników prosi rodzącą o trzymanie rąk powyżej pasa, daleko od miejsc, które powinny pozostać jałowe podczas porodu. Jeżeli rodząca zapomni o tym podczas szczególnie silnego skurczu, na miejscu jest mąż i położna, którzy o to zadbają.

To, czy stopy rodzącej przypina się w chwili rodzenia się dziecka (w ciągu całego porodu nie ma takiej potrzeby), czy też nie, zależy od zwyczajów panujących w szpitalu, wyboru lekarza i przede wszystkim od życzenia rodzącej.

Pasków do przypinania rodzącej używało się z różnych powodów. Po pierwsze, paski umożliwiały utrzymanie uniesionych nóg rodzącej, dzięki czemu lekarz miał możliwość swobodnego działania. Po drugie, zabezpieczały przed mimowolnym kopaniem przez rodzącą podczas silnych skurczów (co mogło przeszkadzać w czasie porodu). W końcu, stopy rodzącej były utrzymywane z daleka od powierzchni, która powinna pozostawać jałowa.

Główną przyczyną coraz rzadszego przypinania rodzącej do łóżka w szpitalach jest obecnie stosowanie różnych pozycji w czasie porodu, zamiast standardowej dotychczas pozycji na plecach z rozszerzonymi i uniesionymi nogami. W izbach porodowych rodzących nie przypina się prawie nigdy, bo w miejsce foteli porodowych wprowadzono specjalne łóżka porodowe. Inną przyczyną zaniechania tej praktyki jest silny opór kobiet, chcących zachować godność i samodzielność w czasie porodu.

Ponieważ rodzące w większości są coraz lepiej przygotowane do porodu, mimowolne kopanie ze strachu i bólu w czasie rodzenia dziecka zdarza się coraz rzadziej. Jednak wciąż wielu lekarzy prosi rodzącą o zgodę na przypięcie nóg, ponieważ uważają to zabezpieczniejsze i ułatwiające pomoc w czasie rodzenia.

Przedyskutuj to zagadnienie z lekarzem wcześniej i podziel się z nim swoim zdaniem na ten temat. Jest prawdopodobne, że twoje życzenie zostanie spełnione lub przynajmniej zostanie osiągnięty kompromis.

UŻYCIE KLESZCZY

Słyszałam już wszelkie możliwe przerażające opowieści o kleszczach. Co będzie, jeżeli lekarz zechce ich użyć w moim przypadku?

Pierwszą parę kleszczy położniczych skonstruował brytyjski chirurg Piotr Chamberlen Starszy w 1598 roku. Wykorzystał to narzędzie do wydobycia dziecka z kanału rodnego, w sytuacji gdy trudny poród zagrażał śmiercią matce i dziecku. Zamiast opisać wynalazek w najnowszym czasopiśmie naukowym, Chamberlen zachował to w tajemnicy, wyłącznie do prywatnego użytku dla czterech pokoleń lekarzy rodziny Chamberlenów i ich pacjentek, niektórych z rodzin królewskich. Niewiele brakowało, by użycie kleszczy skończyło się na zawsze razem z karierą ostatniego lekarza z rodziny. Jego skrzynka z narzędziami ukryta była pod podłogą domu rodziny Chamberlenów aż do połowy XVIII wieku.

Czasami słyszy się opinię, że użycie kleszczy położniczych powinno zakończyć się na rodzinie Chamberlenów. Jednak nie jest to ocena zupełnie prawdziwa.

Zanim cięcie cesarskie stało się tak popularne i bezpieczne jak obecnie, użycie kleszczy położniczych było jedynym sposobem wydobycia dziecka, tkwiącego w kanale rodnym. Zdarzające się poważne uszkodzenia, spowodowane operacją kleszczową, były niską ceną płaconą za trudną do zliczenia liczbę uratowanych istnień. Korzyści znacznie przewyższały ryzyko operacji.

Obecnie sytuacja przedstawia się zupełnie inaczej. Cięcie cesarskie całkowicie zastąpiło stosowanie techniki tzw. „wysokich kleszczy", polegającej na wyciągnięciu kleszczami płodu tkwiącego wysoko w wejściu do miednicy. Owe straszne historie na temat kleszczy, opowiadane ciężarnym, dotyczą właśnie tej operacji. Natomiast stosowanie techniki tzw. „średnich", „niskich" lub „wyjściowych" kleszczy jest nadal zalecane przez Amerykańskie Kolegium Położników i Ginekologów oraz większość lekarzy. Jak wykazują aktualne badania, porody takie nie powodują wzrostu ryzyka dla matki i dziecka w porównaniu z wykonaniem cięcia cesarskiego, pod warunkiem,

SKALA APGAR

OBJAW	PUNKTY		
	0	1	2
Czynność serca	Niewykrywalna	Poniżej 100/minutę	Powyżej 100/minutę
Oddychanie	Brak	Wolne, nieregularne	Prawidłowe (krzyk)
Napięcie mięśni	Wiotkość	Słabe ruchy kończyn	Pełna ruchliwość
Reakcja na cewnik w nosie	Brak	Grymasy	Krzyk
Zabarwienie skóry*	Blade lub sine	Tułów różowy, kończyny sine	Różowe

* U dzieci innych ras niż biała należy oceniać zabarwienie błony śluzowej ust, twardówki oka, warg, dłoni lub stóp.

że operacja kleszczowa jest wykonana poprawnie i przez osobę doświadczoną w tym zakresie. W sytuacji zaawansowania główki płodu w miednicy i zatrzymania porodu, wielu lekarzy przed podjęciem decyzji o cięciu cesarskim podejmuje rozsądną próbę operacji kleszczowej. W krajach, gdzie takie postępowanie jest rutynowe, np. w Wielkiej Brytanii, cięcie cesarskie wykonuje się rzadziej.

Kleszcze powinny być używane tylko z ważnych powodów (zagrożenie płodu lub matki, przedłużony poród lub przedłużający się drugi okres porodu). Powinna istnieć również możliwość wykonania cięcia cesarskiego, w wypadku nieudanej próby operacji kleszczowej.

Przed założeniem kleszczy wykonuje się znieczulenie miejscowe (s. 234). Następnie zakłada się kolejno dwie zakrzywione, zaokrąglone łyżki kleszczy wokół główki dziecka (na skronie), która zostaje bezpiecznie urodzona.

Zamiast kleszczy zakładanych na główkę będącą w wychodzie miednicy można użyć wyciągacza próżniowego. Do główki zostaje przyssana metalowa lub plastykowa (mniej urazowa) przyssawka w kształcie dzwonu.

Jeżeli masz wątpliwości, dotyczące ewentualnego użycia kleszczy lub wyciągacza próżniowego w czasie twojego porodu, przedyskutuj to wcześniej z lekarzem, który powinien rozwiać twoje wątpliwości.

STAN NOWORODKA

Lekarz powiedział, że dziecko jest w dobrym stanie, ale dostało tylko 7 punktów w skali Apgar. Czy naprawdę jest zdrowe?

Twój lekarz ma rację. Punktacja w skali Apgar wynosząca 7 lub więcej wskazuje, że dziecko jest w dobrym stanie, ale nawet stan dzieci z niższą punktacją w większości przypadków szybko się poprawia. System punktacji został opracowany przez doktor Virginię Apgar, znanego lekarza pediatrę, w celu umożliwienia szybkiej oceny stanu noworodka. W 60 sekund po urodzeniu lekarz lub położna ocenia kolor skóry, częstość uderzeń serca, grymasy twarzy w odpowiedzi na bodźce, aktywność ruchową i oddechy dziecka (pierwsze litery ocenianych cech tworzą po angielsku skrót APGAR[1]). Dzieci, które otrzymały od 4 do 6 punktów wymagają często pomocy, tzw. resuscytacji. Polega ona na

[1] Technika mnemotechniczna stosowana jest przez licznych autorów, m.in. w piśmiennictwie polskim przyjęty został akronim OCENA pochodzący od pierwszych liter następujących słów: Oddychanie, Czynność serca, Efekt drażnienia cewnikiem, Napięcie mięśni, Aktualny wygląd (uwaga redaktora wydania polskiego).

oczyszczeniu dróg oddechowych i podaniu tlenu. Dzieci, które otrzymały mniej niż 4 punkty, wymagają znacznie większej pomocy i intensywnego, ratującego życie postępowania. Ocena według skali Apgar przeprowadzana jest ponownie po pięciu minutach od urodzenia. Jeżeli wynosi ponad 7 punktów, stan dziecka jest zadowalający. Jeżeli jest niższa, oznacza to, że dziecko wymaga uważnej obserwacji i opieki.

CO WARTO WIEDZIEĆ

Przebieg porodu

Tylko nieliczne ciąże przebiegają według schematu podawanego w podręcznikach położnictwa – z porannymi nudnościami, mijającymi pod koniec pierwszego trymestru, wystąpieniem pierwszych ruchów płodu dokładnie w 20 tygodniu ciąży i obniżeniem dna macicy na 2 tygodnie przed porodem. Podobnie jest z porodami – tylko nieliczne są lustrzanym odbiciem opisanego niżej schematu. Mimo to taki schemat typowego, przeciętnego porodu ułatwia przewidywanie przebiegu porodu konkretnej rodzącej. Schemat taki jest przydatny pod warunkiem, że pamięta się o możliwości wystąpienia sytuacji nietypowych, zdarzających się rzadziej, ale możliwych.

Poród został podzielony (dosyć swobodnie przez naturę, bardziej formalnie przez położników) na trzy okresy. Pierwszy okres porodu, składający się z fazy wczesnej (tzw. utajonej), fazy przyspieszenia (tzw. aktywnej) i fazy przejściowej – kończy się z chwilą całkowitego rozwarcia szyjki macicy. Drugi okres porodu, okres wydalania – kończy się urodzeniem dziecka. Trzeci okres porodu to urodzenie łożyska, a mówiąc poprawniej – popłodu. Pierwszy poród w życiu (u tzw. pierwiastki) trwa 14 godzin, następne są zwykle krótsze i trwają około 8 godzin (u wieloródki).

W każdym porodzie drogami natury, w ciąży donoszonej, można wyróżnić trzy wymienione fazy pierwszego okresu. Niektóre kobiety mogą nawet nie zauważyć, że poród się zaczął, aż do wystąpienia drugiej, a nawet trzeciej fazy, ponieważ ich skurcze nie są początkowo bolesne. Trzecia faza porodu kończy się, gdy szyjka rozwarła się całkowicie, tj. na 10 cm. Bardzo rzadko zdarza się, że kobieta wcale nie zauważyła pierwszego okresu porodu. Pierwszym sygnałem porodu jest dla niej nagłe wystąpienie uczucia parcia na stolec. Jest to już objaw drugiego okresu porodu.

Częstość i siła skurczów mogą pomóc w określeniu fazy porodu. Potwierdzenie postępu porodu uzyskuje się dzięki okresowemu badaniu wewnętrznemu.

Jeżeli poród nie postępuje według schematu przyjętego za prawidłowy, wielu lekarzy stara się pomóc Matce Naturze (na przykład przez zastosowanie oksytocyny). Jeżeli nie przynosi to skutku, rezygnuje się całkowicie z porodu naturalnego i wykonuje się cięcie cesarskie. Inni wybierają dłuższe oczekiwanie przed podjęciem takiej decyzji, pod warunkiem dobrego stanu matki i dziecka.

PIERWSZY OKRES PORODU

FAZA PIERWSZA: WCZESNA LUB UTAJONA

Jest to zwykle najdłuższa i na szczęście najmniej dolegliwa faza porodu. Całkowite zaniknięcie szyjki macicy i jej rozwarcie do około 3 centymetrów może nastąpić w ciągu dni, a nawet tygodni pod wpływem skurczów, które mogą być niewyczuwalne lub bolesne, ale występują rzadko. U innych kobiet nie budzący wątpliwości poród rozpoczyna się przy zamkniętej szyjce macicy i rozwarcie do

Pozycje rodzącej w czasie pierwszego okresu porodu

Porozmawiaj wcześniej z lekarzem na temat możliwości stosowania pionowej pozycji w czasie pierwszego okresu porodu. Można wówczas stać, spacerować lub siedzieć (na krześle obrotowym lub w ramionach partnera). Badania wskazują, że pozycja pionowa może powodować skrócenie porodu przez przyspieszenie rozwierania szyjki i obniżania się płodu – chociaż nie ma pozycji „idealnie skutecznej" i wygodnej dla wszystkich kobiet. Leżenie na plecach nie tylko może zwolnić przebieg porodu, ale również powodować ucisk dużych żył rodzącej (zwłaszcza na twardym podłożu), który może wpłynąć niekorzystnie na stan płodu. Jeżeli w czasie porodu bardziej odpowiada ci pozycja pozioma, to połóż się na boku i zmieniaj co jakiś czas stronę. Wykonuj również okresowe ruchy miednicą.

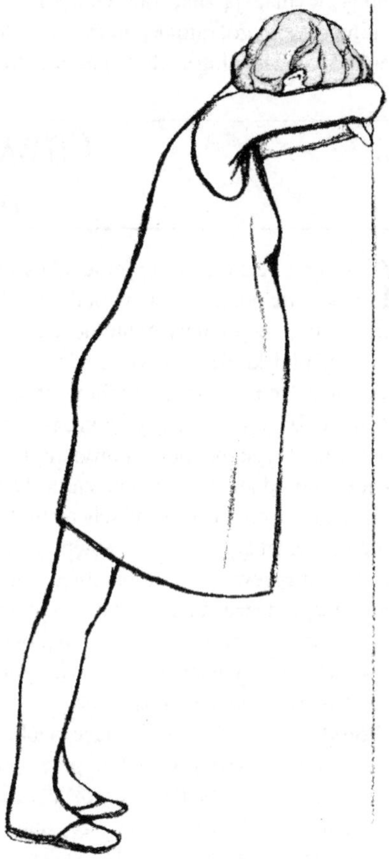

Pozycja stojąca zwiększa wysiłek rodzącej i przyspiesza przebieg porodu

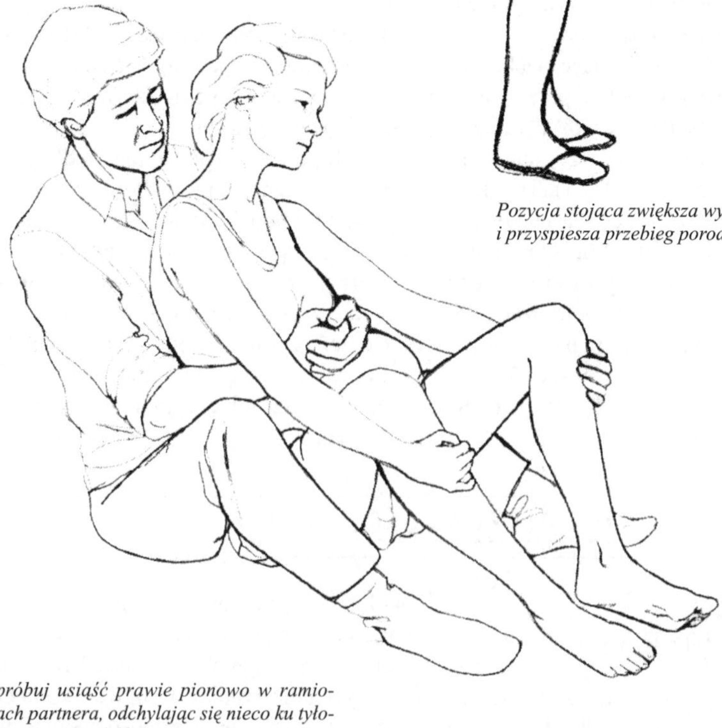

Spróbuj usiąść prawie pionowo w ramionach partnera, odchylając się nieco ku tyłowi i opierając lekko o niego.

3 centymetrów następuje w ciągu 2-6 godzin (rzadziej 24 godzin) silniejszych i bardziej regularnych skurczów. Skurcze w tej fazie trwają zwykle około 30-45 sekund. Są lekkie lub średnio mocne, regularne lub nie (występują co 5 lub 20 minut) i nasilają się, chociaż niekoniecznie równomiernie. Część kobiet nie zauważa ich wcale.

Zostaniesz prawdopodobnie poinformowana, by pod koniec tej fazy lub na początku następnej udać się do szpitala.

Co możesz odczuwać lub zauważyć. Najczęstszymi objawami w tej fazie są bóle okolicy krzyżowej (stałe lub podczas każdego skurczu), bóle podbrzusza podobne jak w czasie miesiączki, niestrawność, biegunka, uczucie gorąca w brzuchu, krwista wydzielina z pochwy. Możesz zauważyć wszystkie opisane objawy lub tylko niektóre. Błony płodowe mogą pęknąć zarówno przed, jak i w czasie porodu (jeżeli nie pękną same, lekarz może zdecydować o ich przebiciu w następnej fazie porodu).

Zmienia się też stan emocjonalny. Możesz odczuwać podniecenie, ulgę, oczekiwanie, niepewność, strach i niepokój. Niektóre kobiety są odprężone i rozmowne, inne napięte i niespokojne.

Co możesz robić:

- Odpręż się. Lekarz prawdopodobnie mówił ci, abyś nie telefonowała przed rozpoczęciem silniejszych skurczów. Lekarz mógł również prosić o wcześniejszą wiadomość, gdyby skurcze rozpoczęły się w ciągu dnia lub w wypadku pęknięcia błon płodowych. Musisz bezwzględnie zatelefonować, gdy płyn owodniowy jest zielony lub ciemny, jeżeli występuje jasnoczerwone krwawienie, jeśli nie odczuwasz ruchów płodu (odczuwanie ich może być trudniejsze, ponieważ jesteś pochłonięta obserwacją skurczów; możesz więc przeprowadzić test opisany na stronie 209). Chociaż możesz nie czuć się najlepiej, rozmawiaj z lekarzem osobiście i nie proś o to męża. Każde pośrednictwo powoduje utratę cennych informacji.
- Jeżeli jest środek nocy, spróbuj zasnąć (nie leż na plecach, zalecane pozycje opisane są na s. 183). Wypoczynek w tej fazie porodu jest bardzo ważny, ponieważ później będzie to niemożliwe. Nie obawiaj się, że prześpisz następną fazę porodu – skurcze będą zbyt mocne. Jeżeli nie możesz zasnąć, nie leż w łóżku, licząc skurcze – poród wydaje się wtedy znacznie dłuższy i nużący. Lepiej wstań i zajmij się czymś. Posprzątaj pokój, przygotuj łóżeczko dziecka, spakuj rzeczy potrzebne w szpitalu (s. 269), zrób kanapki dla męża, ułóż pasjans lub rozwiąż łamigłówkę.
- Jeżeli jest dzień, kontynuuj swoje normalne, zaplanowane zajęcia, z wyjątkiem wyjazdów na dalekie trasy. Jeżeli nic nie zaplanowałaś, poszukaj sobie jakiegoś zajęcia. Możesz wybrać coś z wymienionych wyżej zajęć, pójść na spacer (pozycja pionowa sprzyja postępowi porodu), oglądać telewizję. Możesz przygotować posiłek i włożyć do zamrażarki – ułatwi to życie po porodzie. Zawiadom męża i utrzymuj z nim kontakt, chociaż nie musi on jeszcze na razie wracać do domu.
- Oczekując na silniejsze skurcze, weź ciepłą kąpiel (pod warunkiem, że nie pękły błony płodowe) lub prysznic (uważaj, by się nie poślizgnąć). Jeżeli boli cię okolica krzyżowa, możesz przyłożyć ciepły termofor lub poduszkę elektryczną – nie stosuj aspiryny ani nie leż na plecach.
- Zjedz lekki posiłek, jeżeli jesteś głodna (bulion, grzanka z przecierem jabłkowym, sok owocowy). Nie objadaj się i unikaj potraw ciężkostrawnych: mięsa, mleka i tłuszczu. Trawienie pokarmu jest dla organizmu wysiłkiem, który w połączeniu z porodem staje się duży. Pełen żołądek może być również przyczyną powikłań w wypadku późniejszej konieczności znieczulenia ogólnego.
- Mierz częstość występowania skurczów w okresach półgodzinnych, jeżeli występują częściej niż co 10 minut. Nie patrz jednak bez przerwy na zegarek.

Jeżeli poród nie postępuje

Przez postęp porodu rozumie się stopniowe rozwieranie się szyjki macicy oraz obniżanie się płodu i przechodzenie przez kanał rodny między kośćmi miednicy. Uważa się, że dla odpowiedniego postępu porodu muszą istnieć trzy główne czynniki: silne skurcze macicy skutecznie rozwierające szyjkę, odpowiednia wielkość i położenie płodu umożliwiające przejście przez miednicę oraz odpowiednio obszerna dla przejścia płodu miednica.

Poród nieprawidłowy, w którym postęp jest zbyt powolny lub nie ma go wcale, może być spowodowany brakiem każdego z wymienionych czynników.

Przedłużona faza utajona pierwszego okresu porodu – gdy mimo długo trwającej czynności skurczowej macicy nie stwierdza się rozwierania szyjki lub rozwarcie jest niewielkie. U rodzącej po raz pierwszy stan taki rozpoznaje się po 20 godzinach skurczów, a u rodzącej ponownie (wieloródki) po 14 godzinach. Czasami rozwarcie nie występuje, ponieważ skurcze, mimo że przykro odczuwane, są zbyt słabe. Po prostu rozpoznanie porodu było przedwczesne i fałszywe. Niekiedy przyczyną braku postępu porodu jest zbyt wczesne podanie leków przeciwbólowych i osłabienie rozpoczynających się dopiero skurczów. Uważa się, że przyczyną może być również stan psychiczny rodzącej w chwili rozpoczynania się porodu. Wiadomo z badań, że w wyniku strachu, przerażenia w układzie nerwowym wydzielane są substancje, które teoretycznie mogą hamować skurcze macicy.

Lekarz może wybrać różne sposoby postępowania. Może zalecić zwiększenie aktywności (np. spacery), w celu pobudzenia macicy do skurczów. Można postąpić też dokładnie odwrotnie i zalecić wypoczynek i sen oraz zastosowanie technik rozluźniających mięśnie i odprężających. Jeżeli rodząca jest zbyt podniecona, by odprężyć się w sposób naturalny, można zaproponować trochę alkoholu lub podać leki uspokajające. Takie postępowanie pozwoli również odróżnić prawdziwy poród od pozornego (w wypadku porodu pozornego skurcze zwykle zmniejszają się podczas wypoczynku lub snu).

Jeżeli rozpozna się rzeczywiście przedłużoną pierwszą fazę porodu, można ją przyspieszyć za pomocą lewatywy, podania parafiny, ruchu i spacerów lub stosując oksytocynę. (Uwaga: trzeba pamiętać o regularnym oddawaniu moczu, ponieważ pełen pęcherz może przeszkadzać w przechodzeniu płodu przez miednicę.) Jeżeli próby przyspieszenia porodu są nieskuteczne, lekarz powinien wziąć pod uwagę możliwość niewspółmierności porodowej (zbyt duża główka dziecka w stosunku do miednicy rodzącej).

Jeżeli nie stwierdza się zadowalającego postępu porodu po 24-25 godzinach (czasem wcześniej), większość lekarzy podejmuje decyzję cięcia cesarskiego. Niektórzy czekają trochę dłu-

- Pamiętaj o częstym oddawaniu moczu. Wypełniony pęcherz może powodować zwolnienie przebiegu porodu.

- Wykonuj ćwiczenia rozluźniające, jeżeli przynoszą ci one ulgę. Nie rozpoczynaj jeszcze ćwiczeń oddechowych – mogą ci się znudzić i zmęczyć cię, zanim jeszcze będą potrzebne.

Co może robić partner:

- Ćwicz mierzenie częstości skurczów. Czas pomiędzy skurczami mierzy się od początku skurczu do początku następnego. Mierz ten czas okresowo i zapisuj. Gdy skurcze są częściej niż co 10 minut, mierz je częściej.

- Podtrzymuj rodzącą na duchu. Najważniejszym zadaniem w tej wczesnej fazie porodu jest odprężenie u rodzącej. Aby to uzyskać, partner musi być też spokojny i odprężony, zarówno wewnętrznie, jak i zewnętrznie. Niepokój jednej osoby udziela się drugiej nie tylko w czasie rozmowy, czasami zdenerwowanie można przekazać przez dotyk. Wspólne wykonywanie ćwiczeń odprężających lub delikatny powolny masaż może pomóc obojgu. Na ćwiczenia oddechowe jest jeszcze za wcześnie.

- Zachowaj poczucie humoru i pomóż je zachować rodzącej – czas znacznie szybciej mija podczas miłych zajęć. Na tym etapie śmiech jest łatwiejszy niż później, gdy zaczną się silniejsze skurcze.

żej, pod warunkiem, że matka i dziecko czują się dobrze.

Pierwotne zaburzenie fazy przyspieszenia (aktywnej) – rozpoznaje się, gdy druga faza pierwszego okresu porodu przebiega nieprawidłowo wolno (mniej niż 1-1,2 centymetra rozwarcia na godzinę u rodzącej po raz pierwszy i 1,5 centymetra na godzinę u rodzącej ponownie). Jeżeli stwierdza się jednak nawet niewielki postęp rozwarcia, wielu lekarzy wybiera postępowanie wyczekujące. Wiadomo bowiem, że 2/3 kobiet z takim zaburzeniem przebiegu porodu urodzi dziecko w sposób naturalny. Poród można przyspieszyć poprzez spacery, pozycję pionową oraz regularne opróżnianie pęcherza. Jeżeli poród się przedłuża, prawdopodobnie zostanie zastosowane dożylne podawanie płynów.

Wtórne zatrzymanie rozwierania – oznacza, że w czasie drugiej fazy porodu nie stwierdzono żadnego postępu w ciągu co najmniej dwóch godzin. Ocenia się, że w około połowie takich sytuacji przyczyną jest niewspółmierność porodowa (zbyt duża główka dziecka w stosunku do miednicy rodzącej), która wymaga wykonania cięcia cesarskiego. W pozostałych przypadkach, gdy przyczyną jest osłabienie skurczów i wyczerpanie, zastosowanie oksytocyny (i ewentualne przebicie błon płodowych) powinno przyspieszyć poród. Również w tej sytuacji można wykorzystać ciężar płodu do przyspieszenia porodu (siedzenie, kucanie, stanie lub spacer) oraz należy pamiętać o opróżnianiu pęcherza.

Nieprawidłowe obniżanie się płodu – część przodująca przesuwa się w kanale rodnym o mniej niż 1 centymetr na godzinę u kobiety rodzącej po raz pierwszy, oraz o mniej niż 2 centymetry u pozostałych. W większości przypadków poród przebiega powoli, ale bez zwiększonego ryzyka. Kiedyś, w wypadku konieczności szybkiego ukończenia takiego porodu, zakładano kleszcze na znajdującą się wysoko główkę dziecka. Obecnie nie stosuje się już tego niebezpiecznego postępowania. Uważa się, że po wykluczeniu niewspółmierności porodowej oraz nieprawidłowego ułożenia dziecka należy zastosować oksytocynę lub przebić błony płodowe.

Przedłużony drugi okres porodu – trwa ponad dwie godziny u rodzącej po raz pierwszy i nieco mniej w następnych porodach. Wielu lekarzy rutynowo wykonuje operację kleszczową (kleszcze „wyjściowe", gdy główka jest już nisko) lub cięcie cesarskie po upływie dwóch godzin. Inni czekają nieco dłużej na poród samoistny, pod warunkiem, że obserwuje się chociaż powolny postęp oraz matka i płód (stan dziecka wymaga szczególnie dokładnej obserwacji) są w dobrym stanie. Wykonuje się również obrót główki (tak, by lepiej pasowała kształtem do kanału miednicy) ręką lub za pomocą kleszczy. Również wykorzystuje się ciążenie – w tym okresie porodu wygodna może być pozycja półsiedząca lub zbliżona do kucznej.

- Zajmij czymś rodzącą. Zaproponuj rozrywkę, która pomoże chociaż na chwilę zapomnieć o porodzie, np. głośne czytanie, grę w karty lub gry planszowe, ciekawy program telewizyjny, krótki spacer.

DRUGA FAZA: FAZA PRZYSPIESZENIA LUB AKTYWNA

Druga faza pierwszego okresu porodu jest zwykle krótsza od pierwszej i trwa średnio od 2 do 3,5 godziny (chociaż zdarzają się duże odchylenia od tych wartości średnich). Skurcze stają się mocniejsze, dłuższe i częstsze. Gdy stają się silniejsze i dłuższe (40-60 sekund z wyraźnie zaznaczonym szczytem w połowie trwania skurczu) i częstsze (na ogół z przerwami 3-4 minutowymi, chociaż mogą występować odchylenia od normy), szyjka macicy rozwiera się do 7 centymetrów. Między skurczami jest mniej czasu na odpoczynek.

Prawdopodobnie w tej fazie znajdziesz się już w szpitalu, chociaż czasami zdarza się, że do rozwarcia dochodzi o tydzień, a nawet dwa przed przewidywanym terminem porodu.

Co możesz odczuwać lub zauważyć. Najczęstszymi objawami w tej fazie porodu są bardzo silne skurcze (w czasie skurczu możesz być nawet niezdolna do rozmowy), narastający ból okolicy krzyżowej i ud, zmęczenie i wzrost ilości krwistej wydzieliny z pochwy. Możesz zauważyć wszystkie wymienione objawy lub tylko niektóre. Jeżeli nie nastąpiło to już wcześniej, mogą pęknąć błony płodowe (jeżeli nie pękły same, może je przebić lekarz).

Następują również zmiany stanu psychicznego. Możesz być niespokojna, napięta i mieć trudności z odprężeniem albo przeciwnie, możesz być bardziej skoncentrowana. Możesz być niepewna i mieć wrażenie, że poród nigdy się nie skończy. Możesz też być podniecona i ośmielona tym, że poród rozpoczął się już na dobre.

Co możesz robić:

- Jeżeli przygotowałaś się i zaplanowałaś sobie ćwiczenia oddechowe, to rozpocznij je od chwili, w której silne już skurcze utrudniają rozmowę (jeżeli nigdy przedtem nie wykonywałaś tych ćwiczeń, zademonstruje ci je położna – poprawi to twoje samopoczucie). Jeżeli ćwiczenia wydają ci się męczące lub nieskuteczne, nie musisz się do nich zmuszać. Kobiety rodziły przecież setki lat bez ćwiczeń oddechowych.
- Jeżeli lekarz pozwoli na to (niektórzy pozwalają, zwłaszcza gdy nie stosuje się żadnych leków), pij często. Umożliwi to uzupełnienie płynów w organizmie oraz utrzymanie wilgotnych ust. Jeżeli jesteś bardzo głodna, a lekarz pozwoli na to, zjedz lekkostrawny i nie zawierający dużo tłuszczu ani błonnika posiłek (na przykład: sok z lodem, galaretka owocowa, zupa jabłkowa). Jeżeli lekarz zabroni spożywania jakichkolwiek pokarmów, może cię odświeżyć ssanie kostki lodu. Część lekarzy zabrania nawet ssania kostek lodu i płyn podaje tylko dożylnie. Jest to obowiązujące w niektórych szpitalach.
- Staraj się maksymalnie odprężyć i rozluźnić między skurczami. Będzie to coraz trudniejsze dla ciebie z powodu częstszych skurczów, ale jednocześnie coraz ważniejsze – z powodu zmniejszania się zapasu twoich sił.
- Spaceruj wokół łóżka lub przynajmniej zmieniaj często pozycje, wybierając wygodne (zalecane w czasie porodu pozycje opisano na s. 292).
- Pamiętaj o częstym oddawaniu moczu. Z powodu wypełnienia i dużego ciśnienia w miednicy możesz nie zauważyć potrzeby opróżnienia pęcherza.
- Jeżeli ból jest silny i chciałabyś go zmniejszyć, powiedz o tym lekarzowi. Zdarza się, że czasami lekarz czeka 20 lub 30 minut, zanim poda leki przeciwbólowe. W tym czasie może nastąpić szybki postęp porodu i leki nie będą już potrzebne albo też poczujesz się znacznie silniejsza i sama zrezygnujesz z nich.

Co może robić partner:

- W miarę możliwości staraj się, by drzwi do pokoju porodowego były zamknięte, światła przygaszone i panowała cisza. Spokojna muzyka, jeżeli jest to dozwolone, może również wpływać dobrze na rodzącą. Prowadź stale ćwiczenia rozluźniające między skurczami. W miarę możliwości bądź spokojny i opanowany.
- Obserwuj skurcze. Jeżeli włączony jest monitor płodowy, poproś lekarza lub położną o wyjaśnienie, jak rozpoznawać skurcz na zapisie. Później, kiedy skurcze będą występowały jeden po drugim, będziesz mógł informować żonę na początku każdego skurczu (monitor pozwala go wykryć, zanim będzie odczuwalny). Możesz pocieszać ją również, mówiąc, kiedy skurcz będzie się kończył. Dzięki temu będziecie mieć wspólne poczucie pewności i wrażenie panowania nad porodem. Jeżeli monitor płodowy nie jest włączony, możesz rozpoznawać początek i koniec skurczu, trzymając rękę na brzuchu żony.
- Oddychaj głośno razem z rodzącą podczas silnych skurczów, jeżeli jej to pomaga. Nie nalegaj na wykonywanie ćwiczeń oddechowych, jeżeli są nieprzyjemne i nie przynoszą rodzącej ulgi.
- Jeżeli pojawiają się objawy hiperwentylacji (tzn. zbyt intensywnego oddychania: zawroty głowy, niewyraźne widzenie, mrowienie i cierpnięcie palców rąk i stóp), po-

magaj wydychać powietrze do papierowej torby (jeżeli nie zabrałeś ze sobą, poproś o taką torebkę położną) lub do złączonych dłoni. Podczas następnego wdechu rodząca wciąga to samo powietrze jeszcze raz. Po kilkakrotnym powtórzeniu tej czynności powinna poczuć się lepiej. Jeżeli to nie pomogło, zawiadom o tym lekarza lub położną.

- Staraj się rozmawiać dużo z rodzącą (oczywiście, jeżeli nie będzie to dla niej męczące), niech będzie pewna, że przeżywasz ten poród razem z nią. Chwal jej wysiłek i nie krytykuj (pomyśl, co chciałbyś usłyszeć, gdybyście zamienili się rolami). Przypomnij rodzącej, że każdy skurcz przybliża ją do zakończenia porodu i zobaczenia dziecka, zwłaszcza gdy poród postępuje powoli.
- Możesz masować brzuch lub okolicę krzyżową rodzącej, stosować „przeciwnacisk" lub inną opanowaną wcześniej technikę zmniejszającą dolegliwości porodu. Kieruj się wskazówkami żony, jaki sposób ucisku lub masażu przynosi jej największą ulgę. Jeżeli odczuwa przykro jakiekolwiek próby masażu, poprzestań na pomocy słownej.
- Nie sądź, że rodząca nie odczuwa bólu, nawet jeżeli się nie skarży. Potrzebne jest jej twoje współczucie. Nie mów jej, że wiesz, jak cierpi (bo nie wiesz).
- Przypominaj rodzącej o odprężeniu się pomiędzy skurczami.
- Przypominaj jej o oddawaniu moczu, przynajmniej co godzinę.
- Nie obrażaj się, jeżeli nie rozmawia z tobą lub wydaje się zirytowana twoimi zabiegami. Nastrój kobiety rodzącej jest zmienny. Pozostań przy niej, by służyć taką pomocą, jakiej potrzebuje. Twoja rola jest bardzo ważna, nawet jeżeli chwilami czujesz się zbyteczny.
- Jeżeli zezwala się na to, pamiętaj, by rodzącej nie zabrakło kostek lodu do ssania lub jakiegoś napoju do popijania małymi łykami. Zapytaj od czasu do czasu, czy nie chce więcej.
- Używaj wilgotnej myjki zamoczonej w zimnej wodzie, do przecierania twarzy oraz ciała rodzącej. Płucz myjkę często.
- Kontynuuj dotychczasowe rozrywki (gra w karty, głośne czytanie, rozmowa między skurczami), jeżeli odpowiada to rodzącej i dodaje jej otuchy.
- Proponuj okresową zmianę pozycji, spaceruj wokół z rodzącą, jeżeli to możliwe.
- Pomagaj w utrzymaniu kontaktu między personelem medycznym i rodzącą, bądź jej posłańcem i pośrednikiem. Odpowiadaj na te pytania, na które potrafisz. Poproś położną lub lekarza o wyjaśnienia dotyczące postępowania, wyposażenia i stosowanych leków, by móc wszystko wyjaśnić rodzącej. Jeżeli rodząca chce dokładnie zobaczyć rodzenie się dziecka, poszukaj odpowiedniego lustra, by jej to umożliwić. W razie potrzeby bądź jej obrońcą, ale staraj się robić to cicho, poza pokojem porodowym, by nie przeszkadzać rodzącej.
- Jeżeli rodząca prosi o leki przeciwbólowe, powiedz jej, że zajmie to trochę czasu i przekaż jej prośbę położnej lub lekarzowi. Położnik zechce prawdopodobnie porozmawiać z rodzącą na temat potrzeby takich leków i zbadać ją wewnętrznie, aby ocenić postęp porodu. Zdarza się, że krzepiąca wiadomość o szybkim postępie porodu lub chwila namysłu, pozwoli rodzącej zrezygnować z leków. Nie okazuj jednak niezadowolenia, gdy rodząca i lekarz uznają, żeby takie leki zastosować. Pamiętaj, że poród to nie egzamin z wytrzymałości na ból, który żona oblała, prosząc o leki.

Zadania personelu medycznego:

- Stworzenie wygodnego środowiska i poczucia bezpieczeństwa. Wyjaśnienie twoich wątpliwości i pytań.
- Monitorowanie stanu dziecka za pomocą stetoskopu (słuchawki) lub monitora płodowego oraz drogą obserwacji płynu owodniowego (zielone zabarwienie może być objawem zagrożenia płodu). Ocena położenia płodu za pomocą badania zewnętrznego.

Do szpitala

Dojazd do szpitala. Najprawdopodobniej lekarz zaleci udanie się do szpitala pod koniec fazy utajonej lub na początku fazy przyspieszenia pierwszego okresu porodu (skurcze występują wtedy zwykle co 5 minut lub częściej; jeżeli mieszkasz daleko od szpitala lub rodziłaś już, jedź wcześniej). Dojazd będzie szybszy i łatwiejszy, jeżeli zapoznaliście się wcześniej z trasą, miejscami do parkowania i wiesz, którym wejściem udać się na oddział porodowy (jeżeli zaparkowanie może stanowić problem, lepiej wziąć taksówkę). W czasie jazdy rozlokuj się wygodnie na tylnym siedzeniu, połóż sobie poduszkę pod głowę. Rozluźnij pas na brzuchu. Jeżeli masz dreszcze, przykryj się kocem.

Przyjęcie do szpitala. W poszczególnych szpitalach zwyczaje różnią się nieco, ale możesz oczekiwać następującej kolejności:

- Jeżeli byłaś wcześniej zarejestrowana w szpitalu (i tak jest najlepiej), czynność ta będzie krótka. Jeżeli skurcze będą silne, zarejestrowaniem zajmie się partner.

- Zostaniesz zaprowadzona na oddział porodowy przez położną. W zależności od organizacji i zwyczajów w szpitalu, w czasie przygotowań do porodu mąż i inni członkowie rodziny mogą zostać poproszeni o pozostanie na zewnątrz. (Uwaga dla mężczyzny: jest to właściwa chwila do odbycia ważnych rozmów telefonicznych, zjedzenia czegoś, rozpakowania rzeczy żony w jej pokoju oraz schłodzenia szampana. Jeżeli nie zostaniesz wezwany do żony w ciągu 20 minut, przypomnij którejś z położnych, że czekasz. Przygotuj się na to, że możesz być poproszony o włożenie sterylnego fartucha na swoje rzeczy.)

- Położna zapyta cię o kilka spraw: od kiedy trwają skurcze i co ile minut się powtarzają, czy pękły błony płodowe, kiedy ostatni raz jadłaś itp.

- Położna poprosi cię o podpisanie formularza zawierającego zgodę na przyjęcie do szpitala.

- Otrzymasz szpitalny ubiór. Położna poprosi cię o oddanie próbki moczu do badania. Zmierzy tętno, ciśnienie krwi, temperaturę i częstość oddechów. Sprawdzi, czy nie widać odpływania płynu owodniowego, krwawienia lub krwistej wydzieliny. Osłucha czynność serca płodu za pomocą stetoskopu (słuchawki) lub włączy monitor płodowy. Może też ocenić położenie płodu i pobrać próbkę krwi płodu.

- W zależności od zasad postępowania przyjętych przez lekarza i stosowanych w danym szpitalu, oraz być może twojego zdania, możesz mieć częściowo ogolone krocze, wykonaną lewatywę lub założony cewnik dożylny.

- Położna, lekarz prowadzący ciążę lub lekarz oddziału porodowego przeprowadzi badanie wewnętrzne i oceni długość rozwarcia szyjki macicy. Jeżeli rozwarcie wynosi przynajmniej 3-4 centymetry (niekiedy lekarze wolą poczekać do przynajmniej 5 centymetrów rozwarcia), a błony płodowe nie pękły samoistnie, lekarz może je przebić. Jest to całkowicie niebolesny zabieg – poczujesz tylko odpływanie ciepłego płynu. Jeżeli zdecydowałaś tak razem z lekarzem, może on pozostawić błony płodowe nienaruszone.

Jeżeli masz jeszcze jakieś pytania, których nie zadałaś wcześniej, to jest właściwa chwila, by to uczynić.

- Okresowa ocena częstości i siły skurczów macicy oraz ilości i rodzaju wydzieliny pochwowej (włożona pod pośladki wkładka powinna być zmieniana w razie potrzeby). Jeżeli następuje zmiana rodzaju i siły skurczów macicy lub pojawia się więcej krwi, zostanie przeprowadzone badanie wewnętrzne w celu oceny postępu porodu.
- Okresowe badanie ciśnienia krwi.
- W razie potrzeby przyspieszenie przebiegu porodu za pomocą oksytocyny lub drogą przebicia błon płodowych.
- Stosowanie w razie potrzeby leków uspokajających lub przeciwbólowych.

TRZECIA FAZA: FAZA PRZEJŚCIOWA

Faza przejściowa między pierwszym i drugim okresem porodu jest najtrudniejsza i najbardziej wyczerpująca dla rodzącej. Siła skurczów nagle wzrasta. Występują co 2-3 minuty i trwają od 60 do 90 sekund – niemal cały czas równie silne. Niektóre kobiety, zwłaszcza te, które już rodziły wcześniej, odczuwają szczyt skurczu kilkakrotnie w ciągu tego czasu. Możesz mieć wrażenie, że skurcz nigdy nie mija całkowicie. Trudno jest odprężyć się między skurczami. Jednak rozwieranie się szyjki o ostatnie 3 centymetry prawdopodobnie nie będzie trwało długo. Rozwarcie całkowite do około 10 centymetrów następuje zwykle w czasie od 15 minut do 1 godziny.

Co możesz odczuwać lub zauważyć. W fazie przejściowej rodząca zwykle odczuwa silny ucisk w okolicy krzyżowej oraz krocza. Ucisk na odbytnicę może powodować uczucie parcia na stolec i jego oddanie oraz mimowolne pochrząkiwanie. Możesz odczuwać gorąco i pocić się lub przeciwnie, zimno i dreszcze, lub jedno i drugie na przemian. W miarę pękania nowych naczyń krwionośnych szyjki macicy wydzielina staje się coraz bardziej krwista. Występuje drżenie i marznięcie oraz skurcze nóg. Między skurczami często występują nudności, wymioty i zawroty głowy, spowodowane dużym zużyciem tlenu przez pracującą macicę i jego niedoborem w mózgu. Nic dziwnego, że możesz być wtedy wyczerpana.

Następują też zmiany stanu psychicznego. Możesz być nadmiernie drażliwa i zdenerwowana koniecznością powstrzymywania się od parcia, zniechęcona długim wysiłkiem, zdezorientowana. Możesz mieć trudności z rozluźnieniem się między skurczami i odpoczywaniem oraz z koncentracją (to wszystko razem wydaje się niemożliwe).

Co możesz robić:

- Wytrzymaj jeszcze trochę. Po zakończeniu tej fazy porodu szyjka macicy będzie rozwarta całkowicie i rozpoczniesz parcie.
- Zamiast martwić się czekającym cię wysiłkiem, pomyśl, że większość porodu jest już za tobą.
- Jeżeli czujesz bardzo silne parcie na stolec, staraj się nie zatrzymywać oddechu (chyba że zaleci to lekarz). Może pomóc ci w tym wydmuchiwanie powietrza lub szybkie oddychanie (uwaga redaktora, str. 281). Rozpoczęcie parcia przed całkowitym rozwarciem szyjki macicy może spowodować jej obrzęk i przedłużenie porodu.
- Jeżeli nie chcesz, by ktokolwiek dotykał cię niepotrzebnie i zabiegi partnera denerwują cię – nie ukrywaj tego przed nim.
- Jeżeli przynosi ci to ulgę, stosuj opanowaną wcześniej technikę oddychania (możesz poprosić położną o pomoc).
- Staraj się rozluźnić pomiędzy skurczami i oddychać powoli i regularnie.

Co może robić partner:

- Zwracając się do rodzącej, wyrażaj się jednoznacznie i bezpośrednio, bez zbędnych słów. Rozmowa może być dla niej męcząca. Nie obrażaj się, gdy rodząca nie potrzebuje twojej pomocy, nie narzucaj się swoją obecnością, ale pozostań obok, na wypadek gdyby ciebie potrzebowała.
- Podtrzymuj rodzącą na duchu, zachęcaj do dalszego wysiłku, ale nie mów zbyt dużo, gdy pragnie ona spokoju. W tej chwili więcej można wyrazić spojrzeniem i dotykiem niż słowami.
- Dotykaj rodzącej tylko wtedy, gdy odbiera to przyjemnie. Może jej sprawiać ulgę masaż brzucha lub nacisk wywierany na małej powierzchni w okolicy krzyżowej.
- Oddychaj głośno razem z nią podczas silnych skurczów, jeżeli jej to pomaga.
- Przypominaj rodzącej, by skoncentrowała uwagę na świadomym zachowaniu w czasie kolejnego skurczu. Może ona potrzebować pomocy w rozpoznaniu początku i końca skurczu.

Czynniki wpływające na odczuwanie bólu

Odczuwanie bólu może być zwiększone przez:	**Odczuwanie bólu może być zmniejszone przez:**
Samotność.	Towarzystwo i pomoc osób bliskich i doświadczonego personelu medycznego.
Zmęczenie.	Wypoczynek (nie przemęczaj się w ostatnim miesiącu ciąży); staraj się między skurczami rozluźnić mięśnie i odprężyć się.
Głód i pragnienie.	Lekki posiłek na początku porodu, ssanie kostek lodu, picie (jeżeli jest to dozwolone).
Myślenie o bólu i oczekiwanie na ból.	Zajęcie się innymi czynnościami lub rozrywkami (nie podczas parcia); myślenie o skurczach jako o środku do celu, a nie cierpieniu; pamiętaj o tym, że choć skurcze są bolesne – to są krótkotrwałe.
Niepokój i strach, napięcie mięśni w czasie skurczów.	Stosowanie technik rozluźniających lub wizualizacyjnych między skurczami, skupienie uwagi na oddychaniu lub parciu.
Lęk przed nieznanym.	Zdobycie zawczasu jak największej wiedzy dotyczącej porodu; skoncentrowanie uwagi na świadomym zachowaniu w czasie kolejnego skurczu, a nie martwienie się na zapas.
Pesymizm.	Myślenie o tym, jaka jesteś szczęśliwa i jaka cudowna nagroda cię czeka.
Poczucie bezradności.	Dobre przygotowanie się do porodu, posiadanie wiedzy dającej poczucie pewności siebie i świadomego udziału w porodzie.

- Pomóż rodzącej rozluźnić mięśnie i odprężyć się między skurczami, sygnalizując lekkim dotknięciem brzucha kończący się skurcz. Przypominaj o powolnym, rytmicznym oddychaniu.
- Jeżeli skurcze następują jeden po drugim i rodząca czuje silne parcie – a nie była przez pewien czas badana – zawiadom położną lub lekarza. Może szyjka rozwarła się całkowicie.
- Jeżeli zezwala się na to, dostarczaj rodzącej kostek lodu do ssania oraz często wycieraj jej czoło wypłukaną w zimnej wodzie myjką.

Zadania personelu medycznego:

- Stwarzanie wygodnej i bezpiecznej atmosfery.
- Ciągła obserwacja stanu twojego i twojego dziecka.
- Ciągła ocena siły i czasu trwania skurczów macicy oraz postępu porodu.
- Przygotowanie ciebie do porodu. Jeżeli nie przebywałaś dotychczas w pokoju porodowym, zostaniesz tam zaprowadzona.

DRUGI OKRES PORODU
Parcie i urodzenie dziecka

Do tego momentu twój aktywny udział w porodzie nie był istotny. Chociaż dotychczas poród niezaprzeczalnie kosztował cię wiele sił, większość pracy wykonywała macica i szyjka (oraz dziecko). Obecnie nastąpiło całkowite rozwarcie szyjki macicy i potrzebny jest twój wysiłek w celu przejścia płodu przez kanał rodny. Zwykle zajmuje to od pół godziny do godziny. Zdarza się jednak, że drugi okres porodu trwa 10 minut lub dwie, trzy bardzo długie godziny, a nawet dłużej.

W drugim okresie porodu skurcze są zwykle bardziej regularne niż w fazie przejściowej. Trwają wciąż od 60 do 90 sekund, ale czasem występują nieco rzadziej (zwykle co 2 do 5 minut) i bywają mniej bolesne chociaż silniejsze. Powinien być teraz wyraźny okres przerwy i wypoczynku między skurczami, chociaż wciąż możesz mieć kłopoty z rozpoznaniem początku każdego skurczu.

Co możesz odczuwać lub zauważyć. Najsilniejszym wrażeniem w drugim okresie porodu jest uczucie niezwykle silnego parcia na stolec – chociaż niektóre rodzące nie odczuwają tego. Możesz poczuć nagły przypływ sił („drugi oddech") lub przeciwnie – zmęczenie. Możesz odczuwać bardzo nieprzyjemny ucisk na odbytnicę, bardzo silne skurcze powodujące każdorazowo unoszenie się macicy, zwiększenie się ilości krwistej wydzieliny pochwowej, mrowienie, rozciąganie, pieczenie lub kłucia w pochwie w chwili przechodzenia główki oraz mieć wrażenie śliskiej wilgoci.

Zwykle po rozpoczęciu parcia stan psychiczny poprawia się dzięki aktywnemu udziałowi w porodzie (chociaż niektóre kobiety czują się zakłopotane i zażenowane czynnością parcia). Możesz być podniecona i ożywiona z powodu postępu porodu lub zniechęcona i drażliwa, gdy parcie trwa ponad godzinę. W czasie przedłużającego się drugiego okresu porodu uwaga kobiety jest często bardziej zajęta oczekiwaniem końca porodu niż dziecka. Jest to naturalna i chwilowa reakcja, która w żaden sposób nie świadczy o stopniu zdolności kobiety do miłości macierzyńskiej.

Co możesz robić:

- Przyjmij odpowiednią pozycję do parcia (pozycja zależy od zwyczaju przyjętego w szpitalu, wyboru lekarza, rodzaju łóżka, na którym rodzisz, i – co najważniejsze – od twojego wyboru pozycji najwygodniejszej i ułatwiającej parcie). Prawdopodobnie najlepsza jest pozycja półsiedząca lub zbliżona do kucznej, ponieważ wykorzystuje ciężar płodu i pozwala rodzącej skutecznie przeć.
- Daj z siebie wszystko. Im mocniej przesz, im więcej wkładasz w to energii, tym szybciej dziecko przejdzie przez kanał rodny. Staraj się jednak kontrolować swój wysiłek, koordynując jego rytm z poleceniami lekarza lub położnej. Gwałtowne, nieopanowane wysiłki powodują utratę sił, a nie przyspieszają porodu.
- Nie przerywaj parcia z powodu zakłopotania i zażenowania. Ponieważ zaczęłaś naciskać na całą zawartość miednicy, na dziecko oraz na stolec i mocz, możesz wyprzeć również zawartość odbytnicy. Próby uniknięcia tego spowodują tylko przedłużenie porodu. Mimowolne popuszczanie moczu (lub nawet całkowite opróżnienie pęcherza) występuje u prawie każdej rodzącej. Nikt z obecnych w pokoju porodowym nie zdziwi się tym ani nie zwróci uwagi. Ty też nie powinnaś. Wszystkie wydaliny zostaną natychmiast wyrzucone, a jednorazowe, jałowe podkłady umożliwią zachowanie czystości.
- Zachowuj się naturalnie. Przyj wtedy, gdy czujesz taką potrzebę, chyba że otrzymujesz inne polecenie. Na początku skurczu zrób kilka głębokich oddechów, po czym nabierz dużo powietrza i zatrzymaj je. W czasie szczytu skurczu przyj ze wszystkich sił, jak długo możesz zatrzymać oddech. W ciągu

Rodzi się dziecko

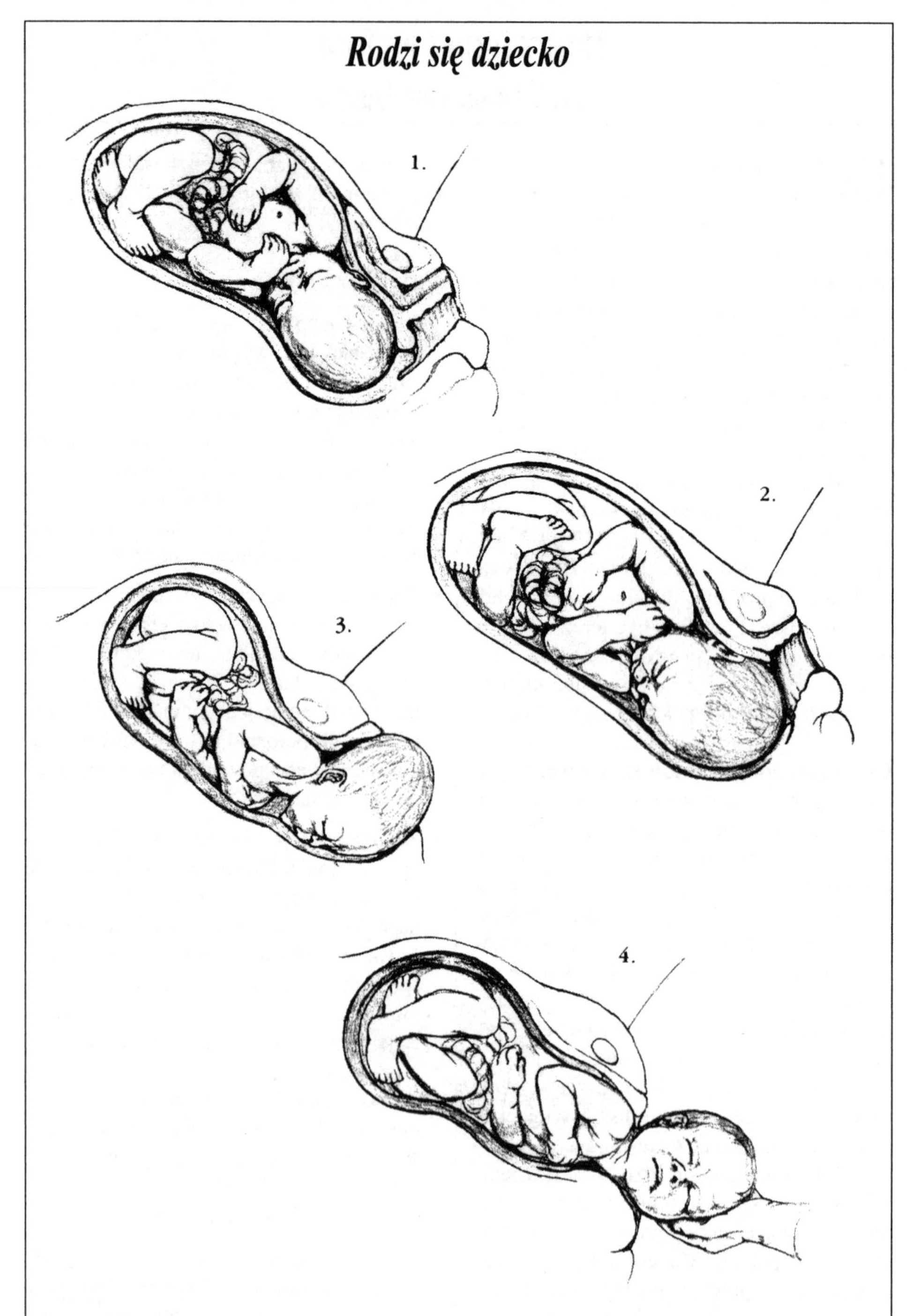

1. Szyjka macicy już zanikła, ale nie zaczęła się jeszcze rozwierać. 2. Szyjka macicy jest rozwarta całkowicie i główka dziecka zaczyna wchodzić do kanału rodnego (pochwy). 3. W celu przejścia największego wymiaru główki przez miednicę rodzącej, dziecko obraca się w czasie porodu. Właśnie nieco uciśnięta główka ukazuje się w wyjściu kanału rodnego. 4. Główka, największa część ciała dziecka, jest urodzona; teraz szybko i bez problemów powinno urodzić się całe dziecko.

jednego skurczu możesz odczuwać potrzebę parcia nawet pięciokrotnie. Lepiej jest przeć wtedy za każdym razem, zamiast próbować ciągłego parcia przez cały skurcz. Zbyt długie zatrzymywanie oddechu powoduje wyczerpanie rodzącej oraz może doprowadzić do braku tlenu u płodu. Zwiększa też ryzyko pękania naczyń krwionośnych w oczach i na twarzy rodzącej. Kilkakrotny głęboki oddech na zakończenie skurczu powinien przywrócić ci siły. Jeżeli ten naturalny mechanizm nie działa i rodząca nie odczuwa parcia lub jest ono zbyt słabe, wysiłkiem powinien pokierować lekarz lub położna.

- W czasie parcia rozluźnij mięśnie całego ciała, zwłaszcza ud i krocza. Ich napięcie przeciwdziała twojemu parciu.
- Natychmiast przerwij parcie, gdy otrzymasz takie polecenie (ochroni to główkę dziecka przed zbyt szybkim i gwałtownym porodem). Zamiast parcia oddychaj szybko lub wydmuchuj powietrze.
- Odpoczywaj między skurczami, z pomocą partnera. Jeżeli jesteś bardzo wyczerpana, zwłaszcza kiedy drugi okres porodu się przedłuża, lekarz może zasugerować powstrzymanie się od parcia w ciągu kilku skurczów. Umożliwi to nabranie nowych sił.
- Nie martw się, gdy zobaczysz główkę dziecka w wyjściu pochwy, po czym zniknie ona znowu. Poród to „dwa kroki do przodu i jeden do tyłu".
- Pamiętaj o obserwacji rodzenia się dziecka w lustrze (jeżeli jest). Ten widok (oraz dotknięcie główki dziecka, jeżeli pozwoli lekarz) może dodać ci sił, gdy parcie staje się trudne. W dodatku, potem nie będzie już powtórnej możliwości zobaczenia tego momentu (chyba że mąż nagrywa to kamerą wideo).

Co może robić partner:

- Wciąż podtrzymuj rodzącą na duchu, staraj się zapewnić jej wygodę. Nie czuj się urażony, jeżeli żona zdaje się ciebie nie zauważać. Jej uwaga jest zajęta czym innym.
- Kieruj jej parciem i oddychaniem, stosując zasady poznane wcześniej. Możecie polegać na wskazówkach położnej lub lekarza.
- Nie czuj się onieśmielony doświadczeniem i wiedzą otaczającego cię personelu medycznego. Twoja obecność również jest bardzo ważna. W rzeczywistości wyszeptane przez ciebie słowa „kocham cię", mogą być ważniejsze dla rodzącej niż wszystko inne dookoła.
- Pomagaj jej odprężyć się i rozluźnić między skurczami. Możesz to uczynić miłymi słowami, stosując chłodny ręcznik na czoło, szyję i ramiona oraz, jeżeli to pomaga, stosując masaż okolicy krzyżowej lub „przeciwnacisk".
- Jeżeli jest to dozwolone, dostarczaj rodzącej kostek lodu, w celu zwilżenia wyschniętych ust.
- W czasie parcia podpieraj jej plecy (w razie potrzeby), trzymaj za rękę, wycieraj czoło, jeżeli sobie tego życzy. Pomagaj utrzymać właściwą pozycję.
- Okresowo informuj rodzącą o postępie porodu. Jeżeli ukazuje się główka dziecka, przypominaj rodzącej o spojrzeniu w lustro. Jeśli rodząca nie patrzy lub nie ma lustra, opisuj jej rodzenie się dziecka centymetr po centymetrze. Weź jej rękę i dotknijcie razem główki dziecka (za zgodą lekarza).
- Jeżeli otrzymasz propozycję wzięcia dziecka na ręce zaraz po urodzeniu lub po przecięciu pępowiny, nie wpadaj w panikę. Jedno i drugie nie jest trudne i zrobisz to według instrukcji lekarza lub położnej.

Zadania personelu medycznego:

- Personel medyczny zaprowadzi cię do pokoju porodowego, jeżeli byłaś gdzie indziej. Jeżeli jesteś już na łóżku porodowym, w zależności od jego rodzaju, przed urodzeniem się dziecka może zostać odsunięta połowa łóżka.
- Kierowanie postępowaniem rodzącej w czasie rodzenia się dziecka.

Pierwszy widok dziecka

Ci, którzy spodziewają się, że noworodek jest tak okrąglutki, śliczny i różowy jak aniołki Botticellego, mogą przeżyć wstrząs. Dziewięć miesięcy moczenia się w płynie owodniowym i w dodatku kilkanaście godzin ściskania w kurczącej się macicy oraz w ciasnym kanale rodnym musi mieć wpływ na wygląd dziecka. Dowodem na to jest inny wygląd noworodków urodzonych drogą cięcia cesarskiego.

Na szczęście, większość opinii zawiedzionych rodziców jest chwilowa. Pewnego ranka, miesiąc po przyniesieniu do domu tobołka z pomarszczoną, chudą istotką z zapuchniętymi oczami, znajdziecie w łóżeczku prawdziwego aniołka z obrazka.

Dziwny kształt główki. Główka płodu jest w stosunku do reszty ciała największą częścią, o obwodzie równym klatce piersiowej. Później, w czasie wzrostu dziecka, pozostałe części powiększają się szybciej i proporcje zmieniają się. W czasie przechodzenia przez kanał miednicy główka jest ściskana i zmienia kształt – nabiera formy zaostrzonego stożka. Ucisk częściowo rozwartej szyjki macicy powoduje jeszcze dodatkową zmianę kształtu – na czubku pojawi się obrzęk (zwany przedgłowiem). Obrzęk ten zniknie w ciągu jednego lub dwóch dni, natomiast kształt stożkowy zniknie w ciągu dwóch tygodni. Główka będzie wtedy tak okrągła jak na obrazach Botticellego.

Włosy noworodka. Włosy, pokrywające główkę noworodka, wykazują niewielkie podobieństwo do włosów, które wyrosną później. Niektóre noworodki są po prostu łyse, inne mają wręcz grubą grzywę. Większość ma jednak delikatną pokrywę miękkich włosów. Włosy z okresu noworodkowego i tak wypadną (chociaż może to nie być wyraźne) i zostaną stopniowo zastąpione nowymi.

Warstwa mazi płodowej. Uważa się, że warstwa serowatej substancji, pokrywającej skórę płodu, ma za zadanie ochronę przed długim działaniem płynu owodniowego. Noworodki urodzone przedwcześnie mają grubszą warstwę mazi, przenoszone nie mają jej prawie wcale, z wyjątkiem fałdów skóry i miejsc pod paznokciami.

Obrzęk zewnętrznych narządów płciowych. Występuje zarówno u noworodków płci męskiej, jak i żeńskiej, szczególnie wyraźny jest jednak u chłopców urodzonych drogą cięcia cesarskiego. Obrzęknięte mogą być również brodawki i piersi noworodków obu płci (czasami wydzielana jest nawet biała lub różowa substancja nazywana „mlekiem czarownika") na skutek działania hormonów płciowych matki. Hormony te mogą również powodować mlecznobiałą lub nawet krwisto podbarwioną wydzielinę pochwową u dziewczynek. Objawy te są normalne i znikają w ciągu tygodnia lub dziesięciu dni.

Lanugo. Cienkie, puszyste włosy, zwane lanugo, mogą pokrywać ramiona, plecy, czoło i skronie donoszonych noworodków. Zwykle wypadają one pod koniec pierwszego tygodnia życia. U noworodków nie donoszonych włosy te są zwykle obfitsze i utrzymują się dłużej.

Opuchnięte oczy. Obrzęk wokół oczu noworodka często jest spowodowany zastosowaniem bezpośrednio po porodzie kropli do oczu, chroniących je przed zakażeniem. Znika on zwykle w ciągu kilku dni. Oczy dzieci białych są prawie zawsze niebieskie, niezależnie od koloru późniejszego. U dzieci ciemnoskórych oczy po urodzeniu są zwykle brązowe.

Znamiona na skórze i uszkodzenia skóry. Bardzo często po porodzie stwierdza się, zwłaszcza u dzieci białych, czerwone plamy u podstawy czaszki, na powiekach, na czole zwane plamami „łososiowymi". Natomiast u dzieci rasy żółtej, południowych Europejczyków i dzieci rasy czarnej spotyka się niebieskoszarą pigmentację głębokiej warstwy skóry, występującą na plecach, pośladkach i czasem na rękach i nogach – tzw. plamy „mongolskie". Znamiona te mogą zniknąć, zwykle w wieku około czterech lat. Naczyniaki to wyniesione ponad poziom skóry znamiona koloru truskawkowego. Mogą mieć różną wielkość, od drobnych punkcików do bardzo dużych. Z czasem mogą zblednąć do postaci perłowoszarych cętek i nawet zniknąć zupełnie. Znamiona koloru kawy z mlekiem mogą powstawać na skórze w każdym okresie życia i nie bledną. Zwykle nie są to zmiany niepokojące. Można zaobserwować również zaczerwienienia, drobne krostki i inne znikające z czasem zmiany skórne.

- Okresowa ocena stanu dziecka, zwykle za pomocą monitora płodowego.
- W chwili, gdy ukazuje się główka: przygotowanie jałowych chust i podkładów, rozłożenie narzędzi, założenie jałowych ubiorów i rękawiczek; umycie okolicy krocza płynem przeciwbakteryjnym.
- Jeżeli jest to niezbędne, wykonanie nacięcia krocza przed urodzeniem się główki. Prawdopodobnie wcześniej zostanie wykonany zastrzyk znieczulający krocze. Zostanie to wykonane na szczycie skurczu, gdy nacisk główki na krocze powoduje jego naturalne zdrętwienie i „znieczulenie". Podobnie na szczycie skurczu zostanie wykonane nacięcie, które prawdopodobnie będzie niebolesne.
- Podjęcie decyzji o urodzeniu główki dziecka za pomocą kleszczy w sytuacji, gdy: – drugi okres porodu trwa ponad dwie godziny (niektórzy lekarze czekają nieco dłużej pod warunkiem dobrego stanu rodzącej i dziecka); – stwierdza się objawy zagrożenia płodu; – stan zdrowia rodzącej nie pozwala jej na duży wysiłek i parcie; – nie ma dalszego postępu porodu z powodu nieco zaburzonego mechanizmu rodzenia się dziecka („ułożenie" lub „ustawienie" inne niż idealne) lub z powodu nieznacznej dysproporcji między wielkością dziecka a wielkością miednicy rodzącej (patrz s. 289). Jeżeli nie wykonano wcześniej znieczulenia zewnątrzoponowego lub innego przewodowego, wykonuje się znieczulenie miejscowe, ponieważ operacja mogłaby być bolesna. Jeżeli kleszczy nie można założyć lub operacja jest nieskuteczna, najbezpieczniejszym sposobem rozwiązania dla rodzącej i dziecka jest cięcie cesarskie.
- Szybkie odessanie śluzu i płynu owodniowego z nosa i ust dziecka – natychmiast po urodzeniu główki – a następnie pomoc w urodzeniu barków (ramion) przez ich obrót.
- Zaciśnięcie i podwiązanie pępowiny, w czasie gdy dziecko leży na brzuchu matki. Może to wykonać również ojciec dziecka. Niektórzy lekarze wolą odczekać aż do momentu rodzenia się łożyska lub do chwili, gdy pępowina przestaje tętnić.
- Zapewnienie bezpieczeństwa dziecku i pierwsze czynności pielęgnacyjne: ocena jego stanu z wykorzystaniem punktacji w skali Apgar w pierwszej i piątej minucie po urodzeniu (patrz s. 290), wytarcie go w celu wysuszenia i pobudzenia do oddychania, umożliwienie identyfikacji przez pobranie odcisku palca dziecka i matki w rejestrze szpitalnym oraz przez założenie opasek identyfikujących na rączce i nóżce dziecka, podanie dziecku kropli do oczu chroniących przed zakażeniem, zważenie oraz zawinięcie dziecka dla ochrony przed utratą ciepła (w niektórych szpitalach pewne z wymienionych czynności mogą być pominięte, w innych wykonane później na oddziale noworodkowym).
- Pokazanie czystego już dziecka matce i ojcu. Jeżeli nie ma konieczności jakichś zabiegów u dziecka, należy umożliwić im zatrzymanie dziecka przez jakiś czas. Jeżeli chcesz, możesz zacząć karmić dziecko piersią (nie martw się, jeżeli dziecko nie ssie od razu – patrz s. 388).
- Jeżeli nacieszyliście się już dzieckiem, zostanie ono prawdopodobnie zabrane na oddział noworodkowy lub do twojego pokoju.

TRZECI OKRES PORODU

Urodzenie łożyska, czyli popłodu

Najgorsze minęło, najlepsze jest przed tobą. Podczas ostatniego okresu porodu (który może trwać od pięciu minut do pół godziny lub dłużej) zostanie urodzone łożysko, które umożliwiało życie dziecka w macicy. Będziesz nadal odczuwała łagodne skurcze, trwające około jednej minuty, chociaż możesz ich nie zauważyć. Obkurczanie się macicy spowoduje oddzielenie łożyska od ściany macicy i przesunie łożysko do dolnej jej części lub do pochwy, skąd będziesz je mogła wyprzeć. Natychmiast po urodzeniu łożyska zostanie zaopatrzone na cięcie lub pęknięcie krocza, jeśli takie miało miejsce.

Co możesz odczuwać lub zauważyć. Po zakończeniu porodu i wykonaniu ciężkiej pracy z nim związanej możesz czuć się bardzo zmęczona lub przeciwnie, możesz poczuć przypływ sił. Możesz odczuwać wielkie pragnienie, a w wypadku długiego porodu głód. Niektóre kobiety odczuwają wtedy dreszcze. Zawsze stwierdza się krwistą wydzielinę z pochwy (tzw. odchody), podobną jak w czasie bardzo obfitej miesiączki.

U wielu kobiet pierwszym doznanym uczuciem jest ulga. Mogą odczuwać też ożywienie i chęć rozmowy, podniecenie połączone z nowym poczuciem odpowiedzialności, niecierpliwość i pragnienie szybkiego urodzenia łożyska i zaopatrzenia krocza. Możesz być jednak zbyt podniecona lub zmęczona, by natychmiast podjąć opiekę nad dzieckiem. Niektóre kobiety odczuwają bardzo silne przywiązanie do męża oraz nową więź z dzieckiem. Inne mają poczucie obcości (kim jest ta istota wąchająca moje piersi?), a nawet żalu i pretensji (to przez niego tyle wycierpiałam!), zwłaszcza po trudnym porodzie (na s. 271 i 380 powiedziano więcej o powstawaniu miłości matczynej).

- Pomóż w urodzeniu łożyska przez parcie, w chwili gdy zostaniesz o to poproszona.
- Bądź cierpliwa w czasie zaopatrywania nacięcia lub pęknięcia krocza.
- Po przecięciu pępowiny karm lub trzymaj dziecko. W niektórych szpitalach, pod pewnymi warunkami, dziecko może przebywać chwilę w ogrzewanym łóżeczku lub być trzymane przez ojca.
- Bądź dumna ze swojego wyczynu, odpręż się i uśmiechnij. Nie zapomnij podziękować partnerowi.

Co może robić partner:

- Nie żałuj żonie słów uznania i pochwały – i pogratuluj również sobie dobrze wykonanej pracy.
- Trzymaj dziecko w rękach, przytul je – szybciej się do niego przywiążesz.
- Nie zapomnij uścisnąć również żony.
- Poproś położną o jakiś sok dla żony, może być bardzo spragniona. Potem, jeżeli macie odpowiedni nastrój, otwórz szampana.
- Jeżeli masz kamerę wideo lub magnetofon, nagraj pierwszy krzyk dziecka.

Zadania personelu medycznego:

- Pomoc w urodzeniu łożyska. Postępowanie może różnić się zależnie od wyboru lekarza i sytuacji. Niektórzy pociągają jedną ręką delikatnie za pępowinę, jednocześnie uciskając drugą ręką macicę, inni wywierają ucisk na macicę z góry ku dołowi, prosząc jednocześnie o parcie we właściwym momencie. Wielu lekarzy używa oksytocyny, w zastrzyku lub dożylnie, w celu przyspieszenia urodzenia łożyska, wzmocnienia skurczów macicy po urodzeniu i zmniejszenia krwawienia.
- Badanie łożyska w celu upewnienia się, czy jest całe. Jeżeli nie jest, lekarz sprawdzi ręką, czy w macicy nie pozostały fragmenty łożyska i usunie je.
- Przecięcie pępowiny, jeżeli nie zrobiono tego wcześniej.
- Zeszycie nacięcia lub pęknięcia krocza, jeżeli jest taka potrzeba. W celu znieczulenia tej okolicy zostanie prawdopodobnie wstrzyknięty środek działający miejscowo (jeżeli nie zrobiono tego wcześniej lub poprzednie znieczulenie przestało działać). Poczujesz ukłucie.
- Sprawdzenie, czy w pochwie nie zostały gaziki używane w czasie szycia krocza.
- Umycie dolnej połowy ciała, pomoc w przebraniu się w czystą koszulę i założenie na

krocze jednorazowych wkładek umocowanych paskiem.

- Zawiezienie cię na wózku do pokoju poporodowego lub do własnego pokoju. Jeżeli rodziłaś na łóżku porodowym, dolna część łóżka zostanie połączona z górną.
- Dostarczenie dziecka na oddział noworodkowy w celu kąpieli oraz innych czynności pielęgnacyjnych (jeżeli w szpitalu przyjęto tzw. system *rooming-in*[1], otrzymasz dziecko z powrotem tak szybko, jak tylko będzie to możliwe).

PORÓD MIEDNICOWY

W przypadku porodu drogami natury w położeniu miednicowym dziecka postępowanie i zachowanie się rodzącej i jej partnera są takie same jak w porodzie w położeniu główkowym. Inne jest natomiast postępowanie personelu medycznego. Może się ono różnić w zależności od rodzaju położenia miednicowego oraz wyboru drogi postępowania przez lekarza.

Aż do drugiego okresu porodu, poród drogami natury w położeniu podłużnym miednicowym przebiega tak samo jak w położeniu podłużnym główkowym. Jest to jednak zawsze próba porodu podejmowana tak długo, jak długo poród postępuje prawidłowo. Ponieważ w każdej chwili może pojawić się konieczność wykonania cięcia cesarskiego, pod koniec pierwszego okresu porodu zostaniesz prawdopodobnie przeniesiona do sali operacyjnej lub w jej pobliże. W zależności od rodzaju położenia miednicowego, najlepsze postępowanie wybierze lekarz (wybór postępowania zależy również od doświadczenia lekarza. Proszenie lekarza o wykonanie zabiegu ręcznego wydobycia płodu[2] nie leży w interesie twoim i twojego dziecka).

Często stosowanym postępowaniem jest wyczekiwanie do momentu samoistnego urodzenia się nóg i dolnej połowy tułowia dziecka. Wykonuje się wtedy znieczulenie miejscowe i następnie rodzi się ramiona i główkę dziecka, z wykorzystaniem kleszczy lub bez.

Poród drogami natury jest podejmowany rzadziej, gdy dziecko znajduje się w położeniu miednicowym zupełnym (s. 243) lub stópkowym (jest to położenie płodu z przynajmniej jedną nóżką skierowaną w dół), jeżeli główka dziecka jest odgięta (dziecko „patrzy" w górę), jeżeli ocenia się, że dziecko jest bardzo duże lub miednica rodzącej zbyt mała, gdy poród jest przedwczesny lub stwierdza się objawy zagrożenia płodu.

Często niezbędne jest wykonanie dużego nacięcia krocza, chociaż zdarza się również poród bez nacięcia. Pozycja rodzącej w czasie porodu dziecka w położeniu miednicowym jest różna – zależy od sytuacji i doświadczenia lekarza. Część lekarzy uważa, że najłatwiej udzielić pomocy, gdy rodząca leży na plecach z podniesionymi i przypiętymi nogami.

Dalsze postępowanie po urodzeniu dziecka jest takie samo jak po porodzie w położeniu główkowym.

CIĘCIE CESARSKIE: PORÓD OPERACYJNY

W wypadku wykonywania cięcia cesarskiego nie będziesz mogła czynnie uczestniczyć w porodzie dziecka, jak to dzieje się przy porodzie drogami natury. Twój najważniejszy udział w bezpiecznym urodzeniu dziecka to okres przed przybyciem do szpitala. Zadaniem tym jest odpowiednie przygoto-

[2] Współczesne polskie położnictwo nie posługuje się tą operacją położniczą w czasie porodu pojedynczego płodu w zwykłych warunkach (uwaga redaktora wydania polskiego).

[1] Określenie to przyjęło się również w języku polskim i oznacza wspólne sale położniczo-noworodkowe (uwaga redaktora wydania polskiego).

wanie się. Jeżeli przygotujesz się intelektualnie i emocjonalnie do możliwości cięcia cesarskiego, to w wypadku takiego zakończenia porodu zmniejszysz rozczarowanie, które możesz odczuwać, i łatwiej będzie przyjąć ten poród jako pozytywne przeżycie.

Dzięki możliwościom znieczulenia miejscowego i liberalizacji przepisów szpitalnych większość kobiet (i często również mężów) może być świadkiem porodu drogą cięcia cesarskiego. Ponieważ nie są zajęte parciem i zmęczone bólem, często są odprężone i uradowane z powodu urodzenia dziecka – nawet bardziej niż rodzące drogami natury. W wypadku typowego cięcia cesarskiego możesz oczekiwać:

- Ogolenia włosów na wzgórku łonowym oraz cewnikowania pęcherza, w celu jego opróżnienia i ułatwienia wydobycia dziecka.
- Po przewiezieniu na salę operacyjną umycia brzucha płynem przeciwbakteryjnym i przykrycia go jałowymi chustami. Jeżeli w czasie operacji nie będziesz spała, to na wysokości ramion zostanie położona zasłona, uniemożliwiająca ci zobaczenie nacinania brzucha.
- Zostanie założony cewnik dożylny, umożliwiający szybkie podawanie leków.
- Zostaniesz znieczulona za pomocą znieczulenia zewnątrzoponowego lub podpajęczynówkowego (obydwa rodzaje znieczulają dolną część ciała bez utraty świadomości) lub też znieczulenia ogólnego (połączonego z uśpieniem – wykonywane jest w nagłych przypadkach, gdy dziecko musi być wydobyte jak najszybciej).
- Jeżeli zostałaś znieczulona miejscowo, a partner zamierza być obecny przy porodzie, zostanie przebrany w sterylny strój. Usiądzie przy twojej głowie. Będzie mógł trzymać cię za rękę i podtrzymywać na duchu. Będzie miał również możliwość obserwowania operacji. (Niezależnie od tego, czy z góry wiadomo o konieczności cięcia cesarskiego, czy nie, warto wcześniej zapytać lekarza, czy mąż będzie mógł być obecny przy operacji.) Zwykle, w wypadku zastosowania znieczulenia ogólnego, prosi się męża o pozostanie na zewnątrz sali operacyjnej.
- Jeżeli cięcie cesarskie wykonywane jest z nagłych wskazań, wszystko może przebiegać bardzo szybko. Nie bądź przerażona, jeżeli zauważysz wokół siebie nagły ruch i szybkie działanie personelu medycznego. Bądź przygotowana na to, że ze względu na reguły obowiązujące w szpitalu oraz bezpieczeństwo twoje i twojego dziecka lekarz może zażądać opuszczenia pokoju przez męża. Będzie to trwało zwykle około pięciu do dziesięciu minut.
- Po upewnieniu się, że znieczulenie już działa, lekarz natnie skórę w dolnej części brzucha. Jeżeli nie będziesz spała, możesz mieć niebolesne uczucie podobne do rozpinania zamka błyskawicznego.
- W kolejności wykonywane jest następne nacięcie, tym razem w dolnej części macicy. Zostają przebite błony płodowe (jeżeli nie nastąpiło to wcześniej). Wykonuje się odsysanie płynu owodniowego – możesz słyszeć coś w rodzaju bulgotania lub przelewania.
- Następuje wydobycie dziecka, ręcznie lub za pomocą kleszczy. Zwykle asystent naciska jednocześnie górną część macicy. W wypadku znieczulenia zewnątrzoponowego (rzadziej przy znieczuleniu podpajęczynówkowym) możesz odczuwać ciągnięcie lub szarpnięcia oraz ucisk. Jeżeli chcesz zobaczyć rodzenie się dziecka, poproś lekarza o lekkie uniesienie zasłony. Pozwoli to na zobaczenie dziecka, ale bez oglądania szczegółów operacji.
- Zostanie odessana zawartość nosa i ust dziecka. Usłyszysz pierwszy krzyk noworodka. Jeżeli pępowina będzie wystarczająco długa, będziesz mogła chwilę popatrzeć na dziecko z bliska.
- Pępowina zostanie szybko zaciśnięta i przecięta. Zostaną wykonane wszystkie czynności pielęgnacyjne oraz umożliwiające identyfikację dziecka (opisane przy porodzie drogami natury). Lekarz wydobędzie łożysko.

- Lekarz przeprowadzi krótką kontrolę narządów rozrodczych oraz zeszyje wykonane wcześniej nacięcia.

- W celu wywołania skurczu macicy i zmniejszenia krwawienia zostanie podana oksytocyna w postaci zastrzyku domięśniowego lub kroplówki dożylnej. W celu zmniejszenia ryzyka zakażenia może być podany dożylnie antybiotyk.

- Zależnie od stanu noworodka oraz zasad obowiązujących w szpitalu, dziecko może pozostać razem z tobą w pokoju. Jeżeli nie będziesz mogła go trzymać, prawdopodobnie otrzyma je twój mąż. Nie przerażaj się, jeżeli dziecko zostanie zabrane na oddział noworodkowy. Jest to postępowanie typowe w wielu szpitalach i nie musi oznaczać, że stan dziecka nie jest prawidłowy.

Część 3

PROBLEMY SZCZEGÓLNEJ TROSKI

15

Gdy zachorujesz

Podczas dziewięciu miesięcy ciąży każda kobieta oczekuje wystąpienia co najmniej kilku z mniej pożądanych objawów ciążowych, jak na przykład: poranne mdłości, kurcze nóg albo niestrawność i osłabienie. Niektóre kobiety dziwi odkrycie, że są także podatne na objawy, które nie mają nic wspólnego z ciążą, np. przeziębienie, grypa, nieżyt żołądkowo-jelitowy, odra i świnka. W większości przypadków nie wpływają one na ciążę, ale czasami jest inaczej. Oczywiście profilaktyka jest najlepszym sposobem utrzymania prawidłowego rozwoju ciąży. Kiedy to się nie udaje, to szybkie i bezpieczne leczenie pod kontrolą lekarza będzie w większości przypadków najlepszym rozwiązaniem, które ochroni ciebie i twoje dziecko przed komplikacjami.

CO MOŻE CIĘ NIEPOKOIĆ

POSTĘPOWANIE PODCZAS PRZEZIĘBIENIA LUB GRYPY

Złapałam straszne przeziębienie i niepokoję się, czy to wpłynie na moje dziecko.

Większość kobiet choruje na przeziębienie lub grypę co najmniej raz podczas dziewięciu miesięcy. Powinnaś wiedzieć, że chociaż będziesz się czuła niedobrze, taka łagodna choroba jak ta nie wpłynie na twoją ciążę. Jakkolwiek zaszkodzić mogą leki, które prawdopodobnie zwykle zażywasz, np. tabletki przeciw przeziębieniu i przeciwhistaminowe. Bez zalecenia lekarza nie bierz więc tych ani innych leków, nawet aspiryny (patrz s. 322), również dużych dawek witaminy C. Lekarz wskaże ci, które leki na przeziębienie są bezpieczne w ciąży, a które działają źle w twoim przypadku. Żaden z leków oczywiście nie wyleczy przeziębienia, ale mogą one zmniejszyć dolegliwości. (Patrz s. 323: informacje na temat zażywania leków w ciąży.)

Jeśli natomiast już wzięłaś kilka dawek jednego z leków, nie wpadaj w panikę, bo jest bardzo mało prawdopodobne, by leki te wyrządziły jakieś szkody. Przekonsultuj to jednak z twoim lekarzem.

Oto, co możesz zrobić w czasie przeziębienia i grypy, co będzie najlepsze i najbezpieczniejsze dla ciebie i dla dziecka:

- Stłumić przeziębienie w zarodku, zanim rozwinie się w groźne zapalenie oskrzeli albo inną wtórną infekcję. Kładź się do łóżka od pierwszego kichnięcia, zaplanuj sobie krótki wypoczynek.
- Kiedy leżysz lub śpisz, trzymaj głowę lekko uniesioną. Ułatwi ci to oddychanie.

- Pamiętając o zdrowiu swoim i dziecka, nie ograniczaj jedzenia podczas gorączki. Pozostań na diecie bogatobiałkowej, niezależnie od tego, czy masz apetyt, czy nie. Nawet zmuszaj się do jedzenia. Pij codziennie soki owocowe, jedz owoce cytrusowe, ale bez zalecenia lekarskiego nie bierz dodatkowo witaminy C.
- Pij dużo płynów. Gorączka, kichanie, katar powodują utratę płynów, które tobie i dziecku są bardzo potrzebne. Miej pod ręką termos z ciepłym sokiem grapefruitowym lub oranżadą (1/2 szklanki nie słodzonego mrożonego soku na ćwierć litra gorącej wody) i pij co najmniej jeden kubek na godzinę. Spróbuj także tzw. „żydowskiej penicyliny", czyli rosołu na kurze. Medyczne badania udowodniły, że rosół taki nie tylko uzupełnia płyny, ale także zmniejsza dolegliwości przeziębienia.
- Staraj się nawilżać drogi nosowe za pomocą nawilżacza (patrz *Dodatek*) oraz przez wstrzykiwanie do nosa za pomocą rozpylacza wody solonej.
- Jeżeli masz owrzodzone lub zadrapane gardło albo jeżeli kaszlesz, płucz gardło słoną wodą (1 łyżeczka soli na 8 porcji wody). Woda powinna być letnia, nie gorąca.
- Obniżaj gorączkę w sposób naturalny. Weź chłodny prysznic lub kąpiel albo wycieraj się gąbką z letnią wodą. Pij chłodne napoje i noś lekkie pidżamy. W przypadku, gdy gorączka sięga 38°C lub więcej, wezwij natychmiast swego lekarza (patrz s. 322).

Przeziębienia mogą niestety stanowić zagrożenie dla ciąży, prawdopodobnie z powodu osłabienia działania systemu immunologicznego koniecznego dla ochrony dziecka (obce ciało) przed reakcją immunologiczną. Jeżeli twoje przeziębienie (lub grypa) jest ciężkie i wpływa na apetyt lub sen, gdy kaszlesz z odpluwaniem zielonej wydzieliny lub gdy symptomy utrzymują się dłużej niż tydzień, wezwij lekarza. Skontaktuj się z lekarzem, jeśli w ostatnim trymestrze zachorujesz na grypę, gdyż może ona prowadzić do groźnych powikłań i przedwczesnego porodu. Dla bezpieczeństwa twojego i dziecka może być niezbędne przepisanie leków. Nie ociągaj się z wezwaniem lekarza i nie odmawiaj pobierania zapisanych leków, opierając się na przekonaniu, że wszystkie leki są szkodliwe dla ciąży. Środki zapisane przez twojego lekarza nie są szkodliwe. Stosując się do jego wskazówek, unikniesz zarażenia się groźniejszymi drobnoustrojami (patrz s. 323).

NIEŻYT ŻOŁĄDKOWO-JELITOWY

Odczuwam dolegliwości żołądkowe i często odbija mi się. Czy to może zaszkodzić memu dziecku?

Najczęściej gastroenteritis (zapalenie żołądka i jelit) ma ograniczony czas trwania, nie przekracza zazwyczaj 24 godzin, a rzadko trwa dłużej niż 72 godziny. W tym okresie nawet całkowity niedostatek stałego pożywienia (przez jeden lub dwa dni) nie powinien zaszkodzić dziecku, pod warunkiem jednak, że w całości pokryte zostanie zapotrzebowanie na płyny.

Wirus ten nie wpływa na zdrowie twojego dziecka, nie oznacza to jednak, że możesz to zignorować. W miarę możliwości postępuj według poniższych zaleceń, w celu poprawy samopoczucia, zmniejszenia mdłości i wymiotów.

- Połóż się do łóżka. Odpoczynek w łóżku w półmroku, ciszy i spokoju spowoduje zmniejszenie objawów gastroenteritis.
- Uzupełniaj utracone płyny. Rozwolnienie i wymioty bardzo szybko odwadniają organizm. Przez krótki czas ważniejsze będzie dostarczanie płynów niż pokarmów stałych. Używaj wody zdatnej do picia, pij wodę mineralną, bezkofeinową herbatę, sok owocowy rozcieńczony w równych porcjach z wodą lub gdy nie występuje rozwolnienie – rozpuszczone jabłko lub sok grapefruitowy. Pij tak często, jak możesz (co 15 minut), małymi łykami. Jeżeli nie możesz powstrzymać rozwolnienia, ssij płat-

ki lub kostki lodu. Unikaj tradycyjnie stosowanych gęstych, słodkich napojów – to tylko przedłuży objawy. Mleka także nie stosuj.

- Zmodyfikuj swoją dietę. Potocznie mówi się, że lepiej być naprawdę głodnym, nie jedząc nic przez dwanaście godzin, niż mieć wirusa w żołądku, choć z drugiej strony najnowsze badania sugerują, że spożywanie stałych pokarmów jest bardziej korzystne niż pseudogłodówka. Skonsultuj się z twoim lekarzem, ustal, czy kontynuować stałą dietę, czy przeczekać 12-24 godzin na prostej diecie, do chwili uzyskania diagnozy. Na początku używaj rozcieńczonego, niekwaśnego soku owocowego, pij czysty rosół lub bulion puszkowany, jedz pastę z pszenicy lub ryżu, grzanki bez masła, gotowany lub parowany ryż, gotowane lub pieczone ziemniaki bez łupin, banany, mus jabłkowy, żelatynę spożywczą (sporządzaj potrawy bez przypraw i cukru). Stopniowo rozszerzaj jadłospis, dodając na końcu ser domowy, jogurt, kurczaka, rybę, gotowane warzywa i owoce, nim powrócisz do normalnej diety.
- Uzupełniaj, jeżeli tylko możesz, witaminy, stosując je osłonowo szczególnie teraz, co pomoże ci szybciej powrócić do zdrowia. Jeżeli przerwiesz przyjmowanie ich na kilka dni, nie przejmuj się, nie zaszkodzi ci to.
- Omawiaj z lekarzem wszystkie objawy, szczególnie gorączkę, na wypadek gdyby twoje dolegliwości były poważniejsze niż zwykłe mdłości. Dzwoń ponownie, gdy objawy nie ustąpią po 48 godzinach. Może wymagasz leczenia.

Jeżeli inne osoby, które jadły razem z tobą, zachorowały w tym samym czasie lub jeśli jadłaś podejrzane pokarmy w ciągu ostatnich kilku tygodni, może to być zatrucie pokarmowe wymagające natychmiastowego leczenia. Jeśli podróżowałaś ostatnio do egzotycznych krajów, przyczyną twoich dolegliwości mogą być pasożyty lub inne egzotyczne infekcje. Jeśli podejrzewasz, że może to być coś więcej niż zwykła infekcja wirusowa, przedyskutuj to z twoim lekarzem. Oczywiście, lepiej jest zapobiegać tego typu infekcjom, niż je leczyć, dlatego zawsze stosuj się do informacji o profilaktyce. Znajdziesz je na s. 324.

RÓŻYCZKA

Miałam kontakt z różyczką podczas wycieczki zagranicznej. Czy zagraża mi poronienie?

Jest to jedno z tych pytań, przed którymi może stanąć kobieta w ciąży. Statystycznie jedna na sześć ciężarnych nie jest uodporniona na różyczkę, nie przechorowała jej lub nie miała z nią kontaktu w dzieciństwie albo nie była szczepiona przeciwko niej (zwykle po okresie dojrzewania lub po ślubie). Możesz nie wiedzieć, czy jesteś uodporniona, czy nie, ale można to stwierdzić za pomocą prostego testu – miareczkowania przeciwciał przeciw różyczce we krwi. Badanie to jest wykonywane podczas pierwszej wizyty przed ciążą u lekarza. Jeżeli do tej pory nie było ono wykonane, to teraz jest na to czas. Jeśli wynik będzie ujemny, to znaczy, że nie jesteś uodporniona, ale wciąż nie musisz uciekać się do radykalnych posunięć.

Sama ekspozycja nie może uszkodzić twojego dziecka. Musiałabyś być w bezpośrednim kontakcie z chorobą, żeby wirus mógł zrobić szkody. Objawy pojawiające się po około dwóch lub trzech tygodni od ekspozycji są zwykle łagodne (złe samopoczucie, wysoka gorączka, obrzmienie węzłów chłonnych, delikatna wysypka pojawiająca się dzień lub dwa później) i mogą czasami minąć niezauważenie. Jakiekolwiek badania krwi w tym okresie mogą, ale nie muszą wykazać, że masz aktywną infekcję. Od 2 tygodnia ciąży możliwe jest sprawdzenie, czy płód został zainfekowany (wcześniej infekcja może nie być widoczna), ale potrzeba taka występuje rzadko. Natomiast całkowicie niemożliwe jest uchronić kobietę, która miała kontakt z różyczką, przed zarażeniem. Kiedyś rutynowo stosowane były zastrzyki z gammaglobuliny, stwierdzono jednak ich nieskuteczność w zapobieganiu chorobie.

Możesz niestety zachorować na różyczkę, dlatego najlepiej będzie, jeśli: przeanalizujesz z twoim lekarzem wszystkie możliwości ryzyka dla płodu, zanim podejmiesz decyzję zakończenia ciąży. Ważne jest, aby zrozumieć, że ryzyko systematycznie maleje wraz z rozwojem ciąży. Gdy kobieta jest zainfekowana w pierwszym miesiącu ciąży, ryzyko rozwinięcia się u dziecka poważnych wad rozwojowych jest wysokie, około 35%. Od 3 miesiąca ryzyko spada do 10-15%. Później ryzyko jest bardzo małe.

Od kiedy szczepienia stały się rutynowe w USA, choroba występuje coraz rzadziej. Gdybyś jednak nie była zaszczepiona i nie przebyła tej choroby, zgłoś się po porodzie do swojego lekarza w celu szczepienia, aby uniknąć wszystkich następstw w następnych ciążach. Po szczepieniu, dla bezpieczeństwa, przez 2-3 miesiące nie należy zachodzić w ciążę. Jeżeli w tym okresie zaszłaś w ciążę lub byłaś szczepiona we wczesnym okresie ciąży, nie wiedząc o tym, nie denerwuj się, ponieważ istnieje tylko teoretyczne ryzyko uszkodzenia płodu. Nie zarejestrowano jeszcze przypadku urodzenia dzieci z wadami towarzyszącymi różyczce u matek szczepionych we wczesnej ciąży, lub jeżeli zaszły w ciążę wkrótce po szczepieniu.

TOKSOPLAZMOZA

Chociaż bezpośrednio naszym kotem opiekuje się teraz mąż, to jednak martwi mnie fakt, że żyję z kotami pod jednym dachem, a to ze względu na toksoplazmozę. W jaki sposób mogę się dowiedzieć, czy zaraziłam się tą chorobą?

Prawdopodobnie nie będziesz o tym wiedzieć. Większość ludzi zainfekowanych nie wykazuje żadnych objawów, chociaż niektórzy odnotowują lekkie pogorszenie samopoczucia, niewielką gorączkę i powiększenie węzłów chłonnych w dwa lub trzy tygodnie po ekspozycji oraz wysypkę w dzień lub dwa później. Test krwi na przeciwciała *Toxoplazma gondii* jest pożądany, ale nie daje stu procent pewności. Jednak nie jest on możliwy do zinterpretowania, jeśli jest u ciebie wykonywany po raz pierwszy. Poproś lekarza, by sprawdził, czy przed ciążą byłaś badana w kierunku tej choroby. Gdy wówczas obecne były przeciwciała – bardzo możliwe, że mieszkałaś z kotami – znaczy to, że jesteś odporna i nie musisz się denerwować, że infekcja się rozwinie obecnie. Jeśli nie miałaś przeciwciał, znaczy to, że nie jesteś uodporniona. W tym przypadku zalecane jest powtarzanie badania poziomu przeciwciał IgG co miesiąc lub dwa aż do porodu, aby sprawdzić, czy nagle nie wzrośnie ich poziom, co oznaczałoby jakąś świeżą infekcję, niekoniecznie jednak dotyczącą *Toxoplazma gondii*[1].

Jest to mało prawdopodobne (w USA tylko 1 na 1000 kobiet choruje na nią podczas ciąży), ale skontaktuj się ze specjalistą położnikiem lub jeśli to możliwe z genetykiem. W tym przypadku chodzić będzie o ustalenie czynnika wywołującego infekcję. Ryzyko zainfekowania płodu w I trymestrze jest relatywnie małe, prawdopodobnie mniejsze niż 15%, ale ryzyko poważnych uszkodzeń płodu jest wysokie. W II trymestrze prawdopodobieństwo infekcji jest trochę większe, ale ryzyko uszkodzenia nieco mniejsze.

W ostatnim trymestrze istnieje największe prawdopodobieństwo zainfekowania dziecka, ale ryzyko poważnych uszkodzeń jest najmniejsze. Tylko jedno dziecko na 10 000 rodzi się z wrodzoną toksoplazmozą. Wczesne leczenie może poprawić prognozy.

Następnym etapem jest ustalenie, czy płód jest obecnie zainfekowany. Ostatnie postępy w medycynie umożliwiły przeprowadzenie testu co do zakażenia płodu – poprzez zastosowanie amniocentezy. Przeprowadza się to tak samo jak podczas badań krwi płodu lub płynu owodniowego przed 20-22 tygodniem ciąży. Gdy nie ma zakażenia, płód prawdopodobnie nie jest uszkodzony. Ponadto zalecane jest, żeby ciężarna, która wykazuje infekcję i nie życzy sobie ukończenia ciąży bez względu na wyniki badań, była leczona specjalny-

[1] Nie próbuj sama siebie kontrolować; domowe testy na toksoplazmozę są wysoce niepewne.

mi antybiotykami, jeżeli to możliwe nawet przez kilka miesięcy. Leczenie znacznie ogranicza ryzyko urodzenia dziecka z dużymi zaburzeniami. Jeśli dotąd nie byłaś badana, to zgodnie z ostatnimi danymi testy będą ujemne, dopóki nie rozwiną się objawy. Testy nie wykażą, czy nie badana wcześniej kobieta ma obecnie świeżą infekcję, czy są to przeciwciała po starej infekcji. Najlepszym leczeniem toksoplazmozy jest prewencja. (Patrz s. 89 i porady, jak uniknąć zakażenia.)

CYTOMEGALOWIRUS (CMV)

Pracuję w przedszkolu i powiedziano mi, że powinnam wziąć zwolnienie na czas ciąży, ponieważ mogę mieć kontakt z cytomegalowirusem, który może być szkodliwy dla mojego dziecka.

Około 25-60% wszystkich przedszkolaków jest nosicielami cytomegalowirusa i wydziela go ze śliną, moczem i odchodami przez miesiące, a nawet lata. Ryzyko, że ty zarazisz się nim i zaszkodzisz twemu dziecku, jest małe. Po pierwsze, wirus nie jest bardzo zaraźliwy. Po drugie, większość dorosłych przebyła już infekcję w dzieciństwie. Jeśli miałaś wcześniej CMV, nie możesz się już nim zarazić od twoich podopiecznych (jeżeli twój CMV reaktywował się, ryzyko dla twojego dziecka jest mniejsze niż w przypadku nowej infekcji w ciąży). Po trzecie, chociaż 1 na 100 dzieci rodzi się z wirusem, to tylko mały procent z nich wykazuje obecnie jakiekolwiek objawy choroby, współistniejące z wewnątrzmaciczną infekcją CMV, do których należą: żółtaczka, głuchota na wysokie tony i kłopoty ze wzrokiem.

Niektórzy lekarze ciągle jeszcze zalecają zwolnienie z pracy w pierwszych 24 tygodniach ciąży, gdy kobieta jest narażona na kontakt z dużą liczbą dzieci w wieku przedszkolnym i jest pewna, że wcześniej nie przeszła tej infekcji (większość ludzi nie ma tak dokładnych informacji, chyba że zostały wcześniej wykonane szczegółowe testy).

Inni zalecają noszenie rękawiczek podczas pracy, staranne mycie rąk po zmianie pieluszek, powstrzymywanie się od całowania dzieci podczas opieki i od zjadania resztek po ich posiłku. Chociaż ciężarna może obawiać się zakażenia CMV podczas opieki nad dziećmi, to jednak możliwość zakażenia jest tak mała, że nie należy się tym martwić. To oczywiście nie oznacza, że można ignorować higienę w domu – powinna być ona praktykowana niezależnie od tego, czy obawiasz się CMV, czy nie.

Gdy zachorujesz na coś, co przypomina grypę lub mononukleozę (gorączka, zmęczenie, powiększenie węzłów chłonnych, owrzodzenie gardła), zgłoś się do lekarza w celu kontroli. Jeżeli objawy te wywołane są CMV lub inną chorobą, to należy poddać i się leczeniu.

RUMIEŃ ZAKAŹNY

Czytałam, że pewna choroba, o której wcześniej nie słyszałam – rumień zakaźny – może spowodować problemy w ciąży.

Rumień zakaźny – fachowo nazywany erythema infectiosum – jest wywołany przez ludzki parvowirus B19. Jest to jedna z sześciu chorób wywołujących gorączkę i wysypkę u dzieci. Rumień zakaźny nie jest powszechnie znany, gdyż jego objawy są łagodne, często przechodzą nie zauważone albo wręcz nie występują. Gorączka może wystąpić u 15-30% chorych. Wysypka – która przez kilka pierwszych dni pojawia się na policzkach, przypominając uderzenie – później rozprzestrzenia się na tułów, niczym koronka. Wysypka może okresowo znikać (zwykle w zależności od słońca lub temperatury otoczenia) na jeden lub dwa tygodnie. Często jest mylona z innymi chorobami dziecięcymi, np. różyczką. Intensywna ekspozycja związana z opieką nad dzieckiem chorym na rumień zakaźny lub z przebywaniem w szkole, w której panuje epidemia, naraża matkę na duże ryzyko infekcji. Choroba ta jest związana ze wzrostem ryzyka poronienia u kobiety ciężarnej.

Infekcję tę spotyka się jednak rzadko u kobiety ciężarnej, ponieważ większość z nich przeszła ją w dzieciństwie. Jeżeli choroba ta jest przyczyną poronienia w pierwszej ciąży, to następnym ciążom już nie zagraża. W bardzo rzadkich sytuacjach choroba może wywoływać niedokrwistość u płodu, podobną jak w konflikcie serologicznym w zakresie Rh.

Ciężarne chore na rumień zakaźny są często badane ultrasonograficznie w celu wykluczenia obecności obrzęku płodu (jako rezultatu zatrzymania płynu), tak charakterystycznego dla tego typu anemii. W przypadku obrzęku płodu konieczne będzie leczenie.

PACIORKOWIEC GRUPY B

Czytałam w magazynie, że infekcja paciorkowcem grupy B u matki może być przyczyną śmierci jej dziecka. Jestem przerażona myślą, że mogę się z nim zetknąć w otoczeniu.

Czasopisma często wywołują sensację na ten temat, robiąc tym złą przysługę. Chociaż prawdą jest, że dziecko zarażone podczas porodu streptokokiem grupy B może zachorować, a nawet umrzeć, z doświadczeń położniczych wynika, że jest to niezmiernie rzadkie.

Jeśli nie ma żadnych objawów świadczących, że kobieta jest nosicielem bakterii, zaleca się dwie drogi zabezpieczenia noworodka. Jedna polega na na zbadaniu (za pomocą wymazu z pochwy) wszystkich kobiet między 35 a 37 tygodniem ciąży, a następnie zastosowanie w czasie porodu antybiotyków u tych, które miały wynik pozytywny. Druga polega na leczeniu w czasie porodu kobiet wysokiego ryzyka, z porodem przedwczesnym, z gorączką, z opóźnionym pęknięciem błon płodowych (18 godzin i więcej), wcześniej urodzone dziecko z GBS albo GBS w moczu w czasie ciąży. W większości przypadków ochroni to noworodka przed infekcją. Jeżeli będzie to konieczne, leczeniu można poddać także noworodka. Nie powinnaś się martwić, lecz nalegać, aby wykonano ci odpowiednie badania i jeśli wyniki będą pozytywne, by przeprowadzono jak najszybsze leczenie.

CHOROBA Z LYME

Wiem, że żyję na terenach o dużym ryzyku zachorowania na chorobę z Lyme. Czy jest to niebezpieczne w ciąży?

Choroba z Lyme – której nazwa pochodzi od miasteczka w stanie Connecticut, gdzie po raz pierwszy w USA została zdiagnozowana – najczęściej występuje u ludzi żyjących w lasach nawiedzanych przez jelenie, myszy lub inne zwierzęta przenoszące kleszcze, lecz również może być przeniesiona na tereny zielone miast poprzez zieleń przywiezioną z lasów lub poprzez produkty rolnicze. Choroba z Lyme może być przeniesiona na płód, lecz to czy płód może zostać trwale uszkodzony, czy nie, nie jest całkowicie pewne. Podejrzewa się, lecz nie jest to udowodnione, iż choroba może mieć związek z wadami serca u dzieci zarażonych matek. Najlepszym sposobem ochrony twojego dziecka i ciebie jest stosowanie środków profilaktycznych. Jeśli mieszkasz w zalesionych lub trawiastych terenach bądź zajmujesz się uprawą terenów zielonych, noś długie spodnie wsunięte w buty lub skarpety oraz długie rękawy. Używaj płynu insektobójczego przeciw kleszczom, polewaj nim swoje ubranie, lecz nie skórę. Gdy wrócisz do domu, sprawdź dokładnie skórę w poszukiwaniu kleszczy (usuwanie ich krótko po tym jak się przyczepiają, prawie zupełnie eliminuje możliwość infekcji) oraz umyj się dokładnie.

Jeżeli podejrzewasz, iż zostałaś zainfekowana, skontaktuj się natychmiast ze swoim lekarzem. Wczesnymi objawami mogą być plamista wysypka w miejscu ugryzienia, znużenie, ból głowy, gorączka i dreszcze, ogólna bolesność, obrzmiałe gruczoły w pobliżu miejsc ugryzienia; inne możliwe objawy to zaczerwienienie lub opuchnięcie oczu, suchość w gardle, suchy kaszel, dziwne zachowanie się. Szybkie działanie może uchronić twoje dziecko przed przeniesieniem infekcji, a ciebie samą przed poważną chorobą.

ODRA

Jestem nauczycielką i jedno z moich dzieci w szkole ma odrę. Czy powinnam być szczepiona?

Nie. W czasie ciąży nie stosuje się szczepień, a to ze względu na ryzyko dla płodu ze strony szczepionki, chociaż nie zarejestrowano doniesień o zaburzeniach rozwojowych wśród noworodków matek szczepionych w ciąży. Ponadto najprawdopodobniej nie zachorujesz, ponieważ większość kobiet jest szczepionych w dzieciństwie. Jeśli nie jesteś odporna (twój lekarz może wykonać test kontrolny), to ryzyko zachorowania i tak będzie niewielkie, ponieważ większość dzieci jest uodporniona szczepieniami. Uspokajający jest także fakt, że odra w przeciwieństwie do różyczki nie powoduje powstania wad rozwojowych płodu, chociaż może wiązać się ze zwiększonym ryzykiem poronienia lub porodu przedwczesnego, a także z całkiem poważną chorobą u ciężarnej. Jeżeli jesteś narażona na kontakt z chorym na odrę, a nie jesteś uodporniona, twój lekarz powinien w czasie fazy wylęgania zastosować gammaglobulinę, w celu osłabienia przebiegu choroby. (Faza wylęgania to okres od zarażenia do pojawienia się pierwszych objawów.) Gdy ciężarna ma kontakt z odrą w okresie okołoporodowym, istnieje ryzyko infekcji noworodka. Może ona mieć poważne następstwa. Ponownie podana gammaglobulina może osłabić przebieg takiej infekcji.

INFEKCJA DRÓG MOCZOWYCH

Obawiam się, że mam infekcję dróg moczowych.

Infekcja dróg moczowych (UTI) jest tak powszechna w ciąży, że występuje u 10% ciężarnych co najmniej raz w czasie ciąży, a u 1/3 z nich ulega wznowieniu. W większości przypadków chodzi o zapalenie pęcherza moczowego. U niektórych kobiet przebiega ono bezobjawowo i jest rozpoznawane jedynie podczas rutynowego badania moczu. U pozostałych ciężarnych można spotkać zarówno słabo wyrażone objawy, jak i bardzo nieprzyjemne (częste parcie na mocz, pieczenie podczas oddawania moczu, ostry, kłujący ból podbrzusza).

Niezależnie od występowania objawów infekcja powinna być natychmiast leczona przez lekarza za pomocą antybiotyków dopuszczalnych w ciąży.[1] Nie należy przerywać leczenia z chwilą polepszenia samopoczucia, kontynuacja jest konieczna dla zapobieżenia nawrotom. W 20-40% przypadków nie leczone zapalenie pęcherza w ciąży przechodzi w zapalenie nerek (pyelonephritis), które jest groźniejsze i dla matki, i dla dziecka, szczególnie w ostatnim trymestrze ciąży i może doprowadzić do porodu przedwczesnego. Objawy są podobne jak w zapaleniu pęcherza, ale często towarzyszy im gorączka (nawet 38°C, dreszcze, krew w moczu i ból głowy). Postaraj się jak najszybciej porozumieć z lekarzem i przedstawić mu objawy. Generalnie nerki można wyleczyć antybiotykami, ale do ich dożylnego podawania prawdopodobnie będzie konieczna hospitalizacja. Wielu lekarzy już podczas pierwszych wizyt próbuje wyleczyć zakażenie nerek badaniem wrażliwości bakterii na antybiotyki. Gdy w hodowli z moczu uzyska się bakterie (co zachodzi u 7-10% ciężarnych), wówczas zapisuje się antybiotyki w celu zapobieżenia zapaleniu pęcherza i nerek. Jest też wiele środków domowych, które mogą pomóc zlikwidować UTI, a używane łącznie z leczeniem lekarskim mogą przyśpieszyć proces zdrowienia.

- Pij dużo płynów, szczególnie wody. Dobre są także nie słodzone soki cytrusowe i żurawinowe. Unikaj kawy (nawet bezkofeinowej), herbaty i alkoholu. Myj dokładnie okolice narządów płciowych przed stosunkiem.

[1] Nie używaj leków wcześniej zapisanych (ani tobie, ani innej osobie), nawet jeśli były przepisane na zapalenie dróg moczowych.

- Myj dokładnie okolice narządów płciowych przed stosunkiem.
- Wypróżniaj pęcherz przed i po stosunku.
- Za każdym razem podczas oddawania moczu postaraj się dokładnie opróżniać pęcherz. Podczas oddawania moczu pochylaj się do przodu w celu lepszego opróżnienia pęcherza. Czasami pomaga także „dwukrotne opróżnianie". Po oddaniu moczu odczekaj 5 minut i ponownie próbuj oddać mocz. Nie powstrzymuj oddawania moczu – ci, którzy tak postępują, zwiększają ryzyko wystąpienia infekcji.
- Noś bawełnianą bieliznę i unikaj obcisłych majtek. Śpij bez majtek.
- Utrzymuj pochwę, okolicę sromu i krocza stale czyste. Myj je codziennie (raczej korzystaj z prysznica niż z wanny) i unikaj kąpieli w pianie, perfumowanych talków, mydeł, dezodorantów, detergentów, płynów toaletowych, gorącej wody i kąpieli w basenach z niewłaściwie chlorowaną wodą. Po skorzystaniu z toalety wycieraj się od przodu ku tyłowi. Zapytaj także lekarza o środki przeciwbakteryjne.
- Podczas pobierania antybiotyków pij niesłodzony jogurt, który zawiera żywe kultury bakterii i pomoże w utrzymaniu prawidłowej flory bakteryjnej w jelitach.
- Utrzymuj wysoką odporność organizmu poprzez spożywanie niskosłodzonych posiłków (patrz *Dieta najlepszej szansy*, s. 103), nie pracuj aż do przemęczenia, korzystaj z wypoczynków i unikaj stresów.

ZAPALENIE WĄTROBY (HEPATITIS)

Jedno z moich dzieci w żłobku, gdzie pracuję, miało zdiagnozowane zapalenie wątroby typu A. Gdybym się zaraziła, czy to może uszkodzić moje dziecko?

Hepatitis A jest bardzo powszechną chorobą (prawie 1/3 dzieci zapada na nią przed 5 rokiem życia). Jest przeważnie niegroźna (często bez wyraźnych objawów), nie zanotowano zakażenia płodu lub noworodka. Nie powinna ona uszkodzić ciąży.

Należy jednak pamiętać, że w ciąży lepiej nie kontaktować się z żadnym rodzajem infekcji. Zawsze myj ręce po zmianie pieluszek, po każdej kąpieli dzieci i przed jedzeniem, ponieważ hepatitis szerzy się drogą pokarmową. Możesz także zapytać lekarza, jakie widzi możliwości szczepienia przeciw zapaleniu wątroby A.

Czy hepatitis B jest chorobą zaraźliwą? Mój mąż zachorował na to i co dziwne, nie jest wcale w grupie wysokiego ryzyka.

To nie jest takie dziwne. Około 6 na 10 ofiar hepatitis B zaliczanych jest do tzw. kategorii wysokiego ryzyka[1], jedna na trzy z nich zapada na to bez jakichkolwiek uchwytnych przyczyn.

Skoro ta infekcja wątroby (która najczęściej występuje w okresie rozrodu między 15 a 39 rokiem życia) może być przeniesiona z matki na płód, to ma ona istotny związek z przyszłymi rodzicami. I skoro choroba ta może przenosić się z osoby na osobę, ma to również w praktyce związek z tobą. Powinniście więc dla ochrony (zarówno ty, jak i twój partner) stosować się do specjalnych wskazówek: np. nie używać wspólnych szczoteczek do zębów, żyletek lub innych osobistych przedmiotów i powstrzymywać się od współżycia. W przeciwieństwie do hepatitis A – przeciw któremu każdy z domowników może otrzymać zapobiegawcze zastrzyki – przeciwko hepatitis B uodpornianiu będzie podlegał tylko małżonek (lub partner seksualny). Poproś lekarza o szczepienie. Jeśli nie byłaś badana przeciw hepa-

[1] Wirusowe zapalenie wątroby B przenoszone jest za pośrednictwem krwi lub płynów ustrojowych. W grupie najwyższego ryzyka znajdują się: narkomani, homoseksualiści i heteroseksualiści mający więcej niż jednego partnera w okresie sześciu miesięcy. Do grupy podwyższonego ryzyka należą także pracownicy służby zdrowia oraz imigranci z Chin, południowo-wschodniej Azji i innych obszarów o dużym natężeniu tej choroby. Szczepienie jest dostępne i zalecane dla tych grup.

titis B, a doświadczyłaś któregoś z objawów (żółtaczka skóry lub białkówek oczu z towarzyszącymi wymiotami, bólem brzucha i utratą apetytu), poproś lekarza o badanie kontrolne. Wykonanie testu może być przydatne nawet wówczas, gdy nie masz tych objawów, ponieważ wiele zapaleń wątroby przebiega z bardzo słabymi objawami lub bez nich i w wielu przypadkach zgłaszane są jedynie nudności i objawy gastryczne.[1] Gdy przyszła matka (lub ktokolwiek inny) ma aktywną infekcję hepatitis B, najważniejszym leczeniem jest leżenie w łóżku i pożywna dieta. Przeciwwskazane są napoje alkoholowe, dotyczy to zresztą wszystkich ciężarnych, niezależnie od choroby. W celu oceny postępu choroby, badana jest okresowo krew. W 95% należy spodziewać się całkowitego wyzdrowienia, w pozostałych przypadkach choroba może przejść w ostrą lub przewlekłą postać. Gdy wirus hepatitis B jest obecny u matki podczas porodu, należy umyć noworodka najszybciej jak to jest możliwe, w celu usunięcia wszelkich śladów matczynej krwi i wydzielin, po czym w ciągu 12 godzin po porodzie zastosować szczepionkę przeciw hepatitis B oraz immunoglobulinę. Zwykle takie zapobieganie infekcji chroni dziecko. Leczenie jest powtarzane w 1 i 6 miesiącu życia, a badania kontrolne są wykonywane między 12 a 15 miesiącem, w celu oceny skuteczności leczenia. Spotyka się także inne rodzaje hepatitis, jak hepatitis C i E, zwane też nie A, nie B oraz ostatnio odkryte G. Obecnie nie jest jeszcze wyjaśnione, czy mogą one być przekazywane z krwi matki do dziecka lub w czasie porodu.

ŚWINKA

Mój współpracownik zachorował właśnie na świnkę. Nie wiem, czy kiedyś na nią chorowałam. Czy to niebezpieczne, zachorować na nią teraz, gdy jestem w ciąży?

Świnka jest rzadko spotykaną w ciąży chorobą, ponieważ większość dorosłych już ją przechorowała lub była przeciw niej szczepiona w dzieciństwie. Jeżeli możesz, sprawdź u swojego lekarza, który opiekował się tobą w dzieciństwie lub porozmawiaj z rodzicami, czy należysz do tej grupy. Jeżeli nie, to nie oznacza to jeszcze, że musisz na nią zachorować, ponieważ choroba nie jest bardzo zaraźliwa.

Niemniej może ona wyzwolić skurcze macicy i być przyczyną poronienia lub porodu przedwczesnego, dlatego musisz zwrócić uwagę na pierwsze objawy tej choroby (mdłe bóle, gorączka, utrata apetytu – objawy występujące przed powiększeniem węzłów chłonnych, a następnie pojawiające się bóle ucha i żołądka, po spożyciu kwaśnych pokarmów). Poinformuj o tym swojego lekarza, ponieważ szybkie leczenie może ograniczyć rozwój choroby.

OSPA WIETRZNA

Moje dziecko było w żłobku narażone na kontakt z ospą wietrzną. Jeżeli ono zachoruje, to czy może to mieć negatywny wpływ na dziecko, które teraz noszę?

Prawdopodobnie nie. Odizolowany od reszty świata płód może zetknąć się z ospą wietrzną tylko w jednej trzeciej przypadków. Ale pamiętaj o tym, że będziesz musiała ochraniać siebie, co może być trudne. Istnieje tylko małe prawdopodobieństwo, że ty nie miałaś ospy (85-95% dzisiejszej populacji miało ospę) i nie jesteś uodporniona. Poproś swoją matkę, żeby sprawdziła książeczkę zdrowia, czy nie chorowałaś na ospę; jeśli jest to niemożliwe, poproś swojego lekarza, aby sprawdził to testem immunologicznym.

Chociaż ryzyko zachorowania na ospę nawet gdy nie jesteś odporna – jest niewielkie (około 1 do 5 na 10 000), to zaleca się iniekcje z immunoglobuliny przeciw varicella-zoster (VZIG) po 96 godzinach od ekspozycji. Nie jest do końca wyjaśnione, czy ochroni to dziecko przed chorobą, ale zminimalizuje ry-

[1] Obecnie zalecane jest kontrolowanie wszystkich ciężarnych na hepatitis B. Gdy wynik jest pozytywny, rodzina ciężarnej jest zwykle uodporniana, a dziecku podaje się szczepionkę lub immunoglobulinę.

zyko komplikacji u ciebie, ponieważ wiadomo, że ta dziecięca choroba może dawać czasami groźne powikłania u dorosłych np. ospowe zapalenie płuc (tak czy inaczej groźniejsze w ciąży). Jeżeli zaatakowana zostaniesz ciężką postacią infekcji, to leczenie lekami przeciwwirusowymi może od samego początku zmniejszyć ryzyko komplikacji. Istnieje wprawdzie ryzyko zniszczenia płodu, gdy matka jest zainfekowana, ale jest ono małe. Nawet w okresie największej wrażliwości płodu – podczas pierwszej połowy ciąży – tylko w 2-10% ciąż mogą wystąpić uszkodzenia typowe dla zespołu wad wrodzonych po ospie. Gdy ekspozycja nastąpiła w drugiej połowie ciąży, uszkodzenia są bardzo rzadkie. Ospa staje się ponownie groźna pod koniec ciąży, kiedy infekcja matki może być przekazana dziecku podczas porodu. Ryzyko jest mniejsze, gdy matka jest w okresie produkcji przeciwciał i przekazuje je przez łożysko, co następuje przez 1 do 2 tygodni. Jeżeli u matki choroba rozwinie się na 4 do 5 dni przed porodem, to w 15-30% przypadków dziecko ulegnie zarażeniu i w ciągu tygodnia rozwinie się u niego charakterystyczna wysypka. Ospa noworodkowa w tym momencie może być bardzo niebezpieczna i zwykle podawany jest VZIG. Ryzyko zakażenia noworodka jest mniejsze, gdy choroba wystąpi między 5 a 21 dniem przed porodem. Półpasiec, który powstaje po reaktywacji wirusa ospy u kogoś, kto na nią chorował wcześniej, nie powoduje uszkodzenia płodu, ponieważ w organizmie matki i dziecka są już przeciwciała przeciw wirusowi. W ostatnim czasie pojawiła się szczepionka przeciw wirusowi ospy, która po zatwierdzeniu do ogólnego stosowania będzie przeznaczona głównie dla kobiet, w celu uodpornienia przed planowaną ciążą.

GORĄCZKA

Mam gorączkę. Czy mogę wziąć aspirynę?

W twoim dotychczasowym życiu gorączka nie była podstawą do obaw. W istocie rzeczy gorączka jest sprzymierzeńcem i najlepszym lekiem w walce z infekcją. W początkowym okresie ciąży, między trzecim a siódmym tygodniem, wzrost temperatury powyżej 38°C może spowodować wrodzone defekty. Uszkodzenia mogą się niekiedy pojawić, gdy wyższa temperatura będzie się utrzymywać dłużej niż 2 dni. Dlatego bezpiecznie będzie jak najszybciej temperaturę obniżyć. Sposób obniżenia zależy od jej wysokości oraz od zaleceń lekarza. Zadzwoń do lekarza, gdy masz wzrost temperatury, gdy waha się ona między 37°C a 38°C, nie zwlekaj ani chwili, gdy temperatura jest wyższa niż 38°C. Temperaturę poniżej 38°C można skutecznie obniżyć domowymi sposobami, jak np. chłodna kąpiel (patrz zakończenie).

Przy wyższych temperaturach zostanie prawdopodobnie zalecony acetaminofen łącznie z antybiotykiem (jest wiele antybiotyków bezpiecznych w ciąży). Aspiryna nie powinna być stosowana rutynowo w czasie gorączki (patrz niżej).

BRAĆ ASPIRYNĘ CZY NIE

W zeszłym tygodniu miałam silny ból głowy i wzięłam dwie aspiryny. Teraz przeczytałam, że może być ona przyczyną wad rozwojowych. Jestem bardzo zdenerwowana.

Miliony Amerykanów, otwierając codziendziennie swoje apteczki w poszukiwaniu aspiryny, myślą, że jedna lub kilka tabletek jest nieszkodliwych. Dla większości z nich jest ona rzeczywiście nie tylko nieszkodliwa, ale również korzystna. Jednak w ciąży aspiryna i jej pochodne mogą być niebezpieczne.

Jeżeli przypadkowo wzięłaś jedną lub dwie aspiryny w pierwszych dwóch trymestrach ciąży, nie martw się, ponieważ nie zanotowano przypadku wpływu takich dawek na płód. Ustalono, że jedna na dwie ciężarne bierze co najmniej jedną dawkę aspiryny bez wyraźnych objawów chorobowych. Jeżeli nie możesz stosować innego leku, to do końca ciąży bierz aspirynę tylko wtedy, gdy jest to absolutnie konieczne i kiedy jest ona zalecana przez lekarza, który wie o twojej ciąży. Zażywanie aspiryny jest najbardziej ryzykowne w trzecim trymestrze ciąży, kiedy nawet jedna dawka może wpłynąć na wzrost płodu i powodować inne problemy. Ponieważ jest to antyprostaglandyna, a prostaglandyny wpływają na mechanizm porodu, może ona przedłużyć zarówno ciążę, jak i poród i doprowadzić do innych powikłań. Aspiryna wpływa na mechanizm krzepnięcia, dlatego branie jej na dwa tygodnie przed porodem może zwiększyć ryzyko krwawienia podczas porodu u matki i noworodka.

Ostrożne i pod medyczną kontrolą przyjmowanie mniej niż połowy typowej tabletki aspiryny dziennie, może być pomocne w leczeniu stanów immunologicznych (takich jak toczeń). Można używać małych dawek aspiryny dla zapobieżenia stanom przedrzucawkowym u kobiet z wysokim ciśnieniem krwi. U kobiet z normalnym ciśnieniem ryzyko jest większe niż korzyści. Popularne pochodne aspiryny także nie są korzystne w ciąży. Chociaż stosowanie w ciąży zmodyfikowanych pochodnych acetaminofenu (Tylenol, Datril, Anacin III) zdaje się nie przedstawiać problemów, to powinny być one również stosowane tylko w razie konieczności i pod kontrolą lekarza.

Relatywnie nowym lekiem zmniejszającym ból jest Ibuprofen (Adril, Nuprin, Mopren), który pod pewnymi względami podobny jest do aspiryny i za sprawą pewnych mechanizmów może wywołać reakcje uczuleniowe. Chociaż były doniesienia o powikłaniach podczas stosowania Ibuprofenu we wczesnej ciąży, to jego zażywanie w ostatnim trymestrze także może wywołać problemy, przedłużając ciążę i/lub poród.

Z tych powodów nie należy używać wyżej wymienionych leków w ostatnich 3 miesiącach ciąży. Jeżeli to konieczne, możesz stosować je we wcześniejszym okresie ciąży, ale jedynie pod kontrolą lekarza, który wie, że jesteś w ciąży (nie obawiaj się jednak, jeśli wzięłaś Ibuprofen, zanim dowiedziałaś się, że jesteś w ciąży). Przezorność jest tu najważniejsza, kieruj się nią, gdy się zastanawiasz, czy wziąć lek, czy nie. Niekiedy niczym innym nie można zmniejszyć bólu i gorączki. Istotne w ciąży są wypróbowane sposoby (patrz zakończenie) na zmniejszenie bólu lub obniżenie gorączki. Gdy one nie pomogą, stosuj pochodne acetaminofenu pod kontrolą lekarza.

STOSOWANIE LEKÓW

W jaki sposób mogę się dowiedzieć, które leki są bezpieczne podczas ciąży, a które nie?

Niezapisywanie lekarstw jest zawsze 100% bezpieczne dla 100% ludzi. Gdy bierzesz leki w ciąży, narażone na niebezpieczeństwo są dwie osoby, jedna z nich jest bardzo mała i bezbronna. I chociaż wykazano, że niektóre leki są szkodliwe dla płodu, to wiele leków z powodzeniem stosowano w ciąży wówczas, gdy leki te były absolutnie niezbędne dla zdrowia i/lub życia.

Jeśli więc będziesz chciała sięgnąć po dany lek w konkretnym czasie, to wspólnie z lekarzem powinniście rozważyć potencjalne ryzyko i korzyści, które ten lek oferuje. W każdym przypadku powinnaś się kierować zasadą generalną, że o tym, czy brać lek czy nie, decyduje lekarz, który wie, że jesteś w ciąży i pozwoli brać leki tylko wtedy, gdy jest to absolutnie konieczne. Rodzaj leku zależeć będzie od danej sytuacji oraz bezpieczeństwa dla ciąży. Jest wiele list, na których ujęto leki i podzielono je na bezpieczne, prawdopodobnie bezpieczne, prawdopodobnie niebezpieczne i definitywnie niebezpieczne. Mogą być one przydatne, ale większość z nich jest już nieaktualna i może zawierać niepewne dane.

Ograniczone zastosowanie mają także ulotki i informacje na opakowaniach leków, ponieważ nie zawsze zawierają informacje o bezpieczeństwie w ciąży, a często informują jedynie o zakazie stosowania bez zaleceń lekarza. Najlepszym źródłem informacji powinien być dla ciebie:

- Dobrze poinformowany lekarz (choć nie wszyscy są zapoznani z bezpieczeństwem stosowania leków w ciąży), a najbardziej pomocny będzie specjalista położnik.

Pamiętaj o tym, by upewnić się, czy przepisane leki są bezpieczne w ciąży. Z kolei nie odstawiaj przepisanych leków z obawy przed ich szkodliwością dla dziecka, ponieważ odwlekanie leczenia może ci czasami bardziej zaszkodzić. Jeżeli naprawdę musisz brać określony rodzaj leku, postępuj według poniższych wskazówek, mając na uwadze zmniejszenie ryzyka i lepszą skuteczność.

- Przedyskutuj z lekarzem branie jak najmniejszych, ale skutecznych dawek leku przez możliwie krótki okres.
- Bierz leki w czasie, gdy mogą ci najskuteczniej pomóc. Na przykład leki na przeziębienie pomogą ci skutecznie zasnąć.
- Postępuj uważnie według zaleceń na opakowaniu lub wskazówek lekarza. Niektóre leki wymagają brania na pusty żołądek, inne po posiłku lub razem z mlekiem. Jeżeli twój lekarz nie dał ci instrukcji, zapytaj na przykład aptekarza.
- Wyszukuj środki niefarmakologiczne i uzupełniaj nimi leczenie. Wyeliminuj na przykład jak najwięcej alergenów z twojego domu. Lekarz będzie mógł tym samym zmniejszyć liczbę zapisanych leków przeciwhistaminowych.
- Upewnij się, że prawidłowo pobierasz lek. Łyk wody przed połknięciem kapsułki i popicie szklanką wody szybko przeniesie lek do miejsca wchłaniania. Przełykaj lek, siedząc lub stojąc, a nie leżąc lub pochylając się do przodu.

ZIOŁOLECZNICTWO

Nie będę stosować leków w ciąży. Ale czy wszystko będzie w porządku, gdy zastosuję zioła lecznicze?

Zioła lecznicze są lekami – często bardzo silnymi. Niektóre są tak silne, że stosowane są w laboratoriach do wytwarzania leków.

W niektórych społeczeństwach np. przez całe pokolenia stosowano zioła do indukcji poronień. Czasami nawet zwykła filiżanka mocnej ziołowej herbaty może wywołać takie objawy, jak: biegunka, wymioty, kołatanie serca. Używanie ziół leczniczych związane jest z dodatkowym ryzykiem, które nie występuje, gdy stosujemy leki. Zioła lecznicze nie są sporządzane pod specjalistyczną kontrolą i mogą być czasami niebezpiecznie mocne lub nieskutecznie słabe. Mogą także zawierać szkodliwe dodatki w postaci alergenów jak części owadów, pyłki kwiatów i nawet tak trujące składniki jak ołów i arsen. Dlatego stosuj zioła lecznicze rozważnie, jak każdy inny lek w ciąży. Nie zażywaj ich bez akceptacji twojego lekarza. Jeżeli odczuwasz dolegliwości, które wymagają leczenia, przedyskutuj problem z twoim lekarzem, zamiast leczyć się na własną rękę. Unikaj także herbat ziołowych. Jeśli natomiast do tej pory miałaś zwyczaj pić herbaty ziołowe, nie denerwuj się, prawdopodobnie nie zaszkodzi to bezpośrednio twojej ciąży. Ale od tej chwili odstąp od tego zwyczaju, chyba że zioła zostaną zalecone przez twojego lekarza. Jeżeli jesteś spragniona jakiegoś swojego ulubionego smaku herbaty, uzupełnij to porcją soku jabłkowego, ananasowego lub innego. Można także dodać do wrzącej wody dżemy owocowe lub plasterki cytryny, pomarańczy, jabłka, gruszki, liście mięty, cynamon, gałkę muszkatołową, goździk lub korzenie.

Nigdy nie rób herbaty z roślin rosnących pod twoim płotem, zanim upewnisz się absolutnie, co to jest i czy nie jest to szkodliwe dla ciąży.

CO WARTO WIEDZIEĆ

Dobre samopoczucie

Mając na uwadze potencjalnie szkodliwe dla nie narodzonego dziecka efekty, wynikające zarówno z choroby, jak i z leków, trzeba powiedzieć, że w ciąży o wiele większy nacisk powinno się kłaść na profilaktykę niż na opiekę. Uncja profilaktyki jest warta więcej niż funt opieki. Poniżej znajdziesz kilka wskazówek, cennych dla twojego dobrego samopoczucia, które możesz stosować niezależnie od tego, czy jesteś w ciąży, czy nie.

- Świetnie, jeśli masz zrobione szczepienia i są one aktualne (patrz s. 427). Jeżeli nie jesteś zaszczepiona, poproś lekarza o wykonanie testu na różyczkę, aby upewnić się, czy jesteś wrażliwa na chorobę. W przypadku, gdybyś nie była uodporniona, staraj się unikać kontaktu z każdym, kto może być zainfekowany. Gdy nadejdzie sezon grypowy, poproś o zastrzyki przeciw grypie. Mogą one być stosowane w ciąży, zmniejszają skutecznie prawdopodobieństwo zachorowania na grypę.
- Dbaj o dobrą formę i odporność. Jedz zdrową żywność, najlepszą, jaką możesz zdobyć (patrz: *Dieta najlepszej szansy*, s. 103). Wypoczywaj, uprawiaj regularnie ćwiczenia, nie osłabiaj organizmu złym odżywianiem.
- Unikaj jak ognia ludzi chorych. Staraj się trzymać z daleka od każdego przeziębionego, chorego na grypę, nieżyt pokarmowy lub cokolwiek innego. Trzymaj się z dala od kichających w autobusie, unikaj spożywania posiłków ze znajomymi, którzy mają zapalenie gardła, i nie podawaj dłoni znajomym mającym katar (drobnoustroje mogą być łatwo przeniesione za pośrednictwem dłoni). Jeżeli to możliwe, unikaj także małych, zatłoczonych przestrzeni. Myj starannie ręce po przebywaniu w środkach komunikacji miejskiej, zanim dotkniesz ust, nosa czy oczu.
- Jeśli to możliwe, ograniczaj swój kontakt z chorymi dziećmi lub chorym mężem (poproś członka rodziny, opiekunkę lub nieciężarną przyjaciółkę o sprawowanie opieki nad nimi). Unikaj zjadania po nich resztek, picia z ich kubków i całowania ich w twarz. Myj ręce po każdym kontakcie z chorymi, ich bielizną, chusteczkami; szczególnie unikaj dotykania oczu, nosa i ust. Dopilnuj, żeby chorzy domownicy także często myli ręce i żeby zakrywali usta, kiedy kaszlą lub kichają. Używaj środków dezynfekcyjnych, takich jak lizol w sprayu, dezynfekuj telefon i inne często dotykane przez chorych powierzchnie. Izoluj ich zakażone szczotki do zębów i wymień je, gdy choroba w domu minie.
- Gdy u twojego dziecka lub u dziecka, z którym masz regularny kontakt, pojawi się wysypka, nie wolno ci przebywać razem z nim, dopóki nie skontaktujesz się z lekarzem prowadzącym i nie upewnisz się, czy jesteś odporna na różyczkę, odrę, świnkę, rumień lub CMV (cytomegalowirus).
- Unikaj zakażonego pożywienia, stosuj bezpieczne przyrządzanie posiłków i bezpieczne przechowywanie: trzymaj ciepłe pożywienie w cieple, zimne w zimnie, przechowuj pozostałości produktów w lodówce, a łatwo psującą się żywność wyrzucaj po dwóch godzinach od wyjęcia z lodówki. Unikaj porowatych powierzchni do przyrządzania posiłków (drewnianych lub plastykowych, zatrzymujących brud na całej powierzchni), używaj powierzchni gładkich (jak szkło, hartowana stal), utrzymuj je skrupulatnie w czystości. Ręce także muszą być czyste przed dotknięciem pożywienia i po kontakcie z surowym mięsem, rybą i jajami. Pamiętaj o tym, by starannie gotować mięso, ryby i drób. Jeśli w najbliższym otoczeniu istnieje zagrożenie salmonellozą, postępuj ostrożnie z jajami, używaj tylko jaj, które mają gwarantowaną świeżość i są przechowywane w chłodziarce. Nie spożywaj niepasteryzowanych lub nie przechowywanych w lodówce produktów nabiałowych, gdyż mogą zawierać listerię. Szczególnie ryzykowne są miękkie sery.
- Dbaj o zdrowie zwierząt domowych, w miarę możliwości nie zwlekaj ze szczepieniami. Gdy masz kota, pamiętaj o toksoplazmozie i stosuj się do zaleceń mających na celu uniknięcie choroby (s. 89).
- Nie pożyczaj szczoteczki do zębów ani innych przedmiotów osobistych.

16

Jak postępować w chorobach przewlekłych?

Każdy, kto zetknął się z chorobą przewlekłą, wie, jak skomplikowane staje się życie w związku ze specjalną dietą, lekami i kontrolą medyczną. Każda kobieta chora przewlekle, która była w ciąży, wie, że komplikacje ulegają w ciąży podwojeniu. Zachodzi konieczność modyfikacji diety, leków, poszerzenia opieki medycznej. W przeszłości głównym problemem u kobiet przewlekle chorych w ciąży było duże zagrożenie ich życia i ich dzieci. Dzisiaj, dzięki wielu naukowym odkryciom, powikłania są mniej powszechne i choroby przewlekłe nie zagrażają już ciąży bezpośrednio. Niezbędne jest jednak nadal specjalne zaopatrzenie medyczne i potrzebne są odpowiednie zalecenia dla matki. W tym rozdziale przedstawione będą specjalne zalecenia odnośnie do większości chorób przewlekłych. Gdyby zalecenia te różniły się od wskazówek twojego lekarza, to w pełni stosuj się do jego wskazówek, ponieważ są one prawdopodobnie przystosowane specjalnie dla ciebie.

Co może cię niepokoić

CUKRZYCA

Jestem cukrzykiem i jestem zainteresowana wpływem mojej choroby na dziecko.

Do niedawna zajście w ciążę kobiety chorej na cukrzycę wiązało się z ryzykiem dla jej zdrowia, a szczególnie dla jej nie narodzonego dziecka. Dzisiaj, dzięki specjalizacji medycznej opieki i skrupulatnej ochronie zdrowia (najlepiej jeszcze przed zajściem w ciążę), kobieta chora na cukrzycę ma taką samą szansę donosić skutecznie ciążę i urodzić zdrowe dziecko jak każda inna kobieta. Faktem jest, że jedna z kobiet z cukrzycą, która brała udział w naszych programach naukowych, miała dzięki nadzwyczajnej opiece w trakcie ciąży mniej problemów niż jej odpowiedniczki bez cukrzycy. Prawidłowe zakończenie twojej ciąży w cukrzycy kosztować cię będzie wprawdzie dużo wysiłku, ale nagroda – zdrowe dziecko – sprawi, że będą to miłe i cenne chwile.

Badania wykazały, że kluczem do prawidłowego przebiegu ciąży jest utrzymywanie normoglikemii (normalnych poziomów glukozy we krwi). W ostatnich kilku latach pozwala na to lepszy dostęp do domowego monitorowania, systematycznego podawania insuliny, a nawet stosowania pomp insulinowych. Niezależnie od tego, czy zajdziesz w ciążę, chorując na cukrzycę, czy też wystąpi ona podczas ciąży, poniższe wskazówki mogą być dla ciebie ważne, mogą przyczynić się do bezpieczeństwa ciąży i zdrowia dziecka.[1]

Zalecenia lekarza. Będziesz się prawdopodobnie częściej niż inne ciężarne stykała z położnikiem (jak też z internistą i endokrynologiem). Otrzymasz też o wiele więcej zaleceń, których będziesz musiała skrupulatnie przestrzegać.

Dobra dieta. Przygotowanie diety dostosowanej do twojej szczególnej sytuacji wymaga uważnego zaplanowania przy współpracy z lekarzem prowadzącym, dietetykiem lub pielęgniarką posiadającą doświadczenie w opiece nad chorymi na cukrzycę. Dieta będzie prawdopodobnie bogata w zespół węglowodanów zawartych szczególnie w fasoli (około połowy twojego dziennego zapotrzebowania na kalorie powinno pochodzić z węglowodanów), przygotowana będzie z myślą o ograniczeniu białek (20% udziału kalorii), obniżeniu cholesterolu i tłuszczów (30% udziału kalorii, nie więcej niż 10% nasyconych), nie będzie zawierała słodyczy. Ważna będzie dieta bogatowłóknikowa (zalecane jest 40-70 gramów dziennie). Potwierdziły się bowiem niektóre doświadczenia, które wykazały wpływ włóknika na obniżenie zapotrzebowania na insulinę u chorych na cukrzycę. Kalorie powinny być ograniczone, szczególnie gdy masz nadwagę. Stopień ograniczenia węglowodanów będzie zależał od tego, w jaki sposób twoje ciało będzie reagowało na różne rodzaje pokarmów. Niektóre kobiety stosują owoce lub soki owocowe, aby szybko podwyższyć poziom cukru we krwi. Najwięcej węglowodanów otrzymać można z takich źródeł, jak: warzywa, ziarno zbóż i rośliny strączkowe (uczestniczą także w ustalonej bogatoresztkowej diecie). Dla utrzymania właściwego poziomu cukru we krwi będziesz musiała zwrócić szczególną uwagę na ilość węglowodanów dostarczanych w posiłku porannym. Ważne będą także przekąski w ciągu dnia. Byłoby idealnie, gdyby zawierały zarówno zespół węglowodanów (np. w ciemnym chlebie), jak i białka (np. w mięsie lub serze). Twoje zapotrzebowanie na kalorie – tak jak u innych ciężarnych – wzrośnie o około 300 kalorii na dzień, w stosunku do zapotrzebowania przed ciążą, a twoje zapotrzebowanie na białko o około 30 gramów (przeciętnego zapotrzebowania na mięso lub ryby). Nieregularne posiłki lub przekąski mogą niebezpiecznie obniżyć poziom cukru we krwi. Staraj się więc jeść regularnie. Ciąża nie jest okresem, w którym możesz zaniedbywać dietę, chociaż zmęczenie może sprzyjać temu. Jest to raczej idealny czas na ustalenie diety dla ciebie i twojego dziecka. Całkowite opanowanie diety w ciąży z cukrzycą jest tak ważne, że wielu specjalistów preferuje przeprowadzenie szpitalnego treningu dla kobiet z cukrzycą. W niektórych przypadkach szpitalny trening może być zalecany także dla kobiet, u których cukrzyca rozwinęła się w ciąży (cukrzyca ciężarnych). Jeśli w ciąży miewasz poranne nudności, staraj się, aby nie zakłócały one twojego odżywiania.

Poranne wymioty, w żadnym okresie ciąży, nie powinny mieć wpływu na regularne i prawidłowe odżywianie płodu oraz utrzymywanie stabilnego poziomu cukru. Staraj się nigdy nie opuszczać posiłków. Jeśli masz problemy z utrzymaniem cyklu 3 posiłków, przejdź na cykl 6 do 8 małych, regularnie rozplanowanych (s. 127 – ogólne rady dotyczące postępowania przy wystąpieniu porannych wymiotów).

Rozsądne przybieranie na wadze. Spróbuj osiągnąć prawidłową wagę przed poczęciem, tak będzie najlepiej. Jeżeli wchodzisz w ciążę z nadwagą, nie odchudzaj się w jej trakcie. Waga powinna wzrastać zgodnie z wytycznymi lekarza, to znaczy zwykle 11-13 kg na 9 miesięcy.

Ćwiczenia fizyczne. Umiarkowany program ćwiczeń:

[1] Są to typowe składniki programu cukrzycy w ciąży. Program ułożony specjalnie dla ciebie przez twojego lekarza lub zespół medyczny może się różnić od przedstawionego tutaj, ale to tego właśnie programu powinnaś przestrzegać. Jeżeli nie jesteś jeszcze w ciąży, twój lekarz powinien rozpocząć z tobą specjalny program przygotowawczy do rozrodu.

- doda ci energii;
- ureguluje poziom cukru we krwi;
- utrzyma cię dobrej formie fizycznej do porodu.

Musi być jednak planowany razem z działaniami ściśle medycznymi (leczenie cukrzycy + opieka ginekologiczna) i dietą – przez lekarzy.

Jeśli nie ma powikłań i zawsze byłaś sprawna fizycznie, to najprawdopodobniej zostaną ci zalecone np.:

- energiczne spacery;
- pływanie;
- ćwiczenia na pokojowym, stacjonarnym rowerze, to znaczy jazda w miejscu na rowerze, ale nie jogging.

Jeśli wcześniej nie byłaś w formie albo są komplikacje z twoją cukrzycą lub dziecko nie przybiera prawidłowo na wadze, to będą możliwe tylko lekkie ćwiczenia (np. wolny spacer).

Lekarz najprawdopodobniej zaleci ci też dodatkowe środki ostrożności. Będą to:

- mały posiłek przed ćwiczeniami, np. szklanka mleka;
- nie przekraczać 70% bezpiecznej częstości pracy serca dla twojej grupy wiekowej;
- nie ćwiczyć w zbyt ciepłym pomieszczeniu (26°C lub więcej);
- jeśli jesteś na insulinie, to prawdopodobnie nie będziesz mogła wstrzykiwać jej w te partie ciała, które są najbardziej forsowane w ćwiczeniach, np. w nogi, jeśli spacerujesz, i nie powinnaś zmniejszać dawek przed ćwiczeniami.

Odpoczynek. Jest ważny szczególnie w III trymestrze; mniej więcej w godzinach południowych np. wygospodaruj czas wolny, aby odpocząć (nogi ułóż wyżej) lub zdrzemnąć się; jeśli twoja praca zawodowa jest szczególnie wyczerpująca, to prawdopodobnie lekarz skieruje cię na urlop macierzyński wcześniej niż w innych, zdrowych ciążach.

Regulowanie procesu leczenia. Jeśli dieta i ćwiczenia fizyczne nie stabilizują dostatecznie poziomu cukru, przejdziesz prawdopodobnie na insulinę. Jeżeli przed ciążą brałaś lekarstwa doustnie, to najprawdopodobniej przejdziesz na zastrzyki z insuliną, które mają mniejsze działanie uboczne na płód, natomiast jeśli będziesz brać insulinę w zastrzykach po raz pierwszy – możesz pójść w tym okresie do szpitala, aby uregulować poziom cukru pod nadzorem lekarzy.

Ze względu na hormony i wzrost ich poziomu w trakcie ciąży – dawki insuliny będą dostosowywane, to znaczy, że najprawdopodobniej będą wzrastać w pewnych okresach. Dawki te mogą zmieniać się również pod wpływem następujących czynników:

- wzrost twojej wagi;
- waga płodu (wielkość płodu);
- twoja choroba;
- stres, emocje.

Regulowanie poziomu cukru. Bądź przygotowana na to, że lekarz może cię poprosić o sprawdzenie poziomu cukru we krwi od 4 do 10 razy dziennie (za pomocą aparatu sprawdzającego, przez nakłucie palca) prawdopodobnie przed i po posiłkach.

Aby utrzymać stan prawidłowego stężenia cukru we krwi, powinnaś:

Bezpieczna częstość pracy serca w ćwiczeniach fizycznych w ciąży przy cukrzycy

- Nie powinno się przekraczać 70% maksymalnej bezpiecznej częstości pracy serca dla danej grupy wiekowej;
- Oblicza się to następująco: odejmując liczbę lat pacjentki od 220 i mnożąc przez 0,7 (np. dla kobiety w wieku 30 lat 220 – 30 = 190 190 x 0,7 = 133).

- jeść regularnie (nie opuszczać posiłków);
- stosować odpowiednią dietę;
- dostosować ćwiczenia fizyczne;
- brać lekarstwa tak, jak zostały zalecone przez lekarza.

Jeśli byłaś zależna od insuliny przed ciążą, musisz mieć świadomość, że okresy hipoglikemii mogą być częstsze niż przed ciążą (odnosi się to szczególnie do pierwszego trymestru).

Lekarz może cię poprosić o wykonanie badania moczu na obecność ketonów.

Redukcja innych niebezpiecznych czynników. Ponieważ niebezpieczne czynniki kumulują się: im ich jest więcej, tym ryzyko jest większe – powinnaś je wszystkie wyeliminować (s. 80 – redukowanie czynników ryzyka w każdej ciąży).

Monitorowanie. Nie bądź zaniepokojona dużą liczbą testów, szczególnie w trzecim trymestrze lub hospitalizacją w ostatnich tygodniach ciąży – cel ich jest jeden: badanie stanu twojego i dziecka, aby wybrać optymalny czas porodu i interweniować, gdy zachodzi potrzeba. Prawdopodobnie będziesz miała regularnie badane oczy – sprawdzanie stanu siatkówki oraz przeprowadzane badania krwi w celu oceny pracy nerek. Problemy z siatkówką i nerkami mogą narastać w czasie ciąży, ale zwykle wracają do stanu przedciążowego po porodzie.

Stan twojego dziecka i łożyska będzie określany przez:

- badania typu: *stress-test* i/lub *non stress-test* (patrz s. 268);
- profile biofizyczne;
- punkcję owodni (amniocenteza), aby ocenić stopień rozwoju płuc i gotowość do porodu;
- sonografię (by ocenić wielkość dziecka, prawidłowy wzrost i ustalić moment optymalny dla porodu, zanim dziecko będzie zbyt duże do porodu drogami natury).

Możesz być poproszona, abyś sama rejestrowała ruchy płodu 3 razy dziennie (patrz s. 209 – jak to robić). Jeżeli nie poczujesz ruchów w trakcie samobadania, natychmiast skontaktuj się z lekarzem. Nie panikuj, jeśli dziecko bezpośrednio po urodzeniu zostanie umieszczone na oddziale intensywnej opieki neonatologicznej. W większości szpitali jest to pociągnięcie rutynowe wobec dzieci cukrzyków. Zostanie ustalone, czy dziecko nie wykazuje:

- problemów z oddychaniem (mało prawdopodobne, jeśli poddawałaś się w/w badaniom);
- hipoglikemii (jest częsta u dzieci cukrzyków, ale łatwo poddaje się leczeniu).

Możliwość wcześniejszego porodu. Dzieci wielu cukrzyków są zbyt duże do porodu drogami natury o czasie, szczególnie wtedy, gdy:

- englikemia nie była zachowana w trakcie ciąży;
- pogarsza się stan łożyska (odbierając płodowi tlen i środki odżywcze w ciągu ostatnich tygodni ciąży) i dlatego poród z reguły następuje wcześniej (około 38-39 tygodnia ciąży).

Wyżej wymienione testy pomogą lekarzowi zdecydować się na moment prowokowania porodu drogami natury lub podjęcie decyzji wykonania cięcia cesarskiego. Kobiety z cukrzycą ciężarnych oraz te z lekką cukrzycą przed ciążą, niekiedy i te z prawidłowo kontrolowaną (leczoną) umiarkowaną formą choroby mogą często bezpiecznie donosić ciążę do planowanego, normalnego okresu porodu.

ASTMA

Mam astmę od dzieciństwa. Obawiam się, że ataki albo lekarstwa, które biorę, mogą mieć zły wpływ na dziecko.

Ciężkie przypadki astmy powodują, że ciąże u tych pacjentek są ciążami podwyższonego ryzyka, ale badania wskazują, że ryzyko to może zostać wyeliminowane. Dlatego konieczna jest medyczna kontrola zespołu: internista + alergolog + położnik (najlepiej wszyscy trzej).

Astma kontrolowana ma niewielki wpływ na dziecko, lecz ciąża ma wielki wpływ na stan astmy:

u 1/3 pacjentek z astmą – w ciąży następuje poprawa,

u 1/3 pacjentek z astmą – w ciąży bez zmian,

u 1/3 pacjentek z astmą – w ciąży następuje pogorszenie.

Oto wskazówki, do których należy się zastosować (najlepiej jeszcze przed poczęciem, lecz bezwzględnie w pierwszych tygodniach i miesiącach ciąży – potem też):

- Nie palić (s. 84 – jak to zrobić);
- Zidentyfikować w środowisku czynnik wywołujący ataki (najczęstsze to: pyłki roślin, sierść psa – oddać zwierzę na ten czas; kurz, pył, perfumy) i zlikwidować je w najbliższym otoczeniu (s. 170 – rady, jak unikać alergenów). Jeżeli przed ciążą brałaś zastrzyki przeciw alergii, najprawdopodobniej będziesz to kontynuować; jeśli nie brałaś, a zajdzie taka potrzeba – może będziesz musiała je brać. Ataki mogą być powodowane ćwiczeniami fizycznymi – można im zapobiec, zażywając przepisane lekarstwa przed wysiłkiem;
- Unikaj przeziębień, gryp i innych infekcji układu oddechowego (patrz s. 324), lekarze mogą dawać ci lekarstwa zapobiegające atakom astmy, gdy zdarzy ci się małe przeziębienie; inne infekcje układu oddechowego (nawet te najdrobniejsze) będą prawdopodobnie chcieli leczyć antybiotykami; możesz dostać zastrzyk profilaktyczny przeciw grypie i infekcjom;
- Gdy masz atak, zażyj natychmiast lekarstwo, które zostało ci zapisane (jeżeli atak przedłuży się – płód może być niedotleniony), gdy nie pomaga, wezwij lekarza NATYCHMIAST;
- Zażywaj tylko lekarstwa przepisane przez lekarza na okres ciąży i w dawkach na okres ciąży:

– gdy symptomy są łagodne – lekarz może nawet ci nic nie przepisać;

– gdy symptomy są umiarkowane do ciężkich – jest wiele lekarstw (mogą być albo do wdychania, albo doustne) określanych jako „prawdopodobnie bezpieczne"; ryzyko ich stosowania jest niewielkie w porównaniu z korzyścią, jaką dają dziecku (zmniejszone zostaje ryzyko pozbawienia płodu tlenu); dodatkowo zmniejszają one ryzyko wystąpienia stanów przedrzucawkowych (patrz s. 212);

- Wyeliminuj pozostałe czynniki ryzyka (s. 80).

Trudności w złapaniu oddechu, które mogą dotyczyć również zdrowych ciężarnych w późnym okresie ciąży, dla ciężarnych z astmą są stanem alarmującym, ale nie niebezpiecznym. W ostatnim trymestrze mogą wystąpić reaktywacje astmy i ich przebieg może się pogorszyć. Natychmiastowe leczenie jest bardzo ważne.

Tendencje do alergii i astmy są dziedziczne – staraj się karmić dziecko piersią jak najdłużej (przynajmniej 6 miesięcy).

CHRONICZNE NADCIŚNIENIE

Od wielu lat cierpię na nadciśnienie. Czy wysokie ciśnienie może wpłynąć na moją ciążę?

W twoim przypadku zaleca się częste wizyty u lekarza i regularne poddawanie się badaniom (szczególnie ciśnienie). Ostatnie badania mówią, że nawet kobiety z upośledzoną pracą nerek mogą zajść w ciążę i urodzić.

Poza tym zaleca się:

Odpoczynek – patrz s. 135; przeczytaj dokładnie; odpoczynek obniża ciśnienie.

Monitorowanie ciśnienia krwi – badaj ciśnienie codziennie, najlepiej gdy jesteś najbardziej wypoczęta.

Właściwa dieta – *Dieta najlepszej szansy* – szczególnie ważna w ciążach wysokiego ryzyka. Być może należałoby również zalecić zwiększenie spożycia owoców i warzyw do 8-10 dawek dziennie i obniżyć dawkę zażywanego sodu. Sprawdzono, że obydwie taktyki dietetyczne obniżają nadciśnienie. Pomocna bywa również odpowiednio ustalona dawka wapnia.

Odpowiednia ilość płynów – pomimo twej naturalnej reakcji, by ograniczyć ilość przyjmowanych płynów (szczególnie gdy puchnąć ci będą stopy i kostki), należy tę ilość zwiększyć aż do 4,5 l dziennie.

Dużo wypoczynku – odpoczywaj z nogami w górze (rano i po południu); gdy masz stresującą pracę – zrezygnuj na czas ciąży; gdy masz dużo pracy w domu – zorganizuj sobie pomoc, by się odciążyć.

Lekarstwa – jeżeli brałaś wcześniej lekarstwa regulujące ciśnienie, lekarz albo zaleci ci kontynuowanie lub zapisze nowe bezpieczniejsze w ciąży. Mała dawka aspiryny wydaje się zapobiegać stanom przedrzucawkowym, przynajmniej u większości kobiet.

Poświęć więcej uwagi własnemu ciału – jeżeli zaobserwujesz jakiekolwiek symptomy komplikacji (patrz s. 137), natychmiast skontaktuj się z lekarzem.

Ścisłe medyczne monitorowanie – lekarz prawdopodobnie zaleci ci wizyty i testy, częstsze niż w przypadkach zdrowych ciężarnych – stosuj się do tego. Jeśli twoje ciśnienie jest bardzo wysokie i pozostaje takie pomimo leczenia i/lub masz poważne efekty uboczne, takie jak:
- krwotoki siatkówkowe;
- poważnie upośledzona czynność nerek;
- powiększone serce;

ryzyko szkodliwego wpływu twej choroby na planowaną ciążę wzrasta. Po konsultacji z lekarzem musisz rozważyć ryzyko i podjąć decyzję o zajściu w ciążę lub o jej kontynuowaniu.

SCLEROSIS MULTIPLEX (SM)

Kilka lat temu zdiagnozowano u mnie sclerosis multiplex. Miałam tylko dwa epizody SM i były one raczej lekkie. Czy SM może uszkodzić moją ciążę? Czy ciąża może wpłynąć na SM?

Sclerosis multiplex ma mały lub żaden wpływ na ciążę. Niemniej wczesna, regularna opieka prenatalna i wizyty u neurologa są koniecznością. Prawdopodobnie lekarz przepisze ci żelazo, aby uniknąć anemii, a w razie konieczności środki przeczyszczające o łagodnym działaniu, aby uniknąć zatwardzeń. Ze względu na częste infekcje układu moczowego u ciężarnych, które mogą nasilić SM, zastosowane zostaną antybiotyki. SM z reguły nie ma wpływu na przebieg porodu. Znieczulenie zewnątrzoponowe, jeśli jest konieczne, nie jest w tym wypadku niebezpieczne. Również ciąża nie wywiera większego wpływu na przebieg twej choroby (u większości ciężarnych chorych na SM ich stan stabilizuje się, choć w późniejszych miesiącach przy wzroście wagi chore te mogą zaobserwować zaostrzenie objawów). Jeżeli potrzebne są sterydy, prednison w małych dawkach jest bezpieczny. Inne lekarstwa stosowane w SM są mniej bezpieczne. Bądź pewna, że lekarz sprawdził bezpieczeństwo stosowania tych leków w ciąży, zanim je tobie poda. Chociaż ryzyko nawrotu choroby jest niskie w ciąży, to wzrasta ono przez pierwsze sześć miesięcy po porodzie. Ryzyko nawrotu choroby jednak nie jest tak ważne, jak uprzednio sądzono i nie tak bardzo jak przypuszczano wpływa na stopień ostatecznej ułomności w SM.

Aby zmniejszyć ryzyko poporodowe, zażywaj preparaty żelaza według zaleceń, próbuj zminimalizować stresy, dużo odpoczywaj, unikaj infekcji, nie przegrzewaj ciała (stosuj ćwiczenia fizyczne lub gorące kąpiele). Wczesny powrót do pracy może spowodować zarówno wyczerpanie, jak i stres, więc przedyskutuj możliwość powrotu do pracy z twoim lekarzem. Karmienie piersią jest możliwe, nawet gdy okresowo pobierasz małe dawki sterydów, które w małych ilościach przenikają do mleka. Jeżeli musisz brać duże dawki, możesz odciągać mleko z piersi i karmić odżywkami. Jeżeli karmienie jest stresujące dla ciebie, przerwij je i zacznij karmić z butelki lub łącz obie formy karmienia i nie obwiniaj siebie za tę decyzję. Dobre odżywki również korzystnie wpływają na rozwój dziecka. Większość matek z SM utrzymuje się w aktywnej formie przez 25 lub więcej lat i są zdolne wychowywać dzieci bez trudności. Jeżeli jednak SM utrudnia ci funkcjonowanie, w momencie gdy twoje dziecko jest małe, popatrz na s. 334 i zapoznaj się z materiałem o opiece nad dziećmi niesprawnych rodziców.[1]

ZABURZENIA ŁAKNIENIA

Od kilku ostatnich lat walczę z obżarstwem. Wiem, że powinnam przerwać nadmierne spożywanie pokarmów teraz, kiedy jestem w ciąży, ale nie potrafię. Czy to może uszkodzić moje dziecko?

Nie, jeśli otrzymasz pomoc. Fakt, że przez wiele lat byłaś łakoma (lub jadłaś zbyt mało), spowodował, że organizm twego dziecka i twój przestawiony został na szybszą przemianę materii – i twoje rezerwy odżywcze są prawdopodobnie niskie. Na szczęście na początku ciąży zapotrzebowanie na pożywienie jest niskie, dlatego masz szansę poprawienia sytuacji związanej z nałogiem, zanim zostanie uszkodzone dziecko. Niewiele badań przeprowadzono na polu zaburzeń pokarmowych podczas ciąży, częściowo dlatego, że wywołują one często zaburzenia cyklu owulacyjnego, obniżając w ten sposób liczbę kobiet, które z tymi problemami zachodzą w ciążę. Ale badania, jakie przeprowadzono, sugerują, że:

- Kobieta z zaburzeniami łaknienia, której pomaga się kontrolować niebezpieczne nawyki podczas ciąży, może z powodzeniem mieć zdrowe dziecko.
- Lekarz prowadzący ciężarną musi być poinformowany o istnieniu tych zaburzeń.
- Konsultacja specjalisty z doświadczeniem w tego typu schorzeniach jest konieczna dla każdego z tym problemem, a zwłaszcza dla ciężarnej. Bardzo wskazane byłoby uczestnictwo w terapiach grupowych.
- Środki przeczyszczające, moczopędne czy inne stosowane przez bulimików są szkodliwe dla płodu i muszą być odstawione z chwilą zajścia w ciążę (chyba że przepisane są przez lekarza, który świadom jest twojego stanu).

Niewątpliwie musisz zrozumieć, podobnie jak każda kobieta z tego typu zaburzeniami, że w ciąży znacznie wzrasta dynamizm przyrostu masy ciała. Staraj się zawsze pamiętać o tym, co przedstawiono poniżej:

- Sylwetka ciężarnej jest piękna, gdy nie jest zbyt otyła lub chuda. Nadmierny przyrost masy ciała jest niezdrowy i nieatrakcyjny. Przyrost masy ciała w ciąży ma wpływ na rozwój płodu, a także na twoje dziecko.
- Przyrost wagi w drugim i trzecim trymestrze ciąży jest nie tylko normalny, ale także pożądany (patrz s. 162). Jeżeli utrzymujesz się poza normami (które są wyższe dla tych, które zaszły w ciążę z niedowagą), będziesz w stanie zgubić wagę po zakończeniu ciąży.
- Gdy waga ciała uzyskana została przez ciebie poprzez spożycie pokarmów wysokiej jakości, polecanych jako pokarmy wysokoresztkowe, szanse posiadania zdrowego dziecka znacząco wzrastają, podobnie jak prawdopodobieństwo powrotu do prawidłowej sylwetki po porodzie.
- W zapobieganiu nadmiernemu przyrostowi wagi ciała mogą pomóc ćwiczenia, ale muszą to być ćwiczenia odpowiednie dla ciężarnej (patrz s. 197).
- Nie od razu po porodzie wraca się do normalnej wagi ciała. Trwa to sześć tygodni lub dłużej. Częste jest wtedy zniecierpliwienie i stosowanie metod przeczyszczających i od-

---

[1] Wiele kobiet z SM jest zaniepokojonych możliwością przekazania choroby swemu potomstwu. Chociaż istnieje składnik genetyczny w tej chorobie, to ryzyko zachorowania dzieci jest całkiem małe. Około 90-95% dzieci matek chorych na SM nie choruje na nią. Jeżeli wciąż jesteś niespokojna, spotkaj się z lekarzem w poradni genetycznej.

chudzających, co może mieć złe skutki dla matki i dziecka karmionego piersią.

Jeżeli nie możesz powstrzymać się od jedzenia i prowokowania wymiotów, zażywania środków przeczyszczających lub moczopędnych lub od głodzenia się, przedyskutuj to z twoim lekarzem. Zastanów się nad możliwością hospitalizacji lub zdecyduj się na ciążę w innym terminie.

NIESPRAWNOŚĆ FIZYCZNA

Jestem paraplegikiem z powodu uszkodzenia rdzenia kręgowego i muszę korzystać z wózka inwalidzkiego. Mieliśmy obawy i ostrzegano nas, ale razem z mężem bardzo pragnęliśmy dziecka, i to od dłuższego czasu. W końcu zaszłam w ciążę. I co teraz?

Jak każda ciężarna, powinnaś po pierwsze wybrać lekarza prowadzącego, i jak każda ciężarna, która zaliczona została do grupy wysokiego ryzyka, powinnaś być pod opieką specjalisty położnika-ginekologa z doświadczeniem w prowadzeniu kobiet z podobnymi schorzeniami. Jeżeli w twoim rejonie nie ma takiego specjalisty, powinnaś poszukać lekarza, który zdobędzie odpowiednią wiedzę i zapewni wszechstronną pomoc tobie i mężowi. Podczas ciąży będziesz musiała rozpocząć szukanie pediatry lub lekarza domowego, który będzie mógł pomóc ci jako niesprawnej fizycznie matce.

Rodzaj pomocy, jaka będzie potrzebna, aby ciąża zakończyła się sukcesem, zależy od twoich fizycznych ograniczeń. W każdym razie konieczne będzie ograniczenie przyrostu masy ciała, w dopuszczalnych granicach (11-13 kg), aby zminimalizować stres dla twojego ciała. Przestrzeganie „Diety najlepszej szansy" umożliwi ci utrzymanie organizmu w dobrym stanie i zmniejszy prawdopodobieństwo wystąpienia powikłań, a stosowanie ćwiczeń fizycznych pomoże ci utrzymać siłę potrzebną przy porodzie.

Konieczne jest, abyś zrozumiała, że chociaż ciąża może być dla ciebie bardziej uciążliwa niż dla innych kobiet, to nie jest ona niebezpieczna dla dziecka. Nie zanotowano niepowodzeń lub wzrostu ryzyka w ciąży u kobiet z uszkodzeniem rdzenia kręgowego (oraz u tych z innymi niedomogami fizycznymi, nie związanymi z chorobami dziedzicznymi lub układowymi).

Kobiety z uszkodzeniami rdzenia kręgowego są bardziej podatne na wystąpienie takich powikłań ciążowych, jak: infekcje nerek, dysfunkcje pęcherza moczowego, kołatanie serca, nadmierna potliwość, niedokrwistość i kurcze mięśni. W czasie porodu także mogą pojawić się problemy, chociaż w większości przypadków poród drogami natury jest możliwy. Ponieważ skurcze macicy będą prawdopodobnie niebolesne, będziesz poinstruowana o innych sposobach obserwacji czynności porodowej.

Na długo przed porodem skrupulatnie zaplanuj sposób, w jaki będziesz mogła dostać się do szpitala – z tego chociażby powodu, że w momencie, gdy poród się rozpocznie, możesz być sama w domu. (Powinnaś zaplanować dotarcie do szpitala w jak najwcześniejszym okresie porodu, aby uniknąć możliwych powikłań.) Przygotuj w porę wszystkie podręczne rzeczy, które weźmiesz do szpitala, i upewnij się, że będziesz mogła ze swobodą poruszać się po szpitalu na wózku inwalidzkim. Macierzyństwo zawsze jest wyzwaniem. Może być tym większe dla ciebie i twojego męża. Wcześniejsze planowanie pozwoli skutecznie stawić czoło wyzwaniu. Przygotuj wcześniej swój dom, aby skuteczniej opiekować się dzieckiem (możesz nawet skontaktować się z innymi niesprawnymi matkami, aby przyjrzeć się, jak one poradziły sobie z tymi problemami). Zamontuj dzwonek alarmowy do wzywania pomocy (odpłatny lub inny). Ułóż listę rzeczy potrzebnych dla twojego dziecka i rozdziel zadania, jakie będą wykonywać domownicy po twoim powrocie z dzieckiem. Nie wykonuj wszystkich rzeczy ściśle według książki, rób według własnego uznania, tak by najlepiej spełniły swoje zadanie. Karmienie piersią znacznie ułatwi ci życie, nie będziesz miała kłopotu z przyrządzaniem mleka, uruchamianiem kuchenki, aby przygotować posiłek za każdym razem, gdy dziecko płacze, nie będą także konieczne zakupy odżywek. Komplet pieluszek może także ułatwić dalszą opiekę. Powinnaś przystosować odpowiednio stół, aby swobodnie korzystać z niego na wózku, podobnie łóżeczko dla dziecka powinno być zaopatrzone w opuszczany bok, abyś swobodnie mogła brać dziecko. Jeżeli zamierzasz sama kąpać dziecko (chociaż ta praca należy zazwyczaj do ojców), musisz przygotować odpowiednią wanienkę na stoliku. Kiedy kąpiel dziecka nie jest konieczna, możesz myć je gąbką na stole. Przystosuj wózek dla dziecka tak, abyś mogła je przewozić bez angażowania rąk potrzebnych do obsługi wózka. Kontakty z innymi matkami niesprawnymi fizycznie mogą być źródłem dobrych pomysłów i rad.[1] To nie będzie proste ani dla ciebie, ani dla męża, który musi być kimś więcej niż tylko partnerem w małżeństwie. Uspokoić cię i uwolnić od obaw powinna świadomość, że nie jesteś pierwsza, która przez to przechodzi, i fakt, że relacje tych kobiet, które przez to już przeszły wcześniej, wyrażają satysfakcję, iż warto było taki wysiłek ponieść.

PADACZKA

Choruję na padaczkę i właśnie dowiedziałam się, że jestem w ciąży. Czy moje dziecko będzie zdrowe?

Pod specjalistyczną opieką, rozpoczętą najlepiej jeszcze przed poczęciem, szanse dla ciebie i twojej ciąży są duże. Chore na padaczkę mają około 90% szans mieć zdrowe dziecko. Jeżeli jeszcze nie skontaktowałaś się z położnikiem, zrób to w miarę możliwości jak najszybciej. Poinformuj swojego lekarza zajmującego się padaczką, że jesteś w ciąży. Konieczna będzie ścisła opieka nad twoim zdrowiem i możliwie częste regulowanie ilości leków.

U matek chorujących na padaczkę zdaje się nie wzrastać ryzyko wystąpienia w ciąży takich powikłań, jak poronienia, stan przedrzucawkowy i poród przedwczesny, ale częściej występuje skłonność do nudności i wymiotów. Wiadomo, że konieczne jest zastosowanie środków przeciwpadaczkowych, ze względu na nieznaczny wzrost zagrożenia wystąpieniem urazu okołoporodowego u płodu. Najlepiej gdy kobieta przedyskutuje ze swoim lekarzem, jeszcze przed poczęciem, możliwość odstawienia leków. Jeżeli musi stosować leki, to może istnieje możliwość zastąpienia ich mniej niebezpiecznymi lekami (np. phenobarbital jest mniej szkodliwy podczas porodu niż phenytoin, a sodium valproate i trimetadion okazują się bardziej ryzykowne). Nie powinna jednak odstawiać niezbędnych leków, ponieważ brak tych leków lub nieregularne ich branie może okazać się bardziej niebezpieczne dla nie narodzonego dziecka.

Wiadomo, że największe niebezpieczeństwo rozwinięcia się wad rozwojowych występuje w pierwszych trzech miesiącach, po tym okresie nie ma powodu do niepokoju. Czasami istnieje możliwość wczesnego wykrycia wad rozwojowych za pomocą ultrasonografii i testu na alfafetoproteinę. Jeżeli byłaś leczona kwasem walproinowym (Depakene), twój lekarz może przeprowadzić badania wykluczające wady ośrodkowego układu nerwowego, jak na przykład rozszczep kręgosłupa. Kobiety z padaczką często chorują na anemię z niedoboru kwasu foliowego (często towarzyszą temu wady rdzenia kręgowego u płodu), dlatego wielu lekarzy zapisuje kwas foliowy zapobiegawczo. Zalecana jest także witamina D, wpływająca na obniżenie niebezpieczeństwa wystąpienia drgawek. W ostatnich dwóch miesiącach ciąży zalecane jest profilaktyczne podawanie witaminy K, aby zapobiec ryzyku krwawień u płodu. W innym wypadku noworodek będzie musiał dostawać profilaktyczne zastrzyki.

U wielu kobiet z padaczką ciąża nie wpływa na pogorszenie stanu ogólnego. U nie-

[1] Dużo praktycznych porad dostarczy ci publikacja *Pomoc i adaptacja dla pacjentów z zaburzeniami narządów ruchu i zmysłów* napisana przez T. Conine (Vancouver, Canada: School of Rehabilitation Medicine, University of British Columbia, 1988).

których dochodzi nawet do osłabienia częstości i siły napadów. U niewielkiego jednak odsetka obserwuje się nasilenie objawów padaczki. Może to być spowodowane wieloma czynnikami, jak np. brak wchłaniania leków z powodu wymiotów lub zbyt małych dawek leków przy zwiększonej ilości płynów ustrojowych w ciąży. Problem związany z wymiotami może być zminimalizowany poprzez branie leków przed spaniem. Jeżeli problem dotyczy zbyt małych dawek, może zaistnieć konieczność zmiany dawek przez lekarza. Po urodzeniu dziecka nie powinno być problemów z karmieniem piersią. Większość leków przeciwpadaczkowych przechodzi do mleka w tak małych ilościach, że nie mają one wpływu na dziecko. Porozmawiaj jednak z lekarzem i upewnij się, czy brane leki są bezpieczne. Jeżeli twoje dziecko po karmieniu piersią jest nienaturalnie senne, powiadom o tym lekarza. Zmiana leków będzie w tym przypadku prawdopodobnie konieczna.

FENYLOKETONURIA (PKU)

Urodziłam się z PKU. Mój lekarz pozwolił mi odstawić dietę z niską zawartością fenyloalaniny, gdy zakończyłam okres dojrzewania. W tej chwili czuję się dobrze. Ale kiedy rozmawiałam z położnikiem o tym, że chciałabym zajść w ciążę, poradził mi, żeby wrócić do poprzedniej diety aż do zakończenia ciąży. Czy powinnam posłuchać jego rady, mimo iż czuję się dobrze na normalnej diecie?

Nie tylko powinnaś go posłuchać, ale nawet podziękować za to. Dopiero niedawno rozpoznano, że ciężarne z fenyloketonurią, które nie stosują diety niskofenyloalaninowej, narażają swe dzieci na duże ryzyko wystąpienia niskiej masy urodzeniowej, małogłowia, wad rozwojowych i możliwości uszkodzenia mózgu. Najlepiej, jeśli zgodnie z zaleceniem lekarza rozpoczniesz stosowanie diety jeszcze przed koncepcją, w celu utrzymywania niskich poziomów fenyloalaniny aż do porodu. Substytuty mleka wolnego od fenyloalaniny i inne rodzaje pożywienia stosowanego w tej diecie powinny być uzupełnione w mikroelementy (cynk, miedź itp.). Bez ograniczeń można oczywiście stosować wszystkie środki spożywcze słodzone Equalem lub NutraSweet. Chociaż taka dieta nie jest najsmaczniejsza, to większość matek uważa za najświętszy obowiązek ochronę rozwijającego się dziecka. Jeżeli pomimo takich bodźców trudno jest ci utrzymać właściwą dietę, spróbuj zasięgnąć pomocy fachowych terapeutów, którzy znają twoje problemy. Gdy i te porady nie pomogą, musisz zastanowić się, czy jest słuszne kontynuować ciążę, gdy istnieją tak niekorzystne czynniki, mogące uszkodzić twoje dziecko.

CHOROBA WIEŃCOWA SERCA

Mój lekarz ostrzegł mnie, abym nie zachodziła w ciążę, ponieważ mam chorobę wieńcową. Ale przypadkowo zaszłam w ciążę i nie chcę jej usunąć. Pragnę tego dziecka bardziej niż czegokolwiek.

Twoja sytuacja nie jest tak wyjątkowa, jak mogłoby się wydawać. Choroba wieńcowa występuje coraz częściej u coraz starszych kobiet, które chcą mieć dzieci w coraz późniejszym wieku. Tak czy inaczej twoje bezpieczeństwo podczas ciąży zależy od rodzaju choroby. Jeżeli stopień jej nasilenia jest mały (nie ma ograniczeń w aktywności fizycznej, prosty wysiłek nie wymaga nadmiernego zaangażowania, nie występują kołatania serca, duszności lub angina) lub średni (niewielkie ograniczenia w aktywności fizycznej szybko ustępujące po wypoczynku, występowanie dolegliwości podczas prostej aktywności fizycznej), są duże szanse donoszenia ciąży, pod warunkiem ścisłej kontroli medycznej. Gdy nasilenie twojej choroby jest duże (znaczne ograniczenie aktywności fizycznej, nawet lekki wysiłek wywołuje objawy, chociaż podczas wypoczynku czujesz się dobrze) lub bardzo duże (jakakolwiek aktywność fizyczna wywołuje dolegliwości, objawy występują nawet podczas wypoczynku), twój lekarz powinien powiedzieć ci, że kontynuując ciążę, narażasz swoje życie na niebezpieczeństwo. Razem z mężem powinniście zastanowić się, jak dalej postąpić. Przed podjęciem decyzji musisz zdać sobie sprawę z tego, że jeżeli ty nie przeżyjesz ciąży, to dziecko także umrze. Ale nawet wówczas, gdy konieczne będzie zakończenie tej ciąży dla ratowania twojego życia, nie jest przesądzone, że nie będziesz miała dziecka. Możliwe jest, że stan twojego serca ulegnie poprawie (np. poprzez operację na otwartym sercu) i w przyszłości będziesz mogła bezpiecznie donosić ciążę. Jeżeli operacja nie jest wskazana, to wyjściem z sytuacji może być adopcja dziecka. Gdy twój kardiolog przekonany będzie o tym, że jesteś w stanie bezpiecznie donosić ciążę, przekaże ci prawdopodobnie kilka ważnych instrukcji. Oczywiście będą one uzależnione od twojej szczególnej sytuacji, ale mogą zawierać takie wskazówki:

- Unikanie fizycznych i emocjonalnych stresów. W niektórych sytuacjach może być wskazane ograniczenie do minimum aktywności przez okres ciąży, a nawet pozostawanie w łóżku.
- Pobieranie leków zgodnie z zaleceniami (bądź pewna, że są one bezpieczne dla twego dziecka).
- Zwracanie szczególnej uwagi na dietę w celu zapobieżenia nadmiernemu przyrostowi wagi ciała, co mogłoby znacznie obciążyć twoje serce.
- Spożywanie diety z niską zawartością cholesterolu, nasyconych kwasów tłuszczowych, unikanie pożywienia o wysokiej zawartości tłuszczów, ale nieeliminowanie ich całkowicie, ponieważ są one ważne dla prawidłowego rozwoju dziecka. Zredukowanie spożywanej soli (około 2000 miligramów dziennie). Jest to zwykle zalecane, ale całkowite odstawienie soli jest niedozwolone. Uzupełnianie żelaza według zaleceń.
- Noszenie pończoch obniżających ciśnienie krwi w nogach.
- Zaprzestanie palenia papierosów (jeżeli palisz).

W miarę zbliżania się do końca ciąży, powinnaś kontrolować stan płodu za pomocą badań ultrasonograficznych i testów niestresowych. Jeżeli ciąża przeszła bez komplikacji ze strony serca lub płuc, to mało prawdopodobne jest wystąpienie większych problemów podczas porodu. Oczywiście jesteś narażona na większą liczbę powikłań, a co za tym idzie na zastosowanie cięcia cesarskiego. Innym wyjściem może być zastosowanie operacji kleszczowej (patrz s. 289) dla zmniejszenia stresu podczas porodu i szybszego jego ukończenia.

NIEDOKRWISTOŚĆ KRWINEK SIERPOWATYCH

Jestem chora na anemię krwinek sierpowatych i właśnie dowiedziałam się, że jestem w ciąży. Czy mojemu dziecku nie nie będzie?

Jeszcze niedawno odpowiedź na to pytanie nie byłaby uspokajająca. Obecnie, dzięki wielu odkryciom medycznym, kobiety z tą chorobą mają dużą szansę donosić i urodzić zdrowe dziecko. Nawet kobiety z powikłaniami serca lub nerek w przebiegu anemii sierpowatej są często zdolne zakończyć ciążę sukcesem. Jednak ciąża u kobiet z anemią krwinek sierpowatych jest zaliczana do wysokiego ryzyka. Ze względu na podwyższone ryzyko wystąpienia przełomu choroby, powiązanego ze wzrostem liczby stresów, może częściej dojść do niepowodzeń w postaci poronień lub porodów przedwczesnych. Zauważono częstsze występowanie stanów przedrzucawkowych lub zatrucia ciążowego u kobiet z tą chorobą, ale nie jest jasne do końca, czy nie jest to raczej związane z czarnym kolorem skóry i większą skłonnością do nadciśnienia. Prognozy dla ciebie i dziecka będą lepsze, gdy pozostaniesz pod specjalistyczną opieką. Powinnaś częściej niż inne ciężarne poddawać się badaniom kontrolnym, jeżeli to możliwe, to co dwa lub trzy tygodnie – do 32 tygodnia ciąży, a po tym terminie co tydzień. Dobrze byłoby, gdyby twój lekarz doskonale się znał na niedokrwistości sierpowatej i ściśle współpracował ze specjalistami (położnik, internista, hematolog). Z całą pewnością podczas ciąży stosowane będą witaminy i preparaty żelaza. Prawdopodobnie co najmniej raz (zwykle w porodzie przedwczesnym lub przed porodem) lub też okresowo podczas ciąży (chociaż taki sposób leczenia jest kontrowersyjny) będziesz miała wykonaną transfuzję krwi. Podobnie jak inne matki będziesz mogła rodzić drogami natury. Po porodzie zastosowane zostaną antybiotyki jako ochrona przed infekcją.

Gdy oboje rodzice są nosicielami genu anemii sierpowatej, wówczas znacznie wzrasta ryzyko, że ich dziecko będzie dziedziczyć ciężką postać tej choroby. Dlatego też już we wczesnej ciąży (jeżeli nie przed koncepcją) również twój partner powinien być przebadany w kierunku anemii sierpowatej. Jeżeli okaże się, że jest jej nosicielem, powinnaś skonsultować się z genetykiem i jeżeli to możliwe, wykonać badania prenatalne (patrz s. 72) w celu sprawdzenia, czy płód nie jest uszkodzony.

TOCZEŃ RUMIENIOWATY UKŁADOWY

Moja choroba do tej pory przebiegała spokojnie. Niedawno zaszłam w ciążę. Czy to może spowodować znaczne przyśpieszenie rozwoju tej choroby? Czy moje dziecko zachoruje na toczeń?

Ciągle jeszcze niewiele wiadomo o toczniu trzewnym układowym (SLE), który jest chorobą immunologiczną, atakującą głównie kobiety w wieku 15 do 64 lat, częściej czarne niż białe.

Przeprowadzone studia sugerują, że ciąża nie ma wpływu na czas trwania tej choroby. W czasie ciąży niektóre kobiety czują poprawę, inne mają gorsze samopoczucie. To, jaki był przebieg pierwszej ciąży, nie decyduje o tym, jakie będą następne. W okresie poporodowym zauważono wzrost zaostrzeń. Wpływ SLE na ciążę nie jest jeszcze całkowicie jasny. Wydaje się, że najlepszy przebieg daje się zauważyć u kobiet, które zaszły w ciążę w okresie uspokojenia choroby. Chociaż nieznacznie wzrasta ryzyko utraty ciąży, to szanse na urodzenie zdrowego dziecka są bardzo duże. Najgorsze prognozy mają te kobiety, które mają poważnie upośledzoną czynność nerek (najlepiej gdy w ostatnich sześciu miesiącach przed koncepcją czynność nerek była ustabilizowana), lub te, u których stwierdzono tak zwane antykoagulanty tocznia we krwi. Stopień nasilenia choroby nie ma znaczenia, bo jest bardzo mało prawdopodobne, że dziecko może urodzić się z toczniem trzewnym. Kiedy zapotrzebowanie na aspirynę lub steryd prednison u kobiet z zapaleniem stawów lub obecnością antykoagulantów jest niewielkie, to wydaje się, że ryzyko znacznie się zmniejsza. Niektóre sterydy są bezpieczne podczas ciąży, ponieważ nie przechodzą przez łożysko. Inne przechodzą przez łożysko, ale pomimo to są niegroźne, jeszcze inne mogą być korzystne ze względu na przyspieszanie dojrzewania płuc płodu. Najprawdopodobniej z powodu twojej choroby opieka nad tobą w czasie ciąży może być bardziej skomplikowana ze względu na potrzebę częstszych testów oraz większe ograniczenia. Ale dzięki wspólnej pracy, wspólnemu wysiłkowi specjalistów, położnika oraz lekarza leczącego twoją podstawową chorobę – znacznie wzrastają szanse na szczęśliwe zakończenie ciąży.

CO WARTO WIEDZIEĆ

Jak żyć z ciążą wysokiego ryzyka?

Ciąża jest normalnym procesem, którego trzeba doświadczyć, nie jest chorobą, którą trzeba leczyć – oto popularna obecnie teza. Ale jeżeli twoja ciąża zaliczana jest do kategorii wysokiego ryzyka, musisz być świadoma, że nie jest to prawda uniwersalna.

Dla wielu kobiet jest to czas lęku, częstych konsultacji lekarskich, częstych pobytów w szpitalu i uczucia, że „nikt nie wie, jak to jest". Jedne kobiety żyją w nadziei i oczekiwaniu, podczas gdy w życie ciężarnych grupy wysokiego ryzyka wkraczają takie czynniki, jak:

Lęk. W czasie kiedy podekscytowani rodzice przygotowują się do narodzin swojego dziecka pod koniec dziewiątego miesiąca, rodzice dziecka z ciąży wysokiego ryzyka oczekują jedynie, że ich dziecko, o które się tak troszczą, żyć będzie jeszcze jutro.

Oburzenie. U kobiety przyzwyczajonej do niezależności może pojawić się oburzenie z powodu całkowitego uzależnienia, szczególnie gdy jej aktywność jest ograniczona. (Dlaczego ja? Dlaczego muszę przerwać pracę? Dlaczego muszę pozostawać w łóżku? – narastają pytania.) Ta złość może być skierowana przeciw dziecku, małżonkowi lub komukolwiek. Mąż może mieć czasami swój udział w tym niezadowoleniu. (Dlaczego na nią jest zwrócona cała uwaga? Dlaczego ja mam wykonywać całą pracę? Czy ona rzeczywiście musi leżeć w łóżku i czy ja naprawdę muszę pozostawać z nią w domu całe wieczory?) Mąż może też być niezadowolony z powodu wzrostu kosztów utrzymania, a także z powodu przerwania współżycia płciowego.

Poczucie winy. Kobieta może się zadręczać myślą, jak mogła doprowadzić do powstania ciąży wysokiego ryzyka lub do utraty wcześniejszych ciąż, chociaż w rzeczywistości nie miała ona na to żadnego wpływu. Może się martwić tym, że jest zbyt ospała, zbyt długo przebywa w łóżku, że zbyt wcześnie przerwała pracę. Może obwiniać siebie za to, że nie najlepiej układają się stosunki z mężem lub dziećmi. Z drugiej strony mąż także może obarczać się winą; może się źle czuć z powodu jej cierpień lub może mieć wyrzuty sumienia z powodu jej niezadowolenia.

Poczucie mniejszej wartości. Kobieta nie mogąca mieć „normalnej" ciąży może dojść do przekonania o swojej mniejszej wartości.

Stałe napięcie. Przyszli rodzice dziecka z ciąży wysokiego ryzyka często poświęcają bardzo wiele uwagi ciąży i wszystkim sprawom z nią związanym, i to przez cały czas, każdego dnia. Ciężarna bez przerwy zastanawia się: „Czy mogę to robić? Czy jest to dozwolone?" Konieczne są ograniczenia aktywności lub całkowity odpoczynek w łóżku oraz częste badania.

Stres małżeński. Każdy rodzaj kryzysu wywołuje stres małżeński, ale szczególnie często występuje on podczas ciąży wysokiego ryzyka. Związane jest to z ograniczeniem lub zaprzestaniem życia seksualnego, co może wpłynąć na związki intymne obojga partnerów. Dołączyć się do tego może problem wysokich kosztów ciąży (większość jest zwracana przez ubezpieczalnię) i utrata zarobków, gdy przyszła matka nie może kontynuować pracy. Chociaż końcowy sukces może nagrodzić wszystkie dotychczasowe wysiłki, to mimo wszystko jest to dziewięć ciężkich miesięcy.

Uwzględnij w dalszym postępowaniu poniższe czynniki, biorąc np. pod uwagę:

Planowanie finansów. Podobnie jak inni rodzice oszczędzają na to, by mieć środki na wykształcenie dziecka, wy musicie oszczędzać na bezpieczny poród waszego dziecka. Przewidywanie, czy ta ciąża będzie z grupy wysokiego ryzyka, a co za tym idzie droga, jest trudne, zwłaszcza za pierwszym razem. I dlatego duże znaczenie ma odpowiednie, wczesne przygotowanie się pod względem finansowym, zrezygnowanie z drogich wakacji, wydatków na niepotrzebne dobra. Jeżeli jest to trudne, odpowiednio wcześniej rozpocznij zaciskanie pasa.

Planowanie socjalne. Ważne jest ono szczególnie wówczas, gdy podczas ciąży wymagane jest leżenie w łóżku (całkowite lub częściowe). Nie przekształcaj w związku z tym swego życia w pustelnię. Zapraszaj swoje najlepsze przyjaciółki do domu (zamów pizzę i poproś męża o butelkę Sangrii). Poproś też przyjaciół na partię gry w karty albo na najnowszy film wideo. Gdy nie będziesz mogła brać udziału w ważnych wydarzeniach towarzyskich, jak na przykład ślub, imieniny, poproś męża, aby uczestniczył w nich i – jeżeli to

Matki pomagają matkom

Często kobieta będąca w ciąży wysokiego ryzyka lub taka, która doświadczyła niepowodzeń we wcześniejszych ciążach, czuje się wyobcowana ze swoimi problemami.

Jeżeli ty tak się czujesz, znajdź kontakt z kobietami, które mają podobne doświadczenia. Rozmowa z nimi pomoże ci pokonać poczucie winy, bezradności, a także podniesie cię na duchu w przypadku niepowodzeń. Rozmowy są wsparciem emocjonalnym. Przy tej okazji wymienia się bardzo wiele praktycznych rad dotyczących utrzymania domu i rodziny. Zdobywa się doświadczenie w rozpoznawaniu niekorzystnych objawów.

Jest to ponadto pożytecznie spędzany czas, gdy sama pomagasz innym. Kontakt z taką grupą kobiet ułatwią ci lekarze, położne lub pielęgniarki. Jeżeli w pobliżu nie ma takiej grupy, zbierz adresy kobiet w podobnej sytuacji i sama zorganizuj spotkania.

Jeżeli musisz stale leżeć w łóżku, utrzymuj telefoniczny kontakt lub organizuj spotkania we własnym domu.

możliwe – nagrał na wideo lub dokładnie je zrelacjonował. Gdy twoja siostra wychodzi za mąż setki kilometrów stąd, a lekarz zabronił ci wszelkich podróży, dobrym pomysłem będzie nagranie wideo lub napisanie obszernego listu ze specjalnymi życzeniami. Poproś ją także o film wideo z ceremonii zaślubin.

Wolny czas. Tygodnie, a nawet miesiące spędzane w łóżku mogą się bardzo dłużyć. Ale to jest właśnie czas, w którym możesz zrobić rzeczy, na które nigdy nie starczało czasu podczas normalnego życia. Czytaj książki, o których wszyscy wcześniej mówili. Oglądaj ciekawe filmy wideo, na które wcześniej nie miałaś czasu. Ucz się nowego języka lub innych przedmiotów z taśm magnetofonowych. Zrób coś na drutach lub wyhaftuj coś dla siebie, męża, matki lub twojego lekarza, skoro jesteś zbyt przesądna, żeby zrobić coś dla przyszłego dziecka. Jeżeli możesz siedzieć, weź kalkulator i zorganizuj finanse domowe. Pisz rodzaj dziennika na temat swoich przemyśleń, pomoże ci to spędzić wolny czas oraz spojrzeć z pewnym dystansem na twoje problemy. Przejrzyj katalogi reklamowe i zrób zakupy telefonicznie lub listownie.

Przygotowanie do porodu. Jeżeli nie możesz chodzić do szkoły rodzenia, poproś męża, aby notował najważniejsze informacje lub nagrał lekcje na taśmę. Jeżeli twoja sypialnia jest bardzo obszerna, poproś przyjaciół, żeby przeprowadzili jedną z lekcji u ciebie. Informacje dotyczące postępowania podczas prawidłowego porodu będą ci bardzo pomocne. Czytaj na ten temat wszystko, ze wszystkich dostępnych ci źródeł, a nawet zobacz film wideo z prawidłowego porodu. Zasięgaj od lekarza wszelkich informacji dotyczących porodu.

Wzajemna pomoc. Ciąża wysokiego ryzyka jest prawdziwym sprawdzianem dla życia małżeńskiego. Przez wiele miesięcy będziecie pozbawieni przyjemności wynikających z małżeństwa (seks, wspólne wyjścia lub spędzanie wolnych chwil), choć z drugiej strony czeka was radość z przyszłego dziecka. Tak więc, aby narodziło się zdrowe dziecko i wasze małżeństwo przetrwało, każde z was musi być świadome potrzeb partnera. Przyszła matka potrzebuje wsparcia niemal we wszystkim, a w takiej sytuacji zdarza się, że zaniedbane zostają potrzeby ojca. Dlatego, pomimo iż jesteś złożona chorobą w łóżku, powinnaś dawać swojemu partnerowi do zrozumienia, że jest ci bardzo przykro, nie możesz spełnić wszystkich jego potrzeb.

Problemy współżycia seksualnego. Kochać się nie zawsze znaczy współżyć seksualnie. Przeczytaj o tym, jak rozwijać życie intymne w ciąży, nawet gdy przeciwwskazane jest współżycie płciowe (s. 179).

Współpraca. Tak jak w każdej ciężkiej chwili twojego życia dziel się swoimi problemami z innymi, którzy są w tej samej sytuacji. Zapoznaj się z poniżej przedstawionymi wskazówkami.

17

Jeśli dzieje się coś złego

Obserwując niewiarygodną zawiłość procesów związanych z powstawaniem życia, od precyzyjnie przebiegających podziałów zapłodnionej komórki jajowej, poprzez dramatyczne stadium transformacji komórek bezkształtnego zawiązka do formy ukształtowanej istoty ludzkiej, stwierdzamy, iż jest niemal cudem, że wszystkie te mechanizmy następują prawidłowo i w określonym czasie. Jednak sporadycznie zdarza się, co nie jest zaskoczeniem, że kolejne etapy rozwoju przebiegają nieprawidłowo z przyczyn genetycznych, środowiskowych, jak i kombinacji dwóch wyżej wymienionych lub też innych wypaczeń natury.

Postępy w medycynie, usprawnienia w opiece lekarskiej, jak i zrozumienie znaczenia właściwej diety i odpowiedniego sposobu życia – wszystkie te elementy przyczyniły się do wydatnego obniżenia różnych nieprawidłowości, a co za tym idzie – polepszenia wyników położniczych, jak i bezpieczeństwa ciąży (także porodu), chociaż zawsze istnieje pewne ryzyko. Tak szczęśliwie się składa, że za pomocą współczesnej technologii, nawet w sytuacjach bardzo złożonych i nagłych, wczesna diagnostyka i leczenie mogą często zażegnać występujący problem.[1]

Powikłania ciążowe, zarówno pojawiające się nagle, jak i te dające się przewidzieć, utrudniają kobiecie życie, podobnie jak sama ciąża.

Wskazówki o sposobach przezwyciężania problemów związanych z ciążą, wzbogacone ich naukową interpretacją, znajdują się w rozdziale *Jak żyć z ciążą wysokiego ryzyka*, s. 338

U większości kobiet zarówno ciąża, jak i rozwój płodu przebiegają bez powikłań. Nie powinny one też zapoznawać się z treścią zawartą w niniejszym rozdziale. Rozdział ten powinien jednak stanowić lekturę dla tych kobiet, u których podejrzewa się lub też rozpoznano określone powikłanie. W tym przypadku zapoznanie się z treścią tego rozdziału może potwierdzić istniejący problem. Jednak przypadkowe przeczytanie tego rozdziału może doprowadzić do wystąpienia niezamierzonych i zbędnych obaw.

Powikłania, które mogą wystąpić podczas ciąży

Niepowściągliwe wymioty ciężarnych (hyperemesis gravidarum)

Co to jest? Jest to przesadzona forma rannych mdłości, która występuje z mniejszym prawdopodobieństwem niż 1 na 200 ciąż. Niepowściągliwe wymioty ciężarnych lub nadmierne wymioty w ciąży częściej dotyczą pierwia-

[1] Większość powikłań, które mogą wystąpić w okresie połogu, opisano w książce *Pierwszy rok życia dziecka*.

stek, ciężarnych z ciążą wielopłodową oraz kobiet, u których występowało to powikłanie podczas poprzedniej ciąży. Stres psychiczny może być czynnikiem sprawczym, pomimo że wrażliwość ośrodka wymiotnego, mieszczącego się w mózgu, wydaje się odmienna u różnych osób.

Znamiona i objawy. Nudności i wymioty występujące we wczesnych tygodniach ciąży są niezwykle częste i bardziej nasilone oraz mogą trwać dłużej – czasami przez pełnych dziewięć miesięcy. Nie leczone częste wymioty mogą prowadzić do wystąpienia zespołu zaburzeń odżywiania, następowego odwodnienia, a w konsekwencji mogą stanowić czynnik szkodliwy dla zdrowia matki i płodu. Ostry ból brzucha, któremu towarzyszą poranne mdłości, może też świadczyć o stanie chorobowym woreczka żółciowego lub trzustki. Konieczna jest więc w takiej sytuacji szybka interwencja lekarza.

Leczenie. Łagodne przypadki można leczyć dietą, wypoczynkiem, środkami zobojętniającymi kwaśną treść żołądkową oraz lekami przeciwwymiotnymi[1], lecz gdy stan ten przedłuża się, rzutując na dalszy prawidłowy rozwój ciąży, należy koniecznie ciężarną hospitalizować. Dalsze badania pozwolą wykluczyć nieciążowe przyczyny wymiotów, tj. zapalenie żołądka, niedrożność przewodu pokarmowego lub chorobę wrzodową. Pokój, w którym chora przebywa, można przyciemnić, a wizyty osób odwiedzających należy ograniczyć. W celu zmniejszenia napięcia nerwowego, korzystnym postępowaniem może okazać się psychoterapia. Odżywianie parenteralne wymaga jednoczesnego zastosowania środka przeciwwymiotnego. Jeśli bilans płynów został wyrównany (zazwyczaj udaje się to w 24-48 godzin), można rozpocząć podawanie obojętnych płynów doustnie. Jeśli chora toleruje płyny, można przejść do podawania jej 6 małych posiłków dziennie. W razie nawrotu wymiotów należy kontynuować leczenie parenteralne, chociaż wskazane jest zachęcenie ciężarnej do przyjmowania pewnych posiłków doustnie. Utrzymujące się przez dłuższy czas wymioty grożą zaburzeniem odżywiania płodu, dlatego też do podawanych parenteralnie płynów zaleca się dodawanie specjalnych odżywek, by umożliwić przez co najmniej tydzień całkowity odpoczynek przewodowi pokarmowemu matki. Ten sposób postępowania określa się mianem IV hiperalimentacji. Tylko w wyjątkowych sytuacjach, gdy występujące wymioty stanowią duże zagrożenie życia lub utraty zdrowia matki, należy rozważyć konieczność zakończenia ciąży.

[1] Nie powinno się stosować leków przeciwwymiotnych bez wcześniejszej aprobaty lekarza prowadzącego. Niektóre leki z grupy przeciwwymiotnych mogą działać antagonistycznie w stosunku do innych leków przyjmowanych obecnie, a nawet w przeszłości, jeszcze przed wdrożeniem terapii przeciwwymiotnej.

CIĄŻA EKTOPOWA

Co to jest? Jest to ciąża, która zagnieżdża się poza macicą, najczęściej w jajowodzie. Wczesne rozpoznanie i leczenie ciąży ektopowej zapobiega wystąpieniu groźnych powikłań i odległych następstw. Nie zdiagnozowana ciąża, znajdująca się w jajowodzie, może spowodować jego pęknięcie, co w konsekwencji powoduje trwałą utratę zdolności do przenoszenia tą drogą zapłodnionej komórki jajowej do jamy macicy w następnych cyklach owulacyjnych. Nie rozpoznane pęknięcie ciąży ektopowej jest niebezpieczne dla życia chorej.

Znamiona i objawy. Występuje silny, kolkowy ból, bardzo dokuczliwy, zazwyczaj rozpoczynający się w jednym miejscu i następnie rozprzestrzeniający się na całą jamę brzuszną, który nasila się podczas działania tłoczni brzusznej, kaszlu lub przy poruszaniu się. Często stwierdza się brunatne plamienie lub też lekkie krwawienie z pochwy, które może mieć charakter okresowy lub ciągły i zazwyczaj wyprzedza dolegliwości bólowe o kilka dni lub nawet o tygodnie. Czasami zdarzają się nudności i wymioty, zawroty głowy lub

Krwawienie we wczesnej ciąży

Występowanie krwawienia we wczesnej ciąży niekoniecznie musi wskazywać obecność jakiejś patologii, lecz dla ostrożności zawsze powinno być skonsultowane z lekarzem. Ciężarna powinna bardzo dokładnie opisać cechy tego krwawienia: Czy pojawia się okresowo, czy też trwa stale? Kiedy wystąpił jego początek? Czy jego barwa jest jasna czy ciemna, brązowa albo różowa? Czy jest na tyle obfite, że powoduje przemakanie podpaski higienicznej w ciągu godziny, czy jest to plamienie okresowe, czy też jego charakter jest zawarty między opisanymi sytuacjami? Jaki jest jego zapach? Czy wraz z krwią wydalane są jakieś fragmenty tkankowe (kawałki materiału litego)? (Jeśli są obecne, należy je zabezpieczyć, umieszczając w słoiku lub w torebce plastykowej.) Należy również wskazać inne towarzyszące objawy, jak: nudności i masywne wymioty, występowanie skurczów lub różnego rodzaju bólu, gorączki, zasłabnięć itd.

Plamienia lub brudzenia, z którymi nie współistnieją inne objawy, nie są uważane za sytuacje naglące; jeśli pojawiają się w środku nocy, można poczekać z poradą lekarską do rana. Wszystkie inne przypadki krwawień są wskazaniem do wezwania lekarza lub, gdy jest on nieosiągalny w danej chwili, do przewiezienia ciężarnej do specjalistycznego punktu pomocy doraźnej.

Dwoma najczęstszymi przyczynami krwawienia w I trymestrze, które nie powinny być przedmiotem obaw, są:

Prawidłowa implantacja zapłodnionej komórki jajowej w obręb ściany macicy. Takie krwawienie, zazwyczaj krótkotrwałe i miernie obfite, występuje wówczas, gdy zapłodniona komórka jajowa zagnieżdża się w ścianie macicy.

Zmiany hormonalne w okresie przypadającej miesiączki mogą stanowić przyczynę najzwyklejszego krwawienia. Krwawienie takie jest zazwyczaj mierne, choć czasami może być zbliżone do normalnych krwawień miesiączkowych.

Rzadszymi, ale i groźniejszymi w skutkach przyczynami wczesnego krwawienia mogą być:

Poronienie. Zazwyczaj obfitemu krwawieniu towarzyszy ból brzucha, a także możliwe jest wydalenie tkanek jaja płodowego. Brązowawe upławy mogą wskazywać na nie zauważone poronienie. Czasami, kiedy jajo nie rozwija się (jajo chybione), pęcherzyk jest pusty i żaden materiał embrionalny nie jest wydalany.

Ciąża ektopowa. Brązowawe plamienie z pochwy lub miernie obfite krwawienie; okresowe lub ciągłe, któremu towarzyszy ból brzucha lub barku, czasami bardzo ostry (s. 342).

Ciążowa choroba trofoblastyczna. Ciągłe lub nawracające brązowawe odchody są pierwszym objawem tego schorzenia (s. 347).

Często zdarza się tak, że nie udaje się ustalić uchwytnych przyczyn krwawienia w I trymestrze ciąży, natomiast ciąża rozwija się dalej i kończy się szczęśliwie.

---

zasłabnięcia, bóle w okolicach barku i/lub uczucie parcia na stolec.

Pęknięcie jajowodu, w którym rozwijała się ciąża, może być przyczyną silnego krwotoku z towarzyszącymi mu objawami wstrząsu (szybkie, nitkowate tętno, zimna, wilgotna skóra, omdlenie), jak też nagłego bólu, który po pewnym czasie rozprzestrzenia się poza obszar miednicy.

Leczenie. Ważne jest jak najszybsze dostarczenie chorej do szpitala. Zastosowanie nowoczesnych metod pozwala na wczesną diagnostykę ciąży jajowodowej i tym samym stwarza szansę wdrożenia zachowawczego sposobu postępowania, co jest bardzo korzystnym elementem dla zachowania zdrowia kobiety do dalszego rozrodu.

Rozpoznanie jest zazwyczaj stawiane na podstawie łącznego wykorzystania dwóch metod:

1. Seryjnie powtarzany test ciążowy bardzo czuły, który monitoruje poziom hormonu hCG we krwi matki (gdy w przebiegu ciąży obserwuje się, że poziom hCG obniża się lub przestaje wzrastać, można podejrzewać nieprawidłowe zagnieżdżenie się jaja płodowego w jajowodzie).

2. Aparatura ultrasonograficzna o wysokiej rozdzielczości umożliwia uwidocznienie macicy i jajowodów (brak pęcherzyka ciążowego w macicy, choć nie zawsze jest on wi-

Krwawienia w środkowym i końcowym trymestrze ciąży

Wystąpienie lekkiego krwawienia lub plamienia w II i III trymestrze ciąży generalnie nie powinno być przyczyną obaw, często bowiem jest ono spowodowane podrażnieniem podczas okresowego badania położniczego lub stosunku płciowego bardzo wrażliwej w tym okresie ciąży szyjki macicy lub też występuje bez uchwytnej przyczyny. Czasami jednak wymaga okresowego nadzoru lekarskiego, gdyż tylko położnik może określić stopień zagrożenia, w czym bardzo pomocne są dane z wywiadu o nasileniu krwawienia i czasie jego trwania. Każda ciężarna, choćby nawet tylko z plamieniem, któremu nie towarzyszą żadne inne objawy, powinna niezwłocznie zameldować o tym lekarzowi prowadzącemu.

Najczęstszymi przyczynami poważnych krwawień są:

Łożysko przodujące lub nisko zlokalizowane. Zazwyczaj występuje krwawienie jasnoczerwoną krwią, nie towarzyszą mu dolegliwości bólowe, rozpoczyna się samoistnie, chociaż może je wywołać kaszel, wysiłek fizyczny lub stosunek płciowy. Może być mierne lub obfite, lecz zazwyczaj ustaje, by ponownie wystąpić w późniejszym okresie ciąży. Patrz s. 355 – dalsze informacje.

Oderwanie lub przedwczesne oddzielenie łożyska. Krwawienie może być lekkie, podobne do skąpej miesiączki, jak i silne, przypominające obfitą menstruację lub też bardzo silne, co jest uzależnione od stopnia oddzielenia. Odchody mogą, lecz nie muszą, zawierać skrzepy krwi. Nasilenie współistniejących objawów, tj. skurczów i dolegliwości bólowych, jest także uzależnione od stopnia oddzielenia łożyska. Oddzieleniu łożyska na dużej powierzchni zazwyczaj towarzyszą objawy wstrząsu hipowolemicznego (patrz s. 357).

Późne poronienie. W poronieniu zagrażającym odchody mogą mieć barwę różową lub brunatną. Obfite krwawienie z towarzyszącymi dolegliwościami bólowymi przemawia za rozpoczynającym się poronieniem (patrz s. 346).

Skurcze przedwczesne. Za skurcze przedwczesne uważamy te, które występują po 20 tygodniu, lecz przed osiągnięciem przez ciążę 37 tygodnia. Odejście krwisto-śluzowego czopu, któremu towarzyszy czynność skurczowa macicy, może być pierwszym sygnałem mogącego wystąpić porodu przedwczesnego (patrz s. 360).

doczny w jajowodzie, wskazuje na rozwój ciąży ektopowej).

Gdy występują jakiekolwiek wątpliwości, potwierdzenie można uzyskać przez uwidocznienie jajowodów przez cienki laparoskop wprowadzony do jamy brzusznej przez pępek. Zastosowanie najnowocześniejszej aparatury diagnostycznej pozwala w 80% rozpoznać obecność ciąży ektopowej przed jej pęknięciem.

Pomyślne leczenie ciąży pozamacicznej jest również uzależnione od osiągnięć techniki medycznej. Zazwyczaj wybiera się laparoskopię poprzez dwa niewielkie nacięcia, jedno w pępku, w celu umieszczenia wziernika – laparoskopu, a drugi niżej w brzuchu, przez który wkłada się przyrządy operacyjne. Laparoskopia pozwala na znacznie krótszy pobyt w szpitalu i znacznie skraca okres rekonwalescencji. W zależności od okoliczności, do usunięcia ciąży z jajowodu używa się laserów lub elektrokauteru. Ostatnio alternatywą dla operacji stał się lek metotreksat. Niszczy on ciążę poprzez zahamowanie rozrostu komórek. Możliwe jest uratowanie jajowodu, chyba że ma on nieodwracalne uszkodzenia. Zachowanie jajowodu korzystnie rokuje na ewentualną ciążę w przyszłości. Pozostawione w jajowodzie resztki jaja płodowego mogą być przyczyną jego uszkodzenia, stąd następowe monitorowanie poziomu hCG, które utwierdza w pewności o usunięciu ciąży jajowodowej w całości.

WCZESNE PORONIENIE ALBO ABORCJA SAMOISTNA

Co to jest? Poronienie nazywane także aborcją samoistną jest wydaleniem samoistnym zarodka lub płodu jeszcze przed uzyskaniem przez niego zdolności do przeżycia poza jamą macicy. Poronienie w I trymestrze ciąży kwa-

Jeśli wystąpiło poronienie

Przebyte poronienie jest dla kobiety sytuacją trudną do zaakceptowania, choć zazwyczaj stanowi swoiste błogosławieństwo. Wczesne poronienie jest bowiem naturalną formą mechanizmu selekcji, w którym nieprawidłowo rozwijający się zarodek lub płód (wadliwie ukształtowany z powodu oddziaływania czynników środowiskowych, takich jak: promieniowanie jonizujące lub narażenie na pewne substancje chemiczne; nieprawidłowo przebiegającego procesu implantacji jaja płodowego w macicy, pewnych zaburzeń genetycznych, niektórych infekcji matczynych lub też przypadkowych okoliczności, jak również z nieznanych powodów) jest odrzucany, gdyż najprawdopodobniej byłby niezdolny do przeżycia lub bardzo poważnie uszkodzony.

Panuje zgodna opinia, że utrata ciąży nawet w jej wczesnym stadium rozwoju jest dużym przeżyciem dla kobiety. Nie należy jednak obarczać za to osobistego przeznaczenia – poronienie nie jest żadnym zrządzeniem sił nadprzyrodzonych. Kobieta dotknięta tym powikłaniem nie powinna się zbytnio martwić. W przezwyciężeniu trudności może dopomóc szczera rozmowa, poparta wzajemnym zaufaniem, z mężem, lekarzem prowadzącym, przyjaciółmi. W niektórych krajach istnieją instytucje wspierające małżeństwa, które doświadczyły niepowodzenia ciążowego. Należy zapytać lekarza prowadzącego lub dowiedzieć się w szpitalu o adres jednej z nich. Jest to szczególnie ważne dla małżonków dotkniętych więcej niż jednym niepowodzeniem. Więcej uwag dotyczących możliwości przezwyciężenia trudności związanych z utratami ciąż znajdziesz na s. 365.

Najlepszą metodą leczenia takich kobiet jest zalecenie im ponownego zajścia w ciążę w terminie możliwie bezpiecznym. Lecz zanim kobieta zdecyduje się na ponowne zajście w ciążę, lekarz prowadzący powinien naświetlić jej możliwe przyczyny występowania poronienia. Najczęściej poronienie jest pojedynczym incydentem, a jego czynnikami sprawczymi mogą być: nieprawidłowości chromosomalne, infekcje, wpływ pewnych substancji chemicznych lub też innych związków teratogennych, albo występuje bez uchwytnej przyczyny i nie powtarza się więcej. Nawykowe poronienia (więcej niż dwa) często związane są z niewydolnością hormonalną ciężarnej lub też matczynym układem immunologicznym, odrzucającym niezgodny antygenowo zarodek lub płód. W obu tych sytuacjach odpowiednie leczenie kobiety we wczesnej ciąży często zapobiega nawrotom niepowodzeń. Nawykowe poronienia rzadko spowodowane są czynnikami genetycznymi, które można określić, wykonując u małżonków pewne testy chromosomalne jeszcze przed koncepcją. Należy skonsultować z lekarzem prowadzącym zasadność wykonywania powyższych testów.

Większość lekarzy jest zgodna i zaleca okres od 3-6 miesięcy przerwy między przebytym niepowodzeniem a następnym zajściem w ciążę, pomimo iż współżycie płciowe można rozpocząć już w 6 tygodni po poronieniu. (Najbardziej preferowanym sposobem antykoncepcji jest metoda wykorzystująca środki mechaniczne, tj. prezerwatywę, kapturek naszyjkowy, różnego rodzaju błony dopochwowe itd.) Należy jednak właściwie spożytkować okres przerwy w oczekiwaniu na następną ciążę – stosować właściwą dietę żywieniową oraz wyeliminować nałogi. Przestrzeganie tych zaleceń doskonale przygotuje rodziców do następnej ciąży, już o nie powikłanym przebiegu, i do narodzin zdrowego dziecka. Większość kobiet, które przeżyły jedno poronienie, nie roni w czasie kolejnych ciąż. W rzeczywistości poronienia są „zaporą bezpieczeństwa" w odniesieniu do szeroko pojętego rozrodu człowieka, a przeważająca większość kobiet, która utraciła ciążę w ten sposób, rodzi następnie zdrowe dziecko.

---

lifikowane jest jako poronienie wczesne. Poronienie we wczesnym okresie ciąży występuje bardzo często (wielu lekarzy twierdzi, że w rzeczywistości każda kobieta ma przynajmniej jedno poronienie w okresie rozrodczym), a dotyczy ono około 40% wszystkich poczęć. Jednak większość z nich występuje w bardzo wczesnym okresie ciąży, czasami tak nieoczekiwanie, że mogą uchodzić uwagi, choć zazwyczaj towarzyszą im dość silne skurcze odczuwalne w podbrzuszu. Przyczynami wczesnych poronień są zazwyczaj aberracje chromosomalne lub też inne nieprawidłowości genetyczne dotyczące rozwijającego się zarodka; pewne schorzenia matczyne lub zaburzenia w zakresie produkcji hormonów ciążowych; pewne reakcje immunologiczne, ukierunkowane na określone antygeny płodowe.

Znamiona i objawy. Najczęściej występuje krwawienie z towarzyszącymi skurczami lub dolegliwościami bólowymi zlokalizowanymi w środkowej części podbrzusza. Czasami stwierdza się ostry lub też trwający przez około 24 godziny, a nawet dłużej ból, umiejscowiony w podbrzuszu, bez krwawienia lub z obfitym krwawieniem (przypominającym miesiączkowe), ciągłe mierne plamienie, które może utrzymywać się przez 3 dni, a nawet dłużej. Skrzepy krwi z elementami litymi mogą towarzyszyć zaczynającemu się poronieniu.

Leczenie. Badający lekarz, stwierdzający drożność kanału szyjki, powinien założyć, że poronienie już nastąpiło lub też jest w toku. W takich sytuacjach żadne postępowanie nie może już zapobiec utracie ciąży. W wielu takich przypadkach następowało już wcześniejsze obumarcie zarodka lub płodu, a występujące poronienie samoistne miało charakter wtórny.

Znacznie korzystniejsze rokowanie co do dalszego rozwoju ciąży występuje u tych ciężarnych z zagrażającym poronieniem, u których na podstawie techniki ultrasonograficznej lub dopplerowskiej stwierdza się czynność serca płodu, a kanał szyjki macicy jest zamknięty. Niektórzy położnicy stoją na stanowisku niewdrażania jakiegoś szczególnego leczenia w tych sytuacjach, wychodząc z założenia, że pozostawienie takich ciąż swojemu biegowi i tak zakończy się utrzymaniem ciąż zdrowych. Inni z kolei, w sytuacjach gdy ciężarna podaje w wywiadzie już uprzednio przebyte poronienie lub też stwierdzają nieprawidłowości w procesie implantacji jaja płodowego, zalecają leżenie z ograniczeniem aktywności ruchowej, uwzględniając także całkowitą rezygnację ze współżycia płciowego. Hormony żeńskie, niegdyś stosowane rutynowo w przypadkach występujących krwawień ciążowych, są obecnie rzadziej używane, ponieważ istnieją wątpliwości co do ich rzeczywistej skuteczności, a także pewne objawy związane z ich potencjalną szkodliwością dla rozwijającego się płodu. Jakkolwiek w wielu sytuacjach, w których w wywiadzie występowały poronienia, a ich przyczyną była stwierdzona niewydolność ciążowego ciałka żółtego w zakresie produkcji hormonów, można uzyskać wymierne efekty terapeutyczne, podając progesteron.

Czasami przebyte poronienie nie jest całkowite – tylko część łożyska, błon płodowych i zarodka zostaje wydalona z macicy. Jeżeli kobieta miała lub podejrzewa, że mogła przebyć poronienie, powinna niezwłocznie udać się do lekarza prowadzącego. Zazwyczaj w takich przypadkach instrumentalne wyłyżeczkowanie jamy macicy jest konieczne w celu opanowania krwawienia. Jest to postępowanie technicznie proste, lecz niezmiernie ważne, a polega na wyskrobaniu lub odessaniu zalegających w jamie macicy pozostałości płodowych lub resztek tkanki łożyskowej przez drożny kanał szyjki. Uzyskany materiał powinien być zabezpieczony, a następnie przekazany do dalszych badań, w celu potwierdzenia diagnozy.

PORONIENIE PÓŹNE

Co to jest? Samoistne wydalenie płodu między końcem I trymestru a 20 tygodniem ciąży jest nazywane późnym poronieniem. (Po 20 tygodniu ciąży, gdy płód może być zdolny do przeżycia poza macicą, otoczony intensywną opieką neonatologiczną dysponującą najnowocześniejszą aparaturą, taką sytuację nazywamy porodem przedwczesnym.[1]) Na występowanie późnych poronień niewątpliwy wpływ mają: stan zdrowia przyszłej matki, stopień wydolności szyjki macicy, wielkość ekspozycji na pewne leki i inne substancje toksyczne, jak też pewne problemy związane z łożyskiem. Patrz s. 187.

Znamiona i objawy. Różowawe odchody (przez kilka tygodni) mogą wskazywać na możliwość wystąpienia poronienia. Silne krwawie-

[1] Gdy dziecko rodzi się po 20 tygodniu ciąży martwe, zazwyczaj określa się to porodem martwego płodu, a nie poronieniem. Definicje późnego poronienia i porodu martwego płodu mogą różnić się w zależności od kraju.

nie, szczególnie gdy współistnieją skurcze macicy, z dużym prawdopodobieństwem zwiastuje, że poronienie jest nieuniknione.

Leczenie. W przypadkach gdy zagraża poronienie, często zalecanym sposobem postępowania jest leżenie, z ograniczeniem do minimum aktywności ruchowej. Z chwilą ustąpienia plamienia zazwyczaj zezwala się na podjęcie normalnej aktywności życiowej, uważając, że jego wystąpienie nie miało związku z poronieniem. Stwierdzając badaniem położniczym postęp w rozwieraniu się kanału szyjki macicy, można podjąć próbę zapobieżenia poronieniu, zakładając szew okrężny.

W razie wystąpienia objawów poronienia, tj. obfitego krwawienia i czynności skurczowej macicy, dalsze postępowanie powinno być ukierunkowane przede wszystkim na ochronę zdrowia kobiety. Aby uniknąć krwotoku, należy koniecznie chorą hospitalizować. Jeżeli w dalszym ciągu krwawienie i czynność skurczowa utrzymują się, poronienie staje się nieuniknione. Po odbytym poronieniu należy usunąć z macicy wszystkie pozostałości ciąży, wykonując instrumentalne wyskrobanie jej ścian.

Jeżeli możliwość wystąpienia poronienia da się wcześniej przewidzieć, to realne staje się postępowanie zmierzające do zapobiegnięcia niepowodzeniu. Jeżeli podczas poprzedniej ciąży zakończonej poronieniem nie rozpoznano istniejącej niewydolności cieśniowo-szyjkowej, to w kolejnej ciąży, w jej wczesnym stadium, należy założyć na część pochwową szew okrężny – jeszcze zanim stwierdzi się drożność kanału szyjki – co zazwyczaj przynosi pozytywny efekt, zapobiegający utracie następnej ciąży. Jeżeli przyczyną poronienia była niewydolność hormonalna ciążowego ciałka żółtego, substytucja hormonalna w kolejnej ciąży może dopomóc w jej szczęśliwym donoszeniu. Gdy winą za przebyte niepowodzenia obarcza się niektóre przewlekłe schorzenia ciężarnej, tj. cukrzycę, nadciśnienie – właściwe leczenie tych chorób może przynieść korzystny skutek. Inne zaburzenia, mogące być przyczyną niepowodzeń, jak: ostre infekcje i nieprawidłowości kształtu macicy, jak i pewne guzy niezłośliwe, np. mięśniaki, które zaburzają jej prawidłowy kształt, można leczyć chirurgicznie.

CHOROBA TROFOBLASTYCZNA (ZAŚNIAD GRONIASTY)

Co to jest? Z grubsza 1 na 2000 ciąż w Stanach Zjednoczonych, częściej u kobiet po 45 roku życia niż u młodszych, narażona jest na chorobę trofoblastyczną, w której warstwa komórek otaczających pęcherzyk ciążowy i w warunkach prawidłowych formujących kosmówkę ulega przekształceniu w konglomerat jasnych, podobnych do tapioki pęcherzyków, zamiast w zdrowe łożysko. Zapłodniona komórka jajowa, pozbawiona wsparcia ze strony łożyska, wyrodnieje. Podłożem patogenezy rozwoju choroby trofoblastycznej lub też zaśniadu groniastego są zaburzenia chromosomalne zapłodnionej komórki jajowej.

Znamiona i objawy. Pierwszą oznaką ciąży zaśniadowej są zazwyczaj przemijające, chociaż czasami ciągle występujące, brązowawe upławy. Często zdarza się, że normalnie towarzyszące ciąży poranne dolegliwości, jak nudności i wymioty, ulegają nasileniu. U 1 na 5 chorych wraz z rozwojem ciąży wydostają się z pochwy drobne gronka. Na początku II trymestru ciąży macica jest większa niż zazwyczaj, konsystencji bardziej ciastowatej, nie stwierdza się czynności serca płodu. Niekiedy także mogą występować oznaki stanu przedrzucawkowego (podwyższone ciśnienie tętnicze krwi, rozległe obrzęki, białko w moczu), czasami stwierdza się obniżenie masy ciała lub też objawy nadczynności tarczycy. Rozpoznanie stawia się na podstawie wyniku badania ultrasonograficznego, którym stwierdza się brak tkanek zarodkowych lub płodowych, a macica zawiera małe gronka zaśniadowe. Jajniki mogą być także powiększone z powodu towarzyszącego chorobie podwyższonego poziomu hCG.

Leczenie. Należy rozszerzyć kanał szyjki i starannie opróżnić zawartość macicy, po-

Wykrycie poważnego uszkodzenia płodu

Koszmarem dla wszystkich przyszłych matek, poddających się badaniom diagnostycznym, jest możliwość wykrycia poważnych nieprawidłowości w rozwoju płodu, w wyniku czego konieczne staje się usunięcie ciąży. Fakt, że tego typu przypadki zdarzają się wyjątkowo rzadko, nie jest pocieszeniem dla małżonków otrzymujących te przerażające informacje.

Zanim podejmie się decyzję o przerwaniu ciąży, należy upewnić się, czy wynik badania jest prawdziwy i wybór sposobu postępowania właściwy. Dobrze jest zasięgnąć opinii innego lekarza, a najlepiej specjalisty do spraw genetycznych.

Podjęcie decyzji o przerwaniu ciąży nie jest łatwe. Pragnący służyć pomocą przyjaciele i rodzina nie zawsze zdają sobie sprawę z trudności tego okresu dla matki, często pogarszając jej stan komentarzami typu: „Tak będzie najlepiej", „Możesz spróbować jeszcze raz". Konieczne może się okazać wsparcie profesjonalne ze strony lekarza, psychologa, pracownika socjalnego, genetyka. Zaistniała sytuacja nie jest łatwa do zaakceptowania. Wielce prawdopodobne jest przeżycie przez niedoszłą matkę wszystkich etapów żałoby – zaprzeczenia, złości, pogodzenia się z losem i walki z depresją.

Często po uzyskaniu złych wiadomości małżonkowie zamęczają się dodatkowo niepotrzebnym poczuciem winy. Warto zatem wiedzieć, że wszelkie uszkodzenia płodu są z reguły dziełem przypadku. Przecież umyślnie nie wyrządzilibyście waszemu dziecku krzywdy, nie ma powodu do obarczania się winą za jego wrodzone ułomności.

Jeżeli podjęta decyzja o przerwaniu ciąży spowoduje zdenerwowanie i rozpacz, należy pamiętać, że nosząc dziecko w macicy przez dziewięć miesięcy, przywiązujemy się do niego jeszcze bardziej, spowoduje to dużo większy ból po jego stracie po urodzeniu. Możliwe jest, że dziecko żyłoby, wegetując przez kilka miesięcy lub lat. Tymczasem po upływie kilku miesięcy można zdecydować się na ponowne zajście w ciążę, tym razem bardziej szczęśliwie. Fakt ten absolutnie nie odbiera prawa każdego do opłakiwania poniesionej straty.

dobnie jak w ciąży obumarłej lub poronieniu sztucznym. Godny uwagi jest fakt, że w około 10-15% takich ciąż, po opróżnieniu macicy, nie następuje natychmiastowe zaburzenie wzrostu ciąż zaśniadowych. Gdy poziom hCG we krwi wciąż wykazuje wartości powyżej wielkości uznanej za granicę, powtórne opróżnienie macicy jest powszechnie zalecane.

Natomiast gdy poziom hCG pozostaje podwyższony po kolejnym odessaniu macicy, należy bezwzględnie wykluczyć nową ciążę lub rozprzestrzenienie się tkanki zaśniadowej do pochwy lub płuc, które można leczyć przy zastosowaniu chemioterapii. Zdarza się, choć bardzo rzadko, że ciąża zaśniadowa przechodzi w raka kosmówki, dlatego też dalsze monitorowanie ciąży zaśniadowej jest bardzo ważne (ten warunek jest szczególnie istotny w odniesieniu do wczesnej diagnostyki i leczenia).

Generalnie zaleca się, by następną ciążę po ciąży zaśniadowej odłożyć na okres od 1 do 2 lat. Precyzyjne monitorowanie rozwoju następnej ciąży jest niezmiernie istotne, ze względu na możliwość ponownego rozwoju zaśniadu.

Istnieją nikłe dowody, że powstanie ognisk choroby trofoblastycznej ma związek za małą podażą białek zwierzęcych i witaminy A, zielonych warzyw i owoców, tj. ze stosowaniem odpowiedniej diety (patrz s. 103); odnosi się to do okresu poprzedzającego ciążę, jak i całego okresu jej rozwoju.

CZĘŚCIOWA CIĄŻA ZAŚNIADOWA

Co to jest? W częściowej ciąży zaśniadowej, podobnie jak w jej odmianie całkowitej (opisanej powyżej), występuje nieprawidłowy rozwój trofoblastu. Jednakże w częściowej ciąży zaśniadowej stwierdza się obecność tkanek zarodka lub płodu. Jeżeli płód przeżyje, to powikłanie ciążowe często wykazuje objawy wewnątrzmacicznego zahamowania wzrostu, jak również liczne wady wrodzone: zrośnięcie palców rąk i stóp (syndactylia) i wodogłowie (hydrocephalus). Jeżeli urodził się zdrowy noworodek, zazwyczaj okazuje się, że stanowił on część ciąży wielopłodowej, a współistniejący zaśniad spowodował zwyrodnienie drugiego płodu.

Znamiona i objawy. Są podobne do tych, które towarzyszą poronieniu niekompletnemu i ciąży obumarłej. Zazwyczaj występuje nieregularne krwawienie z dróg rodnych, nie stwierdza się czynności serca płodu, a macica jest mniejsza lub ma wielkość adekwatną do czasu trwania ciąży. Tylko niewielki odsetek kobiet z częściową ciążą zaśniadową ma powiększoną macicę, co występuje powszechnie w całkowitej ciąży zaśniadowej. Badanie ultrasonograficzne i oznaczenie poziomu hCG są metodami bardzo użytecznymi w diagnostyce częściowej ciąży zaśniadowej.

Leczenie. Postępowanie terapeutyczne jest podobne do opisanego przy całkowitej ciąży zaśniadowej. Ponownego zajścia w ciążę nie zaleca się do czasu, aż poziom hCG obniży się do granic normy i stan taki utrzyma się przynajmniej 6 miesięcy. Większość kobiet, po uprzednim przebyciu częściowej ciąży zaśniadowej, rodzi zdrowe dzieci, lecz w celu wyeliminowania ryzyka powtórnego rozwoju tej patologii bardzo ważnym postępowaniem w następnej ciąży jest wczesne badanie ultrasonograficzne.

RAK KOSMÓWKI

Co to jest? Rak kosmówki jest to wyjątkowo rzadko występujący nowotwór, ściśle związany z ciążą. W około połowie przypadków rozwija się na podłożu zaśniadu groniastego (s. 347), w 30-40% występuje po poronieniu, a w 10-20% po prawidłowej ciąży.

Znamiona i objawy. Do znamion choroby należy zaliczyć nieregularne, nawracające krwawienia występujące po poronieniu, porodzie lub po usunięciu zaśniadu groniastego; podwyższony poziom hCG we krwi i obecność guza w pochwie, macicy lub płucach.

Leczenie. Chemioterapia. Wczesne rozpoznanie i leczenie decydują zwykle o przeżyciu; pod warunkiem prawidłowo prowadzonej terapii następowa płodność pozostaje nie zaburzona, choć zazwyczaj zaleca się okres odwlekający następną ciążę, trwający około 2 lat.

CUKRZYCA CIĄŻOWA

Co to jest? Przejściowy stan podobny do innych typów cukrzycy, w którym ustrój nie wytwarza dostatecznej ilości insuliny w odpowiedzi na wzrost poziomu glukozy we krwi (patrz s. 168). Obydwa rodzaje cukrzycy, tj. ten, który pojawia się tylko w ciąży, jak i drugi, występujący także poza nią, nie stanowią niebezpieczeństwa dla płodu i matki, pod warunkiem, że stan ten jest ściśle nadzorowany. Lecz gdy nadmiar cukru znajdującego się we krwi matki przedostanie się przez łożysko do krążenia płodu, wówczas mogą wystąpić poważne następstwa zarówno u matki, jak i jej dziecka.

Znamiona i objawy. Pierwszym symptomem może być obecność cukru w moczu, lecz może być nim również wzmożone pragnienie, podobnie jak częste i obfite oddawanie moczu (różniące się jednak od często występującej, lecz zazwyczaj skąpej mikcji, jaka towarzyszy wczesnej ciąży), znużenie (mogące być trudne do odróżnienia od ciążowego).

Leczenie. Na szczęście wszystkie rzeczywiste zagrożenia związane z cukrzycą w ciąży można wyeliminować przez ścisły nadzór poziomu cukru we krwi, który udaje się zrealizować dzięki fachowej opiece medycznej, jak i wydatnej pomocy samej ciężarnej. Przestrzeganie lekarskich zaleceń (s. 328) w ciąży powikłanej cukrzycą, stanowi nieocenioną szansę dla matki i jej dziecka, jeśli chodzi o prawidłowy rozwój ciąży i narodziny zdrowego potomstwa.

ZAKAŻENIE WEWNĄTRZMACICZNE (CHORIOAMNIONITIS)

Co to jest? Infekcję płynu owodniowego i błon płodowych rozpoznaje się tylko u 1 na 100 ciąż, lecz uważa się, że powikłanie to występuje znacznie częściej. Może ono być przyczyną przedwczesnego pęknięcia błon płodowych, jak i porodu przedwczesnego.

Znamiona i objawy. Niekiedy zakażenie wewnątrzmaciczne może przebiegać bezobjawowo, szczególnie gdy występuje po raz pierwszy. Diagnostyka tego powikłania jest trudna, ze względu na brak prostego testu, umożliwiającego potwierdzenie obecności infekcji. Najczęściej pierwszym objawem zakażenia wewnątrzmacicznego jest tachykardia matki. Przyczynami przyspieszenia czynności serca mogą być także: odwodnienie, przyjmowanie niektórych leków, niskie ciśnienie tętnicze lub też stan zdenerwowania, lecz doświadczony położnik powinien zawsze rozważyć możliwość wewnątrzmacicznej infekcji. Następnie pojawia się gorączka, zwykle ponad 38°C, a w wielu przypadkach stwierdzić można bolesność dotykową macicy. Gdy w przebiegu infekcji wewnątrzmacicznej nastąpiło pęknięcie błon płodowych, płyn owodniowy może się charakteryzować zgniłym zapachem, natomiast gdy ciągłość błon płodowych jest zachowana, wzmożona wydzielina pochwowa pochodząca z szyjki ma nieprzyjemną woń. Rutynowe testy laboratoryjne wykazują wówczas wzrost liczby leukocytów we krwi (co oznacza, że ustrój broni się przed infekcją). Biofizyczny profil może cechować się niską punktacją, co wskazuje na stan wewnątrzmacicznego zagrożenia płodu (patrz s. 268).

Leczenie. Zakażenie wewnątrzmaciczne może być wywołane przez bardzo różne drobnoustroje, dlatego też następowa terapia musi uwzględniać rodzaj mikroorganizmu wywołującego proces chorobowy, jak również obecny stan zdrowia matki i płodu. Najczęściej wyklucza się inne przyczyny występujących objawów, a na podstawie dostępnych testów należy ustalić typ drobnoustroju wywołującego infekcję, jak również zmonitorować aktualny stan płodu. W sytuacjach, gdy czas trwania ciąży jest bliski terminowi donoszenia, a błony płodowe są pęknięte, powszechnie zalecanym sposobem postępowania jest ukończenie ciąży. Natomiast gdy płód jest krańcowo niedojrzały i niezdolny do przeżycia w warunkach pozamacicznych, akceptuje się postępowanie zachowawcze z jednoczesnym podawaniem wysokich dawek antybiotyków przenikających przez barierę łożyskową oraz ścisły nadzór stanu płodu. Zakończenie ciąży odkłada się do momentu większej dojrzałości płodu lub wystąpienia pogorszenia stanu matki lub płodu.

Dokonujący się nieustannie postęp w medycynie umożliwia coraz szybszą diagnostykę i następowe leczenie tego powikłania, co niewątpliwie znajdzie odzwierciedlenie w znacznym zmniejszeniu się ryzyka rozwoju wewnątrzmacicznej infekcji, a dalsze udoskonalenie aparatury diagnostycznej pozwoli lepiej poznać sposoby profilaktyki, a także zmniejszy niebezpieczeństwo rozwoju infekcji.

STAN PRZEDRZUCAWKOWY (NADCIŚNIENIE INDUKOWANE CIĄŻĄ)

Co to jest? Stan przedrzucawkowy, określany dawniej jako zatrucie ciążowe, jest zespołem chorobowym mającym ścisły związek z istniejącą ciążą, a jedną z form tego stanu jest wysokie ciśnienie tętnicze krwi. Jak dotąd nie wykryto przyczyn jego występowania, jak również nie znaleziono wyjaśnienia częstego rozwoju podczas pierwszej ciąży. Prowadzone na szeroką skalę badania wskazują na związek częstego jego występowania w korelacji z pewnymi niedoborami, szczególnie w zakresie podaży białek, lecz jak dotąd brak przekonywających dowodów, mogących potwierdzić tę hipotezę. Badania sugerują, że niewielkie dawki aspiryny lub duże dawki wapnia mogą zapobiec stanom przedrzucawkowym.

Istnieją hipotezy na temat pewnych substancji toksycznych we krwi ciężarnych dotkniętych tym powikłaniem. Prawdopodobnie substancje te niszczą ludzkie komórki endotelialne (komórki wyścielające naczynia krwionośne). Jedna z teorii głosi, że są one wytwarzane przez układ immunologiczny matki, w odpowiedzi na obecność obcych antygenów płodu, przy jednoczesnej nieobecności lub też niewydolności matczynych mechanizmów supresyjnych w czasie ciąży. Prowadzenie dalszych badań, zmierzających do potwierdzenia tej opinii, może przyczynić się do wprowadzenia doskonalszych sposobów postępowania w zatruciu ciążowym.

Znamiona i objawy. Początkowo obrzęki rąk i twarzy oraz nagły nadmierny przyrost masy ciała (objawy te związane są z retencją wody); wysokie ciśnienie tętnicze – 140/90 lub wyższe – u kobiet, które nigdy przedtem nie miały podwyższonego ciśnienia[1]; obecność białka w moczu. Stan ten może szybko postępować, przechodząc w postać ostrą, charakteryzującą się dalszym wzrostem ciśnienia tętniczego (zazwyczaj 160/ 110 lub wyższym), wzrostem ilości wydalanego z moczem białka, zaburzeniami widzenia, bólami głowy, swędzeniem całego ciała, drażliwością, dezorientacją, skąpym oddawaniem moczu, bólami brzucha i/lub zaburzeniami czynności wątroby, nerek oraz układu krzepnięcia krwi. Nie leczony ostry stan przedrzucawkowy może szybko postępować, przechodząc w bardzo poważną rzucawkę, charakteryzującą się drgawkami, a następnie śpiączką.

Stan przedrzucawkowy komplikuje od 5-10% ciąż i nie leczony może prowadzić do trwałego uszkodzenia ośrodkowego układu nerwowego, naczyń krwionośnych i nerek u matki oraz wewnątrzmacicznego zahamowania wzrostu płodu (z powodu redukcji łożyskowego przepływu krwi i obniżenia transportu tlenu). Ścisły nadzór lekarski i wcześnie podejmowana terapia powodują, że choroba przebiega łagodniej i końcowy wynik położniczy rzadko jest niepomyślny.

Czasami jednak stan przedrzucawkowy lub nadciśnienie indukowane ciążą pojawiają się dopiero w czasie regularnej czynności porodowej lub też w okresie połogu, a wówczas nagły wzrost ciśnienia tętniczego może być zarówno reakcją na stres porodowy, jak też rzeczywistym stanem przedrzucawkowym.

Ciężarne, u których stwierdza się nagły skok ciśnienia tętniczego, są uważnie obserwowane pod kątem wartości ciśnienia, obecności białka w moczu, występowania patologicznych odruchów, jak również aktualnych wartości w chemizmie krwi obwodowej.

Leczenie. Terapia musi uwzględniać stopień zaawansowania choroby, aktualny stan matki i płodu, czas trwania ciąży i doświadczenie lekarza prowadzącego.

W łagodnej postaci choroby, gdy zaawansowanie ciąży jest bliskie donoszenia, a szyjka macicy wykazuje cechy dużego przygotowania do porodu (jest cienka i bardzo podatna), należy zastosować postępowanie zachowawcze, w oczekiwaniu na samoistne wystąpienie czynności porodowej. W tej sytuacji postępowanie zachowawcze obejmuje zazwyczaj hospitalizację z zaleceniem bezwzględnego leżenia (najlepiej na lewym boku), ścisły nadzór stanu matki i płodu. Zwykle nie zachodzi potrzeba stosowania diuretyków, leków hipotensyjnych i bezwzględnego zakazu spożywania soli. Niekiedy, w łagodniejszej postaci choroby, można zezwolić ciężarnej na pobyt w domu, lecz również wówczas obowiązuje bezwzględne leżenie, ale podstawowym warunkiem tych udogodnień jest prawidłowa wartość ciśnienia tętniczego. Zezwalając na leczenie w domu, należy zapewnić chorej fachowy nadzór nad rozwojem ciąży – częste wizyty doświadczonej położnej i lekarza prowadzącego. Chora powinna być pouczona o mogących wystąpić niebezpiecznych objawach, które mogą poprzedzać wystąpienie rzucawki i które wymagają natychmiastowej pomocy lekarskiej, tj. ostrym bólu głowy, zaburzeniach widzenia, bólu w nadbrzuszu i śródbrzuszu.

Bez względu na miejsce przebywania chorej należy regularnie monitorować stan płodu, oceniając liczbę jego ruchów w ciągu dnia, przeprowadzać stresowy i niestresowy test kardiotokograficzny, ultrasonograficzną ocenę rozwoju i stanu płodu, amniocentezę i inne czynności niezbędne w nadzorze stanu płodu. Gdy stan zdrowia ciężarnej ulega pogorszeniu lub też na podstawie biofizycznych testów oceny stanu płodu stwierdza się jego zagrożenie, należy rozważyć najkorzystniejszy w danej chwili sposób zakończenia ciąży.

[1] Nigdy nie stwierdza się bezpośrednio wzrostu ciśnienia tętniczego krwi, lecz istniejące obrzęki, obecność białka w moczu, nieprawidłowe wyniki badań laboratoryjnych mogą wskazywać na występowanie stanu przedrzucawkowego.

W sytuacjach, gdy część pochwowa wykazuje cechy pełnej dojrzałości do porodu, a u płodu nie stwierdza się ostrych objawów jego zagrożenia, zalecanym sposobem postępowania jest wyczekiwanie na wystąpienie samoistnej czynności skurczowej i poród drogami natury. W innych okolicznościach preferuje się cięcie cesarskie.

Generalnie nawet w łagodnej postaci stanu przedrzucawkowego nie zaleca się kontynuowania ciąży powyżej 40 tygodnia, bowiem po upływie tego czasu wewnątrzmaciczne środowisko, w którym przebywa płód, ulega pogorszeniu znacznie szybciej aniżeli w analogicznym okresie ciąży o przebiegu prawidłowym. Sposób postępowania powinien uwzględniać wszystkie okoliczności, jednak powszechnie preferuje się zakończenie ciąży albo wzniecając czynność porodową, albo rozwiązując ją cięciem cesarskim.

Rokowania – w łagodnej postaci stanu przedrzucawkowego – dla matek objętych właściwą opieką medyczną są bardzo pomyślne, podobnie jak końcowy wynik położniczy, który zasadniczo nie odbiega wartością od obserwowanego w ciążach niepowikłanych nadciśnieniem tętniczym.

W ciężkiej postaci stanu przedrzucawkowego oraz w jego odmianie łagodnej, przebiegającej z narastaniem objawów klinicznych, zaleca się postępowanie bardziej radykalne. Leczeniem z wyboru jest dożylna infuzja siarczanu magnezu, która zazwyczaj pomaga zapobiec drgawkom, najgroźniejszemu powikłaniu mogącemu komplikować tę chorobę (zazwyczaj leczeniu towarzyszą objawy uboczne, lecz nie są one poważne). Gdy zaawansowanie ciąży jest bliskie terminu porodu i/lub stwierdza się dojrzałość płuc płodu, postępowaniem z wyboru jest bezzwłoczne ukończenie ciąży. W sytuacji, gdy płód jest niedojrzały, lecz zaawansowanie ciąży jest powyżej 28 tygodnia, większość położników decyduje się na ukończenie ciąży, stojąc na stanowisku, że jest to postępowanie korzystniejsze dla matki (następuje normalizacja ciśnienia tętniczego krwi i polepsza się jej stan ogólny) oraz dla płodu (korzystniejszy jest dalszy rozwój noworodka w warunkach intensywnej opieki neonatologicznej, aniżeli przebywanie w niesprzyjającym środowisku wewnątrzmacicznym). Hospitalizacja i poród powinny odbywać się w specjalistycznych ośrodkach, gdzie zapewniony jest optymalny nadzór położniczy i neonatologiczny.

Wielu położników preferuje jednak bardziej zachowawczy sposób postępowania (bezwzględne leżenie, terapię lekową oraz ciągły nadzór stanu matki i płodu), wychodząc z założenia, że dłuższe przebywanie płodu w środowisku wewnątrzmacicznym jest dla niego korzystniejsze. Nie wszyscy jednak podzielają ten pogląd. Niektórzy zalecają stosowanie sterydów, wierząc, że przyspieszają one dojrzewanie płuc płodu, lecz ciągle trwa polemika nad skutecznością tego postępowania. W sytuacjach, gdy wysokie nadciśnienie tętnicze u ciężarnej nie poddaje się leczeniu lub też następuje pogorzenie stanu matki lub płodu, należy zrezygnować z metod postępowania zachowawczego i ciążę natychmiast zakończyć.

Faktem jest, że między 24 a 28 tygodniem ciąży wszyscy położnicy zgodnie preferują postępowanie zachowawcze w stanie przedrzucawkowym, nawet w jego postaci ciężkiej, w celu osiągnięcia przez płód większej dojrzałości. Natomiast przed osiągnięciem 24 tygodnia ciąży (gdy płód rzadko zdolny jest do przeżycia w warunkach pozamacicznych, a przebieg choroby jest szczególnie ciężki) czasami postępowaniem z wyboru jest zakończenie ciąży, w celu przerwania narastających procesów przedrzucawkowych, nawet gdy noworodek nie rokuje szans przeżycia.

Odpowiednie i zdecydowane postępowanie u chorych ze stanem przedrzucawkowym ma niewątpliwy wpływ na bardzo pomyślny w tej patologii końcowy wynik położniczy, zarówno w odniesieniu do matek, jak i narodzonych dzieci, wyłączywszy rzecz jasna krańcowe przypadki tego powikłania.

U 97% kobiet ze stanem przedrzucawkowym ciśnienie tętnicze po porodzie wraca do normy, pod warunkiem że wcześniej nie chorowały na przewlekłe nadciśnienie. Spadek ciśnienia w większości przypadków obserwuje się w pierwszych 24 godzinach po porodzie, a u pozostałych w pierwszym tygodniu po rozwiązaniu. Gdy ciśnienie tętnicze nie normalizuje się w ciągu 6 tygodni, należy podejrzewać inne przyczyny.

RZUCAWKA

Co to jest? Rzucawka może wystąpić w ciąży, w czasie porodu, jak i w połogu, stanowiąc terminalne stadium gestozy. Zazwyczaj jednak odpowiednio leczony stan przedrzucawkowy nie przechodzi w rzucawkę.

Znamiona i objawy. Drgawki i/lub śpiączka. Wystąpienie rzucawki często jest też poprzedzone przez nagły wzrost ciśnienia tętniczego, zwiększone wydalanie białka z moczem, obecność patologicznych odruchów, jak również silny ból głowy, nudności i wymioty, drażliwość, niepokój, kurcze mięśni kończyn, ból w nadbrzuszu, zaburzenia widzenia, gorączka i tachykardia.

Leczenie. Przede wszystkim należy zapewnić chorej ochronę przed samouszkodzeniem w czasie napadu drgawek. Przerwanie ataku drgawek można osiągnąć poprzez wdrożenie odpowiedniej terapii lekowej oraz podanie chorej tlenu. Należy wyeliminować z otoczenia pacjentki wszystkie silne bodźce zewnętrzne jak światło, hałas. Generalnie zaleca się aktywny sposób postępowania, tj. wzniecanie czynności porodowej lub zakończenie ciąży przez cięcie cesarskie. Właściwe postępowanie zapewnia przeżycie 98% matek, które po rozwiązaniu w większości wracają do pełni zdrowia, niemniej jednak dalszy ścisły nadzór nad chorą jest konieczny do momentu normalizacji ciśnienia.

WEWNĄTRZMACICZNE ZAHAMOWANIE WZROSTU PŁODU (IUGR)

Co to jest? Niekiedy wewnątrzmaciczne środowisko, w którym przebywa płód, nie jest optymalne dla jego prawidłowego rozwoju. Przyczyny tego mogą być różne, jak: niektóre schorzenia matki, jej niewłaściwy sposób życia, zaburzenia funkcjonowania łożyska lub też inne czynniki, co wpływa na to, że płód nie rośnie tak szybko jak powinien. Bez odpowiedniej interwencji taki noworodek – zarówno urodzony przedwcześnie, jak i w planowanym terminie – będzie wykazywał mniejszą masę urodzeniową, niż przewidziana jest dla odpowiedniego wieku ciążowego. Jednym z warunków jeszcze przedurodzeniowego wykrycia tego powikłania ciążowego, jak i wczesnego wdrożenia odpowiedniego postępowania terapeutycznego, który może odwrócić ten niekorzystny proces, jest stały fachowy nadzór nad rozwojem ciąży.

IUGR występuje częściej w pierwszej ciąży oraz w piątej i kolejnych. Częściej także zdarza się u ciężarnych przed 17 rokiem życia, jak i u kobiet powyżej 34 lat.

Znamiona i objawy. Wielkość przyrostu masy ciała u ciężarnych nie stanowi zasadniczego kryterium decydującego o masie urodzeniowej noworodka. W większości przypadków nie stwierdza się zewnętrznych objawów, które mogłyby znamionować ciężarnej wystąpienie tego powikłania. Położnik na podstawie obwodu brzucha ciężarnej może podejrzewać, że wielkość macicy lub płodu jest mniejsza od należnej. Natomiast badania ultrasonograficzne pozwalają potwierdzić lub wykluczyć takie rozpoznanie.

Leczenie. Niekiedy można stosunkowo łatwo ustalić czynniki odpowiedzialne za występowanie niepowodzeń w wewnątrzmacicznym wzroście płodu, co w dalszej kolejności umożliwia ich odpowiednią modyfikację lub też całkowitą ich eliminację. Wśród czynników predysponujących należy wymienić: złą opiekę prenatalną (wcześnie rozpoczęty i systematycznie prowadzony nadzór położniczy znacznie obniża ryzyko jego wystąpienia); nieracjonalne odżywianie i/lub zbyt mały przyrost masy ciała w ciąży (właściwa dieta stanowi ważny element terapeutyczny, patrz rozdział: *Dieta najlepszej szansy*); nadużywanie alkoholu lub innych używek (niektóre cię-

Opieka nad dzieckiem z grupy wysokiego ryzyka położniczego

W przypadku wystąpienia jakichkolwiek przypuszczeń, że dziecko nie będzie całkowicie zdrowe po urodzeniu, należy dołożyć wszelkich starań, by warunki, w jakich przyjdzie na świat, były optymalnie dobre. W większości sytuacji oznacza to poród w szpitalu specjalistycznym, wyposażonym w sprzęt przystosowany do udzielania pomocy noworodkom najciężej dotkniętym (prowadzone badania wykazały, że jest to lepsza metoda niż przewożenie noworodka). Ciąże wysokiego ryzyka powinny być kierowane bezpośrednio przez lekarza do odpowiednich placówek służb medycznych. Niekiedy istnieje możliwość przewiezienia ciężarnej specjalnie wyposażonymi środkami transportowymi, helikopterami itd.

żarne wymagają specjalnej pomocy w walce z nałogiem, zanim wpłynie on trwale na rozwój ich dziecka).

Jednak pewnych czynników matczynych, którym przypisuje się wpływ na zaburzenie wzrostu płodu, nie sposób wyeliminować, lecz należy je tak modyfikować, by w jak największym stopniu zminimalizować ich niekorzystne oddziaływanie. Należy do nich zaliczyć niektóre schorzenia przewlekłe (cukrzycę, nadciśnienie tętnicze, choroby płuc i nerek); niektóre powikłania ciążowe (niedokrwistość, stan przedrzucawkowy) oraz niektóre choroby ostre nie związane bezpośrednio z ciążą (zakażenie dróg moczowych). Poznanie jednak ich rzeczywistego wpływu na rozwój ciąży jest niezmiernie trudne.

Pełna skuteczność postępowania lekarskiego w ogromnej mierze zależy także od wyeliminowania jeszcze przed poczęciem niektórych innych czynników ryzyka. Należą do nich: wychudzenie znacznego stopnia (przyrost masy ciała i poprawa stanu odżywienia przed ciążą może stanowić ważny element); podatność na zakażenie wirusem różyczki (odporność wyklucza ryzyko); zbyt krótki okres przerwy między ciążami (mniejszy niż 6 miesięcy); wady rozwojowe macicy lub inne nieprawidłowości narządów rodnych i układu moczowego (zaleca się chirurgiczną korekcję lub inne sposoby terapii); narażenie na pewne substancje toksyczne lub też przebywanie w skażonym środowisku.

Niektóre czynniki powodujące zahamowanie wewnątrzmacicznego wzrostu płodu są trudne lub wręcz niemożliwe do wyeliminowania. Zalicza się do nich: niski poziom socjalno-ekonomiczny i edukacyjny ciężarnych i/lub kobiet żyjących samotnie (okoliczności te sprawiają, że nie stać ich na właściwe odżywianie i opiekę prenatalną); zamieszkiwanie na dużych wysokościach (ryzyko jest tylko nieznacznie podwyższone); poprzedni poród noworodka z cechami hipotrofii lub z wadą wrodzoną; wielokrotnie przebyte poronienia; ciąże wielopłodowe; przebyte krwawienia w I lub II trymestrze ciąży; nieprawidłowości łożyska (łożysko przodujące lub jego przedwczesne oddzielenie); silne nudności i wymioty, które trwają ponad trzy miesiące; małowodzie lub wielowodzie; nieprawidłowy poziom hemoglobiny; przedwczesne pęknięcie błon płodowych; konflikt serologiczny w zakresie czynnika Rh (patrz s. 62). Również u matek pochodzących z ciąż powikłanych hipertrofią występuje zwiększone ryzyko urodzenia noworodka z IUGR. Niemniej jednak w przeważającej większości sytuacji prawidłowe odżywianie wraz z eliminacją innych istniejących czynników ryzyka może przyczynić się do zwiększenia szansy prawidłowego rozwoju obecnej ciąży.

Także większość noworodków urodzonych przedwcześnie wykazuje niską masę urodzeniową (choć nie stwierdza się u nich IUGR), zatem zwalczając czynniki mogące wywoływać przedwczesną czynność skurczową macicy, jak też w odpowiednim czasie wdrażając leczenie tokolityczne – można wydatnie zmniejszyć ryzyko narodzin z niską masą urodzeniową.

Wyniki ostatnio prowadzonych badań zwróciły uwagę na wiele dodatkowych czynników, które mogą mieć wpływ na poród zbyt małego dziecka. Zalicza się do nich: stres (fizyczny, psychiczny, a także znużenie), niepra-

Dzieci z niską masą ciała

Matki, które w przeszłości rodziły dzieci z niską masą ciała, są tylko w niewielkim stopniu bardziej narażone na powtórne urodzenie takiego dziecka. Statystyki wskazują na tendencję wzrostu masy dziecka w stosunku do poprzedniego. To, czy kolejne dziecko jest małe, zależy w dużym stopniu od przyczyny wystąpienia niskiej masy u dziecka pierwszego i obecności tego czynnika podczas kolejnej ciąży.

Bez względu na to, czy znane są przyczyny narodzin dziecka z niską masą ciała, czy też nie, matka powinna zwracać szczególną uwagę na wszystkie czynniki mogące w tej sytuacji zmniejszyć stopień ryzyka (patrz s. 80).

widłowy wzrost ilości osocza u ciężarnej, a także brak progesteronu.

Rozpoznając IUGR, należy wybrać optymalny sposób postępowania dla określonej sytuacji klinicznej. Zaleca się następujące metody postępowania: hospitalizację lub leżenie w warunkach domowych, gdy okoliczności na to pozwalają; poprawę diety ze szczególnym uwzględnieniem białka, żelaza i prawidłowej wartości energetycznej dostarczanych pokarmów; odżywianie parenteralne, gdy zachodzi taka potrzeba; podawanie leków usprawniających krążenie łożyskowe lub też poprawiających pewne procesy, którym przypisuje się wpływ w powstawaniu IUGR; w ostateczności zakończenie ciąży, gdy nasilenie patologii jest tak duże, że żaden ze sposobów postępowania zachowawczego nie może zmniejszyć zagrożenia.

W sytuacjach, gdy pomimo podjęcia czynności zapobiegawczych i leczniczych urodzony noworodek wykazuje cechy hipotrofii, szanse przeżycia i dalszego prawidłowego rozwoju uległy znacznej poprawie, dzięki nowoczesnej aparaturze medycznej. Ostatecznie często zdarza się tak, że noworodki z ciąż powikłanych IUGR dorównują swym rówieśnikom z ciąż o prawidłowym przebiegu, zarówno wzrostem, jak i dalszym rozwojem.

ŁOŻYSKO PRZODUJĄCE

Co to jest? Łożysko przodujące uznaje się za schorzenie, choć tylko częściowo odpowiada to prawdzie. Określenie to bowiem odnosi się do lokalizacji łożyska, nie zaś do jego funkcji. Łożyskiem przodującym określa się sytuację, gdy umiejscawia się ono w dolnej części macicy, całkowicie lub częściowo zakrywa jej ujście wewnętrzne, albo też dochodzi do jego brzegu. We wczesnych tygodniach ciąży nisko leżące łożysko występuje dość często, lecz wraz z rozwojem ciąży, gdy macica wzrasta, łożysko w większości przypadków przesuwa się ku górze.[1] Nawet w tych sytuacjach, gdy nie stwierdza się jego migracji do wyższych partii macicy, rzadko dochodzi do wystąpienia poważnych powikłań, chyba że graniczy ono bezpośrednio z ujściem wewnętrznym kanału szyjki. W małym odsetku przypadków, w których dochodzi ono do ujścia, może być przyczyną problemów w późniejszym okresie ciąży i podczas porodu. Przylegające ściśle do ujścia wewnętrznego łożysko może spowodować wystąpienie krwotoku. W sytuacjach, gdy łożysko całkowicie lub nawet częściowo zachodzi na ujście, poród drogami natury jest zazwyczaj niemożliwy.

Ryzyko występowania łożyska przodującego jest wyższe u kobiet, które przebyły wyłyżeczkowanie ścian macicy w związku z przebytymi poronieniami lub porodami, jak również u ciężarnych, które rodziły przez cięcie cesarskie lub też po wykonanych operacjach na mięśniu macicy. Zwiększone prawdopodobieństwo rozwoju łożyska przodującego występuje także w sytuacjach wymagających większej powierzchni wymiany, co obserwuje się w stanach niedotlenienia i zaburzeń odżywiania płodu (z powodu palenia papierosów, zamieszkiwania na dużych wy-

[1] Nisko leżące łożysko rozpoznane w dość późnym okresie ciąży może czasami przemieszczać się ku górze, umożliwiając odbycie porodu o czasie drogami natury.

sokościach ponad poziomem morza lub rozwoju ciąży wielopłodowej).

Znamiona i objawy. Nisko zlokalizowane łożysko ulega przemieszczeniu przez rozciągający się odcinek macicy; niekiedy następuje to już przed 28 tygodniem ciąży, lecz zazwyczaj między 34 a 38 tygodniem jej rozwoju; stąd też bezbólowe krwawienie jest najczęstszym objawem tego powikłania, chociaż stwierdzono, że w około 30% przypadków łożysk nisko zlokalizowanych krwawienie nie występuje przed porodem. Krwawienie ma najczęściej barwę jasnoczerwoną, nie towarzyszy mu z reguły ból brzucha jak też wzmożone jego napięcie, może je jednak wywołać kaszel, wysiłek fizyczny lub stosunek płciowy. Może być mierne lub obfite, często przemija, by po jakimś czasie wystąpić ponownie. Łożysko, zachodząc na ujście wewnętrzne, znajduje się w drodze przechodzenia płodu przez kanał rodny, zatem odbycie porodu drogami natury jest niemożliwe.

Występowanie łożyska przodującego przebiegającego bezobjawowo można rozpoznać na podstawie rutynowych badań ultrasonograficznych lub też jego obecność może pozostać nie wykryta aż do porodu.

W przypadku krwawienia, gdy zachodzi podejrzenie obecności łożyska przodującego, ocena ultrasonograficzna zwykle umożliwia potwierdzenie diagnozy.

Leczenie. Ponieważ wcześnie rozpoznane łożysko nisko zlokalizowane ulega w większości przypadków samoistnej korekcji przed porodem (patrz s. 195) i nie stwarza żadnych problemów ciążowych, stan ten nie wymaga leczenia przed 20 tygodniem ciąży. Po tym okresie, gdy ciężarna ze zdiagnozowanym wcześniej łożyskiem przodującym nie zgłasza żadnych dolegliwości, zaleca się zmianę codziennego modelu aktywności ruchowej, uwzględniając zwiększenie czasu przeznaczonego na odpoczynek. W przypadkach krwawień niezbędna jest hospitalizacja, w celu precyzyjnej oceny stanu matki i płodu oraz podjęcia próby jego opanowania. Jeśli udaje się zahamować krwawienie lub też jest miernie nasilone, zaleca się zazwyczaj leczenie zachowawcze. Obejmuje ono: hospitalizację z bezwzględnym leżeniem, ścisły nadzór stanu ciężarnej i płodu, dodatkową podaż żelaza i witaminy C oraz przetoczenie krwi (jeśli taka konieczność istnieje) – wszystko aż do momentu, gdy płód osiągnie dostateczną dojrzałość do życia pozamacicznego. Proponuje się dietę bogatoresztkową w celu uniknięcia kłopotów z wypróżnieniem. Czasami można ciężarnej zezwolić na pobyt w domu, jednak pod następującymi warunkami: brak krwawienia przez co najmniej tydzień, możliwość szybkiego transportu do szpitala (trwającego nie dłużej niż 15 minut), chora ściśle przestrzega zalecanego reżimu (bezwzględne leżenie, obecność dorosłej osoby przez 24 godziny na dobę).

Głównym celem postępowania zachowawczego u ciężarnej z łożyskiem przodującym jest stworzenie warunków umożliwiających rozwój ciąży przynajmniej do 36 tygodnia. Następnie, gdy na podstawie przeprowadzonych testów stwierdza się dojrzałość płuc płodu, można ukończyć ciążę, najlepiej wykonując cięcie cesarskie, w celu uniknięcia ryzyka wystąpienia silnego krwotoku. Oczywiście w sytuacjach obfitych krwawień, gdy stwierdza się znaczne zagrożenia dla matki, jak i płodu, nie należy zwlekać z zakończeniem ciąży, nawet gdy płód jest niedojrzały. Umieszczenie niedojrzałych noworodków w wyspecjalizowanych ośrodkach intensywnej opieki neonatologicznej stwarza korzystniejsze warunki do ich przeżycia aniżeli dalszy wewnątrzmaciczny ich pobyt, współistniejący z krwawieniami z łożyska przodującego. U około trzech na cztery ciężarne, u których rozpoznano łożysko przodujące, poród odbywa się przez cięcie cesarskie, zanim jeszcze wystąpi regularna czynność porodowa. Odbycie porodu drogą pochwową jest możliwe w następujących okolicznościach: gdy nisko umiejscowione łożysko nie pokrywa ujścia wewnętrznego, krwawienie jest niezbyt obfite, a występowanie łożyska przodującego rozpoznano już podczas regularnej czynności skurczowej. Obecnie, pomimo że łożysko przodujące jest nadal bardzo poważnym zagrożeniem zarówno dla matki, jak i płodu, u 99% matek poród ma pomyślne zakończenie. Dotyczy to również większości dzieci.

ŁOŻYSKO PRZYROŚNIĘTE

Co to jest? Czasami łożysko wrasta w głębsze warstwy mięśnia macicy i staje się z nim trwale zespolone. W zależności od głębokości penetracji komórek łożyska, wyróżnia się łożysko przyrośnięte lub łożysko wrośnięte. W etiologii tego powikłania największe znaczenie mają: blizny macicy po przebytych operacjach lub porodach, a szczególnie po wystąpieniu łożyska przodującego.

Znamiona i objawy. Łożysko nie oddziela się od ścian macicy w czasie trzeciego okresu porodu.

Leczenie. W większości wypadków łożysko należy usunąć chirurgicznie, w celu opanowania krwawienia. Gdy nie udaje się go zahamować poprzez podwiązanie odsłoniętych naczyń krwionośnych, postępowaniem z wyboru jest całkowite usunięcie macicy.

ODDZIELENIE ŁOŻYSKA

Co to jest? W przybliżeniu w 25% przyczyną późnych krwawień ciążowych są sytuacje, w których łożysko oddziela się lub przedwcześnie ulega oderwaniu od ścian macicy. Najczęstszymi czynnikami predysponującymi wystąpienie tego powikłania są: starszy wiek, szczególnie u wieloródek; palenie papierosów; nadciśnienie (przewlekłe lub indukowane ciążą); zażywanie aspiryny w późnej ciąży lub poprzednio przebyte przedwczesne oddzielenie łożyska. Czasami przyczynami oddzielenia łożyska są: krótki sznur pępowiny lub też uraz spowodowany wypadkiem.[1]

Znamiona i objawy. W oddzieleniu małego stopnia krwawienie może być lekkie, podobne do miernego krwawienia miesiączkowego, lub też silne, przypominające obfitą menstruację i może – lecz nie musi – zawierać skrzepy. Mogą także występować skurcze macicy lub łagodny ból brzucha, jak też bolesność uciskowa macicy. Niekiedy, szczególnie w przypadkach, gdy przyczyną jest uraz brzuszny, krwawienie może wcale nie występować.

W oddzieleniu łożyska umiarkowanego stopnia krwawienie jest silniejsze, brzuch bardziej tkliwy, ból brzucha silniejszy, okresowo zmniejszający się z towarzyszącymi silnymi napięciami macicy. Zarówno u ciężarnej, jak i u płodu można zaobserwować objawy wykrwawiania się.

W sytuacjach, gdy ponad połowa łożyska ulega oddzieleniu[2] od ściany macicy, występuje zagrożenie życia zarówno matki, jak i płodu. Objawy są podobne do występujących w umiarkowanym stopniu oddzielenia, lecz są bardziej nasilone. Rozpoznanie stawia się na podstawie wywiadu, badania lekarskiego, ze szczególnym zwróceniem uwagi na wielkość napięcia macicy, i oceny stanu płodu. Badanie ultrasonograficzne jest wielce pomocną metodą w diagnostyce tego powikłania, ale techniką tą można obecnie wykryć tylko 50% przypadków oddzielenia połowy łożyska.

Leczenie. W oddzieleniu małego stopnia często samo leżenie powoduje zahamowanie krwawienia i po kilku dniach ciężarna może zazwyczaj podjąć na nowo normalną aktywność fizyczną, ale stosując pewne ograniczenia. Istnieje jednak ryzyko – chociaż występuje ono niezbyt często – powtórzenia się krwawienia lub nawet krwotoku, zatem ścisły nadzór położniczy przez resztę ciąży jest

---

[1] Jeżeli wystąpił uraz i stwierdza się objawy przedwczesnego oddzielenia łożyska, należy natychmiast wezwać lekarza prowadzącego ciążę. Jeżeli nie występują takie symptomy, należy dokonać oceny ruchów płodu (s. 209). Zaleca się powtórne badanie po kilkunastu godzinach, a przez następne dni dwu- lub trzykrotnie.

[2] Gdy oddzielenie łożyska osiąga 1/3 powierzchni, występują objawy zagrożenia życia płodu (uwaga redaktora wydania polskiego).

celowy. W sytuacjach nawrotów objawów, gdy zaawansowanie ciąży jest bliskie terminowi jej donoszenia, można rozważyć jej zakończenie.

W większości przypadków oddzielenia łożyska w stopniu umiarkowanym wymagane jest bezwzględne leżenie. Niekiedy sytuacja wymaga stosowania przetoczeń oraz innych wyjątkowych sposobów postępowania. Należy prowadzić ścisły nadzór zarówno stanu matki, jak i płodu, a w razie stwierdzenia jakichkolwiek objawów ich zagrożenia konieczne może być natychmiastowe zakończenie ciąży.

W razie wystąpienia oddzielenia łożyska na dużej powierzchni, zdecydowane podjęcie czynności lekarskich, obejmujących transfuzję i natychmiastowe zakończenie ciąży jest bardzo istotne. Czasami jednak, w przedwczesnym oddzieleniu łożyska, następowe konsekwencje dla matki i płodu są bardzo poważne.

Obecnie przedwczesne oddzielenie łożyska nie stanowi prawie zagrożenia i niemal wszystkie matki i ponad 90% noworodków wychodzi z tej kryzysowej sytuacji, co stało się możliwe głównie dzięki zdecydowanemu postępowaniu położniczemu.

PRZEDWCZESNE PĘKNIĘCIE BŁON PŁODOWYCH (Ppbp)

Co to jest? Ppbp odnosi się do pęknięcia błon płodowych, jeszcze zanim wystąpi czynność skurczowa. Może się to zdarzyć na kilka godzin lub tygodni, a nawet miesięcy przed porodem. Dlaczego u niektórych ciężarnych błony płodowe pękają samoistnie wcześniej, a u innych nie pękają nawet podczas skurczów lub wręcz trzeba je przebijać? Jak dotąd nie jest to zupełnie jasne. Istnieje pogląd, że enzym kolagenaza, wytwarzany przez pewne bakterie, ma wpływ na zmniejszenie wytrzymałości i elastyczności błon płodowych.

Znamiona i objawy. Sączenie lub wyciekanie płynu z pochwy; odpływanie jest większe, gdy ciężarna znajduje się w pozycji leżącej. Położnik stwierdza obecność w pochwie płynu, który ma odczyn zasadowy (rzadziej kwaśny i przypomina swym wyglądem mocz) i wypływa z kanału szyjki.

Leczenie. Większość lekarzy podziela pogląd, że w początkowym okresie, tj. do 24 godzin po przedwczesnym pęknięciu błon płodowych, konieczna jest ścisła obserwacja ciężarnej i powinno się oceniać stan płodu i monitorować matkę w kierunku wystąpienia czynności skurczowej oraz obecności zakażenia. Należy zalecić ciężarnej hospitalizację z bezwzględnym leżeniem, podczas której wskazany jest ścisły nadzór stanu zarówno matki, jak i płodu. Okresowo należy oceniać temperaturę ciała i liczbę białych krwinek, by w porę wychwycić rozwój infekcji, która może się stać przyczyną wystąpienia przedwczesnego porodu. Wymaz z kanału szyjki może także potwierdzić obecność infekcji, lecz podawanie antybiotyków należy (najlepiej w postaci infuzji dożylnych) rozpocząć jeszcze przed otrzymaniem wyniku wymazu, by zapobiec rozprzestrzenieniu się zakażenia do wnętrza pękniętego worka owodniowego. W przypadku wystąpienia czynności skurczowej przy niedojrzałości płodu należy podjąć próbę hamowania porodu, wdrażając odpowiednie leczenie. Tak długo, jak długo stan ciężarnej i płodu nie budzi zastrzeżeń, zaleca się postępowanie zachowawcze, a gdy płód osiągnie dostateczną dojrzałość, można bezpiecznie przeprowadzić poród. Zdarza się, że szczelina w błonach po pęknięciu ulega zasklepieniu. Wówczas można ciężarną zwolnić do domu, zalecić normalną aktywność fizyczną, uwrażliwiając ją jednocześnie na możliwość sączenia płynu owodniowego.

Większość położników stara się opóźnić poród aż do 33 lub 34 tygodnia. Jedni będą wówczas preferowali wzniecanie porodu, inni będą usiłowali odwlec jego wystąpienie aż do 37 tygodnia. (Pobranie płynu owodniowego drogą amniocentezy lub też pewnej jego ilości z pochwy w celu określenia dojrzałości płuc płodu może okazać się pomocne w podjęciu decyzji co do sposobu dalszego postępowania.) Gdy przedwczesne pęknięcie błon płodowych zdarzy się w 37 tygodniu ciąży lub później, większość położników zaleca wzniecanie porodu, ryzyko niedojrzałości płodu bowiem w tym okresie zaawansowania ciąży praktycznie nie istnieje, a możliwość rozwoju zakażenia jest stosunkowo duża, szczególnie po 24 godzinach od pęknięcia błon płodowych.

W warunkach ścisłego nadzoru rokowanie zarówno dla matki, jak i płodu jest dobre, chociaż konieczność intensywnej opieki neonatologicznej oraz inne problemy związane z noworodkiem niedojrzałym mogą komplikować rzeczywisty obraz tego powikłania.

WYPADNIĘCIE PĘPOWINY

Co to jest? Sznur pępowiny można nazwać „przewodem życia" w odniesieniu do wewnątrzmacicznego rozwoju płodu. Czasami, gdy nastąpi pęknięcie błon płodowych, sznur wyślizguje się lub wypada przez kanał szyjki lub nawet przez pochwę, wypychany przez wypływający płyn owodniowy. Część przodująca płodu może wtedy wywierać ucisk na wypadnięty sznur pępowiny. Gdy dojdzie do uciśnięcia sznura, może nastąpić ograniczenie lub całkowity brak zaopatrywania płodu w tlen. Wypadanie pępowiny występuje bardzo często w czasie porodu przedwczesnego (ponieważ część przodująca płodu jest zbyt mała, by całkowicie wypełnić miednicę) lub gdy częścią przodującą nie jest główka płodu. Wypadnięcie pępowiny jest częste w przypadku przedwczesnego pęknięcia błon płodowych i wówczas zdarza się przed wystąpieniem czynności skurczowej macicy.

Znamiona i objawy. Wypadnięty sznur pępowiny może się znajdować w pochwie lub też zwisać przed sromem. Jeżeli dochodzi do jego uciśnięcia, pojawiają się objawy zagrożenia płodu, które można wykryć na podstawie różnych metod oceny jego stanu.

Leczenie. Gdy kobieta zauważy lub odczuwa obecność pępowiny w pochwie lub też podejrzewa jej wypadnięcie, powinna maksymalnie chronić ją przed uciskiem. W sytuacji wystawania pępowiny przed sromem należy delikatnie ją zabezpieczyć (nie wolno jej ściskać), najlepiej ciepłą wilgotną podpaską, czystym ręcznikiem lub pieluchą. Następnie należy udać się do najbliższego szpitala lub punktu pomocy doraźnej.

Wypadnięcie pępowiny jest bezwzględnym wskazaniem do natychmiastowego cięcia cesarskiego.

ZAKRZEPICA ŻYLNA

Co to jest? Są to skrzepy krwi powstające w żyłach. Okres ciąży, porodu, a szczególnie połogu wyjątkowo silnie usposabiają do występowania tego powikłania. Dzieje się tak z powodu uruchomienia naturalnych ustrojowych mechanizmów krzepnięcia krwi, jakie występują w okresie okołoporodowym, jak również z tej przyczyny, że powiększona ciężarna macica utrudnia powrót krwi z niżej położonych partii ustroju do serca. Zakrzepica żył powierzchownych (zapalenie zakrzepowe żył powierzchownych) występuje w około 1 do 2 przypadków na 100 ciąż. Natomiast zakrzepica żył głębokich może stanowić bezpośrednie zagrożenie życia chorych z powodu wystąpienia zatoru naczyń płucnych, lecz na szczęście zdarza się ona wyjątkowo rzadko. Wśród czynników predysponujących do rozwoju zakrzepicy najczęściej wymienia się: jej występowanie już w przeszłości, wiek powyżej 30 lat, odbyte liczne porody – trzy lub więcej, długotrwałe unieruchomienie w pozycji leżącej, nadwaga, niedokrwistość, obecność żylaków, poród operacyjny – operacja kleszczowa lub cięcie cesarskie.

Znamiona i objawy. W zakrzepicy żył powierzchownych stwierdza się zazwyczaj powrózkowate, bolesne stwardnienia w linii przebiegu żyły na udzie lub w okolicy łydki, pokryte zaczerwienioną, bardziej ucieploną skórą. Natomiast w zakrzepicy żył głębokich dość często występuje bolesność i zwiększona spoistość łydki lub uda, obrzmienie kończyny, rozszerzenie żył powierzchownych, ból łydki, który jest przyczyną zgięcia stopy (zwrócenia stopy w kierunku goleni). Diagnostyka zakrzepicy żylnej może przebiegać na podstawie techniki ultrasonograficznej i innych metod. Występowanie innych objawów, takich jak: nie wyjaśniony wzrost ciepłoty ciała, przyspieszenie tętna, których przyczyną może być chora kończyna, powinny być dostrzeżone przez lekarza. Jeżeli skrzep ulega przemieszczeniu, powodując zakrzepicę naczyń płucnych, stwierdza się ból w klatce piersiowej, kaszel współistniejący z pienistą i krwisto podbarwioną plwociną, przyspieszenie akcji serca i częstości oddechów, zasinienie warg i dystalnych paliczków rąk, gorączkę. Obecność tych objawów wymaga natychmiastowej pomocy lekarskiej.

Leczenie. Najlepszą terapią jest zapobieganie: bandażowanie kończyn przy skłonnościach do występowania zakrzepicy; unikanie przebywania w pozycji siedzącej przez okres dłuższy niż jedna godzina; przy chodzeniu odpowiednie wzmocnienie kończyn; wykonywanie drobnych ćwiczeń ruchowych w pozycji leżącej. Rozpoznane zakrzepowe zapalenie żył wymaga leczenia, którego sposób uzależniony jest od stopnia zaawansowania i rodzaju naczyń objętych schorzeniem. W leczeniu zakrzepicy żył powierzchownych należy uwzględnić: bezwzględne leżenie z uniesieniem chorej kończyny, stosowanie odpowiednich maści, stosowanie wilgotnych rozgrzewających okładów, noszenie ściągających elastycznych rajstop, a w okresie połogu podawanie aspiryny. W zakrzepowym zapaleniu żył głębokich podaje się leki przeciwzakrzepowe (prawie zawsze heparynę) najczęściej dożylnie przez tydzień lub 10 dni, a następnie podskórnie, a od momentu pojawienia się regularnej czynności skurczowej lek należy odstawić. Kilka godzin po porodzie zaleca się podjęcie na nowo podawania leku i kontynuację terapii przez kilka początkowych tygodni połogu. W zatorze płuc zachodzi niekiedy potrzeba leczenia chirurgicznego, choć nadal terapia lekowa ma największe znaczenie, zarówno w leczeniu schorzenia podstawowego, jak i objawów towarzyszących.

PRZEDTERMINOWA LUB PRZEDWCZESNA CZYNNOŚĆ SKURCZOWA MACICY

Co to jest? Są to skurcze macicy, występujące przed okresem uzyskania przez płód zdolności do przeżycia (w większości krajów za ten okres uważa się 20 tydzień ciąży), lecz przed 37 tygodniem ciąży (kiedy uważa się ciążę za donoszoną). Istnieje szeroki zespół czynników ryzyka związanych z przedwczesnym porodem, lecz co powoduje, że poród zaczyna się przed wyznaczonym terminem, nie jest obecnie jeszcze w pełni zrozumiałe.

Znamiona i objawy. Skurcze podobne do miesiączkowych, czasami biegunka, nudności lub inne zaburzenia ze strony przewodu pokarmowego; ból lub napięcie w podbrzuszu; bolesność i ciążenie w miednicy, w okolicach pachwin lub ud; wodniste, różowe lub brązowawe upławy, które mogą być poprzedzone gęstym, śluzowym czopem i/lub sączeniem lub odpływaniem płynu owodniowego z pochwy, zmiany szyjki macicy (pomiar długości szyjki w badaniu ultrasonograficznym głowicą dopochwową może pomóc przewidzieć prawdopodobieństwo przedwczesnego porodu).

Leczenie. Szybkie wychwycenie objawów jest bardzo ważne, gdyż leczenie (patrz dalej) może niekiedy zahamować lub opóźnić przedwczesny poród, a każdy następny dzień spędzony przez dziecko w macicy zwiększa jego szansę na przeżycie. Jedynie w sytuacji, gdy życie matki i/lub dziecka jest zagrożone, nie podejmuje się prób opóźnienia przedwczesnego porodu.

Aby zapobiec występowaniu przedwczesnej czynności skurczowej, należy wyłączyć współżycie płciowe i inne formy aktywności fizycznej, zalecić bezwzględnie leżenie, a jeśli to konieczne, umieścić ciężarną w szpitalu. W około 50% ciąż jednopłodowych, w których wystąpiła przedwczesna czynność skurczowa bez towarzyszącego krwawienia, samym tylko leżeniem w warunkach szpitalnych, bez podawania jakichkolwiek leków, udawało się zahamować czynność skurczową. Gdy ciągłość błon płodowych była zachowana, a w czasie badania położniczego nie stwierdzono skracania i rozwierania się części pochwowej macicy, 75% ciężarnych kontynuowało ciążę aż do terminu porodu. Można podawać ciężarnym środki tokolityczne (leki, które działają relaksacyjnie na mięsień macicy i hamują jej czynność skurczową), w celu poprawy wyników leczenia. Jeśli zachodzi podejrzenie, że infekcja może być przyczyną wyzwalającą czynność skurczową, należy rozważyć podawanie antybiotyków. Jeżeli spodziewany jest poród przedwczesny, zaleca się podawanie kortykosteroidów, które mogą przyspieszyć rozwój płodu i zmniejszyć komplikacje. Siarczan magnezu można podawać, aby zapobiegać porażeniu mózgowemu u noworodków.

SYTUACJE MAJĄCE WPŁYW NA PRZEBIEG PORODU

WYNICOWANIE MACICY

Co to jest? Częściowe lub całkowite wpuklenie dna macicy do jej jamy jest rzadkim, lecz niezwykle niebezpiecznym powikłaniem. Wynicowanie macicy występuje najczęściej na skutek brutalnych zabiegów po porodzie płodu.

Znamiona i objawy. Nagłe, całkowite wynicowanie macicy objawia się niezwykle ostrym bólem w dole brzucha z towarzyszącym uczuciem rozciągania i wypełniania pochwy. Zazwyczaj pojawiają się obfite krwawienia i objawy głębokiego wstrząsu; śmierć pacjentki może być następstwem wykrwawienia. Badanie wewnętrzne przez pochwę umożliwia stwierdzenie albo kraterowatego zagłębienia w dnie macicy, albo też zupełnego „braku" trzonu macicy nad spojeniem łonowym. W przypadku całkowitego wynicowania w pochwie można stwierdzić duży krwawiący guz z przyczepionym niekiedy łożyskiem. Czynnikami, które mają wpływ na występowanie tego powikłania, są: ciąża u wieloródki, poród przedłużony trwający dłużej niż 24 godziny, zlokalizowanie łożyska w dnie lub nieprawidłowości w zakresie jego implantacji, terapia siarczanem magnezu w czasie czynności skurczowej. Wynicowanie macicy może wystąpić także w sytuacjach znacznego zwiotczenia mięśnia macicy lub też gdy jej atoniczne dno ulega przemieszczeniu w III okresie porodu, przy oddzieleniu i wydaleniu łożyska.

Leczenie. W większości przypadków macicę można odprowadzić ręcznie, niekiedy zachodzi potrzeba zastosowania innych technik. Gdy stwierdza się znaczną utratę krwi, konieczne są transfuzje płynów krwi. Leki, tj. siarczan magnezu, podaje się w celu zwiotczenia mięśniówki macicy, co ułatwia następowe odprowadzenie wynicowanej macicy. Pozostawiony niekiedy w macicy fragment łożyska można usuwać zarówno przed, jak i po jej odprowadzeniu. W wyjątkowych sytuacjach ręczne odprowadzenie macicy jest niemożliwe, wymaga operacji brzusznej.

Po odprowadzeniu należy dążyć do utrzymania odpowiedniego napięcia mięśnia macicy, by zapobiec ponownemu przemieszczeniu się prawidłowo usytuowanej macicy. Podawanie oksytocyny i innych leków obkurczających macicę należy uznać za uzasadnione, gdyż ma zapobiegać jej ponownemu wynicowaniu. Wskazana jest antybiotykoterapia jako ochrona przed mogącą wystąpić infekcją. Ryzyko ponownego wynicowania macicy u kobiet, u których w przeszłości wystąpiła już ta patologia, jest większe, dlatego też lekarz prowadzący winien być o tym fakcie poinformowany.

PĘKNIĘCIE MACICY

Co to jest? Zdarza się, że macica pęka lub rozrywa się podczas ciąży lub porodu. Najczęstszą przyczyną jej pęknięcia jest stara blizna w ścianie macicy. Blizna może być następstwem: przebytego cięcia cesarskiego, wykonanego sposobem klasycznym; zaopatrzonego uprzednio pęknięcia macicy; operacji chirurgicznych na mięśniu macicy (korekcji jej kształtu lub wyłuszczeniu mięśniaków) lub też perforacji jej ściany. Bardzo gwałtowna czynność skurczowa (zarówno samoistna, jak i indukowana) może także prowadzić do pęknięcia macicy. Zdarza się to rzadko, szczególnie w pierwszej ciąży, przy braku predysponującej do jego wystąpienia blizny. Pęknięcie zdarza się częściej u wieloródek (szczególnie jeśli jest to piąta lub kolejna ciąża) mających bardzo rozciągniętą macicę (z powodu ciąż wielopłodowych lub ze zwiększoną ilością płynu owodniowego), które poprzednio przebyły ciężki poród lub u których obecnie wystąpiły trudności w czasie porodu (szczególnie dystokia lub poród kleszczowy). Przyczynami podwyższonego ryzyka wystąpienia tego powikłania mogą być również nieprawidłowości związane z łożyskiem (np. przedwczesne jego oddzielenie lub też zbyt głęboka jego implantacja w mięsień macicy) lub z położeniem płodu w macicy (położenie poprzeczne), jak też z nagłymi urazami brzusznymi (spowodowanymi nożem lub pociskiem).

Znamiona i objawy. Pęknięcie macicy nie jest zwykłym powikłaniem, które występuje u kobiety w ciąży. Jednak ciężarne, z grupy podwyższonego ryzyka wystąpienia tego powikłania, mające blizny macicy lub też spełniające inne warunki predysponujące, powinny znać objawy towarzyszące tej patologii, jak: silny ból brzucha, omdlenia, pogłębienie i przyspieszenie oddechów, szybkie bicie serca, niepokój, podniecenie. Obecność powyższych objawów, które są silnie wyrażone, gdy pęknięcie występuje w górnej części macicy, wymaga natychmiastowej pomocy lekarskiej. Pierwszą oznaką pęknięcia jest zazwyczaj gwałtowny ból brzucha z towarzyszącym uczuciem wewnętrznego rozrywania. Następnie występuje krótki okres ulgi, po którym pojawia się rozlany ból brzucha i jego bolesność uciskowa. Gdy pęknięcie dotyczy dolnego odcinka macicy, wówczas czynność skurczowa całkowicie ustaje. Może, lecz nie musi, wystąpić krwawienie z pochwy. Części płodu są lepiej wyczuwalne przez powłoki brzuszne, a jego stan często wykazuje objawy zagrożenia.

Leczenie. Konieczny jest natychmiastowy poród operacyjny, z następowym zszyciem pęknięcia ściany. W przypadku rozległego pęknięcia macicy leczeniem z wyboru może okazać się wykonanie hysterektomii. Czasami pęknięcie macicy pozostaje nie rozpoznane do momentu wystąpienia krwotoku po porodzie. Również w tych przypadkach należy pęknięty mięsień zeszyć lub też, jeśli wymaga tego sytuacja, usunąć macicę. Chorą po zaopatrzeniu pęknięcia należy objąć ścisłym nadzorem, w celu wczesnego wykrycia ewentualnych powikłań, jak również rozważyć następową terapię antybiotykami jako prewencję przed infekcją. W okresie pooperacyjnym można zezwolić na przebywanie poza łóżkiem (od kilku do 6 godzin) lub też nie, w zależności od sytuacji przez kilka pierwszych dni.

ZAKLINOWANIE BARKU

Co to jest? W sytuacji, gdy bark płodu ulega zaklinowaniu, dalszy przebieg porodu ulega zahamowaniu, ponieważ po urodzeniu główki zaklinowany bark, który stanowi przeszkodę porodową, uniemożliwia przejście przez kanał rodny dalszych części płodu.

Znamiona i objawy. Następuje zatrzymanie porodu po urodzeniu się główki. Może to nastąpić nieoczekiwanie w czasie porodu, który do tego momentu zdawał się odbywać całkowicie prawidłowo.

Leczenie. Należy podjąć wszelkie możliwe czynności w celu ratowania życia płodu, któ-

Pierwsza pomoc dla płodu

W zaawansowanej ciąży brak aktywności ruchowej płodu może być oznaką jego zagrożenia (test domowy, patrz s. 209). Zmniejszenie się aktywności płodu obserwuje się często, jeszcze zanim wystąpią inne objawy jego zagrożenia (tj. ogólnie przyjęto mniej jak 10 ruchów płodu w czasie dwugodzinnej rejestracji). Należy niezwłocznie w takim przypadku poinformować lekarza lub udać się do szpitala. Tylko takie szybkie działanie stwarza szansę uratowania życia dziecka.

rego bark uległ zaklinowaniu w macicy. Należy bardzo rozlegle naciąć krocze; dokonać rotacji płodu i urodzić tylny bark jako pierwszy; przygiąć kolana rodzącej do jej brzucha; wywierać umiarkowany nacisk na dno macicy i miednicę; stosować wszystkie inne sposoby postępowania, mogące przezwyciężyć siły zaklinowujące bark, nawet łamiąc kości obręczy barkowej płodu. Można też podjąć próbę odprowadzenia urodzonej główki płodu ponownie do pochwy (rzadko jest to możliwe), a poród zakończyć cięciem cesarskim.

ZAGROŻENIE PŁODU

Co to jest? Terminu tego używa się w celu wyrażenia sytuacji, w której płód znajduje się w niebezpieczeństwie, najczęściej z powodu niedotlenienia. Stan zagrożenia płodu może być spowodowany różnymi nieprawidłowościami, obejmującymi między innymi zespół żyły głównej dolnej u ciężarnej; niektóre choroby matki (niedokrwistość, nadciśnienie, choroby serca); nieprawidłowo niskie ciśnienie tętnicze krwi lub wstrząs; niewydolność łożyska; zmiany wsteczne lub przedwczesne jego oddzielenie; ucisk sznura pępowinowego; przedłużona i nadmiernie wyrażona czynność skurczowa macicy; zakażenie płodu; wady; krwotok lub niedokrwistość.

Znamiona i objawy. Dokładne oznaki zagrożenia płodu różnią się w zależności od przyczyny wywołującej stan jego zagrożenia. Ciężarna może zauważyć zmiany w wewnątrzmacicznej aktywności płodu lub też całkowity brak jego ruchów. Położnik może zarejestrować zmiany w czynności serca płodu typowe dla stanu jego zagrożenia, posługując się stetoskopem dopplerowskim lub ciągłym zapisem kardiotokograficznym.

Leczenie. Potwierdzony stan zagrożenia płodu (patrz s. 284) wymaga zazwyczaj natychmiastowego zakończenia ciąży. Gdy poród drogami natury nie rokuje szybkiego zakończenia, wówczas zachodzi potrzeba natychmiastowego rozwiązania przez cięcie cesarskie. W niektórych sytuacjach, jeszcze przed wykonaniem cięcia cesarskiego, istnieje możliwość wykonania wewnątrzmacicznej resuscytacji płodu, mającej na celu zmniejszenie ryzyka jego przedporodowego niedotlenienia. Można to osiągnąć przez podawanie matce środków tokolitycznych, hamujących czynność skurczową i tym samym rozszerzających naczynia krwionośne i przyspieszających akcję serca oraz wpływających na wzrost przepływu krwi.

PĘKNIĘCIE POCHWY I SZYJKI MACICY

Co to jest? Rozdarcie pochwy i/lub szyjki macicy może być zarówno małe, jak i rozległe. Zdarza się niezbyt często podczas czynności skurczowej i porodu.

Znamiona i objawy. Obfite krwawienie jest najczęstszym objawem, choć w zasadzie rozpoznanie pęknięcia po porodzie jest dość proste dla położnika.

Leczenie. Obowiązuje zasada, że wszystkie pęknięcia – większe niż 2 centymetry lub będące przyczyną silnego krwawienia – wymagają zeszycia. Uprzednio jednak należy zaopatrywane miejsce znieczulić miejscowo, jeśli nie dokonano tego przed porodem.

KRWOTOK POPORODOWY

Co to jest? Krwotoki poporodowe lub silne krwawienia są bardzo trudne do opanowania. Zalicza się je do bardzo poważnych powikłań, lecz występują nieczęsto. Zdecydowane postępowanie terapeutyczne spowodowało, że rzadko stanowią poważne zagrożenie życia. Przyczynami obfitych krwawień poporodowych mogą być: atoniczna macica, która nie obkurcza się z powodu przedłużonych, wyczerpujących skurczów porodowych, poród urazowy, zbyt rozciągnięta macica z powodu ciąży wielopłodowej lub dużego płodu, zwiększona objętość płynu owodniowego, dodatkowego zrazu łożyska lub też przedwczesnego jego oddzielenia, mięśniaków, złego stanu zdrowia matki w okresie porodu.

Obfite krwawienia lub krwotok mogą wystąpić natychmiast po porodzie z powodu niezaopatrzenia pęknięć trzonu, szyjki macicy, pochwy lub jeszcze innego narządu w miednicy, przyczyną ich wystąpienia może być również wynicowanie macicy (nawet po jej odprowadzeniu). Przyczynami krwawień pojawiających się po tygodniu lub dwóch po porodzie mogą być resztki popłodu w macicy. Zakażenie może również stać się przyczyną krwotoku poporodowego; zazwyczaj występuje on zaraz po porodzie lub też dopiero później, po tygodniach. Krwotok poporodowy występuje częściej u tych położnic, u których stwierdzono łożysko przodujące lub przedwczesne jego oddzielenie przed porodem. Rzadką przyczyną krwotoku są nie zdiagnozowane zaburzenia krzepliwości krwi u matki, spowodowane czynnikami genetycznymi lub zażywaniem aspiryny lub innych leków, które mogą wpływać na procesy krzepnięcia.

Znamiona i objawy. Nieprawidłowe silne krwawienie po porodzie, które nasącza więcej niż jedną podpaskę przez godzinę i utrzymuje się w takim stanie przez kilka godzin; jasnoczerwone krwawienie obecne jeszcze po czwartym dniu od porodu, szczególnie jeśli jego nasilenie nie zmniejsza się. Odchody poporodowe czasami mogą mieć zgniły zapach i zawierać duże skrzepy krwi (wielkości cytryny lub większe), towarzyszy im ból i/lub uczucie ciężaru w podbrzuszu w pierwszych kilku dniach po porodzie.

Leczenie. W zależności od przyczyny wywołującej krwotok należy – w celu opanowania krwawienia – zastosować jeden z wymienionych sposobów postępowania: masaż macicy, by pobudzić ją do obkurczenia; podanie leków naskurczowych (takich, jak oksytocyna, ergometrym lub prostaglandyny); odszukanie i zaopatrzenie miejsca pęknięcia; usunięcie pozostawionych w macicy resztek popłodu. Nieopanowanie krwawienia wymienionymi sposobami wymaga infuzji dożylnych płynów krwiozastępczych, transfuzji krwi, podania osoczowych czynników krzepnięcia – w przypadku stwierdzenia zaburzeń koagulologicznych – i antybiotykoterapii, w celu zapobiegnięcia infekcji. Rzadko udaje się zahamować krwawienie 6-24 godzinną tamponadą macicy[1], czasami też sytuacja wymaga podwiązania jednej z tętnic macicznych.

Współcześnie stosowane sposoby leczenia krwawień poporodowych są bardzo skuteczne, a powrót do zdrowia przebiega szybko.

ZAKAŻENIE POPORODOWE

Co to jest? To infekcja związana z porodem. Występuje ona rzadko u położnic, którym zapewniono właściwą opiekę medyczną, a przebieg porodu był niepowikłany i odbył się drogami natury. Najczęstszym zakażeniem poporodowym jest endometritis, infekcja błony śluzowej macicy, która jest obnażona po oddzieleniu łożyska. Zapalenie błony śluzowej trzonu macicy występuje najczęściej po cięciu cesarskim, poprzedzonym długim czasem trwania porodu lub przedwczesnym pęknięciem błon płodowych. Częściej także zdarza się w sytuacjach pozostawania w macicy fragmentów łożyska. Również możliwe jest zakażenie pęknięć porodowych szyjki macicy, pochwy lub sromu.

---

[1] Obecnie w położnictwie krwotoków poporodowych nie leczy się tamponadą (uwaga redaktora wydania polskiego).

Znamiona i objawy. Różnią się w zależności od miejsca rozwoju infekcji. Nieznaczna gorączka, niejasny ból podbrzusza i występujące czasami odchody pochwowe o zgniłym zapachu są charakterystyczne dla infekcji błony śluzowej macicy. Zakażeniu pęknięć poporodowych zazwyczaj towarzyszy ból i bolesność uciskowa podbrzusza w miejscu odpowiadającym macicy, czasami gęste odchody o zgniłym zapachu, trudności w oddawaniu moczu. W pewnych rodzajach infekcji gorączka przekracza 40°C, występują dreszcze, bóle głowy, zlewne poty. Powodem ich występowania są nie objawy, lecz występująca wysoka gorączka. Lekarz prowadzący powinien być poinformowany o wystąpieniu jakiejkolwiek gorączki w okresie poporodowym.

Leczenie. Terapia antybiotykami jest bardzo skuteczna, dlatego też powinna być wdrożona stosunkowo wcześnie. Pobranie wymazu pomaga w określeniu rodzaju drobnoustroju powodującego infekcję i pozwala zastosować właściwy antybiotyk.

UWAGI O NIEPOWODZENIACH CIĄŻOWYCH

Zgon w macicy. Gdy ciężarna nie odczuwa ruchów swojego dziecka przez kilkanaście godzin lub więcej, rzeczą naturalną jest jej obawa o najgorsze. A najgorsze jest oczywiście to, że nie narodzone dziecko obumarło. Na szczęście zdarza się to rzadko. Gdy jednak wystąpi, może być przyczyną licznych rozterek.

Ciężarna odbiera wiadomość o braku czynności serca swojego dziecka, tj. o jego wewnątrzmacicznym obumarciu, z niedowierzaniem i poczuciem osobistego nieszczęścia, jakie ją dotknęło.

Dla takiej kobiety dalsze noszenie ciąży, z przeświadczeniem, że jej dziecko już nie żyje, jest rzeczą trudną lub wręcz niemożliwą. Prowadzone badania wykazują, że u tych kobiet, u których poród obumarłego płodu odbywa się po okresie oczekiwania dłuższym niż trzy dni od momentu rozpoznania wewnątrzmacicznej śmierci płodu, występują depresje. Z tego powodu stan psychiczny takiej kobiety jest zależny od decyzji lekarskiej co do planu dalszego postępowania. Jeżeli czas występowania czynności porodowej jest trudny do przewidzenia, należy rozważyć celowość wzniecenia czynności skurczowej lub też zezwolić na powrót do domu ciężarnej do momentu pojawienia się samoistnej czynności porodowej, a uzależnione jest to od zaawansowania ciąży, jak i stanu psychofizycznego ciężarnej.

Wielkość zmartwienia, przez jakie musi przejść kobieta, której płód obumarł wewnątrzmaciczne, prawdopodobnie jest bardzo podobna do tego, jakie dotyczy rodziców, których dziecko zmarło podczas lub po porodzie (patrz poniżej), choć w pierwszym przypadku nawet dotknięcie płodu, jak i jego pogrzeb mogą być niemożliwe i nie praktykowane.

Śmierć podczas porodu lub po porodzie. Czasami śmierć zdarza się podczas porodu, czasami zaś po nim. Każdy sposób straty dziecka jest dla matki ciosem trudnym do wyrażenia. Kobieta oczekiwała na swoje dziecko blisko dziewięć miesięcy. Marzyła o nim, czuła jego kopanie i czkawkę, wsłuchiwała się w bicie jego serca. Wybierała dla niego łóżeczko, zamówiła wyprawkę, przygotowywała swoich przyjaciół, rodzinę i swoje życie na przyjęcie nowej osoby, a teraz wraca do domu z pustymi rękoma. Nie ma prawdopodobnie większego bólu jak ten zadany utratą dziecka. I choć nic nie wyrówna straty, którą odczuwa kobieta, czas postępuje naprzód, problem staje się bardziej znośny, depresja powoli mija. Oto kilka wskazówek, które być może pomogą ci złagodzić depresję:

- Zobaczenie, kontakt dotykowy i nadanie imienia niemowlęciu. Cierpienie jest nieodzownym krokiem w akceptacji i powrocie do stanu równowagi po stracie, nie można jednak żałować bezimiennego dziecka, którego nigdy się nie widziało. Jeżeli nawet dziecko jest zniekształcone, eksperci radzą zobaczyć je, gdyż zwykle wyobrażenie jest dużo gorsze od prawdy. Nawet kontakt dotykowy przez ujęcie w dłonie dziecka oraz nadanie mu imienia sprawia, że śmierć staje się bardziej rzeczywista i w efekcie łatwiejsza do zniesienia. To samo w przypadku organizowania pogrzebu i kremacji. Dają one kolejną możliwość pożegnania dziecka. Dodatkowo grób jest takim miejscem, gdzie będzie można odwiedzić dziecko w przyszłości.

- Warto także porozmawiać z lekarzem o wynikach badań pośmiertnych, a także i innych szczegółach, aby utwierdzić się co do stanu rzeczywistego i pomóc w procesie żałoby. Podawane leki, stan hormonalny oraz szok powodują, że wiele szczegółów podanych na sali porodowej nie zostaje w pełni zrozumianych.
- Jeżeli to możliwe, nie zaleca się podawania środków uspokajających w okresie kilku godzin od poinformowania matki o zgonie dziecka. Mimo że środek uspokajający natychmiast łagodzi ból, to istnieje tendencja mieszania wspomnień z rzeczywistością tego, co się stało. Sprawia to, że proces żałoby staje się trudniejszy, a także pozbawia matkę i współmałżonka szansy wzajemnego wspierania się.
- Zachowanie fotografii (wiele szpitali je robi) lub innego namacalnego przedmiotu, który będzie w przyszłości pociechą podczas myślenia o dziecku. Mimo że nie brzmi to zachęcająco, zdaniem specjalistów bardzo pomaga. Pomaga także koncentrowanie się na pozytywnych cechach, np. duże oczy, długie rzęsy, piękne rączki i delikatne paluszki, gęste włoski.

Przyjaciele czy rodzina nie powinni usuwać pewnych oznak przygotowań, jakie poczynione zostały w domu na przyjęcie dziecka. Najlepiej zrobić to samemu. Powrót do domu, który wygląda tak, jakby nigdy nie spodziewano się tam dziecka, przyczyni się tylko do zaprzeczenia temu, co się w rzeczywistości stało.

- Płacz – w zależności od psychiki matki lub ojca częsty lub długi – jest nieodzownym składnikiem procesu żałoby. Nie zawsze płacze się natychmiast po stracie. Niekiedy wraca się do płaczu po upływie pewnego czasu.
- Należy się spodziewać ciężkich chwil. Przez pewien okres można odczuwać depresję, pustkę; doświadczać ogromnego smutku, cierpieć na bezsenność; walczyć z małżonkiem i ignorować inne dzieci, a nawet wyobrazić sobie, że dziecko płacze w środku nocy. Być może sama będziesz odczuwała potrzebę, by traktować cię jak dziecko, które się tuli, kocha, o które się dba.
- Również ojcowie cierpią po stracie dziecka, ale ich smutek jest lub wydaje się krótszy i słabszy niż ból matki, częściowo dlatego, że nie nosili oni dziecka wewnątrz swego ciała przez tyle miesięcy. Poza tym mają oni dodatkowo inne sposoby radzenia sobie ze stresem. Czasami ukrywają go, aby wydać się silniejszymi w oczach żon. Jednak ból wychodzi na jaw czasem w zupełnie innej postaci, np. złego humoru, braku odpowiedzialności, utraty zainteresowania życiem – szukania zapomnienia w alkoholu. Niestety, rozpaczający ojciec nie może być pomocny żonie ani też ona jemu i zdarza się, że oboje szukają wsparcia w czymś innym.
- Nie wolno stawiać czoła całemu światu w pojedynkę. Nie wolno odkładać powrotu do normalnego życia m.in. dlatego, że obawiasz się zetknięcia z przyjaciółmi, którzy mogą zapytać o dziecko. Nie jest to żadnym rozwiązaniem. Dobry przyjaciel powinien ci towarzyszyć podczas pierwszych dni, biorąc na siebie udzielanie odpowiedzi na pytania znajomych napotkanych w supermarkecie, banku itd. Dobrze jest upewnić się, że koledzy w pracy, Kościele czy innej instytucji, do której osoba dotknięta stratą uczęszcza, zostali poinformowani o zaistniałej sytuacji.
- Należy się spodziewać, że nie wszyscy członkowie rodziny czy przyjaciele będą umieli odpowiednio zareagować. Jedni usuną się na jakiś czas, inni – starając się po-

Gdy ciąża wielopłodowa nie rozwija się prawidłowo

Bliźnięta, trojaczki, czworaczki są bardziej narażone na nieprawidłowy rozwój aniżeli płody pojedyncze, zwłaszcza w III trymestrze ciąży. Dlatego właśnie ciąże wielopłodowe monitorowane są za pomocą serii badań ultrasonograficznych już od 20 tygodnia ciąży. W przypadku słabego rozwoju jednego lub dwóch płodów konieczna staje się dokładna diagnostyka przeprowadzana zwykle w szpitalu. Poród przeprowadza się natychmiast, gdy tylko określona zostaje dojrzałość płuc większego (lub największego) płodu albo gdy dalsze przebywanie w macicy staje się ryzykowne dla mniejszego płodu. Na szczęście takie przypadki pojawiają się rzadko.

Natura często sama ingeruje w takich sytuacjach. Przypuszcza się, że każdego roku poczętych zostaje tysiące ciąż wielopłodowych, lecz rodzą się pojedyncze noworodki. W okresie wczesnej ciąży, z powodu niemożności wyżywienia przez matkę większej liczby płodów, generalnie wszystkie z wyjątkiem jednego płodu umierają, nie pozostawiając często żadnego śladu swojego istnienia. Niekiedy zdarza się, że wszystkie płody usiłują przetrwać, cierpiąc na tym jednocześnie i nie będąc w stanie przeżyć. W takich przypadkach, kiedy Matka Natura nie przejmuje inicjatywy, staje się koniecznością rozwiązanie tego problemu przez zastosowanie najnowszych osiągnięć medycznych, tj. ratowanie jednego lub dwóch płodów i niedopuszczenie do unicestwienia wszystkich.

Matka nie może stwierdzić, czy wszystkie płody, które nosi, dobrze się rozwijają. Natomiast lekarz jest w stanie ocenić stan nie narodzonych dzieci, stosując badania ultrasonograficzne i inne metody diagnozowania.

Po stwierdzeniu niekorzystnego rozwoju ciąży wielopłodowej i w sytuacji, gdy jest za wcześnie na bezpieczny poród, proponuje się usunięcie jednego lub dwóch płodów z macicy (z reguły tych najsłabszych), w celu umożliwienia pozostałym płodom przetrwania. Taka metoda polecana jest także w przypadku poważnego zniekształcenia jednego z płodów (np. niewytworzenie się części lub całego mózgu).

Niektórzy lekarze stosują powyższą metodę redukcji płodów w przypadku czworaczków i większej liczby płodów; inni stosują ją także w przypadku trojaczków, gdy jest to postępowanie właściwe z medycznego punktu widzenia. Badacze tego zagadnienia podają, że najlepszym okresem do dokonania zmniejszenia liczby płodów jest koniec pierwszego trymestru, ponieważ wcześniej takiej ingerencji może dokonać sama Matka Natura.

Po zaproponowaniu przez lekarza zmniejszenia liczby płodów przyszli rodzice stają przed trudnym zadaniem podjęcia decyzji, czy wyrazić na to zgodę. Zanim jednak zdecydują się, powinni zasięgnąć opinii drugiego lekarza, potwierdzającej prawidłowość badań prenatalnych. Powinni także porozmawiać o ryzyku związanym z zastosowaniem tej metody i możliwości utraty wszystkich płodów. Stopień ryzyka zmniejsza się, jeżeli chirurg, podejmujący się tej operacji, ma doświadczenie w przeprowadzaniu tego typu zabiegów.

Jeżeli religia odgrywa ważną rolę w życiu danego małżeństwa, dobrze jest zasięgnąć porady zarówno duchowej, jak i medycznej. Nieodzowna może się okazać rozmowa ze specjalistą w zakresie etyki medycznej, doradcą do spraw genetycznych lub innym ekspertem w tym zakresie. Rozmowy z tymi ludźmi przekonają rodziców, że w opinii większości etyków (a nawet teologów katolickich) lepiej jest próbować uratować jedno dziecko, niż pozwolić umrzeć wszystkim. (Choć można się również spotkać ze stanowiskiem, że są przeciwko zmniejszeniu liczby płodów dla samej tylko wygody – np. jeżeli rodzina nie ma miejsca na więcej kołysek.)

Po podjęciu decyzji powinno się przyjąć to rozwiązanie jako optymalne. Wszelkie niepowodzenia absolutnie nie mogą być traktowane jako wina rodziców.

móc – mogą robić bezmyślne uwagi typu: „Wiem, jak się czujesz!", „Przecież możesz mieć następne dziecko!" Lub: „Dziecko zmarło, zanim się do niego przyzwyczaiłaś!" Nie rozumieją, że ktoś, kto sam nie stracił dziecka, nie może wiedzieć, jakie to uczucie. Nie rozumieją też, że żadne dziecko nie może zająć miejsca tego, które umarło, i że rodzice przywiązują się do dziecka na długo przed urodzeniem, a nawet poczęciem. Dobrze jest, aby bliski przyjaciel, słysząc takie komentarze, wytłumaczył, iż lepiej wyrazić żal z powodu straty dziecka, tak będzie lepiej dla samych rodziców.

- Z upływem czasu ból po stracie zmniejszy się. Na początku będą złe dni, później kilka dobrych, a w końcu więcej dobrych niż

Strata jednego z bliźniąt

Dla rodziców tracących jedno z bliźniąt (w przypadku trojaczków i czworaczków) przyjście na świat potomstwa jest zarówno radosne, jak i tragiczne. Każde z rodziców, postawione w takiej sytuacji, jest w zbyt głębokiej depresji, by opłakiwać utracone dziecko lub cieszyć się z narodzin drugiego, a obydwa te procesy są bardzo ważne. Powstaje wówczas bardzo typowe uczucie: „Właściwie to powinnam szaleć z radości, że mam to jedno dziecko, ale jestem tak podenerwowana, że trudno mi się nim zająć!" Dlaczego tak myślisz i czujesz? U podłoża twoich obaw mogą leżeć następujące przyczyny:

- Utrata prestiżu. Nie będziesz mogła szczycić się, że jesteś matką bliźniąt, czymś, co cieszyło przez wiele miesięcy, od momentu rozpoznania ciąży wielopłodowej. Nawet nie wiedząc z góry o bliźniętach, można czuć się oszukanym. Rozczarowanie jest rzeczą normalną, nie jest nią jednak poczucie winy. Zaleca się opłakiwanie zarówno straty dziecka, jak i utraty spodziewanego prestiżu.
- Obawa przed wyjawieniem przyjaciołom i rodzinie faktu, iż jest tylko jedno dziecko, podczas gdy spodziewali się wiadomości o bliźniętach. Pomóc może przyjaciel, informujący o zaistniałej sytuacji. Powinien on także towarzyszyć w pierwszym spacerze z dzieckiem, odpowiadając na pytania przypadkowo napotkanych znajomych.
- Poczucie niedostatecznej kobiecości spowodowane stratą jednego dziecka, zwłaszcza jeśli poczęte były przez stosowanie takich zabiegów jak IVF[1] lub GIFT[2]. To, co się wydarzyło, nie ma nic wspólnego z wartością danej osoby jako matki czy kobiety.
- Poczucie, że zostałaś ukarana za to, że nie widziałaś możliwości opiekowania się dwójką, lub pragnęłaś bardziej chłopca niż dziewczynki (albo na odwrót) itd. Uczucie to jest bardzo powszechne, ale całkowicie niedorzeczne.
- Obawa przed tym, że każde urodziny dziecka i jego pierwsze słowa będą przypominały utracone dziecko i wszystko to, co mogłoby być, gdyby ono żyło. Z takim uczuciem na pewno się zetkniesz. Pomocne mogą być w tych właśnie momentach rozmowy ze współmałżonkiem, a nie tłumienie uczuć.
- Rodzice obawiają się także, że gdy dziecko dorośnie, męczyć je będzie utrata siostry lub brata bliźniaka. Wiele bliźniąt odczuwa nieokreślony brak czegoś lub kogoś i takie dziecko jest bardziej samotne niż inne dzieci. Nie cierpią jednak, gdy rodzice nie czynią ze straty rzeczy centralnej w życiu. Dużo uwagi i miłości ze strony rodziców zapewni dziecku szczęśliwe i bezpieczne dzieciństwo.
- Przyjaciele i rodzina, próbując przyjść z pomocą, często z przesadą zajmują się żywym dzieckiem, pomijając milczeniem temat zmarłego. Sugerują także, by zapomnieć o zmarłym i skoncentrować się na żyjącym. Tego typu uwagi na ogół denerwują matkę i ojca. W takich przypadkach rozsądnym rozwiązaniem będzie poinformowanie znajomych o potrzebie opłakiwania zmarłego dziecka na równi z celebrowaniem narodzin żywego.
- Nie pozwalano ci i sama sobie też nie pozwalałaś na opłakiwanie zmarłego dziecka. Zapoznaj się z propozycjami na s. 365, które pomogą ci pogodzić się ze stratą.
- Pojawia się u ciebie przekonanie o braku lojalności w stosunku do zmarłego dziecka, skoro cieszysz się tym, które przeżyło. Jest to odczucie naturalne, ale trzeba się z niego otrząsnąć. Zadośćuczynieniem wobec zmarłego dziecka może być matczyna miłość, którą dawałaś mu przez tyle miesięcy, gdy skulone leżało w twojej macicy. Fatalne skutki ma natomiast idealizowanie zmarłego dziecka i stałe porównywanie go z żyjącym.
- Doświadczenie depresji poporodowej. Jest to sprawa normalna, bez względu na to, czy matka utraciła dziecko, czy nie, gdyż hormony będące w stanie całkowitego chaosu utrudniają sytuację i wpływają na komplikację uczuć (patrz s. 399).
- Obawiasz się, że utrata dziecka i depresja poporodowa mogą zniszczyć związek ze współmałżonkiem. Nie wydaje się to prawdopodobne, jeżeli wspólnie dzielicie dobre i złe chwile. Badania wykazują wzmocnienie więzi małżeńskich w 90% przypadków dotkniętych tą tragedią.
- Niekiedy poczucie winy za rozdarcie uczuciowe będzie ci utrudniało opiekę nad dzieckiem. Ważne jest, by pamiętać, że takie uczucia są czymś całkowicie normalnym i że nie masz powodów do tego, by czuć się winna.

[1] Zapłodnienie pozaustrojowe (uwaga redaktora wydania polskiego).

[2] Dojajowodowy transfer gamety (uwaga redaktora wydania polskiego).

Dlaczego?

Być może filozoficzne pytanie „dlaczego?" w waszym przypadku pozostanie na zawsze bez odpowiedzi. Dla bolejących rodziców swego rodzaju pomoc stanowi konfrontacja i dotarcie do fizycznych przyczyn śmierci płodu czy niemowlęcia. Często dziecko wygląda całkowicie normalnie i jedynym sposobem odkrycia przyczyny śmierci jest dokładne prześledzenie historii okresu ciąży oraz zbadanie płodu czy też dziecka. Jeżeli płód zmarł w macicy lub nastąpiło poronienie, ważne jest także badanie histologiczne łożyska przez patologa. Poznanie przyczyny śmierci może się na początku wydawać zbędne i mało istotne, ale z czasem przyczyni się do łatwiejszego jej zaakceptowania. Poznanie przyczyny zgonu nie jest równoznaczne z odpowiedzią na pytanie: dlaczego to się stało? Zamyka jednak to tragiczne wydarzenie, pozwalając przygotować się do przyszłego zajścia w ciążę.

W niektórych przypadkach nie można określić przyczyny zgonu i wtedy rodzice powinni zaakceptować tę tragedię, tłumacząc ją sobie zgodnie z własną filozofią życiową. Mogą więc dopatrywać się w tym woli Boskiej lub też zrządzenia losu, na który ludzie nie mają wpływu. W każdym razie strata dziecka nie może być traktowana jako kara.

złych. Należy jednak liczyć się z taką ewentualnością, że ból całkowicie nie zniknie nigdy. Cierpienie, któremu towarzyszą koszmarne sny i natrętne wspomnienia, w pełni kończy się po okresie około 2 lat. Najgorszy okres kończy się zwykle po 3-6 miesiącach po stracie. Jeżeli po upływie 6-9 miesięcy żal po stracie pozostaje centralną sprawą, jeżeli całkowicie traci się zainteresowanie wszystkim innym, należy poszukać pomocy. Szukaj pomocy również wówczas, jeżeli od samego początku nie możesz poradzić sobie z uczuciem żalu.

- Szukaj wsparcia. Za przykładem innych rodziców możesz czerpać siłę z grupy pomocy sformowanej z rodziców, którzy utracili dziecko. Należy jednak uważać, by grupa ta nie pogłębiała smutku. Jeżeli po upływie roku nie będziesz w stanie poradzić sobie ze stratą, a jeszcze wcześniej normalnie funkcjonować, zalecane jest zastosowanie terapii indywidualnej.

- Ogranicz środki uspokajające. Ich początkowa skuteczność zakłóca proces żałoby, a dodatkowo może spowodować uzależnienie.

- Skłanianie się ku religii i szukanie otuchy w wierze. Niektórzy rodzice są zbyt rozgniewani na Boga, aby poszukiwać w religii ukojenia, lecz dla niektórych wiara jest wielką pomocą.

- Kolejne dziecko nie jest w stanie zrekompensować straty. Zajście w ciążę jest dobrym rozwiązaniem tylko wtedy, gdy pragną tego oboje rodzice, oczywiście stosując się do zaleceń lekarza. Nie należy tego robić, by zlikwidować poczucie winy czy złości, osiągnąć spokój umysłu i poczuć się lepiej. Takie postępowanie przynosi wręcz przeciwne rezultaty, niepotrzebnie obciążając następne dziecko. Wszystkie decyzje dotyczące przyszłej płodności, zdecydowanie się na dziecko lub poddanie się sterylizacji, powinny być odłożone aż do czasu, gdy minie najgłębszy żal.

- Poczucie winy może powiększyć żal i spowodować, że przyzwyczajenie się do straty będzie trudniejsze. Przekonanie, że strata dziecka jest karą za dwuznaczny stosunek do ciąży lub niedostateczne odżywianie w tym okresie, jest błędne. Wsparcie specjalistyczne pomaga zrozumieć, że takie uczucia są pozbawione podstaw. Skorzystaj z porady, jeżeli czujesz się niepewna i wątpisz w swą kobiecość, co zostało według ciebie niejako potwierdzone tym, że nie możesz urodzić żywego dziecka, oraz jeżeli czujesz, że zawiodłaś swoją rodzinę, jak i przyjaciół. Jeśli obawiasz się, że powrót do normalnego życia będzie czymś nielojalnym w stosunku do zmarłego dziecka, połącz się z nim duchowo i w myślach poproś o przebaczenie i prawo powrotu do aktywnego życia.

Część 4

ROZWAŻANIA KOŃCOWE, ALE WCALE NIE NAJMNIEJ WAŻNE

O okresie poporodowym, o ojcach i o następnym dziecku

18

Pierwszy tydzień po porodzie

Co możesz odczuwać

Okres pierwszego tygodnia po porodzie zależy od rodzaju porodu, jaki przeszłaś (łatwy lub trudny, drogami natury lub cięciem cesarskim) i od innych czynników. Mogą wystąpić wszystkie objawy opisane poniżej lub tylko niektóre z nich.

OBJAWY FIZYCZNE:

- krwista wydzielina z pochwy (lochia), zmieniająca się w różową pod koniec tygodnia;
- bolesne napięcie brzucha zależne od zwijania się macicy;
- wyczerpanie;
- dyskomfort w obrębie krocza, ból, drętwienie – jeżeli poród odbył się drogami natury, szczególnie gdy są założone szwy (ból jest silniejszy przy kaszlu i kichaniu);
- ból w miejscu cięcia i później drętwienie tej okolicy, jeżeli było cięcie cesarskie (szczególnie gdy jest to pierwsze cięcie);
- utrudnione siedzenie i chodzenie, szczególnie w przypadku porodu z nacięciem lub pęknięciem i szyciem krocza lub po cięciu cesarskim;
- jedno- lub dwudniowe trudności w oddawaniu moczu, dyskomfort w zakresie perystaltyki jelit przez pierwsze kilka dni, zaparcia;
- ogólna bolesność, jako następstwo silnego parcia podczas porodu;
- przekrwienie oczu, ciemnoniebieskie sińce wokół oczu, na policzkach i innych miejscach; są to widoczne ślady po gwałtownym parciu;
- potliwość, może być bardzo wzmożona, występuje przez pierwsze 2-3 dni;
- dolegliwość w obrębie brodawek sutkowych połączona z ich przekrwieniem przez pierwsze 3-4 dni po porodzie;
- owrzodzenie i pękanie brodawek sutkowych pojawia się po podjęciu karmienia piersią.

ODCZUCIA PSYCHICZNE:

- rozradowanie, depresja, wahania nastroju między tymi dwoma skrajnościami;
- uczucie niepewności, czy poradzisz sobie z macierzyństwem, szczególnie jeśli karmisz piersią;
- frustracja pobytem w szpitalu, chciałabyś już go opuścić;
- brak zainteresowania seksem, mniejsze pożądanie (stosunek płciowy nie może odbyć się wcześniej niż 4 tygodnie po porodzie).

CO MOŻE CIĘ NIEPOKOIĆ

KRWAWIENIE

Mówiono mi o tym, że po porodzie mogę się spodziewać krwistych upławów, lecz kiedy po raz pierwszy wstałam z łóżka i zobaczyłam krew cieknącą mi po nogach, byłam naprawdę przerażona.

Nie ma powodu do alarmu. Krwista wydzielina w pierwszych trzech dniach po porodzie (złożona z wynaczynionej krwi, śluzu i elementów tkankowych z macicy), zwana odchodami krwawymi (lochia), jest zazwyczaj tak obfita (czasami obfitsza) jak krwawienie miesiączkowe. I mimo że krwiste upławy wydają się dużo obfitsze niż to ma miejsce w rzeczywistości, nie przekraczają one objętościowo dwóch filiżanek, licząc od początku do momentu ich całkowitego ustania. Nagły wypływ krwistej wydzieliny z pochwy po wstaniu z łóżka, podczas pierwszych kilku dni, jest normalny i nie stanowi powodu do niepokoju (i zajmowania się tym faktem). W związku z tym, że głównym składnikiem odchodów bezpośrednio po porodzie będzie krew i nieliczne skrzepy, wydzielina będzie przez 2-3 dni czerwona, potem stopniowo zamieni się w wodnistożółtawą, następnie brązową i żółtawobiałą w ciągu 1-2 tygodni. W ramach zachowania higieny osobistej można stosować podpaski higieniczne, nie należy natomiast używać tamponów. Upławy krwawe mogą trwać przez okres 6 tygodni, a czasami i dłużej.

Karmienie piersią i stosowana domięśniowo lub dożylnie oksytocyna (rutynowo stosowana przez niektórych lekarzy po porodzie) może ograniczyć wydzielanie odchodów poprzez przyspieszenie zwijania się macicy i powrotu do jej normalnych wymiarów. Kurczenie się macicy po porodzie jest ważne, ponieważ zapobiega nadmiernej utracie krwi poprzez zamknięcie naczyń, w miejscu gdzie oddzieliło się łożysko. Gdy mięsień macicy jest zbyt rozciągnięty i nie kurczy się, może dojść do nadmiernej utraty krwi.

Jeśli podczas pobytu w szpitalu zauważysz któreś z objawów charakterystycznych dla poporodowego krwotoku opisanego na s. 381 (niektóre z tych punktów mogą również oznaczać zakażenie), zawiadom natychmiast personel medyczny o swoich spostrzeżeniach. Jeżeli któryś z tych objawów pojawi się ponownie, gdy będziesz w domu, natychmiast skontaktuj się z lekarzem. Jeżeli wizyta lekarza nie będzie możliwa, udaj się niezwłocznie do stacji pogotowia ratunkowego (jeżeli to możliwe, udaj się do szpitala, w którym rodziłaś). Zapoznaj się z zasadami leczenia krwotoku poporodowego na s. 364.

TWOJE SAMOPOCZUCIE PO PORODZIE

Wyglądam i czuję się tak, jakbym była raczej na ringu bokserskim, a nie na sali porodowej. Jak to możliwe?

Rodząc dziecko, pracowałaś prawdopodobnie ciężej niż większość bokserów na ringu. Tak więc nie jest to niespodzianką, że po silnych skurczach i po wyczerpującym parciu podczas porodu wyglądasz i czujesz się jak bokser po stoczeniu paru rund. Wiele kobiet po porodzie twierdzi, że był on długi i/albo trudny. Poniżej wymienione oznaki nie są czymś niezwykłym po porodzie:

- podkrążone, przekrwione oczy (ciemne okulary mogą spełniać funkcję ochronną, dopóki oczy nie powrócą do normy; zimne 10-minutowe kompresy kilka razy dziennie mogą ten powrót do normy przyspieszyć);
- siniaki: od malutkich plamek na policzkach do większych krwiaków i ciemnosinych plam na twarzy i w górnej części klatki piersiowej;
- bolesność w miejscu nacięcia (nacięcie krocza, cięcie cesarskie), tkliwość w obrębie założonych szwów;

- trudności przy głębokim oddechu z powodu zmęczenia mięśni klatki piersiowej podczas silnego parcia (wskazane gorące kąpiele i natryski, ciepłe okłady mogą ograniczyć dolegliwości);
- ból i wrażliwość okolicy kości ogonowej, spowodowany zarówno obrażeniami mięśni miednicy, jak i pęknięciem samej kości ogonowej (ciepło i masowanie mogą być pomocne);
- ogólna bolesność całego ciała (i tu również wskazane ciepło).

To, że wyglądasz i czujesz się jak pobita, jest normalnym zjawiskiem po porodzie. Jeśli zauważyłaś u siebie wyszczególnione powyżej objawy oraz inne, poinformuj o tym lekarza prowadzącego lub pielęgniarkę.

BÓLE POPORODOWE

Miałam skurcze odczuwane jako bóle brzucha, szczególnie wtedy, gdy karmiłam.

Są to prawdopodobnie skurcze poporodowe, które odpowiadają za obkurczanie się macicy; macica powraca po porodzie w obręb miednicy. Bardziej odczuwalne i intensywne są skurcze poporodowe u kobiet, u których mięśniówka macicy jest bardziej wiotka (niedostateczne napięcie) jako konsekwencja poprzednich porodów lub nadmiernego rozciągnięcia (w przypadku ciąży bliźniaczej). Skurcze poporodowe mogą być bardziej wyraźne podczas karmienia, kiedy uwalniana jest oksytocyna odpowiedzialna za stymulację skurczową. W razie konieczności można zastosować łagodne środki znieczulające, lecz bolesne skurcze poporodowe ustępują samoistnie po upływie 4-7 dni. Jeżeli łagodne środki znieczulające nie przynoszą ulgi lub jeśli dolegliwości bólowe trwają dłużej niż tydzień, zgłoś się do swojego lekarza, by wyjaśnić te i wszystkie inne problemy okresu poporodowego, w tym również kwestię infekcji.

BÓL W OBRĘBIE KROCZA

Nie miałam nacięcia krocza i krocze nie pękło podczas porodu. Dlaczego więc tak cierpię?

Nie bierzesz pod uwagę, że ważące około 3500 g dziecko nie mogło przejść przez krocze nie zauważone. Nawet jeżeli krocze było nietknięte podczas porodu, zostało rozciągnięte, posiniaczone i ogólnie poranione. Tak więc normalnym rezultatem przebytego porodu jest łagodny lub bardziej dokuczliwy dyskomfort w obrębie krocza.

Miejsce, w którym dokonano nacięcia krocza, jest tak bolesne, iż obawiam się, że szwy są zakażone. Lecz jak to powiedzieć?

Wszystkim porodom drogami naturalnymi, gdy krocze zostało nacięte lub pękło, towarzyszą doznania bólowe. Jak każda świeżo zeszyta rana, tak i miejsce nacięcia czy też pęknięcia krocza potrzebuje czasu do zagojenia – zazwyczaj 7-10 dni.

Tak więc sam ból w tym czasie, nawet jeśli jest bardzo ostry, nie jest symptomem rozwijającej się infekcji. Infekcja jest oczywiście możliwa, lecz jest to bardzo mało prawdopodobne w sytuacji, gdy zapewniona jest prawidłowa opieka medyczna. Podczas pobytu w szpitalu pielęgniarka będzie kontrolować krocze co najmniej raz dziennie, aby upewnić się, że nie rozwija się zakażenie, nie ma stanu zapalnego. Jednocześnie położna poinformuje cię o zasadach poporodowej higieny krocza. Jest to bardzo ważne i zabezpiecza przed zakażeniem nie tylko ranę po nacięciu krocza, ale również całość dróg rodnych przed infekcją (gorączka połogowa). Z tych samych powodów poporodowe zasady higieny powinny też dotyczyć położnic, u których nie miało miejsca pęknięcie lub nacięcie krocza, dlatego:

- dbaj o czystość podpasek higienicznych, zmieniaj je co 4-6 godzin, zabezpiecz je przed przesuwaniem się do przodu i do tyłu;

- usuwaj podpaskę tylko ruchem od przodu ku tyłowi, by uniknąć przenoszenia drobnoustrojów z okolicy odbytu do przedsionka pochwy;
- spłukuj lub spryskuj ciepłą wodą (lub płynem antyseptycznym, jeżeli jest on zalecany przez lekarza) okolicę krocza po każdym oddaniu moczu lub stolca;
- używaj suchej gazy do starannego wycierania krocza; możesz stosować również papierowe chusteczki, które otrzymasz w szpitalu, pamiętając ciągle o zasadzie wycierania od przodu ku tyłowi;
- staraj się nie dotykać rękoma okolicy krocza, dopóki gojenie rany po nacięciu nie będzie zakończone.

Oczywiście, że dyskomfort jest większy u kobiet, które miały nacięte krocze (możliwe swędzenie wokół miejsca założenia szwów oraz bolesność) i przyjmą one z ulgą wszelkie sugestie złagodzenia dolegliwości:

- gorące nasiadówki, ciepłe kompresy, naświetlania[1];
- chłodzenie za pomocą okładów z leszczyny na sterylnej gazowej podpasce lub za pomocą gumowej rękawiczki chirurgicznej wypełnionej pokruszonym lodem i przyłożonej w okolicy krocza;
- miejscowe znieczulenie w postaci aerozoli, kremów lub podpasek; łagodne środki uśmierzające ból mogą być zalecane przez lekarza prowadzącego;
- zaleca się również leżenie w łóżku, unikanie długich okresów stania lub siedzenia, w celu obniżenia napięcia tkanek krocza. Pomocne może się okazać siedzenie na poduszce lub dmuchanej podkładce, a przy siadaniu wskazane jest zwieranie pośladków;
- uprawianie ćwiczeń Kegla (patrz s. 198) tak często jak to możliwe, po porodzie i przez cały okres poporodowy, w celu pobudzenia krążenia okolicy krocza. Pomocne będzie to w gojeniu rany i rozwinie odpowiednie napięcie mięśni. (Nie denerwuj się, gdy podczas ćwiczeń stwierdzisz brak czucia, wrażliwości w okolicy krocza. Bezpośrednio po porodzie krocze jest bardzo zdrętwiałe, czucie powróci stopniowo po kilku tygodniach.)

PROBLEMY Z ODDAWANIEM MOCZU

Minęło już parę godzin od momentu, gdy urodziłam dziecko, a jeszcze nie jestem w stanie oddać moczu.

Trudności z oddaniem moczu podczas pierwszych 24 godzin po porodzie są normalne. Część kobiet nie czuje w ogóle parcia na mocz, inne co prawda czują parcie, lecz nie są w stanie opróżnić pęcherza. Jeszcze inne oddają mocz, lecz połączone jest to z bólem i pieczeniem. Jest wiele powodów dysfunkcji pęcherza moczowego w okresie poporodowym:

- wzrastająca objętość pęcherza jest spowodowana tym, że po porodzie nagle wzrasta przestrzeń do jego rozprężenia; w ten sposób nie ma potrzeby częstego oddawania moczu;
- pęcherz moczowy może odnieść obrażenia podczas porodu, może być spowodowane to przez płód, i stopniowo może prowadzić do porażenia. Konsekwencją tych oddziaływań będzie fakt, że nawet gdy pęcherz wypełni się moczem, nie będzie emitował odpowiednich sygnałów o konieczności oddania tego moczu;
- środki znieczulające mogą spowodować obniżenie wrażliwości pęcherza moczowego lub obniżenie czujności matki na sygnały pochodzące z pęcherza;
- ból w okolicy krocza może być przyczyną odruchowego skurczu w cewce moczowej,

[1] Nagrzewania za pomocą specjalnych lamp mogą być stosowane w szpitalu pod nadzorem personelu medycznego. Jeśli dysponujesz sprzętem do nagrzewań w domu, udaj się do swojego lekarza po wskazówki, jak go używać i jak uniknąć oparzeń.

który utrudni oddawanie moczu. Obrzęk (uwypuklenie) krocza może mieć związek z oddawaniem moczu;

- pewne czynniki psychiczne mogą wstrzymywać oddanie moczu: strach przed bólem pojawiającym się przy próżnym pęcherzu, brak komfortu psychicznego przy oddawaniu moczu, kłopot z użyciem podsuwacza, potrzeba pomocy drugiej osoby w toalecie;
- wrażliwość w miejscu zeszytego nacięcia lub pęknięcia krocza może być przyczyną pieczenia i bólu przy oddawaniu moczu (ulgę w tym przypadku może przynieść pozycja stojąca przy oddawaniu moczu – stań okrakiem w toalecie, w ten sposób strumień moczu, przechodząc prosto w dół, nie uraża przez dotyk tkliwych miejsc w ścianie cewki moczowej).

Mimo zaistniałych trudności wskazane jest opróżnienie pęcherza moczowego w 6-8 godzin po porodzie, by ochronić w ten sposób układ moczowy przed możliwością infekcji. Spadek napięcia mięśniowego pęcherza po jego rozszerzeniu i ustąpienie krwawienia ułatwia zwijanie się mięśnia macicy. Dlatego właśnie położna po porodzie będzie pytać, czy oddałaś mocz. Przez jakiś czas po porodzie możesz być proszona o oddawanie moczu do specjalnego naczynia, dzięki temu możliwy jest pomiar ilości oddawanego przez ciebie moczu. Położna może też często sprawdzać palpacyjnie okolicę ponad spojeniem łonowym, by upewnić się, że twój pęcherz moczowy jest opróżniony.

Jeżeli nie oddałaś moczu przez 8 godzin po porodzie, lekarz może zalecić cewnikowanie (rurka wprowadzona przez cewkę moczową), by opróżnić pęcherz moczowy. Dzięki poniższym wskazówkom być może będziesz mogła sama oddać mocz.

- Spaceruj. Wstań z łóżka tak szybko po porodzie, jak to będzie możliwe, i zrób krótki spacer. Pomoże ci to uruchomić twój pęcherz moczowy i pobudzić prawidłowe funkcjonowanie jelit.
- Jeśli czujesz się skrępowana obecnością osób postronnych, poproś położną, by poczekała na zewnątrz toalety, kiedy ty z niej korzystasz. Położna może wrócić, gdy się już załatwisz, aby objaśnić ci zasady higieny okolicy krocza.
- Jeśli jesteś zbyt słaba, aby iść do toalety i musisz korzystać z podsuwacza, poproś o zapewnienie ci w miarę możliwości odosobnienia i spokoju. Upewnij się, czy położna ogrzała naczynie (jeżeli jest z metalu) i dała ci ciepłą wodę do spłukania okolicy krocza (może to być pomocne w pobudzeniu oddania moczu). Korzystaj z podsuwacza, siedząc na nim, a nie leżąc.
- Ogrzewaj okolicę krocza ciepłymi nasiadówkami, ochładzaj natomiast, stosując pojemniki z lodem. Stosuj wymiennie obie te metody, zależnie od tego, która korzystniej zdaje się stymulować oddawanie moczu.
- Dźwięk płynącej z otwartego kranu wody pomoże ci w oddaniu moczu.

Po upływie 24 godzin problem zbyt małej ilości moczu ulega odwróceniu o 180° i mamy do czynienia z sytuacją nadmiernej ilości oddawanego moczu. Kobieta po porodzie zaczyna oddawać mocz częściej i w większych ilościach, w miarę jak nadwyżka hormonów ciążowych zostanie wydzielona z organizmu. Gdyby przez parę następnych dni oddawanie moczu nadal sprawiało trudności, lub jeśli ilość moczu będzie niedostateczna, to bardzo możliwe, że rozwinęła się infekcja układu moczowego. Objawy stanu zapalnego w obrębie pęcherza (infekcji pęcherza moczowego), połączone z bólem i pieczeniem w cewce moczowej, mogą trwać nawet po obniżeniu lub ustaniu dolegliwości związanych z nacięciem lub pęknięciem krocza.

Do objawów nadwrażliwości, sygnalizujących rozwój infekcji w obrębie dróg wyprowadzających mocz, należy też częste oddawanie moczu w małych ilościach, niezbyt wysoka gorączka. Symptomy infekcji nerek są bardziej ostre, mogą obejmować gorączkę 38-40°C i ból okolicy lędźwiowej po jednej lub po obu stronach – zazwyczaj w połączeniu z objawami zapalnymi pęcherza. Jeżeli lekarz stwierdzi infekcję, będzie chciał rozpocząć terapię antybiotykami, odpowiednią w stosunku do sprawczych mikroorganizmów. Możesz ze swej strony pomóc w leczeniu i przyspieszyć powrót do zdrowia, pijąc duże ilości dodatkowych płynów (patrz s. 319).

ODDANIE STOLCA

Urodziłam prawie tydzień temu i jeszcze nie oddałam stolca. Chociaż czuję już potrzebę wypróżnienia, boję się coraz bardziej, że parcie na stolec może spowodować otwarcie rany po nacięciu.

Pierwsze wypróżnienie po porodzie jest przełomowym momentem okresu poporodowego. Każdy dzień poprzedzający ten moment może obfitować we wzrastający emocjonalny i fizyczny dyskomfort. Kilka czynników fizjologicznych powinno współpracować, aby jelita po porodzie ponownie zaczęły normalnie funkcjonować. Mięśnie tłoczni brzusznej, które umożliwiają parcie na stolec, są podczas porodu poddane naprężeniom, następstwem tego jest ich zwiotczenie i możliwość zapalenia. Jelita podczas porodu mogą poza tym ulec obrażeniom powodującym zwolnienie perystaltyki. I oczywiście jelita mogą ulec opróżnieniu przed lub podczas porodu i pozostać próżne ponieważ żadne stałe pokarmy nie są przyjmowane w okresie trwania porodu. Lecz może też być tak, że najważniejszymi inhibitorami poporodowej aktywności jelit są czynniki psychiczne: nieuzasadniony strach przed rozejściem się szwów, naturalny niepokój spowodowany brakiem intymności w warunkach szpitalnych oraz przejęcie się swoją rolą, która utrudnia spełnienie tego zadania. Aczkolwiek regulacja samoistna rzadko okazuje się skuteczna, nie pozostaje ci tylko bierne oczekiwanie. Istnieją kroki, które możesz przedsięwziąć, żeby rozwiązać ten problem.

Nie denerwuj się. Nic nie jest bardziej szkodliwe – jeżeli chodzi o powrót prawidłowej funkcji jelit i wypróżnienie – niż właśnie zbytnia nerwowość. Nie przejmuj się możliwością rozejścia się szwów, nie rozejdą się. I nie denerwuj się, jeśli samoregulacja jelitowa twojego organizmu potrwa kilka dni – jest to normalne.

Wymogi dietetyczne. Jeżeli to możliwe, wybieraj ze szpitalnego menu potrawy, które zawierają ziarna zbóż, świeże owoce, jarzyny. Dodatki do szpitalnej diety, które stanowią źródło zaparć lub biegunek, pochodzą przeważnie spoza szpitala.

Korzystne składniki twoich pokarmów to: jabłka, rodzynki i inne suszone owoce, orzeszki, bułeczki z otrębami. Czekolada, tak często przynoszona w prezencie szpitalnym pacjentom, daje tylko uporczywe zaparcia.

Pij dużo płynów. Pamiętaj o tym, że musisz nie tylko uzupełnić zapasy płynów, które utraciłaś podczas porodu, ale dieta płynna ma również wielkie znaczenie w zaparciach stolca. Powinnaś pić dużo wody i soków owocowych.

Ruszaj się. Nie będziesz musiała brać udziału w biegu maratońskim w dzień po porodzie, ale powinnaś być gotowa do podjęcia krótkiej przechadzki korytarzem. Nieruszanie się z miejsca jest równoznaczne z obniżoną aktywnością jelit. Ćwiczenia Kegla, które możesz stosować bezpośrednio po porodzie, leżąc jeszcze w łóżku, będą pomocne we wzmożeniu napięcia mięśni nie tylko krocza, ale również odbytu.

Nie przyj. Parcie nie spowoduje rozejścia się twoich szwów, lecz może stać się przyczyną wystąpienia guzków krwawniczych. Jeżeli masz hemoroidy, ulgę może ci przynieść stosowanie ciepłych nasiadówek, lokalne znieczulenie, czopki, ciepłe i zimne kompresy.

Kilku pierwszym wypróżnieniom może towarzyszyć duży dyskomfort. Lecz im bardziej miękka staje się konsystencja stolca, a wypróżnienia bardziej regularne, tym dolegliwości bólowe z nimi związane łagodnieją lub znikają całkowicie.

NADMIERNA POTLIWOŚĆ

Budzę się w nocy mokra od potu. Czy to jest normalne?

To, co lekarz prowadzący może nazwać nadmierną potliwością (lecz co bardziej kojarzy się z tzw. oblewaniem się potem lub obfitym poceniem się), jest jednym ze sposobów, w jaki twój organizm uwalnia się od nagromadzonego podczas miesięcy ciąży nadmiaru płynów. Często proces ten trwa przez parę tygodni, do czasu osiągnięcia pełnej regulacji hormonalnej.

Nie martw się tym. Możesz być pewna, że zasadnicza część utraconych z potem płynów jest na bieżąco, stopniowo zastępowana (szczególnie, gdy karmisz piersią) przez płyny, które spożywasz na co dzień. Dla zapewnienia większego komfortu podczas nocnego wypoczynku, połóż sobie ręcznik na poduszce, jeśli największa potliwość występuje w nocy. Nie od rzeczy będzie w takich przypadkach mierzenie temperatury. Jeśli temperatura przekroczy 37,7°C, poinformuj o tym lekarza.

ODPOWIEDNIA ILOŚĆ POKARMU

Minęły już dwa dni, odkąd urodziłam i nic nie wypływa z moich piersi, kiedy je naciskam. Nawet siara. Boję się, że moje dziecko jest głodne.

Twoje dziecko nie tylko nie umiera z głodu, ale nie jest nawet głodne. Dzieci nie rodzą się z apetytem i natychmiastowymi potrzebami pokarmowymi. Dopiero po jakimś czasie twoje dziecko zacznie łaknąć piersi pełnej mleka (trzeciego lub czwartego dnia po porodzie), a wówczas i ty niewątpliwie będziesz już w stanie je nakarmić.

Nie można powiedzieć, że teraz nie masz pokarmu. Siara (którą dostarczasz twojemu dziecku, jest wystarczającym pożywieniem jak na razie, zawiera ważne przeciwciała, których organizm dziecka jeszcze nie produkuje, pomaga po jakimś czasie opróżnić układ pokarmowy dziecka z nadmiaru śluzu i smółki) jest precyzyjnie wydalana w kropelkach, zgodnie z zapotrzebowaniem. W tym momencie potrzeby pokarmowe twojego dziecka ograniczają się do porcji pokarmu mieszczącej się w łyżeczce od herbaty. Aż do trzeciego lub czwartego dnia po porodzie, kiedy twoje piersi zaczynają obrzmiewać i masz poczucie ich pełności (znaczy to, że pojawiło się w nich mleko), nie jest prostym zadaniem spowodować wypływ mleka poprzez ręczną stymulację. Za to jednodniowe dziecko, zupełnie bez doświadczenia, jest lepiej wyposażone niż ty, by zainicjować wypływ pokarmu.

OBRZĘK PIERSI

Wreszcie pojawił się pokarm, moje obrzęknięte piersi trzykrotnie przekroczyły swoją normalną wielkość, są ciężkie, opuchnięte, obolałe, nie mogę nosić stanika. Czy tak już będzie aż do momentu, kiedy odstawię moje dziecko od piersi?

Gdyby faktycznie tak było, że karmiąca matka miałaby do końca całego okresu karmienia cierpieć z powodu obrzmiałych, boleśnie tkliwych, twardych jak granit i wielkich jak u egzotycznych tancerek piersi – to większość dzieci zostałaby odstawiona od piersi, zanimby jeszcze wkroczyła w drugi tydzień życia. Obrzmienie piersi (spowodowane wydzielaniem się mleka) może z karmienia uczynić rzecz bardzo uciążliwą dla matki i może też być przyczyną frustracji dziecka, jeśli brodawka sutkowa ulegnie spłaszczeniu. Warunki karmienia mogą się pogorszyć, jeżeli początek okresu karmienia nie nastąpi pomiędzy 24 a 36 godziną po porodzie, co jest regułą w niektórych szpitalach.

Szczęśliwie obrzęk i objawy stresu nim wywołane stopniowo ustępują dzięki prawidłowej koordynacji i dystrybucji zapasu pokarmu rozłożonej na cały dzień. Dotyczy to również dolegliwości brodawek sutkowych, które stają się szczególnie bolesne około dwudziestego dnia karmienia. Ogólnie rzecz biorąc, dolegliwości ustępują tak szybko, jak postępuje proces hartowania samej brodawki sutkowej, poprzez częste karmienie. Pękanie brodawek sutkowych i krwawienia dotyczą grupy kobiet ze szczególnie delikatną skórą. Dzięki odpowiedniej opiece dolegliwości te są tylko tymczasowe.

Karmienie może się stać przyjemne i może dać ci satysfakcję, zgodnie z twoimi oczekiwaniami, jeśli uwierzysz, że tak może być. Może też być bezbolesne. Ty sama możesz uczynić parę rzeczy, by obniżyć dyskomfort i przyspieszyć wprowadzenie prawidłowych zasad dystrybucji pokarmu (patrz s. 388, *Początki karmienia piersią*).

ZASTÓJ MLEKA W PRZYPADKU, GDY NIE PODEJMIESZ KARMIENIA PIERSIĄ

Nie podjęłam karmienia. Rozumiem, że stopniowe zanikanie mleka może być bolesne.

Bez względu na to, czy podjęłaś karmienie, czy nie, twoje piersi będą pełne mleka na trzeci lub czwarty dzień po porodzie. Jakkolwiek dolegliwości te są na szczęście chwilowe, może to być niewygodne, a nawet bolesne. Niektórzy lekarze stosują leki hormonalne i inne środki farmakologiczne hamujące produkcję pokarmu. Lecz ze względu na poważne skutki uboczne i brak całkowitej pewności (niektóre z tych leków czasami nie zahamowują produkcji mleka, a nawet jeśli przynoszą pożądany efekt, to często laktacja powraca po odstawieniu leku) organizacje medyczne zajmujące się rozrodem i macierzyństwem wypowiedziały się przeciwko ich stosowaniu. Jeśli chodzi o poporodowy zastój mleka w piersi jako proces fizjologiczny, najlepsze wydaje się rozwiązanie tego problemu w sposób naturalny, co zawsze powinno być brane pod uwagę. Gruczoły piersiowe są przeznaczone do produkcji mleka tylko wtedy, gdy istnieje na nie zapotrzebowanie. Jeśli mleko nie jest na bieżąco wykorzystywane, jego produkcja ustaje. Mimo że sporadyczne wypływanie mleka może trwać przez kilka dni lub nawet tygodni, ostry zastój mleka nie powinien trwać dłużej niż 12-24 godzin. W tym czasie możesz stosować okłady z lodu, łagodne środki przeciwbólowe. Noś dopasowany stanik. Możesz spróbować wycisnąć kilka kropli pokarmu z obolałych piersi. Unikaj gorącego natrysku – stymuluje on produkcję pokarmu.

WIĘZY EMOCJONALNE

Mój nowo narodzony syn był wcześniakiem, nie będę go miała przy sobie przez dwa tygodnie. Czy po tym czasie nie będzie za późno na nawiązanie kontaktu emocjonalnego?

W ostatnich latach stwierdzono, że za nawiązanie więzi między matką a nowo narodzonym dzieckiem odpowiadają pewne funkcje mózgu w cyklu poporodowym. Teoria ta pochodzi z roku 1970, kiedy to grupa badaczy zaczęła sugerować, że separacja noworodka od matki bezpośrednio po porodzie utrudnia nawiązanie kontaktu emocjonalnego w pierwszym okresie. Po opublikowaniu i zastosowaniu w praktyce wniosków płynących z tej pracy, zarejestrowano wiele pozytywnych zmian w postępowaniu z noworodkiem.

Dzisiaj wiele ośrodków szpitalnych pozwala matkom po porodzie trzymać dziecko przy sobie, przytulać je i pielęgnować przez 10 minut do 1 godziny lub więcej, zamiast od razu po porodzie oddzielić je od matki. Lecz jak to czasami bywa z popularyzacją dobrych idei, sama myśl utrzymania więzi emocjonalnych wkrótce stała się niezrozumiała i nadużywana (jeden z autorów pierwszej publikacji na ten temat powiedział później: „Obym był nigdy tego nie napisał") i zarejestrowano też pewną liczbę niefortunnych rezultatów.

Matki, które miały poród operacyjny i które nie mogły zobaczyć swojego dziecka po porodzie, denerwowały się, że ich późniejsze stosunki na linii rodzice–dziecko zostaną na zawsze zakłócone. Niektórzy strasznie zdenerwowani rodzice, których dzieci musiały być przez kilka dni lub tygodni na oddziale intensywnej opieki medycznej, starali się wy-

W jakich sytuacjach powiadomić lekarza?

Podczas pierwszych 6 tygodni po porodzie mogą pojawić się komplikacje poporodowe. Może je sygnalizować jeden lub kilka z poniżej wymienionych objawów. Wszystkie one wymagają natychmiastowego kontaktu z lekarzem prowadzącym.

- Krwawienie, krew nasyca więcej niż jedną podpaskę w czasie jednej lub paru godzin. Jeśli nie jesteś w stanie skontaktować się z lekarzem, który asystował przy twoim porodzie, ktoś powinien zabrać cię w takim wypadku do najbliższej stacji pogotowia ratunkowego lub powinnaś skontaktować się telefonicznie z ośrodkiem pomocy medycznej. Podczas samego transportu lub gdy musisz czekać na przyjazd karetki pogotowia, połóż się. Weź opakowanie z lodem (bezpiecznie związana torebka plastykowa wypełniona kostkami lodu oraz papierowe ręczniki do wchłaniania wody z topiącego się lodu będą pomocne) i przyłóż do podbrzusza (bezpośrednio w rzucie macicy, jeśli możesz ją zlokalizować, lub w miejscu lokalizacji bólu, jeśli to możliwe).
- Krwawienie jasnoczerwoną krwią, licząc od 4 dnia po porodzie. Nie denerwuj się, jeśli sporadycznie pojawi się krwiście zabarwiona wydzielina, krótki epizod bezbolesnego krwawienia w okresie 3 tygodni po porodzie lub zwiększenie powolnego wypływu wydzieliny po wysiłku.
- Odchody o cuchnącym zapachu. Zapach powinien przypominać krwawienie miesięczne.
- Duże (wielkości cytryny lub większe) skrzepy jako składniki odchodów. Sporadyczne, małe skrzepy przez kilka pierwszych dni są normą.
- Brak odchodów podczas pierwszych dwóch tygodni po porodzie.
- Ból, dyskomfort w obrębie dolnej części brzucha z lub bez obrzęku tej okolicy, trwający dłużej niż kilka pierwszych dni po porodzie.
- Tempera tura ciała powyżej 37,7°C po pierwszych 24 godzinach, przez więcej niż 1 dzień. Krótki okres podwyższonej temperatury (do 38°C) bezpośrednio po porodzie (spowodowany odwodnieniem) lub niewysoka gorączka w czasie pojawienia się mleka – nie stanowi powodu do niepokoju.
- Ostry ból klatki piersiowej. Może on być wywołany przez obecność zakrzepu w krążeniu płucnym. Jeżeli nie możesz skontaktować się z lekarzem, który opiekował się tobą podczas porodu, zadzwoń do najbliższej stacji pogotowia ratunkowego.
- Ból zlokalizowany, tkliwość, wrażliwość, zwiększone ucieplenie w łydce, udzie, obrzęk z/lub bez zaczerwienienia i ból podczas zginania nogi – mogą sygnalizować skrzep krwi w żyle. Wskazany wypoczynek z uniesioną nogą i kontakt z lekarzem.
- Grudka, stwardniała powierzchnia w obrębie piersi, nieraz obrzęknięta, po jakimś czasie obrzęk znika – może to wskazywać na zatkany przewód wyprowadzający mleko. Wymaga to rozpoczęcia leczenia (patrz s. 393).
- Zlokalizowany obrzęk z/lub bez zaczerwienienia, miejscowe ucieplenie, sączenie z rany po cięciu cesarskim.
- Trudności z oddawaniem moczu, ból, pieczenie podczas oddawania moczu, częste parcie na mocz z oddawaniem niewielkich jego ilości, skąpomocz, ciemna barwa moczu. Wskazane picie dużych ilości płynów i skontaktowanie się z lekarzem.
- Odczuwasz depresję, bo nie potrafisz sobie radzić w trudnych sytuacjach. Stan taki może trwać parę dni. Czasami uczucie złości skierowane bywa na dziecko.

korzystać każdą okazję do nawiązania więzi emocjonalnej z dzieckiem. Tak więc część z tej grupy rodziców zdobywała się na najbardziej szalone pomysły, z powodu naglącej potrzeby nawiązania natychmiastowego kontaktu z dzieckiem, i żądała tego nawet, gdy było to związane z ryzykiem dla samego dziecka. Oczywiście zawiązanie się więzi emocjonalnej między matką a dzieckiem na sali porodowej jest wskazane. To wczesne spotkanie matki i jej potomka daje im obojgu szansę nawiązania kontaktu – skóra do skóry, oko w oko. Jest to pierwszy stopień w rozwoju trwałego uczucia rodzicielskiego. Lecz tylko pierwszy stopień. I to wcale nie musi dziać się w momencie porodu. To może stać się później: w szpitalnym łóżku lub przez otwór w szybie inkubatora, lub nawet tydzień później w domu. Kiedy rodzili się twoi rodzice, prawdopodobnie prawie nie widzieli swoich matek, a tym bardziej ojców, aż do momentu, gdy znaleźli się w domu – zazwyczaj 10 dni po porodzie. A jednak ogromna większość z tej pozbawionej „pierwszego kontaktu" generacji wzrastała w silnych związkach rodzinnych.

Matki, które miały szansę nawiązania tego bezpośredniego poporodowego kontaktu z pierwszym dzieckiem, a z następnym już nie, zazwyczaj nie spostrzegają różnicy we wzajemnych związkach uczuciowych w obu przypadkach. Również rodzice adoptowanych dzieci, którzy często nie widzieli swoich dzieci aż do momentu opuszczenia przez nie szpitala (a czasem nawet później), radzą sobie z wykształceniem silnej więzi uczuciowej. Część ekspertów wierzy, że faktycznie do drugiej połowy pierwszego roku życia dziecka kontakt uczuciowy nie odgrywa jeszcze tak ważnej roli.

Oczywiście jest to proces skomplikowany, który nie dokonuje się w jednej minucie. Jednak nigdy nie jest za późno, aby nawiązać więzi zbliżające do siebie ludzi.

Tak więc zamiast zbytnio żałować czasu i wysiłku, przygotuj się do macierzyństwa, które jest jeszcze przed tobą.

Mówiono mi, że więź uczuciowa nawiązana zaraz po porodzie zbliży matkę i dziecko do siebie, lecz kiedy trzymam moje dziecko, wydaje się ono za każdym razem obce.

Miłość od pierwszego wejrzenia kwitnie w romantycznych książkach, lecz w życiu raczej ma charakter bardziej realny. Tego rodzaju uczucie, trwające całe życie, potrzebuje czasu, motywacji i mnóstwa cierpliwości, aby mogło w pełni się rozwinąć i pogłębić. Jeśli chodzi o uczucie miłości między noworodkiem a jego rodzicami, to działają tu te same reguły, jak w uczuciu między kobietą a mężczyzną. Fizyczna bliskość pomiędzy matką a dzieckiem bezpośrednio po porodzie nie gwarantuje natychmiastowej bliskości emocjonalnej. Pojawienie się uczucia nie jest tak szybkie i oczywiste jak zmiany poporodowe w organizmie matki. Podczas tych pierwszych poporodowych sekund nie należy się automatycznie spodziewać bezmiaru macierzyńskiej miłości.

Faktycznie pierwsze doznania kobiety po przebytym porodzie są daleko bardziej uznawane jako ulga niż miłość, szczególnie gdy przebieg porodu nie należał do lekkich. Jest to uczucie ulgi wynikające z tego, że poród jest zakończony. Nie jest to wcale nic nienormalnego, gdy płaczący i areaktywny uczuciowo noworodek uznany zostaje przez matkę w pierwszej chwili za coś obcego, a już na pewno nie kojarzy się z żadnym przyjemnym doznaniem. Nie pokrywa się to z wyidealizowanym obrazem małego płodu, który nosiłaś przez 9 miesięcy i co do którego (do niego lub do niej) czułaś coś więcej niż naturalną bliskość. Przeprowadzone badania dowiodły, że potrzeba średnio dwóch tygodni (a często trwa to dłużej, około dziesięciu tygodni), żeby u matki pojawiły się pierwsze pozytywne uczucia wobec nowo narodzonego dziecka.

To, w jaki sposób kobieta zareaguje na swoje dziecko podczas ich pierwszych kontaktów, może zależeć od różnych czynników – od długości i przebiegu porodu, od tego, czy pozostawała podczas porodu pod działaniem środków uspokajających lub znieczulających, od jej poprzednich doświadczeń (lub ich braku) z noworodkiem. Również zależy to od jej stosunku do sprawy posiadania dziecka, od wzajemnych kontaktów z mężem, od ubocznych powodów zdenerwowania, które mogą ją pochłonąć, ogólnie od stanu jej zdrowia i bardzo możliwe, że w największym stopniu – od jej osobowości.

Część najbardziej wartościowych układów wzajemnych zawiązuje się powoli. Daj samej sobie i swojemu dziecku szansę poznania i zaakceptowania siebie nawzajem, pozwól, by miłość rozwinęła się w sposób naturalny i niespieszny.

Jeżeli po paru tygodniach wzajemnych kontaktów nadal nie odczuwałabyś bliskiej więzi z dzieckiem lub czułabyś w sobie złość lub antypatię skierowaną do dziecka, przedyskutuj swoje uczucia z lekarzem pediatrą. To bardzo ważne, by w miarę wcześnie rozpoznać istotę problemu i zapobiec trwałym szkodom we wzajemnych stosunkach.

PRZEBYWANIE RAZEM Z DZIECKIEM (*rooming-in*)

Gdy w szkole rodzenia mówiono nam o tym, że dzieci możemy mieć przy sobie, wydawało się to czymś cudownym. Po porodzie rzeczywistość okazała się gorsza niż piekło. Nie potrafię dziecka uspokoić i sprawić, by przestało płakać. Jaka ze mnie matka i co sobie pomyśli pielęgniarka, jeśli poproszę ją o zabranie dziecka?

Przemawia przez ciebie bardzo wrażliwa matka. Właściwie już rodząc dziecko, dokonałaś czegoś więcej niż Herkules (Herkules nigdy by tego nie dokonał), a teraz jesteś na drodze do tego, by dokonać czegoś jeszcze większego, mianowicie wychowania swojego dziecka. Potrzeba paru dni odpoczynku pomiędzy porodem a rozpoczęciem wychowania nie może być w żadnym przypadku źródłem poczucia winy.

Oczywiście niektóre kobiety radzą sobie z problemem *rooming-in* z łatwością. Może spowodowane jest to lekkim przebiegiem porodu, co wpływa na ich pogodny nastrój i nie powoduje wyczerpania. Może część kobiet miała już pewne doświadczenie w kontakcie z nowo narodzonymi dziećmi, nabyte po poprzednich swoich porodach lub też dzięki sprawowaniu opieki nad dziećmi innych matek. Dla takich kobiet płaczący noworodek o godzinie 3 w nocy nie będzie akurat powodem do radości, ale na pewno nie będzie uważany za nocną zmorę. Natomiast młoda matka, która nie zmrużyła oka przez 48 godzin, osłabiona przez wyczerpujący poród, która nigdy przedtem nie miała do czynienia z nowo narodzonym dzieckiem – będzie poprzez łzy z niedowierzaniem zadawała sobie pytanie: „Jak ja mogłam zdecydować się na macierzyństwo?"

W roli takiej męczennicy matka może całą winą za ponoszone wyrzeczenia obarczyć. dziecko, które oczekuje od niej opieki i miłości. Wyjściem z tej sytuacji jest oddanie dziecka pielęgniarce między nocnymi karmieniami. Dzięki temu matka i jej potomstwo mogą dobrze wypocząć, mają tym samym lepszą szansę na poznawanie się nawzajem, gdy nadejdzie ranek.

Całodobowe wspólne przebywanie matki i dziecka jest nową wspaniałą ideą stosowaną w części ośrodków położniczych, ale nie jest to metoda dobra dla wszystkich. Nie powinnaś czuć się gorsza od innych, czy uważać się za złą matkę, jeżeli nie akceptujesz tego pomysłu lub jesteś po prostu zbyt zmęczona, by przez cały czas przebywać z dzieckiem. Nie staraj się tego robić na siłę, to ty decydujesz o sobie, i nie oskarżaj się o to, że nie potrafisz się zmienić. Dobrym rozwiązaniem dla ciebie może być częściowe przebywanie z dzieckiem (na przykład tylko podczas dnia), a może zdecydujesz się na korzystny nocny wypoczynek podczas pierwszej nocy po porodzie, a od następnego dnia rozpoczniesz pełne 24-godzinne przebywanie z dzieckiem. Bądź elastyczna. Bardziej koncentruj się na jakości wykorzystania czasu, który spędzasz z dzieckiem w szpitalu, niż na jego ilości. Całodobowej opieki nad dzieckiem będziesz miała wkrótce pod dostatkiem w domu.

Powinnaś być świadoma tego, powinnaś być emocjonalnie i fizycznie przygotowana do wypełnienia tego zadania.

PÓJŚCIE DO DOMU

Mój poród przebiegł prawie bez wysiłku i czuję się wspaniale. Dlaczego powinnam być w szpitalu, gdy nic na tym nie zyskuję?

Są szanse, że nie będziesz musiała przebywać w szpitalu. Chociaż 10-dniowa hospitalizacja po porodzie była kiedyś uważana za konieczność, obecnie uważa się, że kobieta, która przebyła poród bez komplikacji, rzeczywiście nie wymaga hospitalizacji. Z drugiej strony twoje dziecko przed wypisaniem wymaga pewnej obserwacji, aby upewnić się, że wszystko jest w porządku. Tak więc będziesz musiała pozostać w szpitalu przynajmniej osiem godzin, możliwe że 24 lub więcej, wszystko w zależności od kondycji noworodka. Oczywiście nikt nie będzie zatrzymywał w szpitalu ciebie lub twojego dziecka wbrew twojej woli. Twoim prawem jest wypisać siebie i swoje dziecko ze szpitala (wbrew zaleceniom lekarzy) na własne życzenie – w każdej chwili. Jedynym warunkiem jest, byś zachowując legalność takiej decyzji, napisała oświadczenie, że bierzesz na siebie całkowitą odpowiedzialność za możliwe konsekwencje tego kroku. Lecz jeśli nie posiadasz wykształcenia medycznego, byłoby nierozsądne odgrywać rolę lekarza.

Jeżeli zarówno pediatra, jak i położnik prowadzący zalecają przedłużony pobyt w szpitalu, poproś o wyjaśnienia, lecz postępuj zgodnie z ich profesjonalnymi radami. Spróbuj wykorzystać jak najlepiej ten przedłużony pobyt, wypoczywaj, dopóki masz możliwość. Nawet jeśli twoi lekarze zgadzają się na wcześniejsze zwolnienie, powinnaś się zastanowić dwa razy, zanim podejmiesz decyzję, a nie skorzystałaś jeszcze z pełnego zakresu pomocy medycznej czekającej na ciebie. To bardzo ważne, aby okres poporodowy spędzić na odpoczynku w szpitalu albo w domu.

Miałam ciężki poród z dużym nacięciem krocza i czuję się strasznie, lecz mój lekarz powiedział mi, że już wieczorem mam iść do domu, a przecież poród odbył się dopiero tego ranka.

W dzisiejszej dobie lekarze są w niełatwej sytuacji. Pozostają pod presją szpitali i zakładów ubezpieczeniowych. Naciski wywierane na lekarza zmierzają do tego, aby wypisać pacjentkę ze szpitala szybciej, niż to zaleca osąd lekarski, czasami proponuje się wypis ze szpitala już w 8 godzin po porodzie. Jeżeli rzeczywiście czujesz się źle i nie dojrzałaś do tego, by pójść do domu, powiedz to. Obstawaj przy tym, że chcesz osobiście (lub też twój mąż lub inny członek rodziny) spotkać się z adwokatem pacjentów szpitalnych lub dyrektorem administracyjnym, by wyjaśnić mu, że nie czujesz się jeszcze na tyle dobrze, by iść do domu. Spróbuj przekonać ich, że wypisanie ciebie ze szpitala nie będzie mądrym posunięciem. Być może pozwolą ci zostać (wbrew zaleceniom lekarza) na twoje życzenie i w tym przypadku prawdopodobnie ty, a nie firma ubezpieczeniowa, będziesz musiała wyrównać rachunek za pobyt.

Jeżeli zostałaś wypisana do domu wcześniej, wbrew twoim perswazjom, poproś, by fakt, że wypisano cię ze szpitala wbrew twojemu życzeniu, został odnotowany w twojej karcie chorobowej.

Wybierając się do domu, upewnij się wcześniej, że masz kogoś, kto będzie z tobą przez całą dobę (członek rodziny, przyjaciel, wynajęty opiekun do dziecka). Odpoczywaj dużo w łóżku (należy stworzyć warunki podobne do szpitalnych). Obserwuj bacznie swój organizm (miej ciągle na uwadze objawy i symptomy charakterystyczne dla problemów okresu poporodowego – patrz s. 381).

Czy wypisanie ze szpitala przed upływem 24 godzin jest bezpieczne dla mojego dziecka?

Taka praktyka jest czymś nowym i dość kontrowersyjnym, więc i odpowiedź nie jest do końca oczywista. Oczywiste jest jedynie to, że decyzja, kiedy wyjść ze szpitala, będzie najlepiej podjęta, gdy odniesie się do konkretnego przypadku. Wczesne wypisanie jest bezpieczne, jeśli dziecko urodziło się w swoim czasie, ma właściwą masę, prawidłowo przyjmuje pokarm, idzie do domu z rodzicami, którzy mają podstawową wiedzę i dają dowody, iż odpowiednio się nim zajmą, a ponadto wiadomo, że w dwa, trzy dni po powrocie do domu obejrzy je lekarz. Jeżeli warunki te nie zachodzą albo z jakichś innych powodów niepokoi cię wcześniejsze wyjście ze szpitala, porozmawiaj o tym z pediatrą.

POWRÓT DO ZDROWIA PO CIĘCIU CESARSKIM

Czym będzie się różnić moja rekonwalescencja od rekonwalescencji kobiety po porodzie drogami naturalnymi?

Rekonwalescencja po cięciu cesarskim jest podobna do rekonwalescencji po każdej dużej operacji brzusznej, z tą jednak sympatyczną różnicą, że przy tamtych operacjach traci się stary, zużyty woreczek żółciowy czy wyrostek robaczkowy, a przy tej operacji ty zyskałaś coś zupełnie nowego – dziecko. Istnieją oczywiście i inne różnice, trochę mniej radosne niż powyższa.

Dodatkowym elementem w twojej rekonwalescencji będzie to, że podlegać będziesz również normalnej opiece poporodowej. Z wyjątkiem nienaruszonego w twoim wypadku krocza, będziesz doświadczać tych samych uciążliwości okresu poporodowego, które są konsekwencją przebytego porodu drogami naturalnymi, np. skurcze poporodowe, odchody, obrzęk piersi, wyczerpanie, zmiany hormonalne, wypadanie włosów, pocenie się, depresja poporodowa (przestudiuj ten i następny rozdział do końca, by dowiedzieć się, jak wygląda postępowanie w w/w dolegliwościach).

Podczas trwania rehabilitacji pooperacyjnej możesz np. odczuwać:

Wpływ środków znieczulających. Dopóki nie zakończy się czas trwania znieczulenia ogólnego, będziesz poddana starannej obserwacji na oddziale intensywnej opieki medycznej. Twoje wrażenia z pobytu na tym oddziale mogą być później zamazane w pamięci lub nie będziesz po prostu nic pamiętała. Spowodowane jest to tym, że każdy inaczej reaguje na różne leki i efekt działania każdego leku jest inny. Indywidualna reakcja na lek i odmienny skutek zastosowania każdego leku powodują, że proces dochodzenia do siebie po operacji w kilka godzin lub po upływie dnia czy dwóch zależeć będzie od twojej reakcji i od rodzaju zastosowanych środków. Jeżeli dręczą cię złe sny i po przebudzeniu masz halucynacje lub jesteś zdezorientowana, twój mąż lub dyżurna pielęgniarka pomogą ci szybko wrócić do rzeczywistości. Na oddziale intensywnej opieki medycznej pozostaniesz także wtedy, gdy miałaś wykonane tzw. znieczulenie podpajęczynówkowe lub zewnątrzoponowe. Znieczulenie w dolnej części tułowia będzie (przy tym rodzaju znieczulenia) trwało dłużej, będzie ono ustępowało od palców u nóg w górę. Dlatego, jak tylko będziesz mogła, ruszaj palcami i nogami. Jeśli miałaś wykonane znieczulenie podpajęczynówkowe, będziesz musiała pozostać w łóżku i leżeć płasko na plecach przez około 8-12 godzin. Gdy będziesz przebywać na oddziale pooperacyjnym, możesz uzyskać pozwolenie na odwiedziny przez męża i dziecko.

Ból wokół miejsca nacięcia. Zaraz po ustaniu wpływu znieczulenia twoja rana – jak każda inna – będzie prawdopodobnie potencjalnym źródłem bólu. Stopień bólu zależeć będzie od mnóstwa czynników, włączając w to twój indywidualny próg bólu i to, czy miałaś już wykonane cięcie cesarskie (pierwsze cięcie cesarskie jest zazwyczaj źródłem największych dolegliwości). W zależności od potrzeby będziesz prawdopodobnie otrzymywać leki znoszące efekt bólowy. Będziesz się czuła ogłupiała i znarkotyzowana, będzie to konsekwencją działania tych leków. Leki pozwolą ci jednak na zdobycie niezbędnej dla ciebie porcji snu. Nie denerwuj się, jeżeli rozpoczęłaś karmienie piersią, leki, o których mowa, nie przechodzą do pokarmu, a przy okazji moment pojawienia się pokarmu sygnalizuje, że prawdopodobnie nie wymagasz już żadnego specjalnego leczenia i powracasz do zdrowia.

Możliwość pojawienia się nudności z/lub bez wymiotów. Problem ten nie zawsze występuje. Gdyby wystąpiły nudności, możesz otrzymać środki przeciwwymiotne (jeśli wymiotowałaś wcześniej, możesz porozmawiać ze swoim lekarzem o ewentualnym podaniu środków przeciwwymiotnych, nim ponownie pojawią się nudności).

Ćwiczenia w oddychaniu i odkaszliwaniu. Oddychanie i odkaszliwanie zalegającej wydzieliny pomoże ci uwolnić organizm od zalegających środków znieczulających i będzie pomocne w rozprężeniu płuc i utrzymaniu ich bez zalegania oraz jako dodatkowa ochrona przed możliwym zapaleniem. Taka płucna gimnastyka, jeśli jest wykonywana prawidłowo, może być związana z bólem. Możesz zminimalizować te dolegliwości poprzez unieruchomienie okolicy nacięcia za pomocą poduszki.

Regularna ocena twojego stanu ogólnego. Pielęgniarka będzie kontrolować twój stan ogólny (mierzyć temperaturę, ciśnienie krwi, tętno, częstość oddechów), prowadzić zbiórkę dobową moczu, oceniać wydzielinę z pochwy. Zajmie się także zmianą opatrunku oraz sprawdzeniem konsystencji i stopnia obkurczenia macicy (czy jest ona na tyle obkurczona, by powrócić w obręb miednicy). Pielęgniarka będzie również sprawdzać stan twojego cewnika moczowego i venflonu założonego do żyły.

A oto, czego możesz się spodziewać, gdy znajdziesz się w twoim pokoju na oddziale szpitalnym:

Kontynuacja oceny twojego stanu ogólnego. Stan ogólny, zbiórka dobowa moczu, ocena wydzieliny z pochwy, zmiana opatrunku, kontrola obkurczenia macicy. Ocena powyższych parametrów i drożności cewnika moczowego oraz venflonu (będzie trwała tak długo, póki nie będą w normie) będzie prowadzona regularnie.

Usunięcie cewnika moczowego po 24 godzinach. Oddawanie moczu będzie utrudnione, tak więc spróbuj skorzystać z rad ujętych na s. 376. Jeżeli one nie pomogą, na powrót może być założony cewnik moczowy, dopóki sama nie będziesz w stanie oddawać moczu.

Skurcze poporodowe. Pojawiają się około 12-24 godzin po porodzie. Zapoznaj się ze s. 375, by dowiedzieć się czegoś więcej o tych okresowo sprawiających dolegliwości skurczach.

Usunięcie venflonu założonego do żyły. Mniej więcej 24 godziny po operacji lub gdy twoje jelita rozpoczną okazywać sygnały aktywności (poprzez produkcję gazów), można usunąć venflon założony do żyły i rozpocząć podawanie płynów drogą doustną. W ciągu następnych dni będziesz mogła przejść na spożywanie pokarmów i stopniowo do normalnej diety. Nawet jeśli czujesz się głodna, nie próbuj obejść zaleceń lekarza i uzupełnić diety składnikami otrzymywanymi z zewnątrz. Bądź ostrożna i nie spiesz się z powrotem do normalnej diety. Jeżeli rozpoczęłaś karmienie piersią, zadbaj o to, byś otrzymywała wystarczająco dużo płynów.

Ból promieniujący w stronę barków. Podrażnienie przepony podczas operacji może powodować parogodzinny ostry ból barków. Środki przeciwbólowe mogą być w tym przypadku pomocne.

Możliwość wystąpienia zaparcia. Może upłynąć parę dni, zanim nastąpi normalne wypróżnienie. Wszystko powróci wtedy do normy. Można zastosować preparaty regulujące czynność układu pokarmowego, łagodne środki przeczyszczające, aby uruchomić i ułatwić oddanie stolca. Spróbuj niektórych rad podanych na s. 378, ale wyklucz z diety niestrawne elementy pożywienia. Jeżeli nie było wypróżnienia w czwartym i piątym dniu, zastosuj w miarę możliwości środki przeczyszczające, lewatywę lub czopki.

Zachęta do ćwiczeń. Przed opuszczeniem łóżka zostaniesz prawdopodobnie zachęcona do poruszania palcami u nóg, zginania nóg w kolanie, skręcania stóp tak, by dotknąć kostki drugiej nogi, oraz napierania palcami nóg na koniec łóżka i obracania się z boku na bok. Możesz również spróbować innych ćwiczeń:

1. Leżąc płasko na plecach, zegnij nogę w kolanie, drugą nogę wyciągnij do przodu, rozluźnij mięśnie brzucha, po czym ruchem ślizgowym powoli wyprostuj zgiętą w kolanie nogę. Powtórz to, zmieniając nogi.
2. Leżąc płasko na plecach, kolana wyprostowane, stopy płasko na łóżku, podnieś głowę na 30 sekund.
3. Leżąc na plecach, kolana zgięte, napnij

mięśnie brzucha i wyciągnij jedną rękę, kierując ją nad tułowiem na drugą stronę łóżka na poziomie pasa. Powtórz ćwiczenie, zmieniając rękę.

Ćwiczenia te zmierzają do pobudzenia krążenia, szczególnie w nogach, i zapobiegają rozwojowi zakrzepów naczyniowych (lecz uprawianie niektórych z tych ćwiczeń może być bardzo bolesne, przynajmniej przez pierwsze 24 godziny albo i dłużej).

Wstanie z łóżka po ośmiu-dwudziestu czterech godzinach po operacji. Pierwszy raz usiądziesz z pomocą pielęgniarki, pomagając sobie poprzez unoszenie głowy nad poziom łóżka. Potem wesprzesz się rękami i przeniesiesz nogi powoli do krawędzi łóżka, spuścisz je w dół i będziesz je trzymała tak przez kilka minut. Następnie powoli, z pomocą pielęgniarki, postaw nogi na podłodze, ręce tymczasem ciągle jeszcze trzymaj oparte na łóżku. Jeżeli poczujesz zawrót głowy (co jest normalne), usiądź z powrotem na łóżku. Zanim zrobisz parę pierwszych kroków, spróbuj odzyskać równowagę, stojąc przez parę minut w miejscu. Te pierwsze kroki mogą być bardzo bolesne. Spróbuj stać w pozycji wyprostowanej, mimo pokusy, by się zgarbić – dyskomfort wbrew pozorom może okazać się w tym drugim przypadku większy. (Trudności z poruszaniem się są tymczasowe, w rzeczywistości wkrótce może okazać się, że jesteś bardziej aktywna niż kobieta po porodzie drogami naturalnymi, która zajmuje pokój obok. No i oczywiście ty będziesz miała większy komfort w siadaniu.)

Noszenie elastycznych pończoch. Pobudzają krążenie. Ich stosowanie zmierza również do ochrony przed zakrzepami naczyniowymi.

Dyskomfort w obrębie brzucha. Gdy twój układ pokarmowy (częściowo zaburzony poprzez dokonaną operację) zacznie funkcjonować, uwięzione gazy mogą stać się przyczyną poważnych dolegliwości bólowych, szczególnie wtedy, gdy ich ciśnienie powoduje rozpieranie w obszarze linii cięcia. Dolegliwości mogą być silniejsze podczas ziewania, kaszlu, kichania. Poinformuj pielęgniarkę lub lekarza o swoich problemach.

Narkotyki nie są zalecane w tej sytuacji, ponieważ przedłużają jedynie czas trwania tego problemu, który zazwyczaj trwa dzień lub dwa. W celu usunięcia zatrzymanych gazów stosuje się łagodne lewatywy lub czopki. Możesz spotkać się też z zaleceniem, abyś spacerowała po korytarzu. Pomocne mogą okazać się też takie ćwiczenia, jak: leżenie na lewym boku i leżenie na plecach, podciąganie nóg do góry, głęboki oddech z jednoczesnym przytrzymaniem miejsca po cięciu cesarskim. Jeżeli ból jest ostry i nie ustępuje, może zaistnieć potrzeba założenia rurki do odbytu, aby umożliwić odprowadzenie gazów.

Przebywanie z dzieckiem. Nie możesz jeszcze podnosić swojego dziecka, ale możesz je przytulać i karmić (jeżeli karmisz piersią, kładź dziecko na poduszce, powyżej linii nacięcia). W zależności od tego, jak się czujesz i od zasad regulaminu szpitalnego, możesz spróbować zmodyfikować zasady obowiązujące matkę przebywającą z dzieckiem w systemie *rooming-in.* Część ośrodków położniczych preferuje nawet całodobowe przebywanie matki z dziećmi.

Kąpiel. Do czasu usunięcia (lub wchłonięcia się) szwów prawdopodobnie nie uzyskasz pozwolenia na kąpiel lub prysznic.

Usunięcie szwów. Jeżeli twoje szwy lub klamry nie są rozpuszczalne poprzez absorpcję i wymagają zdjęcia, zostaną usunięte po czterech lub pięciu dniach po porodzie. I chociaż sama procedura zdjęcia szwów nie jest bardzo bolesna, możesz odczuwać pewien dyskomfort. Kiedy opatrunek jest zdjęty, obejrzyj ranę, korzystając z obecności lekarza lub pielęgniarki, spytaj, jak szybko możesz spodziewać się całkowitego zagojenia oraz które z zauważonych przez ciebie zmian są fizjologiczne, a które wymagają wzmożonej uwagi i nadzoru medycznego.

W większości przypadków czas oczekiwania na wypisanie ze szpitala do domu po porodzie nie przekracza 3-5 dni.

CO WARTO WIEDZIEĆ
Początki karmienia piersią

Od czasu, gdy Ewa przystawiła Kaina do piersi po raz pierwszy, karmienie piersią jest naturalną umiejętnością matek i noworodków. Czy to prawda?

No, nie zawsze – przynajmniej nie od razu. Karmienie piersią staje się naturalną czynnością w różnym czasie u różnych par matek i noworodków, szybciej u jednych, a później u drugich. Czasami pewne fizyczne czynniki utrudniają pierwsze przystawienia do piersi, a czasami przyczyną pierwszych niepowodzeń jest po prostu brak doświadczenia u obojga partnerów. Ale cokolwiek mogłoby oddzielać twoje dziecko od twoich piersi, nie przeminie wiele czasu i dostosujecie się wzajemnie, chyba że to ty poddasz się pierwsza. Niektóre z najbardziej wzajemnie satysfakcjonujących związków dziecka z piersią zaczęły się po kilku dniach nieporadnych działań, niezręcznych wysiłków i łez po obu stronach.

Znajomość tego, co może nas spotkać, i jak sobie radzić z przeciwnościami, ułatwi to wzajemne dostosowanie się.

- Przystaw dziecko do piersi jak najszybciej po urodzeniu, najlepiej już na sali porodowej, jeśli jest to możliwe. (Zobacz *Podstawowe zasady karmienia piersią*, s. 389). Czasami stan matki nie pozwala na wczesne karmienie, a czasami stan dziecka, ale to absolutnie nie oznacza, że nie będą mogli zacząć z powodzeniem później. Nawet jeśli ty i dziecko czujecie się wspaniale, pierwsze doświadczenia w karmieniu niekoniecznie przebiegają gładko. Oboje macie jeszcze sporo do nauczenia się.

- Nie pozwól na to, aby szpitalna biurokracja niszczyła wasze pierwsze próbne związki z powodu ignoracji, braku wrażliwości i niepotrzebnych zaleceń. Uzyskaj poparcie swojego lekarza, abyś była pewna, że nikt ci nie zabroni karmić już na sali porodowej, jeśli poród przebiegnie normalnie. Podobnie upewnij się, że dziecko będzie z tobą cały czas (według tak zwanej zasady *rooming-in)* lub że będzie przynoszone do karmienia „na żądanie", czyli zawsze, gdy będzie miało ochotę na ssanie. Wskazane jest, aby twój mąż mógł was odwiedzać na oddziale poporodowym. Takie wizyty pozwolą waszej trójce poznać się lepiej, także podczas karmień.

- Na oddziale poporodowym, gdzie matki przebywają razem z dziećmi, możesz karmić zawsze, gdy twoje dziecko będzie głodne, i pozwolić mu spać, kiedy ma na to ochotę. Jeżeli przystawienie do piersi zależy od przyniesienia dziecka przez pielęgniarkę, według reguł obowiązujących w tym szpitalu, to może się zdarzyć, że czas karmienia minie, zanim się dziecko obudzi. Nie pozwól, aby tak się stało, i obudź dziecko, jeśli nadal śpi przyniesione do ciebie. To brzmi bardziej okrutnie, niż jest w rzeczywistości. Delikatnie posadź go lub ją na łóżku, jedną ręką podtrzymując podbródek, a drugą podpierając plecy. Z tej siedzącej pozycji skłoń dziecko ku przodowi kilka razy. Jeśli tylko on czy ona się obudzi, to natychmiast przyjmij pozycję do karmienia. Jeśli twoje dziecko jest zawinięte, to odwiń kocyk, aby miało swobodny dostęp do piersi.

- Bądź cierpliwa, gdy dziecko dopiero dochodzi do siebie po przeżyciach porodu. Jeśli podczas porodu otrzymałaś środki znieczulające lub jeśli poród był trudny lub przedłużony, to można oczekiwać, że twoje dziecko będzie senne i spowolniałe przy piersi przez pierwsze dwa-trzy dni. Nie można za to winić ciebie, twoich zdolności karmienia ani dziecka. Nie ma obaw, że dziecko będzie w tym czasie głodowało, noworodki mają małe potrzeby żywieniowe w pierwszych dniach po urodzeniu. Tym, czego rzeczywiście potrzebują, jest czuła opieka. Przytulenie do piersi jest równie ważne jak ssanie piersi.

Podstawowe zasady karmienia piersią

1. Przyjmij wygodną pozycję.

2. Ułóż dziecko twarzą w kierunku piersi.

3. Podtrzymuj pierś wolną dłonią, kładąc kciuk u góry, a pozostałe palce pod spodem. Jednakże nie kładź palców na otoczkę brodawki, którą dziecko ma chwycić buzią.

4. Delikatnie połaskocz usta dziecka brodawką, aż otworzy ono buzię. Wówczas przybliż do niego pierś.

5. Nie wpychaj dziecku brodawki na siłę; pozwól, aby pierwsze podjęło inicjatywę.

6. Upewnij się, że dziecko chwyciło i brodawkę, i jej otoczkę. Ssanie wyłącznie brodawki nie powoduje ucisku zatok mlecznych znajdujących się pod otoczką. Mleko więc nie wypływa, a skutkiem mogą być nadżerki i pęknięcia brodawki. Upewnij się także, czy to, co dziecko intensywnie ssie, trzymając w jamie ustnej, jest brodawką z otoczką, a nie przypadkiem inną częścią sutka, z której mleko przecież nie wypłynie. Nieprawidłowe ssanie wrażliwych tkanek może spowodować bolesny siniak.

7. Jeżeli pierś blokuje nosek dziecka, uciśnij ją w tym miejscu delikatnie palcem. Uważaj jednak, aby dziecko nie wypuściło z ust otoczki brodawki.

8. Możesz być pewna, że twoje dziecko ssie prawidłowo, jeśli wykonuje silne, rytmiczne ruchy, widoczne na jego policzkach i wyczuwalne w sutku.

9. Jeżeli dziecko zakończyło już ssanie, ale wciąż trzyma brodawkę w ustach, to nagłe jej wyciągnięcie może ją zranić. Brodawkę należy uwolnić po uprzednim uciśnięciu piersi przy ustach dziecka lub włożeniu palca w kącik ust dziecka, aby do jamy ustnej dziecka dostało się powietrze.

Każda pozycja karmienia jest dobra, jeśli jest wygodna dla ciebie i dla dziecka. Podłóż poduszki, jeśli potrzeba. Upewnij się, że sutek nie blokuje dostępu powietrza do małego noska twojego dziecka.

Dziecko i sutek – idealna współpraca

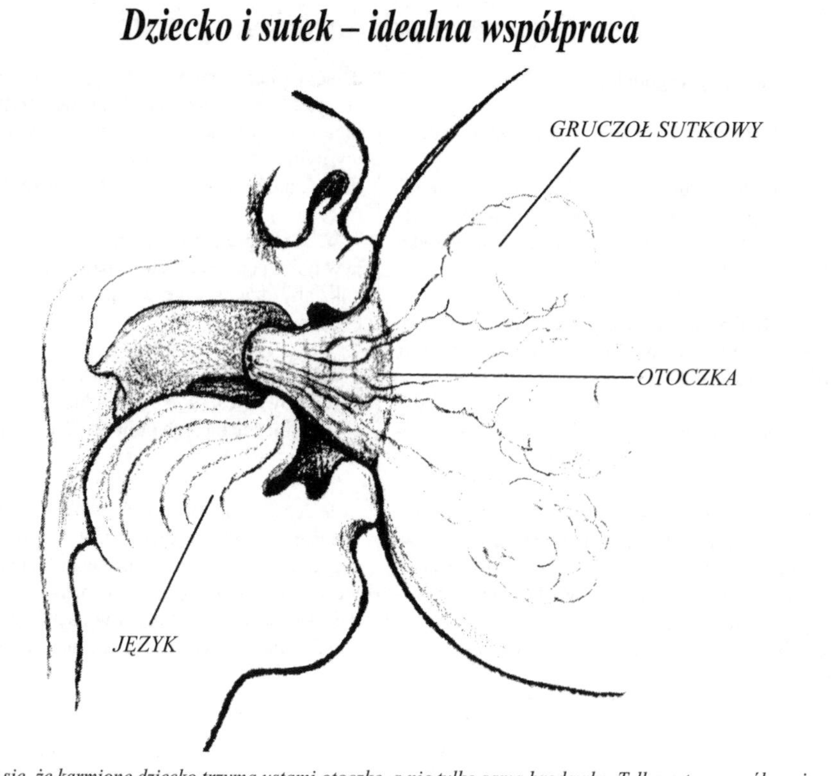

Upewnij się, że karmione dziecko trzyma ustami otoczkę, a nie tylko samą brodawkę. Tylko w ten sposób można skutecznie i bezboleśnie uzyskać mleko.

- Upewnij się, że apetyt i potrzeba ssania twojego dziecka nie są źle wykorzystane pomiędzy karmieniami. W niektórych szpitalnych oddziałach rutyną jest bowiem uspokajanie płaczącego noworodka butelką z wodą i glukozą. Takie postępowanie może mieć dwojaki szkodliwy wpływ. Po pierwsze, podana butelka zaspokaja jeszcze delikatny w tym czasie apetyt na dłuższy czas. Później, gdy przyniesione do karmienia dziecko nie chce ssać, a piersi nie są pobudzane do wydzielania, zaczyna się tworzyć błędne koło, prowadzące do zwiększenia sztucznego karmienia i mniejszej produkcji mleka. Po drugie, odruch ssania staje się wtedy leniwy, ponieważ uzyskanie pokarmu z butelki wymaga mniej wysiłku. W rezultacie, ssanie piersi staje się dla dziecka trudniejszą czynnością, z którą nie może sobie poradzić i w końcu porzuca ją. Nie pozwól komukolwiek wmówić sobie podawania dziecku herbatek. Przedstaw swoje żądanie poprzez pediatrę, aby uzupełniające karmienia nie były podawane twojemu dziecku, chyba że ze wskazań czysto medycznych[1].
- Nie próbuj karmić krzyczącego dziecka. Znaleźć i uchwycić brodawkę jest już dostatecznie trudno niedoświadczonemu noworodkowi, który jest spokojny. Gdy twoje dziecko jest bardzo pobudzone, to może być zupełnie niemożliwe prawidłowe uchwycenie piersi. Staraj się jego lub ją uspokoić,

---

[1] Możesz także przedyskutować ze swoim pediatrą wszystkie za i przeciw odnośnie do stosowania smoczka-gryzaczka podczas pobytu w szpitalu. Z jednej strony noworodek może się niepotrzebnie przyzwyczaić do ssania gumowej brodawki, z drugiej, smoczek może jego lub ją uspokajać, gdy nie ma nikogo, do kogo można się przytulić w środku nocy.

najlepiej przez przytulenie i kołysanie, zanim przystawisz do piersi.

- Jeśli masz kłopoty z pierwszymi karmieniami piersią, to poproś o pomoc pielęgniarki lub lekarza. Jeśli masz szczęście, to może odwiedzi cię specjalista od karmienia piersią, który podczas karmienia przekaże ci stosowne zalecenia, praktyczne wskazówki i może da coś do przeczytania. Jeśli takiego postępowania nie praktykuje się w twoim szpitalu, to możesz szukać wsparcia i porady, dzwoniąc do lokalnego Stowarzyszenia na Rzecz Naturalnego Rodzenia i Karmienia.
- Bez względu na to, jak frustrujące staje się dla ciebie karmienie piersią, staraj się zachować spokój. Zaczynaj karmienie tak rozluźniona psychicznie, jak tylko możesz. Pożegnaj gości 15 minut przed spodziewanym karmieniem i nie myśl o niczym, co mogłoby cię zdenerwować. Przez cały czas karmienia staraj się być opanowana, bez względu na napotykane trudności. Napięcie psychiczne może nie tylko zmniejszyć twoją zdolność do wydzielania mleka, ale poza tym wytwarza niepokój u twojego dziecka. Noworodek jest niezwykle wrażliwy i odpowiednio reaguje na zmiany nastroju swojej matki.

GDY MLEKO NAPŁYWA

Właśnie wtedy, gdy ty i twoje dziecko zaczynacie się lepiej rozumieć, zaczyna też zwiększać się wydzielanie mleka. Dotychczas twoje dziecko otrzymywało małe ilości siary, a piersi nie sprawiały dolegliwości. Teraz, w ciągu kilku godzin, piersi stają się obrzmiałe, twarde i bolesne. Karmienie staje się trudne dla dziecka i sprawia ci ból[1]. Na szczęście ten okres obrzmienia sutków jest zwykle krótki. Podczas gdy trwa, mamy kilka sposobów zmniejszenia obrzmienia i usunięcia towarzyszących nieprzyjemnych doznań:

- Karm częściej (przynajmniej osiem do dziesięciu razy dziennie), ale krótko – karmienie co cztery godziny może doprowadzić do obrzmienia sutków, a karmienie przez 20 minut do poranienia brodawek. Rzadkie i długie karmienia na dłuższą metę prowadzą do niepowodzenia karmienia piersią. Rozpocznij od 5 minut przy każdej piersi i stopniowo dojdź do 15 minut przy każdej piersi w trzeciej lub czwartej dobie karmienia.
- Nie daj się skusić na ominięcie lub skrócenie karmienia z powodu bólu. Im mniej twoje dziecko ssie, tym większe będzie obrzmienie. Nie przedkładaj karmienia tylko z jednej piersi, ponieważ karmienie z niej sprawia mniej bólu lub ponieważ jej brodawka nie jest pęknięta. Jedynym sposobem zahartowania brodawek jest ich używanie. Zawsze podawaj obie piersi przy każdym karmieniu, chociażby przez kilka minut – ale rozpocznij karmienie od mniej bolesnej, gdyż dziecko zwykle ssie silniej, gdy jest głodne. Jeśli obie brodawki są równie bolesne (lub wcale nie są bolesne), to rozpocznij karmienie piersią, która uprzednio była podana jako druga. Staraj się ułożyć dziecko prawidłowo, aby zredukować ból brodawki.
- Przed karmieniem odciągnij z każdej piersi nieco pokarmu ręką lub za pomocą pompki do odciągania, aby zmniejszyć obrzmienie. Pozwoli to dziecku łatwiej uchwycić brodawkę z otoczką, a wypływ mleka także będzie łatwiejszy. Po karmieniu opróżnij drugą pierś, jeżeli dziecko jej nie opróżniło.
- Możesz zastosować okłady z lodu, aby zmniejszyć obrzmienie. Można też stosować gorący natrysk na piersi lub kąpiele piersi w gorącej wodzie, jeśli stwierdzisz, że takie postępowanie bardziej łagodzi dolegliwości.

[1] Niektóre szczęśliwe matki nie doświadczają obrzmienia sutków, gdy pojawia się większa ilość pokarmu. Być może tak się dzieje, ponieważ ich dzieci bardzo dobrze ssały od urodzenia. Zwykle problemy z obrzmieniem zmniejszają się z każdym następnym dzieckiem.

Dieta karmiącej matki

Wartości białka, tłuszczu i węglowodanów w twoim mleku zwykle nie zależą od ilości tych składników odżywczych w twoim pożywieniu, taka zależność istnieje jednak odnośnie do niektórych witamin (np. witaminy A i B_{12}). Ale chociaż jakość twojego mleka nie zawsze bezpośrednio zależy od jakości twojego pożywienia, to od tego zależy wielkość produkcji mleka. Kobiety, których pożywienie jest na przykład pozbawione białka i/lub kalorii, mogą wydzielać mleko o właściwym składzie, ale w mniejszej ilości. Aby produkować dużo dobrego mleka, kontynuuj przyjmowanie uzupełniających ilości witamin i składników mineralnych jak w okresie ciąży i ściśle stosuj „Dietę najlepszej szansy" podaną na s. 103, ale z pewnymi modyfikacjami:

- Zwiększ liczbę kalorii w swoim pożywieniu o około 500 kalorii ponad twoje zapotrzebowanie z okresu przed ciążą. Nie musisz się sztywno trzymać tego zalecenia; podobnie jak w ciąży, pozwól, aby waga była twoim przewodnikiem. Jeżeli nagromadziłaś duże zapasy tłuszczu w okresie ciąży lub jeszcze przedtem, to możesz spożywać mniej kalorii. Nagromadzony tłuszcz zostanie zużyty do produkcji mleka, a ty stracisz na wadze. Jeżeli masz niedobór wagi, to prawdopodobnie będziesz potrzebowała więcej niż 500 dodatkowych kalorii dziennie (zalecana dawka dobowa uwzględnia zużycie zapasów tłuszczu, których ty akurat nie posiadasz). Bez względu na twoją aktualną wagę czasami możesz stwierdzić, że potrzebujesz więcej kalorii, ponieważ dziecko rośnie i żąda więcej mleka. Czy tak jest w rzeczywistości, możesz potwierdzić, ważąc się. Jeśli waga pokazuje spadek poniżej idealnej normy, to zwiększ dzienne spożycie kalorii.
- Zwiększ swoje zapotrzebowanie na wapń do pięciu dawek dziennie.
- Zmniejsz podaż białka do trzech dawek dziennie.
- Wypijaj przynajmniej osiem szklanek płynów dziennie (mleko, woda, rosół i inne zupy, soki), więcej podczas upałów i jeśli się dużo pocisz. (Chociaż nie ma przeciwwskazań do picia umiarkowanych ilości herbaty lub kawy, lub okazjonalnie napojów alkoholowych, nie wliczaj tych płynów do dobowego zapotrzebowania, gdyż mają one wpływ odwadniający.) Nadmiar płynów nie jest zalecany, gdyż zalanie siebie płynami (więcej niż 12 szklanek dziennie) paradoksalnie może zmniejszyć produkcję mleka. W ocenie twojego zapotrzebowania na płyny pomoże odczucie pragnienia i ilość wydalanego moczu.
- Dogodź sobie od czasu do czasu. Już wykonałaś zalecenia dziewięciomiesięcznej wstrzemięźliwości, teraz zasługujesz na ulubiony deser, przynajmniej raz na jakiś czas. Kluczem jest umiarkowanie. Małe ilości cukru nie wpłyną niekorzystnie na produkcję mleka, ale stałe spożywanie słodyczy może tak wpłynąć, gdyż stępi twój apetyt na potrzebne składniki odżywcze. To samo odnosi się do innych nadmiernie odżywczych pokarmów jak frytki lub biały chleb; spożywaj je tylko po zaspokojeniu podstawowych potrzeb odżywczych.

- Podtrzymanie piersi jest ważną funkcją twojego stanika w okresie połogu, ale jego ucisk na poranione brodawki i obrzmiałe sutki może sprawiać ból. Jeśli stały wypływ mleka nie jest problemem, nawet po karmieniu, to zostawiaj stanik otwarty lub go zdejmuj.

BOLESNE BRODAWKI

Wzmożona wrażliwość brodawek na dotyk w okresie okołoporodowym może nasilać trudności karmienia w tym czasie. Najczęściej ta wzmożona wrażliwość szybko przemija. Ale u niektórych kobiet, zwłaszcza o jasnej karnacji, brodawki zaczynają boleć i pękać. Aby usunąć te dolegliwości, należy postępować następująco:

- Wystawiaj bolesne lub pęknięte brodawki na powietrze tak często, jak jest to możliwe. Chroń je przed drażniącym działaniem ubrania i innych czynników drażniących poprzez zakładanie specjalnych kapturków brodawkowych do noszenia pod stanikiem.
- Pozwól, aby natura – a nie firmy kosmetyczne – pielęgnowała twoje brodawki.

Brodawki są w sposób naturalny chronione i smarowane przez wydzielinę skórnych gruczołów. Jedynie gdy pęknięcia brodawek są poważne, można stosować środki dostępne w handlu, ale i wtedy powinny to być środki jak najczystsze. Nie używaj lanoliny, która może być zanieczyszczona. Bardzo dobra jest oczyszczona lanolina medyczna, maść z witaminami A i D albo wyciśnięta z kapsułek witamina D. Unikaj jednak wazeliny i produktów, które ją zawierają. Zamiast tego stosuj witaminę E wyciśniętą z otwartej kapsułki prosto na brodawkę. Myj brodawki tylko wodą – nigdy mydłem, spirytusem czy zwilżonymi papierowymi ręczniczkami – i to obojętnie, czy brodawki są chore, czy też nie. Twoje dziecko zostało już uodpornione na twoje zarazki, a samo mleko jest czyste.

- Zmieniaj pozycję podczas karmień tak, aby brodawka z otoczką były uciskane w różnych płaszczyznach, a nie tylko w jednej, lecz zawsze układaj dziecko tak, aby było zwrócone twarzą do piersi.
- Rozluźnij się psychicznie podczas 15 minut poprzedzających karmienie. Relaks wzmocni twój odruch wyrzucania mleka, podczas gdy napięcie psychiczne może ten odruch upośledzić.

SPORADYCZNE POWIKŁANIA

Na ogół karmienia przebiegają bez powikłań od czasu, gdy dojdzie do unormowania produkcji mleka, aż do odstawienia od piersi. Czasami jednak powikłania się zdarzają, między innymi następujące:

Zaczopowany przewód mleczny. Czasami przewód mleczny może ulec zaczopowaniu, powodując nagromadzenie mleka w zraziku gruczołowym. Ponieważ ten stan (stwierdzany jako małe i bolesne obrzmienie sutka, z zaczerwienioną skórą nad obrzmieniem) może prowadzić do zakażenia, konieczna jest szybka próba wyleczenia. Najlepszym sposobem, aby to zrobić, jest przystawienie dziecka do chorej piersi zawsze jako pierwszej i przyzwolenie, aby dziecko maksymalnie opróżniło tę pierś. Jeżeli dziecko tego nie uczyni, to pozostałe mleko powinno być odciągnięte ręką lub odciągaczem. Ważne jest, aby stanik nie był za ciasny i nie uciskał przewodu mlecznego oraz aby zmienić pozycje karmienia, co pozwala na równomierne rozłożenie ucisku dziąseł na poszczególne zatoki mleczne. Sprawdź także, czy mleko zasuszone na brodawce nie blokuje wypływu. Jeśli tak się dzieje, to oczyść brodawkę wacikiem zamoczonym w przegotowanej i ostudzonej wodzie. Podczas leczenia tego schorzenia nie powinno się odstawiać dziecka od piersi; zakończenie karmienia w tym czasie może tylko nasilić cały problem.

Zapalenie sutka. Bardziej poważnym schorzeniem związanym z wydzielaniem mleka jest zapalenie sutka, które może się rozwinąć w jednym lub w obu sutkach, najczęściej pomiędzy 10 a 28 dniem połogu, u około 7-10% matek, zwykle po urodzeniu pierwszego dziecka. Przyczyny połogowego zapalenia sutka są zwykle złożone. Zastój mleka w piersi w następstwie dużej produkcji lub rzadkich karmień, wtargnięcie bakterii do gruczołu sutkowego poprzez pęknięcie brodawki i obniżona odporność matki spowodowana stresem, zmęczeniem lub nieodpowiednim odżywianiem składają się na przyczyny wystąpienia tej choroby.

Najczęstsze objawy zapalenia sutka są następujące: silna bolesność, stwardnienie, zaczerwienienie i obrzęk sutka, dreszcze i gorączka 38-39°C. Jeżeli stwierdzisz u siebie te objawy, to skontaktuj się ze swoim lekarzem. Szybkie leczenie jest konieczne, a może polegać na leżeniu w łóżku, podaniu antybiotyków i leków przeciwbólowych, zwiększeniu ilości płynów i stosowaniu okładów z lodu lub rozgrzewających. Podczas leczenia należy nadal karmić. Najprawdopodobniej to właśnie zarazki od dziecka spowodowały zapalenie, wobec czego nie ma obawy, że zaszkodzą teraz dziecku. Poza tym, opróżnianie piersi usuwa zastój mleka i zapobiega zaczopowaniu przewodów mlecznych. Zacznij kar-

Leki a karmienie piersią

Zawsze informuj lekarza, który zapisuje ci leki, że karmisz dziecko. Wiele leków jest bezpiecznych podczas karmienia, ale niektóre nie powinny być podawane w tym czasie. Najlepiej zażyć lek tuż po zakończeniu karmienia, w ten sposób będzie go najmniej w twoim mleku, gdy przystąpisz do następnego karmienia.

mienie zawsze od chorej piersi i opróżnij ją po karmieniu, jeśli dziecko tego nie uczyni. Jeśli ból jest tak silny, że nie dajesz rady karmić, to spróbuj odciągać pokarm, leżąc w ciepłej kąpieli z piersiami swobodnie unoszącymi się w wodzie. W czasie kąpieli nie używaj elektrycznego odciągacza mleka!

Opóźnienie leczenia zapalenia sutka może prowadzić do powstania ropnia sutka z następującymi objawami: ostry, przeszywający ból; ograniczone obrzmienie wrażliwe na dotyk; odczucie gorąca w okolicy ropnia; wahania ciepłoty ciała od 37,5 do 39,5°C. Leczenie polega na chirurgicznym otwarciu ropnia w znieczuleniu. Karmienie z chorej piersi musi być wstrzymane, ale pierś należy regularnie odciągać ręcznie lub odciągaczem aż do czasu całkowitego wyleczenia, kiedy znowu będzie można z niej karmić. W tym czasie należy karmić ze zdrowej piersi.

Nie pozwól, aby kłopoty z sutkami i karmieniem zniechęciły cię do karmienia następnych dzieci. Wczesne obrzmienie sutków i kłopoty z brodawkami występują o wiele rzadziej po następnych porodach.

KARMIENIE PIERSIĄ PO CIĘCIU CESARSKIM

Czas, w którym będziesz mogła przystawić dziecko do piersi po raz pierwszy po porodzie, będzie zależał od twojego samopoczucia i od stanu zdrowia twojego dziecka. Jeśli oboje czujecie się dobrze, to prawdopodobnie będziesz mogła przystawić dziecko do piersi jeszcze w sali operacyjnej po zakończeniu operacji (jeśli była przeprowadzona w znieczuleniu miejscowym) lub wkrótce potem na oddziale poporodowym. Jeśli jesteś osłabiona po znieczuleniu ogólnym lub twoje dziecko potrzebuje natychmiastowej opieki na oddziale noworodkowym, to będziesz musiała poczekać. Jeżeli po 12 godzinach nadal nie będziecie mogli się spotkać, to powinnaś się zapytać o konieczność odciągania (w tym czasie wydziela się siara) w celu wzbudzenia produkcji mleka.

Karmienie piersią po rozwiązaniu cięciem cesarskim możesz uważać początkowo za niezbyt wygodne. Dolegliwości będą mniejsze, jeśli będziesz unikać ucisku na ranę pooperacyjną, np. połóż poduszkę na podbrzuszu pod dziecko, leż na boku itp. Zarówno bóle w podbrzuszu podczas karmienia (patrz s. 375), jak i bolesność rany, są normalnymi odczuciami, które będą ustępować w następnych dniach.

KARMIENIE BLIŹNIĄT

Karmienie piersią, jak każdy inny aspekt opieki nad nowo narodzonymi bliźniętami, wydaje się niemożliwe do czasu, aż osiągniesz pewien rytm działania. Z chwilą, gdy stanie się rutyną, okaże się nie tylko możliwe, ale i bardzo satysfakcjonujące. Aby z powodzeniem karmić bliźnięta, należy wypełniać następujące zalecenia:

- Stosuj wszystkie zalecenia żywieniowe dla karmiących matek (patrz *Dieta najlepszej szansy*) oraz następujące dodatkowe: 400--500 kalorii powyżej twoich potrzeb sprzed ciąży na każde dziecko, które karmisz (może okazać się konieczne zwiększenie liczby spożywanych kalorii, w miarę jak dzieci rosną i mają większy apetyt, lub zmniejszenie, jeśli karmienie piersią uzupełniasz podawaniem mieszanek mlecznych i/lub pokarmów stałych lub jeśli zgromadziłaś duże zapasy tłuszczu, których chętnie byś się pozbyła); dodatkowy posiłek białkowy (łącznie do czterech) i dodatkowe dawki wapnia (łącznie sześć).

- Pij 8-12 szklanek płynów dziennie, ale nie więcej, ponieważ nadmiar płynów może zmniejszyć wytwarzanie mleka.
- Staraj się, aby maksymalnie odciążono cię w pracy domowej, przygotowaniu posiłków i opiece nad dziećmi. W ten sposób zaoszczędzisz energię.
- Wypróbuj różne możliwości żywienia bliźniąt: karm jedno bliźnię, a drugiemu w tym czasie podaj butelkę; raz karm jedno dziecko butelką, a raz drugie; karm piersią oba bliźniaki jedno po drugim (może to zabrać nawet 10 godzin dziennie) lub jednocześnie. Dobrym kompromisem, który zbliża matkę i dziecko, są karmienia indywidualne i razem w taki sposób, aby każde z dzieci miało przynajmniej jedno wyłącznie własne karmienie w ciągu dnia. Ojciec może w tym czasie podać butelkę drugiemu dziecku. W butelce, podanej przez ojca lub innego pomocnika, może być uprzednio odciągnięte mleko matki lub uzupełniająca mieszanka mleczna.
- Uznaj fakt, że bliźnięta mają różne osobowości, potrzeby i rytmy karmień, i nie próbuj traktować ich identycznie. Zapisuj sobie karmienia, aby upewnić się, że żadne z bliźniąt nie opuszcza przysługującego mu karmienia.

19

Pierwsze sześć tygodni po porodzie

Co możesz odczuwać

Podczas pierwszych sześciu tygodni po porodzie, w zależności od typu porodu, który przebyłaś (łatwy, trudny, drogami naturalnymi lub cięciem cesarskim), i od tego, jak dużą pomocą dysponować będziesz w domu, oraz od innych indywidualnych czynników – możesz zetknąć się z następującymi doświadczeniami (albo tylko z niektórymi z nich):

OBJAWY FIZYCZNE:

- kontynuacja wydzieliny z pochwy (odchodów) o barwie zbliżonej bardziej do brązowej niż do żółtobiałej;
- zmęczenie, wyczerpanie;
- ból, dyskomfort, drętwienia w okolicy krocza – dotyczy przede wszystkim kobiet, które rodziły drogami naturalnymi (szczególnie wtedy, gdy są założone szwy);
- zmniejszenie się dolegliwości bólowych, w dalszym ciągu może pojawiać się drętwienie po porodzie cięciem cesarskim (szczególnie, gdy było to pierwsze cięcie);
- trwające zaparcia stolca (powinny być jednak łatwe do zwalczenia);
- stopniowe spłaszczanie brzucha – w miarę zmniejszania się macicy i jej powrotu w obręb miednicy (całkowity powrót do sylwetki sprzed porodu zapewnią ci tylko ćwiczenia);
- stopniowa utrata wagi ciała;
- dyskomfort w obrębie piersi, bolesność sutków będzie trwała do czasu pełnej regulacji cyklu karmienia;
- ból ramion, barków, szyi (jako konsekwencja noszenia dziecka);
- wypadanie włosów.

ODCZUCIA PSYCHICZNE:

- podniecenie na przemian z depresją, duża labilność nastroju;
- zawstydzenie na przemian ze wzrastającą pewnością siebie;
- obniżenie lub wzrost oczekiwań seksualnych.

Czego możesz oczekiwać w czasie kontroli poporodowej

Lekarz opiekujący się tobą umieści cię prawdopodobnie w planie okresowych kontroli poporodowych w 4-6 tygodni po wyjściu ze szpitala[1]. Przebieg wizyty zależeć

[1] Jeśli miałaś cięcie cesarskie, twój lekarz mo-

będzie od twoich życzeń, potrzeb czy problemów i również od stylu praktyki zawodowej reprezentowanego przez tego lekarza. Kontrola podczas wizyty obejmować będzie między innymi:

- pomiar ciśnienia krwi;
- ocenę ciężaru ciała, który prawdopodobnie spadnie o około 7,7-9 kg lub więcej;
- kontrolę obkurczenia macicy, czy wróciła do normalnego kształtu przedporodowego, ocenę jej wymiarów i lokalizacji;
- ocenę szyjki macicy, która będzie w fazie cofania się do stanu przedporodowego, może być jeszcze trochę rozpulchniona, z możliwością istnienia nierównej powierzchni;
- ocenę pochwy, która powinna być obkurczona i powinna odzyskać większość ze swojej przedporodowej sprężystości;
- ocenę stanu blizny po nacięciu i zeszyciu krocza lub po jego pęknięciu, a jeżeli miałaś cięcie cesarskie – ocenę blizny po cięciu;
- badanie piersi, kontrola wszelkich odchyleń od normy;
- sprawdzenie, czy masz żylaki na nogach i hemoroidy;
- wyjaśnienie listy pytań i problemów, które chcesz omówić z lekarzem.

Podczas tej wizyty lekarz będzie chciał również porozmawiać z tobą o metodach kontroli urodzeń, które możesz stosować. Jeżeli zaplanujesz użycie kapturka naszyjkowego, a twoja szyjka powróciła już po porodzie w dostatecznym stopniu do normy, będzie można go założyć. Jeśli stan szyjki na to nie pozwala, lekarz może zalecić stosowanie prezerwatyw, do czasu aż założenie kapturka będzie możliwe. Jeżeli nie karmisz piersią i planujesz brać pigułki antykoncepcyjne, możesz otrzymać stosowną receptę.

CO MOŻE CIĘ NIEPOKOIĆ

GORĄCZKA

Właśnie wróciłam do domu ze szpitala i zagorączkowałam do około 38,3°C. Czy może to mieć jakiś związek z porodem?

Dr. Ignacemu Semmelweissowi zawdzięczamy to, że dzisiaj istnieje znikome ryzyko rozwoju u matki w połogu tzw. gorączki połogowej. W 1847 roku ten młody wiedeński lekarz odkrył prawidłowość, że gdy prowadzący poród umyje ręce, zanim przystąpi do łóżka ciężarnej – ryzyko wystąpienia gorączki związanej z porodem jest znacznie mniejsze (współcześni dr. Semmelweissa przyjęli jego teorię za dziwaczną i jako taką ją odrzucili. Sam dr Semmelweiss, złamany psychicznie fiaskiem swoich odkryć, do końca życia pozostał wyobcowany ze społeczeństwa, które go nie rozumiało).

że chcieć skontrolować stan blizny w około trzy tygodnie po porodzie.

Drugim człowiekiem, dzięki któremu zakażenie matki w okresie połogu stało się łatwo wyleczalne, jest sir Alexander Fleming – brytyjski naukowiec – odkrywca pierwszych zwalczających infekcję antybiotyków.

Najostrzejsze przypadki zakażenia zazwyczaj rozpoczynają się w ciągu pierwszych 24 godzin po porodzie. Gorączka na trzeci lub czwarty dzień, kiedy już jesteś w domu, może sygnalizować infekcję wywołaną wirusem lub inną przyczyną. Miernego stopnia gorączka (około 37,8°C), współistniejąca z przekrwieniem, może wystąpić w okresie gromadzenia się pokarmu w piersiach. Należy zgłosić lekarzowi każdy przypadek gorączki trwającej dłużej niż cztery godziny w okresie pierwszych trzech tygodni po porodzie, nawet gdy towarzyszy ona wcześniejszemu przeziębieniu, objawom grypy lub wymiotom, mając na względzie rozpoznanie przypadku i wdrożenie jego leczenia (patrz s. 364).

DEPRESJA

Mam wszystko, czego pragnęłam: wspaniałego męża, cudowne dziecko. Dlaczego więc jestem taka przygnębiona?

Dlaczego około połowa młodych kobiet jest tak przygnębiona w najlepszym okresie swojego życia? Jest to paradoks poporodowej depresji, dla której eksperci muszą jeszcze znaleźć ostateczne rozwiązanie i wyjaśnić ten problem. Szybko obniżający się poziom estrogenów i progesteronu po porodzie może wyzwolić depresję, podobnie jak wpływy hormonalne przed miesiączką mogą powodować podobną reakcję. Fakt, że wrażliwość na wpływy hormonów jest różna u różnych kobiet, może tłumaczyć, dlaczego połowa cierpi na poporodową depresję, mimo że wszystkie kobiety doświadczają podobnych przesunięć w poziomach hormonów. Jest wiele czynników innego rodzaju, które prawdopodobnie biorą udział w wyzwalaniu poporodowej depresji, występującej najczęściej około trzeciego dnia po porodzie, ale która może wystąpić także w każdym okresie podczas pierwszego roku po porodzie. Depresja poporodowa dotyczy częściej wieloródek niż pierwiastek.

Zmiana pozycji w rodzinie. Twoje dziecko jest teraz gwiazdą numer jeden. Goście interesują się bardziej dzieckiem niż twoim stanem zdrowia (ta zmiana towarzyszyć ci będzie także w domu). Ciężarna księżniczka odgrywa teraz w okresie poporodowym rolę Kopciuszka.

Pobyt w szpitalu. Jeśli nie możesz doczekać się chwili, kiedy nareszcie będziesz mogła wrócić do domu i poczuć się w pełni matką, i denerwuje cię to, że sama nie możesz decydować o losie swoim i dziecka w czasie pobytu w szpitalu, to taka sytuacja może cię frustrować.

Powrót do domu. Nie jest rzeczą niezwykłą przygnębienie i przepracowanie wywołane obowiązkami, które musisz wykonywać (szczególnie, gdy masz więcej dzieci, a brakuje ci dodatkowej pomocy).

Wyczerpanie. Przemęczenie ciężkim porodem, zbyt mała ilość snu w szpitalu w związku z opieką nad dzieckiem – często nakłada się na poczucie, że nie dorosłaś jeszcze do macierzyństwa.

Rozczarowanie dzieckiem. Dziecko jest takie małe, takie czerwone, tak grube, bez wyrazu. Niepodobne do uśmiechniętych dzieci z reklam, które widziałaś. To wpływa na pogłębienie depresji.

Rozczarowanie porodem i/lub sobą. Jeżeli w twoim przypadku nie ziściły się jakieś nierealne mrzonki o porodzie, możesz czuć się nieszczęśliwa, że to twoja wina.

Uczucie przesilenia. Poród – wielkie wydarzenie, do którego przygotowywałaś się, na które oczekiwałaś i oto jest już po wszystkim.

Poczucie braku kompetencji. Młode matki mogą stawiać sobie pytanie: „Dlaczego mam dziecko, jeśli nie potrafię się nim opiekować?"

Sentyment do twojego dawnego „ja". Skończyło się życie beztroskie, możliwość zrobienia kariery. Wszystko to minęło bezpowrotnie po porodzie.

Niezadowolenie z własnego wyglądu. Przedtem byłaś gruba i w ciąży, teraz jesteś tylko gruba. Nie możesz znieść noszenia rzeczy, które nosiłaś podczas ciąży, lecz nic innego ci nie pasuje.

Niestety, o depresji poporodowej niewiele można powiedzieć dobrego, chyba jedynie to, że nie trwa bardzo długo, dla większości kobiet około 48 godzin. Przeto nie wymaga leczenia, oprócz tych przypadków, w których się przedłuża. Poniżej przedstawiono sposoby zwalczania poporodowej depresji.

- Jeżeli przygnębienie pojawia się w szpitalu, namów męża, żeby zamówił obiad na dwie osoby i spróbuj zjeść go razem z nim; jeśli wizyty cię irytują, to je ogranicz; jeśli dają ci zadowolenie, proś o częstsze odwiedziny. Jeśli to pobyt w szpitalu tak cię denerwuje, poproś o wcześniejsze wypuszczenie do domu (patrz s. 383 – powrót do domu).

- Zwalczaj zmęczenie, akceptując przy tym pomoc innych; nie wykonuj rzeczy, które mogą poczekać; odpoczywaj, kiedy twoje dziecko śpi. Wykorzystaj czas karmienia na relaks, opiekuj się i/lub karm dziecko, leżąc w łóżku lub siedząc w wygodnym fotelu z nogami uniesionymi.
- Stosuj dietę karmiącej matki (patrz s. 392), aby zachować zdrowie i formę (minus 500 kalorii i 3 dawki wapnia, jeśli nie karmisz piersią). Unikaj cukru (szczególnie w połączeniu z czekoladą), ponieważ może działać jako czynnik wyzwalający depresję.
- Pozwól się nakłonić do tego, żeby zjeść posiłek poza domem; gdy okaże się to niemożliwe, pozwól sobie pomóc, tj. pozwól ugotować posiłek mężowi lub zamów posiłek. Ubierz się elegancko, stwórz nastrój, tak jak to bywa w restauracjach ze światłem świec i łagodną muzyką. Bądź pogodna, gdy dziecko obudzi się i przerwie wam wspaniały wieczór.
- Dbaj o swój wygląd. Wyglądaj dobrze, a będziesz się czuła dobrze! Chodząc cały dzień w podomce, nie uczesana, możesz doprowadzić każdego do złego samopoczucia. Przed wyjściem twego męża rano weź prysznic (potem możesz nie mieć już okazji), uczesz się, zrób makijaż (jeśli zwykle go robisz). Kup sobie jakiś nowy ciuch, teraz może być luźny, gdy schudniesz, będziesz mogła nosić pasek.
- Wyjdź z domu. Idź na spacer z dzieckiem lub jeśli masz z kim je zostawić – wyjdź sama. Zestaw ćwiczeń fizycznych pomoże ci przegnać smutek poporodowy oraz pozbyć się zwiotczeń, które mogą nasilać twoją depresję. Lecz nie rób od razu zbyt wiele.
- Jeśli uważasz, że na twoje kłopoty dobre będzie towarzystwo, to spotkaj się z młodymi matkami, które znasz, i podziel się swoimi odczuciami. Gdy nie masz zaprzyjaźnionych kobiet, które niedawno rodziły, spróbuj nawiązać nowe kontakty. Zapytaj pediatrę o nazwiska kobiet w twoim sąsiedztwie, które są w podobnej sytuacji, lub nawiąż kontakt z kobietami ze szkoły rodzenia, które uczęszczały razem z tobą na kurs, i w miarę możliwości spotykajcie się co tydzień. Możesz też wstąpić do szkoły poporodowej, na kurs ćwiczeń poporodowych.
- Jeśli twoje kłopoty wymagają kurowania w samotności, postaraj się o to. Chociaż depresja karmi się samotnością, niektórzy uczeni zaprzeczają temu właśnie w odniesieniu do depresji poporodowych. Gdy odwiedzają cię goście, którzy współczują ci, unikaj ich, bo pogarsza to tylko twój stan. Nie traktuj swojego męża zbyt chłodno. Porozumienie w okresie poporodowym jest dla was obojga niezmiernie ważne. (Mąż także może ulec poporodowej depresji. On może potrzebować ciebie w równym stopniu, jak ty potrzebujesz jego.)

Poporodowa depresja niezmiernie rzadko wymaga leczenia farmakologicznego. Potrzeba taka dotyczy jednej na tysiąc kobiet. Jeśli twoja depresja przedłuża się na ponad dwa tygodnie i dodatkowo towarzyszą jej bezsenność, brak apetytu i uczucie beznadziejności, a nawet myśli samobójcze, agresja w stosunku do dziecka – zgłoś się do lekarza.

Czuję się wspaniale od czasu, gdy urodziłam dziecko trzy tygodnie temu. Czy to możliwe, że całe moje wspaniałe samopoczucie ma swoje źródło w przebytym porodzie?

Okazuje się, że dobre samopoczucie kobiety po porodzie nie wzbudza tak dużego zainteresowania jak depresja poporodowa. Brak nawet najkrótszej wzmianki w pismach przeznaczonych dla kobiet i w rozdziałach książek o 50% kobiet, które po porodzie czują się świetnie, nie brakuje natomiast informacji o 50% kobiet, które ulegają depresji poporodowej. Przygnębienie poporodowe jest częste, lecz to nie znaczy, że musi wystąpić w okresie poporodowym. Dlatego też nie ma powodów, by wierzyć, że jesteś w emocjonalnym dołku, gdy czujesz się właściwie świetnie. Większość przypadków depresji ujawnia się podczas pierwszego tygodnia po porodzie. Aby skutecznie stawić czoło dolegliwościom związanym z depresją poporodową, spójrz na sposoby opisane powyżej. Fakt, że nie cierpisz na poporodową depresję, nie znaczy, że twojej rodziny nie dotyczy ten problem. Badania wskazują, że jeśli żona cierpi na depresję tego typu, mąż nie jest zagrożony, natomiast gdy żona czuje się świetnie, dramatycznie rośnie możliwość wystąpienia depresji u ojców/mężów. Upewnij się więc, czy twój mąż nie cierpi na obniżenie nastroju (przygnębienie). Jeśli tak, to spójrz na stronę 399, by pomóc mu przezwyciężyć ten problem. Jeżeli depresja u niego przedłuża się lub przybiera ciężką postać i nakłada się na jego pracę, aktywność życiową, zgłoś się po poradę do lekarza.

POWRÓT DO PRZEDPORODOWEJ MASY CIAŁA I FIGURY

Wiedziałam, że nie będę mogła włożyć bikini zaraz po porodzie, lecz wciąż wyglądam jak w szóstym miesiącu, a jestem tydzień po porodzie.

Chociaż poród powoduje szybką utratę masy ciała (średnio 6-7 kg), większość kobiet nie chudnie wystarczająco szybko. Taka opinia rodzi się szczególnie po ujrzeniu własnej sylwetki w lustrze, mimo porodu wygląda ona nadal nieciekawie. Lecz mimo wszystko i tak większość kobiet szczęśliwie będzie mogła spakować swoje ubrania z okresu ciąży w miesiąc lub dwa po porodzie. Oczywiście, jak szybko wrócisz do figury i ciężaru sprzed ciąży – będzie zależało od tego, ile kilogramów przybrałaś podczas ciąży. Kobieta, która przybrała podczas ciąży 12 kg i więcej, powinna wrócić do swojego pierwotnego ciężaru, bez stosowania specjalnej diety, pod koniec drugiego miesiąca. Część kobiet twierdzi, że poród nie spowodował w następstwie zeszczuplenia ud i bioder, lecz tylko ścisłe trzymanie się diety (patrz s. 392) w przypadku podjęcia karmienia piersią (lub gdy karmienie nie zostało rozpoczęte – minus 500 kalorii i dodatek wapnia[1]) doprowadzi do powolnej utraty masy ciała.

Po pierwszych sześciu tygodniach kobiety nie karmiące mogą przejść na dobrą, dobrze zrównoważoną dietę (zwaną potocznie „strażnikiem ciężaru ciała"). Natomiast karmiące matki mogą zmniejszyć liczbę kalorii w spożywanych pokarmach (bez zmian w zakresie produkcji mleka) i także utracą nadmiar wagi. Powrót do figury sprzed ciąży jest problemem nawet dla tych kobiet, które nie przekroczyły wagi należnej. Nikt, kto wchodzi na salę porodową i później ją po porodzie opuszcza, nie wygląda wcale szczuplej. Częściowo przyczyną nadal wystającego po porodzie brzucha jest powiększona macica, której wielkość będzie ulegała stopniowej redukcji do wielkości sprzed ciąży – do końca szóstego tygodnia po porodzie. Możesz obserwować cofanie się macicy do miednicy małej, dzięki zasięgnięciu informacji od lekarza – jak można badać macicę, by określić położenie i wielkość. Jeśli nie będziesz jej czuła, znaczy to, że obkurczona macica znajduje się już w obrębie miednicy małej. Inną przyczyną wystającego brzucha jest płyn o ciężarze około 2,5 kg, którego pozbędziesz się po kilku dniach. Reszta problemu leży w zwiotczałych mięśniach brzucha i skórze. Stan taki może nie ulegać zmianie przez całe życie, chyba że rozpoczęte zostaną odpowiednie ćwiczenia (patrz s. 408 – powrót do normalnej sylwetki).

MLEKO MATKI

Czy wszystko, co jem i piję lub zażywam, przechodzi do mojego mleka? Czy coś z tych rzeczy może szkodzić memu dziecku?

Karmienie piersią jest czynnością kłopotliwą w porównaniu do karmienia dziecka wewnątrz macicy, bo to ostatnie nie wy-

[1] Dla kobiet, które nie podjęły karmienia piersią, dobrym rozwiązaniem jest przyjmowanie odpowiedniej porcji wapnia, jako ochrony przed wystąpieniem w późniejszym okresie życia osteoporozy. W zależności od potrzeb, można przyjmować dodatkowo do 1200 mg wapnia dziennie.

maga od ciebie żadnego wysiłku. Lecz tak długo, jak karmisz piersią, wszystko, co zjesz, przedostaje się z mlekiem do organizmu twojego dziecka. Podstawowe elementy, takie jak białka, tłuszcze, węglowodany, składające się na mleko ludzkie, niezależne są od tego, co matka zje. Jeżeli matka spożywa za mało kalorii i białka, aby wyprodukować mleko, to będą wykorzystywane zapasy zgromadzone w organizmie i dziecko będzie otrzymywało pełnowartościowy pokarm tak długo, aż ich zabraknie. Brak witamin w diecie matki odbije się jednak na zaspokajaniu potrzeb dziecka w tym zakresie. Wiele substancji, od leków po przyprawy, może także przedostawać się do mleka z różnym rezultatem.

Aby mleko było bezpieczne i zdrowe dla dziecka:

- Zapoznaj się po pierwsze z regułami diety kobiet karmiących (patrz. s. 392);
- Unikaj pożywienia, na które twoje dziecko jest wrażliwe, np. czosnek, cebula, kabaczki; produkty mleczne i czekolada są często sprawcami kłopotliwych wzdęć u niektórych, chociaż nie u wszystkich dzieci.
- Spożywaj witaminy, szczególnie te zalecane dla kobiet w ciąży i karmiących piersią. Nie przyjmuj innych witamin bez porozumienia z lekarzem.
- Nie pal. Wiele toksycznych substancji z dymu tytoniowego przedostaje się do krwiobiegu i może potem przechodzić do mleka. (Palenie obok dziecka może powodować choroby układu oddechowego, a także może być połączone z nagłą śmiercią dziecka, które poprzednio nie wykazywało żadnych symptomów rozwijającej się choroby).
- Nie zażywaj leków bez konsultacji z lekarzem. Wiele z nich przedostaje się do mleka i nawet w małej dawce może być szkodliwe dla noworodka (szczególnie niebezpieczne są leki stosowane w chorobie tarczycy, przeciwnadciśnieniowe, przeciwnowotworowe, penicylina[1], przeciwbólowe – marihuana i kokaina; leki z grupy benzodwuazepiny; Relanium, Oxaze, barbiturany; Luminal, leki uspokajające; sole litu, hormony, leki antykoncepcyjne; radiolitywny jod, bromki). Często leki, które zażywasz, będą musiały zostać zastąpione przez inne, bardziej bezpieczne dla twojego dziecka. Może zaistnieć konieczność okresowego odstawienia leku na czas karmienia i opieki nad dzieckiem. Podczas wizyty u lekarza upewnij się, że lekarz przepisujący ci leki jest zorientowany w twojej sytuacji i wie, że karmisz dziecko piersią.
- Unikaj całkowicie alkoholu. Częste spożywanie alkoholu może wywołać u twojego dziecka ospałość, osłabić rozwój systemu nerwowego, spowolnić rozwój motoryczny i obniżyć u ciebie poziom produkcji mleka.
- Ogranicz kofeinę. Jedna szklanka kawy lub herbaty dziennie prawdopodobnie nie wpłynie szkodliwie na dziecko za pośrednictwem pokarmu. Natomiast gdy dzienne spożycie tych używek sięgnie 6 szklanek – możesz spowodować uszkodzenie mózgu dziecka (pojawiają się zmiany w zapisie EEG).
- Nie używaj środków przeczyszczających (niektóre z nich mogą działać także na twoje dziecko). Zwiększ ilość pektyn w swoim pożywieniu.
- Stosuj aspirynę lub leki aspirynopodobne tylko wtedy, gdy skonsultujesz to z lekarzem. Stosuj dawki ściśle według zaleceń lekarza. Nie nadużywaj leków, nie korzystaj z nich zbyt często.
- Unikaj żywności, co do której masz uzasadnione podejrzenie, że zawiera niepożądane substancje chemiczne, np. środki ochrony roślin. Z pewnością pewna ilość pestycydów i tak przedostanie się do twojego organizmu, a co za tym idzie, i do mleka. Dopóki są to ilości śladowe, nie ma powodu do paniki, ale należy zrobić wszystko, by ograniczyć spożywanie tych substancji. Należy myć owoce przed jedzeniem, pić mleko „chude" i jeść produkty mleczne z niską zawartością tłuszczu, mięso białe drobiowe bez skóry, ograniczyć

[1] Zastosowanie penicyliny w tak wczesnym okresie może doprowadzić do rozwoju u dziecka nadwrażliwości lub alergii na ten lek.

spożycie podrobów. Duża ilość pestycydów znajduje się szczególnie w tłuszczu zwierzęcym, skórze i narządach wewnętrznych.

- Unikaj jedzenia ryb, mogą być skażone.
- Ograniczaj spożycie żywności z dużą ilością spożywczych dodatków chemicznych, unikaj sacharyny, która przechodzi do mleka i która w badaniach na zwierzętach wykazała właściwości rakotwórcze. Sprawdzaj, jakie składniki chemiczne i w jakiej ilości wchodzą w skład produktów, które spożywasz.

DŁUGOTRWAŁY POWRÓT DO ZDROWIA PO PRZEBYTYM CIĘCIU CESARSKIM

Właśnie wracam do domu, cztery dni po cięciu cesarskim. Czego mogę oczekiwać?

Dużego zapotrzebowania na pomoc. Płatna pomoc jest najlepszym wyjściem w czasie pierwszego tygodnia po przyjściu do domu. Gdy jest to niemożliwe, poproś męża, matkę lub innego członka rodziny o pomoc. Bezwzględnie unikaj dźwigania ciężarów (dotyczy to również noszenia dziecka), nie podejmuj się wykonywania prac domowych do końca pierwszego tygodnia. Jeżeli już musisz nosić dziecko na rękach – podnoś je z poziomu pasa, wtedy wykorzystujesz mięśnie ramion, a nie brzucha. Uginaj kolana, a nie zginaj się w pasie.

Lekki ból lub brak dolegliwości bólowych. Jeżeli odczuwasz ból, pomocny okazać się może łagodny środek przeciwbólowy. Nie używaj leków, gdy karmisz piersią, dopóki nie poradzisz się lekarza.

Postępująca poprawa. Blizna po cięciu cesarskim będzie bolesna i tkliwa przez kilka tygodni, lecz będzie następować znaczna poprawa. Staraj się nosić delikatne, obszerne rzeczy, które nie będą urażać blizny i będą ją chronić. Przypadkowe kłucia i inne odmiany miejscowego bólu w okolicy blizny, również swędzenie, są normalnym zjawiskiem, jeśli chodzi o gojącą się ranę. Zdrętwienie skóry dookoła blizny będzie trwało przez dłuższy czas, prawdopodobnie przez wiele miesięcy. Przed całkowitym zagojeniem się prawdopodobnie zniknie guzełkowatość w obrębie blizny, a sama blizna będzie koloru różowoczerwonego. Jeżeli odczujesz, że ból przedłuża się, skóra dookoła linii cięcia ma kolor żywoczerwony lub gdy zauważysz sączącą się z rany brązową lub żółtą wydzielinę – zgłoś się do lekarza. Istnieje wtedy podejrzenie zakażenia rany (mała ilość przejrzystego płynu wydobywająca się z rany jest normą, lecz możesz powiadomić o tym lekarza prowadzącego).

Odczekaj 4 tygodnie przed rozpoczęciem współżycia. W zależności od stopnia gojenia się rany i stanu szyjki macicy lekarz może zalecić ci powstrzymanie się od współżycia przez okres od 4-6 tygodni (chociaż inne rodzaje uprawiania miłości są z pewnością do zaakceptowania; patrz. s. 404, znajdziesz tam odpowiednie informacje). Nawiasem mówiąc, jesteś bardziej predysponowana do odbywania stosunków płciowych niż kobieta po porodzie drogami natury.

Rozpoczęcie ćwiczeń fizycznych, gdy nie odczuwasz bólu. Nie masz prawdopodobnie nadwerężonych mięśni krocza i nie musisz wykonywać ćwiczeń Kegla, chociaż mogą one się przydać każdemu. Szczególną uwagę zwróć na mięśnie brzucha (s. 408). Ćwicz według zasady „wolno i równomiernie". Wchodź w program stopniowo i kontynuuj go codziennie. Bądź przygotowana na to, że powrót do stanu sprzed porodu zajmie ci kilka miesięcy.

ROZPOCZĘCIE WSPÓŁŻYCIA

Mój lekarz mówi, że muszę odczekać sześć tygodni przed podjęciem stosunków płciowych. Przyjaciele mówią, że nie jest to konieczne.

Jest rzeczą pewną, że twój lekarz lepiej zna stan twojego zdrowia niż twoi przyjaciele. Jego zakazy wynikają ze znajomości przebiegu twojego porodu, z tego, czy miałaś nacięcie lub pęknięcie krocza oraz z tego, jak wracasz do zdrowia. Są lekarze, którzy stosują zasadę 6 tygodni dla wszystkich swoich pacjentek, niezależnie od ich stanu ogólnego. Jeżeli sądzisz, że jesteś w stanie podjąć wcześniej stosunki płciowe, a twój lekarz należy do tych, którzy stosują w/w zasadę – zapytaj go o to. Będzie to możliwe w przypadku, gdy twoja szyjka zagoiła się, a wydzieliny zatrzymały się. Dla własnej wygody lepiej jest odczekać konieczny okres, aż do momentu, gdy stosunki płciowe nie będą ci sprawiały bólu. Czekanie 6 tygodni nie rani (w każdym razie fizycznie), natomiast nieczekanie może to uczynić.

BRAK ZAINTERESOWANIA „UPRAWIANIEM MIŁOŚCI"

Od czasu urodzenia dziecka nie jestem zainteresowana seksem.

Seks wymaga energii, koncentracji i czasu – wszystkiego, czego brakuje młodym rodzicom. Libido twoje i twojego męża musi regularnie konkurować z besennymi nocami, męczącymi dniami, brudnymi pieluchami i bez końca płaczącym dzieckiem. Twoje ciało wciąż powraca do zdrowia po urazie, jakim był poród, a poziomy hormonów ponownie ulegają normalizacji. Obawy przed bólem, przed uszkodzeniem narządów wewnętrznych, przed tym, że nie jesteś taka sama jak przed porodem, przed ponownym zajściem w ciążę – mogą niekorzystnie wpływać na ciebie. Jeżeli karmisz piersią, to podświadomie możesz być zaspokojona seksualnie. Poza tym uprawianie miłości może stymulować niewygodny wyciek mleka. Co by nie powiedzieć, nie jest to czymś zaskakującym, a zupełną prawidłowością, gdy twoje potrzeby seksualne są okresowo zmniejszone, niezależnie od tego, jakie były przedtem. Ale zdarza się też, że niektóre kobiety mają wzmożone potrzeby seksualne, nawet bezpośrednio po porodzie, kiedy istnieje jeszcze przekrwienie w obrębie narządów płciowych.

Jeśli twoim głównym problemem jest brak zainteresowania seksem, poniżej zamieszczono niektóre sposoby powrotu do praktyk seksualnych. Wybór, który z tych sposobów będzie odpowiedni dla ciebie, zależeć będzie właśnie od ciebie, twojego męża i rodzaju twoich problemów.

Nie śpiesz się ze swoim pożądaniem. Potrzebujesz 6 tygodni, aby twoje ciało powróciło do prawidłowego fizjologicznego stanu. Czasami okres ten jest dłuższy, szczególnie gdy miałaś trudny poród lub cięcie cesarskie. Poziomy twoich hormonów nie wrócą do przedporodowych wartości, dopóki nie zaczniesz normalnie miesiączkować. Jeżeli karmisz piersią, miesiączka nie pojawi się przez wiele miesięcy. Nawet wtedy, gdy twój lekarz namawia cię do rozpoczęcia życia płciowego, nie rób tego, jeżeli nie czujesz się dostatecznie dobrze psychicznie i fizycznie. A jeśli już zaczniesz, rób to powoli, uprawiaj petting, ale bez penetracji.

Nie zniechęcaj się bólem. Wiele kobiet jest zaskoczonych i zniechęconych, gdy dowiadują się, że poporodowe stosunki płciowe mogą stać się źródłem bólu. Jeśli miałaś nacięcie krocza lub nastąpiło pęknięcie krocza podczas porodu, mogą wystąpić pewne dolegliwości (z nasileniem od delikatnych do ostrych), trwające tygodniami lub nawet miesiącami po ściągnięciu szwów. Dolegliwości te mogą pojawiać się podczas stosunków płciowych, mogą być mniej silne, jeśli rodziłaś bez uszkodzenia krocza, a nawet gdy miałaś cięcie cesarskie. Dopóki ból nie zmniejszy się, możesz spróbować go ograniczyć sposobami opisanymi w tabeli *Łatwy powrót do seksu.*

Znajdź inne źródła zadowolenia. Jeśli stosunki płciowe są bolesne, poszukaj innego źródła satysfakcji seksualnej, np. poprzez wzajemną masturbację lub seks oralny. Jeśli oboje jesteście zbyt pruderyjni, znajdźcie po prostu przyjemność w przebywaniu we dwoje. To nic złego leżeć w łóżku razem, całując się itp.

Łatwy powrót do seksu

Nawilżanie. Obniżone poziomy hormonów w okresie poporodowym (nie wracają do normy z powodu karmienia piersią) mogą spowodować niewygodną suchość w pochwie. Używaj kremów nawilżających, takich jak K-Y Jelly, dopóki nie powróci twoja własna wydzielina.

Używaj leków, jeśli to konieczne. Lekarz prowadzący może przepisać ci estrogen w kremie, aby zmniejszyć ból i tkliwość.

Upijanie się. Nie upijaj się (zbyt dużo alkoholu może być toksyczne dla dziecka, jeśli karmisz piersią), lecz czerp satysfakcję ze wspólnego wypicia razem z mężem szklanki dobrego wina przed uprawianiem miłości. Da to wam obojgu rozluźnienie fizyczne i psychiczne. Zmniejszy także twoje odczuwanie bólu lub pozbawi cię obawy przed nim. Stosuj pozycje relaksujące, aby pozbyć się obaw.

Różne pozycje. Bok do boku lub kobieta na mężczyźnie; pozycje te pozwolą na większą kontrolę penetracji i zmniejsza możliwość nacisku na okolicę krocza (nacięcia). Wypróbuj, która pozycja jest dla ciebie wygodniejsza.

Nie oczekuj zbyt wiele. Nie oczekuj spontanicznego orgazmu podczas pierwszego stosunku po porodzie. Niektóre kobiety zwykle osiągają orgazm, nie mając go uprzednio przez wiele tygodni lub dłużej. Podejdźcie do sprawy z miłością i cierpliwością, a seks stanie się z pewnością tak satysfakcjonujący jak zawsze lub nawet bardziej.

Przystosuj swoje życie seksualne do wymogów, jakie stawia przed tobą obecność dziecka w domu. Gdy dotychczasowa „partnerska dwójka" przekształci się w trzyosobowy tłumek, nie będziesz mogła uprawiać miłości, kiedy będziesz miała na to ochotę. Zamiast tego będziesz musiała to robić, gdy będzie ku temu okazja (np. gdy dziecko będzie spało o godzinie trzeciej po południu w sobotę) lub też planuj odtąd wszystko naprzód. Nie sądź, że seks niespontaniczny nie może być fajny. Traktuj „planowanie zawczasu" jako okres wyczekiwania na kochanie się (np. dziecko zaśnie o ósmej – nie mogę się już doczekać). Zaakceptuj stosunki przerywane (będzie ich wiele) z poczuciem humoru, spróbuj zacząć od nowa, tak szybko jak możesz. Pogódź się z tym, że seks nie będzie tak częsty jak przedtem. Postaw na jakość, a nie na ilość.

Nie bądź perfekcjonistką. Wielkie zmęczenie po porodzie jest rzeczą naturalną. Wdrożenie się do nowych zadań rodzicielskich też nie jest łatwe. Lecz wiele rzeczy robi się niepotrzebnie, czym doprowadzasz się do przemęczenia. Chcesz zrobić zbyt wiele w zbyt krótkim czasie. Spakuj więc swoje białe rękawiczki i czasami daj sobie spokój z ciągłym sprzątaniem. W kuchni korzystaj częściej z mrożonek (oczywiście świeżych), zaoszczędzisz w ten sposób trochę energii, którą będziesz mogła wykorzystać do miłości.

Wzajemne rozumienie się. Rzeczywiście udane współżycie płciowe musi być budowane na wzajemnym zaufaniu, rozumieniu się i porozumieniu. Jeśli np. po całodziennych trudach macierzyństwa jesteś zbyt zmęczona, aby się kochać, nie tłumacz się bólem głowy. Bądź uczciwa. Mąż, który jest przecież również zaangażowany w opiekę nad dzieckiem, jest w stanie to zrozumieć. Jeśli stosunek sprawia ci ból, nie bądź męczennicą i nie znoś tego bez słów. Wytłumacz, co sprawia ci ból, porozmawiaj o tym, co jest przyjemne, co byś chciała zmienić następnym razem.

Nie martw się. Niezależnie od tego, jak się czujesz w obecnej chwili, stopniowo powrócisz do swego dawnego życia płciowego i będziesz mu się oddawała z taką samą pasją i przyjemnością jak dawniej. (A ponieważ rodzicielstwo na ogół bardziej zbliża małżonków do siebie, może w twoim przypadku być tak, że płomień uczuć nie tylko zostanie rozniecony na nowo, ale będzie się palił jaśniej niż przedtem). Wobec tego zamartwianie się teraz może tylko wywołać przygnębienie.

PONOWNE ZAJŚCIE W CIĄŻĘ

Myślałam, że karmienie piersią jest jakąś formą zabezpieczenia przed zajściem w ciążę. Teraz słyszę, że w czasie karmienia piersią mogę zajść w ciążę, nawet przed ponownym rozpoczęciem miesiączkowania.

Stopień, w jakim polegać możesz na tym wyznaczniku kontroli urodzeń, zależy od stopnia ryzyka, jakie chcesz podjąć. Jeżeli jesteście młodym małżeństwem, ponowne zajście w ciążę w ciągu krótkiego czasu nie jest najlepszym wyjściem w zakresie planowania rodziny. Jeżeli nie chcesz, aby decydował o tym przypadek, to karmienie piersią nie jest najlepszym sposobem antykoncepcji.

To prawda, że kobieta karmiąca piersią zaczyna miesiączkować później niż kobiety, które nie karmią. U kobiet, które nie wytwarzają mleka, miesiączka zwykle pojawia się między 4 a 8 tygodniem po porodzie; u kobiet, które wytwarzają mleko, pojawia się natomiast między 3 a 4 miesiącem. Jednak jak zwykle statystyka zawodzi. U kobiety karmiącej piersią miesiączka powinna pojawić się nie wcześniej niż po 6 tygodniach i nie później niż po 18 miesiącach po porodzie.

Problem jednak w tym, że nie da się przewidzieć, kiedy nastąpi u ciebie pierwsza po porodzie miesiączka. Wpływ ma na to wiele czynników. I tak np. częstość karmienia (więcej niż 3 razy dziennie) zdaje się bardziej hamować owulację. Podobną zależność udało się sformułować, jeżeli chodzi o czas karmienia – im dłużej karmisz, tym skuteczniej hamuje to owulację; jeżeli uzupełnisz karmienie, dając swojemu dziecku choćby tylko butelkę wody, możesz zakłócić antyowulacyjny efekt.

Dlaczego należy brać pod uwagę możliwość zajścia w ciążę przed pierwszą miesiączką po porodzie? Ponieważ czas, w którym nastąpi pierwsza po porodzie owulacja, jest nieznany, tak jak to się ma z pierwszą miesiączką. Niektóre kobiety mają pierwszy cykl niepłodny, tj. cykl przebiega bez owulacji. Inne jajeczkują i z tego powodu mogą zajść w ciążę bez wystąpienia pierwszego krwawienia miesięcznego. Dlatego nie możesz przewidzieć, jaka sytuacja zajdzie u ciebie – czy krwawienie miesięczne, czy jajeczkowanie. Dla uzyskania informacji o wyborze metody zapobiegającej ciąży zapoznaj się z książką *Pierwszy rok życia dziecka.*

Oczywiście nie wszystko jest sprawą przypadku, ale wiedza medyczna musi dopiero znaleźć środek w 100% gwarantujący zabezpieczenie przed przypadkowym zajściem w ciążę. Tak więc jeżeli używasz środków antykoncepcyjnych, a w szczególności jeżeli ich nie używasz – zajście w ciążę jest możliwe. No i tak się niefortunnie składa, że nie będzie tego pierwszego objawu ciąży, jakiego będziesz oczekiwała, tzn. braku miesiączki, bo jeśli karmisz piersią, nie miesiączkujesz. Widoczny będzie natomiast w przypadku ponownego zajścia w ciążę zmieniony skład twojego mleka. Będzie to konsekwencją zmiany poziomu hormonów (ciąża i karmienie łączą się z wystąpieniem dużych zmian poziomów hormonów). Możesz poza tym spostrzec niektóre inne symptomy ciąży (patrz s. 31). Oczywiście, jeśli podejrzewasz, że mogłaś zajść w ciążę, powinnaś zgłosić się do lekarza, najszybciej jak możesz. Jeśli zaszłaś w ciążę, możesz kontynuować karmienie piersią tak długo, jak długo temu podołasz. Będziesz jednak potrzebować dużo wypoczynku i dobrego odżywiania. Po porodzie nowo narodzone niemowlę powinno mieć w karmieniu pierwszeństwo.

WYPADANIE WŁOSÓW

Wydaje mi się, że nagle zaczęły mi wypadać włosy.

Utrata włosów w twoim stanie jest normalna i nie doprowadzi do wyłysienia. Zwykle dziennie wypada 100 włosów, lecz w krótkim czasie zostaną one zastąpione nowymi. W czasie ciąży (tak samo, gdy zażywasz tabletki antykoncepcyjne) zmiany hormonalne zmniejszają wypadanie włosów. Lecz zwłoka ta jest tylko czasowa. Włosy są gotowe do wypadnięcia i wypadną w okresie między 3 a 6 miesiącem po porodzie, lub gdy przestaniesz zażywać tabletki antykoncepcyjne. Niektóre kobiety karmiące piersią zwracają uwagę na to, że włosy, które wypadły, nie odrastają, dopóki dziecko nie zostanie ostatecznie odstawione od piersi. By umożliwić dobry wzrost włosom, zażywaj witaminy oraz odżywiaj się prawidłowo i dbaj o higienę włosów, tzn. używaj szamponów tylko wówczas, gdy to konieczne, używaj „rzadkiego" grzebienia, stosuj odżywki do włosów, unikaj wysokiej temperatury – suszarek do włosów, lokówek. Odłóż też wszelkie ondulacje i farbowanie włosów, poczekaj, aż włosy wrócą do stanu sprzed porodu. To, że straciłaś tyle włosów po tym porodzie nie znaczy, że stracisz tyle samo po następnym. Twój organizm za każdym razem może zareagować inaczej.

ZAŻYWANIE KĄPIELI

Wydaje mi się, że jest bardzo dużo sprzecznych informacji na temat, czy zażywać kąpieli w okresie poporodowym, czy też nie. Jak jest naprawdę?

Był okres, że nie pozwalano młodym matkom na kąpiel przez miesiąc po porodzie. Spowodowane to było obawą przed możliwością zakażenia, jaką niesie ze sobą woda w wannie. Dzisiaj wiadomo już, że woda używana do kąpieli nie przedostaje się do pochwy, a zatem możliwość rozwoju infekcji – jako konsekwencji kąpieli – nie zaprząta już głowy lekarzom. Część lekarzy zaleca kąpiel już w szpitalu (jeżeli wanna jest dostępna), ponieważ wierzą, że kąpiel bardziej efektywnie niż natrysk usuwa resztki wydzieliny z krocza i zagłębień między wargami sromowymi. W dodatku ciepła woda ma dobry wpływ na miejsce nacięcia krocza, zmniejsza tkliwość tkanek i ich obrzęk oraz zmniejsza hemoroidy. Być może jednak twój lekarz będzie wolał, żebyś kąpała się dopiero po powrocie do domu, a nawet później. Jeśli czujesz dużą potrzebę kąpieli (szczególnie gdy nie dysponujesz natryskiem w domu), przedyskutuj to ze swoim lekarzem. Może będziesz mogła uzyskać pozwolenie. Jeżeli kąpiesz się w czasie pierwszego lub pierwszych dwóch tygodni po porodzie, to sprawdź, czy wanna jest dobrze umyta (upewnij się, czy nie jesteś jedyną osobą, która szoruje wannę). Podczas pierwszych dni po porodzie korzystaj z pomocy przy wchodzeniu i wychodzeniu z wanny, ponieważ jesteś jeszcze osłabiona.

ZMĘCZENIE

Minęły prawie 2 miesiące od czasu, kiedy urodziłam dziecko, lecz czuję się bardziej zmęczona niż przedtem. Czyżbym była chora?

Sporo młodych matek jakby resztkami sił wlecze się do gabinetu lekarza, by poskarżyć się na chroniczne, potworne uczucie zmęczenia i wyczerpania. Kobiety te są przekonane, że padły ofiarą jakiejś choroby. A okazuje się, że prawie niezmiennie diagnoza jest jedna: klasyczny przypadek wyczerpania macierzyństwem. Do zjawisk rzadkich należy matka, która wymyka się powszechnie występującemu zjawisku zmęczenia macierzyństwem, polegającemu na ogólnym wyczerpaniu oraz totalnym niedostatku energii. Zmęczenie macierzyństwem nie jest czymś zaskakującym. Nie ma bowiem bardziej wyczerpującego zajęcia – zarówno emocjonalnie, jak i fizycznie – niż bycie matką. Wysiłek i napięcie psychiczne nie zamykają się w ramach ośmiogodzinnego dnia pracy przez 5 dni w tygodniu, tak jak to jest w innych zawodach. (Matki nie mają też regularnych przerw na obiad i kawę w godzinach pracy.) Macierzyństwu przeżywanemu po raz pierwszy towarzyszy także dodatkowy stres, nieodzowny przy podejmowaniu nowego zajęcia, bo stale trzeba się czegoś nowego uczyć, popełnia się błędy, i stale są problemy do rozwiązania. I jakby nie dość było powodów do wystąpienia objawów wyczerpania macierzyństwem, dochodzi do tego jeszcze ubytek energii, którą kobieta traci na karmienie piersią, wysiłek, jaki pochłania przenoszenie na rękach szybko rosnącego noworodka i przenoszenie innych przedmiotów codziennego użytku z noworodkiem związanych, oraz nie przespane, jedna po drugiej, noce. Sprawdź dla pewności, podczas kolejnej wizyty u lekarza, czy nie istnieją w twoim przypadku inne medyczne przesłanki tego ogólnego wyczerpania. Jeżeli lekarz potwierdzi, że jesteś całkowicie zdrowa, bądź w tym momencie pewna, że czas, doświadczenie i całonocny sen twojego dziecka stopniowo przyniosą ci ulgę. Twój organizm wnet powróci do normy i będziesz mogła stawić czoło nowym zadaniom. Poziom twojej energii życiowej także wkrótce powinien się odrobinę podnieść. A tymczasem spróbuj zastosować się do rad, które skutecznie zwalczają depresję (zawartych na s. 399) i nierozerwalnie związane są z ogólnym wyczerpaniem fizycznym.

CO WARTO WIEDZIEĆ
Powrót do normalnej sylwetki

Czymś innym jest wyglądać jak ciężarna w szóstym miesiącu ciąży, kiedy się właśnie jest w szóstym miesiącu, a całkiem czymś innym wyglądać tak, gdy się jest już po porodzie. Niestety większość kobiet nie może oczekiwać, że opuści salę porodową, mając sylwetkę szczuplejszą, niż to było w chwili, gdy do tej sali była przyjmowana z małym jedynie zawiniątkiem w ramionach i kilkoma rzeczami na sobie. Zatem lepiej będzie, gdy do paczki z rzeczami na powrót do domu, do której chyba zbyt optymistycznie włożyłyśmy wąską spódnicę-rurkę, zapakujemy obszerniejszy strój, jako środek zaradczy na depresję.

A ile czasu upłynie od chwili, gdy zostałaś matką, do momentu kiedy przestaniesz wyglądać jak przyszła matka? Ćwicząc aktywnie, osiągniesz to w zaledwie kilka miesięcy.

„Komu potrzebne są ćwiczenia? – zapytasz być może. – Jestem przecież w nieustannym ruchu, odkąd wróciłam ze szpitala do domu. Czy to się w ogóle nie liczy?"

Niestety, niewiele. Są to niewątpliwie wyczerpujące czynności, ale ten rodzaj aktywności nie wzmacnia mięśni krocza i brzucha, które uległy zwiotczeniu po ciąży i porodzie. I tylko specjalny program ćwiczeń zapewni ci wzmocnienie tych grup mięśni.

Ćwiczenia możesz rozpocząć już w 24 godziny po porodzie. Lecz bądź ostrożna, nie ćwicz nadgorliwie. Poniżej opisane ćwiczenia są przeznaczone dla zdrowych kobiet, które przebyły poród drogami naturalnymi.

Jeśli miałaś poród operacyjny, skonsultuj się przed przystąpieniem do ćwiczeń z twoim lekarzem.

PODSTAWOWE ZASADY

- Rozpoczynaj każdy etap ćwiczeń najmniej wyczerpującymi ćwiczeniami; zaczynaj od rozgrzewki.
- Stosuj raczej krótkie i częste sesje ćwiczeniowe, nie ćwicz raz dziennie, bardzo długo (jest to korzystniejsze dla osiągnięcia odpowiedniego napięcia mięśni).
- Jeśli masz czas i ćwiczenia sprawiają ci radość, zapisz się na kurs opracowany dla młodych matek lub kup książkę opisującą ćwiczenia poporodowe i rozwiń intensywny program. Jeżeli ten plan nie odpowiada ci, uprawiaj po prostu regularnie parę prostych rutynowych ćwiczeń – pomoże ci to również w powrocie do sylwetki sprzed porodu. Zwróć szczególnie uwagę na ćwiczenia dotyczące mięśni okolic brzucha, ud, pośladków.
- Uprawiaj ćwiczenia powoli, nie wykonuj szybkich serii powtórkowych, po każdym takim ćwiczeniu powinna być pauza.
- Odpoczywaj krótko pomiędzy ćwiczeniami (właściwa struktura mięśni pojawi się po odpowiednich ćwiczeniach, a nie kiedy jesteś w ruchu).

Unoszenie głowy

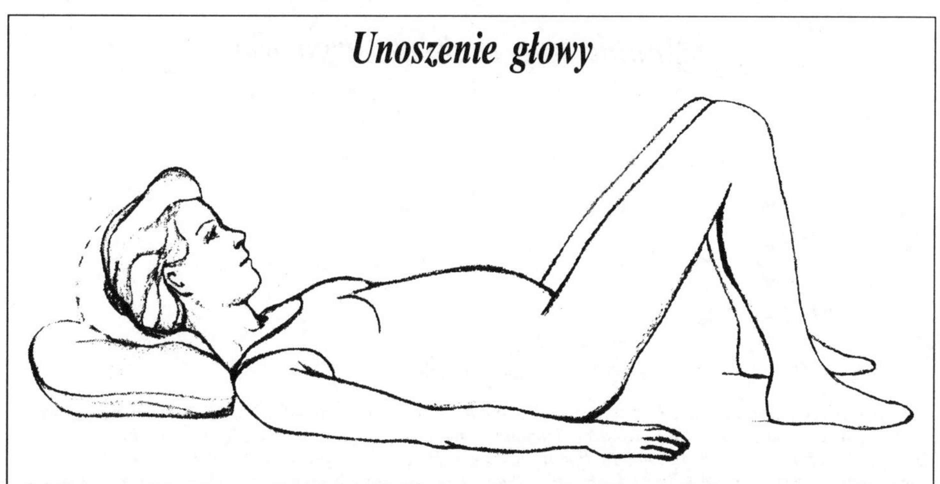

Połóż się w pozycji podstawowej. Weź głęboki oddech; bardzo powoli spróbuj unieść głowę; zatrzymaj oddech aż do pełnego uniesienia głowy, po czym oddychaj; następnie zatrzymując oddech, powoli połóż głowę. Oddychaj. Podnoś głowę z każdym dniem coraz wyżej, stopniowo również spróbuj unosić barki. Przez pierwsze 3-4 tygodnie staraj się nie unosić do pozycji siedzącej, później tylko wówczas, kiedy będziesz miała już odpowiednie napięcie mięśni brzucha.

- Nie czyń więcej, niż to zalecone, nawet jeżeli czujesz, że możesz.
- Kończ ćwiczenia, zanim poczujesz się zmęczona; jeżeli przesadzisz, ćwicząc zbyt forsownie, nie odczujesz tego w tym samym dniu, ale następnego dnia nie będziesz w stanie ćwiczyć.
- Nie pozwól, by ćwiczenia odbywały się kosztem macierzyństwa, twoje dziecko może podczas prostych ćwiczeń leżeć czule przytulone do piersi.
- Do końca szóstego tygodnia po porodzie nie uprawiaj takich ćwiczeń, jak:
  – kolana przy klatce piersiowej,
  – całkowity przysiad i powstanie;
  – podnoszenie obu nóg naraz.

Ćwiczenia Kegla mogą być stosowane w każdej dogodnej pozycji. Wszelkie inne ćwiczenia mogą być uprawiane w pozycji podstawowej: leżąc na plecach, kolana zgięte, stopy rozstawione na bok w odległości 30 cm od siebie, płasko przylegają do podłogi, głowa i barki chronione przez poduszkę, ręce swobodnie leżą wzdłuż ciała (patrz s. 198).

Pierwsze, wczesne ćwiczenia mogą być uprawiane podczas leżenia w łóżku. Do dalszych ćwiczeń zaleca się twarde podłoże, takie jak podłoga (korzystnym zakupem może być specjalna mata do ćwiczeń, która później może wspaniale służyć raczkującemu dziecku).

I FAZA ĆWICZEŃ: 24 GODZINY PO PORODZIE

Ćwiczenia Kegla. Możesz rozpocząć je bezpośrednio po porodzie (wskazówki znajdziesz na s. 198), mimo że nie będziesz się czuła dobrze, wykonując je po raz pierwszy. Ćwiczenia te mogą być wykonywane w łóżku – na leżąco lub podczas siedzącej kąpieli. W trakcie oddawania moczu napinając mięśnie, staraj się wstrzymać jego wypływ, a następnie rozluźniając mięśnie, kontynuuj oddawanie moczu. Ćwiczenia te powtarzaj wielokrotnie. Gdy mięśnie odzyskają odpowiednie napięcie, dojdziesz do takiej wprawy, że będziesz mogła pozwolić na wypływ tylko kilku kropli moczu pomiędzy dwoma etapami ćwiczenia.

Głębokie przeponowe oddychanie. Leżenie w pozycji podstawowej; połóż dłonie na brzu-

Zginanie nóg ruchem ślizgowym

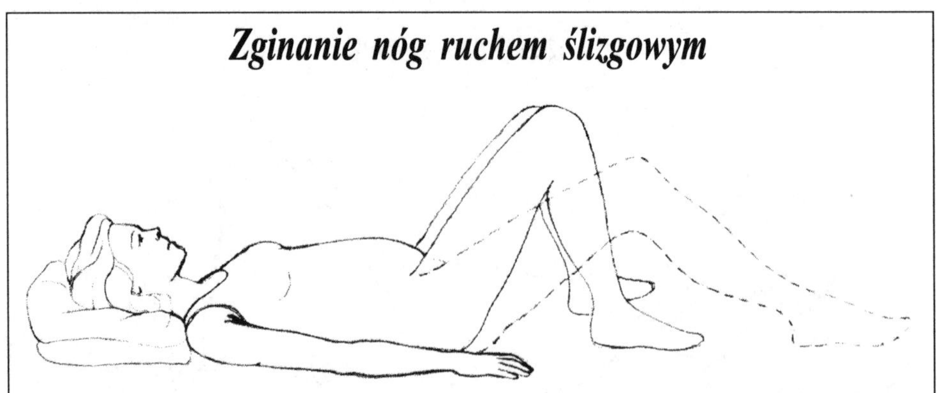

Przyjmij pozycję podstawową. Powoli wyciągnij obie nogi płasko na podłodze. Następnie ruchem ślizgowym cofnij prawą stopę jak najbliżej pośladka, zginając jednocześnie nogę w kolanie. Wytrzymaj chwilę w takiej pozycji – poczujesz ból w okolicy krzyża. Ponownie ruchem ślizgowym wyprostuj nogę. Powtórz to samo z drugą nogą. Kontynuuj ćwiczenia 3-4 razy każdą stopą. Stopniowo zwiększaj liczbę powtórzeń, aż dojdziesz do tuzina lub do liczby bardziej odpowiedniej dla ciebie.

chu, wykonaj wolny wdech przez usta, poczujesz teraz, jak brzuch unosi się. Rozpocznij ćwiczenia od 2-3 głębokich oddechów, jeden po drugim, unikając hiperwentylacji. (Sygnałami świadczącymi o tym, że przesadziłaś, będą zawroty głowy, bladość, uczucie mrowienia na skórze, czerwone plamki przed oczami. Spójrz na s. 296, znajdziesz tam wskazówki, jak zachować się w przypadku wystąpienia objawów hiperwentylacji.)

II FAZA ĆWICZEŃ: 3 DNI PO PORODZIE

Minęły trzy dni od twojego porodu, tak więc możesz rozpocząć bardziej poważne ćwiczenia, lecz pod warunkiem że upewniłaś się, iż para prostych mięśni twojego brzucha nie jest rozdzielona po ciąży. Rozstęp mięśni prostych brzucha jest powszechnym zjawiskiem, szczególnie u kobiet, które rodziły kilkakrotnie. Stan ten może ulec pogorszeniu, jeżeli podejmowałaś wysiłek fizyczny, nawet łagodny, po porodzie przed zagojeniem rozstępu. Zapytaj lekarza lub pielęgniarkę o obecny stan tych mięśni lub sprawdź to sama w następujący sposób. Jeśli leżysz w pozycji podstawowej, powoli unieś głowę i wyciągnij ramiona do przodu, jeśli teraz poczujesz miękkie uwypuklenie poniżej pępka, to wskazuje to na rozstęp tych mięśni. Jedno z poniższych ćwiczeń umożliwi ci korekcję tego rozstępu. Przyjmij pozycję podstawową, wdech. Skrzyżuj ręce ponad brzuchem, palcami staraj się przyciągnąć oba proste mięśnie brzucha do siebie, po czym podczas wdechu unoś głowę. Powtarzaj 3-4 razy dziennie.

Jeżeli rozstęp jest już zamknięty lub nie stwierdzono u ciebie występowania tej dolegliwości, możesz rozpocząć jedno z opisanych ćwiczeń: podnoszenie głowy, zginanie nóg w kolanach, zgięcie tułowia (spójrz na ilustrację na s. 199). Połóż się na plecach, przyjmując podstawową pozycję. Podczas wdechu staraj się delikatnie unieść plecy, tak jakbyś chciała usiąść na łóżku. Następnie odpoczywaj, oddychając. Powtórz ćwiczenie 3-4 razy, stopniowo zwiększając liczbę powtórzeń do 12, a następnie do 24 razy.

III FAZA ĆWICZEŃ: PO KONTROLI POPORODOWEJ

Teraz za pozwoleniem lekarza możesz rozpocząć uprawianie bardziej aktywnych ćwiczeń. Możesz stopniowo powrócić do poprzednio uprawianych przez ciebie ćwiczeń lub zacząć od zera, np. spacerowanie, bieganie, pływanie, gimnastyka, jazda na rowerze lub coś w tym rodzaju. Lecz nie próbuj robić zbyt wiele, zbyt szybko. Klasa ćwiczeń poporodowych prowadzona przez wykwalifikowanego instruktora może być najlepszą drogą do zapoczątkowania bardziej aktywnego życia.

Poporodowe ćwiczenia mogą dać ci więcej niż tylko spłaszczenie brzucha lub nadanie właściwego napięcia mięśniom krocza. Ćwiczenia te pomogą ci uniknąć takich dolegliwości, jak: nietrzymanie moczu, wypadanie narządów miednicy mniejszej, problemy seksualne. Ćwiczenia mięśni brzucha pozwolą zmniejszyć ryzyko wystąpienia bólów krzyża, żylaków, kurczów mięśni nóg, obrzęków i tworzenia się zakrzepów w żyłach, dzięki dobremu uruchomieniu krążenia. Regularne ćwiczenia mogą również spowodować polepszenie gojenia się poranionej macicy, mięśni brzucha i miednicy oraz przyśpieszyć powrót odpowiedniego napięcia mięśniowego.

Zaprogramowana aktywność fizyczna, odpowiednie ćwiczenia pomogą również wrócić do normy połączeniom kostnym i stawowym, rozluźnionym ciążą i porodem, i zabezpieczy je przed możliwością osłabienia lub nadwerężenia. Pamiętać też należy, że w ostatecznym rozrachunku ćwiczenia dają korzyści psychiczne (spytaj kobiet, które już przez to przeszły przed tobą), uzbrajają cię w zdolność unikania stresu i korzystania z relaksu oraz zminimalizują możliwość wystąpienia depresji.

20

Ojcowie także oczekują

Obecnie matki i ojcowie dzielą nie tylko radości płynące z ciąży, porodu i wychowania dzieci, ale również zmartwienia. W znacznej części doznania te są dla całej oczekującej rodziny wspólne. Jak dotąd, nie tylko podczas ciąży i porodu, lecz również w okresie poporodowym ojciec obarczony jest niejednym zmartwieniem.

Stąd niniejszy rozdział dedykowany jest równemu, jednak często niedocenianemu partnerowi. Jednakże nie jest on przeznaczony wyłącznie dla ojców, podobnie zresztą, jak i pozostała część książki nie jest adresowana tylko do matek. Oczekująca matka może, czytając ten rozdział, uzyskać wiele wartościowych informacji dotyczących tego, co jej mąż czuje, czego się obawia i jakie ma nadzieje. Z kolei „oczekujący" ojciec może lepiej zrozumieć zmiany fizyczne i emocjonalne, jakie będą zachodziły u jego żony podczas ciąży, porodu i w okresie poporodowym, a tym samym lepiej przygotować się do swej roli.

Co może cię niepokoić

Uczucie opuszczenia

Tyle uwagi skupia się na mojej żonie, od kiedy zaszła w ciążę, że czuję się tak, jakbym ja nie miał w tym żadnego udziału.

W minionych pokoleniach udział mężczyzny w procesie rozrodu kończył się z chwilą zapłodnienia jego nasieniem komórki jajowej żony. Przyszli ojcowie mieli obserwować ciążę z daleka, a porodu w ogóle nie. W minionej dekadzie poczyniono niezaprzeczalnie wielkie postępy w kwestii praw ojca. Jednak reedukacja społeczna nie zmieniła faktu, iż ciąża jest tylko w ciele kobiety, ani tego, że niektórzy ojcowie są zagubieni, co w dużej mierze wypływa z niedbałości kobiety, a kończy się uczuciem zapomnienia, opuszczenia, a nawet zazdrości o własne żony. Czasami nieświadomie za to odpowiedzialna jest kobieta, a czasami mężczyzna. Istotny jest sposób, w jaki rozwiąże się ten problem, zanim uraza urośnie i zdoła zepsuć to, co winno być najpiękniejszym doświadczeniem w życiu obojga rodziców.

Najlepiej rozwiążesz ten problem, jeśli zaangażujesz się w tak wiele aspektów ciąży twojej żony, jak tylko potrafisz.

Odwiedzaj ginekologa (lub położną) zawsze podczas wizyty żony lub tak często jak to możliwe. Większość lekarzy zachęci męża do uczęszczania na comiesięczne spotkania. Jeżeli twoje zajęcia nie pozwolą na takie wizyty, może uda ci się pójść na wizyty kluczowe (np. kiedy po raz pierwszy będzie można usłyszeć czynność serca płodu) i na badania przedporodowe (szczególnie na badanie ultrasonograficzne, kiedy możesz zobaczyć dziecko).

Przeżywaj ciążę. Nie musisz pokazywać się w pracy w stroju ciężarnej lub też wypijać kwartę mleka dziennie. Jednak zawsze możesz wykonywać z żoną ćwiczenia związane z ciążą, przestać bezwartościowo się odżywiać, na 9 miesięcy przerwać palenie, jeśli jesteś palaczem. Jeśli ktoś zaproponuje ci drinka, powiedz mu: „Nie, dziękuję, jesteśmy w ciąży".

Zdobywaj wiedzę. Nawet doktorzy nauk humanistycznych z Harvardu muszą się sporo nauczyć, gdy przychodzi ciąża i poród. Czytaj tyle książek i artykułów, ile możesz. Uczęszczaj z żoną do szkoły rodzenia, uczęszczaj na zajęcia dla ojców, gdy są dostępne w twoim środowisku. Rozmawiaj z przyjaciółmi i kolegami, którzy zostali ostatnio ojcami.

Nawiąż kontakt z twoim dzieckiem. Twoja żona wyczerpała już prawdopodobnie wszystkie możliwości poznania dziecka przed porodem, ponieważ jest ono wygodnie ukryte w jej macicy. Nie znaczy to, że ty również nie możesz rozpocząć poznawania nowego człowieka. Mów, czytaj i śpiewaj często swojemu dziecku; ono potrafi już słyszeć twój głos i rozpozna go po urodzeniu. Raduj się kopnięciami dziecka i jego ruchami, kładąc swoją dłoń lub policzek na odkrytym brzuchu żony – jest to również przyjemny sposób, aby dzielić z nią chwile intymności.

Odwiedzaj sklepy z wyprawkami. Pomyśl o łóżeczku, chodziku. Pomóż żonie urządzić pokój dziecięcy. Ogólnie mówiąc – bądź aktywny w poznawaniu, planowaniu i przygotowaniach do przyjęcia dziecka.

Mów o tym. Twoja żona może mimowolnie pomijać cię – może być nawet nieświadoma, że ty chciałbyś być bardziej zaangażowany. Żona byłaby najprawdopodobniej bardzo szczęśliwa, gdybyś był po prostu „włączony" w tę ciążę.

OBAWA O SEKS

Pomimo iż doktor zapewniał nas, że seks jest bezpieczny w ciąży, często mam kłopoty z uwagi na strach o zranienie mojej żony lub dziecka.

Nigdy oboje partnerzy tak często nie zastanawiają się nad seksem, jak pod czas ciąży. Dzieje się tak szczególnie wtedy, gdy ciąża postępuje i twój umysł (oraz libido) konfrontowany jest z problemem „wielkich rozmiarów": rozrastającym się ciężarnym brzuchem z jego drogocenną zawartością. Szczęśliwie tą sprawą możesz nie zaprzątać sobie głowy. Seks w prawidłowo przebiegającej ciąży o małym ryzyku nie jest źródłem żadnego niebezpieczeństwa ani dla matki, ani dla płodu. (Istnieje kilka zastrzeżeń, szczególnie w ostatnich dwóch miesiącach. Wyszczególniono je w podrozdziale *Współżycie płciowe podczas ciąży*, s. 175).

Uprawianie miłości z żoną nie tylko nie szkodzi (zakładając, że przeciwwskazania są respektowane), ale – jako że ciąża jest czasem emocjonalnego i fizycznego zbliżenia – może być dla kobiety wspaniałym okresem. Dotyczy to również dziecka, choć w tym czasie jest ono zazwyczaj zapomniane. Dziecko może być uspokojone przez łagodne ruchy kołyszące wywołane stosunkiem oraz kurczeniem się macicy w czasie orgazmu.

NASTROJE

Od kiedy mamy pozytywny wynik testu ciążowego, wydaje mi się, że moja żona i ja przechodzimy huśtawkę nastrojów. Kiedy ona czuje się dobrze, ja czuję się załamany i vice versa.

Ostatnio więcej badań skierowano na „ciężarnego" ojca, staje się bowiem oczywiste, że chociaż on nie nosi płodu, to może doświadczyć wielu z przedporodowych objawów, które są naturalne dla kobiety ciężarnej. Depresja podczas ciąży i poporodowa jest jednym z takich objawów. Chociaż depresja dotyka w około 1 na 10 sytuacji obu partnerów w tym samym okresie, to jest ona przez większość czasu spotykana u jednego z nich. Może to być spowodowane tym, że oznaki depresji u ukochanej osoby dają nam wewnętrzną siłę, aby wzbić się ponad nasze własne uczucia i służyć wsparciem.

Nie musisz się martwić o swoją ciążową depresję, jest ona powszechna i można się spodziewać, że ulegnie samoograniczeniu, jednak powinieneś podjąć kroki, aby temu zaradzić. Bądź aktywny i nie poddawaj się uczuciu załamania. Dyskutuj o swoich odczuciach z żoną (jeśli wyrazi chęć cię wysłuchać); z przyjacielem, który niedawno został ojcem lub nawet z własnym ojcem. Unikaj alkoholu i innych używek, które mogą nasilić depresję i wahania nastrojów; przygotuj się na przyjście dziecka zarówno psychicznie, jak i praktycznie (przez uczestnictwo w zakupach, malowanie pokoiku dziecięcego, organizowanie finansów itd.).

Możesz spróbować skorzystać również z innych rad dawanych matkom doświadczającym przedporodowej depresji (patrz s.126). Jeśli nic nie pomaga, a twoja depresja pogłębia się i zaczyna kolidować z pracą oraz z innymi aspektami twojego życia, należy szukać profesjonalnej pomocy wśród duchownych, lekarzy, terapeutów i psychiatrów.

ZNIECIERPLIWIENIE HUŚTAWKĄ NASTROJÓW ŻONY

Wiem, że to zmiany hormonalne u żony powodują, iż jest ona tak płaczliwa i zmienna. Jednak nie wiem, jak długo jeszcze potrafię być cierpliwy.

Jeśli cierpliwość jest cnotą, to będziesz musiał być bardzo cnotliwy do końca ciąży twojej żony. Chociaż stabilizacja poziomu hormonów do czwartego miesiąca ciąży łagodzi nasiloną, podobną do przedmiesiączkowej płaczliwość i melancholię obserwowaną we wczesnej ciąży, to stresy spowodowane byciem w ciąży pozostają. Tak więc u wielu kobiet nadal występują nagłe wybuchy emocji, jak i uczucia bezsilności. I może to często trwać aż do porodu.

Niewątpliwie nie będzie to łatwe i czasem możesz uznać to za wręcz niemożliwe. Istnieje również pewna wątpliwość, czy twoje wysiłki opłacą się. Rozrzewnienie, jeśli spotka się ze zrozumieniem, zniknie szybciej niż gdy spotka się ze złością i frustracją. Zaoferowanie ramienia żonie, aby się przez 15 minut wypłakała spowoduje, że nie będzie potrzeby znoszenia nie wyładowanego lęku przez następne dni. Spróbuj pamiętać, że ciąża nie jest stałym zjawiskiem i że zmiany w stanie emocjonalnym twojej żony są przejściowe, podobnie jak zmiany jej figury.

Bądź również świadomy, że depresja poporodowa może dotknąć także ojca i te same rady pozwolą ci później zwalczać smutek twojego dziecka.

OBJAWY WSPÓŁCZUCIA

Jeśli to moja żona jest w ciąży, dlaczego ja mam poranne nudności?

Możesz być zaliczony do grupy tych 11-65% (zależnie od badań) ojców, którzy przechodzą „zespół wylęgania" w czasie, gdy ich żony są w ciąży. Objawy wylęgania najczęściej pojawiają się w trzecim miesiącu i potem ponownie przy porodzie i mogą rzeczywiście przypominać normalne objawy ciąży: nudności, wymioty, ból brzucha, zmiany apetytu, przybór masy, znaczny głód, zaparcia, skurcze w nogach, zawroty głowy, zmęczenie i wahania nastroju.

Przedstawiono wiele teorii, aby wyjaśnić „zespół wylęgania" – któraś z nich może dotyczyć ciebie: współczucie i identyfikacja z ciężarną żoną; zazdrość z powodu bycia opuszczonym i wynikające stąd pragnienie zwrócenia na siebie uwagi; wina z poczucia odpowiedzialności za postawienie żony w tak niewygodnej sytuacji; stres z powodu życia z kobietą, która stała się tak pobudliwa, zmienna i co możliwe, przestała być atrakcyjna seksualnie; ponadto niepewność z uwagi na powiększenie się rodziny.

Oczywiście twoje objawy mogą również wskazywać na chorobę, stąd dobrym pomysłem jest pójście do lekarza. Jeśli badanie nie wykaże żadnych odchyleń, to „zespół wylęgania" będzie prawdopodobnym rozpoznaniem. Dobrze byłoby, gdybyś potrafił określić przyczynę, bo może to stanowić klucz do leczenia. Przykładowo, jeśli przyczyną jest zazdrość, to większe zaangażowanie w ciążę żony może przynieść ulgę w porannych nudnościach. Jeśli jest to niepewność z powodu trzymania noworodka po raz pierwszy, to wzięcie udziału w kursie opieki nad noworodkiem, czytanie książki *Pierwszy rok życia dziecka* lub spędzanie części czasu z dzieckiem przyjaciela może okazać się pomocne.

Nawet jeżeli nie możesz określić przyczyny twoich objawów, rozmowa z żoną o odczuciach odnośnie do ciąży, porodu i rodzicielstwa może ci ulżyć. Podobnie winny pomóc rozmowy z innymi oczekującymi rodzicami w szkole rodzenia. Jeśli nawet nic nie pomoże, bądź pewny, że twoje reakcje są prawidłowe i że wszystkie objawy, które nie ustąpiły w czasie ciąży, znikną wkrótce po porodzie.

Oczywiście, równie „normalny" jest ojciec, który nie ma objawów chorobowych nawet przez jeden dzień podczas ciąży żony. Jeśli nie odczuwa on porannych nudności ani nie przybiera na wadze, to nie znaczy, że nie identyfikuje się ze swoją żoną.

NIEPOKÓJ O ZDROWIE ŻONY

Wiem, że ciąża i poród są obecnie bezpieczne, jednak wciąż nie mogę przestać się martwić, że coś się stanie mojej żonie.

Jest coś niezaprzeczalnie bezbronnego w kobiecie ciężarnej. Stąd istnieje u ciebie, jako u kochającego męża, chęć ochrony żony przed wszystkimi możliwymi krzywdami. Jednakże możesz się rozluźnić. W istocie twojej żonie nic nie zagraża. Kobiety bardzo rzadko umierają w wyniku ciąży i porodu. W ogromnej większości są to kobiety, które nie korzystały z opieki lekarskiej w ciąży i nieprawidłowo się odżywiały.

Jednak nawet jeśli ciąża nie stanowi poważnej fizycznej groźby dla twojej żony, możesz pomóc, aby stała się ona jeszcze bezpieczniejsza i bardziej spokojna dla niej przez zapewnienie, iż otrzymuje ona najlepszą z możliwych opiekę medyczną i odżywia się w najwłaściwszy sposób (patrz rozdział 4). Powinieneś umożliwić jej też dodatkowy wypoczynek, podczas gdy ty robisz pranie, przygotowujesz obiad lub sprzątasz mieszkanie i dać jej psychiczne wsparcie, którego nikt inny nie może jej ofiarować (niezależnie od tego, jak daleko zaszła medycyna, kobieta ciężarna zawsze będzie psychicznie łatwa do zranienia).

NIEPOKÓJ O ZDROWIE DZIECKA

Jestem tak niespokojny, iż coś złego stanie się dziecku, że nie mogę nawet spać w nocy.

Matka w żadnym wypadku nie może mieć wyłączności na martwienie się. Tak jak prawie każda oczekująca matka tak też i faktycznie każdy „oczekujący" ojciec martwi się o zdrowie i pomyślność swojego nie narodzonego dziecka.

Na szczęście prawie zawsze taki niepokój jest niepotrzebny. W porównaniu z poprzednimi generacjami twoje dziecko ma ogromną szansę na to, że urodzi się żywe i całkowicie zdrowe. Nie musisz ograniczać się tylko do wyczekiwania i życia nadzieją, że będzie dobrze. Obecnie możesz przedsięwziąć pewne kroki, aby pomóc w zapewnieniu twojemu dziecku dobrego zdrowia.

- Upewnij się, że twoja żona ma dobrą opiekę medyczną od samego początku ciąży; że chodzi na wszystkie umówione wizyty i stosuje się do zaleceń lekarza.
- Zachęcaj ją do przestrzegania optymalnej diety, która znacznie zwiększy szansę posiadania zdrowego dziecka. Jeśli będziesz stosował tę dietę razem z nią, to prawdopodobnie żona będzie bardziej w nią wierzyła. Jednocześnie poprawi się stan twojego zdrowia.

- Upewnij się, że żona powstrzymuje się od alkoholu, narkotyków i tytoniu. Badania wskazują, że najlepiej możesz jej pomóc przez powstrzymywanie się samemu, a przynajmniej wtedy, kiedy jesteś z nią. Jeśli uważasz, że jest to duże poświęcenie, pomyśl o wszystkich ofiarach, jakie ona czyni, aby urodzić twoje dziecko.
- Ogranicz zarówno fizyczne, jak i emocjonalne stresy w jej życiu. Pomagaj w domu, przejmij niektóre z zadań, które tradycyjnie należały do niej. Pilnuj, by się nie przepracowywała. Jeśli twój terminarz spotkań jest zwykle zapełniony aż ponad miarę, spraw, by to się skończyło i większość wieczorów spędzajcie w domu, wypoczywając. Spróbujcie razem wykonywać ćwiczenia relaksujące (patrz s. 135).
- Zaznajom się z objawami świadczącymi o możliwych kłopotach w ciąży (patrz s. 137) i później w okresie poporodowym (patrz s. 381). Jeśli twoja żona ma jakieś z tych objawów, upewnij się, że przedsięwzięto odpowiednie działania. Jeśli to konieczne, zadzwoń do jej lekarza lub do stacji pogotowia ratunkowego. Żona może być zbyt zażenowana lub zbyt chora, aby mogła poradzić sobie sama.
- Podziel się swoimi obawami z żoną i pozwól, by i ona mogła opowiedzieć ci o swoich troskach. Pozwoli to wam obojgu ulżyć sobie lub przynajmniej sprawi, że ciężar zmartwień będzie lżejszy do zniesienia.

Oczywiście, nawet najbardziej uspokajające statystyki i najlepsze działania profilaktyczne prawdopodobnie nie będą w stanie usunąć wszystkich twoich zmartwień; tylko urodzenie zdrowego dziecka może to sprawić. Jednak świadomość, że robisz wszystko, co potrafisz, pozwoli ci oczekiwać i spać nieco spokojniej.

NIEPOKÓJ O ZMIANY W ŻYCIU

Od kiedy zobaczyłem go na sonogramie, wyczekiwałem na narodziny naszego syna. Jednak równocześnie obawiałem się, czy dobrze się będę czuł w roli ojca.

Prawdopodobnie każdy, kto po raz pierwszy miał zostać ojcem (a więc i ty też), niepokoił się – nawet bardziej niż oczekująca matka – na myśl o zbliżającym się ojcostwie i o tym, jaki wywrze ono wpływ na jego przyszłe życie. Obawy dotyczą na ogół następujących spraw:

Czy stać mnie na większą rodzinę? Szczególnie dzisiaj, kiedy koszty wychowania dzieci wzrosły niebotycznie, wielu przyszłych ojców nie sypia z uwagi na to słuszne pytanie. Jednakże, kiedy dziecko się urodzi, często stwierdzają, że zmiana priorytetów sprawia, iż pieniądze potrzebne na dziecko stają się osiągalne. Optowanie na rzecz karmienia piersią zamiast podawania butelki (jeśli to możliwe); akceptacja wszelkiej zaoferowanej pomocy; uzgadnianie z przyjaciółmi i rodziną, jakie prezenty są naprawdę potrzebne, a nie umożliwianie im zapełniania półek dziecka srebrnymi łyżeczkami lub innymi pokrywającymi się kurzem przedmiotami – to wszystko może ci pomóc w zredukowaniu kosztów opieki nad nowym przybyszem. Jeśli matka planuje nie wracać do pracy zaraz po porodzie i z punktu widzenia finansów niepokoi cię to, zauważ, że kiedy zestawisz koszty fachowej opieki nad dzieckiem i koszty odzieży do pracy, suma utraconych dochodów może okazać się minimalna.

Czy będę dobrym ojcem? Niewielu ludzi rodzi się dobrymi ojcami (lub matkami). Większość podejmuje wyzwanie chwili i uczy się, cierpliwie i wytrwale, z miłością. Jeśli czujesz, że brak ci praktycznego przygotowania, weź udział w zajęciach szkoły rodzenia, jeśli jest ona dostępna w twojej okolicy. Naucz się przewijać, kąpać, karmić, trzymać, ubierać i bawić się z dzieckiem. Jeśli jest to niemożliwe, a masz niezaspokojone pragnienie takiego przygotowania, możesz zagłębić się w stos książek na temat opieki nad dzieckiem.

Jak podzielimy opiekę nad dzieckiem? Nie było to problemem dla pokolenia naszych ojców lub pokoleń poprzednich, kiedy opieka nad dzieckiem w całej rozciągłości była uważana za kobiece zajęcie. Jednak większość współczesnych ojców jest świadoma, do pewnego stopnia, że rodzicielstwo jest zajęciem dla dwóch osób (oczywiście jeśli jest dwoje rodziców), chociaż nie są zupełnie pewni, jaki powinien być podział prac. Nie czekaj, aż dziecko będzie potrzebowało po raz pierwszy zmiany pieluchy w nocy lub pierwszej kąpieli, aby postawić to pytanie. Zacznij negocjować teraz.

Niektóre szczegóły mogą zmienić się, kiedy zaczniecie działać jako rodzice (ona zobowiązała się zmieniać pieluszki, ale ty robisz to, aby lepiej się tego nauczyć). Studiując sytuację w teorii teraz, będziecie spokojniejsi o to, jak opieka nad waszym dzieckiem będzie wyglądała później, w praktyce.

Czy będziemy musieli porzucić nasze życie towarzyskie? Nie będziecie musieli całkowicie porzucić waszego życia towarzyskiego po urodzeniu dziecka, jednak powinniście się spodziewać, że to się nieco zmieni – przynajmniej, jeśli obydwoje planujecie aktywnie uczestniczyć w rodzicielstwie. Nowe dziecko zajmuje i powinno zajmować centralne miejsce na scenie, przesuwając niektóre zwyczaje z dawniejszego życia czasowo na bok. Spotkania towarzyskie, filmy i widowiska mogą zostać „wciśnięte" pomiędzy karmienia. Obiady we dwoje w waszej ulubionej restauracji mogą być rzadsze, zwiększy się liczba posiłków w „rodzinnych restauracjach", w których toleruje się kręcące się dzieci. Dobieranie przyjaciół również może się zmienić; pary bezdzietne mogą nagle mieć niewiele wspólnego z tobą i możesz zacząć grawitować ku innym spacerowiczom z wózkami, szukając sympatycznego towarzystwa.

Czy nasze stosunki małżeńskie zmienią się? Każda para nowych rodziców stwierdza, że po porodzie w ich wzajemnych stosunkach zachodzą pewne zmiany. Przewidując te zmiany jeszcze podczas ciąży uczynicie pierwszy krok, aby temu zaradzić, po porodzie.

Od chwili przyjścia dziecka ze szpitala spontaniczna intymność i całkowita prywatność będzie drogocenną, często nieosiągalną wartością. Odtąd romanse trzeba będzie planować (na przykład babcia może zabrać dziecko na dwie godziny do parku), a nie działać bez namysłu.

Jednocześnie pamiętaj, że tak długo, jak oboje radzicie sobie z problemem spędzania czasu razem – to znaczy, czy opuścić ulubione widowisko w telewizji, aby wspólnie „spędzić" kolację, jeśli dziecko jest już w łóżku, czy też opuszczać sobotnią grę w golfa z kolegami, aby móc się kochać podczas popołudniowej drzemki dziecka – wasz związek poradzi sobie ze zmianami doskonale. Wiele par rzeczywiście stwierdza, że bycie w trójkę zdecydowanie pogłębia, nasila i udoskonala bycie we dwoje. (Więcej informacji w *Pierwszym roku życia dziecka*.)

WYGLĄD TWOJEJ ŻONY

Wydaje się to mało ważne, ale obawiam się, że moja żona w ciąży utyje i „zwiotczeje", a po ciąży już taka pozostanie.

Jeśli z uwagi na potrzeby położnicze twoja żona musiałaby przytyć w ciąży 50 kilogramów, ty (i niezliczona liczba innych oczekujących ojców, którzy podzielają twoje „małe" zmartwienie) nie miałbyś wyjścia; musiałbyś po prostu zaakceptować otyłość żony jako cenę zdrowego dziecka.

Bez wątpienia taki nadmiar kalorii, a zatem przyrost masy ciała, nie jest medycznie uzasadniony – i może rzeczywiście prowadzić do niepotrzebnych powikłań zarówno podczas ciąży, jak i porodu. Umiarkowany, stały, dokładnie monitorowany przyrost masy między 11 a 17 kilogramów, oparty na wysokowartościowym pożywieniu, zapewni twojemu dziecku składniki dla zdrowego rozwoju i bezpiecznego porodu – a twojej żonie szybki powrót do szczupłości po porodzie (patrz: *Dieta najlepszej szansy*, s. 103; *Przyrost masy ciała*, s. 162).

Poddawanie się surowej diecie nawet przez kilka tygodni nie jest łatwe. Podporządkowanie się jej przez dziewięć miesięcy może być prawie niemożliwe, chyba że stosujący dietę ma wsparcie, zrozumienie i pomoc swoich bliskich. W przypadku twojej żony to zadanie należy do ciebie. Wielu mężów nie tylko nie przychodzi z pomocą swoim żonom w tej sprawie, ale także nierozumnie sabotuje ich wysiłki. To mężowie właśnie przynoszą „pokusy" do domu, zamawiają je w restauracji lub nawet oferują je bezpośrednio swojej żonie (mówiąc np. „No już – jeden kęs ci nie zaszkodzi").

Skorzystaj z poniższych rad, a będziesz mógł zostać największym sprzymierzeńcem żony w jej walce o umiarkowany przybór masy ciała w ciąży. Jednocześnie ochronisz swoje egoistyczne upodobania (szczupła żona).

Nie wódź żony na pokuszenie. Jeśli chcesz pofolgować swoim błędom dietetycznym, czyń to poza domem i z dala od żony. Nie sądzisz chyba, że może być w pełni szczęśliwa, jedząc duszone mięso, zaparzone warzywa i świeże owoce, podczas gdy ty opychasz się hamburgerami, kurczakami i „niebiańskimi" lodami poza jej plecami.

Sposób, w jaki do niej najlepiej przemówić. Wyznawaj zasadę, że to, co dobre dla matki i dziecka, jest też dobre dla ojca. Twoje trzymanie się jej diety (choć wiesz, że nie potrzebujesz takiej ilości białka czy wapnia) nie tylko wesprze twoją żonę, ale prawdopodobnie również przyniesie korzyści twojemu zdrowiu.

Nie pouczaj. Jeśli się poślizgnie, zrzędzenie pomoże jej jedynie upaść szybciej i dalej. Przypominaj, a nie pouczaj. W towarzystwie sygnalizuj jej cicho, a nie rób głośnych awantur, że zamówiła pieczonego kurczaka w cieście. Najważniejsze jest, abyś czynił to z poczuciem humoru i z wielką miłością.

Podkreślaj pozytywy. Nic bardziej nie potrafi zachwiać jej silną wolą niż podważenie osobowości. Zwróć więc uwagę na podtrzymywanie jej na duchu, podziwianie jej nowych kształtów związanych z ciążą.

Ćwicz z nią. Większa jest radość z tanga we dwoje – i większa z uprawiania we dwoje ćwiczeń w ciąży. Właściwie ćwiczenie w ciąży jest ważne nie tylko dla utrzymania twojej żony (i ciebie) w formie, ale również, aby uzyskać dobrą kondycję na czas porodu.

ZEMDLENIE PODCZAS PORODU

Obawiam się, że zemdleję lub zachoruję podczas porodu.

Niewielu ojców wchodzi do sali porodowej bez strachu. Nawet położnicy, którzy asystowali przy tysiącach porodów dzieci innych ludzi, mogą doświadczać nagłej utraty pewności siebie w obliczu porodu własnego dziecka. Istotnie jednak bardzo niewiele z tych obaw – zimny pot, ciarki, upadek, utrata przytomności lub mdłości podczas oglądania porodu – w praktyce się urzeczywistni. Okazuje się, że przygotowanie do porodu (na przykład przez zajęcia dokształcające na temat porodu) czyni to doświadczenie bardziej satysfakcjonującym, i nawet najmniej przygotowany ojciec przechodzi poród lepiej, niż się tego spodziewał.

W pewnych badaniach przeprowadzonych wśród ojców, którzy byli przy porodzie swoich dzieci, a nie byli wcześniej przygotowani, stwierdzono, że chociaż 70% spodziewało się, że poród będzie przerażającym, nieprzyjemnym i negatywnym przeżyciem, wszyscy opisali go później w wysoce pozytywnych określeniach.

Jednakże poród nie wydaje się tak przerażający i onieśmielający, jeśli wiesz, czego się spodziewać. Dlatego spróbuj zostać ekspertem w tej dziedzinie. Przeczytaj cały rozdział dotyczący porodu. Uczęszczaj na zajęcia oświatowe dotyczące porodu, oglądaj filmy o porodzie z szeroko otwartymi oczyma. Odwiedź szpital wcześniej, aby zapoznać się z techniką, stosowaną w sali porodowej. Rozmawiaj z przyjaciółmi, którzy ostatnio zostali po raz pierwszy rodzicami. Pewnie odkryjesz, że mieli oni te same obawy co i ty, ale przeszli to, czując się wspaniale.

Chociaż zdobycie wiedzy jest ważne, to również istotne jest, aby pamiętać, że narodziny dziecka wcale nie są jakimś końcowym egzaminem w szkole rodzenia. Pamiętaj, że przy porodzie wcale nie musisz wypaść na piątkę (niektóre kobiety też czują się do tego zobowiązane). Pielęgniarki i lekarze nie będą oceniali każdego twojego ruchu lub też porównywali cię z innym mężem obok. Co ważniejsze, nie będzie tego robiła twoja żona. Nie będzie ona interesowała się tym, że zapomniałeś każdą z trenowanych technik, których nauczyłeś się na zajęciach.

Twoja obecność, trzymanie ręki, wspieranie jej oraz dodawanie otuchy przyjazną miną i dotykiem zrobią więcej dobrego niż obecność przy niej doktora Lamaze'a, Bradleya i Dick-Reade'a.

Wolałbym raczej nie być przy porodzie, ale czuję się w pewnym sensie zmuszony do tego.

Fakt, iż we współczesnym położnictwie modne jest, aby ojcowie uczestniczyli w porodzie, nie znaczy, że jest to obowiązkowe. Badania wykazały, że ojcowie, którzy nie uczestniczą w porodach, nie mają istotnie słabszego kontaktu ze swoim potomstwem, w porównaniu z tymi, którzy w porodzie uczestniczą. Podobnie też ojcowie, którzy nie wiążą się ze swoimi dziećmi natychmiast po porodzie, nie wydają się automatycznie mniej kochającymi rodzicami. Istotne jest, że robisz to, co jest dobre dla ciebie i dla żony. Jeśli uważasz, że nie czułbyś się dobrze, będąc przy porodzie, to z jakiego powodu miałbyś wszystkim zainteresowanym sprawić więcej szkody niż pożytku poprzez swoją obecność tam. Zignoruj tych, którzy starają się nakłonić cię do podjęcia decyzji, która byłaby dla ciebie zła. Pamiętaj, że większość pokoleń ojców nie widziała porodu swoich dzieci i wcale nie odczuwała z tego powodu zażenowania.

Jednakże nie należy mówić, że obecność przy porodzie twojego dziecka nie jest wartym zachodu doświadczeniem czy też czymś, obok czego mógłbyś przejść bez szczególnego zastanowienia. Pomimo iż ważne jest, abyś nie pozwolił nikomu innemu podjąć decyzji za ciebie, równie istotne jest, abyś pozostawił sobie podjęcie ostatecznej decyzji aż do ostatniej chwili. Przejdź całe przygotowania: towarzysz swojej żonie w wizytach u ginekologa, uczęszczaj na zajęcia szkoły rodzenia, dużo czytaj. Wielu wcześniej wahających się ojców odkrywa, że zaznajamianie się z porodem rodzi nowe perspektywy, które pozwalają im czuć się wystarczająco dobrze w problematyce porodu, być tam i uczestniczyć w pełni.

Inni jednakże ciągle jeszcze trzymają się stanowiska, że ich obecność przy porodzie szkodziłaby zarówno im samym, jak i małżonce. Są też tacy, którzy decydują się na próbny krok, biorą udział w porodzie, jednak stwierdzają czasami przed lub podczas porodu, że lepiej zrobią, oddalając się.

Wszyscy mają prawo do nieskrępowanego kierowania się instynktem. Chcieliby jednak być pewni, że takie ich postępowanie w żaden sposób nie umniejszy ich ojcostwa.

Moja żona ma zaplanowane cięcie cesarskie. Przepisy szpitalne nie pozwolą mi być przy niej i obawiam się, że nasza nowa rodzina nie będzie miała najlepszego startu.

Jeśli podjąłeś decyzję, aby być przy porodzie, a później okazałoby się, że decyzja nie należała do ciebie (tak jak w sytuacji cięcia cesarskiego w szpitalu, w którym nie zezwala się na obecność męża przy operacji), nie poddawaj się, nie podejmując cywilizowanej walki. Z pomocą położnika twojej żony (jeśli taka pomoc nadejdzie) spróbuj najpierw przekonać władze szpitala, aby nagiąć – lub nawet zmienić – przepisy. Może to przypomnieć im, że większość szpitali zezwala na obecność ojców podczas nienagłych porodów operacyjnych. Jeśli twoja kampania jest nieskuteczna (lub jeśli nagły poród uniemożliwia twoją obecność), masz pełne prawo, aby czuć rozczarowanie. Jednak nie masz prawa, aby pozwolić temu rozczarowaniu zmącić radość, która powinna otaczać narodziny dziecka. Twoja nieobecność przy porodzie może zagrażać twoim stosunkom z dzieckiem tylko wtedy, gdy na to pozwolisz, poprzez noszenie w sobie uczucia winy, urazy czy frustracji.

POWSTAWANIE WIĘZI

Moja żona miała w ostatniej chwili cięcie cesarskie i nie pozwolono mi być z nią. Nie trzymałem dziecka przez 24 godziny i obawiam się, że nie związałem się z nim.

Do lat sześćdziesiątych niewielu ojców było świadkami porodu swoich dzieci i kiedy pojawiło się pojęcie „powstanie więzi", wywodzące się z lat siedemdziesiątych, nikt nie zdawał sobie nawet sprawy, że istnieje możliwość powstania więzi z potomkiem. Jednak taki brak „oświecenia" nie powstrzymał pokoleń od rozwoju miłości w relacji ojciec–syn i ojciec–córka. I odwrotnie, każdy ojciec, który uczestniczy w porodzie swojego dziecka i może trzymać je zaraz po porodzie, nie ma automatycznie zagwarantowanej na całe życie „bliskości" ze swoim potomkiem.

Przebywanie blisko żony podczas porodu to ideał, a gdy jest się pozbawionym takiej możliwości, jest to powód do rozczarowania – szczególnie jeśli spędziliście miesiące, przygotowując się wspólnie do porodu. Jednakże nie ma powodu, aby spodziewać się powstania słabszych więzi z twoim dzieckiem. Tym, co cię naprawdę wiąże z twoim dzieckiem, są codzienne, pełne miłości kontakty – zmienianie pieluch, kąpanie, karmienie, przytulanie i kołysanie. Twoje dziecko nigdy nie będzie odczuwało, że nie dzieliłeś z nim chwili porodu, ale będzie wiedziało, jeśli zabraknie cię w chwilach, w których będzie ciebie potrzebowało.

„ODSTAWIENIE" PODCZAS KARMIENIA PIERSIĄ

Moja żona karmi syna piersią. Istnieje między nimi bliskość. Wydaje mi się, że nie mogę jej z nimi dzielić i czuję się opuszczony.

Są pewne niezmienne biologiczne aspekty rodzicielstwa, które wykluczają ojca: nie może on być w ciąży, nie może rodzić, nie może karmić piersią. Jednak miliony „nowych" ojców każdego roku odkrywa, że te naturalne, fizyczne ograniczenia mężczyzny wcale nie muszą stawiać go w pozycji obserwatora. Możesz dzielić prawie wszystkie radości, oczekiwania, próby i cierpienia twojej żony w czasie ciąży i porodu – od pierwszego kopnięcia do ostatniego parcia – jako aktywny, wspierający uczestnik. Chociaż nigdy nie będziesz w stanie przystawić dziecka do piersi (przynajmniej nie z takimi wynikami, jakich oczekiwałoby dziecko), możesz brać udział w procesie karmienia.

Bądź dodatkowym karmicielem swojego dziecka. Istnieje więcej niż jeden sposób karmienia dziecka. Pomimo iż nie możesz karmić piersią, możesz być tym, który da dziecku uzupełniające butelki. Będzie to nie tylko pomoc dla żony i przerwa (kiedy zdarzy się to w środku nocy lub podczas obiadu), ale również dodatkowa sposobność na zbliżenie z twoim dzieckiem. Nie trać okazji na przyłożenie butelki do ust dziecka. Przyjmij pozycję jak podczas karmienia, z butelką w miejscu, gdzie znajdowałaby się pierś twojej żony i z dzieckiem mocno przytulonym do siebie.

Nie śpij w nocy, jeśli twoje dziecko nie może spać. Dzielenie radości z karmienia to również dzielenie bezsennych nocy. Nawet jeśli nie dajesz dziecku uzupełniających butelek, możesz stać się częścią nocnego rytuału karmienia. Możesz być tym, który wyjmie dziecko z łóżeczka, zmieni pieluchę, jeśli to konieczne, poda je do karmienia i ponownie ułoży w łóżeczku, kiedy zaśnie podczas karmienia.

Patrz ze zdumieniem i podziwiaj. Można mieć niezwykłą satysfakcję z oglądania cudu karmienia piersią – tak jak z obserwowania cudu porodu. Zamiast czuć się opuszczonym, odczuwaj wyróżnienie, że jesteś świadkiem miłości, która przepływa między twoją żoną i dzieckiem, kiedy ona karmi.

Uczestnicz we wszystkich innych obrzędach. Karmienie piersią jest jedynym z codziennych zajęć przynależnych tylko matce. Jest szansa, że jeśli będziesz wykonywał przynajmniej jedną z pozostałych czynności, za którą jesteś odpowiedzialny, będziesz zbyt zajęty, aby być zazdrosnym.

UCZUCIE BRAKU POŻĄDANIA PO PORODZIE

Obserwowałem poród i było to coś absolutnie cudownego. Jednak wydaje mi się, że widok naszego dziecka wychodzącego z pochwy żony zgasił we mnie pożądanie seksualne.

Reakcje seksualne człowieka, w porównaniu z takimi u innych ssaków, określić można jako niezwykle czułe. Zależne to jest nie tylko od łaskawości ciała, ale również duszy. I to właśnie umysł może czasami czynić niemiłosierne spustoszenie w sprawach seksu. Jednym z takich okresów, jak już prawdopodobnie wiesz, jest ciąża. Drugim, który zdajesz się odkrywać, jest okres poporodowy.

Jest całkiem prawdopodobne, że przyczyna twojej nagłej seksualnej ambiwalencji nie ma nic wspólnego z tym, że oglądałeś poród swojego dziecka. Większość nowiusieńkich ojców stwierdza nieco mniejszą „chęć" po porodzie i to zarówno psychiczną, jak i fizyczną (chociaż nie jest czymś nieprawidłowym, jeśli taka sytuacja nie występuje).

Dzieje się tak z wielu bardzo dobrze zrozumiałych przyczyn: zmęczenie, jeśli dziecko ciągle nie śpi w nocy; skrępowanie obecnością trzeciej osoby w domu; strach, że on lub ona obudzi się z płaczem przy pierwszych pieszczotach (szczególnie gdy dziecko dzieli z wami pokój); obawa o to, że możesz zranić żonę, gdy współżyjecie ze sobą, zanim jej ciało się całkowicie zagoi; i w końcu całkowite fizyczne i psychiczne zaabsorbowanie noworodkiem, który umiejętnie koncentruje twoją energię tam, gdzie ona jest najbardziej potrzebna na tym etapie twojego życia.

Innymi słowy, jest po prostu możliwe, że nie odczuwasz seksualnej motywacji, szczególnie jeśli twoja żona (jak wiele kobiet bezpośrednio po porodzie) nie czuje się dobrze ku temu nastawiona zarówno emocjonalnie, jak i fizycznie.

Nie da się przewidzieć, jak wiele czasu upłynie, zanim twoje i jej zainteresowanie seksem powróci.

Jak ze wszystkimi sprawami dotyczącymi seksu trudno jest powiedzieć, co jest „normalne". U niektórych par pożądanie wróci bardzo szybko i nastąpi to już przed wizytą u ginekologa w sześć tygodni po porodzie. Dla innych z kolei może minąć sześć miesięcy, zanim „kochanie się" i dziecko będą współistniały harmonijnie w tym samym domu. (Niektóre kobiety obserwują brak pożądania aż do chwili zakończenia karmienia piersią, jednak nie znaczy to, że nie mogą one cieszyć się intymnością stosunku z mężczyzną, którego kochają.)

Niektórzy ojcowie, nawet jeśli byli przygotowani na „przeżycie" porodu, wychodzą z odczuciem, że ich „terytorium" zostało naruszone, że szczególne miejsce przeznaczone dla miłości nagle zostało zabrane dla celów praktycznych. Jednak tak jak przemijają dni, przemija zwykle i to uczucie. Ojciec zaczyna sobie uświadamiać, że pochwa ma dwie funkcje, równie ważne i cudowne. Jedna nie wyklucza drugiej i w istocie ściśle się one łączą. Zaczyna on również zauważać, że pochwa „służy" urodzeniu dziecka jedynie krótko, podczas gdy jest źródłem przyjemności dla niego i jego żony przez całe życie.

Jeśli popęd seksualny nie powraca i jego brak zaczyna powodować napięcie, prawdopodobnie potrzebna jest fachowa porada.

Przed urodzeniem dziecka przyjemność seksualna nas obojga skupiała się na piersiach mojej żony. Obecnie, kiedy ona karmi, piersi wydają się zbyt funkcjonalne, aby mogły być seksowne.

Tak jak pochwa, piersi są stworzone, aby służyć dwóm celom – praktycznemu i seksualnemu (który z punktu widzenia prokreacji jest również praktyczny). I chociaż obydwa te cele na dłuższą metę wzajemnie się nie wykluczają, mogą one okresowo kolidować podczas laktacji.

Niektóre pary odczuwają pożądanie seksualne wywołane karmieniem piersią. Inne, z przyczyn estetycznych (np. cieknące mleko) bądź dlatego, że odczuwają pewien dyskomfort z uwagi na używanie źródła pożywienia dziecka dla swojej przyjemności seksualnej, stwierdzają całkowity brak takiego pożądania.

Niezależnie, która z sytuacji występuje u ciebie, jest to naturalne. Jeśli czujesz, że piersi twojej żony są obecnie zbyt funkcjonalne, aby mogły być seksowne, nie staraj się na siłę tego u siebie zmienić. Pomiń więc piersi w swoich pieszczotach, ale nie czuj się jak dziecko odstawione od piersi. Musisz jednakże być otwarty i uczciwy w stosunku do swojej żony; nagłe, nie wyjaśnione pomijanie piersi może wywołać u niej uczucie, że przestała być pociągająca. Bądź ostrożny, nie chowaj w sobie również żadnej urazy do dziecka za używanie „twoich" piersi. Spróbuj myśleć o karmieniu piersią jak o czasowym „pożyczeniu".

21

Przygotowując się do narodzin kolejnego dziecka

W najlepszym ze wszystkich możliwych światów bylibyśmy w stanie zaplanować życie w najdrobniejszych szczegółach. W świecie rzeczywistym, w którym większość z nas żyje, najlepiej ułożone plany często ustępują miejsca nieprzewidzianym przeciwieństwom i zmianom losu, nad którymi mamy niewielką kontrolę. Pozostaje nam to zaakceptować i zrobić najlepszy użytek z tego, co jest nam dane.

W najlepszej z wszystkich możliwych ciąż wiedzielibyśmy wcześniej, kiedy nastąpi zapłodnienie i moglibyśmy poczynić wszelkie zmiany i przystosować nasz styl życia do nowej sytuacji. Pomogłoby to upewnić się, że nasze dziecko ma najlepsze szanse na to, aby urodzić się żywe i w dobrym stanie. Takie wcześniejsze planowanie jest luksusem, na który (z powodu zaburzeń w miesiączkowaniu i/lub nieskuteczności antykoncepcji) wiele kobiet nigdy nie mogłoby sobie pozwolić. Jak już podkreślano w tej książce, to, co kobieta robi, zanim uświadomi sobie, że jest w ciąży (kilka drinków, parę błędów dietetycznych, prześwietlenie zęba) ma zwykle mały wpływ na zdrowie dziecka. Niewiele kobiet postępuje jak ciężarna od chwili zapłodnienia, a nadal większość rodzi zdrowe dzieci.

Jednak byłoby niedbalstwem niepodkreślenie roli planowania dla stworzenia optymalnych warunków do zaistnienia ciąży. Istnieje bowiem taka możliwość dla coraz większej liczby kobiet z uwagi na coraz większą skuteczność technik planowania rodziny. Planowanie jest właściwe zarówno wtedy, gdy już czynisz próby zajścia w ciążę, jak i gdy wybiegasz myślami w przyszłość. Chociaż nigdy nie jest za późno, by zacząć myśleć o dbaniu o swoje ciało, to również nigdy nie jest za wcześnie. Pamiętaj, twoja odpowiednia dbałość w ciąży zaowocuje nie tylko twoim własnym dzieciom, ale też dzieciom twoich dzieci. Działaj teraz i:

Przebadaj się dokładnie. Zarówno ty, jak i twój mąż powinniście udać się do internisty lub lekarza rodzinnego. Badanie ujawni wszelkie problemy, które powinny być skorygowane przedtem oraz te, które będą musiały być monitorowane w czasie ciąży. Pomyśl również o zastrzykach z powodu alergii, planowanych drobniejszych zabiegach chirurgicznych oraz wszelkich innych, mniejszych lub większych problemach medycznych, które dotąd odkładałaś. (Jeśli rozpoczynasz właśnie serię zastrzyków odczulających, będziesz mogła to prawdopodobnie kontynuować, gdy zajdziesz w ciążę.)

Odwiedź swojego stomatologa. Umów się na dokładną kontrolę i czyszczenie zębów. Załatw teraz wszelkie niezbędne zabiegi, jak prześwietlenia zębów, wypełnienia oraz chirurgię szczękową.

Wybierz lekarza – i przejdź badanie w związku z planowaną ciążą. Łatwiej jest wybierać lekarza teraz, gdy nie ma pośpiechu, niż wtedy, kiedy zaistniała już konieczność pierwszego badania kontrolnego w ciąży (odnośnie do możliwości wyboru – patrz rozdział 1).

Nawet jeśli myślisz, że wolałabyś korzystać z usług dyplomowanej położnej, powinnaś udać się do ginekologa lub lekarza rodzinnego, którego opinię szanujesz, aby przebadał cię pod względem potencjalnego ryzyka, jakie może wystąpić w planowanej przez ciebie ciąży. Jeśli twój wywiad lub badanie kliniczne sugerują takie ryzyko, będziesz potrzebowała w ciąży opieki położnika lub też specjalisty w zakresie medycyny matczyno-płodowej[1]. Zobacz uwagi na temat wyboru lekarza na s. 36.

Skoryguj wszelkie problemy ginekologiczne, czy też inne problemy zdrowotne. Teraz jest czas na badania i/lub leczenie nieprawidłowości, które mogłyby kolidować z ciążą, takie jak polipy, torbiele, łagodne guzy, nad- lub niedoczynność tarczycy, endometrioza, nawracające zakażenia dróg moczowych. Jeśli wiesz lub podejrzewasz, że twoja matka brała diethylstilbestrol (DES), kiedy była w ciąży z tobą, powiedz to doktorowi po to, aby dokładnie przebadał twoje narządy płciowe – wraz z kolposkopią, jeśli wystąpi taka potrzeba (pozwala ona na wzrokową ocenę pochwy i szyjki macicy z użyciem powiększenia).

Jeśli wcześniej miałaś już problemy z ciążą, takie jak poronienie lub poród przedwczesny, przedyskutuj środki, jakie powinny być podjęte, aby zapobiec powtórzeniu się takich sytuacji. Nawet jeśli jesteś pewna, że nie możesz mieć choroby przenoszonej drogą płciową, zapytaj o testy w kierunku kiły, rzeżączki, chlamydii i opryszczki. Lecz się, jeśli jest taka konieczność.

Jeśli potrzeba, zrób test na HIV (wirus wywołujący AIDS). Jednak koniecznie umów się na wizytę, gdyby nieoczekiwanie test okazał się dodatni.

[1] W Stanach Zjednoczonych medycyna matczyno-płodowa jest jedną z podspecjalności w ginekologii i położnictwie. W Polsce takie podspecjalności nie istnieją, co nie znaczy, że nie dostrzegam potrzeby ich wprowadzenia (uwaga redaktora wydania polskiego).

Inne badania, które mogą być zalecane przed zajściem w ciążę, obejmują: poziom hemoglobiny i hematokryt (dla stwierdzenia anemii); Rh (aby stwierdzić, czy masz czynnik krwi Rh dodatni czy ujemny); mocz (aby wykazać obecność białka lub cukru); skórny test w kierunku gruźlicy (jeśli mieszkasz na obszarze wysokiego ryzyka); Hbs (jeśli należysz do grupy wysokiego ryzyka, jak na przykład pracownicy służby zdrowia); miano przeciwciał przeciwko cytomegalowirusowi i wirusowi ospy wietrznej (aby określić, czy jesteś, czy też nie jesteś odporna).

Jeśli wyniki wykażą jakiś problem, upewnij się, że przeszłaś odpowiednie leczenie przed próbą zajścia w ciążę. Jeśli masz kota lub regularnie jesz surowe lub na pół surowe mięso czy też pijesz niepasteryzowane mleko, wskazane byłoby również badanie immunologiczne w kierunku toksoplazmozy. Jeśli okaże się, że masz przeciwciała, nie musisz martwić się ani teraz, ani w ciąży. Jeśli nie masz przeciwciał, to zacznij już stosować środki ostrożności, opisane na stronie 90.

Zacznij obserwować swój cykl. Twoja szansa na zajście w ciążę wtedy, kiedy chcesz, jest znacznie większa, jeśli odbywasz stosunki podczas płodnej części cyklu. Wiedząc dokładnie, kiedy zaszłaś w ciążę, łatwiej będziesz mogła ustalić przybliżoną datę porodu. Obserwuj objawy, zapisuj pierwszy dzień każdej miesiączki w podręcznym kalendarzyku lub pamiętniku; spróbuj również zauważyć, kiedy masz owulację.

Owulacja generalnie występuje w środku cyklu (np. w 14 dniu 28-dniowego cyklu), jednakże jest trudniejsza do przewidzenia u kobiet z nieregularnymi cyklami. U niektórych kobiet objawy owulacji są łatwo dostrzegalne, u innych nieuchwytne (twoja podstawowa temperatura ciała, mierzona jako pierwsza poranna czynność, osiąga najniższy punkt w miesiącu, a następnie gwałtownie rośnie; śluz szyjkowy jest czysty, galaretowaty i można go rozciągnąć w nić; zwykle różowo zabarwiona szyjka ulega zasinieniu; możesz odczuć ból w środku cyklu – krótki okres bólu po jednej lub też drugiej stronie brzucha).

Jeśli jesteś w tej drugiej grupie i prawdopodobnie owulacja jest u ciebie nieregularna lub też masz problem z zajściem w ciążę, może być przydatny domowy zestaw do określania owulacji. O zalecenie zestawu poproś swojego lekarza.

Uaktualnij szczepienia. Jeśli nie miałaś szczepienia przeciwko tężcowi w ostatnich dziesięciu latach, zrób to teraz. Powinnaś być również pewna, że masz odporność w kierunku różyczki (albo przeszedłszy chorobę albo przez szczepienie). Zapytaj swojego doktora o odpowiednie badania krwi przed zajściem w ciążę. Jeśli okaże się, że nie jesteś odporna, powinnaś zaszczepić się, a następnie zaczekać trzy miesiące przed próbą zajścia w ciążę (jednak nie panikuj, jeśli przypadkowo zajdziesz w ciążę wcześniej – wszelkie ryzyko jest czysto teoretyczne, patrz s. 315). Jeśli nigdy nie uodparniałaś się przeciwko odrze i nigdy nie chorowałaś lub też jeśli należysz do grupy wysokiego ryzyka zakażenia wirusem zapalenia wątroby typu B, może być również wskazane, abyś się teraz uodporniła.

Zasięgnij porady genetycznej. Jeśli któreś z was ma jakieś zaburzenia genetyczne (np. mukowiscydoza, zespół Downa, dystrofia mięśni, fenyloketonuria, rozszczep kręgosłupa i inne wady) w swoim wywiadzie lub wśród najbliższych krewnych, udaj się do genetyka lub specjalisty w dziedzinie medycyny matczyno-płodowej.

Powinnaś być również przebadana w kierunku chorób genetycznych częstych w twojej grupie etnicznej: choroba Tay-Sachsa – jeśli jesteś z pochodzenia żydowską Europejką czy francuską Kanadyjką; niedokrwistość sierpowata – jeśli pochodzisz z Afryki; jedna z talasemii – jeśli pochodzisz z Grecji, Włoch, południowej Azji lub Filipin.

Wcześniejsze problemy położnicze (takie jak dwa poronienia, poród martwego płodu, długi czas niepłodności lub wada rozwojowa w poprzedniej ciąży) lub małżeństwo z kuzynem czy też innym bliskim krewnym są również powodem, aby zasięgnąć porady genetycznej.

Oceń swoją metodę zapobiegania ciąży. Jeśli stosujesz metodę kontroli urodzeń, która mogłaby stanowić jakieś ryzyko (jakkolwiek małe) dla przyszłej ciąży, zmień ją jeszcze przed próbą zajścia w ciążę. Pigułki antykoncepcyjne powinny być odstawione kilka miesięcy przed zapłodnieniem, aby, jeśli to możliwe, pozwolić twojemu systemowi rozrodczemu na przynajmniej dwa samoistne cykle przedtem, zanim będziesz próbowała począć dziecko.

Wkładka domaciczna również powinna być usunięta przed podejmowaniem prób zapłodnienia. Pomimo iż ryzyko używania substancji plemnikobójczych jest dotąd niejasne, chcąc zapewnić maksymalne bezpieczeństwo, najlepiej będzie je odstawić (same czy też z błoną pochwową lub prezerwatywą) na miesiąc do sześciu tygodni przed czasem, kiedy chcesz zajść w ciążę. Środkiem, który można tymczasowo stosować, jest prezerwatywa (używana z ostrożnością i bez substancji plemnikobójczych).

Skontroluj wszelkie inne twoje schorzenia. Jeśli chorujesz na cukrzycę, astmę czy też jakąkolwiek inną chorobę przewlekłą, upewnij się, że masz aprobatę swojego doktora na zajście w ciążę i że twój stan jest pod kontrolą (patrz rozdział 16). Jeśli jako dziecko chorowałaś na fenyloketonurię (gdy nie jesteś pewna, zapytaj matkę lub sprawdź w swojej dokumentacji lekarskiej), to zacznij stosować dietę bez fenyloalaniny (jest naprawdę wstrętna) przed zajściem w ciążę (patrz s. 336) i kontynuuj ją w ciąży.

Udoskonal swoją dietę. Przede wszystkim upewnij się, że przyjmujesz dostateczne ilości kwasu foliowego. Badania pokazują, że nieodpowiednia ilość witamin w diecie kobiety, nawet przed zajściem w ciążę, może prowadzić do wad cewy nerwowej u dziecka. Kwas foliowy znajduje się w pełnych ziarnach i zielonych warzywach. Obecnie dodaje się go do większości oczyszczonych ziaren. Zrezygnuj w swojej diecie ze „śmietnikowego” jedzenia i rafinowanego cukru, zwiększając spożycie pełnych ziaren, owoców, warzyw (szczególnie zielonych i żółtych). Korzystaj z zaleceń *Diety najlepszej szansy*, układając właściwy jadłospis, jednak pamiętaj, że przed poczęciem będziesz potrzebowała dziennic tylko trzech porcji wapnia i dwóch protein.

Jeśli masz jakieś nadzwyczajne przyzwyczajenia dietetyczne, cierpisz lub cierpiałaś na choroby związane z jedzeniem (anoreksja lub bulimia) albo jesteś na specjalnej diecie (mikrobiotycznej, diabetycznej itp.), poinformuj o tym swojego lekarza.

Trzymaj się idealnej dla ciebie wagi tak ściśle, jak to możliwe. Dodawaj lub odejmuj kalorie wedle potrzeby. Jednak zmiany należy wprowadzać rozsądnie, korzystając z *Diety najlepszej szansy*, nawet gdyby poczęcie trzeba było odłożyć o kilka miesięcy, ścisła dieta może spowodować niedożywienie, a więc stan, którym nie powinno się zaczynać ciąży. Jeżeli stosowałaś ostatnio dietę, daj swemu organizmowi parę miesięcy, aby powrócił do równowagi, zanim podejmiesz próbę zajścia w ciążę.

Udoskonal dietę swojego męża. Im lepiej twój mąż się odżywia, tym zdrowsze jest jego nasienie. Jego dieta powinna być odbiciem twojej diety ciążowej z podażą kalorii dostosowaną do jego masy ciała i aktywności. Jeśli jest on cukrzykiem, powinien kontrolować poziom cukru we krwi.

Bierz uzupełniająco witaminy i sole mineralne przeznaczone dla ciężarnych. Chociaż wiele ziaren jest obecnie wzbogacanych kwasem foliowym, ciągle wydaje się słuszne zażywanie w czasie prób poczęcia preparatów uzupełniających dla kobiet w ciąży zawierających witaminy. Jeżeli zażywasz inne preparaty uzupełniające, odstaw je, ponieważ ich zawartość może okazać się szkodliwa.

Dbaj o formę i zachowaj spokój. Program ćwiczeń zwiększy napięcie i rozciągnięcie mięśni, jako przygotowanie do wyzywających zadań, które mają nastąpić, tj. noszenia i urodzenia dziecka. Pomoże ci to również zrzucić nadmiar wagi. Jednak unikaj przegrzania podczas treningu, jeśli próbujesz zajść w ciążę, jako że może to prowadzić do potencjalnie szkodliwego podwyższenia temperatury ciała. Z tego samego powodu unikaj gorących kąpieli i używania poduszek i koców elektrycznych. Powinnaś jednak także pamiętać, że podczas gdy trening jest dobry dla ciebie, to nie zawsze jest wszystko dobrze. Mianowicie nadmierne ćwiczenia mogą szkodzić owulacji – a jeśli nie masz jajeczkowania, nie możesz zajść w ciążę.

Unikaj niepotrzebnej ekspozycji na promieniowanie. Jeśli ze względów medycznych konieczne jest zastosowanie u ciebie promieni Roentgena, upewnij się, że osłonięte są twoje narządy rozrodcze (chyba że one są przedmiotem badania) i że użyte są najniższe możliwe dawki. Jeśli próbujesz zajść w ciążę, pamiętaj, że mogłaś już odnieść sukces. Poinformuj każdego lekarza leczącego cię przy użyciu promieniowania czy technika wykonującego prześwietlenie, że istnieje możliwość, iż jesteś w ciąży, oraz zapytaj ich o zachowanie wszelkich koniecznych środków ostrożności. Powinno się zezwolić wyłącznie na taką ekspozycję na promieniowanie, jaka jest absolutnie konieczna dla zdrowia twojego lub twojego dziecka (zobacz s. 92)[1].

Unikaj nadmiernej ekspozycji na niebezpieczne chemikalia. Część (bynajmniej nie wszystkie) chemikaliów, zwykle tylko w bardzo dużych dawkach, jest potencjalnie szkodliwa dla nasienia twojego męża i twojej komórki jajowej przed zapłodnieniem, a i później – dla rozwijającego się zarodka czy płodu. Chociaż ryzyko jest w większości sytuacji nieznaczne, obydwoje – dla zapewnienia maksymalnego bezpieczeństwa – powinniście unikać ryzyka potencjalnej ekspozycji w pracy. Szczególną ostrożność powinno się zachować w pewnych dziedzinach (medycyna i stomatologia, sztuka, fotogra-

[1] W Polsce przeciwwskazane jest wykonywanie badań radiologicznych po dziesiątym dniu cyklu (uwaga redaktora wydania polskiego).

fika, transport, budownictwo, praca w gospodarstwie i na roli, w pralni chemicznej, jako fryzjerka i kosmetyczka oraz niektóre prace w fabrykach). Odwiedź komórkę BHP dla uzyskania ostatnich informacji na temat bezpieczeństwa twojej pracy w okresie ciąży; zobacz również s. 97. W niektórych sytuacjach rozsądna może być decyzja o zmianie pracy czy też podjęciu środków ostrożności jeszcze przed próbą zajścia w ciążę.

Ponieważ podwyższone poziomy ołowiu w ciąży mogłyby wywołać problemy u twojego dziecka, powinnaś przebadać się w tym kierunku, jeśli jesteś narażona na ołów w miejscu pracy lub gdziekolwiek, jak na przykład poprzez zaopatrzenie w wodę. Jeśli poziom ołowiu w twojej krwi jest wysoki, specjaliści zalecają terapię chelatami, aby usunąć ołów z krwi i przez to zredukować narażenie przed próbą poczęcia. Unikaj również ekspozycji na toksyny w gospodarstwie domowym (patrz s. 93).

Nie stosuj irygacji bez zgody lekarza. Mogą one uniemożliwić zajście w ciążę.

Ogranicz spożywanie kofeiny. Umiarkowanie (i stopniowe zaprzestanie, jeśli to możliwe) w spożyciu kawy, herbaty i coli teraz zaoszczędzi ci takich objawów odstawienia, kiedy będziesz już w ciąży. Ponadto istnieją nowe dane, że kobieta, która codziennie wypija więcej niż jedną filiżankę kawy czy też odpowiedni ekwiwalent innego kofeinizowanego napoju (herbata lub napoje bezalkoholowe zawierające kofeinę), ma mniejsze szanse zajścia w ciążę. Nie wiadomo, czy jest to spowodowane wpływem biologicznym kofeiny na niepłodność, czy też tym, że częste używanie kofeiny jest częścią pewnego typu silnie stresującego stylu życia, który może obniżyć szanse danej pary na poczęcie dziecka. Niezależnie od wszystkiego, dobrym pomysłem jest ograniczenie spożycia kofeiny.

Ogranicz spożywanie niezliczonej ilości leków. Pomimo iż większość leków kupowanych bez recepty ma ostrzeżenie odnośnie do stosowania w ciąży, to skonsultuj ich zażywanie ze swoim lekarzem, jeśli zaczęłaś starać się zajść w ciążę.

Sprawdź bezpieczeństwo wszelkich przepisanych ci leków. Pewnym lekom używanym w leczeniu chorób i zaburzeń przewlekłych, przypisuje się wpływ na powstawanie wad rozwojowych. Jeśli bierzesz obecnie jakieś leki, skonsultuj to ze swoim lekarzem. Leki o potencjalnej szkodliwości powinny być odstawione przynajmniej na miesiąc (niektóre na trzy do sześciu miesięcy) przed rozpoczęciem prób poczęcia dziecka. Stosuje się wtedy bezpieczną terapię zastępczą aż do zakończenia ciąży (lub też gdy dziecko jest odstawione od piersi, jeśli lek niesie z sobą niebezpieczeństwo również w okresie karmienia piersią).

Unikaj niedozwolonych leków. Również tak zwane „leki odprężające", zawierające kokainę, marihuanę i heroinę, mogą być niebezpieczne dla ciąży. W różnym stopniu mogą one zapobiegać twemu zajściu w ciążę, a jeśli to się już powiedzie, są potencjalnie szkodliwe dla płodu. Ponadto zwiększają one ryzyko poronienia ciąży, wcześniactwa i obumarcia ciąży. Jeśli bierzesz narkotyki, sporadycznie lub regularnie, zaprzestań tego natychmiast. Jeśli nie możesz przestać, szukaj pomocy (patrz *Dodatek*), zanim zaczniesz próbować zajść w ciążę.

Zmuś swojego męża do zaprzestania używania narkotyków i do ograniczenia spożywania alkoholu. Nie wszystko jest już jasne, ale badania zaczynają wskazywać, że używanie narkotyków (również nadmierne ilości alkoholu) przez ojca przed próbą poczęcia może zapobiegać ciąży lub też prowadzić do jej niepomyślnego zakończenia. Mechanizmy nie są poznane, jednak narkotyki mogą najwidoczniej uszkadzać nasienie, zmieniać czynność jąder i obniżać poziomy testosteronu oraz są wydzielane do nasienia. Jeśli twój mąż nie jest w stanie skończyć z używaniem narkotyków i spożywaniem alkoholu, powinien poszukać pomocy u Anonimowych Alkoholików lub w lecznictwie otwartym bądź zamkniętym.

Ogranicz spożycie alkoholu. Chociaż codzienny koktajl lub lampka wina nie zaszkodzą w okresie przygotowawczym do ciąży, unikaj intensywniejszego picia, które może szkodzić twojej płodności poprzez rozregulowanie twojego cyklu miesiączkowego. Gdy zaczniesz próby poczęcia dziecka, zaprzestań picia całkowicie (patrz s. 81).

Rzućcie palenie. Obydwoje. Tytoń jest nie tylko szkodliwy dla ciąży i podnosi ryzyko wystąpienia zespołu śmierci łóżeczkowej oraz prawdopodobnie nowotworu u dziecka. Może też obniżyć płodność tak u kobiety, jak i u mężczyzny oraz uniemożliwić zapłodnienie. Środowisko bez tytoniowego dymu jest jednym z najwspanialszych prezentów, jaki możesz ofiarować swemu dziecku, jeszcze zanim się urodzi.

Zrelaksuj się. Być może jest to najważniejsze ze wszystkiego. Będąc spięta i maksymalnie podniecona myślą o poczęciu, możesz mieć trudności z zajściem w ciążę w ogóle.

Dodatek[1]

POWSZECHNE BADANIA PODCZAS CIĄŻY[2]

BADANIE I KIEDY JEST PRZEPROWADZANE	POSTĘPOWANIE	UZASADNIENIE
Grupa krwi; pierwsza wizyta, chyba że jest znana po poprzedniej ciąży lub badaniu.	Badanie krwi pobranej z twojego ramienia.	Dla określenia grupy krwi i Rh na wypadek konieczności przetoczenia krwi i dla przygotowania krwi w razie niezgodności w zakresie czynnika Rh (patrz s. 62). Badanie będzie również wykonane w zakresie czynnika Kell (niezgodność ta jest znacznie rzadsza).
Cukier (glukoza) w moczu; przy każdej wizycie.	Specjalnie przygotowana laseczka, zmoczona w badanym moczu wykaże obecność cukru.	Podczas gdy sporadyczne podwyższanie się poziomu cukru jest prawidłowe w ciąży (zobacz s. 167), to uporczywe utrzymywanie się wysokiego poziomu może wskazywać na hiperglikemię. Dalsze badania określą, czy można mówić o cukrzycy ciężarnych, wymagającej specjalnej diety i opieki.
Albuminy (białko) w moczu; przy każdej wizycie.	Specjalny pasek zanurzony w próbce moczu wskazuje obecność albumin (białka).	Wysokie poziomy albumin mogą być związane z gestozą; jeśli rutynowy test wykaże wzrost, można zalecić 24-godzinną zbiórkę moczu.
Bakterie w moczu; przy pierwszej wizycie.	Próbka moczu jest badana w laboratorium.	Bakterie w moczu mogą wskazywać na podatność na zakażenie; można rozpocząć leczenie.

[1] Od redaktora wydania polskiego: uważam za celowe wykonanie podczas ciąży wymienionych w *Dodatku* badań, jednak w Polsce, z uwagi na trudności finansowe oraz brak możliwości technicznych, nie wszystkie z nich mogą być przeprowadzone.

[2] Twój lekarz może zrezygnować z niektórych spośród powyższych badań lub dodać inne, zależnie od twojego stanu oraz jego fachowej opinii.

BADANIE I KIEDY JEST PRZEPROWADZANE	POSTĘPOWANIE	UZASADNIENIE
Ciśnienie krwi; przy każdej wizycie.	Ciśnienie krwi mierzy się za pomocą mankietu i stetoskopu lub przy użyciu urządzenia elektronicznego.	Nagły wzrost w stosunku do twojego prawidłowego ciśnienia o ponad 30 mmHg w górnym (skurczowym) zakresie lub 15 w dolnym (rozkurczowym) zakresie, może być ostrzeżeniem przed wystąpieniem takiego powikłania, jak stan przedrzucawkowy (s. 212 i 350).
Hematokryt czy hemoglobina; przy pierwszej wizycie i często w czwartym miesiącu (powtarzając je, jeśli wartości są niskie lub rozpoznano anemię).	Badanie krwi z ramienia lub z ukłutego palca.	Wartości są nieznacznie obniżone w ciąży, lecz nieprawidłowo niskie poziomy wymagają dalszego badania i leczenia.
Miano przeciwciał przeciwko różyczce; przy pierwszej wizycie.	Badana jest krew z ramienia w kierunku poziomu przeciwciał.	Wysoki poziom przeciwciał przeciwko różyczce w twojej krwi wskazuje, że jesteś odporna na tę chorobę; jeśli nie jesteś uodporniona, ważne jest, abyś unikała ekspozycji na różyczkę, szczególnie w pierwszym trymestrze, oraz zaszczepiła się przed kolejną ciążą.
Rozmaz cytologiczny; przy pierwszej wizycie.	Wydzielina szyjkowa jest zebrana na waciku i badana pod mikroskopem pod względem nieprawidłowych komórek.	Nieprawidłowe komórki mogą po dalszych badaniach okazać się złośliwe i wymagać leczenia.
Test obciążenia glukozą; w piątym miesiącu; zwykle wcześniej i częściej w cukrzycy.	Badanie serii próbek krwi, pobranych przed i po spożyciu specjalnego napoju z glukozą.	Nieprawidłowe poziomy glukozy we krwi mogą wskazywać na nieadekwatny poziom insuliny i obecność cukrzycy.
VDRL; przy pierwszej wizycie, czasem ponownie w siódmym lub ósmym miesiącu.	Badanie krwi pobranej z ramienia.	Aby wykazać zakażenie kiłą; jeśli się ją stwierdzi, natychmiastowe leczenie zapobiegnie uszkodzeniu płodu.
Hodowla dwoinek rzeżączki; przy pierwszej wizycie[1].	Wydzielina z pochwy jest pobrana wacikiem i oddana na posiew do laboratorium.	Jeśli stwierdzi się dwoinki rzeżączki, leczenie zapobiegnie zakażeniu oczu dziecka przy porodzie.
Badanie w kierunku chlamydii; przed poczęciem lub przy pierwszej wizycie.	Wacikiem pobiera się wymazy z ujścia szyjki macicy, cewki moczowej lub odbytnicy, aby zebrać zakaźne drobnoustroje.	Zakażenie chlamydiami u matki musi być leczone, aby zapobiec zakażeniu u noworodka.
Test na HIV (ludzki wirus upośledzenia odporności); przed poczęciem lub przy pierwszej wizycie.	Krew pobrana z ramienia badana jest w kierunku przeciwciał przeciwko wirusowi HIV.	Obecność przeciwciał nie znaczy, że rozwinęła się choroba, lecz że jest się nosicielem HIV. Wirus może przeniknąć do płodu.

[1] Przy pierwszej wizycie można również wykonać badanie w kierunku wirusa opryszczki narządów płciowych.

BADANIE I KIEDY JEST PRZEPROWADZANE	POSTĘPOWANIE	UZASADNIENIE
Badanie określające poziom leków; przed poczęciem lub przy pierwszej wizycie.	Próbka moczu badana jest w kierunku użycia niedozwolonych leków, czasami używa się próbkę krwi.	Każde nadużycie leków w ciąży jest niebezpieczne dla płodu i powinno być natychmiast leczone.
Wymaz na paciorkowce grupy B; 35--37 tydzień ciąży.	Próbka pobrana z szyjki macicy jest badana na obecność paciorkowców grupy B.	Jeśli obecne są paciorkowce grupy B, matka jest leczona, jeśli rozpocznie się poród lub gdy pękną błony płodowe, aby zapobiec infekcji noworodka.
Badania na obecność wirusa zapalenia wątroby typu B (Hbs); zwykle późno w drugim trymestrze.	Oceniana jest krew pobrana z ramienia.	Dla wykrycia zapalenia wątroby typu B lub nosicielstwa wirusa; aby matka mogła być leczona przed porodem, a dziecko zaraz po porodzie.

Dla uzyskania dalszych informacji zobacz odpowiednie fragmenty w tekście (cukrzyca, zapalenie wątroby typu B itp.).

BEZLEKOWE LECZENIE PODCZAS CIĄŻY

OBJAWY	LECZENIE	POSTĘPOWANIE
Bóle pleców	Ciepło	Weź długą, ciepłą (ale nie tak gorącą, jak tylko możesz wytrzymać) kąpiel, rano i wieczorem.
	Środki profilaktyczne	Zastosuj poduszkę elektryczną owiniętą w ręcznik, do 20 minut, 3 lub 4 razy dziennie. Ćwiczenia, właściwa mechanika ciała, dobra postawa; zobacz s. 185.
Stłuczenia (sińce) spowodowane urazem	Pojemnik z lodem	Weź handlowy pojemnik na lód, który trzymasz w zamrażalniku, torebkę plastykową napełnioną lodem i kilkoma serwetkami, aby pochłaniały wodę z topniejącego lodu (związaną sznurkiem lub gumowym paskiem) lub puszkę zamrożonego soku czy paczkę jarzyn. Zastosuj to przez 30 minut; powtórz po 30 minutach, jeśli obrzęk i ból wciąż się utrzymują lub jeśli to potrzebne.
	Zimne kompresy	Zanurz miękki materiał w misce z kostkami lodu i zimną wodą, wykręć go i umieść nad „dotkniętym" miejscem. Schłodź opatrunek, jeśli chłód zniknie.
Sińce na dłoniach, nadgarstkach i stopach	Zamoczenie w zimnym roztworze	Umieść jedną lub dwie tacki z lodem w misce (najlepiej w wiadrze typu „styrofoam" lub w torbie lodówce) zzimną wodą i zanurz w tym zranioną część na 30 minut. Powtórz to po 30 minutach, jeśli potrzeba.

OBJAWY	LECZENIE	POSTĘPOWANIE
Oparzenia dłoni, nadgarstków i stóp	Zamoczenie w zimnym roztworze	Zobacz – sińce.
Przeziębienia	Krople do nosa z solą	Używaj preparatu handlowego lub roztworu 1/4 łyżeczki soli w 8 uncjach (ok. 227 ml) wody (odmierzaj dokładnie). Zakropl kilka kropli do każdego nozdrza, zaczekaj 5-10 minut i wydmuchaj nos.
	„Wick VapoRub"	Stosuj zgodnie z instrukcją na opakowaniu.
	Dodatkowe płyny	Pij 8 uncji (ok. 227 ml) płynu co godzinę, włączając wodę, soki, zupy. Gorące płyny, a w szczególności rosół z kury, są najlepsze. Ogranicz spożywanie mleka, a pij je tylko, jeśli zaleci je twój lekarz.
	Inhalacje	Używaj odparowywacza, nawilżacza czy też „gotującego się" czajnika; przygotuj namiot przez rozwieszenie prześcieradła na rozłożonym parasolu, który spoczywa na oparciu krzesła i umieść nawilżacz na krześle. Przebywaj 15 minut 3 lub 4 razy dziennie pod namiotem; jeśli nie jest to dla ciebie uciążliwe, przedłuż czas do 30 minut (nie pozostawaj pod namiotem, jeśli czujesz się nieprzyjemnie przegrzana). Postaw nawilżacz blisko twojego łóżka, gdy śpisz lub odpoczywasz.
Kaszel spowodowany przeziębieniem lub grypą	Inhalacje Dodatkowe płyny	Zobacz – przeziębienia[1]. Zobacz – przeziębienia.
Biegunka	Dodatkowe płyny	Pij 8 uncji (ok. 227 ml) płynu co godzinę, włączając wodę, rozcieńczony sok owocowy (ale nie z suszonych owoców), zupy. Pij mleko, jeśli zaleci to twój lekarz (patrz s. 314).
Gorączka	Kąpiel chłodząca	Używaj wanny z letnią wodą i stopniowo schładzaj ją przez dodawanie kostek lodu – przestając natychmiast, jeśli pojawią się dreszcze.
	Zawijania	Zamocz ręczniki w misce zawierającej 2 kwarty wody (ok. 2,28 l) i pół kwarty alkoholu (57 ml) do nacierania oraz 1 kwartę (1,14 l) kostek lodu; zastosuj zimne ręczniki na skórę. Weź ceratkę, aby zapobiec kapaniu. Przerwij, jeśli pojawią się dreszcze. Zadzwoń do swojego lekarza natychmiast, jeśli gorączka osiągnie 102°F (ok. 38,9°C) lub więcej.

[1] Zobacz: *Utrzymywanie wilgotności*, s. 435. Chociaż inhalacja parowa długo była standardowym postępowaniem w leczeniu kaszlu i przeziębień, obecnie pojawiły się pytania, czy jest ona rzeczywiście efektywna.

OBJAWY	LECZENIE	POSTĘPOWANIE
Żylaki odbytu	Nasiadówka	Usiądź w wystarczającej ilości gorącej wody (bardziej gorąca niż zwykle używasz do kąpieli), aby przykryć „dotknięte" okolice na 20 do 30 minut, 2 lub 3 razy dziennie.
Świąd brzucha lub skóry w innym miejscu	Pasta z sody oczyszczonej i amoniaku	Zmieszaj pół kubka sody oczyszczonej w wystarczającej ilości amoniaku (do użytku w gospodarstwie domowym), aby otrzymać pastę (unikaj wdychania oparów): zastosuj na swędzącą skórę. Skonsultuj wszelkie uporczywe problemy skórne ze swoim lekarzem.
	Środki zaradcze	Unikaj brania długich, gorących pryszniców i kąpieli, wysuszających mydeł. Stosuj dobre nawilżacze na skórę, rozprowadzaj je w chwili, gdy skóra jest jeszcze wilgotna po prysznicu. Odnośnie do nawilżania powietrza w domu patrz niżej.

Utrzymywanie wilgotności

Gorące, suche powietrze może przyczyniać się do wysychania skóry, kaszlu i – co możliwe – do częstszego występowania przeziębień i innych dolegliwości układu oddechowego. Nawilgacanie twojego domu może pomóc w zmniejszeniu tego problemu, jednak sposób, w jaki się tego dokonuje, może mieć istotne znaczenie. Czasami zalecane leczenie może przynieść więcej szkody niż pożytku.

Odparowywacze i nawilżacze, na przykład, muszą być dobrane i używane z ostrożnością. Odparowywacze parowe produkowane począwszy od lat siedemdziesiątych, są bezpieczne i efektywne, chociaż jeśli są w pobliżu małe dzieci, to odparowywacz musi być ustawiony poza ich zasięgiem.

Nawilżacze wytwarzające zimną mgiełkę, które stały się popularne z uwagi na to, że nie niosą ryzyka poparzenia, sprzyjają wzrostowi bakterii i rozprzestrzenianiu się zarazków, stąd nie powinny być stosowane w ogóle. Nawilżacze ultradźwiękowe wyrzucają drobne cząsteczki bakterii i innych zanieczyszczeń z wody do powietrza i mogą spowodować reakcje alergiczne lub choroby, jeśli nie są codziennie oczyszczane i jeśli stosuje się do nich wodę z kranu. Pojemniki z wodą na kaloryferach mogą dodać niewielkie ilości wilgoci do powietrza, lecz one również mogą stanowić ryzyko poparzenia dla małych dzieci. Parujący czajnik pod „namiotem" także niesie z sobą ryzyko poparzenia i powinien być stosowany z ostrożnością i tylko przez krótki czas.

Producenci starali się skonstruować bezpieczniejsze nawilżacze. Nawilżacze wytwarzające ciepłą mgiełkę (które zagotowują wodę przed zmieszaniem jej z zimną wodą, aby wytworzyć mgłę) i nawilżacze z filtrem, zdają się wyrzucać mniej zarazków niż starsze urządzenia wytwarzające zimną parę.

Bez względu na to, którą metodę zastosujesz, aby nawilżyć mieszkanie, skróć czas działania urządzenia. Nie nawilżaj powietrza przez całą dobę, może to bowiem spowodować rozwój pleśni na roślinach i meblach. W zamian staraj się przede wszystkim nie dopuścić do wysuszenia powietrza w domu oraz jego przegrzania. Aby tego dokonać, utrzymuj temperaturę w pomieszczeniach poniżej 68^{0}F (ok. 17,5^{0}C) w zimne dni. Nie trzymaj domu szczelnie zamkniętego, pozwól na pewien przepływ powietrza przez okna i drzwi, na przykład poprzez zdjęcie uszczelnień zimowych. (Zminimalizuje to również niebezpieczeństwo skażenia w pomieszczeniach takimi związkami, jak np. radon.)

OBJAWY	LECZENIE	POSTĘPOWANIE
Wyciek z oczu ze swędzeniem	Ciepłe przemywanie	Użyj wacika zamoczonego w ciepłej, nie gorącej wodzie (sprawdź temperaturę na wewnętrznej powierzchni przedramienia) i przemywaj oczy 5-10 minut co 3 godziny.
Bóle mięśni, urazy	Pojemniczki z lodem, zimne kompresy lub przymoczki przez pierwsze 24 do 48 godzin.	Zobacz – siniaki.
	Po 48 godzinach gorące okłady, ciepłe kąpiele lub poduszka elektryczna.	Zamocz dokładnie ręcznik w ciepłej wodzie, następnie wykręć go i przyłóż do bolącego miejsca. Owiń całość plastykową torbą. Na to przyłóż poduszkę elektryczną. Włącz ją na pół mocy, ale zwróć uwagę, aby nie dotykała mokrego ręcznika. Stosuj powyższą terapię przez 1 godzinę, dwa razy dziennie.
Przekrwienie nosa spowodowane przeziębieniem	Krople z solą do nosa	Zobacz – przeziębienie
	Dodatkowe płyny	Zobacz – przeziębienie
Zapalenie zatok	Naprzemienne, gorące i zimne okłady	Zanurz szmatkę w gorącej wodzie. Następnie wykręć ją i przyłóż na bolące miejsce aż do chwili, kiedy gorąco „zniknie" (ok. 30 sekund). Wtedy zastosuj zimny okład, aż do „zniknięcia" zimna. Zmieniaj kolejno okłady gorące i zimne przez 10 minut, 4 razy dziennie.
Ból lub drapanie w gardle	Płukanie gardła	Rozpuść 1 łyżeczkę soli w 8 uncjach (ok. 227 ml) gorącej wody (o temperaturze herbaty) i płucz gardło przez 5 minut. Powtórz to, jeśli potrzeba, lub co 2 godziny.

PRZEWIDYWANE ZAPOTRZEBOWANIE NA KALORIE I TŁUSZCZ

Zapotrzebowanie na kalorie i tłuszcz różni się w zależności od masy ciała i aktywności; czynniki takie, jak metabolizm, również odgrywają rolę. Pomimo iż poniższe dane są zaledwie pewnymi przybliżonymi wskazówkami, to mogą ci one pomóc w zaplanowaniu dziennego spożycia tłuszczu w czasie ciąży. Przy takim zaplanowaniu dań brany jest pod uwagę fakt, że masz już przynajmniej jeden posiłek tłuszczowy dziennie w postaci drobnych ilości tłuszczu w pożywieniu „niskotłuszczowym".

Twoja idealna masa ciała (funty/ kg)	Poziom twojej aktywności[1]	Dzienne zapotrzebowanie kaloryczne[2]	Maksymalna podaż tłuszczów (gramy)	Maksymalna liczba pełnotłustych posiłków
100/45	1	1500	50	2 i 1 /2
100/45	2	1800	60	3 i 1/2
100/45	3	2500	83	5
125/57	1	1800	60	3 i 1/2
125/57	2	2175	72	4
125/57	3	3050	101	6
150/68	1	2100	70	4
150/68	2	2550	85	5
150/68	3	3600	120	7 i 1/2

[1] Przyjmij następującą skalę poziomów aktywności: 1. siedzący; 2. umiarkowanie aktywny; 3. niezwykle aktywny (bardzo niewiele kobiet ciężarnych można zaliczyć do kategorii niezwykle aktywnych).

[2] Patrz s. 106.

Posłowie

Teraz, kiedy już przeczytałaś *W oczekiwaniu na dziecko*, możesz zauważyć, że każda ciąża (jak wszyscy „oczekujący" rodzice) jest inna i że istnieje kilka nienaruszalnych zasad dotyczących tego, czego możesz lub powinnaś się spodziewać. Nauczyłaś się, że obecnie możemy kontrolować wiele spośród spraw zachodzących podczas ciąży i porodu – poprzez sposób korzystania z opieki medycznej, sposób jedzenia, styl życia. Nasze szanse na posiadanie zdrowego dziecka są większe niż jakichkolwiek pokoleń rodziców w historii.

Przekonałaś się zapewne, że choć wszyscy mamy pewne obawy, to dokładne informacje pozwolą ten niepokój zmniejszyć. Mamy też nadzieję, że ta książka odpowie na wszystkie twoje pytania, uspokoi obawy, pomoże ci lepiej spać w nocy.

Przypuszczamy, że skoro wiesz, czego rzeczywiście możesz się spodziewać, zarówno oczekiwanie, jak i rzeczywistość staną się łatwiejsze do zniesienia, bardziej podniecające i dadzą ci radość prawdziwego spełnienia.

W naszych badaniach i przygotowaniach do tej książki dołożyłyśmy starań, aby nie pozostawić żadnego pytania bez odpowiedzi. Opierałyśmy się nie tylko na naszym osobistym doświadczeniu, ale również na doświadczeniu setek „ciężarnych rodziców", których obserwowałyśmy i z którymi prowadziłyśmy rozmowy. Jednakże z uwagi na ogromne różnice między tym, o co martwią się poszczególne „oczekujące" pary, prawdopodobnie opuściłyśmy kilka pytań. Jeśli pominęłyśmy któreś z twoich pytań, chciałybyśmy o tym wiedzieć. W ten sposób będziemy w stanie zawrzeć twoje uwagi (jak i ich uzasadnienie) w następnym wydaniu tej książki, za jakiś czas, i – jak mamy nadzieję – dla twojego następnego dziecka.

Życzymy ci najszczęśliwszej z ciąż i najradośniejszego z porodów.

Arlene Eisenberg
Heidi E. Murkoff
Sandee E. Hathaway

INDEKS

A

B

C

Ć

D

E

F

G

H

I

J

K

L

Ł

M

N

O

P

R

S

Ś

T

U

V

W

Z

Ż

TWOJE NOTATKI

Wyniki badań prenatalnych

Cotygodniowy pomiar masy ciała

Tydzień 1: ______

Tydzień 2: ______

Tydzień 3: ______

Tydzień 4: ______

Tydzień 5: ______

Tydzień 6: ______

Tydzień 7: ______

Tydzień 8: ______

Tydzień 9: ______

Tydzień 10: ______

Tydzień 11: ______

Tydzień 12: ______

Tydzień 13: ______

Tydzień 14: ______

Tydzień 15: ______

Tydzień 16: ______

Tydzień 17: ______

Tydzień 18: ______

Tydzień 19: ______

Tydzień 20: ______

Tydzień 21: ______

Tydzień 22: ______

Tydzień 23: ______

Tydzień 24: ______

Tydzień 25: ______

Tydzień 26: ______

Tydzień 27: ______

Tydzień 28: ______

Tydzień 29: ______

Tydzień 30: ______

Tydzień 31: ______

Tydzień 32: ______

Tydzień 33: ______

Tydzień 34: ______

Tydzień 35: ______

Tydzień 36: ______

Tydzień 37: ______

Tydzień 38: ______

Tydzień 39: ______

Tydzień 40: ______

Tydzień 41: ______

Tydzień 42: ______

Pierwszy miesiąc

Drugi miesiąc

Trzeci miesiąc

Czwarty miesiąc

Piąty miesiąc

Szósty miesiąc

Siódmy miesiąc

Ósmy miesiąc

Dziewiąty miesiąc

Poród

Połóg

Notatki